Christoph Bausenwein
KEIN BISSCHEN FRIEDEN

Christoph Bausenwein

KEIN BISSCHEN FRIEDEN

Eine Rebellion gegen die Wehrpflicht

Bibliografische Information der Deutschen Nationalbibliothek:
Die Deutsche Nationalbibliothek verzeichnet diese Publikation in der
Deutschen Nationalbibliografie; detaillierte bibliografische Daten sind
im Internet über http://dnb.d-nb.de abrufbar.

Der Verlag behält sich das Text-und Data-Mining nach §44b UrhG vor,
was hiermit Dritten ohne Zustimmung des Verlages untersagt ist.

1. Auflage

Copyright © 2024 edition einwurf GmbH
Königstr. 43, D-26180 Rastede
www.edition-einwurf.de
Alle Rechte vorbehalten.
Satz und Gestaltung: Die Werkstatt Medienproduktion, Göttingen

ISBN 978-3-89684-721-8
E-Book: 978-3-89684-722-5

Druck und Bindung: CPI, Leck
Printed in Germany

„Das Mittel
zur Abschaffung des Krieges
besteht darin, dass die Menschen,
die den Krieg nicht brauchen,
nicht mehr in den Krieg ziehen."

Leo Tolstoi („Karthago delenda est", 1898)

„Alles verändert sich,
wenn du es veränderst.
Doch du kannst nicht gewinnen,
solange du allein bist."

Ton Steine Scherben

Inhalt

Einleitung 9
Vorspiel 15
Im Jahr des Friedens (1986, 1. Teil) 27
Prüfung ohne Gewissen (1964 bis 1982) 80
Unter Gefangenen (1986, 2. Teil) 185
Totalverweigerer vor Gericht (1982 bis 1985) 226
Erprobung ohne Gnade (1986, 3. Teil) 353
Gedanken auf Freigang (1986, 4. Teil) 410
Wehrpflicht am Ende (1987 bis 2011) 455
Nachwort: Ein neue Wehrpflicht? 475

Abkürzungsverzeichnis 506
Bildnachweis, Dank 508
Der Autor 509

EINLEITUNG

Als sogenannter „Boomer" – also einer aus den geburtenstarken Jahrgängen um 1960 – im Rentenalter angekommen und daher zunehmend erinnerungsselig geworden, war ich im Februar 2024 damit beschäftigt, meine Notizen aus den turbulenten 1980er-Jahren aufzuarbeiten – und meine etwas spezielle persönliche Geschichte darin –, um eventuell eine Art politische Biografie daraus zu destillieren. Damals war etwas entstanden, was später als „links-versifftes alternatives Milieu" beschimpft worden ist, und ich wollte einfach mal festhalten, was uns bewegte, worüber wir diskutierten, welche Ideen und Texte uns faszinierten, wie wir uns in „Beziehungskämpfen" ineinander verhakten, vor allem aber: wogegen wir rebellierten und wie wir uns im Protest engagierten. Ich war damals nur eine Randfigur, aber eine, die oft mittendrin stand und das Geschehen aufmerksam beobachtete. So gehörte ich zu jenen „Rebellen gegen die Wehrpflicht", die nicht nur den Kriegsdienst mit der Waffe, sondern als Totalverweigerer auch den zivilen Zwangsdienst verweigert hatten. Anders als heute war der Begriff damals genuin politisch und noch nicht missbraucht als beleidigende Bezeichnung für Grundsicherungsempfänger, denen vorgeworfen wird, aus purer Faulheit eine zumutbare Arbeit abzulehnen. Wir hingegen – also diejenigen, die in den sogenannten „Neuen Sozialen Bewegungen" aktiv waren – empörten uns vor allem über das Fehlen einer elementaren Grundsicherheit. Getrieben von der Angst vor menschengemachten Bedrohungen, die das Überleben der Menschheit gefährden könnten, sahen wir uns provoziert zu einer Art multiplen Selbstverteidigung: gegen die Wehrpflicht, gegen NATO und Atomraketen, gegen AKWs und WAAs, gegen die Auswüchse von Kapitalismus und Leistungsgesellschaft, gegen die Zerstörung der Umwelt, gegen den im Zuge der Terrorismusbekämpfung entstandenen Überwachungsstaat, gegen Nazis in politischen Ämtern, gegen eine militaristische Erinnerungskultur, gegen Rassismus usw. usf. Die Worte „Freiheit" und „Selbstbestimmung" wurden damals ganz groß geschrieben, es war die Zeit, als die Frauenbewegung mit Macht in den Vordergrund rückte, als Menschen mit unterschiedlichen sexuellen Orientierungen auf ihre Rechte pochten, als Betriebe und Initiativen aus dem Boden schossen, in denen „Kollektive" dem Ideal eines hierarchiefreien Miteinanders nahezukommen versuchten. So entstand eine eigene, eben „alternative" Kultur, in der die Utopie gepflegt wurde, dass alles anders werden könnte: friedlicher, freundlicher, ökologischer, vielfältiger, sozialer und gerechter. Aus heutiger Sicht mögen wir in mancher Hinsicht hoffnungslos naiv gewesen sein, unmittelbar erreicht haben wir nur wenig, gänzlich ohne Wirkung geblieben ist unser Gegenprogramm trotzdem nicht. Vieles von dem, was wir damals gefordert oder experimentell ausprobiert haben, ist heute in abgewandelter Form selbstverständlich geworden.

Und dann baute sich da mit dem Angriffskrieg von Putins Russland auf die Ukraine unvermittelt die scharfkantige Fratze einer schrecklichen Gegenwart vor meiner in Teilen durchaus rosigen Erinnerungswelt auf – und ließ sie platzen wie eine Seifenblase. Der Schock saß bei mir so tief, dass ich die Arbeit erst mal liegen lassen musste. Denn was hat meine Generation bzw. der Teil von ihr, der sich politisch engagiert hat – auf Großdemonstrationen, in kleinen Aktionen, durch individuelle Verweigerungen und Gruppeninitiativen verschiedenster Art –, heute, da die Angst vor einem Krieg plötzlich ganz nahe gerückt ist, noch zu sagen? Frieden schaffen ohne Waffen: Das war damals die Losung von Kriegsdienstverweigerern auf *beiden* Seiten der in „West" und „Ost" geteilten Machtblöcke, die sich in der DDR genauso wie in der BRD der Logik von Zwang und Gewalt entziehen wollten. Von einer blockübergreifenden Friedensbewegung von unten ist in den heutigen, komplizierter und rauer gewordenen Zeiten nicht einmal in Ansätzen etwas zu sehen, überlegte ich verzagt. Können also unsere Programme von damals, die stets einhergingen mit einer ausgeprägten Staatsverdrossenheit und einem Gestus des „Widerstands", auf den wir uns mächtig etwas einbildeten, heute noch als Ratgeber dienen? Ist jetzt nicht etwas ganz anderes gefordert? Ist es nicht geboten, sich auch militärisch wehrhaft zu machen gegen eine neue Art von Bedrohungen, die wir einstige Weltverbesserer uns so nicht hätten ausdenken können? Und hatten die Grünen, die in ihren Ursprüngen als Protestpartei unsere Sehnsüchte wenigstens teilweise zum Ausdruck gebracht hatten, als aktuelle Regierungspartei die Wende hin zu einem Deutschland, das sich verteidigungsfähig machen muss, nicht schon längst vollzogen?

Zeitenwende, Sondervermögen und Personalsorgen: Die deutsche Politik und die Bundeswehr jedenfalls sahen sich nach dem 24. Februar

2022 plötzlich vor ganz neue Herausforderungen gestellt. „Wir sind da, um unseren Frieden und Freiheit zu erhalten und das im Zweifel auch zu verteidigen", erklärte Ruprecht von Butler, Kommandeur der 10. Panzerdivision, den Besuchern beim „Tag der Bundeswehr" am 17. Juni 2023 im unterfränkischen Veitshöchheim. Die während des Kalten Krieges ausschließlich zur Landes- und Bündnisverteidigung an der deutschdeutschen Grenze konzipierte Bundeswehr war im letzten Vierteljahrhundert, konsequent vor allem nach Aussetzung der Wehrpflicht im Jahr 2011, zu einer Kriseninterventionsarmee im Ausland umgebaut worden. Das sollte sich mit dem Beginn des russischen Angriffs auf die Ukraine nun wieder ändern. „Mit neuen sicherheitspolitischen Herausforderungen konfrontiert, erfolgt derzeit eine Rückbesinnung auf den alten Kernauftrag", verkündete die Bundeswehr auf ihrer Webseite. Aber war sie überhaupt gewappnet dafür, den alten Kernauftrag zu erfüllen? Trotz einer Personaloffensive war die Truppenstärke, u. a. auch durch einen plötzlichen Anstieg der Anträge auf Kriegsdienstverweigerung, im Jahr 2023 sogar geschrumpft, nämlich auf 181.500 Soldatinnen und Soldaten. Auf wenigstens 203.000 FWDLs (Freiwillig Wehrdienstleistende) sollte sie zunächst aufgestockt werden, doch bereits das Erreichen dieses recht bescheidenen Ziels stellte sich als ziemlich ambitioniert heraus. In den schicken Karrierecentern meldeten sich einfach zu wenige, die dienen wollten.

Und so kam sie denn in Gang, die Diskussion über eine Reaktivierung der Wehrpflicht. Immer mehr Politiker meldeten sich zu Wort, etliche hochrangige Generäle, die Wehrbeauftragte Eva Högl oder Experten wie der seit Beginn des Krieges in Talkshows omnipräsente Militärhistoriker Sönke Neitzel aus Potsdam. Zu alldem passte, dass Bundespräsident Frank-Walter Steinmeier schon seit längerem die Idee einer sozialen Pflichtzeit ventiliert und die CDU sich für die Einführung eines verpflichtenden Gesellschaftsjahrs ausgesprochen hatte. Warum also nicht ein verpflichtendes, entweder im zivilen oder militärischen Bereich abzuleistendes „Dienstjahr für Deutschland"?

Bundeskanzler Olaf Scholz (SPD) hingegen, ein ehemaliger Kriegsdienstverweigerer, versuchte im Mai 2024, die aufgeregte Debatte herunterzudimmen. Einen „Wehrdienst wie früher" werde es nach seiner Überzeugung nicht mehr geben, man werde nicht wieder zurückkehren zu einer Wehrpflichtarmee alten Stils. Für die Einberufung eines kompletten Jahrgangs wie anno 1980, als die Truppenstärke fast eine halbe Million Soldaten betragen hatte, fehlten die Infrastruktur und die organisatorischen Ressourcen, so etwas „würde nicht mehr funktionieren". Und man verfolge auch keinen solchen Plan, all das würde ja gar nicht benötigt, denn die Bewältigung des Personalmangels bei der Bundeswehr sei eine „überschaubare" Aufgabe. Und so kam es, dass der Bundesverteidigungsminister Boris Pistorius seine eigentlich viel weitergehenden Vorstellungen abspecken musste und lediglich das Ausfüllen eines Fragebogens für junge Männer zur Pflicht machen durfte. Vorläufig also würde es keine „richtige" Wehrpflicht geben. Aber die Diskussion, da war ich mir sicher, würde weitergehen.

Unverkennbar ist: Im Angesicht neuer Bedrohungen sind die Aufgaben der Bundeswehr, das Thema Wehrhaftigkeit und die Begriffe Pflicht und Zwang wieder in den Fokus gerückt, und zudem hat sich die Tonlage geändert, in der über all das diskutiert wird. Als der Bundestag am 25. April 2024 mit großer Mehrheit die Einführung eines Veteranentags beschloss, mit dem jedes Jahr am 15. Juni den ehemaligen Soldaten Anerkennung und Dank ausgedrückt werden soll, war deutlich geworden, in welche Richtung sich der Wind der Moral gedreht hatte: Denjenigen, die uns verteidigen, soll nun wieder Ehre zuteilwerden; der zivile Ungehorsam von Kriegsdienstgegnern und Pazifisten hingegen, der lange die Stimmung in der Bundesrepublik geprägt hatte, haben als Leitbilder ausgedient in einer Zeit, in der die Fähigkeit zu militärischer Abschreckung als das Gebot der Stunde erscheint. Damals pochten wir darauf, Soldaten unter Berufung auf ein Tucholsky-Zitat als Mörder bezeichnen zu dürfen, und wir setzten uns dafür ein, dass Deserteure der Wehrmacht umfassend rehabilitiert und mit Denkmälern bedacht würden. Heute hingegen scheint es so, dass es bald wieder Staatsbegräbnisse und neue Ehrenmale für gefallene Helden geben könnte.

Kaum mehr vorstellbar ist, dass – wie noch zu Beginn des „Einstein-Jahres" 2005 – am Bundeskanzleramt der Einstein-Spruch angebracht würde: „Der Staat ist für die Menschen und nicht die Menschen für den Staat." Das vollständige Zitat wurde freilich schon damals unterschlagen, wohl mit gutem Grund. Denn so geht es in „Mein Weltbild" weiter: „Der Staat soll also unser Diener sein, nicht wir Sklaven des Staates. Das Gebot verletzt der Staat, wenn er uns mit Gewalt dazu zwingt, Militär- und Kriegsdienst zu leisten, zumal dieser knechtische Dienst zum Ziel und zur Wirkung hat, Menschen anderer Länder zu vernichten oder in ihrer Entwicklungsfreiheit zu schädigen".

Einstein ist wiederholt als konsequenter Pazifist und Militärdienstgegner aufgetreten, der im Gedenken an die Verheerungen des Ersten

Weltkriegs zur Verweigerung des Militärdienstzwanges aufrief und die Verfolgung von Kriegsdienstverweigerern als „Schande" für einen modernen Staat bezeichnete. Andererseits wurde ihm später bewusst, dass ein lupenreiner Pazifismus nicht ausreicht, wenn es gilt, skrupellos-gewalttätiger Expansion und Herrschaft zu begegnen. „Bis 1933 habe ich mich für die Verweigerung des Militärdienstes eingesetzt. Als aber der Faschismus aufkam, erkannte ich, dass dieser Standpunkt nicht aufrechtzuerhalten war, wenn nicht die Macht der Welt in die Hände der schlimmsten Feinde der Menschheit geraten soll. Gegen organisierte Macht gibt es nur organisierte Macht; ich sehe kein anderes Mittel, so sehr ich es auch bedaure."

Heute, da das Grundgesetz sein 75. Jubiläum feiern durfte, geht es wieder um die beiden von Einstein angesprochenen Fragen: Wie ist der Kriegsgefahr zu begegnen? Und wie kann angesichts eines Rechtsrucks in Europa – in der deutschen Parteienlandschaft symbolisiert durch die Wahlerfolge der AfD –, ein neuer Faschismus verhindert werden? Kurz: Es geht um Frieden *und* Freiheit. Denn es steht ja nicht nur die Drohung eines Krieges im Raum, sondern auch die Gefahr, dass all die freiheitlichen Errungenschaften, die seit den 1980er-Jahren selbstverständlich geworden zu sein schienen, im Zuge eines Abdriftens in Richtung Diktatur wieder rückabgewickelt werden könnten. Und in diesem Zusammenhang überlegte ich: Da wir – jedenfalls als kulturschöpfende Kräfte – mit unserer Agenda von damals keineswegs völlig gescheitert sind, könnte es im Licht der aktuellen Geschehnisse und Diskussionen eben doch recht aufschlussreich sein, sich einmal zurückzubeamen in die wilde Zeit der frühen 1980er-Jahre. Denn es war eine Zeit, in der nicht nur die Protesthaltung der Jugend hohe Wellen schlug, sondern in der auch ein emanzipatorischer Aufbruch begann, der in den folgenden Jahren die Gesellschaft der Bundesrepublik wesentlich mitprägte und neue Standards des Miteinander setzte.

Als roter Faden führt meine ganz persönliche Auseinandersetzung mit dem im Jahr 1949 in den Katalog der Grundrechte aufgenommenen Recht auf Kriegsdienstverweigerung (Artikel 4 Absatz 3) durch dieses Buch. Wie viele andere auch berief ich mich auf die unverletzlichen und unveräußerlichen Menschenrechte, die im Artikel 1 Absatz 2 des Grundgesetzes „als Grundlage jeder menschlichen Gemeinschaft, des Friedens und der Gerechtigkeit in der Welt" definiert sind. Wenn heute eine Mehrheit der Staatsbürger und Staatsbürgerinnen meint, dass Waffengewalt nur durch die Drohung mit Waffengewalt und der Bereitschaft, sie im Zweifel auch einzusetzen, bekämpft werden kann, dann ist es umso wichtiger, daran zu erinnern, dass die Gewährung von Menschenrechten auch mit der „Verpflichtung aller staatlichen Gewalt" einhergeht, sie „zu achten und zu schützen". So steht es im Absatz 1 des Artikels 1, es ist der erste und zentrale Satz des Grundgesetzes: „Die Würde des Menschen ist unantastbar." Vermutlich dringender als je zuvor geht es heute um die ganz große Frage: Wie kann die freiheitlich-demokratische Grundordnung der BRD, die Grundlage unserer Art des Zusammenlebens, gegen ihre Feinde von außen und von innen so verteidigt und geschützt werden, dass dabei ihre eigenen Werte nicht verraten werden?

VORSPIEL

Isjum, 2022 und 1943

Nur wenige Tage, nachdem der von Putin befohlene Angriff auf die Ukraine am 24. Februar 2022 begonnen hatte, versuchten russische Truppen, einen wichtigen Verkehrsknotenpunkt zu erobern: Die am Fluss Siwerskij Donez gelegene Kleinstadt Isjum in der Oblast Charkiw. Bis Anfang April brachten die Angreifer die weitgehend zerstörte Stadt, in der es nun keinen Strom, keine Heizung und kein Wasser mehr gab, unter ihre Kontrolle. Regelrechte Menschenjagden der Besatzer auf ukrainische Kämpfer und Zivilisten setzten ein, die eiligst in Richtung Russland deportiert wurden.

Nachdem der Versuch, Kiew zu erobern, gescheitert war, gruppierten sich die russischen Verbände neu. Isjum hatte dabei die Rolle eines wichtigen Angelpunktes, um weitere Angriffe in südlicher Richtung zu starten. Am 20. April berichtete das US-amerikanische „Institute for the Study of War" (ISW), dass russische Truppen südwestlich und südlich von Isjum in Richtung Barvinkove und Slowyansk vorgestoßen seien. Das Ziel des russischen Vorstoßes bestehe darin, russische Operationen im Gebiet Luhansk zu unterstützen und die ukrainischen Streitkräfte im Osten großräumig einzukesseln. Es sei allerdings „alles andere als klar", ob diese Truppen stark genug seien, um eine solche Aufgabe zu erfüllen.

Isjum! Als ich den Namen dieser Stadt zum ersten Mal in den Nachrichten hörte, war ich wie elektrisiert. Ich war nie dort, auch nicht während meiner Ukraine-Reise im Jahr 2010, aber ich kannte den Namen gut. Wie 2022 hatte der Verlauf des Siwerskij Donez auch im Jahr 1943 den Verlauf der Kämpfe zwischen der Wehrmacht und der Roten Armee bestimmt, damals waren deutsche Truppen in jenen Stellungen gesessen, die nun von den Ukrainern verteidigt wurden. Mein Onkel und der erste Mann meiner Mutter hatten an der Isjum-Schleife des Donez ihre letzten Einsätze.

Kurz hintereinander erhielten mein Großvater Robert und meine Mutter zwei der gefürchteten Briefe. „Es ist mir eine schmerzliche

Pflicht", schrieb ein Major Standl an den „hochverehrten Herrn Plank", „Ihnen mitteilen zu müssen, dass ihr Sohn, Leutnant Hans Plank, seit den schweren Kämpfen südwestlich Isjum am 16.8.1943 vermisst wird. Gegen eine gewaltige Übermacht an Menschen und Material hielt das Sturmbataillon, dem Ihr Sohn angehörte, auch dann noch heldenhaft stand, als der Feind beim rechten und linken Nachbarn durchgebrochen war. Trotz aller Anstrengungen gelang es nicht, die Eingeschlossenen zu entsetzen, die durch ihr Opfer die Wucht des feindlichen Angriffs gebrochen und damit die Voraussetzung für den Abwehrerfolg in diesem Abschnitt geschaffen hatten." Der an die „hochverehrte Frau Wolf" gerichtete Brief des Majors Richter lautete so: „In kameradschaftlich tiefer Trauer obliegt mir die schwere Pflicht, Sie vom Heldentod Ihres am 18.8.43 in den harten Abwehrkämpfen südwestlich Isjum am Donez bei Wakulowskij gefallenen Gatten zu benachrichtigen. Als Kommandeur des II. Btl. wehrte er in vorbildlicher Einsatzbereitschaft einen Bolschewiken-Ansturm ab. Er fiel durch einen Granatvolltreffer und war ohne leiden zu müssen sofort tot. ... Mit mir bedauert das ganze Regiment, besonders sein Bataillon, dessen Kommandeur er war, den schmerzlichen Verlust dieses vorbildlich tapferen Offiziers, unseres lieben Kameraden. Wir kämpfen für ihn weiter und ehren dadurch am besten sein heiliges Vermächtnis, wie er auch in unseren Herzen weiterlebt. Möge diese unsere Anteilnahme Ihnen ein kleiner Trost in diesem harten Schicksalsschlag sein. Die Kämpfe verlaufen erfolgreich, der starke Bolschewistensturm wird durch die deutsche Front zerschlagen zum Heile unseres Vaterlandes im letzten Entscheidungskampf. Auch sein Opfer ist nicht umsonst."

Während die Leiche des Hans Plank nie gefunden wurde, konnten die sterblichen Überreste von Eduard Wolf geborgen werden. Sie wurden auf dem „Heldenfriedhof" von Nova Dmytrivka, etwa 12 Kilometer nordostwestlich von Barvinkove, beigesetzt. Beide Orte spielten auch in den Berichten über die Kämpfe von 2022 eine Rolle. Beim Vorstoß der Angreifer in Richtung Barvinkove wurde die Gegend um Nova Dmytrivka von russischer Artillerie geradezu perforiert. Und eben dort, auf Höhe des Dorfes Nova Dmytrivka, meldete der ukrainische Generalstab am 26. April, hätten ukrainische Streitkräfte den russischen Vorstoß in Richtung Slowyansk zum Stehen gebracht. Der meist ungezielte und militärisch weitgehend sinnlose Artilleriebeschuss auf ukrainische Stellungen dauerte noch bis August an, dann mussten sich die Angreifer im Zuge der ukrainischen Gegenoffensive in der Region Charkiw hektisch und oft ungeordnet zurückziehen. Bis zum 10. September war nicht nur der

Beerdingung des Hauptmanns Eduard Wolf im August 1943 auf dem „Heldenfriedhof" beim Ort Nova Dmytrivka in der Ukraine.

Frontvorsprung weggeschrumpft, sondern auch die Stadt Isjum wieder in ukrainischer Hand.

Am 15. September war die internationale Empörung groß, als in den Wäldern in der Nähe der Stadt mehrere Hundert Gräber gefunden wurden – nicht nur mit Leichen von Kriegsopfern, sondern auch von Gefolterten und Hingerichteten. Der bei den ersten Exhumierungen anwesende *Spiegel*-Reporter Alexander Sarovic bekannte, dass ihm die Erinnerung an die Gräber von Isjum wohl für immer bleiben werde. Das nicht weit davon entfernte Gräberfeld von Nova Dmytrivka markierte kein Kriegsverbrechen, es ist inzwischen längst verschwunden und vergessen – ich selbst kenne es nur von zwei unscharfen alten Fotos her –, und doch ging es mir nicht aus dem Kopf. Ich stellte eine Anfrage beim Volksbund Kriegsgräberfürsorge. Die Antwort: „Eduard Georg Alexander Wolf konnte im Rahmen unserer Umbettungsarbeiten nicht geborgen werden. Die vorgesehene Überführung zum Sammelfriedhof in Charkiw war somit leider nicht möglich. Sein Name wird im Gedenkbuch des Friedhofes verzeichnet." Auf den Friedhof in Charkiw wurden bis zum Beginn des neuen Krieges insgesamt 47.993 deutsche Soldaten umgebettet. Der Name und die persönlichen Daten des Verschollenen Hans Plank wurden im Gedenkbuch des Sammelfriedhofs von Kyjiw (Kiew) verzeichnet. Gesamtbelegung dort: 26.558 „geborgene" Tote.

Das Geschehen bei Isjum löste in meinem Hirn einen eigenartigen Gedanken aus: Da lagen in ukrainischer Erde die Knochen eines Mannes, der einen Sohn hätte zeugen können, der dann nicht ich gewesen wäre. Meine Existenz und der „Heldentod" des Eduard Wolf hängen unmittelbar zusammen. Ergibt sich die Frage: Was trieb eigentlich der spätere Vater in dieser Zeit?

Der eigenmächtig Abwesende

Auch mein Vater, Jahrgang 1920, war wie Millionen andere Deutsche damals in der Ukraine unterwegs gewesen, als Sanitätssoldat. Erzählt hat er außer ein paar Kriegsanekdoten nur sehr wenig. Eine Geschichte allerdings war sehr interessant. Er hat sie mehrmals in Andeutungen berichtet, aber nie komplett auserzählt und immer etwas im Ungefähren belassen. Sie ging etwa so:

Über den Jahreswechsel 1942/43, sein Armee-Feldlazarett war da noch im Kaukasus unterwegs, hatte der Vater zum ersten Mal seit Beginn des Ostfeldzuges Urlaub erhalten. Es war genau die Zeit, da die 6. Armee

Soldaten des Armee-Feldlazaretts 3/552 im Juni 1942 auf dem Weg nach Kiew. Zweiter von links, unten: Jörg Bausenwein.

in Stalingrad kurz vor der Kapitulation stand. Als er am letzten Tag seines Urlaubs beim Wehrmeldeamt in Kempten erschien, habe er dort den Bescheid bekommen, dass er zu einer anderen Einheit versetzt sei. Ihm sei sofort klar gewesen, dass es sich dabei nur um ein „Todeskommando" handeln könne. Es habe sich um eine frische und völlig unerfahrene Einheit aus dem Westen gehandelt. Ihr Auftrag: den Rückzug im Süden der Ostfront zu decken. Am 6. Februar 1943, also zwei Tage, nachdem die letzten Einheiten der 6. Armee in Stalingrad kapituliert hatten, schickte der Sanitätssoldat B. seinem Vater einen kurzen (und nicht überlieferten) Bericht über seine Reise zur Front. Der antwortete: „Du hast wieder ein hübsches Fleckchen Erde gesehen und bildest dich zum Kenner der südöstlichen und östlichen Länder aus. Der 2. Teil deiner Fahrt wird weniger schön sein, ein Einrücken bei deiner Einheit erst möglich sein, wenn die Gegend um Rostow für Bahn- und Straßennachschub wieder freigekämpft ist."

Doch mit diesem Freikämpfen war es nicht so einfach. Die gesamte südliche Ostfront stand kurz vor dem Zusammenbruch, eine massive sowjetische Gegenoffensive trieb die Deutschen vor sich her, deren Verbände splitteten sich auf, und durch diese Frontlücken konnten die Spitzen der Roten Armee für kurze Zeit fast bis an den Dnepr vorstoßen. Als Adolf Hitler am 17. Februar von der Wolfsschanze in Ostpreußen ins Hauptquartier der Armeegruppe Süd nach Saporischschja flog, um sich dort mit deren Oberbefehlshaber Generaloberst Erich von Manstein zu besprechen, waren die sowjetischen Panzerspitzen bereits bis auf 36 Kilometer an den dortigen Flughafen herangerückt. Und als seine Condor zwei Tage später wieder abhob, war „der Russe" nur noch ganze 15 Kilometer von ihm entfernt. (Nebenbei: Beim Alarmeinsatz gegen die vorgedrungenen Spitzen der Sowjets waren auch Reste der zerschlagenen Einheit des Leutnants Eduard Wolf dabei, die sich gerade „zur Auffrischung" in Saporischschja befand.)

In diesen hektischen Tagen – Goebbels proklamierte am 18. Februar in seiner Rede im Berliner Sportpalast den „totalen Krieg" – hätten sich die Sowjets nicht nur den „Führer" fast geschnappt, sondern auch meinen Vater. Der trieb sich irgendwo zwischen Saporischschja und Rostow herum, als er mitten in den russischen Angriff hineingeriet. Von der Einheit, bei der er habe einrücken sollen, seien fast alle tot gewesen, berichtete er. Dann sei er von der Front überrollt worden. Er habe sich schließlich auf eigene Faust durch das feindliche Hinterland geschlagen, bis er nach einigen Tagen und mehreren Übernachtungen bei freundlich gesonnenen Bauern – und wohl auch dank des angelaufenen Gegenstoßes der Wehrmacht – die deutschen Linien erreicht habe. Dann habe er sich bei einer Wehrmachtstelle gemeldet – vermutlich war es in Stalino (heute Donezk) – und dort den Befehl erhalten, sich genau dorthin wieder zurückzubegeben, wo er gerade hergekommen war. Diesen Befehl habe er ignoriert. Er sei bereits in dem Zug gesessen, der Richtung Osten fahren sollte, als auf dem Gleis gegenüber ein Kohlezug in entgegengesetzter Richtung eingefahren sei. Da sei er kurzerhand aus- und auf diesen Zug aufgestiegen. Irgendwie schaffte er es danach, seine Papiere so „zurechtzubiegen", dass er durch die Kontrollen kam. Und tatsächlich gelang es ihm Anfang März, in Winnyzja wieder zu seinem alten „Haufen" zu stoßen, der sich dort bereits auf die Verladung zum Bahntransport nach Frankreich vorbereitete. Er wurde mit Freuden empfangen. Der Chefarzt habe darüber hinweggesehen, dass seine Papiere nicht ganz korrekt waren. Der sei in Ordnung gewesen, erinnerte sich später der von mir befragte Kamerad Adolf E.: „Der hat deinen Vater gedeckt und mit den Papieren alles wieder in Ordnung gebracht."

Ungefähr so verlief also die sieben Wochen andauernde Irrfahrt meines Vaters während des russischen Angriffs. Die Sache klingt abenteuerlich, war aber wohl nicht ganz so ungewöhnlich. Während des gesamten Russlandfeldzuges glich die Situation hinter der Front einem Ameisenhaufen. Tausende waren da unterwegs. Nicht nur Einheiten, die vor- oder zurückverlegt wurden oder für den Nachschub zuständige Truppenteile. Unterwegs waren auch viele Einzelne oder kleine Gruppen, die irgendeinen Auftrag zu erledigen hatten – Essensbesorgung, Reparatur eines Gerätes, Abholung eines Kraftfahrzeugs, Besorgung eines bestimmten Materials und Ähnliches. Viele von diesen „Sonderbeauftragten" versuchten, die Dauer ihres Einsatzes möglichst zu verlängern und drückten sich unter fadenscheinigen Gründen hinter der Front herum. Dazu kamen die Urlauber, die entweder von der Front weg- oder wieder zu ihr hinstrebten und dort ihre inzwischen oft woandershin verlegten Einheiten suchten. War die Front in Bewegung geraten und dadurch unübersichtlich geworden oder durch russische Angriffe gar völlig durcheinandergewürfelt, gesellte sich zu all diesen Reisenden auch noch eine große Anzahl von Versprengten.

Der Missbrauch von Marsch- und Reiseausweisen und anderer Papiere war während des gesamten Russlandfeldzuges weit verbreitet. Je länger der Krieg angedauert habe, erzählte mir ein ehemaliger Wehrmachtssoldat, desto mehr Leute hätten sich – im wahrsten Sinne des

Wortes – möglichst weitab vom Schuss herumgetrieben. Gleichzeitig wurden natürlich auch die Kontrollen schärfer. Frontleitstellen, Frontsammelstellen und Versprengentsammelstellen waren zu größter Sorgfalt bei der Prüfung der Ausweispapiere durchkommender Soldaten angehalten. Aber für die Kontrolleure war es nicht einfach, in jedem Fall mit hinreichender Sicherheit festzustellen, ob es sich bei demjenigen, den sie vor sich hatten, tatsächlich um einen schuldlos Versprengten, einen ehrlichen „Sonderbeauftragten" oder einen Urlaubs-Rückkehrer auf der Suche nach seinem Truppenteil handelte – und nicht um einen Drückeberger oder gar einen Fahnenflüchtigen.

Tatsächlich machten es die oft zerstörten Verkehrsverbindungen und sonstige chaotische Verhältnisse selbst denen, die ernsthaft zu ihrer Truppe strebten, äußerst schwer, ihr Ziel ohne lange Umwege und Wartezeiten zu erreichen. Gleichzeitig hatten es aber viele von denen, die gerade weit weg vom feindlichen Feuer waren, überhaupt nicht eilig, einen Bestimmungsort zu erreichen, an dem es mit großer Wahrscheinlichkeit gefährlicher war als dort, wo sie sich gerade befanden. Es war nicht ohne Risiko, vor allem in Zeiten einer unübersichtlichen Frontlage aber durchaus möglich, weit länger als nötig unterwegs zu sein und den Weg zu seinem „Haufen" nicht zu finden. Wer mit falschen oder gefälschten Papieren oder gar ohne Papiere erwischt wurde, musste natürlich mit dem Kriegsgericht rechnen. Doch wer sich geschickt anstellte, konnte es durchaus schaffen, seine Einheit „aus Versehen" zu verfehlen und sich neue Legitimation für seinen Aufenthalt zu verschaffen. Der jeweiligen Standortkommandantur blieb in der Regel gar nichts anderes übrig, als einen neuen Marschbefehl auszustellen, mit dem der Suchende erneut auf den Weg geschickt wurde. So tummelten sie sich auf den Bahnhöfen und -strecken, ohne dass sie wirklich dazu gezwungen gewesen wären.

Das Militärstrafgesetzbuch in der Fassung von 1940 sah bereits für eine unerlaubte Entfernung im Felde, die länger als einen Tag andauerte, Strafen von bis zu zehn Jahren Haft vor. Wenn sie im Zuge einer „kriegerischen Unternehmung" bestimmter Dauer und aus „Furcht vor persönlicher Gefahr" geschah, konnte dies auch als Fahnenflucht gewertet und mit der Todesstrafe geahndet werden. Mein Vater hatte also großes Glück, dass er sein „Ausweichen" hat vertuschen können. Er überlebte – und bekam so die Chance, Kinder zu zeugen. Das führt zu dem eigenartigen Schluss: Ich verdanke meine Existenz einem „Heldentod" und einer (vorübergehenden) Desertion!

Ordenskisten

Im elterlichen Erinnerungs-Schrank waren insgesamt 13 Eiserne Kreuze aus dem Ersten und dem Zweiten Weltkrieg aufbewahrt, davon sechs „1. Klasse", dazu noch ein ganzer Sack weiterer Orden, von denen der Bayerische Militär-Sanitätsorden der höchste und wertvollste war. Der gehörte meinem 1929 als Generalarzt aus dem Dienst ausgeschiedenen Großvater Alfred, der im Alter von 84 Jahren einen friedlichen Tod gestorben war. Ich sah ihn als Fünfjähriger am 20. Juli 1964 zum letzten Mal im offenen Sarg in der Aussegnungshalle, am Fußende waren auf einem Kissen seine militärischen Auszeichnungen aufgereiht. Eine Ehrenformation aus ehemaligen Soldaten samt Standarten und knatternden Fahnen geleitete den Toten zum Grab. Ich war schwer beeindruckt.

Der Beitrag meines Vaters zu der Sammlung gestaltete sich recht bescheiden. Neben der Medaille „Winterschlacht im Osten 1941/42" (im Wehrmacht-Jargon als „Gefrierfleischorden" bezeichnet) und dem Verwundetenabzeichen in Schwarz (für ein- und zweimalige Verwundung) konnte ich ihm lediglich ein Eisernes Kreuz 2. Klasse zuordnen, das er sich noch kurz vor Torschluss 1945 im Endkampf an der Oder gesichert hatte. Zu diesem Zeitpunkt hatte das an etwa drei Millionen Wehrmachtsoldaten verliehene EK 2 den Charakter einer „echten" Auszeichnung freilich längst verloren. Ganz anders verhielt es sich mit der Ordenskiste des im Feld gebliebenen ersten Mannes meiner Mutter, die des erwähnten Hauptmanns Eduard Wolf. Da waren nicht nur Eiserne Kreuze drin, sondern u. a. auch ein Deutsches Kreuz in Gold (das als eine Art Ersatz-Ritterkreuz eingeführt worden war, um diese höchste

Mein Großvater Alfred, am 20. Juli 1964 aufgebahrt samt Ordenskissen in der Aussegnungshalle.

Auszeichnung nicht zu entwerten), der Orden des Sterns von Rumänien für Kriegsverdienst (den konnten auch deutsche Offiziere erhalten, die an der Seite von rumänischen Truppen gekämpft hatten), Nahkampf-Spangen, Infanterie-Sturmabzeichen, vier Sonderabzeichen für das Niederkämpfen von Panzerkampfwagen durch Einzelkämpfer, das Verwundetenabzeichen in Silber und der – an die (vorübergehenden) Eroberer der Krim verliehene – Krimschild.

Dieser Hauptmann Wolf, ein gut aussehender und sportlicher Typ, war ein wahrhafter Vorzeige-Soldat. Es darf angenommen werden, dass er, ehe er selbst fiel, etliche russische Ehefrauen und Mütter einsam gemacht hat. Eine posthume Nennung im „Ehrenblatt des Deutschen Heeres" im Oktober 1943 war die letzte Auszeichnung des Mannes, der in Nürnberg eine 23 Jahre alte Witwe zurückließ. Die erhielt noch im selben Monat die Mitteilung, dass der Gefallene rückwirkend befördert worden sei und sie daher ab 1. Dezember eine Rente als Majorswitwe erhalte. „Ja, vieles steht uns noch bevor – / Gar schnell wird man im Krieg Major!" hatte der Großvater Robert zur Hochzeit am 26. Juni desselben Jahres gedichtet. Ganz so schnell hätte es nun wohl doch nicht gehen sollen.

Jahre später formulierte meine Mutter in der Kurzbiografie zu ihrer Dissertation im Fach Medizin, sie habe die Entscheidung zu ihrem Studium „nach dem Heldentod" ihres Mannes getroffen. Als sie kurz darauf, am 20. April (!) 1950, mit meinem Vater zum zweiten Mal vor den Traualtar trat, trug sie Schwarz – sie war ja immer noch eine Kriegerwitwe. Der gefallene Major Wolf blieb indes auch die folgenden Jahre und Jahrzehnte allgegenwärtig. Meine Mutter hatte eine Künstlerin damit beauftragt, nach der Vorlage einer Fotografie des Wehrmacht-Offiziers ein Ölgemälde anzufertigen. Das Porträt des Kriegshelden, der für die in Unwissenheit gehaltenen Kinder als „Onkel Edi" firmierte, hing bis zu ihrem Tod über dem Esstisch des Elternhauses. Erstaunlicherweise hat mein Vater den ständigen Anblick seines Vorgängers ohne Murren hingenommen – diesbezügliche Beschwerden sind mir jedenfalls nie bekannt geworden. Gemurrt hat er allerdings, als ich ihm 1977 unter den Augen des Hauptmanns Wolf und unter Bezugnahme auf die Ordenskisten erklärte, dass die Familie genug an blutiger vaterländischer Pflichterfüllung verrichtet habe und ich als Kriegsdienstverweigerer aus der Reihe der selbst im Unrecht noch Gehorsamen austreten werde. Im Laufe der Zeit hat mein Vater diese Entscheidung halbwegs akzeptieren können, völlig aus der Fassung aber brachte den ehemaligen Leutnant der Wehrmacht, dass ich 1982 auch noch den Zivildienst abbrach und damit zum Totalverweigerer und Straftäter wurde. Für meine Thesen, dass der Zivildienst nichts anderes als ein Kriegsdienst ohne Waffen sei, dass jeder Zwangsdienst zur Kriegsvorbereitung verweigert und die Wehrpflicht abgeschafft werden müsse, da in Zeiten des atomaren Wettrüstens ein Krieg nicht mehr führbar sei, zeigte er keinerlei Verständnis. Besonders erboste meinen Vater, dass sich meine (Un-)Tat über die Medien weit herumgesprochen hatte. Die Sache war dann auch bei einem Kameradentreffen der Veteranen des Feldlazaretts, in dem er Dienst getan hatte, ein Thema. Sein ehemaliger „Spieß" habe ihn damit aufgezogen, „was er denn da in der Erziehung falsch gemacht" habe, berichtete er verärgert. Da er mir genügend Erzählmaterial in die Hand gegeben hatte, konnte ich grinsend erwidern: „Du bist doch selbst ein Deserteur gewesen! Was hast du also gegen mich einzuwenden?" Sein Verhalten habe mit Desertion nichts zu tun gehabt, erwiderte er empört, er habe sich ja damals bei seiner Einheit gemeldet, er habe nur nicht sinnlos sterben wollen. Aha, sagte ich. Sinnlos sterben wolle ich auch nicht. Nur leider könne man sich dem im Fall eines Atomkrieges nicht entziehen. Also müsse man rechtzeitig etwas gegen die Gefahr des sinnlosen Sterbens tun. Zum Beispiel dadurch, dass man mit der totalen Verweigerung jeglicher Beteiligung an Kriegsdiensten ein Zeichen setzt gegen den Rüstungswahnsinn. Mit diesem „Zeichen" würde ich lediglich als Straftäter meine Zukunft aufs Spiel setzen, sagte er, es würden durch meine Tat weder die Wehrpflicht noch die Atomrüstung abgeschafft. Es fiel mir nicht leicht, diesem Einwand etwas Schlüssiges entgegenzuhalten. Ich antwortete etwa so: In Anbetracht der Weltsituation dürfe man sich nicht damit herausreden, dass etwas schwierig oder gar aussichtslos erscheine, irgendjemand müsse ja mal anfangen mit dem Widerstand. Zudem sei ich ja keineswegs allein. Es war die Zeit der Friedensbewegung, Millionen gingen damals auf die Straße und protestierten gegen die Politik der atomaren Hochrüstung. Ein Satz machte die Runde: Ziviler Ungehorsam ist das Gebot der Stunde. Ganz in diesem Sinn verstand ich auch meine totale Kriegsdienstverweigerung.

Ziviler Ungehorsam

In seinem Werk „Eine Theorie der Gerechtigkeit" (1971, dt. 1979) definierte der Philosoph John Rawls zivilen Ungehorsam als „öffentliche, gewaltfreie, gewissenhafte und zugleich politische Handlung, die gegen das Gesetz verstößt und in der Regel mit dem Ziel erfolgt, eine Änderung des Gesetzes oder der Politik der Regierung herbeizuführen". In Deutsch-

Der Autor (Mitte) im Jahr 1983 als Demonstrant unterwegs.

land setzte sich u. a. Jürgen Habermas mit dem Begriff auseinander. Er versteht darunter einen moralisch begründeten Protest mit bewusster, offen angekündigter und gewaltfreier Verletzung von Rechtsnormen. Ziviler Ungehorsam will nicht die Rechtsordnung im Ganzen angreifen, sondern einen bestimmten Missstand. Es handelt sich also einerseits um „Akte, die ihrer Form nach illegal sind", andererseits aber werden sie „unter Berufung auf die gemeinsam anerkannten Legitimationsgrundlagen unserer demokratisch-rechtsstaatlichen Ordnung ausgeführt". Die Regelverletzung habe, so Habermas weiter, „ausschließlich symbolischen Charakter". Sie verlange aufseiten der Protestierenden „die Bereitschaft, für die rechtlichen Folgen der Normverletzung einzustehen" und aufseiten der Vertreter des Rechtsstaates eine Reaktion, die nicht an seiner Substanz zehrt, sondern souverän seinen liberalen Charakter bestätigt. Insofern sei der Zivile Ungehorsam also ein „Testfall für den demokratischen Rechtsstaat", in dem es seine Grundprinzipien zu bestätigen gelte (der Text findet sich in dem 1983 von Peter Glotz herausgegeben Suhrkamp-Band „Ziviler Ungehorsam im Rechtsstaat".)

Habermas' Definition kann an einem aktuellen Beispiel veranschaulicht werden: Wenn die sogenannten „Klimakleber" ihren Protest so gestalten, dass er in letzter Konsequenz zu einer Gefährdung von Menschenleben führen könnte, verlassen sie die Grenzen des Zivilen Ungehorsams und betreten die Sphäre einer mit der vollen Härte des Gesetzes zu verfolgenden Straftat. Und umgekehrt: Wenn die Staatsvertreter Klimaaktivisten zu Mitgliedern einer kriminellen Vereinigung im Sinne von § 129 StGB erklären oder sie in mehrwöchigen polizeirechtlichen Präventivgewahrsam nehmen, dann verteidigen sie damit nicht den Rechtsstaat, sondern sie unterminieren im Gegenteil gerade das Fundament, auf dem er ruht.

Habermas hatte bei seiner Definition zunächst vor allem die Aktionen der Friedensbewegung im „heißen Herbst 1983" im Auge, als Tausende versuchten, mit Sitzblockaden vor Stützpunkten der US-Army die im Zuge der sogenannten „Nachrüstung" geplante Stationierung von Atomraketen zu verhindern. An Kriegsdienstverweigerer dachte er dabei nicht. Warum hätte er das auch tun sollen? Das Recht auf Kriegsdienstverweigerung war ja im Grundgesetz verbürgt. Zumindest scheinbar. Meiner Auffassung und meinen Erfahrungen nach aber wurde dieses Grundrecht vom Staat und seinen Vertretern damals nicht so interpretiert und geschützt, wie das richtig, angemessen und notwendig gewesen wäre. Die beiden wichtigsten Punkte: Erstens war die Möglichkeit, dieses Grundrecht in Anspruch zu nehmen, nicht garantiert, sondern vom Bestehen einer fragwürdigen „Gewissensprüfung" abhängig, zweitens war es verknüpft mit einem Zwangs-Zivildienst, der als Kriegsdienst ohne Waffen konzipiert und somit der Wehrpflicht untergeordnet blieb. In Konsequenz dessen hatte ich, eben als Akt des zivilen Ungehorsams, meinen Zivildienst abgebrochen. Diese „totale" Kriegsdienstverweigerung hatte eine Serie von Prozessen und am Ende eine 16-monatige Freiheitsstrafe zur Folge. Kurz vor dem Antritt meiner Haft, im Spätherbst 1985, wurde ich an der Johann Wolfgang Goethe-Universität in Frankfurt am Main im Büro des berühmten Philosophen vorstellig, von dem ich mir aufgrund seiner intellektuellen Disposition ein Verständnis für meine Situation erhoffte. Ich lasse die Geschichte an dieser Stelle beginnen ...

Im Jahr des Friedens
(1986, 1. Teil: Bayreuth)

In einer Zeit, in der die Menschheit von der Vernichtung durch Atomwaffen bedroht ist, sei es absurd, von einem ernsthaften Kriegsdienstverweigerer zu verlangen, dass er die Wehrpflicht erfüllt, erläutere ich Habermas. Deswegen hätte ich meinen Zivildienst in einem Behindertenheim nach einem Jahr abgebrochen. Ich verstünde meine „Totalverweigerung" als Akt des zivilen Ungehorsams, wie er ihn in seinem einschlägigen Text definiert habe, nämlich als einen symbolischen Akt des Widerstands gegen die Politik der atomaren Abschreckung. Wegen meiner Tat sei ich zu einer Gefängnisstrafe von zweimal acht Monaten verurteilt worden – acht Monate nach dem Abbruch meines Zivildienstes und weitere acht Monate nach Nichtbefolgung der Aufforderung, meine restliche Zivildienstzeit von vier Monaten abzuleisten –, die Strafe hätte ich demnächst in Frankfurt abzusitzen. Da in Hessen für Erstbestrafte der offene Vollzug mit der Möglichkeit des sogenannten „Freigangs" vorgesehen sei, wolle ich nun versuchen, während der Haft mein bereits in der Endphase befindliches Magisterstudium der Philosophie fortzusetzen, die Zwischenprüfung hätte ich im Vorjahr an der Universität Erlangen abgelegt. Um einen entsprechenden Antrag stellen zu können, müsse ich allerdings nicht nur eine Immatrikulationsbescheinigung vorlegen, sondern auch – quasi als Ersatz für die in diesem Fall nicht gegebene Funktion eines „Arbeitgebers" – die Bestätigung eines Ansprechpartners an der Uni. Da hätte ich an ihn gedacht, da er ja nicht nur der wohl renommierteste Professor an der Fakultät sei, sondern sich auch mit Fragen des Zivilen Ungehorsams beschäftigt habe und von daher, wie ich mir erhoffen würde, möglicherweise Verständnis für meine Situation aufbringe.

Der vielbeschäftigte Professor hatte sich meinen kurzen Vortrag mit zappeliger Ungeduld angehört. Mein Besuch ist ihm spürbar lästig und es bleibt unklar, ob er überhaupt erfasst hat, worum es geht. Offensichtlich hegt er den Verdacht, dass sich da einer auf besonders geschickte

Weise bei ihm einschleimen will, um als Doktorand angenommen zu werden. „Ich nehme keine neuen Doktoranden mehr an", zischelt er leicht genervt. Darum gehe es ja gar nicht, erläutere ich ihm, ich hätte ja noch nicht mal meinen Magister abgeschlossen. „Ja, aber Doktorand können Sie bei mir trotzdem nicht werden, da müssen Sie sich einen anderen suchen." Ich hätte wirklich ganz und gar nicht im Sinn, bei ihm eine Doktorarbeit anzumelden, betone ich noch einmal. Es gehe mir lediglich um eine Bestätigung, dass ich bei ihm mein Studium fortsetzen werde. Habermas zeigt sich weiterhin ziemlich unwillig und auch ein wenig hilflos, irgendwie hat er keinen Plan, wie er mit diesem Störenfried und dessen ungewöhnlichem Anliegen umgehen soll. Schließlich ruft er aber doch seine Sekretärin.

„Hiermit bestätige ich", diktiert er, „dass sich Herr Bausenwein an der Philosophischen Fakultät der Johann Wolfgang Goethe-Universität in Frankfurt/Main immatrikuliert hat." Dann zögert er wieder. Was soll da sonst noch stehen? Es wäre schon nötig, sage ich, mindestens zu erwähnen, dass ich bei ihm an der Uni auch tatsächlich studiere. Habermas diktiert: „Ich hielte es für sinnvoll, wenn Herrn Bausenwein auch während seiner Haftzeit die Gelegenheit gegeben würde, durch das Studium der einschlägigen Literatur seine wissenschaftlichen Arbeiten weiterzuführen." Mehr könne er nicht schreiben, meint er, ich sei ja noch nie in einem seiner Seminare gewesen und er kenne mich ja auch überhaupt nicht. Dass in Hessen der offene Vollzug für Erstbestrafte Regelvollzug ist und es von daher möglich sein sollte, im Freigang auch Seminare und Vorlesungen zu besuchen – und seine Bestätigung in diesem Sinne formuliert sein sollte –, kann ich ihm leider nicht begreiflich machen. Der Theoretiker des kommunikativen Handelns scheint von einem eigentümlichen Skrupel geplagt. Der Mann ist den Umgang mit Straftätern nicht gewohnt, mache ich mir klar. Vielleicht befürchtet er, ähnlich wie mein Vater, sich auf irgendeine Weise der „Beihilfe zu einer Straftat" schuldig zu machen. Jedenfalls ist deutlich zu merken, dass er sich unsicher fühlt und auf diesem ihm unbekannten Terrain jeden Fehler, den er später eventuell bereuen könnte, vermeiden will. Sei's drum, denke ich mir, Hauptsache, ich habe überhaupt irgendwas in der Hand, und bedanke mich für das karge Attest.

Gerne hätte ich mit dem berühmten Philosophen noch ein wenig diskutiert über die widersprüchlichen Konnotationen aller Formen von Zivilem Ungehorsam, aber leider hat er dafür keine Zeit, und ohnehin scheint seine Geduld bereits aufgebraucht. Also lasse ich mich hinauskomplimentieren und bleibe mit meinen Fragen allein. Denn ist es nicht kurios? Symboltäter wie ich provozieren eine Bestrafung, da sie nur so das Verhalten des Staates skandalisieren können. Je höher die Strafen, desto größer der Skandal. Gäbe es nur noch niedrige Freiheitsstrafen auf Bewährung oder Geldstrafen, gäbe es keine Aufmerksamkeit mehr für Totalverweigerer. Und von der anderen Seite her gilt: Käme es nur noch zu Freisprüchen, wäre die Wehrpflicht de facto abgeschafft. Dasselbe würde im Übrigen auch für Sitzblockaden gelten: Wären sie als eine Wahrnehmung des Demonstrationsrechtes straffrei, wäre eine effektive Verteidigungspolitik mit Waffen unter Umständen gar nicht mehr möglich. Was also will ich als Totalverweigerer? Mein Vertrauen in den Rechtsstaat ist durch die skandalöse Höhe der Strafe gegen mich zwar angeknackst, aber eben doch noch nicht ganz aufgebraucht. Es gibt da weiterhin die nebulöse Hoffnung, unter hartnäckiger Berufung auf das Grundgesetz irgendwann die Abschaffung der Wehrpflicht zu erreichen. Die Utopie: ein gesellschaftlicher Zustand, in dem ziviler Ungehorsam nicht mehr nötig ist.

Als der Winter mit Schnee, Eis und ungewöhnlicher Kälte einzusetzen beginnt, gelten meine größten Sorgen freilich nicht der Frage, wie ich mein Handeln zu theoretischer Stringenz bringen könnte, sondern der konkreten Zukunft: dem Knast. Nicht zuletzt auch mit der Absicht, der zu erwartenden Härte in dem als ziemlich unerbittlich geltenden bayerischen Strafvollzug zu entgehen, hatte ich einen Wohnsitz in Frankfurt angemeldet und das den Justizbehörden mitgeteilt. Angeblich sei der Vollzug in Hessen wesentlich komfortabler, hatten meine Recherchen ergeben, vor allem aber seien dort die Chancen, in den Freigang zu kommen, deutlich größer. Die Vollstreckungsbeamten kümmerte das jedoch nicht. Am 27. Dezember fische ich eine Ladung der Staatsanwaltschaft aus dem Briefkasten meiner bisherigen Wohnung in Nürnberg: Das Urteil gegen mich sei am 19. November vollstreckbar geworden, ich müsse mich nun am 7. Januar 1986 zum Strafantritt bei der JVA Nürnberg melden. „Sollten Sie sich nicht rechtzeitig zum Strafantritt einfinden, muss gegen Sie ein Vorführungs- oder Haftbefehl erlassen werden."

Das alte Jahr endet mit der üblichen Silvesteransprache des Bundeskanzlers Dr. Helmut Kohl. Das neue Jahr 1986, von der UNO wie zum Hohn auf meine Situation zum „Internationalen Jahr des Friedens" ausgerufen, beginnt mit zwei ungewöhnlichen Fernsehansprachen der Präsidenten der beiden Machtblöcke in Ost und West. Während der US-Präsident Ronald Reagan sich an das sowjetische Volk wendet, hält der

Briefmarke der Bundespost zum Internationalen Jahr des Friedens.

sowjetische Parteichef Michail Gorbatschow eine Rede an das amerikanische Volk. Beide unterstreichen ihren Willen zur Abrüstung. Und der ist auch bitter nötig: Mit weltweit etwa 70.000 Atomsprengköpfen hat das Wettrüsten im Kalten Krieg einen perversen Höhepunkt erreicht. Gleichzeitig toben heiße Kriege, vor allem am Golf zwischen dem Iran und dem Irak, wo seit sechs Jahren Tausende sterben. Die Zahl der nach Deutschland strebenden Flüchtlinge nimmt ständig zu.

Am 3. Januar gibt es wieder Post für mich. Die Ladung zum Haftantritt wird korrigiert: Nun soll ich am 13. Januar in der JVA Bayreuth, Markgrafenallee 49, antreten. Den Hintergrund kann ich mir zusammenreimen: Es ist wohl bei den Behörden durchgesickert, dass mein Vater in der JVA Nürnberg als Anstaltsarzt tätig ist, und da will man Irritationen vermeiden. Außerdem bestehen vermutlich Befürchtungen, dass ich in Nürnberg zu viel Trubel aktivieren könnte mit Demonstrationen vor dem Knast und Ähnlichem. Ich habe aber erst mal beschlossen, es meinen Verfolgern auf andere Weise nicht zu einfach zu machen. Unter Nutzung meiner Kontakte zu den „Ärzten für die Verhütung des Atomkrieges" („International Physicians for the Prevention of Nuclear War" / IPPNW), einer internationalen Organisation, die eben erst für ihre Bemühungen zum Brückenbau in Zeiten des Kalten Krieges und die Bewusstseinsarbeit zu den humanitären Auswirkungen eines Atomkrieges den Friedensnobelpreis erhalten hatte, lasse ich mir zwei Atteste ausstellen, die mir eine Haftunfähigkeit wegen „psychosomatischer Überlastung" bzw. wegen eines „schweren psychovegetativen Erschöpfungssyndroms" bescheinigen. Zusätzlich nehme ich mir in Frankfurt einen Anwalt, der einen Antrag auf Verlegung in den hessischen Vollzug formuliert sowie einen weiteren Antrag auf Aufschub der Strafvollstreckung bis zur Entscheidung über den Verlegungsantrag. Die Staatsanwaltschaft kümmert das freilich nicht. Am 10. Januar erhalte ich einen Vordruck des Inhalts, dass die Vollstreckung der gegen mich erkannten Freiheitsstrafe nicht eingestellt werde: „Sie werden daher aufgefordert, die Strafe sofort anzutreten." Mein Anwalt gibt jedoch noch nicht auf und ist überzeugt, dass die bayerische Justiz wegen meines Wohnsitzes in Frankfurt die Verlegung in den hessischen Vollzug letztlich nicht werde verhindern können. Ich habe indessen beschlossen, am 13. Januar nicht nach Bayreuth zu fahren. Stattdessen lade ich Freunde und Bekannte dazu ein, mich vor dem Eingang der Justizvollzugsanstalt in Nürnberg in den Knast zu verabschieden. Eine Verhaftung zu provozieren ist immer noch besser, als selbst am Knasttor zu klingeln, denke ich mir. Am Abend vor dem Termin schaue ich mir im ZDF die Sendung „Bonner Perspektiven" (ZDF) an. Dort hat der CDU-Politiker Peter Hintze, Sohn eines Richters, evangelischer Pfarrer und seit 1983 Bundesbeauftragter für den Zivildienst, einen Auftritt. Gefragt, was er denn von den Motiven der sogenannten Totalverweigerer halte, antwortet er: „Wer keinen Dienst leisten möchte, für den habe ich kein Verständnis!" Dann muss er ja im Umkehrschluss ein volles Verständnis dafür haben, was mir jetzt bevorsteht, denke ich mir.

MONTAG, 13. JANUAR

Etwa dreißig Freunde und Bekannte erscheinen zu meiner Verabschiedung vor dem Eingang der JVA in der Mannerstraße. Mit dabei sind auch der SPD-Landtagsabgeordnete Toni Schimpl und der ehemalige Bundesvorstandssprecher der Grünen, Dieter Burgmann, sowie mehrere Vertreter der Presse. Burgmann verteilt eine Presserklärung der Bundestagsfraktion der Grünen, in der meine Freilassung gefordert wird. Mit Bausenwein habe die BRD „einen weiteren politischen Gefangenen", lautet eine Formulierung. Plötzlich fahren vier Polizeifahrzeuge vor. Sie verhaften allerdings nicht den anwesenden Totalverweigerer, sondern registrieren stattdessen die Personalien aller Anwesenden. Es bestehe der Verdacht auf eine unangemeldete Demonstration, heißt es, und dies sei ein Verstoß gegen das Versammlungsgesetz. „Aber kein Transparent war zu entdecken, niemand skandiert", notiert der Reporter der *Nürnberger Nachrichten (NN)*. Eine Leserbriefschreiberin wird später ihren Unmut mit den Worten Ausdruck verleihen: „Das Reizwort ‚Polizeistaat' kann von solchen ungerechtfertigten ‚Aktionen' nur Auftrieb erhalten."

Apropos Polizeistaat. Einer der Anwesenden berichtet nebenbei von den ersten Bau-

Zeitungsartikel zu der Aktion vor der JVA Nürnberg am 13. Januar 1986.

platzbesetzungen der geplanten Wiederaufbereitungs-Anlage (WAA) im oberpfälzischen Wackersdorf. Die Demonstranten, die sich auf der frischen Rodung im Taxöldener Forst niedergelassen hatten, seien am 16. Dezember „weggeräumt" worden, über 800 Personen seien vorübergehend festgenommen worden. In der Woche vor Weihnachten sei es weitergegangen, in atemberaubendem Tempo habe man ein Hüttendorf errichtet und dieses – in Anlehnung an die „Republik freies Wendland" – auf den Namen „Freies Wackerland" getauft. Die Besetzer seien sehr heterogen gewesen. Da habe man neben dem Kruzifix einer regionalen Gruppe eine Autonomen-Stele mit revolutionärem Stern sehen können, auch etliche Bauern aus der Gegend hätten die Sache unterstützt. Vorige Woche, etwa 1.500 Leute seien bei bitterer Kälte noch da gewesen, dann die zweite Räumung mit einigen hundert Festnahmen. Der Höhepunkt: die spektakuläre Räumung eines Baumhauses durch das SEK per Abseil-Aktion. Am Mittwoch vorige Woche habe die Polizei dann alles mit Bulldozern zusammengeschoben und abgefackelt – totale Zerstörung und ein riesiger Qualmpilz über dem Gelände, eine Szene wie im Dreißigjährigen Krieg. Es werde aber jetzt natürlich weitergehen, er sei schon gespannt auf das nächste Hüttendorf.

Das alles kann der Bekannte mir in aller Ruhe erzählen, da sich die Polizei in keiner Weise für mich interessiert. Ich erfahre auch noch, warum: Es bestehe kein Haftbefehl gegen mich. Eine Aufforderung zum Haftantritt sei was anderes. Also ziehe ich unverhaftet wieder von dannen.

DIENSTAG, 14. JANUAR

Die gescheiterte Verhaftung macht mich ganz kirre. Soll ich jetzt Tage oder vielleicht sogar Wochen darauf warten, bis irgendwann die Polizei auftaucht? Lohnt sich der Stress, bei jedem Klingeln zusammenzuzucken oder bei jedem Verlassen der Wohnung vorsichtig um die Ecke zu lugen, ob da nicht ein paar Häscher auf der Lauer liegen, um mich zu schnappen? Ich fasse schließlich den Beschluss, nun doch nach Bayreuth zu fahren, damit das Ganze endlich ein Ende findet. In Bayreuth könnte ich dann auch einen Antrag auf Ausgang zum Kriegsdienstverweigerungs-Hearing in Bonn am 29. Januar stellen. Dorthin haben mich nämlich die Grünen als „Experten" eingeladen. Ein Auftritt als „Flüchtiger", so wurde mir erläutert, sei nicht möglich. Hintergrund des Hearings ist ein von der Fraktion der Grünen im Bundestag eingebrachter Antrag, alle verurteilten totalen Kriegsdienstverweigerer zu amnestieren und aus der Wehrpflicht zu entlassen.

Am Abend gehe ich mit Gitta ins Erlanger Programmkino Manhattan, wir gucken „Tee im Harem des Archimedes". Der Film schildert das Leben von Madjid und Pat, zwei Jugendlichen in den Pariser Vororten, den Banlieues. Zusammen mit anderen Freunden machen sie mit einem gestohlenen Auto einen Ausflug ans Meer. Sie besprechen, was passieren soll, wenn einer von der Polizei erwischt wird. Dabei fällt der Satz: „Wir stehen an der Straße und warten, bis du vorbeikommst." Am Strand erleben sie kurze Momente des Glücks. Polizei erscheint. Während Madjid festgenommen wird, kann Pat entkommen und beobachtet die Verhaftung aus der Ferne. Als der Polizeiwagen losfährt, steht Pat am Straßenrand und wartet; dann hebt er den Arm wie ein Tramper und steigt ein.

Irgendwie genau der richtige Film, um am nächsten Tag in den Knast zu gehen! Ich komme mir seltsam weltfremd vor. Lief nicht mein ganzes bisheriges Denken und Tun komplett behütet ab? Ein bildungsbürgerliches Bürschchen, rundum abgesichert. Kann so einer ernsthaft sagen: „Wir müssen damit beginnen, eine bessere Welt zu bauen, auch ohne große Aussicht auf Erfolg"? Ist das nicht vollkommener Schwachsinn, wenn man kaum eine Ahnung vom richtigen Leben hat? Bis hier war alles nur ein Spiel mit der Konsequenz. Jetzt wird es ernst. Das Vorstellungs-Kino ist vorbei, jetzt kommt der echte Knast. Wäre ich Donald Duck und die ganze Story ein Comic, hätte Erika Fuchs die Szene so betextet: „Zitter!"

Wie Pat werde also auch ich mich jetzt freiwillig stellen. Im Film wirkte das deprimierend und hoffnungsvoll zugleich. Deprimierend, weil die Aktion von Pat eine aussichtslose Situation beschreibt. Hoffnungsvoll, weil sie zugleich das Einzige aufzeigt, was übrig bleibt: Sich innerlich nicht zu unterwerfen, selbst dann, wenn man sich äußerlichen Zwängen fügt. Pat handelte frei und hielt sein Versprechen. Aber was habe ich versprochen? Und wem? Im letzten Kneipen-Gespräch mit Gitta rede ich mir meine Entscheidung schön. Es sei eine freiere Entscheidung, den Knast freiwillig anzutreten, statt zu warten, bis die Häscher kommen. Die Entscheidung beinhalte ein Moment der Selbstbestimmung, mehr jedenfalls als das Warten auf die Verhaftung. Es sind wohl eher hilflose Versuche, mir Mut zu machen und mit mir selbst ins Reine zu kommen. Aber immerhin spüre ich eine gewisse Entlastung. Der Haftantritt lockt beinahe wie eine Erlösung: Endlich diese seit vier Jahren andauernde Hängepartie beenden und die Sache hinter mich bringen ... Gestärkt von drei Hefeweizen bin ich voller Mut: Ja, ich werde stark sein und den beschissenen Knast locker auf der linken Arschbacke absitzen! Doch später lässt mich die Angst vor dem Kommenden lange nicht in den Schlaf finden, immer wieder wälze ich mich im Bett hin und her.

MITTWOCH, 15. JANUAR

Beim Aufwachen bin ich wie betäubt, die Welt fühlt sich so an, als sei sie in einen milchigen Schleier getunkt. Wer bin ich? Was habe ich eigentlich mit dem zu tun, was da jetzt abläuft, ablaufen soll, passieren wird? Um 10:30 Uhr krieche ich aus dem Bett. Ein letztes Mal hole ich frische, knusprige Brötchen. Als ich zurückkomme, warten bereits die Freunde: Fred und Jörg. Nach einem kurzen Frühstück starten wir mit meinem alten Opel Kadett und holen noch Ossi ab. Dann geht's los Richtung Bayreuth. Es ist ein trüber Wintertag, leichter Schneeregen. Aus irgendeinem Grund wähle ich die Landstraße und nicht die Autobahn. Will ich noch mal die unberührte, verschneite Landschaft genießen? Im Radio läuft Grönemeyers „Jetzt oder nie". Mir kommen die Tränen. Gesprochen wird kaum. Alle blicken trübe vor sich hin. Dann dröhnt Ina Deter aus den Lautsprechern: „Ich sprüh's auf jede Wand – neue Männer braucht das Land." Als wir uns Bayreuth nähern, diskutieren wir über „Brothers in Arms", den neuen Hit von den Dire Straits, dessen Text sich auf den Falkland-Krieg bezieht.

Ist das ein Kriegslied, weil von „Waffenbrüdern" die Rede ist? Oder bezieht sich der Ausdruck „Brothers in Arms" auf beide Parteien, auf Briten und Argentinier? Es singt ein sterbender Soldat, aber die letzte Zeile macht klar, dass es doch ein Anti-Kriegslied ist, auch wenn die Erkenntnis erst nach dem Töten kommt: „We're fools to make war – On our brothers in arms". Ich denke an die Versöhnungsszenen zu Weihnachten 1914/15 an der Westfront des Ersten Weltkrieges. Da sollen die Deutschen und Briten sogar miteinander Fußball gespielt haben. Aber es ging eben trotzdem weiter mit dem Krieg, weil die Befehlshaber es so wollten. Und so wird es immer weitergehen. Es könnten Hunderte oder Tausende den Kriegsdienst verweigern und dafür in den Knast gehen – es würde nichts ändern. Das ist doch alles vollkommen sinnlos, sage ich mir zum wiederholten Mal, warum haue ich nicht einfach ab? Du ziehst es jetzt einfach durch, und dann schaust du weiter, fordert eine andere Stimme in mir.

In Bayreuth fahren wir erst mal am Knast vorbei. Wir wollen noch in die Innenstadt, einen letzten Cappuccino trinken. Ossi erzählt ein paar Anekdoten aus seiner Knastzeit. Es ist allerdings nichts dabei, was mich aufmuntern könnte. Er will mir noch ein paar Überlebenstricks mit auf

Die JVA Bayreuth, Außenansicht.

den Weg geben, aber ich bin nicht so recht aufnahmefähig. Die Blase drückt, zweimal muss ich aufs Klo. Das ist wohl das Angstpippi. Als wir endlich aufbrechen, ist es bereits kurz vor 16 Uhr. Wir parken direkt vor dem Knast. Ich habe es jetzt eilig, will keine große Abschiedsszene. Unbeholfene Umarmungen, ein kurzer Kuss und ein „ich liebe dich" für die zittrige Gitta. Als ich zum Tor gehe, fühle ich mich wie ein fremdgesteuerter Automat. Ich klingle. Das Tor geht auf, ich trete ein. Ossi hilft mir, mein Gepäck in den kleinen Eingangsraum zu stellen, klopft mit auf die Schulter. „Wir sind bei dir!"

Ein letzter Blick zurück, ein kleines Winken. Das Tor schließt sich. Jetzt bin ich drin! Allein. Ganz allein.

„Ich muss mich hier stellen", sage ich zum Pförtner.
„Haben Sie Ausweis und Ladung dabei?"
„Nein."
„Sie haben überhaupt nichts dabei?!"
„Nein."
„Wie ist denn Ihr Name?"

Ich sage meinen Namen. Der Pförtner telefoniert und fragt, was er mit mir machen solle. Nach einiger Zeit öffnet er eine weitere Tür, dahinter ein Warteraum. Ich nehme meine Sachen und drehe mich noch mal um, während ich durchgehe. Durch das Panzerglasfenster des Haupttores sehe ich die anderen stehen. Sie gucken traurig. Ossi ballt die Faust und ruft irgendwas, was ich aber nicht mehr verstehen kann. Ich winke unbeholfen ein allerletztes Mal. Dann geht auch die zweite Stahltür zu. Jetzt gibt es nur noch mich.

Ich kenne den Warteraum. Es ist noch nicht so lange her, da habe ich Ossi hier besucht. Heute werde ich allerdings nicht mehr rauskommen. Wie kann man das nur verstehen? Alles muss ein böser Traum sein. Verwundert stelle ich fest, dass der Raum im Grunde ganz freundlich aussieht. Was die Freunde jetzt wohl denken? Was sie wohl sprechen? Vermutlich erzählt Ossi was über die Abläufe, die jetzt folgen werden. Ein paar Wachleute kommen vorbei. Einer grüßt seltsam freundlich. Schließlich holt mich ein anderer ab. Wir passieren mehrere Türen, dann geht es über den Hof zum Verwaltungsgebäude. Ich bin versucht, als Zeichen für die Freunde vor den Mauern irgendwas zu rufen – „ich lass mich nicht unterkriegen" oder so was –, traue mich aber nicht.

Auf der Verwaltung werde ich vom Oberwachmann zusammengeschissen. „Warum haben Sie denn keinen Ausweis dabei!? Wie laufen sie denn rum!?" Ich schweige. Der Mann weiß natürlich, wer ich bin. Er führt einige Telefonate. Schließlich hat er mein Aktenzeichen herausgefunden und auch erfahren, dass ich in Frankfurt gemeldet bin. „Der kommt morgen weg mit Effekten", sagt er schließlich einem Untergebenen, „heute erst mal auf Zugang". Ich wundere mich, dass gar nichts weiter überprüft wird. Wie können sie sich sicher sein, dass der Typ, der sich hier gestellt hat, wirklich ich bin? Und was sind eigentlich „Effekten"? (Später erfahre ich: Mit Effekten wird in Haftanstalten der Besitz an beweglichen Sachen bezeichnet, also das, was den aufgenommenen Inhaftierten abgenommen und verwahrt worden ist.)

Ein Wachmann – bzw. Wachtl, wie das im bayerischen Knacki-Jargon heißt – bringt mich auf die Kammer. Dort erklärt er, dass ich nicht zu duschen bräuchte und auch nicht eingekleidet werden müsse. Ich käme sofort auf eine Einzelzelle, morgen würde ich mit dem nächsten Schub weggebracht. „Verschubung" – so wird der Transport von Knast zu Knast genannt. Die beiden Taschen werden einbehalten. Ein Buch, Tabak und Waschzeug darf ich herausnehmen, es wird mir nach einem Kontrollcheck ausgehändigt, ich muss den Empfang per Unterschrift bestätigen. Der Beamte hinter der Theke überreicht mir ein Bündel mit Bettzeug, Schlafanzug und Essgeschirr, dann führt mich mein Begleiter in den Zellentrakt. Es geht um mehrere Ecken, über den Hof, einige Treppen hinauf und hinunter, unterwegs werden etliche Türen aufgesperrt und gleich wieder geschlossen – klack, knarz, rumms, klack. Der Wachtl ist vor allem ein Schließer, denke ich mir. Seine typischen Handbewegungen ergäben ein schönes Rätsel bei Robert Lembkes heiterem Beruferaten „Was bin ich?". Der Rate-Staatsanwalt Hans Sachs wüsste freilich sofort Bescheid.

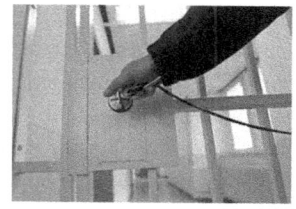

Symbol des Wachmannes: Der dicke Schlüsselbund.

Plötzlich spricht der Schließer. „Ihr Kommen war ja schon in der Zeitung angekündigt", sagt er mit einem gewissen Respekt. Er könne das aber gar nicht verstehen, erklärt er mir, warum ich das alles auf mich nähme. Ein paar Monate Zivildienst, das sei ja wohl nicht so schlimm. „Es geht nicht um den Zivildienst, sondern um die Wehrpflicht", sage ich matt, aber der Mann will gar nicht wirklich was hören von mir. „Na ja", meint er knapp, „Sie müssen ja wissen, was sie tun."

Dann sind wir endlich bei meinem neuen Wohnquartier angekommen. Der Mann öffnet eine mächtig dicke, mit Eisen beschlagene Tür und weist mit einer einladenden Geste in den Raum dahinter: „Bitte sehr!" Die Zelle ist überraschend geräumig. Es sind wohl etwas mehr als die üblichen acht Quadratmeter, die Decken über 3 Meter hoch. Ein alter Knast ist gut fürs Raumgefühl, stelle ich fest. Kaum eingetreten, fällt auch schon die Tür schwer ins Schloss. Klack-klack, eingesperrt. Ich laufe ein paarmal im Kreis herum, begutachte Bett, Tisch, Stuhl, Waschbecken und Toilette, da tut sich schon wieder was. Ritsch-Ratsch, eine kleine Kostklappe in der Tür öffnet sich. Jetzt werfen Sie gleich irgendeinen Fleischbrocken rein, wie bei einer Raubtierfütterung, denke ich mir. Hereingereicht werden ein Kanten Brot, ein eklig aussehendes Stück Pressack, eine 125 g Dose Iceland-Lachsersatz, eine Kanne seltsam riechender Tee, zwei Äpfel. Ich begnüge mich mit einem Apfel.

Als ich eine Zigarette drehen will, merke ich, dass ich mein Feuerzeug auf der Kammer vergessen habe. Ich gerate darüber fast in Panik. Unvorstellbar, hier drin zu sein und dann auch noch nicht rauchen zu können! Und plötzlich fällt mir auf, dass weitere wesentliche Utensilien fehlen: Stift und Papier. Es dauert fast eine Stunde, bis wieder ein Wachmann durch die Kostklappe guckt. Ich sage ihm, was ich benötige. Wenig später erscheint ein in der Hausverwaltung beschäftigter Gefangener, ein sogenannter „Hausel", und erfüllt alle Wünsche: Papier, Stift und eine Schachtel Streichhölzer.

Ich rauche, schreibe ein paar Zeilen, beruhige mich. Sehnsuchtsvoll blicke ich zu dem kleinen vergitterten Fenster unter der Decke. Wenn ich mich auf den Tisch stelle, könnte ich vielleicht hinausschauen, überlege ich. Ich klettere also auf den Tisch, und tatsächlich: Auf den Zehenspitzen stehend erheische ich einen Blick auf den Parkplatz vor dem alten Knastgebäude. Drunten steht niemand. Erst jetzt, mit dem Kopf fast unter der Decke, fällt mir auf, dass die Zelle total überhitzt ist. Ich öffne das Fensterchen und drehe die Heizung runter.

Geht doch erst mal ganz gut, rede ich mir zu, und versuche, es mir auf dem Bett gemütlich zu machen. Müdigkeit fährt mir in die Glieder, die Gedanken fließen träge. Dösend zähle ich meine kleinen Freuden auf. Zum Beispiel die, dass ich meine eigenen Kleider noch anhaben darf. Schließlich beschließe ich aber doch, den Knast-Schlafanzug anzuprobieren. Ich werde bald keine eigenen Kleider mehr besitzen, da kann es nicht schaden, sich möglichst früh an die kratzigen Knastklamotten zu gewöhnen.

Ich liege, schaue an die Decke und lausche: Ich höre die Motoren vorbeifahrender Autos, das Piepen von Vögeln, ein paar Wortfetzen vom Gang her. Und ich genieße jeden Laut, als könne er meine einsame Seele trösten. Plötzlich merke ich auf. Schritte nähern sich, dann wieder Stille. Ein kurzes, leises Geräusch – Tschak. Atmet da jemand? Ja, ein Wachmann hat das über der Kostklappe sitzende Guckloch von außen geöffnet. Ich kann seine Augen nicht sehen, ich spürte ihn aber und weiß, dass er mich beobachtet. Nach einer halben Minute wieder ein „Tschak", Schritte entfernen sich.

Ich setze mich an mein Tischchen und will nachdenken. Da kommt aber nicht viel. Es taumeln einzelne Worte: Absurd, sinnlos, überflüssig, lächerlich. Was soll das bringen, dass ich hier sitzen muss? An meinen Einstellungen wird das nichts ändern. Aber das ist ja wohl auch gar nicht die Absicht hinter der Strafe. Ich muss sitzen, damit andere sich ins Dienen fügen. Es ist schon kurios: Das Jahr 1986, das internationale Jahr des Friedens, werde ich wohl komplett hinter Gittern verbringen. Weil ich versucht habe, durch ein schlichtes Nein zur Wehrpflicht mit dem Frieden ernst zu machen.

Es ist noch nicht einmal 22 Uhr geworden, da geht überall das Licht aus. Ich strecke mich aus, dankbar für die Erschöpfung, die mich rasch einschlafen lassen wird. Für einen kurzen Moment wache ich noch einmal auf und sehe die Schatten der Gitter, die von den Scheinwerfern draußen an die Wand geworfen werden.

DONNERSTAG, 16. JANUAR
Nach einem tiefen und traumlosen Schlaf werde ich um 6:30 Uhr geweckt. Es gibt fast ungenießbaren Knast-Muckefuck, dazu trockenes Brot vom Abend. Ich trinke, esse einen Apfel, ziehe mich an. Kaum bin ich fertig, taucht ein Wachtl auf und bringt mich in die Verwaltung. Dort fragt er den Oberwachtl, was er mit mir machen solle. „Na, steck' ihn erst mal in den Verschlag", lautet die Antwort.

Der „Verschlag" entpuppt sich als kleines, aus Holzlatten gezimmertes Kämmerchen in einer Ecke des Hauptflurs, ähnlich einer zu schmal geratenen Schrebergartenhütte. Drinnen eine Bank, auf der bereits zwei Gefangene sitzen. Sie warten auf ihre Entlassungspapiere. Der eine hat fünf Monate abgesessen, der andere 18. Haftgründe: einmal Fahren ohne Führerschein, einmal ein Drogendelikt. Ich komme als Erster dran. Geöffnet wird nicht die Tür zum Flur, durch die ich eingetreten war, sondern eine Art Geheimausgang auf der gegenüberliegenden Seite, den ich bis dahin noch gar nicht bemerkt hatte. Ich trete in einen großen Saal. Zwei Kriminalbeamte stehen dort an einem Tisch. Sie nehmen mir Fingerabdrücke ab. Einer fragt mich, wann ich das letzte Mal erkennungsdienstlich behandelt worden sei.

Ich darf mir die Hände waschen und werde dann wieder in den Verschlag entlassen. Einer der Mitgefangenen fragt, was los gewesen sei. „Fingerabdrücke", sage ich. „Ach so, Klavierspielen." Wieder langes Warten, wir reden kaum etwas. Einer der Kollegen wird zappelig, steigt immer wieder auf das Fenstersims, um über die Milchglasscheiben hinausschauen zu können.

Wieder werde ich hinausgerufen. Ich muss nun meine Personalien und irgendeine Belehrung unterschreiben, die ich aber nicht durchlese. Anschließend wieder im Verschlag. Ich stiere vor mich hin, die Ellenbogen auf den Knien. Einer der anderen macht sich eine Zigarette an, ich frage: „Ist das erlaubt hier?" „Klar!" Also stecke ich mir auch eine an. Nach zähen zwei Stunden, die beiden Entlassungskandidaten sind inzwischen abgeholt worden und grußlos verschwunden, werde ich noch einmal in die Verwaltung geführt. Es heißt, ich käme sofort auf Schub. Ein Wachtl führt mich auf die Kammer. Dort werden meine Taschen verplombt und ausgezeichnet. „Nehmen Sie sich noch was mit", sagt einer, „Sie sind mindestens zwei Wochen unterwegs nach Frankfurt." Zwei Wochen?! Ich erschrecke. Packe mir dann noch etwas Tabak ein und ein Buch von Oskar Maria Graf: „Wir sind Gefangene".

Ein weiterer Wachtl führt mich in die Schubzelle. Sie liegt auf der anderen Seite des sogenannten Brunnenhofes, in den ehemaligen Ställen dieses markgräflichen Gebäudes. Es ist voll. Etwa 20 Gefangene lungern in dem verschmutzten Warteraum herum. Alles wirkt eklig. In der Mitte des Raumes steht eine Plastikgießkanne, daneben einige Becher. Ich bediene mich, trinke etwas Wasser, setze mich auf eine Bank und beobachte die Leute. In einer Ecke drei Kartenspieler. In einer anderen eine kleine Gruppe, die sich unterhält. Einer, unverkennbar ein Alkoholiker, nervt mit lautem Gefasel über seine tollen Straftaten. Drei, die nach Hof kommen sollen, werden rausgeführt. Die Stimmung ist erstaunlich munter, es wird viel gelacht. Traurig wirkt nur ein Italiener. Er hat sich etwas abgesondert, stiert mit wässrigen Augen vor sich hin.

Um einen Redner hat sich eine Gruppe geschart. Der Typ, sportlich-kräftig aussehend und ein paar Jahre älter als ich, erzählt, dass er früher Bereitschaftspolizist gewesen sei. Da sei er auch bei den Demonstrationen beim AKW in Brokdorf eingesetzt gewesen. „Die Demonstranten waren genauso organisiert wie wir", behauptet er. Es sei hart hergegangen. „Ein junges Mädchen spuckt mir ins Gesicht. Da habe ich natürlich aufgezogen. Mein lieber Mann, die hat vielleicht einen Stempel im Gesicht gehabt!" Offensichtlich hatte ihn seine Gewalttätigkeit dann auch hinter Gitter gebracht. Er erzählt noch von der tollen Stimmung in seiner Hundertschaft, von Nummern, die sie geschoben haben, während sie auf Wache stehen mussten und ähnliche Schoten.

Ich geselle mich dazu und frage: „Wann war denn das mit deinem Brokdorf-Einsatz? Da hat es ja schon 1977 die erste große ‚Schlacht' mit vielen Verletzen gegeben." „Ich war im Februar 1981 da, nachdem entschieden war, dass es mit dem Bau weitergeht. Da gab es ein Demonstrationsverbot! Und trotzdem sind da 100.000 gekommen", erzählt er erregt. „Das waren zehnmal so viele wie wir! Und viele waren hart drauf, sogar bewaffnet. Sowas hat's in Deutschland bis dahin noch nicht gegeben. Wir hatten viele Verletzte." Er macht eine kurze Pause und grinst vielsagend. „Die aber auch! Warst du wohl auf der anderen Seite dabei?" „Nein, nein", schüttele ich den Kopf. „Ich war nur einmal im Wendland, in Gorleben, mir das ‚Schlachtfeld' angucken. Da hattet ihr das Hüttendorf aber schon lange abgeräumt." Ja, da sei es auch rund gegangen, grinst er, da hätten sie sogar Räumpanzer eingesetzt. „Ja, ja, tolle Geschichte", sage ich und drehe mich ab. Mit so einem über AKWs bzw. über die Kämpfe rund um die Atomkraft zu diskutieren macht keinen Sinn, was soll da schon bei rauskommen. Außerdem ist mir unbehaglich in diesem Milieu. Hier wird es keine Unterstützung für meine Position geben. Erst mal alles nur beobachten, beschließe ich.

Etwas abseits sitzend erinnere ich mich, dass das Bundesverfassungsgericht erst vor wenigen Monaten im sogenannten „Brokdorf-Beschluss" auf die Klage der Veranstalter hin entschieden hat, dass das Verbot der Demonstration verfassungswidrig war. Ein innerer Film läuft ab: die heftigen Brokdorf-Bilder im Fernsehen. Die Polizei hat die Demonstranten damals nicht nur mit Tränengas und Wasserwerfern bekämpft. Sie hatte auch Hubschrauber eingesetzt, im Tiefflug. Die Szenen erinnerten an den Vietnamkrieg. Und die Zahl der Verletzten war dreistellig.

Wieder in die Runde sehend bemerke ich, wie ein junger und irgendwie harmlos aussehender Typ eine Schreibmappe aus seiner Tasche zieht. „Willst du deine Memoiren schreiben?", kommentiert einer und lacht gleich los. „Meinst du, die kauft dir einer ab?" Andere lachen nun mit. „Mir egal", sagt der Typ und fängt zu schreiben an. Ein anderer, mit einem breiten Gesicht und starkem Bartwuchs, hockt zusammengekauert da und schaut zerknirscht vor sich hin. Er kommt mir vor wie die Karikatur eines anatolischen Bauern – schlicht, offen, gutmütig, nicht unsympathisch –, jedenfalls hebt sich der Mann in seiner Erscheinung angenehm ab von all den anderen Gestalten hier, er strahlt was Vertrauenswürdiges aus.

„Was ist denn los mit dir?", fragt einer den sichtlich Angeschlagenen. „Ich habe meine Frau unter die Erde gemacht", sagt der leise und fängt an zu weinen. Nun lacht der ganze Raum, und auch ich muss grinsen über die putzige Ausdrucksweise. Gebe aber meinem ersten Impuls, mich ihm anzunähern, lieber doch nicht nach.

Allmählich wird die Warterei langweilig. Abwechslung gibt es, als das Essen in zwei großen Kübeln hereingebracht wird. Serviert werden Schinkennudeln und Blaukraut. Es bildet sich eine Warteschlange, das Essen wird auf Teller geklatscht. Ein Mohammedaner beschwert sich: „Kann ich nicht essen, ist Schwein drin." „Da nimmst du es eben ohne Schwein!" brüllt der Aufseher, greift sich eine Gabel und spießt ein Schinkenstückchen auf: „Kannst du rauspicken, dann ist es vegetarisch." Ich esse einen Happen, da geht die Tür auf. Der Beamte ruft meinen Namen und führt mich hinaus. Dort übernimmt der Wachtl, der mich gestern auf die Zelle gebracht hatte. Auch ein Sanitäter ist dabei. Ich würde nun doch nicht verschubt, heißt es, ich müsse erst mal hierbleiben. Auf die Frage, was nun passieren würde, kommt die Antwort: „Sie kommen nachher sowieso zum Chef. Jetzt geht's erst mal zum Arzt." Im Vorraum warten bereits rund ein Dutzend Leute. Überraschend komme ich als Erster dran.

Es beginnt mit Wiegen, Messen, Angaben zu den Trinkgewohnheiten und zu Krankheiten. Dann fordert mich der Arzt auf, mir Blut abnehmen zu lassen. „Wegen AIDS-Test", sagt er. „Sie können das natürlich verweigern. Allerdings müssen sie dann damit rechnen, isoliert zu werden." Derart überrumpelt, lasse ich mir widerstandslos das Blut abnehmen. Im Merkblatt, das der Arzt mir reicht, wird gewarnt: „Halten Sie sich an die für das Zusammenleben in der Anstalt allgemein geltenden Vorschriften und Regeln. Vermeiden Sie insbesondere Fixen, Tätowieren, Ohrläppchenstechen und homosexuelle Kontakte (Afterverkehr), dann besteht für sie keine Ansteckungsgefahr."

AIDS – das Problem hatte ich vor dem Knastantritt überhaupt nicht auf dem Plan. Die allgemeine Hysterie (über 5.000 Neuinfektionen soll es 1985 gegeben haben) hatte mich weitgehend kaltgelassen, ich war ja nicht schwul. Und auch die überall kursierenden Gerüchte hatten mich nicht bewegt, geschweige denn überzeugt. Zum Beispiel die Verschwörungserzählung, dass die katholische Kirche die Seuche erfunden habe. Oder die abwegige These der Grünen-Abgeordneten Erika Hickel, einer Professorin für Pharmazie, die im Bundestag behauptet hatte, dass es sich um die nicht intendierte Folge einer Genmanipulation handele. Aber nun denke ich: Kann man wissen, wie groß die Gefahr ist? Ich denke an eine Bekannte, die sich freiwillig als Sterbebegleiterin für infizierte Homosexuelle gemeldet hat. Was wird da wohl noch kommen?

Wieder im Warteraum werde ich Zeuge munterer Gespräche meiner „Kameraden". Der Wortführer, um die Dreißig, kräftig gebaut und wohl ein ehemaliger Fremdenlegionär, hat eine Waffenzeitschrift dabei. Begeistert berichtet er von den Qualitäten unterschiedlicher Tötungsapparate, die er bereits bedient hat. Ein richtiger Waffenfetischist. Ein anderer berichtet von irgendeinem bayerischen Knastarzt, dem er begegnet sei. Der sei so alt und tattrig gewesen, dass er einem Knacki bei einer Vorhautoperation beinahe die Eichel weggeschnitten habe. Allgemeines Gelächter. Auch AIDS ist Thema. Einer erzählt von einem Gefangenen-Aufstand im Knast von Bernau im letzten Jahr. Der Grund: Nachdem Fälle von AIDS bekannt geworden waren, wollten die Gesunden auf eine andere Station verlegt werden.

Es zieht sich hin, bis der Arzt alle untersucht hat. Dann heißt es: Jetzt geht's zum Chef. Die ganze Gruppe wird in den Verschlag geführt, wir sitzen aufgereiht wie auf einer Hühnerstange. Als sich die kleine Tür zum großen Saal öffnet, werde ich als Erster hineingerufen. Mitten im Saal steht ein Stuhl. Dort muss ich mich hinsetzen. Am andern Ende des Saals ein großer Tisch, besetzt mit drei Personen: Links der Arzt, rechts eine Frau, vermutlich die Psychologin oder eine Sozialarbeiterin, in der Mitte der Knastleiter.

Der Chef fragt mich, warum ich nach zwölf Monaten den Zivildienst abgebrochen habe. Noch vier Monate mit Behinderten zu arbeiten – was sei daran so schlimm? Ich erkläre ihm, dass ich nicht Teil eines Systems sein wolle, dessen lebensfeindliche Konsequenzen meinen Überzeugungen als Kriegsdienstverweigerer fundamental entgegenstünden. Der Zivildienst sei als Zwangsdienst eingebettet in das militärische Gesamtsystem, der Zivildienstleistende wie jeder Soldat dem Prinzip von Befehl und Gehorsam unterworfen und für Zwecke disponierbar, die letztendlich dem Krieg und der Kriegsvorbereitung dienten. Kurzum: In Deutschland sei das Grundrecht auf Kriegsdienstverweigerung nicht garantiert, da helfe eben nur die totale Kriegsdienstverweigerung. „Und wegen solcher Überzeugungen wollen sie sich lieber das hier antun?!", fragt er mich beinahe fassungslos. Ich antworte, dass ich meine Überzeugungen nicht verraten könne. Ob es denn irgendwelche besonderen Erlebnisse während meines Zivildienstes gegeben habe, will der Chef nun wissen. Schon wieder eine Gerichtsverhandlung, stöhne ich leise in mich hinein. Die Wievielte ist das denn nun? Erkenntnisse genügen mir, antworte ich nur.

Dann geht es plötzlich um mein Philosophiestudium. Womit ich mich denn da so beschäftigen würde, will er wissen. Und so reden wir ein wenig über die Vorsokratiker, Platon, Aristoteles und über das Problem der zweiwertigen Logik, mit Paradoxien fertig zu werden. Der Chef lächelt. Auf die Frage, wie weit ich mit meinem Studium sei, antworte ich, dass ich mir bereits Gedanken über eine Abschlussarbeit machen würde. Deswegen wolle ich auch nach Frankfurt verlegt werden, um mich dort mit den Thesen von Jürgen Habermas auseinanderzusetzen. In diesem Moment klingelt das Telefon auf dem Tisch des Chefs. Ich werde hinausgeführt, nach wenigen Minuten werde ich wieder abgeholt. Der Anruf hatte offensichtlich etwas mit meinem Verlegungsantrag zu tun. Ich müsse zunächst mal hierbleiben, klärt mich der Chef auf. Die hessische Seite habe über meinen Antrag noch nicht entschieden. Er fragt mich nach meiner Wohnung in Frankfurt. Das sei eine WG, erkläre ich. „Wenn's ein Scheinwohnsitz ist", meint der Chef beiläufig, „werden wir wohl auch nicht viel machen können." Ich werde nächste Woche wieder von ihm hören, meint er abschließend.

Nach dem Gespräch führt mich ein Wachmann in einen kleinen Raum, dort wird ein Knacki-Foto gemacht, dann geht's wieder zur Kammer. Meine Reisetaschen werden entplombt, der Inhalt wird auf den Tisch geleert und aufgelistet. Ich muss mich nackt ausziehen und meine Kleider auf den Tisch legen. Auch die werden registriert, dann in eine Tüte gepackt und „zur Habe" genommen. Den Großteil meiner Sachen darf ich mit auf die Zelle nehmen, sogar das kleine Radio (im vorgeschriebenen Knastformat 24 x 10 cm), alles wird in zwei große Kartons gepackt. Die Schreibmaschine allerdings wird nicht genehmigt. Immer noch nackt, werde ich daraufhin in einen kleinen Raum geführt. Ich muss mich bücken und die Arschbacken auseinanderziehen. „Weiter!", herrscht mich der Uniformierte an, der mit einer kleinen Taschenlampe meinen Enddarm durchleuchtet. Dann heißt es „Umdrehen! Beutel zur Seite!". Er kann auch vorne weder Verbotenes noch Gefährliches entdecken.

Jetzt ist Duschen angesagt, eine rustikale Kernseife wird gereicht, anschließend Kleiderausgabe: weiße Feinripp-Knastunterwäsche – muss für eine Woche reichen – eine viel zu große Hose, ein Hemd, ein Pullover, ein Gürtel, ein Paar Schuhe. Danach wieder Warten. Ich war ja der erste der Neuzugänge, bis alle anderen fertig sind, dauert es schier endlos. Endlich geht es samt Kartons auf die Zelle. Dort gibt's Abendessen – sogenannte Göttinger Wurst –, es folgt der Einschluss. Es ist jetzt etwa 17:00 Uhr.

Ich esse, bereite mir eine Tasse von dem mitgebrachten Instantkaffee, probiere das Radio aus, schreibe ein bisschen, lese ein paar Seiten, mache 70 Liegestütze. Ein Fragebogen wird hereingereicht, den ich bis morgen ausfüllen soll. Mir will es nicht gelingen, ihn ernsthaft zu beantworten. Verhältnis zu den Eltern? – Emotional ambivalent. Besondere Lebensereignisse während der Kindheit und Jugend? – Die zunehmende Disziplinierung und Dressur für lebensfeindliche Zwecke. Frühere Zuchtmittel? – Zivildienst. Weswegen? – Obligatorisch. Zukunftspläne? – In Freiheit leben. Bald bin ich müde genug, um einzuschlafen.

FREITAG, 17. JANUAR

Nach dem Frühstück geht es erneut zum Anstaltsarzt, nun zur Zugangsuntersuchung. Wieder nackt ausziehen. Der Arzt, ein junger, dynamischer Typ, führt ein paar Routineuntersuchungen durch. Mein Blutdruck sei etwas zu hoch. Mein Magen sei wohl nicht ganz in Ordnung, meint er beim Abtasten desselben. Als ich bemerke, dass ich mich psychisch nicht besonders gut fühle und auf meine eingereichten Atteste hinweise, fragt er: „Wollen Sie sich was antun?" Wer selbstmordgefährdet sei, werde ich aufgeklärt, komme auf eine Beobachtungszelle. Sofort relativiere ich. Nein, nein, so schlecht würde ich mich nun auch nicht fühlen. Dann muss ich wieder warten, bis die anderen Kandidaten fertig sind.

Ich frage mich, ob der Arzt meinen mit Attest untermauerten Antrag auf Strafaufschub überhaupt kennt. Bearbeitet worden ist der nämlich noch immer nicht. Bald kommt wieder ein Schließer und geleitet mich zum Hofgang. Unterwegs erzählt er von einer ZDF-Sendung vom Vorabend. Da hätte sich bei einer Umfrage eine Mehrheit dafür ausgesprochen, dass Sitzblockaden straffrei bleiben sollten. Wenn es nach ihm ginge, sollten die alle in den Knast, sagt er. Ich erspare mir einen Kommentar und denke an meinen Antrag auf Ausgang zum Kriegsdienstverweigerungs-Hearing in Bonn am 29. Januar. Kann mir nicht vorstellen, dass der genehmigt wird.

Trotz eisiger Kälte gibt es zum Hofgang keinen Mantel, Beschwerden werden mit einem Achselzucken quittiert. Wir traben zu sechst im Kreis. Alle wollen schon nach 20 Minuten wieder in die Zelle, weil es vor Kälte nicht auszuhalten ist. Das Mittagessen – Leberknödel mit Kartoffelbrei und Kraut – ist einigermaßen genießbar. Danach erhalte ich zwei Briefe. Ich freue mich sehr darüber, nicht vergessen zu sein. Am Nachmittag werde ich in einen Kellerraum geführt. Dort gibt's eineinhalb Stunden Belehrung. Ich erfahre, dass ich die Eingangsnummer 27/86 habe. Also der 27. Zugang des Jahres 1986 in Bayreuth.

Ein Uniformierter zählt ausführlich die Rechte und Pflichten der Gefangenen auf. Den größten Raum nehmen die Verbote ein, was wenig überraschend ist: „Das Herausschreien aus dem Fenster ist verboten, bei Missachtung gibt es Hausstrafen." „Den Weisungen des Wachpersonals ist unverzüglich und ohne Widerrede Folge zu leisten! Zuwiderhandlungen werden disziplinarisch bestraft!" „Trauen Sie nicht der Tatsache, dass die Mauern hier nicht sehr hoch sind. Da hinten gibt es nämlich einen Turm, der ständig von einem Beamten mit MG besetzt ist. Das ist mit scharfer Munition geladen und wird bei Fluchtgefahr auch benutzt."

Dann ein kleiner Witz: „In unserer umfangreichen Gefängnisbibliothek können Sie sich sogar Krimis ausleihen. Aber nur solche, bei denen am Ende die Verbrecher gefasst werden. Das hat eine gute pädagogische Wirkung." Ansonsten gibt es noch allerlei Infos, etwa zur Arbeitspflicht und zur Ausgangsregelung. Und zur „guten Führung": Nur wer sich anständig benehme, könne in den Genuss einer Entlassung nach zwei Dritteln der Strafe kommen.

Es folgt eine weitere eineinhalbstündige Ansprache in einem anderen Raum, diesmal vom evangelischen Pfarrer. Auch im Knast gehe das Leben weiter, sagt der, wir sollten uns nicht verkommen lassen: Unseren Körper pflegen, Sport treiben, und uns in Selbstdisziplin üben. Auch gegen die moralische Entartung tritt er an, vor allem über den Knacki-Brauch, sich obszöne Frauenfotografien an die Wand zu kleben, um sich daran aufzugeilen und zu onanieren, lässt er sich abfällig aus. Natürlich sei er nicht prüde, betont er. Er habe Frau und zwei Kinder. Wir seien es aber unseren Frauen und Freundinnen schuldig, hier nicht zu Tieren zu werden. Wir sollten an sie denken und uns nach der Haftentlassung um sie kümmern. Wir dürften auch keine moralisch entartete Sprache annehmen. Nachdrücklich betont er, dass er als Pfarrer zwar unabhängig sei von der Gefängnisleitung, dass er sich aber auch nicht ausnutzen lasse. Aber wenn jemand Trost und Rat benötige, sei er natürlich jederzeit zu sprechen. Und gerne seien wir für heute Abend zum Gottesdienst in der Kapelle eingeladen. Da ich von salbungsvollen Reden genug habe, verzichte ich.

Das Abendessen bringt kleine Freude: Endlich gibt es mal Käse statt fetter Wurst. Später versuche ich, das stinkende und vor Dreck nur so strotzende Klo zu reinigen. Es gibt allerdings weder Lappen noch Schwamm, sondern nur ein Knäuel Stahlspäne. Ich stelle mich ungeschickt an und reiße mir einen Finger wund. Es blutet erschreckend stark. Unruhe, Hektik, Panik erfassen mich. Was jetzt tun? Das Handtuch, mit dem ich den Finger umwickle, ist sofort von Blut durchweicht. Schließlich klingle ich nach dem Schließer und verlange einen Verband. Die kleine Verletzung bringt mich ziemlich durcheinander. Sie greift mich auch psychisch an. Ich komme mir plötzlich extrem hilflos vor und merke, wie mir feucht um die Augen wird. Da kommt der Schließer wieder zurück. Ich reiße mich zusammen und verarzte mich notdürftig. Beruhige dich!, ermahne ich mich, du willst doch kein Kandidat für die Beobachtungszelle werden.

Ich lege mich aufs Bett, lese noch etwas, bin aber unkonzentriert. Gedanken über die anderen Knackis beschäftigen mich. Sie wittern, dass ich hier nicht dazugehöre, und das lassen sie mich spüren. Aber auf welche Verständigungsebene sollte ich mit einem Waffenfetischisten und Fremdenlegionär kommen? Und was sollte der – wenn er denn wüsste, mit wem er es zu tun hat – mit einem Totalverweigerer anfangen? Mein erster Eindruck ist: Die meisten Knackis hier sind geradezu stolz darauf, welche zu sein. Sie wissen, warum sie hier sind. Sie stellen das nicht infrage. Der Knast gehört zu ihrem Lebenssystem dazu.

Und was ist mit mir? Wie bin ich auf die absurde Idee gekommen, dass es besser wäre, im Knast zu sitzen als Zivildienst zu leisten? Sind das hier drin nicht alles leere Begriffe: Innere Freiheit, Selbstbestimmung, Selbstverantwortung? Gibt es eine Freiheit dessen, der ins Gefängnis geht, weil er nicht mehr länger in Freiheit ein Gefangener sein will? Ich habe mich nicht brechen lassen, hämmere ich mir ein. Ich werde mich nicht brechen lassen! Dieser Staat wird es nicht schaffen, mich bzw. meine Seele zum Gefangenen zu machen! „Schwachsinn!", ermahne ich mich. Es geht hier nicht um große Worte, es geht lediglich darum, das hier irgendwie zu überstehen.

Je länger ich so vor mich hin brüte, desto schwerer hängt die Zeit im Raum, nutzlos und zäh. Immer wieder drängt sich die Tatsache ins Bewusstsein, dass ich diese Scheißtür hier nicht öffnen kann. Um mich abzulenken, zwinge ich meine Gedanken immer wieder nach „draußen". Aber je mehr ich versuche, mir dieses „draußen" vorzustellen, desto unschärfer wird es. Plötzlich steht die Frage vor mir, wer denn da denkt. Und nun verschwimme auch ich selbst vor meinem inneren Auge ... Als das Licht ausgeht, mache ich das Radio an. Aus der Vogelperspektive sehe ich einen Körper in einem schmalen Bett liegen in einer engen Zelle in einem düsteren Gebäude, drumherum schneit es. Dann schlafe ich ein.

SAMSTAG, 18. JANUAR

Ab 7:30 Uhr setze ich mich hin und schreibe das bisher Geschehene auf, muss aber bald unterbrechen, weil mich eine Darmkolik durchschüttelt. Der Dünnschiss rattert ins Klo. Ursache ist wohl nicht der ekelhafte Instantkaffee allein; ich bin unter Stress.

Es wird trotzdem ein toller Tag. Nur unterbrochen vom Hofgang schreibe ich bis zum Mittagessen. Ich würde gleich Besuch bekommen, heißt es, in einer halben Stunde. Nervös ziehe ich mich zum Fenster hoch, und tatsächlich: Drunten auf dem Parkplatz steigt Gitta aus dem Auto.

Vor dem Besuch gibt es die übliche Abtasterei. Werde noch darüber informiert, dass die Sache mit dem Besuch knapp ausgegangen sei, eigentlich sei das unüblich. Die Situation im Besucherraum ist etwas verkrampft, zarte Berührungen geraten linkisch. Gitta bringt schlechte Nachrichten. Mein Verlegungsantrag ist bereits am 15. Januar vom Bayerischen Staatsministerium der Justiz in München abgelehnt worden. Zur Begründung schrieb ein Ministerialdirigent: „Die Haft ist eine unmittelbare Folge Ihrer Straftat. Eventuell daraus sich ergebende Schwierigkeiten für Ihr berufliches Fortkommen haben Sie sich selbst zuzuschreiben."

Im Übrigen entscheide in dieser Angelegenheit der Leiter der JVA St. Georgen-Bayreuth in eigener Zuständigkeit." Ich muss also warten und hoffen, dass der Leiter der JVA eine Verlegung beantragt.

Der Besuch von Gitta und die zahlreichen Grüße, die sie mitbringt, geben mir Kraft. Es sind jede Menge Solidaritätsaktionen geplant. Ich bin nicht vergessen! Die halbe Stunde ist rasch vorbei. Danach geht's mit drei anderen Gefangenen wie üblich zum Arschdurchleuchten. Ich lasse es stoisch über mich ergehen. Beim Gang über den Hof bin ich wie benommen. Gedankenverloren trotte ich einer Gruppe von Gefangenen hinterher, die dem Saalbau zustreben. Der Schließer pfeift mich zurück. „Sie müssen woanders hin!" Tja, ich habe noch nicht gelernt, wo hier mein „Zuhause" ist.

Wieder auf der Zelle schaue ich auf Zehenspitzen aus dem Fenster. Ich winke Gitta und Jörg zu, die drunten stehen. Es wird rasch beklemmend. Mir wird bewusst, dass ich die Situation irgendwie abbrechen muss, denn die beiden da unten trauen sich nicht wegzugehen, solange ich winke.

Im Eindruck des Gesprächs schreibe ich einen sogenannten Rapportschein an den Anstaltsleiter. Ich müsse ihn wegen der Verlegungsangelegenheit dringend sprechen. Des Weiteren setze ich einen Brief an den SPD-Anstaltsbeirat auf. Dann klingele ich nach dem Schließer. Der scheißt mich kräftig zusammen. „Das ist eine Notklingel hier! Keine für den Postboten!" Erkläre ihm gaaanz ruhig, dass es sich um eine besonders eilige Sache handele. Schließlich nimmt er die Briefe dann doch entgegen.

Der Tag geht zu Ende mit Schreiben, Lesen, Liegestütze, Waschen, Radiohören. Einigermaßen zufrieden schlafe ich ein: Mir ist es gelungen, gegen die aufkeimende Lethargie und Verzweiflung anzukämpfen.

SONNTAG, 19. JANUAR

Ich stehe um 8:00 Uhr auf, esse zwei Margarine-Brote, trinke eine Tasse Kaffee. Den möglichen Kirchgang lasse ich aus; auf das Gesülze des Pfarrers kann ich verzichten. So wird es ein eintöniger Tag. 23 Stunden allein mit meinen Gedanken in der Zelle, eine Stunde Hofgang.

Beim Hofgang, den ich mit meinen Turnschuhen antrete, werde ich vom Wachtl angeschissen, dass ich gefälligst meine Straßenschuhe anzuziehen hätte. Der Mann ist einer von der eher unangenehmen Sorte. Habe bereits gelernt, dass es solche und solche gibt. Die einen haben sich etwas Menschlichkeit bewahrt; andere wirken wie unnahbare Maschinen. Die einen sperren die Tür immer ganz auf, sprechen normal und freundlich;

die anderen öffnen nur die Kostklappe und haben einen schneidenden Tonfall am Leib.

Bei diesem Hofgang komme ich zum ersten Mal mit einem anderen Knacki länger ins Gespräch. Er war schon mal wegen Drogendealerei über viereinhalb Jahre in Bayreuth. Jetzt muss er seine Bewährung nachsitzen. Es wird eine anregende Unterhaltung, nach so vielen Stunden des Schweigens genieße ich meine eigene Rede und höre ebenso gerne zu. Der Typ liegt auf einer Acht-Mann-Zelle. Davor hätte ich Angst, sage ich. Er komme gut klar, meint er. Er wisse, wie er mit den Leuten umgehen müsse. Wichtig sei, den anderen erst mal aus dem Weg zu gehen und sein Maul zu halten, um sich keinen zum Feind zu machen. Auf dem Rückweg zur Zelle gebe ich dem Fremdenlegionär aus der Nachbarzelle ein Päckchen Tabak ab. Ist das ein Versuch, mir Freunde zu machen?

In der Zelle werde ich rasch träge. Es fällt mir extrem schwer, mich zu irgendwas aufzuraffen. Den Versuch, ein wenig Gymnastik zu machen, breche ich schon im Ansatz wieder ab. Sei nicht so schwach, tadele ich mich. Ich lese einen Brief und fühle mich wieder besser. Es ist ein ständiges Wechselbad der Gefühle. Auf der einen Seite bewirkt die Unerschütterlichkeit dieser Institution Niedergeschlagenheit, Zweifel und Angst. Auf der anderen Seite bäumt sich immer wieder ein gewisser Stolz auf, ein Gefühl von Mut und Kraft, sobald ich einen der vielen Solidaritätsbriefe öffne. Zwischendurch kommt mir dann alles nur noch lächerlich vor. Der Staat mit seinen Ansprüchen, der Knast mit seinen Vorschriften, mein Verhalten mit seinem weltfremden Idealismus. Wer bin ich, dass ich mir anmaße, zu den Wenigen zu zählen, die konsequent das Richtige tun? Und: Wer bin ich überhaupt? Es ist erstaunlich, mit welchem Tempo sich in so einer Zelle das verflüchtigt, was ich vor Kurzem noch ganz selbstverständlich als „Ich" oder „Selbst"empfunden habe. Im Alltag draußen taucht die Frage nach dem, der da denkt und tut, nur recht selten auf. Hier ist sie ständig präsent.

Eine Erkenntnis hat sich bereits in mein Bewusstsein eingegraben: Der schlimmste Feind im Knast ist die Trägheit, die ständig sich anschleichende Müdigkeit. Es fühlt sich an, als sei ich hinabgezogen in einen Sumpf der Gleichgültigkeit. Ich hatte mir vorgenommen, in der Zelle jeden Tag zu trainieren. Schaffe aber nur ein paar Liegestütze. Der Trizeps ist noch o. k., der Bizeps verkümmert mangels Gelegenheit zu Klimmzügen. Es gibt nichts in der Zelle, woran ich mich hochziehen könnte. Auch im übertragenen Sinn nicht.

Ich beschließe, mich mit meiner bisherigen „Knastkarriere" zu versöhnen. „Du hast dich doch ganz gut gehalten", rede ich mir ein. Zwar manchmal etwas verwirrt und niedergeschlagen, aber noch nicht verzweifelt. Ich war zu den Schließern weder pubertär aggressiv, noch habe ich mich eingeschleimt. Hass hat sich bisher nicht in mir breitgemacht. Eher empfinde ich Mitleid. Mit den Schließern genauso wie mit den Gefangenen. Ein wenig ist auch Neid dabei, gestehe ich mir ein. Neid darauf, dass diese Leute offensichtlich ein Leben ohne Selbstzweifel führen. Aber vielleicht scheint das ja auch nur so.

Was sind das für Leute, diese Schließer? Die meisten sind wohl ganz normale Leute. Sie verrichten mehr oder weniger motiviert ihren schlecht bezahlten Job. Einige – und das sind die Unangenehmen – ziehen aus der Macht der Uniform und des Schlüssels ein spezielles Selbstbewusstsein. Sie können furchteinflößend sein und machen zugleich einen furchtbar armseligen Eindruck. Mit dem Schlüssel in der Hand von Tür zu Tür gehen, ein paar Anweisungen geben und „Befehlsverweigerer" zusammenscheißen: Was ist das für ein Lebensinhalt? Ein Kollege bemerkte beim Hofgang: „Die sind so leer, die sind gar nicht mehr fähig, zu träumen." Ich überlege: Sind die Einschließer der Freien nicht die eigentlichen Sklaven?

MONTAG, 20. JANUAR

Heute heißt es bereits um 7:30 Uhr „Fertigmachen zum Hofgang!" Es ist noch dunkel. Der Grund: Ich habe „Termine".

Gleich nach dem Hofgang geht es zur Sozialarbeiterin. Im Warteraum ist auch der Fremdenlegionär wieder dabei und erzählt einige seiner Geschichten aus 1001 Kampfnacht. Er habe ein ganzes Jahr in Absonderung ausgehalten, tönt er. Die Sozialarbeiterin kennt ihn bereits und begrüßt ihn mit den Worten: „They ever come back."

Die Sozialarbeiterin – jung und attraktiv, dynamisch, sportlich, lange blonde Haare – klärt auf über die Arbeitspflicht und mögliche Jobs hinter Gittern. Sie lässt sich aus über die beiden „Todsünden" im Knast. Erstens: Arbeitsverweigerung. Die Strafe dafür: Arrest, Ausgangs- und Urlaubssperre, kein Einkauf, keine sonstigen Vergünstigungen (Sport, Fernsehen usw.). Zweitens: auf frischer Tat mit „Gift" ertappt werden. Dann könnten wir das Drittel vergessen und außerdem gebe es Nachschlag. Es folgen noch Infos über Ausgang, Urlaub, Freigang und eine Aufklärung über den „Betreuungsschlüssel" hier: eine Sozialarbeiterin für 200 Gefangene. „Nutzen Sie diese Möglichkeit, um Fragen zu stellen", grinst sie. „Das ist wahrscheinlich ihre letzte Gelegenheit." Und sie hat auch noch einen Witz dabei: „Bei der Wohnungssuche nach der Entlassung und bei sexuellen Problemen kann ich Ihnen leider nicht behilflich sein." Sie sieht ihre Papiere durch und hat noch eine Bemerkung für mich ganz persönlich: Es lohne sich doch wohl kaum, dass ich mich wegen einer so kurzen Zeit noch verlegen ließe. Tja. Hier gehen die Uhren anders. 16 Monate gelten nur als ein Wimpernschlag.

Am Nachmittag gibt's weitere Termine. Ein Beamter stellt die Freizeitmöglichkeiten in der JVA St. Georgen vor. Man kann viel Sport machen. Kraftraum ist vorhanden. Selbst eine Laienschauspielgruppe gibt es. Aber die Sache hat einen Haken. Die Wartezeiten sind lang. Bei manchen Neigungsgruppen länger als meine Haftzeit. In meiner Gruppe fällt mir ein Typ mit enormen Trizeps-Beuteln auf. In der Pause klärt er mich auf, dass er jeden Tag Hunderte von Liegestützen mache, Klimmzüge seien in der Zelle ja nicht möglich, und eine Genehmigung für den Kraftraum habe er nie erhalten.

Es folgt der Auftritt des katholischen Pfarrers. Statt Weihrauch verschenkt er – „zum Einstand", wie er erläutert – Stifte, Kalender und jugoslawische Zigaretten. Dann noch das Kurzseminar eines Psychologen, leptosomer Typ, sehr unsicher. Ein paar Worte zu Drogen, zum Umgang mit Beziehungsproblemen und psychischen Schwierigkeiten mit dem Eingesperrtsein.

Den Rest des Tages versuche ich mich zu beschäftigen. Zwischendurch gelingt es mir sogar, die Zelle zu vergessen. Um die Raucherei zu kontrollieren, habe ich eine „Laster"-Buchführung begonnen. Es schaut düster aus. Ich drehe mir nach dem Abendessen meine 93. Zigarette seit Haftantritt.

DIENSTAG, 21. JANUAR

Vormittags werde ich in ein Büro geführt. Telefonat mit dem sog. Vollzugsinspektor. Er informiert mich, dass meinem Antrag auf Verlegung nach Hessen „soweit" stattgegeben worden sei. „Wir sind froh, wenn wir Sie hier loshaben!", fügt er noch hinzu. Mein Anwalt hat den Verlegungsantrag mit dem dezenten Hinweis versehen, dass es ja auch vor der JVA Bayreuth zu einem „Auflauf von Demonstranten" kommen könne, wie z. B. am 13. Januar in Nürnberg, und dies sei ja sicherlich nicht im Interesse der Anstalt. Hat wohl geholfen. Und wohl auch, dass es bei den beiden Totalverweigerern, die 1984 und 1985 hier waren, bereits Demos, Mahnwachen und andere Aktionen gegeben hat.

Nach dieser Mitteilung bin ich etwas verwirrt, als es nach dem Mittagessen heißt, ich müsse nun zu den „Zwölf Aposteln": So heißt hier die Einstellungskonferenz. Wieder werde ich in den mir bereits sattsam bekannten Verschlag geführt, wieder öffnet sich die Tür zum großen markgräflichen Saal. Die Situation dort stellt sich jetzt aber ganz anders dar. An u-förmig aufgestellt Tischen sitzen alle wichtigen Personen der JVA: der Vollzugsinspektor, der Arbeitsleiter, mehrere Sozialarbeiterinnen, der Psychologe, der Arzt, der Pfarrer, einige weitere Beamte, in der Mitte thront jesusgleich der Anstaltsleiter. Ich erfahre jetzt auch seinen Namen: Werner Springer, leitender Regierungsdirektor. Jeder hat ein Täfelchen vor sich mit Namen und Funktion. Ich muss Platz nehmen auf einem kleinen Stuhl in der Mitte des Hufeisens. Eine Situation wie bei der Inquisition. Dann geht es los. Ich soll erklären, warum ich hier sei – das müssten schon Sie mir erklären, antworte ich, ich sei ja nicht freiwillig gekommen –, es folgt eine Belehrung, wie ich mich hier zu verhalten hätte und wie das Vollzugsziel, nämlich ein anständiger, arbeitsamer und zuverlässiger Staatsbürger zu werden, erreicht werden soll. Es stellt sich heraus, dass eine gewisse Unsicherheit herrscht über meinen Status, für die Verlegung fehlt offensichtlich noch die Zustimmung aus Hessen. Es wird diskutiert, ob ich „prophylaktisch" zur Arbeit eingeteilt werden solle. Die Kleiderkammer wäre doch was für so einen, lautet ein Vorschlag. Es folgt der Beschluss, dass ich zunächst weiter auf Einzelzelle bleiben könne. „Sie können also erst mal weiter ihren Studien nachgehen", heißt es gönnerisch.

Nach dem Abendessen eine Überraschung. Es klopft an der Zellentür und der evangelische Pfarrer tritt ein. Mein erster Besuch in der Zelle! Der Mann zeigt sich aufgeschlossen und redefreudig. Wir plaudern ein wenig über philosophische Fragen, dann fragt er mich, ob ich ihm ein wissenschaftliches Buch über die Zeitproblematik empfehlen könne. Ich denke kurz nach, ob mir ein spezieller Vorschlag einfällt. Dann hab ich's: „Absturz in die Zeit" von Emile Cioran. Der Pfarrer kennt den König der Nihilisten nicht. Würde gern sein Gesicht sehen, wenn er es liest! Ich grinse noch innerlich, als er mir ein Mitbringsel überreicht. Ein Buch von Dietrich Bonhoeffer: „Gemeinsames Leben". Denke mir: Was für ein passender Titel für einen, der in der Einzelzelle sitzt! Ich verspreche, mich mit einem Exemplar von „Dienen oder Sitzen" zu revanchieren. Meinen Griff zu einer Zigarette nimmt der Kirchenmann zum Anlass für eine Ermahnung: Ich solle doch bitte nicht so viel rauchen. Aber er wisse ja, dass er aus dem Glashaus rufe, verkündet er im nächsten Satz mit einem maliziösen Lächeln, greift sich eine Pfeife aus seiner Jackentasche und zündet sie sich genüsslich an. Im weiteren Verlauf des Gesprächs fällt mir auf, dass heute gar kein Hofgang stattgefunden hat. So gebe ich dem Herrn noch eine Beschwerde mit auf den Weg.

MITTWOCH, 22. JANUAR

Fünf Briefe zum Frühstück. Das ist schön, aber auch schwierig. Alle denken, dass es mir dreckig geht, und wollen mich trösten. Fast sehe ich mich genötigt, zurückzutrösten: Leute, ganz so schlimm ist es nun auch nicht.

Nach dem Hofgang gibt es überraschend Umschluss. Die Zellen werden geöffnet, wir dürfen auf den Flur und ein bisschen miteinander reden. Es tut gut, mal Gesichter zu sehen und keine Wände, ein paar banale Worte zu wechseln. Die meisten Gefangenen machen einen beinahe erschreckend harmlosen Eindruck. Sie berichten von kleinen Diebstählen und erwecken den Anschein, als seien sie nur vom Leben überfordert und zu schwach, um in der Gesellschaft richtig zu funktionieren. Einer berichtet von seinen Eindrücken aus der JVA Landsberg. Dort würden die Räume des Führers zur Schau gestellt. Luxus pur: Schlafzelle plus Aufenthaltszelle plus Arbeitszelle plus allerlei Hafterleichterungen inklusive gutes Essen plus ein persönlicher Sekretär. „So möchte ich auch mal Knacki sein!", kommentiert einer. Ich stelle fest: Eigentlich komme ich ganz gut aus mit den Jungs von der Zugangsabteilung. Wir teilen das gleiche Schicksal. Das führt automatisch zu einer gewissen Gruppenbindung.

Als ich mir eine Zigarette aus der Zelle holen will, folgt mir mein korpulenter Nachbar. Der Fremdenlegionär. Er fragt natürlich nach Tabak. „Schon wieder? Hab' ich dir nicht schon am Sonntag einen Koffer gegeben?" Da ich noch gut bestückt bin, schenke ich ihm zwei weitere „Koffer" (so heißen hier die Tabakpäckchen). Zum Dank erhalte ich eine weitere begeisterungstrunkene Tirade über Waffen, Munition und deren entsprechend „tolle" Wirkung. Kostprobe: „Du siehst das Einschussloch überhaupt nicht! Aber hinten ist alles brutal aufgerissen!" Ausführliche Einblicke in die (angebliche?) Soldatenkarriere schließen sich an: mit 17 zur Legion, seit 8 ½ Jahren dabei, zwischendurch zwei Jahre im Knast. Stationierungen bzw. Kampfeinsatz in: Guyana, Kolwezi (1978), Mozambique, Uganda, Mayotte (bei Madagaskar), Beirut (1982). „Hast du auch getötet?", frage ich. „Natürlich, viele!" Abgedrückt habe er aber immer nur dann, wenn er gefühlt habe, dass es nötig sei. In Beirut sei es besonders schlimm gewesen, da seien die Kugeln von beiden Seiten gekommen. „Wir waren ja als Friedenstruppe eingesetzt und immer zwischen den Fronten." „Richtig ekelhaft sei die Kolwezi-Sache im Kongo gewesen, eine regelrechte Metzelei. Einige tausend „Tiger"-Rebellen seien nach Katanga eingedrungen – von Sowjets und Kubanern ausgebildet, habe es geheißen –, die hätten in Kolwezi über 2.000 Europäer als Geiseln festgehalten, es habe unter den Zivilisten viele Tote gegeben. Dann sei sein „régiment étranger de parachutistes" gerufen worden. Sie hätten alle Geiseln befreit, vielleicht 400 tote Rebellen. Auf der Seite der Legion nur fünf Tote und ein paar Verletzte... Ich kann mich schwach an Berichte über die Kolwezi-Sache erinnern und meine, dass da von einem Massaker der Fremdenlegionäre die Rede war.

„Warum bist du denn überhaupt hingegangen?", frage ich. „Da gibt's zwei Gründe: zu jung und Abenteuerlust." Dann überlegt er. „Aber die Legion ist nichts für so jemanden wie dich. Du bist viel zu weich" – er deutet in Richtung meiner auf dem Tisch aufgereihten Bücher – „wer so viele Bücher liest, der hält das nicht aus. Dir würde ich es nie zutrauen, an der Linie ein MG aufzubauen und draufloszufeuern.... Wie ich dich einschätze: Du gehörst doch eher zu denen, die demonstrieren und rufen: ,Stell dir vor, es ist Krieg und keiner geht hin'. Die haben mal vor unserer Kaserne Flugblätter verteilt" – er macht das „Vogel"-Zeichen – „aber wenn die versuchen sollten, mir mein Gewehr wegzunehmen, das kriegen die nie! Vorher niete ich sie alle um." Und der Kindskopf zeigt als „Luft-MG-Schütze", wie das geht. Nach dem kurzen Exkurs setzt er sein Loblied auf die Kampfqualität der Legion fort. „Ich war nur ein Dreivierteljahr in der Kaserne. Sonst immer im Einsatz... Nach drei Monaten Grundausbildung bist du tot oder ein Mann... Wir sind viermal so schnell kampfbereit wie die Bundeswehr" und so weiter und so fort. Ich bin ziemlich beeindruckt von diesen eigenartig naiv, aber mit viel Verve vorgetragenen Erzählungen. Sie absorbieren meine Aufmerksamkeit derartig, dass ich sogar vergesse, die übliche Knacki-Frage zu stellen: Warum er überhaupt eingefahren ist. Ständig denke ich mir: Der hat keinerlei Problem, auch dich umzunieten, wenn die Situation entsprechend ist. Egal, wie viel Tabak ich ihm schenke. Und ich mache mir Gedanken über die „Lust auf Abenteuer". Vielleicht ist ja bei mir im Grunde auch nichts anderes der Hauptantrieb. Nur eben, dass ich mein Abenteuer ohne Waffen suche.

Nach dem Abendessen setze ich die Lektüre von Oskar Maria Graf fort. Es macht Spaß, ausgerechnet im Knast Sätze wie diesen zu lesen: „Es gibt eine Freiheit dessen, der ins Gefängnis geht, weil er nicht länger mehr in Freiheit ein Gefangener sein will." Ja, so will ich es auch gerne empfinden! Ein freier Mensch ist der, der sich weigert, einer Sache zu dienen, die nicht die seine ist. Einer, der nicht nur funktioniert „weil es eben so ist". Aber ist das auch so oder rede ich mir nur meine Situation schön?

Als mir klar wird, dass das Licht bald ausgehen wird, bringe ich noch hektisch drei Briefe zu Ende. Es gab bereits Beschwerden, dass ich mich zu wenig melden würde. Schließlich im Dunkeln sitzend beschließe ich, bald einen Rundbrief zu schreiben, der in Kopien verschickt werden kann.

DONNERSTAG, 23. JANUAR

Ein „normaler" Tag ohne Zugangsveranstaltungen und ohne Umschluss. Das heißt: 23 Stunden Zelle. Der Tagesablauf stellt sich so dar: 6:30 Uhr Wecken, kurzes Frühstück, um 7:00 Uhr Hofgang – also zu dieser Jahreszeit im Dunkeln –, dabei etwas Unterhaltung mit den Nachbarn von der Zugangsabteilung. 8:00 Uhr wieder auf der Zelle, Türe zu. Dort dann lesen – seit ich hier bin: Habermas' „Theorie des kommunikativen Handelns" – und Briefe schreiben. 12:30 Mittagessen, dazu Aushändigung der Post. Das ist der Höhepunkt des Tages. Ich esse, schaue mir dabei die Umschläge an. Dann wasche ich kurz ab, mache mir einen Instantkaffee aus der „Bombe" (so heißen hier die Kaffedosen), dreh mir eine Zigarette aus dem „Koffer", schlitze dann in aller Ruhe die Briefkuverts auf. Das ist der Höhepunkt des Tages: Die Briefe sind wie ein Gesprächsersatz, ohne sie wäre die Stille in der Einzelzelle kaum erträglich. Um 17:00 Uhr Abendessen. Zwischendurch gibt's ein wenig Gymnastik oder Liegestütze. Am Abend Radiohören, noch mal lesen, aber nur „leichte Kost" wie etwa Graf.

DONNERSTAG, 23. JANUAR (AM ABEND)

Bin irritiert, als ich merke, dass ich immer wieder in dasselbe Selbstgespräch verfalle. Ich will jetzt die Tür aufmachen, sagt die eine Stimme. Brauchst du nicht zu probieren, die geht nicht auf, sagt die andere. Es ist ein himmelweiter Unterschied, ob du mal für zwei oder drei Stunden rauskannst aus deiner Zelle, oder ob sich gar nichts tut. Freiwillig lange Zeit in einem kleinen Raum zuzubringen, der jederzeit verlassen werden kann – oder zu wissen, dass du keine Chance hast, die Tür zu öffnen: Das sind zwei völlig unvergleichbare Situationen.

In Freiheit hast du gar keine Vorstellung davon, wie schmerzhaft sich so ein Tag in die Länge ziehen kann. Und wie rasch sich der Schmerz einstellt. Jeder hier sagt dir, dass die ersten Tage und Wochen am schlimmsten sind. Jeder Tag ist wie ein zäh sich dehnendes Loch, das ständig aus eigenem Antrieb mit irgendwas ausgefüllt sein will. Es ist ein ununterbrochener Kampf gegen die Trägheit, gegen eine ohne Unterlass sich anschleichende Müdigkeit, gegen die traurig-dumpfe Versuchung, sich hängen und sich in einen trüben Sumpf der Tatenlosigkeit hinabziehen zu lassen. Und dann: dieses immer wieder um sich greifende Gefühl, dass alles sinnlos ist und absurd.

Wenn du auf dem Gang die Schlüssel hörst, wirst du nervös und unterbrichst dich beim Lesen. Denn du hoffst, dass gleich deine Tür geöffnet wird. Du bist dankbar für jede kleine Abwechslung. Jedes Gespräch, das du belauschst, macht dir deine Einsamkeit bewusst. Du wirst neidisch auf jeden Kontakt, selbst auf den kleinsten sozialen Akt. Nach einer Weile des Alleinseins in der Zelle packt dich irgendwann ein ganz seltsamer Schwindel. Du hast den Eindruck, dass die Wände auf dich zu rücken. Von allen vier Seiten. Es ist wohl so ähnlich wie bei der Klaustrophobie, der Angststörung, die manche in engen Räumen befällt. Du glaubst zu spüren, wie der enge Raum in jeder Sekunde noch enger wird. Es fühlt sich an, als würdest du zusammengepresst. Du stehst auf, gehst umher und vergewisserst dich, dass die Wände nicht auf dich zukommen. Du stellst fest: Ja, die Zelle ist noch genauso groß wie wenige Minuten zuvor. Aber das ändert nichts an deinem Erstickungsgefühl. Du fängst an zu zittern und verlierst jede realistische Einschätzung für dich und deine Situation. Und plötzlich weißt du, denn du hast schon davon gehört: Das ist der Haftschock!

Was ein wenig hilft: Bewegung! Liegestütze, Kniebeugen, auf der Stelle treten, irgendwas. Und wenn du Glück hast, geht es wieder vorbei. Erst mal. Es hilft auch, wenn der Schließer kommt. Du freust dich, wenn du den Schlüssel hörst. Und erschrickst, wenn dann einer reinkommt, und dir verbietet, verschärfte Liegestütze – mit den Füßen auf dem Bett – zu machen. „Ja sind wir denn hier im Turnverein!" Und du wirst wütend, wenn er dann wieder verschwindet und den Schlüssel nicht nur zweimal – das ist üblich – sondern viermal umdreht und dir damit zu verstehen gibt: Dieser Typ muss besonders intensiv eingesperrt werden! Was er nicht weiß: Er hat dir trotzdem geholfen. Du bist wieder raus aus deinem Wahn, du regst dich auf und fragst dich und sinnierst: Wie geht das denn überhaupt, den Schlüssel viermal rumzudrehen? Ja, das minimalste Geschehen ist hier willkommen, es bekommt hier sofort eine riesige Bedeutung!

Oft träume ich mich zum Fenster hinaus. Nur eine einzige Stunde im Wald laufen zwischendurch – und ich wäre wieder frisch! Pausenlos auf dieselben vier Wände zu starren – das birgt nicht nur die Gefahr der Klaustrophobie, es macht auch den Geist mürbe. Ich befehle mir: Strukturiere dich! Mach deine Übungen! Tritt dir in den Arsch und lerne was! Es ist kein anderer da. Es passiert nur das, was du selbst passieren lässt. Zwischendurch treten auch mal emotionale Wallungen auf. Meist ist es ein Ritt auf dem Grat zwischen Wut und Verzweiflung. Dann habe ich Mühe, mich zu beherrschen, um nicht auszurasten und wie ein Wilder gegen die Tür zu hämmern.

Es ist unheimlich schwer, diesen Ort zu vergessen und zu ignorieren, dass du hier festgenagelt bist. Nur dann, wenn du lernst, wie du ihn ignorieren kannst, ist es möglich, es auszuhalten und nicht durchzudrehen. Nach einer Stunde zu bemerken, gerade eine Stunde intensiv gelesen zu haben und nichts außerdem – schon das wird zu einem intensiven Moment von Glück. Am Abend, wenn die Konzentration nachlässt und Erschöpfung sich breitmacht, wird es am schwersten. Habermas ist jetzt zu anspruchsvoll. Was also tun in dieser Zeit, in der die anderen in die Glotze starren oder beim Bier in der Kneipe zusammensitzen?

Manchmal überfallen mich Attacken der Hoffnungslosigkeit. Ich verliere den Bezug zu allem. „Der Knast wird unerträglich, wenn man die Gedanken an draußen nicht loswird. Man muss drinnen leben!", sagte mir einer. Aber ist das wirklich so? Schon nach diesen wenigen Tagen fällt es mir schwer, mir mein altes Leben vorzustellen. Es wird mir fremd, bekannte Menschen verschwimmen vor meinem inneren Auge. Vielleicht muss es auch fremd werden. Denn das Erleben kann ja erst mal nur hier drin stattfinden. Aber hier ist – nichts! Ich beschäftige mich mit Erinnerungen, mit dem, was in meinem Hirn abgespeichert ist. Aber was davon gehört zu meinem Hier und Jetzt, was bin ich selbst? Ich empfinde oft nur noch einen „Bio-Batzen": Eine stumme und taube, träge und dumpf vor sich hinwälzende Gedankentrommel genau an dem Ort, wo ich einst mein „Selbst" vermutete. Ja, Einzelhaft ist ein ständiger Kampf. Ein Kampf gegen die Leere – um einen herum und in einem selbst. Ein Kampf gegen die Empfindungs- und Vorstellungslosigkeit. Ein Kampf gegen das Jammern und die Jämmerlichkeit. Ein Kampf der Fantasie, zwischenmenschlichen Kontakt zu imaginieren.

So deutlich wie nie zuvor steht die Erkenntnis vor mir: Der Mensch ist ein Gesellschafts- und Gemeinschaftswesen! Es gibt kein autonomes Subjekt. Das Subjekt entsteht nur in der Auseinandersetzung mit anderen. Wenn nichts drumherum ist um dieses Selbst, wenn es kein Futter von außen erhält, ist es auch selbst weg. Es ist erschreckend, wie rasch es sich verflüchtigt, sobald es nicht mehr von außen angetrieben wird. Die Lösung kann nur sein: Sich selbst ein Außen geben! In Form eines Beschäftigungsprogramms. Zum Beispiel regelmäßige Habermas-Lektüre mit strikten Zeiten.

Vor einiger Zeit habe ich die Rechtsphilosophie von Gustav Radbruch gelesen, dem ehemaligen Justizminister der Weimarer Republik und Namensgeber des Freigänger-Knastes in Frankfurt. Der hat da von der „Klarheit des Denkens in der Einzelzelle" geschrieben. Radbruch hat tatsächlich mal ein paar Tage in Haft gesessen. Was ist bei dem anders gelaufen?

FREITAG, 24. JANUAR

Vormittags Besuch von Gitta und meiner Mutter. Gitta ruft schon vom Parkplatz aus und ich winke von meinen vergitterten Fensterchen aus hinunter. Die Mutter sieht sehr weinerlich aus, was sich dann auch im Besuchsraum bestätigt. Es wird nicht ganz einfach, weil die Mutter ziemlich durch den Wind ist, immerhin reißt sie sich zusammen. Gitta ist ebenfalls sehr nervös, für Vertraulichkeiten bleibt kaum ein Platz. Sie berichtet über ihren eifrigen Einsatz für mich. Zeigt sie mir damit ihre Liebe? Zu wissen, wie sehr sie sich engagiert, macht mich unsicher. Ich befürchte, mir eine „Schuld" aufzuladen, die ich nachher werde abarbeiten müssen.

Auf dem Rückweg treffe ich auf ein paar Knackis, die ich nun schon ganz gut kenne. Wir grüßen uns bereits wie alte Freunde, machen Scherze: Na, bist du immer noch da? Ich merke, wie ich beginne, diese kleinen Kontakte als zu meinem Leben gehörig anzuerkennen. Der Besuch hat die Gedanken an draußen natürlich angeregt – umso mehr bin ich überrascht, wie schnell sie nun wieder verschwinden. Offensichtlich bin ich schon dabei, hier „anzukommen".

Mittags erhalte ich einen ganzen Berg von Briefen und Karten. Es sind mehr als zwei Dutzend, ich habe also für den Rest des Tages viel zu tun! Die Post kommt von Freunden, Bekannten, Unterstützern, anderen Totalverweigerern, von Politikern der Grünen und der SPD, von Pfarrern, von Institutionen wie dem „Komitee für Grundrechte und Demokratie" oder „War Resisters International" (WRI). Dazu etliche Solidaritätspostkarten, viele aus dem Ausland, eine aus Australien, auch aus Nicaragua, wo ja internationale Brigaden im Einsatz sind, erreicht mich solidarische Nachricht. Und eine Statistik der Friedens- und Begegnungsstätte Mutlangen, die mir offensichtlich zum Mutmachen geschickt wird, zeigt auf, dass nicht nur Totalverweigerer für ihr friedenspolitisches Engagement

„büßen" müssen. Seit 1981 hat es Hunderte von Aktionen des zivilen Ungehorsams bei den Raketen-Standorten gegeben, vor allem größere und kleinere Sitzblockaden. Folge: Rund 7.500 Festnahmen, in 5.500 Fällen kam es zum Strafprozess, die Blockierer erhielten Geldstrafen von 20 bis 180 Tagessätzen bis hin zu Haftstrafen von vier Monaten. Anfangs hatte es z. T. noch Freisprüche gegeben, da durch die gewaltfreien Blockaden lediglich ein als solcher nicht verwerflicher „Anstoß zur Meinungsbildung bzw. Meinungsfortbildung bezüglich Überrüstung und Atomkriegsgefahr herbeigeführt werden sollte". Solche Urteile ließen bayerische Richter aber nicht stehen. Die Begründungen der neuen Urteile ähnelten sich dann immer mehr, so der Aktivist. „Wir hätten gewaltsam und verwerflich gehandelt und damit den Tatbestand der Nötigung erfüllt. Wir könnten uns daher nicht auf einen Verbotsirrtum oder die Meinungs- und Versammlungsfreiheit berufen. Manche Richter haben sogar zugestanden, dass unsere Motive ‚in hohem Maß achtenswert' seien und wir uns mit Böll und Jens sozusagen in bester Gesellschaft befänden. Aber wo kämen wir denn hin, wenn das jeder tun würde? Zitat aus einem Urteil: „Die Anerkennung eines Demonstrationsrechtes in dem vom Angeklagten angenommenen Ausmaß – ziviler Ungehorsam als aktiver Verfassungsschutz – liefe auf die Legalisierung eines von militanten Minderheiten geübten Terrors hinaus, der mit dem auf dem Mehrheitsprinzip beruhenden Verfassung der Bundesrepublik Deutschland unverträglich ist."

Wie der Schreiber mitteilt, hätten sich etliche der Betroffenen dazu entschlossen, ihre Geldstrafen im Gefängnis abzusitzen. Da kann ich ja bald damit rechnen, einen von denen im Knast zu treffen, denke ich mir.

Kleine Freude am Nachmittag: Ich darf unter die Dusche! Die letzte hatte ich am Dienstag.

SAMSTAG, 25. JANUAR

Ein besonderes Vorkommnis: kurz vor dem Mittagessen öffnen zwei Hausels die Kostklappe und reichen mir Zeitungsausschnitte über meinen „Fall". Sie wirken beinahe stolz, einen „prominenten" Mitgefangenen zu kennen. Es gibt mir ein gutes Gefühl, bei den anderen ein gewisses „Renommee" zu haben und nicht ein „Niemand" zu sein oder gar als Idiot abgestempelt zu werden. Auch die meisten Schließer wirken inzwischen so, als wollten sie mich mit Samthandschuhen anfassen. „Das Ministerium hat wegen Ihnen angerufen", teilt mir einer im Vertrauen mit. Nur einer bleibt mein spezieller Freund. Der eifrige Schlüsselumdreher zeigt mir mit barschen Ansagen und herablassendem Benehmen, dass er rein gar nichts von mir hält. Es tut ihm offensichtlich gut, stets deutlich zu zeigen, wer hier der Befehlshaber ist.

Abends schlafe ich über meiner Habermas-Lektüre ein. Und träume. Plötzlich schrecke ich auf, das bekannte Schlüsselklappern des Schließers dringt an mein Ohr, laut hallen Schritte, undeutlich untermischt mit zarten, schlurfenden Tappsern. Ein Neuzugang! Die Tür der Nachbarzelle wird geöffnet, der Neue jappst und grummelt weinerlich, dass das alles nicht in Ordnung sei, Kommunikation sei grundsätzlich gebunden an die intersubjektive Befolgung von Regeln, also liege ihr immer ein Verständigungsprozess zugrunde... Klingt wie Habermas, grüble ich. Am nächsten Morgen dann der Blick nach rechts durch die Kostklappe. „Herr Professor!", rufe ich, „wie kommen Sie denn hierher?" Es sei ihm vorgehalten worden, Verstehen mit Verständigung verwechselt zu haben, berichtet er empört, die zwanglose Kraft des besseren Arguments liege außerhalb der universalen Pragmatik, hätten die Richter behauptet, aber das könne... Hier habe er ja nun Gelegenheit, unterbreche ich ihn, die Möglichkeit von herrschaftsfreier Intersubjektivität auszutesten. Leicht dürfte es nicht werden, grinse ich in mich hinein. Verständigt sich ein Gefangener mit dem Wärter, wenn er lernt, dass er gehorchen muss? Oder versteht er nur die Situation, ähnlich wie ein geprügelter Hund? „Alhamdulillah" grummelt plötzlich eine gutturale Stimme...

Da wache ich auf. Tatsächlich hat in einer der Nachbarzellen ein Gefangener zu singen begonnen. Es klingt arabisch. Der für Stunden anhaltende Singsang, changierend zwischen Klagelied und süßer Melancholie, ruft in mir Bilder von Sonne, Sand, Meer und Palmen hervor. Einmal steige ich zum Fenster hoch und schaue hinaus. Es ist kalter fränkischer Winter, es schneit, alles ist schneebedeckt und leuchtet gelblich im Schein der Knastlaternen. Ein irrer Kontrast zur Szenerie in meinem Kopf. Arabien im verschneiten Bayreuth – mir wird ganz warm ums Herz. Weniger wegen der Sehnsucht, sondern aus Rührung, mit diesem völlig unerwarteten Erlebnis beschenkt zu werden.

SONNTAG, 26. JANUAR

Vormittags Lektüre. Dostojewskis Dämonen lege ich gleich wieder weg, es kommt mir unheimlich zäh vor. Also Habermas. Noch schlimmer. Stinklangweilig, ein mühsames Steigen durch Berge von Zitaten, selbst unter diesen Umständen kaum erträglich. Aber ich quäle mich weiter, schließlich gehört das zu meiner Pflichtlektüre. Ein Satz des Großmeisters aus Frankfurt bleibt hängen. Der Mensch werde erst dadurch zu einem sozialen Wesen, dass er lernt, „Nein" zu sagen. Durch die Verbalisierung des „Nein", so Habermas, gewinne ein Mensch seine Identität im Sinne einer Abgrenzung seiner selbst von der ihn umgebenden Umwelt.

Das soziale Wesen, das durch sein „Nein" in dieser Zelle gelandet ist, hat allerdings gerade Probleme mit seiner Identität. Da keine anderen Menschen da sind oder auch nur irgendwelche Anregungen von außen anklopfen, macht sich in mir eine gähnende Leere breit. Dieses matte, gleichgültige, dumpfe Subjekt? Das soll ich sein? Was könnte da meine „Identität" sein? Weitere Fragen tauchen auf und steigern die Verwirrung. Was sind Gedanken? Was sind Gefühle? Wer sind wir? Was ist Leben überhaupt? Und so sicher wie das Amen in der Kirche kommt dann irgendwann der Moment, in dem ich mich nur noch danach sehne, wie ein dummes Vieh irgendjemandem oder irgendetwas hinterherzutrotten, willenlos. Wie herrlich muss es sein, einfach bloß zu funktionieren – und keine Fragen mehr stellen zu müssen!

Vor den Fragen retten Briefe. Sobald ich einige Zeilen lese, die von diesem ganz bestimmten Leben künden, das meines zu sein scheint, finde ich wieder zurück zu einem Ich. Oder die Hilfe kommt vom Flur. Sobald ein Schließer die Tür aufmacht und irgendetwas von mir verlangt, sobald ich einem Mitgefangenen begegne und ich mit ihm plaudere, entsteht selbst in dieser Minimal-Kommunikation sofort wieder mein Ich. Das geht ganz automatisch. Und das wirft erneut die Frage auf: Gäbe es mich überhaupt ohne andere? Der Kontakt mit anderen Menschen bestimmt womöglich nicht nur, wer ich bin; bestimmt er vielleicht sogar, dass ich bin? Völlig auf mich gestellt wäre ich nichts. Zumindest dann, wenn ich nicht zuvor viele Gespräche und Gedanken von anderen gesammelt hätte. Daraus und aus dem, was ich – in welcher Situation auch immer – daraus mache, in Gedanken wie in Gefühlen, formt sich meine Identität. Und sie verändert sich, je nachdem, welche anderen Einflüsse hinzutreten.

Die heutigen Kontakte: Während des Hofgangs spreche ich mit zwei anderen Gefangenen beim Schließer vor. Wir wollen Kartenspielen und bitten ihn daher, uns am Nachmittag zu dritt in eine Zelle zu sperren. Die Antwort: „Geht nicht Männer. Wir wollen ja nicht, dass es euch hier so gut gefällt, dass ihr wieder zurückkommen wollt." Vor dem Wiedereinschluss leihe ich mir von meinem Nachbarn ein paar uralte Illustrierte. Sämtliche Fotos nackter oder halb nackter Frauen sind herausgeschnitten. Er hat sie einzeln verkauft. Eine einzige Seite hat hier einen Kurs von mindestens einem „Koffer". Vermutlich hat der Pfarrer für diesen eklatanten Mangel an Wichsvorlagen gesorgt. Die Strafe für den bösen Gedanken folgt auf dem Fuß: Obwohl ich mich diesmal – im Zuge des beschlossenen Programms „Besser irgendeine Abwechslung als gar keine Abwechslung" – für den Kirchgang angemeldet habe, werde ich in der Zelle „vergessen".

Mittags: Nachdem die Kostklappe geöffnet wurde und nicht gleich ein Essen hereingereicht wird, stecke ich neugierig meinen Kopf durch das Loch, um zu sehen, was da los ist. Rechts und links den ganzen Gang herauf und hinunter präsentieren diesmal fast alle Gefangenen ihre blässlichen Gesichter. Es ist eine Szene wie im Film „Papillon". „Schaust gut aus!", rufe ich meinem Nachbarn zu. „Und ich? Wie sehe ich aus?" „Sehr gut. Super!", sagt er. Alle lachen und rufen irgendwas, bis der Schließer das Vergnügen abbricht.

MONTAG, 27. JANUAR

Hofgang bei acht Grad Minus im sog. „Jeansanzug". Wir haben immer noch keine Mäntel bekommen. Spreche diesmal den Typen an, der an den beiden Tagen zuvor hier einsam seine Runden gedreht hat. Ein richtig guter Läufer, es sah sehr professionell aus, obwohl er – klapp, klapp, klapp – auf extrem harten Ledersohlen lief. Und tatsächlich: Er sei vor mehr als zehn Jahren Mitglied der rumänischen Jugend-Nationalstaffel gewesen, sagt er, Mittelstrecke, 5000-Meter-Bestzeit um 16 Minuten. „Respekt", sage ich, „da komme ich nicht mehr mit. Aber ein bisschen Laufen täte mir gut." Das könne ich hier eigentlich vergessen, meint er, nicht nur, weil es so kalt ist. „Auf diesem harten Betonboden kannst du nur Jogging machen. Und dann" – er zeigt auf seine Füße – „habe ich ja auch nur diese Straßenschuhe."

Wieder auf Zelle notiere ich: Irgendwie warte ich immerzu auf außergewöhnliche Augenblicke. Am Anfang ist alles neu, das sind selbst Kleinigkeiten interessant. Aber dann? Hofgang – Zelle – Essen. Mehr passiert nicht mehr. Was gibt es da zu berichten, außer Gedanken (& Gefühle)? Und ich merke ja schon, wie der Drang, mir Notizen zu machen, nachlässt. Auch die Gedanken und Gefühle geraten in die Wiederholungsschleife. Selbst wenn ich den Koller besiege und viel lese, bleiben immer noch genug Langeweile und durch Reizarmut verursachte Bräsigkeit. Ein erschreckend großer Zeitanteil meines Daseins besteht eigentlich nur aus einem jämmerlichen Vor-mich-hin-Existieren.

So häufig wie nie zuvor stelle ich mir die Frage: Woraus besteht das Leben? Irgendwie überleben, nach Erfolg, Anerkennung und Befriedigung streben, Widerstand leisten. Und wenn das alles gerade nicht wichtig ist: Sich irgendwie beschäftigen. Und der Sinn? Stellt der sich von selbst ein? Muss jeder Mensch einen Lebenssinn haben wollen? Kann er ihn erzwingen? Oder findet er ihn? Sicher scheint mir: Der Sinn kommt auf dich zu in einem Moment, in dem du ihn nicht suchst. Ich stelle ihn mir vor als einen Zustand der Zufriedenheit, der sich einstellt, wenn die Frage nach dem „warum" gerade mal Pause macht. Und in diesem Sinn verschwindet der Sinn in dem Moment aus dem Bewusstsein, in dem er eintritt. Damit meine ich eine andere Form von Sinn als der Soziologe Niklas Luhmann. Ihm zufolge ist Sinn die größte Ressource, er ist überall, es gibt nichts ohne Sinn. Trotzdem finden gerade Gefangene oft keinen Sinn mehr in ihrem Leben. Ich habe gelesen: Nirgendwo ist die Selbstmordquote so hoch wie hier. Und die „frisch Verknackten" sind besonders gefährdet. Luhmanns Definition von Sinn hilft in solchen Fällen von „Sinnverlust" nicht wirklich weiter …

DIENSTAG, 28. JANUAR

Hofgang bei Minus zehn Grad, immer noch ohne Mantel. Mir sind die Gesichtsmuskeln eingefroren. „Was einen nicht umbringt, macht einen härter", sage ich dem Wachtl beim Einschluss.

Das ewige Schlüsselklappern beginnt mich zu nerven. Habe aber trotz aller zwischenzeitlichen Durchhänger das Gefühl, dass es mir erstaunlich wenig ausmacht, eingesperrt zu sein. Die prinzipiellen Probleme, die ich habe, führe ich im Wesentlichen auf mich selbst zurück. Ist das Leben in der Hauptsache nicht vor allem ein Kampf mit sich selbst? Hier genauso wie draußen? Sind die Unterschiede so groß? Und immerhin eröffnet der Knast eine ganze Reihe von Möglichkeiten, die in Freiheit nicht gegeben sind. Ich kann in meiner Zelle tun und lassen, was ich will. Jede gesellschaftliche Verpflichtung ist aufgehoben, nichts lenkt mich ab. Wie viel Zeit habe ich draußen mit nutzlosen Zerstreuungen vergeudet! Jetzt fehlen diese Ablenkungen. Ich merke, was alles an einem Tag geschafft werden kann. 200 Seiten Habermas zum Beispiel. Ob das allerdings eine sinnvolle Freizeitbeschäftigung ist, zumal das meiste ohnehin gleich durch mein löchriges Hirn hindurchschlüpft?

Habermas unterstellt, dass sich jeder Sachverhalt entscheiden lässt bzw. dass sich im herrschaftsfreien Diskurs immer eine Einigung erzielen lässt. Offensichtlich war er noch nie in einem Prozess dabei, bei dem es um die Interpretation des Grundgesetzes ging. Habermas sagt, es lässt sich über Motive und Ursachen als Gründe reden. Über die Richtigkeit entscheidet aber allein die Konsensfähigkeit der Gründe. Können

Gründe aber fähig sein, Handlungen zu motivieren? Es muss über etwas ganz anderes geredet werden, wenn die Ursachen von Handlungen in den Blick kommen sollen. Die Regel ist doch wohl: Jeder Mensch ist schon im Handeln – ohne dass er zuvor die Gelegenheit gehabt hätte, sich zu entscheiden. Und wenn er die Gelegenheit hat, eine Entscheidung zu treffen, kann er dies nur tastend tun; ob es richtig war, stellt sich erst hinterher heraus. Jeder ist geleitet von Motiven (bewusst) und Ursachen (unbewusst). In deren Dienst stellen alle ihre Argumente. Wo haben da die Gründe ihren Platz, die als „falsch" oder „richtig" herrschaftsfrei ausdiskutiert werden wollen?

Ich sitze hier, weil ich bestimmte Normen nicht verinnerlichen wollte oder konnte. Es blieb mir nur die Wahl, ihnen zu gehorchen – sei es aus Angst vor Strafe oder sei es aus purer Bequemlichkeit – oder mich ihnen zu widersetzen. Ich hatte im Moment der Weigerung zwar Motive und konnte sie auch argumentativ vertreten, aber konnte ich mir sicher sein, alle möglichen Gründe erfasst zu haben? Tatsächlich ging der Begründungsprozess auch nach der Tat noch weiter. Ich hatte also nur eine vorläufige Begründung. Und hatte ich mir alle meiner Entscheidung möglicherweise zugrunde liegenden Motive bewusst gemacht, von all den unaufgeklärten Ursachen ganz zu schweigen? Bis heute bin ich dabei, weitere tiefere Gründe, Motive und Ursachen aufzudecken. Und auch diese Aufklärung wird nie zu einem Ende kommen. Jede Entscheidung ist also quasi ein Experiment, über dessen Erfolg erst später geurteilt werden kann, wenn überhaupt. Sicher ist nur: Alle Entscheidungen haben Konsequenzen, manche sehr heftige und ziemlich vorhersehbare.

Dazu gibt mir mein Freund Bernd A. zu denken. Er sinniert in einem Brief über seine Lektüre von Herbert Marcuses „Triebstruktur und Gesellschaft". Marcuses These geht ungefähr so: Die menschliche Geschichte sei eine Geschichte der Herrschaft, des Aufstands gegen die Herrschaft und der Wiedererrichtung der Herrschaft, eine immerwährende Abfolge von Revolution und Restauration. Die Persönlichkeitsgeschichte des Individuums beginne mit der Unterdrückung durch den Vater, der ein Liebesmonopol auf die Mutter beanspruche, die Befreiung von der Herrschaft des Vaters vollziehe sich durch einen (symbolischen) Vatermord. In der industriellen Erwerbsgesellschaft, so Marcuse weiter, würden beide Aspekte miteinander verquickt, denn da werde die Rolle des Vaters teilweise von gesellschaftlichen oder staatlichen Institutionen übernommen. Also fragt Bernd: „Könnte ich bestreiten, dass hinter meiner Teilnahme an Aktivitäten des zivilen Ungehorsams – unbewusst –, ein Ersatz für den nicht stattgehabten Autoritätskonflikt mit meinem Vater steckt? Hätte ich zu Hause einen symbolischen Vatermord begangen, hätte es eventuell des Widerstandsaktes gegen Militär und Gesetz gar nicht bedurft?"

MITTWOCH, 29. JANUAR

Tag der Entscheidung! Nach einem schier ewigen Hin und Her und wochenlanger Unklarheit, ob mein Verlegungsantrag in irgendeiner Behörde liegen geblieben ist, klärt sich die Sache heute endlich. Am Abend teilt mir ein Beamter mit, dass ich morgen „auf Schub" käme! Nachdem der Anstaltsleiter der JVA meinem Frankfurter Anwalt fernmündlich versichert hat, einer Verlegung zu entsprechen, „sofern die Überprüfung des Wohnsitzes ergibt, dass der Verurteilte seinen Wohnsitz nach Frankfurt verlegt hat" und nun ebendies von den hessischen Justizbehörden den bayerischen Vollzugsstellen bestätigt worden ist, hat der hiesige Anstaltsleiter meinem Anwalt mitgeteilt: „Antragsgemäß wird Ihr Mandant am 30. Januar 1986 gemäß § 24 Abs. 2 StVollstrO in die Justizvollzugsanstalt Dieburg verlegt werden." Bei der ganzen Sache war auch die mir fast schon freundschaftlich verbundene SPD-Politikerin Renate Schmidt involviert, die ihre Kontakte hat spielen lassen. Die Doppelbestrafung von Totalverweigerern findet sie skandalös.

Dass ich neben dem Verlegungsantrag ja auch noch einen Antrag auf Strafaufschub gestellt hatte, habe ich schon fast vergessen. Bekomme jetzt auch die Info, dass der von der Staatsanwaltschaft beim LG Nürnberg-Fürth abgelehnt worden ist. Genauso wie mein Antrag auf Sonderurlaub für das heute stattfindende Hearing über Kriegsdienstverweigerung und Totalverweigerung in Bonn.

Inhalt des Schreibens, das man mir an meine Adresse in Frankfurt geschickt hat: „Nach den vorgelegten ärztlichen Attesten ist der Verurteilte nicht in Geisteskrankheit verfallen, leidet nicht an einer Erkrankung, durch die infolge der Vollstreckung der Strafe eine nahe Lebensgefahr zu besorgen wäre, noch befindet er sich in einem körperlichen Zustand, der mit der Einrichtung der zuständigen Vollzugsanstalt, die über eine von mehreren Ärzten geleitete Krankenabteilung verfügt, unverträglich wäre. Die etwa erforderliche ärztliche Behandlung ist auch im Strafvollzug gewährleistet." Schön, dass ich das auch mal erfahre. Aber immerhin: Morgen geht es nun endlich nach Hessen. Hätten sie mich auch gleich nach Bonn gehen lassen können, denke ich. Wäre eine tolle Sache gewesen, dort als aktueller „Kriegsgefangener" teilzunehmen.

Nachtrag: Was draußen geschah & Briefverkehr

Inzwischen war außerhalb der Gefängnismauern einiges passiert. Viele Solidaritätserklärungen und Petitionen waren unterwegs oder in Vorbereitung, von den Grünen und von allerlei Verbänden, etwa der DFG/VK oder der Humanistischen Union. Das Komitee für Grundrechte und Demokratie erklärte, dass es „für die Rechte der totalen Kriegsdienstverweigerer... ohne Wenn und Aber" eintrete. „Es sympathisiert mit der entschiedenen Kriegsdienstverweigerung, weil sie zum Ausdruck bringt, welches Engagement für die Erhaltung des Friedens erforderlich ist. Gerade weil wir für die Anerkennung der Kriegsdienstverweigerung im Ostblock eintreten und in konkreten Fällen zahlreiche Betroffene konkret unterstützen, verbietet sich jede Einäugigkeit, wie sie ‚in diesem unseren Lande' gegenüber Dissidenten, wie z. B. den totalen Kriegsdienstverweigerern oder anderen Gewissensverweigerern üblich ist."

Die Schlagzeilen beherrschte aber natürlich die große Politik. Da war Überraschendes passiert: Während ich auf dem Weg in den Knast war und während der Kommandeur der Gellendorf-Kaserne bei Rheine dem dort im Arrest einsitzenden Totalverweigerer Stefan C. noch einzubläuen versuchte, dass die Sowjets die Weltherrschaft erstreben würden und nur durch Gewaltandrohung davon abgehalten werden könnten, hatte Michail Gorbatschow, Generalsekretär des ZK der KPdSU, mit einer Rede vom 15. Januar 1986 „ein konkretes, auf einen genau festgelegten Zeitabschnitt orientiertes Programm der vollständigen Beseitigung von Kernwaffen in der ganzen Welt" auf den Weg gebracht, um zu verhindern, dass diese „für die Menschen zum Werkzeug der Selbstvernichtung" werden können. „Eine zweite Arche Noah wird es nicht geben", mahnte er.

„Die Sowjetunion schlägt vor", konkretisierte Gorbatschow seinen Plan zur Beendigung des nuklearen Wettrüstens, „die Erde im Laufe der nächsten 15 Jahre, bis Ende des jetzigen Jahrhunderts, etappenweise und konsequent von den nuklearen Waffen zu befreien. Das 20. Jahrhundert brachte der Menschheit die Atomenergie. Aber diese große Errungenschaft des Verstandes kann für die Menschen zum Werkzeug der Selbstvernichtung werden." Es gelte, wirksame Wege zu finden, dies zu verhindern, und man könne, gab er sich überzeugt, diese Aufgabe auch bewältigen, wenn man unverzüglich mit der Lösung der Probleme beginne. „Die Sowjetunion schlägt vor, mit Beginn des Jahres 1986 das Programm der Erlösung der Menschheit vor der nuklearen Gefahr zu verwirklichen. Und dass dieses Jahr durch die UNO zum Internationalen Jahr des Friedens erklärt worden ist, gibt dazu einen zusätzlichen poli-

Michail Gorbatschow bei einer Rede im Februar 1986.

tischen und moralischen Anreiz. Hier muss man sich über nationalen Egoismus, über taktische Kalkulationen, Streitigkeiten und Zwietracht hinwegsetzen, deren Bedeutung im Vergleich zur Erhaltung des einzig wahren Wertes – des Friedens, der sicheren Zukunft – nichtig ist."

Um dieses Programm auf den Weg bringen zu können, so Gorbatschow, sei „die Schaffung von Vertrauen" eine „unentbehrliche Komponente der zwischenstaatlichen Beziehungen". Später wird Gorbatschow mehrfach erläutern, dass ihm die Massenproteste der westeuropäischen Friedensbewegung vor Augen geführt hätten, wie sehr der Zivilbevölkerung das Thema am Herzen lag, und dass dies einer seiner Beweggründe gewesen sei, Verhandlungen mit den USA auf den Weg zu bringen. Ganz klar wird er dies u. a. 1996 gegenüber dem deutschen Journalisten Franz Alt zum Ausdruck bringen: „Nur mit Hilfe der westlichen Friedensbewegung konnte ich meine Abrüstungs-Politik gegen die Hardliner im Kreml durchsetzen". Auch eines der berühmtesten Zitate des sowjetischen Staatsmannes, geäußert am 6. Oktober 1989 gegenüber der ARD, bezieht sich auf diesen Zusammenhang: „Ich glaube, Gefahren warten nur auf jene, die nicht auf das Leben reagieren." Die Überzeugung dahinter: Nur derjenige Politiker kann erfolgreich sein, der „die von der Gesellschaft ausgehenden Impulse aufgreift und dementsprechend seine Politik gestaltet". Gorbatschows Kurs war also getragen von dem im Westen auf breiter gesellschaftlicher Ebene vorgetragenen Friedenswillen, und umgekehrt hätte sich ohne Gorbatschow der tatsächliche Entspannungsprozess samt Demokratiebewegung in der DDR wohl kaum in der Weise, wie es dann geschehen ist, entfalten können.

Im Deutschen Bundestag freilich – zur Erinnerung: Es war die Zeit des Kabinetts des Bundeskanzlers Kohl mit den Ministern Genscher (FDP, Außen), Zimmermann (CSU, Innen) und Wörner (CDU, Verteidigung) – herrschte zu diesem Zeitpunkt noch eine ganz andere Tonlage, wie etwa die Bundestagssitzung vom 16. Januar zur ersten Beratung über die Verlängerung des Kriegsdienstverweigerungs-Neuordnungsgesetzes (KDNVG) zeigte. Der Hintergrund: Mit der Neuordnung von 1983 war die Gewissensprüfung vereinfacht worden – die mündliche Prüfung entfiel im Regelfall, es genügte nun ein schriftlicher Antrag mit einer persönlichen Begründung –, außerdem hatte man den Wehrdienst von 16 auf 20 Monate verlängert. Das Vorhaben, mit dem Ausbau des Zivildienstes als „lästige Alternative" zum Wehrdienst – offiziell als „Probe" auf die Ernsthaftigkeit der Gewissensentscheidung bezeichnet – die beabsichtigte Reduzierung der Anträge auf Anerkennung als Kriegsdienstverweigerer (KDVer) zu bewirken, war auch erfolgreich gewesen.

Mehrere Gruppen von Bundestagsmitgliedern hatten zu dem Thema Anträge eingebracht. Der von Henning Schierholz für die Fraktion der Grünen vorgetragene lief unter dem Titel „Realisierung des Grundrechts der Gewissensfreiheit gegenüber den Anforderungen der allgemeinen Wehrpflicht". Darin wurde die Bundesregierung unter anderem dazu aufgefordert, „alle totalen Kriegsdienstverweigerer sofort aus der Bundeswehr zu entlassen" und für „alle verurteilten totalen Kriegsdienstverweigerer ... eine Amnestie vorzusehen". Die Begründung: Das Grundrecht der Gewissensfreiheit gemäß Artikel 4 des Grundgesetzes habe uneingeschränkten Vorrang vor dem Personalbedarf der Bundeswehr und der Realisierung militärischer Zwecke. Den totalen Kriegsdienstverweigerern aus Gewissensgründen, die eine Ableistung sowohl des Wehrdienstes wie auch des Ersatzdienstes grundsätzlich ablehnen, müsse der volle Schutz des Artikels 4 des Grundgesetzes zukommen, weil es verfassungsrechtlich problematisch sei, wenn das Grundrecht der Gewissensfreiheit gegenüber einer Organisationsnorm der Verfassung – nämlich der Möglichkeit, dass der Bund per Wehrpflicht Streitkräfte zur Verteidigung aufstellen kann (Artikel 87a des Grundgesetzes) – nachrangig behandelt werde. Grundgesetzkonform sei der Ersatzdienst also nur dann, wenn dieser zu einem „sozialen Friedensdienst" ausgestaltet werde, „der in keinem Zusammenhang mit militärischen Verbänden und Zwecken steht". Und vor allem gehe es nicht an, dass Verweigerer des Wehr- und Zivildienstes nach erfolgter Bestrafung nochmals einberufen und erneut bestraft werden: „Das Verbot der Doppelbestrafung für dieselbe Tat gemäß Artikel 103 des Grundgesetzes ist strikt zu beachten."

In der Debatte wies Schierholz darauf hin, dass von den jährlich gemusterten rund 500.000 männlichen Jugendlichen maximal 225.000 pro Jahr für die Bundeswehr benötigt würden, mehrere Zehntausend aber überhaupt keinen Dienst leisteten, wohingegen nach mehreren Verfahren nicht anerkannte Kriegsdienstverweigerer und totale Kriegsdienstverweigerer, die auch den Ersatzdienst ablehnen, immer wieder einberufen würden. „Das ist Ihr wahrer Beitrag zur Wehrgerechtigkeit, Herr Wörner", rief er dem Verteidigungsminister zu, „nämlich jungen Leuten zu demonstrieren, dass der lange Arm des Staates jedermann zu erreichen in der Lage ist, notfalls mit Arrestzelle oder Knast gefügig zu machen versucht. Unsere Solidarität gilt daher in diesen Tagen symbolisch besonders Christoph Bausenwein, der aus Gewissensgründen den Zivildienst nach zwölf Monaten abgebrochen hat und dafür jetzt mit einer verfassungswidrigen Doppelbestrafung von sechzehn Monaten bedacht worden ist und am Montag seine Freiheitsstrafe antreten musste."

In der Fraktion der Union war man erbost. Die Grünen beabsichtigten „ein Abwehrrecht gegen die allgemeine Wehrpflicht, um die Landesverteidigung der Bundesrepublik auszuhöhlen", warf der CDU-Abgeordnete Breuer ein. Bei der SPD-Fraktion hingegen gab es Übereinstimmung mit der Position der Grünen. „Wer die Gewissensfreiheit will und die Kriegsdienstverweigerung als zu achtende Alternative ansieht, muss eine Änderung der bisherigen Praxis der Behandlung von Kriegsdienstverweigerung, das Abkoppeln der Zuständigkeit des Verteidigungsministers für Kriegsdienstverweigerer und die Abschaffung der Doppelbestrafung für Totalverweigerer oder Pazifisten und eine echte Alternative des Zivildienstes als Friedensdienst suchen", äußerte der Abgeordnete Horst Sielaff. „Wie wir wissen, meine Damen und Herren, verweigert eine immer größere Zahl von jungen Wehrpflichtigen nicht nur den Wehrdienst mit der Waffe, sondern auch den bisher als Ersatz geltenden Zivildienst. Wir Sozialdemokraten haben wiederholt auf die Probleme der Totalverweigerer hingewiesen. (…) Wir fürchten: Die bisherige Praxis, dass für vier Monate verweigerten Zivildienst junge Menschen zu 16 Monaten Freiheitsentzug verurteilt werden, wird fortgesetzt. Ich denke dabei ebenso wie Sie vorhin, Herr Schierholz, an den Ausgang des Verfahrens des Nürnberger Totalverweigerers Christoph Bausenwein."

„Sehr gut!", tönte es bei der Nennung des Strafmaßes aus den Reihen der CDU/CSU-Fraktion. Sielaff ließ sich davon nicht beirren und nannte weitere Fälle von hart verurteilten Totalverweigerern und nicht anerkannten Kriegsdienstverweigerern, die eine „Abschreckungsabsicht vor Kriegsdienstverweigerung" erkennen ließen. Zum Schluss der Debatte betonte der Grüne Schierholz nach entsprechenden Vorwürfen, dass es seiner Partei nicht darum gehe, junge Leute zur totalen Kriegsdienstverweigerung aufzuhetzen, sondern dass vielmehr die Gewissensnöte der Kriegsdienst- und Totalverweigerer ernst genommen werden müssten. Denn es sei das Resultat einer verfehlten Politik der vergangenen Jahre, wenn junge Leute „den Schluss ziehen, jegliche Wehrpflicht nicht ableisten zu wollen".

Eine Anhörung vor dem für Kriegsdienstverweigerung und Zivildienst zuständigen Ausschuss für Jugend, Familie und Gesundheit, terminiert auf den 29. Januar, sollte weitere Klärung der Problematik bringen. Einen Tag vor diesem Termin explodierte die US-Raumfähre „Challenger" nur 73 Sekunden nach ihrem Start vom Weltraumstützpunkt „Cape Canaveral" in 17 Kilometern Höhe, alle sieben Besatzungsmitglieder kamen ums Leben. Das Unglück überschattete alle anderen Nachrichten. So fanden auch die Meldungen über eine Aktion in Bonn und ein bemerkenswertes Gerichtsurteil in Heidelberg nur wenig Beachtung.

In Bonn meldeten sich sieben Friedensaktivisten, darunter mehrere Totalverweigerer, als Besucher der Fraktion der Grünen an der Pforte des Abgeordnetenhauses Tulpenfeld an und wurden ohne Beanstandung durchgelassen. Sofort suchten sie das Büro von Peter Kurt Würzbach auf, dem Parlamentarischen Staatssekretär beim Bundesminister der Verteidigung. Sie sagten der Sekretärin kurz Hallo und öffneten das Fenster, um ein 25 Meter langes Transparent mit der Aufschrift „Weg mit der Wehrpflicht!" zu entrollen, dann ketteten sie sich am Schreibtisch und an den Heizungen an. Nach etwa 20 Minuten rückte ein etwa zwölf Mann starkes Kommando von Sicherheitsbeamten an. Die Protestierer wurden mit Bolzenschneidern losgeschnitten und in einen Wachraum abgeführt. Während von der Polizei die Personalien aufgenommen wurden, ging über den Ticker der Grünen eine Presseerklärung raus. Gefordert wurde u. a. „Freiheit für Totalverweigerer". Nach der Vernehmung waren die Aktivisten nur noch zu sechst. Denn den seit Wochen untergetauchten Wehrpflichtigen Siggi hatten die Häscher gleich dabehalten. Die Polizei übergab ihn den Feldjägern, die ihn in die Kaserne und dort gleich in die Arrestzelle verfrachteten.

Bei der Berufungsverhandlung gegen den Totalverweigerer Christian Herz verlas der Richter Mussel des Landgerichts Heidelberg auch einen Brief von Totalverweigerern aus der DDR, in dem diese sich für Herz einsetzen und sich gegen die Strafverfolgung von Verweigerern in beiden deutschen Staaten wenden. Schon die Tatsache, dass der Richter solches vorlas, ließ erahnen, dass hier Ungewöhnliches im Schwange war. Und tatsächlich: Christian Herz, zunächst zu sechs Monaten mit Bewährung und dann, nach einem erneuten Einberufungsbescheid, zu sechs Monaten ohne Bewährung verurteilt und nun dagegen in Berufung gegangen, wurde unter dem donnernden Applaus des Publikums freigesprochen! Die Begründung des Richters geriet so schlicht wie wahr: „Wird immer wieder gegen ein- und dieselbe Pflicht verstoßen, können auch wiederholte Akte des Ungehorsams nur Teile ein und derselben Tat sein." Eine Tatidentität sei nur dann nicht gegeben, wenn immer wieder gegen andere Pflichten verstoßen werde. Die Ableistung des Zivildienstes sei vom anerkannten Kriegsdienstverweigerer allerdings „nur einmal zu erbringen", die Verweigerung der Aufforderung zum Nachdienen könne daher keine neue Schuld begründen. Einigermaßen pfiffig war die weitere Argumentation des Richters: Im verwaltungsrechtlichen Sinne könnten zweite Einberufsbescheide im Prinzip überhaupt nicht stattfinden, da das Bundesamt für den Zivildienst hier keine Beschwerdemöglichkeit einräume. Einfach ausgedrückt: Auch verwaltungsrechtlich liegt hier nur ein und derselbe Verfahrenszug vor, ein Nachdienbescheid begründet, weil er das Beschwerderecht nicht wahrt, kein neues Verfahren. Damit hätte sich der Richter die weiteren Ausführungen zur Gewissensentscheidung des Angeklagten, die sein „Verhalten dauerhaft festgelegt" habe, eigentlich schenken können, da das am Ergebnis nichts mehr ändert: Dass nämlich „der Angeklagte wegen der im vorliegenden Verfahren angeklagten Tat bereits rechtskräftig verurteilt worden ist" und daher das zweite Urteil aufzuheben und das Verfahren „wegen Vorliegens eines Verfahrenshindernisses" einzustellen war. Das hieß für mich: Würde dieses Urteil Bestand haben, wäre eindeutig klar, dass ich zu Unrecht im Knast saß.

Der soeben Freigesprochene reiste nach dem Prozess sofort weiter nach Bonn, um dort am nächsten Tag im Bundeshaus an der öffentlichen Anhörung zu den Themen „Erfahrungen mit dem Gesetz zur Neuordnung des Rechts der Kriegsdienstverweigerung und des Zivildienstes (KDVNG)" sowie „Möglichkeiten zur Einführung eines Rechts auf ‚Totalverweigerung' von Wehr- und Zivildienst" teilzunehmen. Eingeladen zu diesem Hearing waren neben Politikern zahlreiche Experten und Vertreter von weltlichen und kirchlichen Kriegsdienstverweigerer-Organisationen, unter ihnen auch Totalverweigerer-Sympathisanten und mit Stefan Philipp (für die DFG/VK = Deutsche Friedensgesellschaft / Vereinigte Kriegsdienstgegner) und eben Christian Herz (für die ITK = Infostelle Totale Kriegsdienstverweigerer) sogar zwei „aktive" Totalverweigerer. Christian Herz war quasi als „Ersatzmann" für mich eingesprungen. Um die Sache etwas zu dramatisieren, hatten die Grünen ursprünglich mich als Betroffenen und Experten zum Hearing eingeladen und dazu den Bundestagspräsidenten Philipp Jenninger gebeten, beim bayerischen Justizminister für diesen Tag eine Beurlaubung aus der Haft in Bayreuth zu erwirken. Das hatte nicht geklappt, aber immerhin war ich virtuell anwesend, wie mir Jürgen Roth vom Bundesvorstand der Humanistischen Union hernach in den Knast berichtete: „Bei der Anhörung in Bonn fiel vonseiten der KDV-Verbände laufend dein Name. Der Ausschussvorsitzende bekam regelmäßig einen mittleren Anfall, wenn jemand sagte, eigentlich sei Bausenwein zum Hearing eingeladen, er selbst (der jeweilige Sprecher) sei eigentlich nur der Ersatzmann. Er legte größten Wert auf die Feststellung, an Dich selbst sei keine unmittelbare Einladung ergangen, sondern nur an die jeweiligen Organisationen." Laut Sitzungsprotokoll vermerkte der Vorsitzende Dr. Paul Hoffacker: „Wenn nun der Herr Bausenwein nicht kommen kann, weil er einsitzt und keinen Urlaub bekommen hat, ist das seine Sache."

Der Vorsitzende brachte nicht nur in diesem Zusammenhang eine gewisse Schärfe in die Debatte. Gleich zu Beginn, als Ulrich Finckh von der Bremer „Zentralstelle für Recht und Schutz der Kriegsdienstverweigerer aus Gewissensgründen e.V." (im Folgenden Zentralstelle) auf die verfolgten Pazifisten in der Nazizeit hinwies, wurde er von dem CDU-Abgeordneten Hoffacker ermahnt, Vergleiche der BRD mit der NS-Zeit gefälligst zu unterlassen. Finckh blieb gelassen: „Wir möchten unter keinen Umständen unseren Staat mit dem damaligen Staat vergleichen. Aber wir würden die Opfer von damals verraten, wenn wir heute ungerechtfertigten Lasten und Einschränkungen dieser Grundrechte zustimmten." Der Appell des Vertreters der Humanistischen Union, das Anerkennungsverfahren gänzlich abzuschaffen und die „Lex Jehova" – also das Recht der Zeugen Jehovas, zweieinhalb Jahre „freiwillig" in einer Kranken-, Heil- oder Pflegeanstalt zu arbeiten und damit in einer Art

Ersatz-Ersatzdienst dem Wehrpflicht-Gebot Genüge zu tun – auf alle Totalverweigerer auszuweiten, fand weder bei den Wehrpflicht-Verteidigern noch bei den Totalverweigerern selbst Anklang. Erstere erkannten darin eine Aushöhlung der Wehrpflicht, letztere hingegen nur eine weitere Variante der Wehrpflicht-Erfüllung.

Christian Herz brachte den Versammelten eine vom Bundesminister der Verteidigung Manfred Wörner am 12. Dezember 1983 formulierte interne Anweisung zur Kenntnis, den sogenannten „Wörner-Erlass", wonach auch bereits bestrafte totale Kriegsdienstverweigerer bzw. Fahnenflüchtige erst dann aus dem Wehrdienst entlassen werden dürfen, wenn (in Summe aller Strafen) eine Verurteilung von mindestens einem Jahr erfolgt ist. Etliche der Anwesenden – nicht nur die Totalverweigerer –, waren sich einig darüber, dass der Wörner-Erlass einen verfassungsrechtlich bedenklichen Versuch der Exekutive darstellte, auf die Rechtsprechung Einfluss zu nehmen. Das Gleiche gelte selbstverständlich auch für die Praxis des Bundesamtes für den Zivildienst, sich dem Wörner-Erlass entsprechend zu verhalten und sich in dessen Sinne an die Staatsanwaltschaften zu wenden, so Christian Herz.

In diesem Zusammenhang wurde auch das Thema Doppelbestrafung eingehend diskutiert. Alle Anwälte und ebenso der Bundesverwaltungsrichter Seibert sprachen sich klar gegen die Praxis aus, dass bereits bestrafte Totalverweigerer erneut einberufen und für die Nichtbefolgung der Aufforderung, die Restdienstzeit abzuleisten, erneut bestraft wurden. Die schriftliche Begründung des frischen, womöglich richtungsweisenden Urteils des LG Heidelberg lag zu diesem Zeitpunkt zwar noch nicht vor, doch die anwesenden Rechtsexperten diskutieren auf derselben Argumentationslinie. Totalverweigerung ist immer auf ein und dieselbe Sache gerichtet: auf den stets gleichbleibenden Anspruch des Staates auf eine Wehr- bzw. Zivildienstzeit in bestimmter Länge. Demzufolge handelt es sich beim Unterlassen des Nachdienens ebenfalls nur um das Ausbleiben derselben Leistung. Daran ändert sich auch nichts, wenn das Ausbleiben dieser Leistung durch mehrere Nachdienbescheide aktualisiert und dann bei andauerndem Ungehorsam eine zweite, dritte, vierte, fünfte etc. Bestrafung gefordert wird. Bestraft man also nicht das Delikt selbst, sondern die von der Anzahl der Forderungen abhängigen Weigerungen, liegt eine nach dem Grundgesetz verbotene Doppel- oder Mehrfachbestrafung vor. So klar diese Argumentation klingt: Sie konnte Staatsanwälte und Richter nicht daran hindern, nach entsprechend erneuerten Einberufungen erneute Verurteilungen zu weiteren Freiheitsstrafen für rechtens zu halten und somit Wörners Forderung, dass Totalverweigerer für mindestens ein Jahr hinter Gitter gehören, zu erfüllen. Erwartungsgemäß änderte das Hearing nichts an der Situation. Nach Mehrheitsbeschluss empfahl der Ausschuss dem Bundestag, den Antrag der Fraktion der Grünen abzulehnen. Die Mitglieder der Fraktionen der CDU/CSU und FDP hätten das Verhalten der Totalverweigerer als „moralisch verwerflich und undemokratisch" beurteilt, so der Ausschussvorsitzende. „Die Totalverweigerer diskriminierten mit ihrer Haltung nicht nur die wehrpflichtigen Soldaten der Bundeswehr, sondern auch die Zivildienstleistenden, und stellten ihr subjektives Rechtsempfinden über das von einem demokratischen Parlament gesetzte Recht." Die Mitglieder der Fraktion der SPD hätten der Auffassung, dass Totalverweigerung moralisch verwerflich sei, zwar widersprochen, hielten aber den von den totalen Kriegsdienstverweigerern eingeschlagenen Weg für gesellschaftspolitisch verfehlt. Sie forderten, dass die gegen Totalverweigerer verhängten Gefängnisstrafen „in einem angemesseneren Verhältnis zur Dauer des verweigerten Dienstes stehen" müssten und wiederholte Verweigerung „nicht zu einer Doppelbestrafung führen" dürfe.

Eine große Fraktion unter den Totalverweigerern wollte übrigens mit Hearings dieser Art und Anträgen wie dem der Grünen nichts zu tun haben. Den von Abgeordneten der SPD vorgetragenen Bemühungen für eine „humane Lösung für die Totalverweigerer" sei eine Absage zu erteilen, kommentierte Kalle Seng von der „ITK Hamburg". Und das von den Grünen geforderte „Recht auf Totalverweigerung" sei nie eine Forderung der Totalverweigerer selbst gewesen, die Grünen sollten also damit aufhören, Aktivitäten zu entwickeln und Stellungnahmen abzugeben, die nicht mit der „TV-Bewegung" abgesprochen seien. „Um es deutlichst zu sagen: Totalverweigerung ist keine Protestform von Zivildienstpflichtigen gegen den bestehenden Zivildienst mit der Absicht, einen ‚verbesserten' Zivildienst zu erreichen. Ebenso wenig fordern Totalverweigerer für sich eine gesetzliche Ausnahmeregelung. Totalverweigerung wendet sich gegen die Wehrpflicht als solche, ohne gleichzeitig eine reine Berufsarmee zu fordern." Nach Ansicht von Kalle und anderen lässt sich die Forderung nach Sonderrechten nicht entkoppeln von einer wie auch immer herzustellenden Anerkennung als sonderbarer „Ausnahme-Gewissenstäter", und ein wie auch immer gearteter alternativer Zivildienst kann im Rahmen der Wehrpflicht nie zu einem vom Wehrdienst völlig unabhängigen „echten" Friedensdienst ausgestaltet werden. Solche Fundamentalisten unter den Totalverweigerern mussten sich dann freilich fragen lassen, ob sich überhaupt irgendeine Partei oder Organisation finden ließ, die bereit war, die Maximalforderung „Abschaffung der Wehrpflicht" zu unterstützen. Und solange sich politisch nichts bewegte, blieb Fakt: Wehrdienst- und Zivildienstverweigerer werden in den Knast gesteckt, die Wehrpflicht aber bleibt bestehen, denn sie lässt sich von einzelnen ebenso wenig verweigern wie der Krieg.

Kalles Stellungnahme war an einen Juristen in Frankfurt gerichtet, über den sie dann auch bei mir landete. Nicht alle Post kam, wie ich erst viel später erfahren werde, auch in meiner Zelle an. Manch ein Brief schlüpfte nicht durch die Knast-Zensur. Aber es war immer noch eine derart enorme Menge, dass anzunehmen war, für die Überprüfung all dieser Zeilen sei ein Knastbeamter in Vollzeit nötig.

Der intensivste Briefverkehr – in beide Richtungen – erfolgte natürlich mit Gitta. Freunde berichteten, dass sie sich unglaublich für mich ins Zeug lege, dass ihr aber die Verstrickung in Erledigungen und Dates wohl auch helfe, mit der Situation besser klarzukommen. Alle paar Tage schrieb meine Mutter. Sie klagte ihr Leid und versuchte sich als Trostspenderin. Etwa so: „Ich wünsche dir von ganzem Herzen Kraft, das durchzustehen, was du dir selbst auferlegt hast." Oder so: „Du hast ja trotz allem die Möglichkeit, Deinen Gedanken freien Lauf zu lassen. Nun wirst Du wieder den erhobenen Zeigefinger Deiner Mutter erahnen, wenn sie sagt: lenke sie sinnvoll. Na ja." Und sie ließ mich wissen, dass sie neuerdings die Nachrichten aufmerksamer verfolge. „Vielleicht bist du darüber informiert, dass Gorbatschow umfassende Abrüstungsvorschläge gemacht hat, die vielleicht etwas bringen könnten." Mein Vater schrieb nicht. „Dein Vater lässt dich grüßen", beendete die Mutter ihre Briefe regelmäßig. „Du weißt, dass dein Vater sehr an dir hängt und dass ihn dein Schicksal bedrückt."

Der grüne Friedenskämpfer Fred sann über die „gut arrangierte Kulisse für den ‚Start'" im winterlichen Bayreuth. „Auf der Rückfahrt habe ich versucht, mal so richtig zu empfinden, was es bedeutet, frei zu sein. Aber das kann man ja eh nicht, und es wäre ja auch noch ein wenig pervers, aus deiner Situation eine Gelegenheit zu moralischer Erbauung zu machen." Er sparte auch nicht mit Selbstkritik. „Im Grunde sind wir alle bürgerliche Spinner mit einem mehr oder weniger großen Schuss Abenteuerlust", aber immerhin sei unsere Naivität gegenüber der Brutalität anderer „wenigstens eine ehrenwerte Schwäche". Artur hätte m. E. gerne mit dem Gefangenen getauscht: „Manchmal beneide ich dich um die Erfahrungen, die du jetzt sammelst. Ich wollte immer so viel erleben,

Extreme fühlen, aber das meiste ist einfach daran gescheitert, dass letztlich doch der Drang nach Ruhe und Bequemlichkeit gesiegt hat." Der Westberliner Freund machte sich Gedanken darüber, ob mir in der Enge der Zelle jetzt wohl der Kopf zersprengt würde und berichtete über eine neue Liebschaft auf der anderen Seite der Mauer. „Die Mauer! Es reicht mir nicht mehr, lange nicht mehr, sie eine Ausgeburt menschlichen Schwachsinns zu nennen. Die Realität dieser Mauer ist so kolossal. Es sticht dir ins Herz, wenn sich deinem Blick die Frechheit dieser Mauer entgegenstellt, und deine Empfindungen sich währenddessen über sie hinwegsetzen und irgendwo im anderen Teil der Stadt verschwinden."

Natürlich meldete sich auch der Mann bei mir, der als der Verfasser einer weltrekordverdächtigen Anzahl von Protestbriefen gelten muss: der meist im spanischen Gerona residierende Pensionist und ehemalige Pastor Heinrich Grißhammer. Aus Protest gegen die deutsche Wiederbewaffnung und als überzeugter Wehrpflichtgegner hatte er 1956 das Infoblatt „Die Nachrichten" gegründet, die seitdem vor allem der Vervielfältigung seiner Brandbriefe dienten. Anfangs setzte er sich für Kriegsdienstverweigerer ein, später dann vor allem für Totalverweigerer, da man diese in Zeiten der Atomkriegsgefahr als die „wahren" – weil wirklich konsequenten – Kriegsdienstverweigerer betrachten müsse. Grißhammer begründete sein Engagement einmal mit den Worten: „Ihr bezweckt politisch gar nichts, bekommen die Totalverweigerer zu hören. Gemeint ist: An der Wehrpflicht ändert ihr nichts.... Wer aber wird die Fortsetzung des totalen Wehrzwanges stoppen? ... Die Furchtsamen verzichten auf den Frieden, geben die Zukunft dem Unfrieden preis. Die Chance für die Ermöglichung politischer Einsicht, die Aussicht auf Verträglichkeit und Vertrauenswürdigkeit der Deutschen liegt bei der Minderheit, die der Unduldsamkeit des sog. Wehrpflichtprinzips standhält, die jede Beteiligung an der Verirrung und jede Unterwerfung unter den Missbrauch verweigert. Die Verfolgung der Totalverweigerer bestätigt den gefährlichen Wehrkoller. Die Bändigung der Unart wird von der Beharrlichkeit und Unerschrockenheit der Wenigen abhängen."

Als die langwierigen Verfahren gegen die fränkischen Totalverweigerer liefen, nervte er die bayerische Justiz mit unentwegten Eingaben und Beschwerden. Das las sich dann etwa so: „Aus Rache für die Publizierung seiner Einsicht und Gesinnung haben die Staatsdiener Staatsanwalt Kramer, Landrichter Scheiba und die obersten Landesrichter Hueber, Ihlke und Gäbhardt fanatisch zuzammenwirkend dem Zivildienst-Verweigerer C.B. schamlose 16 Monate Gefängnis verpasst. Der Skandal der Vollstreckung der Gehässigkeit wird angemessene Aufmerksamkeit verdienen. Dass verantwortliche Volljuristen sich Derartiges leisten, ist unbesonnen und finster." Aber nicht nur Richtern und Staatsanwälten, den von „Verfolgungsgier" getriebenen „Missetätern im Talar", redete er streng ins Gewissen, sondern ebenso Bundeswehr-Offizieren, Gefängnisdirektoren, den „Fronvögten" und „Sklavenjägern" im BAZ, den Politikern und Ministern ...

Wenig verwunderlich: Grißhammer bekam nur selten eine Antwort auf seine Anwürfe. Im Juni 1984 hatte das Büro des bayerischen Justizministers August Lang einen Protestbrief mit der Bemerkung zurückgewiesen, dass die Eingabe „wegen ihres grob beleidigenden Inhalts sachlich nicht bearbeitet werden" könne. In gleich drei Fällen – vor mir hatte es Ossi und Tom getroffen –, so hatte Grißhammer geschrieben, habe „das Oberste Bayerische Landgericht in München die braun anmutende Rechtsprechung erneuert und die staatsanwaltlichen Instinkte gegen die Verfolgten gutgeheißen ... Auch ihr ministerliches Wohlgefallen an den 16 Monaten verfassungsverletzender Freiheitsberaubung (im Fall Bausenwein) wird hier verzeichnet für den Fall Ihrer fortgesetzten Untätigkeit und Stillschweigens gegenüber der üblen Jugendverfolgung. Als Minister befinden Sie sich oberhalb von diesen unsauberen Praktiken unterhalb ihrer Position. Im braunen Reich kam solch entzogene Stellung auch dem Reichskanzler zugute, indem es hieß: Davon weiß der Führer nichts! Der Beendigung der Machtverhältnisse im Jahre 1945 und unseren als demokratisch reklamierten Zuständen entspricht es, wenn Sie, Herr Lang, nicht abseits und über den faschistoiden Verfehlungen der Staatsanwälte und Richter in ministerieller Unschuldsregion schweben. Diese Zeilen sollen nicht nur ihre Mit-, sondern auch ihre Letztverantwortung für die bayerische Militaristenjustiz festhalten."

Was Lang & Co. nicht wissen konnten: Grißhammer nahm auch gegenüber Totalverweigerern kaum ein Blatt vor den Mund, insbesondere warf er ihnen vor, dass sie als Verfolgte es vorziehen würden, „die Beurkundungen ihrer Leiden zu sammeln, anstatt die sie peinigenden Personen argumentierend auszuziehen und bloßzustellen". In die Zelle nach Bayreuth gelangte von Grißhammer, der seine Brandbriefe sonst stets in Kopie – oder eben in Form der „Nachrichten" – den Verfolgten zur Information zukommen ließ, nur ein einziger. Er fragte nach, ob mir die „Nachrichten" ausgehändigt worden seien. Das seien sie nicht, antwortete ich. Was den streitbaren Ex-Pastor natürlich veranlasste, Beschwerde gegen den Anstaltsleiter Springer zu führen. Dieser musste sich dann auch noch mit einer Dienstaufsichtsbeschwerde meines Anwalts Harald Roth aus Frankfurt beschäftigen, dessen Verteidigerpost – unter Verstoß gegen die Bestimmungen des Strafvollzugsgesetzes – geöffnet worden war. Auch viele andere schickten Protestbriefe (deren Kopien der Gefangene dann erst viel später erhielt). Der besonders eifrige HaGe mahnte an einem Tag gleich dreifach. An Peter Hintze, den Bundesbeauftragen für den Zivildienst: „Denken Sie mal zwischendurch an das Schicksal eines Pazifisten, das Sie in das Gefängnis gelenkt haben." An den bayerischen Justizminister August Lang: „Es kann nicht mehr verstanden werden, dass es eine instinktlose politische Verantwortlichkeit gibt, die mit derartigen Urteilen Rechtsbewusstsein verletzt und den Frieden des Gemeinwesens gefährdet". An den Anstaltsleiter Bayreuth, Werner Springer: „Macht es Ihrem Gewissen keine Schwierigkeiten, ein Instrument für die Einkerkerung solcher Gefangener zu sein?"

Natürlich meldeten sich auch zahlreiche andere Totalverweigerer: Ehemalige, die den Knast schon hinter sich hatten, aktuelle, deren Verfahren lief oder die gerade selbst saßen, und auch eventuelle künftige. Ossi berichtete, dass er von dem Krankenhaus, in dem er vor dem Knastaufenthalt gearbeitet hatte, per Telefon wegen seiner Vorstrafe entlassen worden sei. Als „Profi" mit den wichtigen Dingen in der Haftsituation vertraut, legte er zwei Briefmarken bei; außerdem bat der ehemalige Insasse der JVA Bayreuth, einigen noch einsitzenden Gefangenen, mit denen er sich angefreundet hatte, einen Gruß auszurichten. Stefan bedankte sich aus dem Bundeswehr-Arrest für die vielen Tipps, die er meinem Buch „Dienen oder Sitzen" hat entnehmen können, stellte weitere juristische Fragen und bekundete seine Freude über den Wirbel, den er in der Kaserne ausgelöst habe, er habe täglich gute Diskussionen mit Soldaten: „Wenn hier noch zwei, drei Totalverweigerer mehr wären, könnte man die Bürokratie zum Tanzen bringen!" Jens, bislang mit einer Bewährungsstrafe davongekommen, schickte ein Heftchen mit gymnastischen Übungen. Matthias, Zivildienst-Abbrecher nach 15 Monaten und zunächst zu einem Monat auf Bewährung verurteilt, bedankte sich ebenfalls für die zahlreichen juristischen Tipps. Seine Frage, wie viel an Konsequenz man aushalten könne, beantwortete er gleich selbst: „Die Alternative, mich selbst zu verleugnen, ist genauso wenig oder noch weniger erstrebenswert. Als seelenlose Hülle bin ich mir nichts wert." Aus Hof kam das Angebot von Christoph Schlegel, mich mit Aktionen vor dem Knast zu unterstützen. Nach kurzer Überlegung teilte ich ihm mit, dass durch die Genehmigung der Verlegung nach Frankfurt Unterstützungsaktionen für mich in Bayreuth nicht mehr viel Sinn machen würden.

Ein Sympathisant aus Lahr berichtete über eine gut besuchte Veranstaltung mit dem Totalverweigerungs-Video der Medienwerkstatt. Ich hätte durch meine Öffentlichkeitsarbeit vielen Mut gemacht. „Die Wirkung und Effizienz lässt sich ja an der Reaktion des Staates ablesen." Letzter Satz des Briefes: „Möge sich die Aussage in der letzten Urteilsbegründung, Du seist einer der ‚hartnäckigsten' Totalverweigerer, bewahrheiten." Bernd S. aus Frankfurt berichtete (verabredungsgemäß, denn die Zensoren sollten das weitermelden): „Prof. Habermas hat sich schon nach dir erkundigt. Du scheinst ihn offensichtlich beeindruckt zu haben."

Ein Bekannter aus der Drogen-Fraktion, selbst gerade hinter Gittern, gab den Tipp, dass ich nach meiner Verlegung in den hessischen Vollzug versuchen solle, in Dieburg zu bleiben. Dort sei, so habe er erfahren, die Stimmung locker und das Essen sehr gut. Der Anstaltsleiter in Frankfurt hingegen möge keine Studenten. Und Fred meldete, dass meine Ummeldung nach Hessen eigentlich sehr schade sei. Denn soweit er bei den relevanten Leuten im Bayerischen Landesverband vorgefühlt habe, hätte ich durchaus Chancen gehabt, als Kandidat der Grünen bei der Landtagswahl anzutreten. Tja, hätten gibt's nicht im Leben.

Prüfung ohne Gewissen
(Rückblick 1964 bis 1982)

Keine Rekruten für die „Masters of war"
Im Schuljahr 1977/78 absolvierte ich die 12. Jahrgangsstufe im Gymnasium und damit das erste Jahr der erst kürzlich eingeführten Kollegstufe, in der es keine Klassen mehr gab, sondern nur noch Kurse. Eigentlich hätte ich in diesem Jahr bereits mein Abitur machen sollen, aber in der 10. Klasse hatte ich, begleitet von zahlreichen Verweisen wegen Schwänzens des Unterrichts, eine Ehrenrunde gedreht. Meine Noten waren danach besser geworden, aber ein gewisses Desinteresse an einer zielgerichteten Zukunftsplanung hatte ich beibehalten. Es dokumentierte sich unter anderem in der Wahl meiner Leistungskurse: Ich entschied mich für die Orchideenfächer Gemeinschaftskunde und Altgriechisch. Politik, Soziologie, Philosophie und eine tote Sprache: Das war meine trotzige Antwort auf die prognostizierte Rezession, die schlechten Chancen für Geisteswissenschaftler auf dem Arbeitsmarkt und das allenthalben verkündete Risiko der so genannten „Bodensatzarbeitslosigkeit" (der Anteil an Arbeitslosigkeit, die selbst dann bestehen bleibt, wenn die Konjunktur brummt).

Einige Wochen vor meinem 19. Geburtstag erhielt ich einen Schrieb des Inhalts, dass nach § 1 Absatz 1 des Wehrpflichtgesetzes „alle Männer vom vollendeten 18. Lebensjahr an, die Deutsche im Sinne des Grundgesetzes sind" auf ihre Tauglichkeit zum Wehrdienst gemustert werden. Dementsprechend erhielt ich die Aufforderung, mich am 19. April 1978 in einer Lokalität einzufinden, die heute den schönen Namen „Karriereberatungscenter der Bundeswehr" trägt. Ich hatte kurz mit dem Gedanken gespielt, die Sache zu boykottieren, fürchtete aber erstens unbequeme Konsequenzen, und zweitens hatte ich wie viele meiner Freunde bereits einen Antrag auf Kriegsdienstverweigerung gestellt. Der Zivildienst schien uns langhaarigen Jung-Revoluzzern eine weitaus attraktivere Tätigkeit zu sein als der Wehrdienst. Wir hatten sogar ein richtiges Vor-

Langhaarmode 1977/78: Horst Weyerich und ein LP-Cover der Nürnberger Band Blister Chap, bei der auch ein Schüler des Melanchthon-Gymnasiums mitwirkte.

bild: Den jungen Abwehrchef des 1. FC Nürnberg, Horst Weyerich, der gerade mal zwei Jahre älter war als ich. Er war Jugend-Nationalspieler gewesen und nun einer der wichtigsten Akteure des Club, der in der laufenden Saison in der 2. Liga Süd ganz oben mitspielte. Weyerich war ein etwas anderer Profi. Mit seiner langen Haarmatte, die was vom jungen Albrecht Dürer hatte, sah er ganz anders aus als die brav gescheitelten Spieler, die 1968 die neunte Meisterschaft des 1. FC nach Nürnberg geholt hatten. Er hatte den Kriegsdienst verweigert und bei der Lebenshilfe in Fürth seinen Zivildienst angetreten. Er war aktives Juso- und SPD-Mitglied. Er las Böll und Wallraff. Sein „Nein" zur Bundeswehr begründete er damit, dass er etwas Effektives und Sinnvolles habe tun wollen. Meine Freunde und ich bewunderten ihn ehrfürchtig, wenn er bei unserer Schule vorbeikam, um seine Freundin abzuholen.

Für mich war es eine klare Sache, es Horst Weyerich nachzumachen und Zivildienst zu leisten. Einen wie Höppner, die Hauptfigur in Bov Bjergs Erfolgsroman „Auerhaus", hätte ich mir nicht zum Vorbild genommen. Das in der schwäbischen Provinz aufgewachsene Alter Ego des Autors, gerade vor den Eltern und den Zumutungen des Erwachsenenlebens in eine junge Wohngemeinschaft geflohen, ignoriert zunächst eine Ladung zur Musterung und wird einige Zeit später nach einer weiteren Vorladung vom Dorfpolizisten Bogatzki zum Kreiswehrersatzamt nach Stuttgart gebracht. Freund Frieder fährt ihnen mit dem Fahrrad hinterher, platzt in die Untersuchung herein und klaut unter einem Vorwand die Musterungsakte. Die Mappe landet im Eisfach der WG, was die Mitbewohnerin Vera mit den Worten kommentiert: „Kalter Krieg." Aber die Wehrpflicht ließ sich natürlich nicht dauerhaft einfrieren, und so entscheidet sich Höppner schließlich für die Flucht vor der Bundeswehr und zieht nach Westberlin.

Ähnlich wie Höppner fühlte auch ich eine ausgeprägte Abneigung gegen die Musterungsprozedur. Lustlos taperte ich zu der angegebenen Adresse in der Allersberger Straße und drückte meinen Widerwillen dadurch aus, dass ich den mir abverlangten Urinbecher randvoll machte. Ein bärbeißiger, alter Arzt vollzog seine Fleischbeschau ruppig und in frostigem Ton, dann verpasste er mir den Tauglichkeitsgrad 2. Damit konnte ich das Thema Wehrpflicht erst mal wieder ausblenden. Darüber, dass es problematisch werden könnte, als Kriegsdienstverweigerer anerkannt zu werden, machte ich mir keine großen Gedanken, und außerdem war ich ja bis zu meiner Abiturprüfung im nächsten Jahr zurückgestellt. Also konnte ich mich, neben den schulischen Pflichten, erst mal wieder auf vergnüglichere Dinge konzentrieren, etwa auf das packende Saisonfinale des Club. Tatsächlich schafften es Weyerich & Co., der neunjährigen Zweitliga-Zeit des 1. FCN ein Ende zu bereiten. In den Aufstiegsspielen reichte nach einem 1:0 im Hinspiel im heimischen städtischen Stadion ein 2:2-Unentschieden im Rückspiel am 9. Juni in Essen. Das war ein Freitag und eigentlich ein Schultag, aber meine Freunde und mich hatte das nicht abgehalten, uns auf den Weg ins Georg-Melches-Stadion zu machen, um live dabei zu sein und den Aufstieg kräftig zu bejubeln.

Ein weiteres Highlight folgte kurz darauf. Bereits im Vorjahr war ich kurz nach meinem 18. Geburtstag beim ersten großen Open-Air-Festival auf dem ehemaligen Reichsparteitagsgelände dabei. Das zweite in diesem Jahr, mit den Top-Acts Eric Clapton und Bob Dylan, sollte das erste noch übertreffen. Etwa 70.000 Musikfans waren am 1. Juli da, darunter auch viele GI's der US-Army, angereist aus ihren Kasernen in Nürnberg, Fürth, Ansbach und Bamberg. Dylan, der Meister des Protestsongs, den wir mit Spannung erwarteten, war ganz anders, als wir ihn uns vorgestellt hatten. Er war elegant gekleidet, hatte einen Frauenchor dabei und eine Band mit wuchtigem Sound im Walzer- und Reggae-Rhythmus, aber er sang einige seiner klassischen Texte, die in diesem Kontext eine ganz besondere Bedeutung erlangten. „Masters of War" zum Beispiel, in dem er den Schreibtisch-Kriegsherren vorhielt: „You play with my world / Like it's your little toy / You put a gun in my hand..."

Alle, die dabei waren, hatten das Gefühl: Der „Wind of Change" hat in Nürnberg Einzug gehalten, und das mitten in den Ruinen des NS-Reichsparteitagsgeländes. Er wisse, wo und warum er diesen Song heute spiele, hatte Dylan seinen Song kommentiert, dabei auf den Führer-Balkon blickend, auf dem einst Adolf Hitler seine Reden gehalten hatte.

Plakat zum Open Air 1978 mit Bob Dylan auf dem ehemaligen Reichsparteitagsgelände in Nürnberg.

Anders als im Vorjahr war die Bühne diesmal mitten auf dem von der US Army zum Sportgelände umfunktionierten Zeppelinfeld platziert, also gegenüber der großen Steintribüne. Das war wohl eine Idee des Veranstalters Fritz Rau, er wollte das Publikum andersherum sehen, nämlich „mit dem Rücken zur nationalsozialistischen Vergangenheit und mit dem Gesicht zu einer demokratischen Zukunft namens Dylan". Am Ende des Liedes sang Dylan, dass er den „Masters of war" den baldigen Tod wünsche. Aber waren sie denn alle tot, die Masters of war? Hitler war tot, ja, und der Vietnamkrieg, der uns ein Jahrzehnt lang begleitet hatte, hatte vor drei Jahren geendet. Aber im Libanon tobte ein Bürgerkrieg, im Kalten Krieg zwischen den Staaten der NATO und des Warschauer Paktes wollte die perverse atomare Hochrüstung nicht enden. Der Geist unserer Väter, die unter Hitler gedient hatten, waberte immer noch umher und vergiftete unsere Seelen. Und an unserem humanistischen Gymnasium hatten sich die Lehrer nicht nur im Fach Geschichte, sondern vor allem auch im Latein- und Griechischunterricht mit wenigen Ausnahmen als Vermittler der – um einen Ausdruck des britischen Historikers John Keegan zu zitieren – „Kultur des Krieges" erwiesen: U.a. hatten wir uns am gallischen Krieg (Caesar), den punischen Kriegen (Polybios), den Perserkriegen (Herodot) und dem peloponnesischen Krieg (Thukydides) abgearbeitet.

Der „Wind of Change" und das Problem des Krieges waren freilich nur zwei der Elemente, die mich damals bewegten. In diesen beiden Kollegstufen-Schuljahren, also in der Zeit zwischen 1977 und 1979, rotierte ich wie auf einer Drehscheibe, umstellt von den an mich gerichteten Anforderungen wie Abitur und Lebensplanung einerseits und andererseits gelockt von allerlei Einflüssen, Empfindungen, Wahrnehmungen und noch unausgegorenen Anschauungen. Ich suchte nach einer nachhaltigen Orientierung, aber es schien noch vollkommen offen, in welche Richtung ich diese Drehscheibe verlassen würde. Wie viele meiner Freunde trug ich einen gewissen Widerspruchsgeist gegen die Welt meiner Eltern in mir, aber es war einigermaßen unklar, auf welchen Weg der mich führen wird. Die Kulturrevolution, die sich zuerst im Protest gegen den Vietnamkrieg ausgedrückt hatte, war noch voll im Gange, transportiert durch Leistungsverweigerer, Späthippies und Aussteiger aller Art und immer wieder angefacht durch die Rockmusik. An der Schule hatte ich mich einem Kreis von Schülern und Schülerinnen angeschlossen, die dem Mahlwerk des für sie vorgesehenen brav-bürgerlichen Lebens entkommen wollten, und dort eine gewisse Geborgenheit gefunden. Erfreulich war, dass seit der Kanzlerschaft von Willy Brandt („Mehr Demokratie wagen") eine Aufbruchstimmung und ein Mut zur Veränderung ansatzweise sogar in der Politik angekommen zu sein schien. Ich selbst war bereits als Zwölfjähriger ein „Willy-Fan" gewesen und hatte das auch in einem Artikel in unserer per Matrizenabzug vervielfältigten Klassenzeitung „3/4-Acht-Uhr-Blatt" zum Ausdruck gebracht in der Metapher, dass das Auto der CDU/CSU verschrottet werden müsse, denn: „Das Auto von heute heißt: SPD! Und Willy ist ein würdiger Chauffeur!"

Doch dem 19-jährigen Wehrpflichtigen, der ich nun geworden war, schien es so, als sei der Traum von einer ganz großen Veränderung bereits ausgeträumt. Die Revolutionäre von 1968 waren, soweit ich das mitbekam, erstarrt in einer eigenartige Theorieblüten treibenden Exegese von irgendwelchen marxistischen Schriften, und die Praktiker, die zum Kampf gegen das „herrschende System" angetreten waren, hatten sich auf den Irrweg des Terrors begeben. Wo also sollte die Reise hingehen? Und was konnte ich auf diese Reise mitnehmen? Die Durchsetzungskraft eines Sportlers, die ich zuerst in der Leichtathletik und dann im Fußball erlernt hatte? Die Verwegenheit eines „Kinderbanden-Kriegers", der im freien Gelände rund um das Elternhaus jahrelang um irgendwelche selbst gebauten Burgen und Waldhütten gekämpft hatte? Oder gar die Mentalität eines Möchtegern-Kriegsherrn, der es geliebt hatte, sein Kinderzimmer in ein grauenerregendes Schlachtfeld zu verwandeln? In meinen frühesten Begegnungen mit dem Phänomen des Krieges war ich nämlich nicht Rekrut gewesen, sondern selbst ein „Master of War" …

Spielkrieger
Obwohl Zivilist und in seinen jungen Jahren nicht wirklich ein Kriegsheld, legte mein Vater zeitlebens eine gewisse Leidenschaft für alles Militäri-

sche an den Tag. Die zeigte sich vor allem in seiner respektablen Sammlung von 70-mm-Spielzeug-Massefiguren der Marken „Elastolin" und „Lineol", die unter Beigabe eines Drahtgestells aus einem Spezialbrei (Sägemehl, Kasein, Leim und Kaolin) hergestellt wurden. Den größten Teil seiner Schätze beherbergte er in seiner im Stil der 1950er-Jahre eingerichteten Arztpraxis, ab und zu aber spielte er auch zu Hause damit. Manches Mal ertappte ich ihn dabei, wie er sie in dem mit alten Möbeln vorgestellten Wohnzimmer erwartungsfroh auspackte und liebevoll mit ihnen hantierte.

Ein Set von marschierenden Elastolin-Wehrmachtsoldaten.

Nach seinem Tod begutachtete ich die vererbten Schätze zusammen mit meinem Sohn auf dem löwenfüßigen Esstisch. Neben alten Figuren aus den 1920er-Jahren, mit denen er wohl selbst als Kind gespielt hatte, waren auch etliche neuere dabei, an denen noch ein Preiszettel hing. Mein Vater hatte sie offensichtlich erst in den 1980er-Jahren gekauft, um seine Sammlung zu komplettieren. Obwohl ich ungefähr wusste, was mich erwarten würde, war ich doch überrascht über die reichhaltige Szenerie, die sich da auftat. Mein Sohn stand da mit offenem Mund. „Oh leck, Alter!", sagte er. Es waren weit über 200 Figuren, dazu Pferde sowie Autos und Panzer aus Blech. Es gab mit Tellerhelmen ausgestattete britische Soldaten aus dem Ersten Weltkrieg, in khakibraune Uniformen gewandet; dänische Gardisten mit monumentalen Fellmützen; schottische Soldaten, natürlich im Rock; Matrosen in Weiß und Blau; naturgetreu nachgebildete Generäle, Hindenburg etwa; auch hellbraun bemalte SA-Leute fehlten nicht; und natürlich zahlreiche Figuren mit Stahlhelm, deutsche Soldaten aus dem Ersten und vor allem aus dem Zweiten Weltkrieg.

Die meisten Soldaten waren als Marschierer gestaltet, das Gewehr geschultert, andere als „Schießer" – stehend, kniend oder liegend oder als MG-Schützen. Es gab Offiziere mit Fernglas und Landkarte, Handgranatenwerfer mit Gasmaske, Artilleristen beim Bedienen einer Kanone, attackierende Reiter mit gezücktem Säbel, Gebirgsjäger auf Skiern, eine Musikantengruppe samt Tambourmajor. Besonders fein gearbeitet waren Spezialfiguren: Soldaten mit Suchlicht, Feldtelefon, Radioapparat oder Signalscheiben, als Hundeführer, Kabel-Reparateur oder Brieftauben-

Verschicker. Einige stellten den militärischen Alltag dar: Ein Essensausgeber mit Schöpfkelle, ein sich bückender Soldat beim Waschen, ein Schuhputzer, ein Wassereimer-Träger und – auch das war nicht ausgespart – zwei Sanitäter, eine Bahre mit einem Verletzten tragend. Mein Sohn interessierte sich vor allem für das Blechspielzeug: Planwagen, Feldküche, Kettenfahrzeug, Panzer, Kanonen, Flakgeschütze. Bei Letzteren erwies sich, dass sie einen besonders hohen Spielwert hatten. Sie ließen sich mit eingespeichelten Papierkügelchen munitionieren und funktionierten noch sehr gut.

Als mir mein Vater einen ersten Set solcher Soldatenfiguren schenkte, war ich sofort begeistert. Allerdings erschien mir diese Elastolin-Erstausstattung rasch allzu spärlich. Ich wollte viel mehr Figuren! Ich brauchte also welche, die günstiger waren und leichter erhältlich. So kam ich auf die Timpo Toys. Diese waren 54 mm groß, bestanden aus farbigem Plastik und wurden aus verschiedenen Teilen zusammengesteckt. Die britische Firma ersparte sich damit das aufwendige Bemalen, zudem gab es durch das Stecken erweiterte Spielmöglichkeiten. Es konnten nicht nur die Reiter auf ihre Pferde gesetzt, sondern aus den Teilen neue Figuren gebaut werden. Beine, Oberkörper, Halstuch, Kopf, Haare, Hut und Waffen – alles ließ sich nach Belieben kombinieren. Zunächst schaffte ich mir, inklusive der passenden Kutschen, Zelte, Häuser und Forts, vor allem Wild-West-Figuren an: Cowboys, Mexikaner, Indianer und vor allem US-Bürgerkriegssoldaten. Es gab blaue Nordstaatler und graue Südstaatler, wobei die letzteren aus unerfindlichen Gründen bei mir und meinen Spielkameraden viel beliebter waren. Häufig gab es Streit, wer mit den schicken Südstaatlern spielen durfte. Später kamen noch Ritter (Kreuzritter und Turnierritter mit schön ausgestatteten Pferden) und Römer hinzu, denen allerdings historisch passende Gegner wie Karthager oder Gallier fehlten.

Irgendwann nervte mich die Beschränktheit der Figuren-Auswahl bei Timpo. Und noch mehr nervte mich, dass ich zwar fast mein ganzes Taschengeld in den Erwerb von Spielzeugfiguren investierte, aber trotzdem immer noch viele zu wenige besaß, um Schlachten in der Größenordnung in Szene setzen zu können, die sich mein vom Feldherren-Wahn befallenes Kinderhirn mittlerweile vorstellte. Als cäsarischer Pimpf, der ich war, wollte ich gigantische Soldatenmengen beherrschen. Mit Timpo ging das nicht. Die Figuren waren zu teuer und hätten auch viel zu viel Platz benötigt. Stellte man ein paar Dutzend oder vielleicht Hundert auf, war das Kinderzimmer voll. Also stieg ich auf Airfix um.

Airfix-Figuren waren billig und nur 25 mm groß. Sie waren einfarbig und man konnte sie in ganzen Kartons zu ca. 48 Stück kaufen. Hier gab es alles: Nord- und Südstaatler wie gehabt, natürlich auch Cowboys und Indianer sowie Römer, Wikinger und Robin Hoods Bande, darüber hinaus aber auch Schachteln mit Napoleonischer Kavallerie und Artillerie sowie Serien aus dem Ersten und dem Zweiten Weltkrieg: Deutsche Infanterie, Afrika Korps, britische Infanterie, Japaner, Fallschirmjäger, US-Marines und viele andere mehr. Dazu konnte man sich die entsprechenden Anlagen bauen, Forts, Bunker und befestigte Stellungen. Der Aufbau zu den Mega-Schlachten, die ich nun dirigieren konnte, nahm Stunden in Anspruch ...

Wegen Säumnis beim Aufräumen der Schlachtfelder wurde ich manches Mal ermahnt. Nie aber wegen des Spielens selbst. Niemand schien zu befürchten, dass das Kindeswohl durch dieses bellizistische Hobby gefährdet sein könnte, weder bei den Eltern noch bei der Großmutter stieß meine Schlachterei jemals auf irgendeine Ablehnung, im Gegenteil. Oft und oft lobte mich meine Großmutter, wenn sie in mein Zimmer kam und mich beim Aufbau der Formationen sah: „Ach Christoph, du kannst so schön alleine spielen."

Das Ende meines Spielwahns kam plötzlich und fiel zusammen mit einem Kinobesuch. Die italienisch-sowjetische Produktion „Waterloo", ein Historienfilm über die gleichnamige Schlacht und die Niederlage Napoleons (dargestellt von Rod Steiger) gegen die vereinigten englischen und preußischen Heere von Wellington und Blücher im Jahre 1815, bei der etwa 188.000 Soldaten die Waffen kreuzten, hatte am 28. Oktober 1970 Premiere in deutschen Kinos und war ab 12 Jahren freigegeben. Ich wollte den im Großkino „Admiral-Palast" angekündigten Film unbedingt sehen, war aber leider erst elf Jahre alt. In Begleitung eines Erwachsenen aber durfte ich den Film sehen. So kam es, dass ich zusammen mit meinem Vater den 16.000 sowjetischen Soldaten zuguckte, die Regisseur Sergei Bondartschuk – selbst Träger der Medaille „Für den Sieg über Deutschland im Großen Vaterländischen Krieg 1941-1945" – auf ein bei Uschhorod in der Ukraine nach historischen Angaben extra für den Film präpariertes Schlachtfeld geschickt hatte. In monatelangen Arbeiten hatte der Set-Director zwei Hügel planieren und ein Tal vertiefen, Roggen- und Gerstenfelder anlegen sowie vier historische Gebäude nachbauen lassen, damit das Gelände dem echten Schlachtfeld in Belgien möglichst nahekam, sogar kilometerlange Rohre hatte er verlegen lassen, um die Schlammszenerie von damals zu erzeugen. Riesig war auch der Aufwand,

Rod Steiger als Napoleon im Film „Waterloo" (1970).

um die gewaltigen Kampfszenen perfekt ins Bild zu bekommen: Für die Kameras hatte man 30 Meter hohe Türme und eine Hochbahn gebaut sowie einen Hubschrauber präpariert.

Das filmische Epos hatte mich schwer beeindruckt. Aber auch irritiert und erschüttert. Es gab heftige Szenen zu verarbeiten für mein jugendliches Gemüt, zum Beispiel das „humane" Töten der Verwundeten per Lanzenstich nach der Schlacht. So ein lebensecht nachgestelltes Gemetzel war eben doch was ganz anderes als das Umwerfen von Spielzeugsoldaten im Kinderzimmer. Ich hatte fortan keine rechte Lust mehr auf meine Feldherrentätigkeit und konzentrierte mich auf andere Hobbys. Wie meine Freunde war ich ein Fan von Comicheften wie *Donald Duck*, *Lucky Luke* und *Asterix*, von meinem Hang zum Historisch-Militärischen hatte ich zusätzlich ein spezielles Faible für *Prinz Eisenherz*, *Sigurd* und *Falk* oder *Illustrierte Klassiker* entwickelt. Wir erfreuten uns daran, unsere Eltern und Lehrerinnen frech mit innovativem Erika-Fuchs-Sprech zu erschrecken – Schauder! Hüstel! Polter! Perdauz! –, und nährten damit deren Befürchtung, dass wir auf diese Weise unsere Bildungschancen vorsätzlich verblöden würden. Im Fernseher eröffnete sich uns eine neue Welt zwischen den fantastischen Reisen des Raumschiffes Orion und den Abenteuern des vielbewunderten Hauptdarstellers Hellmut Lange in den

Lederstrumpferzählungen, bald folgten die sogenannten „Straßenfeger" zur Hauptsendezeit, darunter Krimis von Francis Durbridge oder Edgar Wallace. Eine Art Lagerfeuer der Nation waren auch Quizsendungen oder Familienformate wie Hans-Joachim „Kuli" Kulenkampffs „Einer wird gewinnen" (Einschaltquote bis zu 90 Prozent). Die von Vivi Bach und dem Raumpatrouillen-Chef Dietmar Schönherr moderierte Show „Wünsch dir was" mochte ich besonders gern. Im November 1970 sorgte die Sendung in meinem verklemmten Elternhaus für große Aufregung, als die 17-jährige Kandidatin Leonie Stöhr ihre Brüste in einer halbtransparenten Bluse sehen ließ. Da ahnte ich, dass die Welt noch viele Überraschungen für mich bereithalten würde, die möglicherweise viel interessanter sein könnten als Spielzeugsoldaten.

Weltgeist und Vietnamkrieg

Mein Vater schwadronierte damals nach dem Kinobesuch über welthistorische Individuen und erzählte, dass der deutsche Philosoph Hegel vor der Schlacht von Jena und Auerstedt 1806 Napoleon selbst gesehen und davon geschwärmt habe, dem „Weltgeist zu Pferde" begegnet zu sein. Damals war ich beeindruckt, später konnte ich meinen Vater dahingehend korrigieren, dass Hegel an dieser Stelle in Wahrheit von der „Weltseele" geschrieben hatte – also einem Individuum als „Geschäftsführer" des Weltgeistes, „das hier auf einen Punkt konzentriert, auf einem Pferde sitzend, über die Welt übergreift und sie beherrscht" –, und außerdem probierte ich mich darin aus, den „Weltgeist" noch ganz anders zu interpretieren, nämlich ohne solche Weltseelen. Zum Beispiel so: Die Produktion des Films war nur möglich geworden durch den Ausbau der sowjetischen Truppenpräsenz nahe der tschechischen Grenze infolge der Invasion des Warschauer Paktes im August 1968 nach dem „Prager Frühling", dem von der tschechoslowakischen Kommunistischen Partei unter Alexander Dubček initiierten Liberalisierungs- und Demokratisierungsprogramm.

Blick in die Nürnberger Kult-Kneipe „Gregor Samsa".

Die Invasion wiederum hatte Peter Hoyer Anfang 1969 veranlasst, die CSSR zu verlassen, um in Nürnberg ansässig zu werden und dort den nach einer Kafka-Figur benannten „Gregor Samsa" zu eröffnen, eine bald legendäre Kunst-Kneipe, in der die böhmische Tradition der „Bier-Rente" gepflegt wurde: Künstler konnten hier ihre Zeche mit Musik oder Gemälden begleichen. Die schummrige Kneipe, wie damals üblich nur mit Kerzen spärlich beleuchtet, mit umgekehrten Regenschirmen an der Decke und einer stattlichen Ansammlung der Werke von Künstlern wie Peter Angermann oder Harri Schemm an den Wänden, wurde noch vor meinem 18. Geburtstag meine erste Stammkneipe.

In den rund sieben Jahren seit „Waterloo" war aus dem einstigen unschuldig-braven Kriegsspiel-Kind ein Jugendlicher geworden, der nach langwieriger Selbstaufklärung seine ersten sexuellen Erfahrungen gesammelt hatte (Anmerkung: Weder Elternhaus noch Schule boten damals Hilfestellung, so blieb Mann auf *Playboy*-Lektüre und heimliche Besuche von Sexfilmchen wie dem Schulmädchen-Report angewiesen – bis zur Entdeckung von Günter Amendts famoser Fibel „Sexfron(t)", die, wie der März-Verleger Jörg Schröder später behaupten wird „eine ganze Generation glücklicher" gemacht habe). Es war ein aufmüpfiger Jugendlicher, der seine Protesthaltung unter anderem mit schmuddeliger Kleidung, langen Haaren, lauter Musik, einer (leichten) Neigung zu Drogen und einem (ziemlich stark ausgeprägten) Hang zur Leistungsverweigerung zum Ausdruck brachte, ein bockiger Jugendlicher, der allen elterlichen Warnungen zum Trotz regelmäßig sogenannte „alternative" Kneipen aufsuchte oder auch mal das verruchte KOMM. Dieses 1973 im Zuge des von der SPD propagierten Programms einer „Soziokultur" eröffnete große Kultur- und Kommunikationszentrum mitten in der City, ausgestattet mit Bühnensaal, Kneipe und Teehaus, war in Nürnberg neben den in verschiedenen Stadtteilen eingerichteten Kulturläden einer der wichtigsten Bezugspunkte für Jugendliche, die einmal frei von elterlichem und schulischem Zugriff ihre sozialen und politischen Ideen diskutieren und sich handwerklich, künstlerisch oder auch publizistisch an Projekten allerlei Art ausprobieren wollten.

Mit meinen Kumpels unterhielt ich mich über die Themen und Interessenfelder, denen ich mich in den Jahren seit 1970 zugewendet hatte. Das waren vor allem – auch in dieser Reihenfolge – Fußball und anderer Sport, Rockmusik und Mädchen, außerdem diskutierten wir natürlich das Zeitgeschehen und dessen Folgen. Immer wieder ein Thema war etwa der Vietnamkrieg. Als Bob Dylan im Sommer 1978 sang, war der gerade mal seit drei Jahren beendet und wir Schüler hatten genau das Durchschnittsalter der US-amerikanischen Vietnam-Soldaten erreicht: 19 Jahre. Zehn Jahre lang hat uns dieser Krieg begleitet, der im Jahr meiner Einschulung begonnen hatte. 1965 gingen die ersten US-Kampftruppen am China Beach südlich von Da Nang an Land und von da an bildete das Kriegsgeschehen in Zeitung, Radio und Fernsehen eine beständige Hintergrundszenerie unserer Kindheit. Jedem waren Namen wie Da Nang, Dak To, Hue, Khe Sanh, Quang Tri und Saigon geläufig oder Begriffe wie Tet-Offensive, Vietcong, Agent Orange, Napalm oder „Huey" (so nannte man den berühmten Ami-Hubschrauber der Firma Bell). Ein Aufschrei ging um die Welt, als im Dezember 1969 das Massaker von My Lai publik wurde. Dazu die Fotos in den Magazinen, vor allem zwei erlangten Berühmtheit: die Hinrichtung eines Vietcong-Kämpfers durch den südvietnamesischen Polizeichef von Saigon am 1. Februar 1968 und das nackte neunjährige Mädchen, gezeichnet von schweren Verbrennungen, schreiend und hilflos die Arme ausbreitend, am 8. Juni 1972 auf einer Straße nach Trang Bang. Auch zum Ende ging ein ikonografisches Foto für das Scheitern der Amerikaner um die Welt: Am 29. April 1975, in den letzten Stunden vor dem Fall der Hauptstadt Südvietnams, evakuiert ein „Huey"-Helikopter Menschen vom Dach der US-Botschaft in Saigon ...

Der Vietnamkrieg interessierte uns vor allem auch deswegen so sehr, weil die US-Army eine Wehrpflicht-Armee war. Damals wurden alle männlichen Einwohner zwischen 18 und 25 Jahren bei der Wehrerfassungsbehörde registriert, es wurden jedoch bei weitem nicht alle Wehrpflichtigen zu der zweijährigen Dienstzeit einberufen. Das System war höchst ungerecht: Von jenen, die ab März 1965 auf der Seite Südvietnams gegen das „rote" Nordvietnam Ho Chi Minhs kämpften, um die Ausbreitung des Kommunismus in Südostasien zu verhindern, hatten unverhältnismäßig viele eine dunkle Hautfarbe, und auch der Anteil der Soldaten aus bildungsfernen, ärmeren Schichten war überproportional groß.

Im Sommer 1968, als in Westberlin die Anti-Vietnam-Proteste der APO-Studenten liefen – in Zwölferreihen untergehakt, Wasserwerfern und Polizeiketten trotzend, marschierten junge Anzugträger voran in entschlossenem Protest und skandierten „Ho-Ho-Ho-Chi-Minh" – standen über eine halbe Million US-Soldaten in Südostasien, entscheidende Erfolge aber hatten sie nicht erzielen können. Im Gegenteil, mit der Tet-Offensive der Vietcong hatte sich das Blatt gegen die USA gewendet. In den Vereinigten Staaten zweifelten immer mehr Menschen am Sinn des Militäreinsatzes, insbesondere an den Universitäten nahmen die Proteste und Friedensdemonstrationen zu. Da indessen der Bedarf an Soldaten gestiegen war, störte sich die damalige Regierung unter dem Präsidenten Richard Nixon plötzlich an dem sozial ungerechten Einberufungssystem. Niemand sollte jetzt mehr die Möglichkeit haben, sich – zum Beispiel mit der Begründung, das Studium beenden zu müssen – zurückstellen zu lassen. Am 1. Dezember 1969 wurden in Washington für alle Wehrpflichtigen die sogenannten „Draft Lotteries" durchgeführt. Ähnlich wie bei der Ziehung der Lottozahlen lagen 366 Kugeln in einer Glasschüssel, eine für jeden Tag des Jahres (inklusive 29. Februar). Die Reihenfolge, in denen die Geburtstage gezogen wurden, sollte die Reihenfolge der Einberufungen bestimmen. Der 14. September wurde als Erstes gezogen und erhielt die Nummer 1. Alle, deren Geburtsdatum sich unter den ersten 195 Kugeln befand, mussten zur Musterung. In einer zweiten Ziehung wurden dann 26 Kugeln mit den Buchstaben des Alphabets gezogen, um eine weitere Reihenfolge festzulegen.

Das live im Fernsehen und im Radio übertragene Verfahren generierte im ganzen Land Jubelausbrüche und Szenen der Verzweiflung: Es spaltete die junge männliche US-Bevölkerung in zwei Teile, hier die Glücklichen mit hohen Nummern bei der Auslosung, dort die mit niedrigen Nummern, die zum Dienst an der Waffe antreten und damit rechnen mussten, in Kürze auf die Schlachtfelder Vietnams geschickt zu werden. Bis 1972 kam es noch zu drei weiteren Draft-Lotterien, im Jahr darauf schaffte die Regierung die extrem unpopulär gewordene Wehrpflicht ab: Der Abzug aus Vietnam war beschlossen, man benötigte keine neuen Soldaten mehr.

Etwa 2,7 Millionen US-Soldaten waren in Vietnam, davon 1,6 Millionen im Kampfeinsatz. Fast 60.000 GI's starben, über 300.000 wurden zum Teil schwer verletzt, nach Schätzungen litten weit über 500.000 an einem posttraumatischen Stresssyndrom, als Spätfolge des Krieges übertraf die Selbstmord-Rate unter Veteranen die Zahl der Gefallenen. Wie viele Soldaten und Zivilisten in Nord- und Südvietnam ihr Leben lassen mussten, ist nicht genau bekannt, es waren mehrere Millionen, bis heute gibt es Opfer durch die Hinterlassenschaften des Krieges.

Die Frage stand für uns ganz dick im Raum und auch auf einem berühmten Plakat, das einen von einer Kugel getroffenen Soldaten zeigt und damals – oft direkt neben dem berühmten Foto des kubanischen Revolutionshelden Che Guevara –, in vielen WG's hing: „Why?" Wir waren überzeugt: Jeder Einzelne der US-Amerikaner, die sich zu Zehntausenden der Wehrpflicht entzogen hatten – sei es durch Ausreise, durch die Vortäuschung gesundheitlicher Probleme oder durch offenen Widerstand und die Bereitschaft, notfalls auch eine Gefängnisstrafe auf sich zu nehmen – hatte es richtig gemacht. Einen wie den Boxweltmeister Muhammad Ali, der nach seiner Wehrdienstverweigerung zu fünf Jahren Gefängnis und 10.000 US-Dollar Strafe verurteilt worden war (aber gegen Kaution auf freiem Fuß geblieben war), empfanden wir als Helden.

In der zweiten Hälfte der 1970er-Jahre war der Vietnamkrieg zwar aus den Nachrichten verschwunden, doch die zahlreichen Protestlieder gegen das sinnlose Gemetzel – es gab über 300! – blieben noch jahrelang populär und ließen das Kriegsgeschehen nachklingen.

Das Plakat „Why?" war Ende der 1970er-Jahre ein beliebter Wandschmuck in „linken" Wohngemeinschaften.

Auch das legendäre Woodstock-Festival im August 1969, das über die Musik der dortigen Protagonisten noch lange die Gefühlswelt meiner Generation anregen sollte, war zu großen Teilen ein Anti-Vietnamkrieg-Song-Festival. Es begann mit Country Joes „I-Feel-Like-I'm-Fixin'-to-Die-Rag" („Mir-kommt's-vor-als-würd'-ich-bald-sterben-Ragtime") und endete mit Jimi Hendrix' berühmtem Solo „The Star-Spangled Banner", in dem er die amerikanische Nationalhymne mit den Effekten seiner E-Gitarre im Geheul von explodierenden Geschossen und dem Feuer von Maschinengewehren untergehen ließ. Daneben zählen die Songs von Pete Seeger („Where Have All the Flowers Gone?"), Joan Baez („Saigon Bride"), Creedence Clearwater Revival („Fortunate Son") und natürlich John Lennon („Give Peace A Chance") zu den bekanntesten, noch Mitte der 1980er-Jahre landete Paul Hardcastle dank einer von Mike Oldfield geklauten Melodie mit dem auf das jugendliche Alter der Soldaten anspielenden Titel „19" einen Hit. Und dann kamen ab Ende der 1970er-Jahre ja auch noch die Vietnam-Filme wie „Deer Hunter", „Apokalypse now" usw.

Atombombe und Böller

Bob Dylans Song „Masters of war" allerdings war kein Anti-Vietnamkrieg-Song. Er hatte ihn bereits 1963 herausgebracht und die Schreibtischtäter im Auge gehabt, denen er die Aufrüstung mit Atomwaffen im

Kalten Krieg anlastete. Das Lied war auch eine Reaktion auf die Kubakrise vom Oktober 1962, als die Sowjetunion im Rahmen des nuklearen Wettrüstens beabsichtigte, direkt vor der Haustür der USA, auf Kuba, atomare Mittelstreckenraketen zu stationieren. Beide Supermächte kamen während dieser größten Krise im „Kalten Krieg" einer direkten militärischen Konfrontation und somit einem möglichen Atomkrieg so nahe wie nie zuvor und nie mehr danach. Im Jahr darauf, als Dylan sein Lied publizierte, veröffentlichte der Wissenschaftler Seymour Melman eine Studie, in der er das Töten von 100.000 Menschen durch 20.000 Tonnen herkömmlichen Sprengstoff (TNT) – was der Zerstörungskraft der am 6. August 1945 auf Hiroshima abgeworfenen Atombombe entsprach – als „Hiroshima-Äquivalent" bezeichnete und damit die „Übertötungskapazitäten" (Overkill) der vorhandenen Atomwaffenarsenale veranschaulichte. Um die Sowjetunion komplett zu vernichten, seien 500 „Hiroshima-Äquivalente" notwendig, erläuterte er. Die Detonationskraft der atomaren Sprengköpfe der USA aber sei viel größer, so Melman: „Angenommen, 50 Prozent der Trägerwaffen fielen aus, dann könnten die Vereinigten Staaten immer noch 25 Millionen Tonnen pro ‚Hiroshima-Äquivalent' abfeuern, was einer 1250-fachen ‚Overkill'-Kapazität entspräche."

Von Hiroshima und den ungeheuren Risiken der atomaren Drohkulisse wussten wir als Kinder lange Zeit nichts, aber in der Schule wurde uns eine Ahnung davon vermittelt. In diesen Zeiten des Kalten Krieges war nämlich der Probealarm ein regelmäßig wiederkehrendes Alltagsereignis. Zweimal jährlich, im März und September, meist um etwa 10 Uhr vormittags, wurden die Sirenen getestet und die Schüler mussten einen Schutzraum aufsuchen. Zu hören war zuerst ein einminütiger Dauerton, danach Luftalarm oder ABC-Alarm und schließlich noch einmal ein Dauerton. Besonders aufgeregt hat uns das nicht, das Risiko eines Luftangriffs oder gar eines Atomkrieges hatten wir nicht wirklich auf dem Schirm. Mit Detonationen allerdings kannten wir Jungs uns bald aus, schon als Kinder ließen wir es jedes Jahr zu Silvester mit Begeisterung krachen. Einmal hatte das im Nachgang des Jahreswechsels schwerwiegende Folgen.

Mein Freund Klaus hatte ein paar Chinaböller von Silvester übrig und mit diesen vergnügten wir uns nach dem Unterrichtsschluss. Um den Krach zu maximieren, steckten wir die Böller in den Briefkastenschlitz am Haupteingang der Schule. Es rummste gewaltig. Wir hatten soeben den dritten Böller angezündet und waren in Deckung gegangen, als plötzlich die Tür aufging und eine Putzfrau erschien. Genau in diesem

Moment erfolgte die Explosion. Wir wollten in der ersten Panik sofort wegrennen, drehten uns dann aber doch um und sahen, wie die Frau blutend am Boden lag. Wir blieben stehen, zögerten noch, was zu tun sei, da war schon ein Lehrer heran, um zu helfen. Jetzt gab es für uns kein Entkommen mehr.

Eine Disziplinarkommission wurde einberufen, wir wurden ausführlich verhört, es stand die Drohung im Raum, dass beide Attentäter von der Schule verwiesen würden. Auch die Putzfrau, eine Italienerin, die mit einer tiefen Fleischwunde am Oberarm ins Krankenhaus eingeliefert worden war, äußerte sich – und beschämte uns, indem sie Verständnis und bewundernswerte Milde zeigte: Sie wolle nicht, dass unsere Zukunft wegen eines „Dumme-Jungen-Streich" gefährdet werde. Wir erhielten nur einen strengen Verweis und durften an der Schule bleiben. Dazu gab es noch eine Sonderstrafe: Wir mussten einige Zeit lang jeden Nachmittag in der Schule die Böden schrubben.

Zu schweren Verfehlungen kam es danach bei uns beiden nicht mehr. Blödsinn auszuhecken war nicht mehr so attraktiv, denn das Umschwänzeln der plötzlich furchtbar interessant gewordenen Mädchen erforderte mehr und mehr unsere ganze Aufmerksamkeit. Das Ansteigen der Hormone korrelierte nun in fataler Weise mit einem eklatanten Sinken der schulischen Leistungen, ich entwickelte einen ausgeprägten Hang zur Faulheit, versäumte manche Stunde und kassierte Verweise im Akkord. So endete das 10. Schuljahr mit einem katastrophalen Zeugnis, sogar in Sport hatte ich, eigentlich ein geübter Leichtathlet und Fußballspieler, eine Vier. Während ich anschließend – eine Klassenstufe tiefer und als etwas älterer Durchfaller mit einem deutlich verbesserten Status ausgestattet – zu einer ersten festen Freundin fand und dank engagierter Nachhilfe, die mir meine Eltern verordneten, auch zu einer Konsolidierung der Noten, wollte mein Sünden-Schicksalsgenosse einfach nicht mehr in die Spur finden, sodass es hieß: Klaus ist raus. Für eine Weile verloren wir uns völlig aus den Augen.

Vorübergehend ziemlich brav geworden, hatte ich die Sache mit dem Böller schon fast wieder vergessen, als wir im Geschichtsunterricht endlich im 20. Jahrhundert angekommen waren und uns von einem engagierten Lehrer Themen wie „Folgen des Nationalsozialismus" sowie „Atombombe und Kalter Krieg" nahegebracht wurden. Ein Film über die Befreiung der Konzentrationslager durch die Amerikaner machte uns die Hintergründe von Willy Brandts Kniefall in Warschau nachträglich noch einmal drastisch deutlich. Manche Aufnahmen – etwa die von einem

Hiroshima nach dem 6. August 1945.

Bulldozer, der Haufen ausgemergelter Leichen zusammenschiebt – ließen sich kaum mehr aus dem Kopf vertreiben, genauso wie die Aufnahmen der von den US-amerikanischen Atombomben „Little Boy" bzw. „Fat Man" völlig zerstörten japanischen Städte Hiroshima und Nagasaki.

Ich las, dass die Detonationsstärke der Nagasaki-Bombe der von 4.400 Stück der größten konventionellen Bomben des Zweiten Weltkriegs entsprach. Ich erfuhr, dass es üblich ist, die Sprengkraft der Bomben in Trinitrotoluol-Äquivalenten auszudrücken, also dem Maß für herkömmlichen Sprengstoff, abgekürzt TNT. Ich lernte, was das „Gleichgewicht des Schreckens" ist, nämlich die Überzeugung, dass die Apokalypse nur durch die Drohung mit der Apokalypse verhindert werden könne. Der „Kalte Krieg" zwischen NATO und Warschauer Pakt, versicherten die Politiker, sei nur deswegen nie ein heißer geworden, weil gerade die Fähigkeit zu gesicherter gegenseitiger Zerstörung („Mutual Assured Destruction") eine Art Garantie der Kriegsverhinderung böte, im Wissen: Wer zuerst auf den Knopf drückt, stirbt als zweiter. Perverse Logik, dachte ich mir. Als ich etwa Mitte der 1970er-Jahre von Melmans „Hiroshima-Äquivalent" hörte, kam ich auf die Idee, die ungeheure Sprengkraft der damals verfügbaren Atomwaffen in „Böller-Äquivalenten pro Kopf" auszurechnen, um mir das mal besser vorstellen zu können. Irgendwo schnappte ich auf, dass die Waffenarsenale in West und Ost zu dieser Zeit mehr als 5 Tonnen TNT für jeden Menschen der Erde bereithielten. Die Umrechnung in Böller (ohne Gewähr, in Mathe habe ich nur knapp das Abitur geschafft, und es ist auch heute noch nicht mein Ding) ging ungefähr so: Schwarzpulver hat ein TNT-Äquivalent von 0,25. Einem Chinaböller mit 2 Gramm Schwarzpulver entsprechen ungefähr 0,5 Gramm TNT-Äquivalent x 5 Tonnen = 10 Millionen Böller pro Kopf! Und schon einer von denen hätte beinahe eine Katastrophe bewirkt ...

Der Terror und die Guten

Breiten Raum nahm in den Diskussionen des Schuljahrs 1977/78 der eskalierende Terror der RAF ein, der in dieser Zeit einen Kulminationspunkt erreichte. Unter der Führung von Andreas Baader und Ulrike Meinhof hatte sich die Rote Armee Fraktion (RAF) in der Absicht formiert, die Gesellschaft der Bundesrepublik mit den gewaltsamen Methoden der Stadtguerilla umzustürzen. Überall hingen Fahndungsplakate, das erste zeigte 19 Porträts und hatte – als seien Anarchie & Gewalt unzertrennliche Geschwister – die Überschrift „Anarchistische Gewalttäter" (von „Terroristen" war erst später die Rede). Zwar waren die Anführer Baader und Meinhof und etliche weitere RAF-Akteure bereits 1972 verhaftet worden, doch mit dem Terror war es damit noch längst nicht vorbei; immer neuen Morden und Mordanschlägen waren immer neue Gesichter auf den Plakaten gefolgt.

All das war für mich lange Zeit nur sehr schwer zu verstehen gewesen. Ich war in der Aufbruchstimmung der Brandt-Jahre herangewachsen, und die hatte sich für mich vor allem im

RAF-Fahndungsplakat Anfang der 1970er-Jahre.

größten Erlebnis meiner Jugend symbolisiert: Als 13-Jähriger durfte ich 1972 einen wunderbaren Sommertag im olympischen Dorf von München verbringen, inklusive einem Mittagessen mit dem sehr umgänglichen Speerwurf-Olympiasieger Klaus Wolfermann. Meine Mutter, als Ärztin der deutschen Frauen-Leichtathletik-Mannschaft dort unterwegs und in der Zeit des „Dritten Reiches" selbst eine Weltklasse-Speerwerferin, hatte es möglich gemacht. Junge Sportcracks aus aller Welt, Männlein und Weiblein bunt gemischt, alle offen für Erlebnisse und gut gelaunt bis in die letzte Pore, zelebrierten eine ansteckend heitere Lebensfreude, wie ich sie seitdem nie mehr erlebt habe. Es war ein freizügiges und fröhliches Sportfest, wie es unter heutigen Bedingungen nicht einmal mehr im Ansatz denkbar wäre. Und es hatte eine unfassbare Tragik, dass die heiteren Spiele am 5. September, nur zwei Tage nach Wolfermanns Wurf zu Gold, jäh gekillt wurden, als die palästinensische Terrorgruppe „Schwarzer September" ins Wohnquartier der israelischen Mannschaft eindrang, zwei Mannschaftsmitglieder sofort tötete und weitere neun als Geiseln nahm, die bei einem dilettantisch durchgeführten Befreiungsversuch durch die bayerische Polizei sämtlich ums Leben kamen. Wie passte das zusammen: Die Lebensfreude im Weltdorf und dann dieser gnadenlose Terror?

Nachdem im April 1977 der Generalbundesanwalt Siegfried Buback von Terroristen getötet worden war, veröffentlichte eine Göttinger Studentenzeitung den Nachruf eines anonymen Autors auf den Ermordeten. Der Schreiber, der da seine „klammheimliche Freude" über den „Abschuss Bubacks" ausdrückte, bezeichnete sich als „Stadtindianer" und unterzeichnete das Pamphlet mit „Mescalero". Während über Monate heftig über dieses Bekenntnis diskutiert wurde, ging es mit dem Terror weiter: Erschießung des Bankiers Jürgen Ponto, Entführung des Arbeitgeberpräsidenten Hanns-Martin Schleyer. Da die von Helmut Schmidt geführte Bundesregierung sich konsequent weigerte, auf die Forderungen der Schleyer-Entführer einzugehen, elf inhaftierte Gesinnungsgenossen freizulassen, kaperten palästinensische Terroristen am 13. Oktober die Lufthansa-Maschine „Landshut" und dirigierten sie nach Mogadischu. Doch auch deren Kalkül ging nicht auf, denn der GSG 9, einer nach dem Olympia-Attentat gebildeten Spezialeinheit des Bundesgrenzschutzes, gelang es, die Maschine zu stürmen und die Geiseln zu befreien. Daraufhin verübten in der Justizvollzugsanstalt Stuttgart-Stammheim – wo im Vorjahr bereits Ulrike Meinhof in ihrer Zelle erhängt aufgefunden worden war – die Terroristen Andreas Baader, Gudrun Ensslin und Jan-

Carl Raspe Selbstmord. Nur einen Tag später wurde die Leiche des ehemaligen Waffen-SS-Untersturmführers Hanns-Martin Schleyer aufgefunden, im Elsass, im Kofferraum eines Autos.

Der „Deutsche Herbst" ließ uns eben erst volljährig Gewordene nicht kalt. Auch auf den Gängen des Gymnasiums diskutierten viele Schüler und Schülerinnen leidenschaftlich über die „klammheimliche Freude" und deren Folgen. Niemand brachte den Mördern der RAF offene Sympathie entgegen, aber einige grinsten etwas dümmlich – ohne dabei so recht zu wissen, warum eigentlich. Verwirrende Fragen wurden gestellt: War Buback, einst Mitglied der NSDAP, ein Typ, für den man zwingend eine Träne vergießen musste? Andererseits: Konnte eine noch so üble Vergangenheit einen Mord rechtfertigen? Und überhaupt: Wo standen wir eigentlich in dieser Auseinandersetzung, was wollten wir selbst, und wie wollten wir es erreichen? (Hierzu eine Anmerkung: Nach dem Schusswaffenanschlag auf den potenziellen Demokratiezerstörer Donald Trump am 13. Juli 2024 auf einer Wahlkampfveranstaltung in der Nähe von Butler im US-Bundesstaat Pennsylvania quollen die Sozialen Medien über vor ärgerlich-spöttischen Reaktionen über dessen Misslingen. Man kann sich leicht ausmalen, wieviel freudige Mescalero-Äußerungen ein gelungenes Attentat ausgelöst hätte. Jede Leserin und jeder Leser mag sich an dieser Stelle einmal selbst fragen: Würde ich nach einer Ermordung Trumps oder Putins Freude empfinden? Und wenn ja: Wie könnte ein angemessener Umgang mit dieser Freude aussehen?)

Während sich die „Normalos" bzw. die „Doofen", umstandslos auf die Seite des Staates stellten und den Mescalero heftig verurteilten, zählten die Debattierenden allesamt zu einer Fraktion, die sich selbst als die „Guten" bezeichneten. Was waren das für Leute? Erfunden hat den Ausdruck vermutlich meine Klassenkameradin Regina, die bald mit ihrer Tresen-Arbeit in der Kooperative Veillodterstraße, der sog. „Veille", beginnen sollte. Als sie mich einmal zu einem Fest einlud und ich fragte, wer denn da käme, hatte sie geantwortet: „Nur welche von den Guten!" Also gehörte ich da auch dazu.

Was wollten diese Guten? Wir waren etwa so drauf wie die WG in Bov Bjergs Roman „Auerhaus": Wir wollten nicht, dass unser Leben abgeheftet wird in Ordnern mit den Aufschriften Birth – School – Work – Death. Wir wollten nicht das Leben unserer Eltern und Lehrer leben. Ganz bewusst setzten wir uns von den „Doofen" ab, die sich kritiklos den Erwartungen von Schule und Elternhaus verpflichtet hatten. Für uns waren gute Noten keine Auszeichnung, eher im Gegenteil. Wir waren gegen Leistungs-

Alternativer Kult-Aufkleber mit einer Zeichnung des Cartoonisten Gerhard Seyfried: Tafelei einer Revoluzzer-WG.

druck, Schufterei und Karriereplanung. Ideale wie Wohlstand, Sicherheit und Eigenheim hatten für uns keinen Thrill. Wir wollten den Ausbruch wagen aus Spießigkeit und Verklemmtheit. Kurz gesagt, wir waren die, vor denen uns unsere Eltern immer gewarnt hatten, wir hielten es mit Bob Dylan und riefen „The Times They Are A-Changin'": Ihr Mütter und Väter, kritisiert uns nicht, denn ihr könnt uns nicht verstehen, ihr habt uns Söhne und Töchter nicht mehr unter Kontrolle, wir wollen eure alten Wege nicht mehr gehen, und wenn ihr uns nicht unterstützen wollt, dann tretet zur Seite, die Zeiten ändern sich jetzt.

Aber wohin sollte unser neuer Weg führen? Das war ziemlich unklar, denn wir wollten ja erst mal nur Gegenwart. Wir wollten unsere Wünsche und Lüste fröhlich ausleben, wir hofften auf eine „echte" Selbstbestimmung und Selbstverwirklichung, und zwar sofort. Wir wollten locker, lässig, spontan und frei sein, irgendwie. Wir hatten eine vage Vorstellung vom Richtigen und Authentischen, von Emanzipation und sozialer Gerechtigkeit. Wir waren kritisch. Wir waren moralisch. Wir waren nicht dezidiert politisch, aber doch irgendwie links, anarchistisch und ein bisschen revolutionär, antikapitalistisch und antiautoritär. Wir fühlten uns auf der Seite derjenigen, die sich zunehmend bemerkbar gegen die Atomkraft engagierten oder für die Befreiungsbewegungen aus Südafrika und Lateinamerika. Sagenhafte Berichte über die Großkundgebungen und Festivals auf der Larzac-Hochebene in Südfrankreich, wo Zehntausende gegen die Erweiterung eines Truppenübungsplatzes demonstriert hatten, kamen uns vor, als sei dort eine Vorstufe des Paradieses zelebriert worden.

Am sichtbarsten wurde unsere Haltung wohl in der Skepsis gegenüber dem Staat und den Manifestationen seines Machtapparats. Um es mit

Songtiteln der Westberliner Band „Ton Steine Scherben" auszudrücken: Unsere Haltung lag irgendwo zwischen „Macht kaputt, was euch kaputt macht", „Keine Macht für Niemand" und „Wir müssen hier raus!". Es war nicht das Pro für die grauenvollen Mordtaten der Terroristen, das uns Gute enger zusammenrücken ließ, sondern das Contra gegen die immer repressiver werdenden Maßnahmen des Staates. Denn indem er den Kreis des Terrorismusverdachts immer weiter ausdehnte und alles dafür tat, sich unsympathisch zu machen, forderte er uns zu einer Anti-Positionierung geradezu heraus. Die Reaktionen der Regierung des Kanzlers Helmut Schmidt – Radikalenerlass und Berufsverbote für Beschäftigte des öffentlichen Dienstes (und solche, die es erst werden wollten), Rasterfahndung und Ausweitung der Überwachungsmethoden, um den „Sympathisantensumpf des Terrorismus" auszutrocknen – quittierten wir mit zunehmend aggressiver Ablehnung. Es gab zahllose Fälle von ungerechtfertigten Personenkontrollen und Verhaftungen. Der *Spiegel* brachte am 18. Dezember 1977 einen beispielhaften Bericht darüber, was damals gefühlt beinahe zum Alltag gehörte.

Eingeladen von den Herausgebern des kleinen Merve-Verlages, der bereits zwei Bücher mit seinen Schriften veröffentlicht hatte, war der linke französische Philosoph Michel Foucault nach Westberlin gekommen, um sich ein Bild von der Situation nach dem „Deutschen Herbst" zu machen, aber auch, um ein wenig die speziellen Freiheiten in den Szenekneipen Schönebergs zu genießen. Er sei nach dem Wochenende mit deutschen Freunden in einem kleinen Hotel in der Güntzelstraße beim Frühstück gesessen und habe mit denen über ein soeben in Paris erschienenes Buch zu Ulrike Meinhof diskutiert. In diesem Werk sei Peter Brückner, links-antiautoritärer Professor der Sozialpsychologie in Hannover, der den „Mescalero-Nachruf" in Form einer Dokumentation zur Diskussion gestellt hatte, als ein ehemaliger Sympathisant der Baader-Meinhof-Gruppe dargestellt worden, der nun Polizei-Spitzel geworden sei. „Wir sprachen über diese schändliche Lüge, oft laut, manchmal auf Französisch, manchmal auf Deutsch. Als wir das Hotel verließen, erschienen plötzlich drei Polizeiautos, etwa 15 Polizisten steigen aus, einige von ihnen tragen Maschinenpistolen. Sie gehen schnell ins Hotel, kommen wie Verrückte wieder herausgestürzt, werfen sich in dem Moment, als wir gerade abfahren wollen, auf unseren Wagen. Wir müssen aussteigen und die Hände hochhalten, dann werden wir gegen die Wand gestellt und durchsucht." Der Autor des Buches „Überwachen und Strafen" war selbst Opfer staatlicher Übergriffe geworden, weil ein Gast am Nachbartisch

Alarm geschlagen hatte: Er hatte das „subversive" Gespräch belauscht und meinte, in der Merve-Verlegerin Heidi Paris die gesuchte Terroristin Inge Viett erkannt zu haben. Die Verhafteten wurden erst nach stundenlangen Verhören wieder freigelassen. „Wir haben uns wie eine schmutzige Spezies gefühlt", resümierte der Franzose sein Erlebnis mit der deutschen Polizei.

Das Ereignis in Schöneberg war bezeichnend für die damals herrschende Hysterie. Jeder kannte jemanden, der schon einmal in eine Kontrolle mit schwer bewaffneten Polizisten geraten war. Viel spricht für die These, dass die Attentate der RAF und die darauf folgenden Reaktionen des Staates – wie bewusst oder unbewusst auch immer von uns verarbeitet – für die spezifische Politisierung eines großen Teils meiner Generation eine wesentliche Rolle spielten: Wir bekamen in dem verfolgungswütigen Staat ein Feindbild; aber wir hatten es schwer, in unserem Wunsch nach einem „Anders-Sein" taugliche Vorbilder zu finden. Die bewaffnete Revolution jedenfalls hatte sich nicht nur praktisch, sondern auch moralisch als Sackgasse erwiesen. Immerhin konnten wir Guten feststellen, dass wir ganz schön viele waren. Und allmählich erkannten wir uns als Teil einer sich immer rasanter ausbreitenden Bewegung, die sich in alternativen Medien über sich selbst verständigte.

Von zwei Kulturen und Tunix
Bereits im Oktober 1977 hatte der Westberliner Wissenschaftssenator Peter Glotz in einem Interview Alarm geschlagen. „Heute haben wir zwei ganz verschiedene Kommunikationssysteme", diagnostizierte er. „Die Unterschiede sind so groß, dass ich von zwei Kulturen spreche. Es ist so, als ob sich Chinesen mit Japanern verständigen sollten." Die jungen Menschen in der linken Subkultur, die sich vor allem an den Hochschulen herausgebildet habe, würden nur noch ihre eigenen Info-Blätter und Zeitschriften lesen, während andere sich nur aus ihrer stinknormalen Tageszeitung und den Fernsehnachrichten informieren würden. Am 27. Januar 1978 versuchte sich der Urheber der These von einer „alternativen Parallelgesellschaft" im Audimax der TU Westberlin in einer Diskussion am Dialog mit deren Vertretern. Neben weiteren Prominenten wie dem wegen seiner Publikationen zum Mescalero-Brief suspendierten Professor Peter Brückner und dem Obersponti Daniel Cohn-Bendit hatten Studenten aus Göttingen auf dem Podium Platz genommen, unter ihnen anonym auch der „Mescalero" selbst (erst 2001 bekannte sich der spätere Deutschlehrer Klaus Hülbrock als Verfasser des Textes). Trotz

auflockernder Momente war über die Unversöhnlichkeit der Positionen nicht hinwegzudiskutieren. Als Glotz mit Blick auf die „klammheimliche Freude" fragte, welches Grauen die Mittelschicht überkommen müsse, wenn sie auf das in ihren Kinderzimmern gewachsene Bewusstsein sehe, antwortete einer der Teilnehmer: „Welches Grauen muss die überkommen, die in diesen Kinderzimmern der Mittelschichten groß geworden sind?"

Die im Ergebnis einigermaßen fruchtlose Diskussion war Teil des am selben Tag gestarteten „Tunix"-Kongresses. „Wir lassen uns nicht mehr einmachen und kleinmachen und gleichmachen. – Wir hauen alle ab! – ... zum Strand von Tunix" hatte der Aufruf gelautet, mit dem einige Mitglieder einer Fußballtruppe aus dem Milieu der undogmatischen Linken auf die Depression des Deutschen Herbstes reagiert hatten. Offensichtlich hatten sie einen Nerv getroffen. Aus der ganzen Bundesrepublik waren die „Alternativen" angereist, 20.000 sollen es gewesen sein. Keine Stadt war für ein derartiges Szenefest so gut geeignet wie diese Insel mitten im real existierenden Sozialismus, auf der schon lange eigene Regeln herrschten und in deren Biotopen bereits Tausende wider alle Vernunft und Theorie einfach mal so ihre linken oder anarchistischen Träume auszuleben versuchten – frei nach Jim Morrisons „We want the world and we want it now!" (When the Music's over, 1967). Westberlin war die Stadt der Wehrpflicht-Flüchtlinge, der Lebenskünstler, der Abhänger, der Freaks, der Chaoten und der verbummelten Studenten, die nirgendwo sonst so locker theoretisieren und leben konnten wie hier. Es war der passende Rahmen für all die Tunixe, die sich an diesem Wochenende in den Räumen der Technischen Universität versammelten.

Prominenz bei Tunix: Die französischen Philosophen Michel Foucault (mit Glatze) und André Glucksmann (links daneben).

Alles war voll mit langhaarigen und bärtigen jungen Männern in zerschlissenen Jeans, viele mit dicken Norweger-Pullovern, andere in olivgrünen Parkas, manche in ausgebleichten Latzhosen, einige Frauen trugen afghanische Mäntel mit Kunstfellfutter. Männer sollten in den folgenden zwei Tagen die Podien dominieren, aber es mischten auch Frauen wie die später weithin bekannte Aktivistin Eva Quistorp mit. Viele der Anwesenden waren geschmückt mit Insignien ihrer politischen Gesinnung wie Palästinenser-Tüchern oder Ansteck-Buttons (z. B. gegen Atomkraft und für Feminismus), und natürlich gab es Transparente mit anarchischen Sprüchen satt: „Experimentiert ohne zu wissen wo ihr landet!" Das vielfältige Programm des dreitägigen Treffens umfasste Diskussionsrunden und Vorträge, galt aber auch dem Austausch und dem Vergnügen mit Musik, Theater und Filmvorführungen im Yorck-Kino. Es gab Arbeitsgruppen und Debatten zum Umgang mit dem Staat, zu Food-Kooperativen und Aussteigerkommunen und zu selbst verwalteten Jugendzentren wie dem seit 1971 besetzten ehemaligen Schwesternwohnheim des Bethanien-Krankenhauses, dem von Rio Reiser besungenen Georg-von-Rauch-Haus. (Anmerkung: Benannt war das Haus nach dem Westberliner „Stadtguerillero" Georg von Rauch, der am 4. Dezember 1971 beim Versuch seiner Festnahme erschossen worden war. Gewaltbereite linke Gruppen nahmen dies zum Anlass, sich zur „Bewegung 2. Juni" zusammenzuschließen, die wiederum nach dem Todesdatum von Benno Ohnesorg benannt wurde, der bei einer Demonstration am 2. Juni 1967 in Westberlin von dem Berliner Polizisten Karl-Heinz Kurras erschossen worden war. Auf das Konto der „Bewegung 2. Juni", die 1980 ihre Selbstauflösung erklärte, gingen in den 1970er-Jahren eine Reihe von Bombenattentaten und Entführungen.)

Frauen diskutierten über „Feminismus und Ökologie", andere über eine „Politik der Minderheiten" oder – mit den Stargästen Félix Guattari, Michel Foucault und David Cooper – über die Möglichkeiten einer Anti-Psychiatrie, für die Wahnsinn (nur) ein gesellschaftliches Produkt darstellt, und unter dem Motto „Rosa glänzt der Mond von Tunix" trafen sich Männer, die bald die ersten Paraden zum „Christopher Street Day" organisieren sollten. Es wurde über die „Machenschaften der Atomindustrie" informiert und über erste technische Versuche zu Wind- und Solarenergie mit Kleinanlagen. Umweltschutz war ein großes Thema genauso wie zerstörerische Städteplanung, aber es ging auch um linke Buchhandlungen, um Anwaltskollektive, um politische Gefangene und um linke Kneipen. Es wurde diskutiert über alternative Bildungsmodelle und über alternative Film- und Medienarbeit. Der Anwalt Christian Ströbele und der Investigativ-Reporter Günther Wallraff stellten das Projekt einer alternativen, kritischen, völlig unabhängigen *tageszeitung* vor, die eine Plattform werden sollte für jene, die in den bürgerlichen Medien nicht zu Wort kamen.

Viele Jahre später sollte der Tunix-Kongress zum strategischen Wendepunkt erklärt werden: Aus der Bewegung der radikalen Linken wurde die Alternativbewegung, nicht mehr der Widerstand gegen die Staatsmacht oder der Umsturz der bestehenden Gesellschaft war jetzt das große Thema, sondern der Versuch, Alternativen in die Tat umzusetzen. Die große Revolution hatte sich als Illusion erwiesen, nun sollte sie ersetzt werden durch konkrete kleine Projekte – frei nach dem späteren Motto in der Baumarkt-Werbung: „Mach dein Ding!" Und die mehr oder weniger deutlich ausgesprochene große Hoffnung lautete nun, dass sich die alternativen Teil-Beiträge in all ihrer Diversität zum Netzwerk einer linken Alternativwelt zusammenfügen, die allen ihren Bewohnern ein besseres Leben ermöglichen würde. Von der Tatsache, dass sich unter den Anwesenden viele Leute ohne einen dezidiert politischen Ansatz tummelten – Leute z. B., die Oskar Maria Graf als „Naturtrottel" bezeichnet hätte, die nur selbstgenügsam einen hippieesken oder esoterischen Eskapismus pflegen wollten –, wollte sich offensichtlich kaum jemand irritieren lassen. Und von einer breiteren Debatte über die Frage, ob eine „echte" Gegenkultur überhaupt möglich ist – und nicht nur einen neoromantischen Reflex darstellt auf eine als lebensfeindlich, kalt und sinnentleert wahrgenommene Gegenwartsgesellschaft – ist nichts bekannt geworden. Jedenfalls war beim Tunix-Kongress von dem realpolitischen Einwand, dass die meisten nach etlichen Um- und Irrwegen doch irgendwann auf die Hauptstraße eines geregelten und finanziell abgesicherten Lebens würden einbiegen müssen, nichts zu hören. Viele Jahre später wird vieles, was damals alternativ war oder als alternativ galt, Mainstream sein: die Grünen beteiligt an der Macht, die Atomkraftwerke abgeschaltet, die Gesinnung auf Ökologie und Nachhaltigkeit ausgerichtet, die Diversität höchstes Moralgesetz, Schwule und Lesben als ordentliche Eheleute, die CSD-Parade als Tourismusfaktor, der Feminismus in allen möglichen Zusammenhängen allgegenwärtig usw. usf. ...

Ich war bei Tunix nicht dabei, aber ich las einiges darüber und hörte viel davon in den einschlägigen Nürnberger Kneipen, unter anderem von Klaus, der zwischendurch als Verkäufer von Raubdrucken in Westberlin unterwegs war und nun vom „Paradise" Tunix schwärmte. Westberlin war zwar eindeutig das Zentrum der Bewegung, aber die war auch schon längst in Nürnberg angekommen. Vor allem der von (immer noch) sogenannten Gastarbeitern und Aussteigern bewohnte Stadtteil Gostenhof war drauf und dran, sich zu einem Kreuzberg en miniature zu entwickeln. Ich mischte in der Szene nicht wirklich aktiv mit, aber ich war dabei – ohne das selbst so recht wahrzunehmen –, mich in diese „andere Kultur" hineinzuleben. Das Gefühl und die Vorstellung, dass etwas anderes als das vom gesellschaftlichen Mainstream Vorgegebene möglich sein könnte, wurde unter anderem von den zahlreichen alternativen Blättchen gefüttert, insbesondere von den Stadtmagazinen. Im Februar 1978 – da waren Daniel Cohn-Bendits mit Lokalteil und Veranstaltungskalender angereichertes Frankfurter Spontiblatt *Pflasterstrand* und die *Was Lefft* (dt. „Was so läuft") in der studentisch geprägten Nachbarstadt Erlangen bereits seit zwei Jahren auf dem Markt – erschien in Nürnberg die erste Nummer des nach dem bekannten Verkehrsknotenpunkt im Westen benannten Stadtmagazins *Plärrer*. Titelgeschichte: „Natur ohne Zukunft? Frankens Landschaft wird zerstört." Vorbilder waren *Das Blatt* aus München, die *Stadt Revue* aus Köln, *Oxmox* und *Szene* aus Hamburg, oder *Zitty* und *tip* aus Berlin. All diese Publikationen verstanden sich – mal mehr, mal weniger – als „Szeneblätter" für eine andere, eben eine alternative Kultur. Die redaktionellen Texte lieferten einen zuweilen radikalen, meist in flapsiger Sprache gehaltenen Gegendiskurs zum verachteten Spießertum. Der *Plärrer* kommentierte die Stadtpolitik kritisch und hatte den Anspruch, verkrustete Verhältnisse aufzumischen. Er war wie seine Leser: irgendwie links, aber undogmatisch. Entscheidend für den Gebrauchswert dieser Blätter war der umfangreiche Anzeigen-, Veranstaltungs- und Adressteil. Kein Film im Programmkino, kein Rockkonzert, keine Vorführung im Offtheater, keine Lesung, keine Fete, kein Flohmarkt, keine noch so kleine Veranstaltung der „alternativen Szene" sollte fehlen. Für gewerbliche Inserenten lohnte sich durchaus eine Anzeige, etwa für Klamottenläden, „andere" Reisebüros, alternative Werkstätten und Gefährte aller Art, vor allem aber für Kneipen und Restaurants, die etwa ein Drittel der Inserate ausmachten. In manchen Städten kursierten bereits erste alternative „Baedecker". Das 1978 erschienene Westberliner „Stattbuch" enthielt auf 560 Seiten schon 350 Selbstdarstellungen von Projekten, Organisationen und Gruppen und über 1.000 Adressen zu „alternativen" Angeboten.

Heute kann ich zusammenfassen: Ich gehörte zu jenem Teil der Boomer-Generation, die dem üblichen gesellschaftlichen Aufgabenheft mit dem

Dreiklang von Arbeit, Familie und Erfolg eine mehr oder weniger rotzige Absage erteilte. Diese Generation der „78er", die zu spät geboren war, um noch den weit berühmteren 68ern zugerechnet werden zu können, wollte sich freimachen von dem mühseligen, an den Texten von Marx, Engels und Lenin geschulten ideologischen Ballast der APO-Theoretiker. Es war die erste Generation, die ohne Krieg und dank des westdeutschen Wirtschaftswunders ohne echte existenzielle Sorgen aufgewachsen war. Es war die erste Generation, die an den Schulen von den Früchten der Koedukation profitiert hatte und entsprechend frühzeitig und ausgiebig die Möglichkeit zu nicht reproduktiven sexuellen Erfahrungen hat wahrnehmen können. Es war eine Generation, die in einer Breite und Intensität wie nie zuvor das Dagegensein hat ausleben, den Aufstand gegen die Eltern und die Pflichtenwelt der Erwachsenen hat wagen und sich, nicht selten auf drogengepflasterten Wegen, der Suche nach einem anderen Leben hat widmen können. Es wurde die Generation, die sich mehr oder weniger erfolgreich gegen das Erwachsenwerden sträubte, die für sich eine ewige Jugendlichkeit reklamierte und nicht aufhörte, den Traum vom richtigen und glücklichen Leben zu träumen, eine Generation, die in nicht enden wollenden Diskussionen in Wohngemeinschaften und Kneipen immer wieder ausdeklinierte, welche grundlegenden Bedürfnisse verwirklicht werden müssten, damit ein Leben als gelungen und befriedigend erlebt werden kann.

Der intellektuelle Diskurs der undogmatischen Linken wurde dabei von den kleinen Bändchen des auch auf dem Tunix-Kongress präsenten Westberliner Merve-Verlags, der sich auf die Publikation kleiner Schriften vor allem der sog. Poststrukturalisten spezialisiert hatte, nicht unerheblich angefacht. Bücher wie „Rhizom" (Gilles Deleuze), „Mikrophysik der Macht" (Michel Foucault) oder „Patchwork der Minderheiten" (Jean-Francois Lyotard) lieferten gewissermaßen die Stichworte zur alternativen geistigen Situation der Zeit. Übersetzt hießen diese Titel etwa: Wir müssen uns auf nicht hierarchische Weise vernetzten, die Macht haust in jedem Winkel und muss im Kampf auch dort aufgesucht werden, wir sind bunt und wollen es weiter bleiben.

Hintergrundlektüre

Dass die Verbindung der Alternativen mit dem Mainstream noch nicht ganz abgerissen war, bewiesen zwei kritische Fernsehserien. Im Februar 1978 startete die Fernsehserie „Roots", in der das Sklaven-Schicksal von insgesamt sieben Generationen einer afroamerikanischen Familie geschildert wurde. Den Namen des Urahnen, Kunta Kinte, kannte seither jedes Kind. Noch nachhaltiger grub sich die ab Januar 1979 ausgestrahlte Serie „Holocaust – Die Geschichte der Familie Weiss" in das kollektive Gedächtnis. Michael Moriarty lehrte die Zuschauer als SS-Mann Erik Dorf das Fürchten und löste eine bis dahin noch nicht da gewesene Debatte über die Bewältigung der NS-Zeit aus, selbst zwischen mir und meiner Großmutter, die im Gegensatz zu meinen Eltern die Serie aufmerksam verfolgt hatte. Der Begriff Holocaust für den Genozid an den europäischen Juden, den in Deutschland bis dahin niemand kannte, war plötzlich in aller Munde.

Beim Kinobesuch sah es indes anders aus. Während der Massengeschmack mit Filmen wie „Saturday Night Fever" in den Großkinos bedient wurde, guckte das alternative Publikum von Nürnberg sog. anspruchsvolle Filme in Programmkinos wie Meisengeige und Casablanca, wo oft auch bereits angegraute Klassiker wie „Easy Rider" liefen. Die Szene pflegte zudem einen eigenen Lektüregeschmack, der sich nicht selten – etwa im weitverbreiteten Indianerkult – mit der Romantisierung angeblich unverdorbener Indigener verband. Zu einem der größten Renner avancierte etwa ein beim Zürcher Verlag Tanner & Staehelin neu aufgelegtes Buch, das zuvor schon einige Jahre in verschiedenen Aufmachungen als Raubdruck ein heimlicher Bestseller war: „Der Papalagi. Die Reden des Südsee-Häuptlings Tuiavii aus Tiavea", herausgegeben und übersetzt von dem Schriftsteller und Maler Erich Scheurmann und erstmals 1920 erschienen. Bei seinem Aufenthalt auf West-Samoa, so der Herausgeber, sei er dem Häuptling Tuiavii begegnet, der als Mitglied einer Völkerschaugruppe die Länder Europas und damit die seltsame Kultur des „Papalagi" – das samoanische Wort bedeute soviel wie „der Weiße" oder „der Fremde" – kennen- und verachten gelernt habe. Er habe die Aufzeichnungen Tuiaviis, so Scheurmann, möglichst wortgetreu übersetzt, um sie den Europäern zur Mahnung vorzulegen. Das, was der Südseemann einst gerügt hatte, wurde auch von uns beklagt: Leistungsdruck, Konsumterror, die Herrschaft des Kapitals und der Technik, das entfremdete Leben in unwirtlichen Städten, die Monotonie des Lernens. Das Buch war insbesondere bei Leserinnen beliebt. Sie verteidigten das Buch vehement, wenn einer es wagte – mit guten Gründen und mit Recht, wie sich später herausstellen sollte – seine Authentizität in Zweifel zu ziehen.

Kritik an den Auswüchsen der westlichen Zivilisation war unserer Generation spätestens seit 1973 geläufig, als wegen der Ölkrise die Autobahnen an vier Wochenenden gesperrt wurden und wir als 14-Jährige per Fahrrad auf der A9 einen Ausflug in die fränkische Schweiz starten konnten. Im selben Jahr führte uns der nach dem Drehbuch von Wolfgang Menge und unter der Regie von Wolfgang Petersen realisierte Film „Smog" die möglichen katastrophalen Folgen der durch Emissionen versachten Luftverschmutzung drastisch vor Augen. Die „Grenzen des Wachstums" waren auch in Westdeutschland spürbar geworden, und wir beschäftigten uns sogar in der Schule damit, wir lasen das vom Club of Rome herausgegebene gleichnamige Buch mit dem einprägsamen Cover: Ein menschlicher Fuß, der den Globus zertritt. Einige zogen daraus revolutionäre Schlüsse, etwa die linksradikalen „Stadtindianer", als deren Gründungsmanifest das am 1. März 1977 in der Zeitung *Lotta Continua* (dt. „Der Kampf geht weiter") veröffentlichte Manifest der „Indiani Metropolitani" von Rom gilt. Die „Truppen der Bleichgesichter", heißt es da, „haben all das zerstört, was einst Leben war, sie haben mit Stahl und Beton den Atem der Natur erstickt", es sei nun an der Zeit, den Tanz um „den Totem unseres lichten Wahnsinns" zu beenden und „sich die Welt zurückzuholen".

Mein Favorit unter den kritischen Bestsellern hieß „Mars", verfasst von einem Autor namens Fritz Zorn. In dem 1977 posthum und unter Pseudonym erschienenen autobiografischen Werk schildert der im Alter von nur 32 Jahren verstorbene Schweizer Autor sein Aufwachsen in der kalten und lieblosen Atmosphäre einer wohlhabenden, großbürgerlichen Familie als Erziehung zur „seelischen Impotenz". Dies habe erst zu einer Depression und dann zu einer tödlichen Krebserkrankung geführt – als beispielhaft somatische Form einer Neurose, die ihren Ursprung in einer erstarrten und erstickenden Lebensweise habe. Manche Zorn-Sätze fraßen sich schmerzhaft in mein Hirn: „Ich bin in der besten und heilsten und harmonischsten und sterilsten und falschesten aller Welten aufgewachsen; heute stehe ich vor einem Scherbenhaufen." Oder: „Ich bin jung und reich und gebildet; und ich bin unglücklich, neurotisch und allein. Ich stamme aus einer der allerbesten Familien des rechten Zürichseeufers, das man auch die Goldküste nennt. Ich bin bürgerlich erzogen worden und mein ganzes Leben lang brav gewesen. Meine Familie ist ziemlich degeneriert, und ich bin vermutlich auch ziemlich erblich belastet und milieugeschädigt. Natürlich habe ich auch Krebs, was aus dem vorher Gesagten eigentlich selbstverständlich hervorgeht." Der Schriftsteller Adolf Muschg unterstreicht im Vorwort, dass der Autor keineswegs Opfer eines unglücklichen Schicksals gewesen sei: „In einer unheilbaren Gesellschaft ist sein Tod keine Ausnahme, sondern der Normalfall. Wir werden weiter so sterben, solange wir weiter so leben. Das ist das wirklich Erschütternde an diesem Buch".

Solche Bücher passten sich sehr gut ein in die von uns praktizierte Unterteilung der Menschheit. Das verkrampfte, überdisziplinierte, lebensfeindlich und auf Konkurrenz gepolte bürgerliche Leben empfanden wir als das Böse, das Gute suchten wir im natürlichen, lässigen und sinnenfreudigen Miteinander. Nur: Wo lag dieses Paradies und wie kam man da hin? Die Frage, ob so ein schablonenhaftes Schwarz-Weiß-Schema überhaupt angemessen und tauglich sein kann, um sich in der Welt zurechtzufinden, sollten wir erst viel später stellen.

Abitur geschafft, aber ohne Gewissen

Bei der Bundeswehr, das war klar, lag dieses Paradies nicht. Aber gegen den Zivildienst hatte ich zunächst gar nichts einzuwenden. Im Gegenteil, ich empfand das Zwischenspiel von ein paar Monaten sozialer Arbeit als willkommene Unterbrechung, um mich erst mal weiter zu orientieren. Kaum Gedanken hatte ich mir allerdings darüber gemacht, dass ich mir die Zulassung zum Zivildienst erst „verdienen" musste. Erst einige Zeit nach der Musterung suchte ich eine KDV-Beratungsstelle auf. „Hättest du deinen Antrag auf Kriegsdienstverweigerung mal ein paar Monate früher gestellt!", rügten die Berater meine Naivität. Es war extrem ärgerlich, dass ich es nicht getan hatte. Denn hätte ich den Antrag vor dem 15. Dezember 1977 gestellt, wäre ich noch in den Genuss der alten „Postkartenlösung" gekommen. Eine kurze schriftliche Begründung hätte genügt, und ich wäre als KDVer anerkannt gewesen. Da aber das Bundesverfassungsgericht diese Regelung gerade erst kassiert hatte, musste ich nun durch das wieder eingeführte Gewissensprüfungsverfahren. Darauf konnte man sich zwar vorbereiten, aber wie es ausgehen würde, war ziemlich unsicher.

Während ich mich im Februar 1979 sowohl auf die Abitur- wie auch die Gewissensprüfung vorbereitete, nahm ich sozusagen über die linke Schulter hinweg aus den Augenwinkeln wahr, wie aus dem Hintergrund die Grünen mit ganz neuen Ideen kommen könnten. Niemand ahnte wirklich, dass sich die politische Landschaft schon bald massiv verändern würde, als am 17. und 18. März 1979 in Frankfurt der Europa-Kongress der Grünen stattfand. Gegründet wurde dabei keine Partei, sondern eine „Sonstige Politische Vereinigung". Bereits zuvor waren bei Landtags- und Kommunalwahlen immer mehr alternative, bunte und grüne Parteien bzw. Wahlbündnisse angetreten mit der Absicht, die etablierte Politik mit kritischen Programmen herauszufordern. Deren politisches Spektrum war breit. Die Themen reichten von Anti-Atomkraft, alternativen Energien, Frieden und Verkehr (gegen Autos, für Fahrräder) über Umwelt-, Natur- und Tierschutz sowie Frauenbewegung und Homosexuellenrechten bis hin zu Esoterik und Heimattümelei. Unter den Versammelten fanden sich rebellische Öko-Bauern, brave Christen und militante Profi-Demonstranten ebenso wie radikale Feministinnen, Schwule und Lesben oder marxistisch-maoistisch-leninistisch geschulte Kader-Kommunisten, undogmatische Linke sowie enttäuschte Jusos und sogar, wie sich rasch herausstellen sollte, einige völkisch gesonnene Altnazis.

Ziel der bunten Gruppierung war es, an den Wahlen zum Europäischen Parlament im Juni teilzunehmen. Die Liste der Kandidatinnen und Kandidaten führten Petra Kelly und Roland Vogt an, die beide dem Vorstand des BBU (Bundesverband Bürgerinitiativen Umweltschutz) angehörten. Weitere bekannte Namen waren Eva Quistorp, Manfred Siebker (Mitglied des Club of Rome), der holsteinische Bio-Bauer Baldur Springmann mit seinem Markenzeichen, dem Kosakenhemd, sowie der Künstler Joseph Beuys, der u. a. mit seiner „Fettecke" für Aufsehen gesorgt hatte. Der anthroposophisch angehauchte Beuys hatte bereits im Feuilleton der Weihnachtsausgabe der *Frankfurter Rundschau (FR)* von 1978 einen richtungsweisenden „Aufruf zur Alternative" publiziert und dort einen geradezu apokalyptischen Ton angeschlagen: Alles stehe auf dem Spiel – militärisch durch die „Gefahr einer atomaren Weltvernichtung", ökologisch durch die „restlose Zerstörung der Naturgrundlage, auf der wir stehen" und psychologisch durch die Sinnentleerung und Selbstzerstörung in fremdbestimmter Arbeit –, es sei daher geboten, dass alle im Sinn einer grundlegenden Erneuerung tätigen Bewegungen zu einem solidarischen Bündnis zusammenfänden und „in die Parlamente hineinkommen" mögen.

Solche Ideen fielen bei mir prinzipiell auf fruchtbaren Boden, aber ich setzte mich nicht besonders intensiv damit auseinander, ich befand mich ja mitten im Abiturstress, und dann stand da am 21. März noch dieser andere Termin im Kreiswehrersatzamt an. Ich hatte mich inzwischen zu einem kleinen Experten in Sachen atomare Wettrüstung entwickelt und brachte nun die Ergebnisse meiner Lektüre zu Papier, um sie dem Ausschuss vorzulegen. Unter anderem zitierte ich darin aus Günter Anders' „Endzeit und Zeitenende" sowie aus der sog. „Weizsäcker-Studie" von 1971 („Kriegsfolgen und Kriegsverhütung"), in der argumentiert und belegt wird, dass die Bundesrepublik mit Kernwaffen nicht zu „verteidigen" ist, ohne sie vollständig zu zerstören. Die den Kalten Krieg bestimmende Politik der Abschreckung machte also nur Sinn, wenn sie wirklich funktionierte. Wer aber konnte das garantieren? Ein alter Richter a.D. mit soldatischem Habitus sowie drei sichtlich unmotivierte Beisitzer sollten darüber entscheiden, ob ich ein „echter" KDVer war. Ich war vom ersten Moment an skeptisch. „Ein Typ wie der Filbinger!" dachte ich, als ich den Vorsitzenden sah, das kann nicht gut gehen. Im August 1978 hatte Hans Filbinger als Ministerpräsident Baden-Württembergs zurücktreten müssen, nachdem ihn der Dramatiker Rolf Hochhuth öffentlich als „furchtbaren Juristen" bezeichnet hatte: Es war herausgekommen, dass er als ehemaliger Militärrichter der Kriegsmarine wegen Fahnenflucht und Wehrkraftzersetzung Todesurteile beantragt und gefällt hatte.

Mehr oder weniger aufmerksam hörten sich die vier Herren an, wie ich meine 23-seitige Begründung vortrug, in der ich über die Reichweiten von Raketen und die ungeheure Anzahl von Sprengköpfen in den Arsenalen von West und Ost referierte und endlich die Gefahr ausmalte, dass es mit der Abschreckung schiefgehen könnte. Ich schloss mit der Bemerkung, dass die Verweigerung des Kriegsdienstes unter dem Vorzeichen des atomaren Wettrüstens ein „Postulat der Vernunft" sei. Um zu unterstreichen, dass ich ernsthaft gewillt war, eine sinnvolle soziale Tätigkeit zu leisten, legte ich ergänzend die Bestätigung einer Tagesstätte für Körperbehinderte vor, an der ich meine Arbeit als Zivildienstleistender (ZDL bzw. Zivi) aufnehmen könne. „Mal langsam", beschied mich der Vorsitzende, zunächst müsse ich ja erst mal anerkannt werden. Und da sei er skeptisch, denn er vermisse bei meinem Vortrag ein persönliches Empfinden, ich hätte nur rational argumentiert mithilfe von Zitaten aus der entsprechenden Literatur. Mit diesem Einwand hatte ich gerechnet und mir für diesen Fall ein Zitat aus einem Urteil des Bundesverfassungsgerichts von 1968 notiert, wonach auch „Erwägungen politischer oder sonstiger verstandesmäßiger oder vernunftmäßiger Natur" eine Gewissensentscheidung gegen den Krieg begründen könnten. Daraufhin kramte der Vorsitzende recht gelangweilt einen Akt hervor: „Ja schaun's einmal da rein, da gibt's auch noch andere Urteile, da finden wir schon eins für sie." Ich wusste, dass der Vorsitzende nur eine beratende Stimme hatte, aber er konnte mit seinem Verhalten die Beisitzer natürlich entscheidend beeinflussen.

Es folgten ein paar der berüchtigten Fragen, in etwa die: „Wie würden Sie sich verhalten, wenn ein Bomber Ihre Stadt angriffe und Sie durch den

Abschuss des Flugzeugs den Tod vieler Menschen verhindern könnten, den Piloten dabei aber töten müssten?" Würde ich den Bomber angreifen lassen, würde meine Gewissensentscheidung – weil ich den Tod so vieler Menschen untätig geschehen ließe – unglaubwürdig. Würde ich ihn abschießen, würde das als Tötungsbereitschaft gewertet und ich wäre als Kriegsdienstverweigerer ebenfalls unglaubwürdig. Entgegen den Empfehlungen der KDV-Berater antwortete ich aufrichtig. Wie ich mich in einer Extremsituation verhalten würde, könne ich vorher nicht wissen; es sei mir vorstellbar, bei Bedrohung des eigenen oder eines fremden Lebens auch zu töten; nicht vorstellbar sei es mir allerdings, mich darauf vorzubereiten und dies als Soldat auf Befehl zu tun. Als die Sitzung endete, ahnte ich bereits, dass es mit meiner Anerkennung nichts werden würde. Der Tenor der siebenseitigen Ablehnungsbegründung lautete, dass ich mich nicht ernsthaft mit der Problematik auseinandergesetzt hätte. Der Prüfungsausschuss habe die Überzeugung gewonnen, „dass der Antragsteller nicht sein Gewissen, sondern vorwiegend seinen Intellekt sprechen lässt". Er habe unter Verarbeitung von umfangreicher Literatur „zum Ausdruck gebracht, dass er Krieg und Gewalt als der Vernunft widersprechend ablehnt", daraus ergebe sich aber, „abgesehen von dem aufgewendeten Fleiß zur Begründung (…) keine Ausnahme zur Auffassung fast aller anständigen Bundesbürger und auch der wehrpflichtigen jungen Männer, die den Wehrdienst leisten". Vorzuhalten sei dem Antragsteller insbesondere, dass er eine „innere Beteiligung" habe vermissen lassen und dass seine Ausführungen erkennen ließen, „dass sie weniger auf seine Person als vielmehr auf die Gesamtheit der Wehrpflichtigen gemünzt sein wollen".

Ich legte gegen die Entscheidung Widerspruch ein, brachte das Abitur mit einem mittelmäßigen Ergebnis hinter mich, haute mit meiner Freundin für ein paar Wochen nach Griechenland ab und immatrikulierte mich anschließend an der Universität Erlangen für ein Studium der Fächer Neuere Geschichte, Philosophie und Politik. Geschichte war immer mein Lieblingsfach gewesen, mit der antiken Philosophie war ich als Altsprachler bereits gut vertraut, und der Politik galt mein aktuelles Interesse. Meine Wahl war also ziemlich naheliegend. Ob ich bei der Europawahl im Juni abgestimmt habe, weiß ich nicht mehr, wo meine Sympathien lagen, war aber spätestens seit dem Reaktorunfall im Kernkraftwerk Three Mile Island bei Harrisburg in den USA am 28. März klar: Bei den Atomkraftgegnern, und deren Partei waren die Grünen. Meine Stimme hätte nicht viel geändert: Die Grünen verpassten den Sprung ins erste Europäische Parlament deutlich.

EINWURF

Ersatzdienst und Gewissensprüfung

Für diejenigen, die das Recht nach Art. 4 Abs. 3 in Anspruch nehmen wollten, wurde in der BRD 1960 ein sogenannter Ersatzdienst eingeführt, der entsprechend dem Wehrdienst zunächst zwölf Monate dauerte. Lange Zeit spielte das Recht auf Kriegsdienstverweigerung gesellschaftspolitisch kaum eine Rolle, denn zunächst stellten nur wenige Tausend Wehrpflichtige einen Antrag auf Kriegsdienstverweigerung. Die wenigen Ersatzdienstleistenden wurden weithin als „Drückeberger" oder „Vaterlandsverräter" diffamiert. Erst mit dem Aufbegehren der Studenten Ende der 1960er-Jahre, mit den Protesten gegen die Notstandsgesetze und gegen den Vietnamkrieg, nahm der Unwille junger Bundesbürger gegen den Waffendienst rapide zu, die Verweigerer-Zahlen wurden fünfstellig. Parallel zu dieser Zunahme wandelte sich der Typus des Verweigerers: Neben den biederen, bibelfesten und brav gekämmten Pazifisten, die aus religiösen Gründen den Waffendienst ablehnten, wurde die Gruppe der bärtigen und langhaarigen Verweigerer immer größer, die sich aus politischen Gründen gegen die Ansicht stemmten, Soldaten und Granaten könnten den Frieden sichern.

Ab dem 1. Januar 1973 betrug die Dauer des nun zum Zivildienst umbenannten Ersatzdienstes 16 Monate und damit einen Monat mehr als der Wehrdienst. Begründet wurde dies damit, dass Wehrdienstleistende nach der Grundausbildung noch zu Übungen einberufen werden konnten. In Reaktion auf die steigende Zahl von Zivildienstleistenden wurde im selben Jahr auch das Bundesamt für den Zivildienst in Köln eingerichtet und ein Bundesbeauftragter für den Zivildienst eingeführt. Weil es unmöglich ist, ein Gewissen objektiv zu prüfen, sorgte das von Kritikern als „Gewissensinquisition" angeprangerte Prüfverfahren für erhebliche gesellschaftspolitische Debatten. Die Anerkennung bzw. Aberkennung von Gewissensgründen erfolgte erkennbar willkürlich, und weil es allein von der Haltung der Prüfer abhing, wie die Verfahren ausgingen, wurde bald gemunkelt, dass die Anerkennungsquote bei Bedarf gesteuert werde. Der militärischen Personalplanung galt eine Verweigererquote von 10 Prozent eines gemusterten Jahrganges als kritische Grenze, jenseits der es Schwierigkeiten bereiten würde, den jeweils angestrebten Friedensumfang der Bundeswehr zu erreichen.

Am 1. August 1977 schien es so, als könne diese unerfreuliche Situation dauerhaft beseitigt werden. An diesem Tag trat nämlich ein neues Gesetz der sozialliberalen Koalition in Kraft. Es beinhaltete den Verzicht auf das Gewissensprüfungsverfahren für ungediente Wehrpflichtige. Weil nun eine kurze schriftliche Erklärung genügen sollte, wurde das ganze auch als „Postkartenverfahren" bezeichnet. Sozusagen als „Probe" auf die Gewissensentscheidung wurde gleichzeitig die Dauer des Zivildienstes auf 18 Monate verlängert. Als sich die Anträge auf Kriegsdienstverweigerung trotz der Dienstverlängerung gegenüber dem Vorjahr nahezu verdoppelten – knapp 70.000 Wehrpflichtige zogen die „Postkarte" – sahen die Planer der Bundeswehr den als erforderlich erachteten Friedensumfang der Bundeswehr gefährdet. Eine de facto freie Wahl zwischen Wehr- und Zivildienst, schlugen Politiker des konservativen Lagers Alarm, könne zu einer Aushöhlung der Wehrpflicht führen. Auf den Normenkontrollantrag dreier unionsgeführter Bundesländer sowie der CDU/CSU-Bundestagsfraktion wurde das Gesetz noch im Dezember desselben Jahres durch eine einstweilige Anordnung des Bundesverfassungsgerichts zunächst außer Anwendung gesetzt und dann für nichtig erklärt.

Am 13. April 1978 hatte das Bundesverfassungsgericht seine Entscheidungsfindung abgeschlossen. Der Zweite Senat fand es „zur Abwehr schwerer Nachteile für das gemeine Wohl" dringend geboten, die Gesetzesnovelle auszusetzen. Bei Einführung der Wehrpflicht habe der verfassungsändernde Gesetzgeber einen Vorrang der Wehrpflicht an der Waffe etabliert, meinten die Richter. Zudem könne, weil seit August letzten Jahres einerseits ein starkes „Anschwellen" der Wehrdienstverweigerung zu beobachten gewesen sei, andererseits aber nicht genügend Einsatzplätze zur Verfügung ständen, „die Ersatzdienstpflicht gegenwärtig nicht als eine im Verhältnis zur Wehrdienstpflicht auch nur gleichermaßen aktuelle und gleichbelastende Pflicht angesehen werden". Ungeachtet der Tatsache, dass die Wehrpflicht an sich schon ungerecht war, weil nie alle Wehrpflichtigen einrücken mussten, kamen die Richter zu dem Schluss, dass der Zivildienst keine beliebige Wahlmöglichkeit für den Wehrpflichtigen darstellen dürfe. Also wurde das vorherige System mit dem umstrittenen Gewissensprüfungsverfahren wieder aufgenommen. Und tatsächlich: Die Zahl der Anträge sank umgehend, 1978 waren es nur noch knapp 40.000 und damit wieder etwa so viele wie vor der „Postkartenlösung". Es sollten danach noch viele Gesetzesänderungen kommen, u. a. auch mit einer Modifizierung des Gewissensprüfungsverfahrens, nicht aber mit einem völligen Verzicht auf eine Gewissenskontrolle.

Nachprüfung und Nachrüstung

Während ich damit begann, mich intensiv mit alten Denkern zu beschäftigen, nahm die Unruhe nicht nur rund um geplante Kernkraftwerke zu. Bonn wurde zum Schauplatz erster Großdemonstrationen. Am 1. September 1979 versammelten sich dort 40.000 unter dem Motto „Den Frieden sichern – das Wettrüsten beenden". Mehr als doppelt so viele kamen am 14. Oktober, um ihren Protest gegen die ganz offensichtlich unbeherrschbare Atomenergie auszudrücken.

Auch von Nürnberg starteten Busse, etliche Freunde und Bekannte von mir fuhren mit. Ich selbst hatte mit Demonstrationen nicht so viel im Sinn. Massenversammlungen waren mir unheimlich, da fühlte ich mich an die Nazizeit erinnert. Außerdem war ich der Auffassung: Wenn man wirklich etwas verändern wollte, müsste man schon etwas mehr tun, als nur Parolen rufen. Auf die Replik, dass doch der Treck von Gorleben nach Hannover im März dazu geführt habe, dass das dortige Vorhaben Wiederaufbereitungsanlage aufgegeben wurde und es jetzt nur noch um die Errichtung eines Endlagers gehe, wusste ich freilich nicht viel zu erwidern. Zu den AKWs hatte ich zwar eine Meinung – weg damit! –, aber ich fühlte mich nicht kompetent genug in dem Thema, ich hatte ja schon genug damit zu tun, mich zu einem Rüstungsexperten fortzubilden. In diesem Zusammenhang gab es auch wieder mal einen Termin.

Am 17. Oktober hieß es: Anrücken bei der Prüfungskammer. In der zweiten Runde, hatten mir zwischenzeitlich die Berater von der Deutschen Friedensgesellschaft / Vereinigte Kriegsdienstgegner (DFG/VK) erklärt, sei die Anerkennungsquote höher, da liege sie bei etwa 70 Prozent. Ich hatte meine Begründung noch etwas ausgebaut und zusätzlich ein Schreiben meiner Eltern mitgebracht. Darin hieß es, dass mich die Erzählungen der Eltern und Großeltern über das Schicksal von Familienmitgliedern im Zweiten Weltkrieg sehr in meiner pazifistischen Grundhaltung bestärkt hätten: „Der Bruder seines Vaters und seiner Mutter sowie der erste Mann seiner Mutter sind im Krieg gefallen." Ich vergaß auch nicht, meine Großmutter zu zitieren, die beide Weltkriege durchgemacht hatte: „Einen Krieg mache ich nie wieder mit!"

Die Verhandlung unter dem Vorsitz eines pensionierten Oberregierungsrates – wieder einer im Alter ehemaliger Wehrmachtsoldaten – lief nicht viel anders als die erste. Und auch die Ablehnung meines Antrages unterschied sich nur in Nuancen von der Vorinstanz. Das gesamte Vorbringen des Wehrpflichtigen habe sich nur auf allgemeine kritische Ausführungen gegen den Krieg beschränkt und nicht aufgezeigt, „inwieweit der Wehrpflichtige sich mit den Konfliktsituationen, wie sie für Soldaten im Kriege auftreten können, für seine Person auseinandergesetzt hat." Daher habe die Kammer „sich kein Bild davon machen" können, „inwieweit der Wehrpflichtige durch den Zwang zum Wehrdienst in Gewissensnot kommt". Denn: „Eine Gewissensentscheidung gegen den Kriegsdienst mit der Waffe liegt bei einem Wehrpflichtigen nur dann vor, wenn bei ihm die Vorstellung, im Krieg mit der Waffe Menschen töten zu müssen, zu einer Belastung seines Gewissens in dem Sinne führt, dass er sich dessen bewusst ist, solches nicht ohne schweren seelischen Schaden tun zu können." Blablabla, dachte ich mir.

Was muss man tun, um für andere ein glaubwürdiges „Bild" zu schaffen, wie man in einem fiktiven Fall persönlich schweren seelischen Schaden zu nehmen meint, fragte ich mich. Außerdem: Die atomare Hochrüstung und die damit verbundene Kriegsgefahr betrifft ja die gesamte Menschheit. Woher nehmen die Prüfer da die verquere Logik, es einerseits als völlig normal anzusehen, wenn einen das nicht schert, und andererseits die KDVer dazu zu nötigen, ihr Gewissen als ein ganz und gar persönliches darzustellen? Dann müsste man ja auch einer herabstürzenden Atomrakete erklären, vor dem Aufprall bitte zwischen Gewissensträgern und Gewissenlosen zu unterscheiden. Und überhaupt: Sollten nicht eigentlich diejenigen, die Wehrdienst leisten und damit die Politik der Abschreckung unterstützen, belegen, dass sie eine Beteiligung am Töten anderer Menschen und möglicherweise die Auslösung des Untergangs der Menschheit mit ihrem Gewissen vereinbaren können?

Noch war ich aber nicht endgültig abgelehnt, es gab eine letzte Chance. Einer Empfehlung der Beratungsstelle der DFG/VK folgend beauftragte ich einen Anwalt und klagte gegen die Bundesrepublik Deutschland beim Verwaltungsgericht Ansbach wegen Nichtanerkennung als KDVer. Außerdem formulierte ich eine Petition an den Deutschen Bundestag, mein Verfahren zu überprüfen hinsichtlich der Frage, ob und inwieweit es möglich ist, aus grundsätzlichen Erwägungen heraus eine Anerkennung als KDVer aus Gewissensgründen zu erreichen. Der Petitionsausschuss antwortete rasch: Eine Einflussnahme des Deutschen Bundestages in dieser Angelegenheit sei nicht möglich, da er den Prüfungsgremien zur Anerkennung von KDVern „Weisungen für den Einzelfall" nicht erteilen dürfe. Weitere Informationen, die ich über die DFG/VK erhielt, waren ebenfalls wenig ermutigend. Es seien Hunderte, vielleicht sogar Tausende von Verweigerern, die in allen Instanzen abgelehnt würden. (Laut Angaben der „Zentralstelle" wurden in den Jahren bis 1983 im Jahresdurchschnitt lediglich etwa 65 Prozent der Antragsteller anerkannt.) Einige Fälle wie der des „Kanoniers" Bernd Beuthin, der trotz Nichtanerkennung standhaft geblieben war und eine Freiheitsstrafe in Kauf genommen hatte, waren bundesweit bekannt geworden. Zu einem Symbol für die Unmenschlichkeit des Systems der Gewissensprüfung wurde der Fall des 19-jährigen Pazifisten Hermann Brinkmann. Sein Leidensweg: Nichtanerkennung als Kriegsdienstverweigerer, Einberufung zur Bundeswehr am 1. Oktober 1973, Einweisung ins Bundeswehrlazarett Hamburg-Wandsbek wegen Depressionen, aber trotzdem keine Entlassung aus dem Waffendienst, Selbstmord am 20. Januar 1974. (Anmerkung: Hannah Brinkmann publizierte 2020 eine Graphic Novel über das Schicksal ihres Onkels.)

Indessen beherrschte das Thema Kriegsgefahr die öffentliche Diskussion immer mehr. Anton Andreas Guha hatte mit seinem Buch über die in den USA entwickelte Neutronenbombe einen Bestseller gelandet. Die neue Waffe, die versprach, Leben bei gleichzeitiger Verschonung von Bauten und Material zu vernichten, trieb die Perversion des Rüstungswahnsinns auf die Spitze. Die Neutronenbombe provozierte entsprechende Graffitis – „Killt die Oma, nicht den Fernseher!" – und führte zu neuen Protestformen wie dem „Die-in", bei dem sich die Demonstranten auf ein Signal hin plötzlich wie tot auf die Erde legten. In Deutschland sorgte vor allem die Ankündigung der NATO, in Reaktion auf die Stationierung von sowjetrussischen SS-20-Raketen in Osteuropa ebenfalls neue Raketen und Marschflugkörper in Westeuropa aufzustellen, für Unruhe in der Bevölkerung. Der sog. Doppelbeschluss vom 12. Dezember 1979 koppelte die Drohung mit einer „Nachrüstung" – also die Schließung der durch die Stationierung der sowjetischen SS-20 angeblich entstandenen Lücke in der atomaren Abschreckung – mit einem Angebot zur Abrüstung: Die NATO werde ihr Atomarsenal in Europa mit insgesamt 572 nuklearen Gefechtsfeldköpfen (Cruise Missile-Marschflugkörpern und Pershing II-Raketen) aufstocken, allerdings erst in vier Jahren und nur dann, wenn Gespräche über einen bilateralen Rüstungsabbau gescheitert seien. Beide Teile, Nachrüstung und Rüstungskontrolle, sollten einander ergänzen und parallel vollzogen werden, und als Ziel wurde ausgegeben, atomar bestückte Mittelstreckenraketen (sog. Intermediate Nuclear Forces/INF mit einer Reichweite bis etwa 5.000 Kilometern) vollständig aus Europa zu verbannen. Schöner Gedanke, der von einem guten Willen getragene Kontrollgedanke, dachte ich mir, aber der Blick in die Nachrichten zeigte erst mal nur, dass sich die Weltlage verdüsterte: Die Sowjets marschierten in Afghanistan ein, daraufhin erklärten viele westliche Länder, dass sie die Olympischen Spiele in Moskau boykottieren werden.

Maues Studium, tolle Musik und ein bisschen High

Das Geschichtsstudium in Erlangen gestaltete sich in Teilen als Zumutung. Da war zum Beispiel Professor Helmut Diwald. Dandyhaft und smart im Auftritt wusste er mit Rhetorik und Witz zu glänzen. Wenn ein Student nicht auf seiner Linie lag, pflegte er barsch, aber meist charmant zu reagieren. „Um ihnen zuhören zu können muss man ja Stoiker werden", hieß es dann zum Beispiel bei einer seiner Meinung nach misslungenen Interpretation von Oswald Spenglers „Untergang des Abendlandes". Aber dann konnte er eine pfiffige Antwort – „Ja dann werden sie's doch!" – auch mit einem Grinsen quittieren.

Dass dieser Diwald von vielen Studenten angefeindet wurde, hatte inhaltliche Grüne. Denn der spätere Programmschreiber für die rechte Schönhuber-Partei „Die Republikaner" war schon 1978 mit seinem im Propyläen-Verlag erschienenen 768-Seiten-Werk „Die Geschichte der Deutschen" in die Schlagzeilen geraten. Darin prangerte er u. a. die „nationale Impotenz der Westdeutschen" und die „nationale Verrottung im bundesdeutschen Reduktionsstaat" an, den Nationalsozialismus bezeichnete er als „radikal linke" und „geschichtsstolze" Bewegung, was sich in Auschwitz abgespielt habe, sei „in zentralen Fragen ungeklärt" usw. usf.

Sein Kollege Michael Stürmer, der spätere Berater und Redenschreiber des Bundeskanzlers Helmut Kohl, war in der Sache moderater, aber im Stil wesentlich schroffer. Wenn ein Seminar zu voll zu werden drohte, galt sein Hauptinteresse zunächst dem Bestreben, die Reihen der Studierenden auszudünnen. Der Professor agierte dabei nicht ungeschickt. Wer die relevante Sekundärliteratur nicht gelesen habe, hieß es zum Beispiel, der brauche hier gar nicht erst anzutreten. Dann teilte er eine Liste aus mit Dutzenden von Werken in mindestens fünf bis sieben verschiedenen Sprachen, und auf die Rückfrage, ob es denn zwingend nötig sei, zur Geschichte des maoistischen China das Werk eines italienischen Autors zu lesen, antwortete er, dass ja nicht er es zu verantworten habe, wenn die relevanten Bücher zu einem Thema nicht auf Deutsch oder Englisch erhältlich seien.

Ich zog es vor, mich erst mal auf Altbekanntes zu konzentrieren, auf die Perserkriege zum Beispiel, die kannte ich bereits vom Schulunterricht her aus dem Effeff, ein Schein in Alter Geschichte war für Studenten der Neueren Geschichte ohnehin Pflicht. Politik war interessanter, da wurde zum Beispiel auch mal ernsthaft über Probleme der Dritten Welt debattiert. Und Philosophie? Ein bisschen Philosophiegeschichte, Geschichtsphilosophie, Ethik und Wissenschaftstheorie – da reichte eigentlich die Lektüre, Vorlesungen und Seminare brachten da kaum einen Mehrwert.

Auch das Drumherum war an der konservativ-schläfrigen Uni in Erlangen weder sonderlich an- noch gar aufregend. Besonders nervten die Kader der allgegenwärtigen Marxistischen Gruppe (MG) um den theoriefesten Sektenführer Peter Decker (später Chefredakteur des *GegenStandpunkt*). Mit Karl Marx wollte ich mich trotzdem mal intensiver beschäftigen, aber möglichst ohne Verkürzung auf holzschnittartige Thesen, doch der von älteren Studenten angebotene „Kapital"-Lesekurs litt ebenfalls sehr darunter, dass er mit ideologischen Sprachgirlanden umnagelt wurde. Da der Ableitungs-Marxismus sowieso nicht mein Ding war, ließ ich die Sache bald bleiben. Immerhin gab es eine kleine Friedensinitiative, wo ich ein wenig mitmischte. Es gab Sport, Freunde, Partys, ein bisschen Drogen und viel Musik. Und ein legendäres Ereignis für alle, die dabei waren.

Den Jahreswechsel 1979/80 begingen wir, eine kleine Gruppe von Schulfreunden, mit ein paar Blättchen LSD, viel Shit und Alkohol in einem einsamen Häuschen auf einem kleinen Berg in der Fränkischen Schweiz. „Heroin" war auch dabei, allerdings nur in Form des Liedes von Lou Reed. So vernünftig waren wir immerhin: Das vom Stern herausgebrachte Buch über die Geschichte der Christiane F., „Wir Kinder vom Bahnhof Zoo", im Laufe des Jahres zum erfolgreichsten deutschen Sachbuch der Nachkriegszeit avanciert, war wohl Warnung genug, was im Milieu der harten Drogen drohte – nämlich der Tod, der ja auch in der Musikszene – siehe zum Beispiel Sid Vicious von den „Sex Pistols" – reichlich Ernte hielt. Das Problem Drogensucht war also weithin präsent, und auch wir waren wohl nicht vor allen Gefahren gefeit, hatten aber die Prise Glück, die uns vor dem Abdriften bewahrte.

Wenn ich mich in eine der alle paar Wochen irgendwo stattfindenden Partys reinmischte, probierte ich auch mal was aus, richtig begeistern konnte ich mich aber nie. Ich machte mir nicht viel aus Marihuana (Gras) oder Haschisch (Shit, Dope), dass in jeder WG die Joints kreisten, war mir eher lästig. Rund um Nürnberg gab es einige sog. Hippie-Kommunen, in deren Gewächshäusern regelrechte Plantagen sprießten. Eine der bekanntesten war die in Kucha (bzw. später in Linden), wo der angeblich der

Vielweiberei huldigende Raymond Martin im UPN-Volksverlag (UPN = Undefinierbare Produkte aus Nürnberg) die kreativ-witzige Drogen- & Anarcho-Zeitschrift „Päng(gg)" sowie das Magazin „U-Comix" produzierte, das die US-Underground-Comicstrips von Gilbert Shelton (The Fabulous Furry Freak Brothers) und Robert Crumb (Fritz the cat) in Deutschland populär machte.

Mein Vater, als Nervenarzt von Berufs wegen mit allem vertraut, was in der Gesellschaft so vor sich ging, hatte schon seit meinem 16. Lebensjahr keinerlei Zweifel daran, dass meine Freunde und ich in Sachen Drogen voll mit dabei waren. Einmal, als zwei meiner Kumpels zu Besuch waren, fragte er die nicht, ob sie vielleicht Drogen nähmen, sondern die Frage lautete so: „Und welche Drogen nehmen Sie, meine Herren?" Es war am Ende harmloser, als er sich das ausmalte. Im Fall der angesprochenen ländlichen Silvesterparty allerdings nicht.

Für mich war es meine erste LSD-Erfahrung. Und es sollte auch die letzte bleiben, es ist ein Teufelszeug. Tagelang kam ich nicht runter von meinem Trip und wälzte auf irre Weise die Ängste, die mich im nüchternen Zustand eher theoretisch beschäftigt hatten. Ich wähnte mich in den letzten Tagen der Menschheit und halluzinierte die Geräusche von in Abschuss-Stellung fahrenden Atomraketen in unterirdischen Silos. Der Wahn hatte sogar einen Realitätsgehalt (was es aber nicht besser machte): Ganz in der Nähe befand sich tatsächlich das System der „Doggerstollen" im Bergstock der Houbirg, das zur Zeit des Nationalsozialismus zur Herstellung von kriegswichtigen Flugzeugmotoren hatte dienen sollen.

Dazu liefen in Endlosschleife zwei meiner neuen LP's, Frank Zappas „Sheik Yerbouti" und Bob Dylans „Slow Train Coming". Alle kannten wir hernach den Song „Gotta serve somebody" auswendig: „You may be an ambassador to England or France ... You may be the heavyweight champion of the world ... You may be a businessman or some high-degree thief ... They may call you doctor or they may call you chief ... You're gonna have to serve somebody – Well, it may be the Devil or it may be the Lord ..." Dann entdeckte einer einen Hinweis auf der Hülle der Zappa-LP: „guitar solo is from a four track recording made in some little town outside of Nurnberg that I can't remember the name of." Das sei aus der Hemmerleinhalle, bemerkte einer, er sei da dabei gewesen im Februar '78.

Alle schwärmten nun von ihren Musik- und Sexerlebnissen und diskutierten die Strategien beim „LP-Interruptus" im musikuntermalten Liebesspiel (die Spieldauer einer Vinyl-Seite beträgt bekanntlich rund 25 Minuten, dann muss händisch gewechselt werden), schließlich schwenkten wir über zu unseren Drogen- und Konzerterlebnissen in den sagenhaften Musikschuppen rund um Nürnberg: Im Weißenoher To Act, im Reichelsdorfer Rührersaal, neuerdings auch im KOMM-Festsaal oder eben in der für ihren grässlichen Sound legendären Hemmerleinhalle in Neunkirchen am Brand, etwa 15 Kilometer östlich von Erlangen gelegen – die vermutlich hässlichste Halle, in der Zappa je gespielt hatte. Wir kannten sie alle und waren manches Mal dort, was nicht selbstverständlich war, denn andere fanden sie nie. Zahlreiche Rockfans begaben sich in Richtung Lauf an der Pegnitz, nach Neunkirchen am Sand, um dort vergeblich nach einer Konzerthalle Ausschau zu halten. Aber auch die, die dort ankamen, waren vor einem Schrecken nicht gefeit. Der Engländer Ian Dury („Sex and Drugs and Rock'n Roll"), der meinte, in Nürnberg aufzutreten, soll sich gar in einem Nachkriegs-Inferno gewähnt haben, als er auf dem von gähnender Leere umgebenen Parkplatz aus dem Auto stieg: „I thought Nuremberg was rebuilt after the war."

Der Witz passte zu meiner desaströsen Verfassung. Ich hätte auch einen seelischen Wiederaufbau nötig gehabt. Plötzlich hörte ich die Stimme meines Mathematiklehrers. „Was soll nur einmal aus Ihnen werden?", hatte er sich einst über meine erschreckend schlechten Leistungen entsetzt. Ich hatte keine Ahnung. So richtig arbeiten, in einem bürgerlichen Beruf mit festgelegten Zeiten, so wie meine Eltern – das ist nichts für dich, flötetete mir eine betörende Sirene zu. Aber irgendwelche drögen Vorlesungen von konservativen oder gar rechten Professoren anhören und in Seminaren über theoretischen Problemen brüten, die für meinen Alltag keinerlei Relevanz besitzen – das war's irgendwie auch nicht. Ich hatte das trübe Gefühl, dass niemand mich brauchte. Nur die Bundeswehr war offensichtlich anderer Meinung.

Ein sehr begehrter Jäger

Das große Thema zu Beginn des Jahres 1980 war die Gründung der neuen Partei Die Grünen. Am 12./13. Januar versammelten sich dazu angeblich genau 1004 Delegierte in Karlsruhe unter chaotischen Umständen. Der *Spiegel* sprach von einem „zweitägigen Satzungs-Tohuwabohu" und vermochte sich nicht vorzustellen, dass einige Figuren aus diesem seltsamen Haufen irgendwann in den Bundestag einziehen könnten. Das innere Band der Gruppierungen bestand im Grunde nur aus einem zentralen Thema: Der Wahrnehmung der Gegenwart als krisenhafte Situation, allem voran die Zerstörung der Umwelt und die Bedrohung durch den Atomtod, sei es durch Kerneneregie oder durch Atomwaffen. Die wilde Mischung aus „Willigen" wollte sich nun also unter der Klammer des Slogans „Weder links, noch rechts, sondern vorn" zu einer neuen Bewegung zusammenschließen und die Parlamente kapern. Die Versammelten waren mehrheitlich davon überzeugt, dass das hergebrachte Links-Rechts-Schema nicht mehr ausreichte, wenn in Anbetracht der selbstmörderischen Entwicklungen alles infrage stand: Politik, Wirtschaft, Konsumverhalten, Fortschrittsglaube, ja das soziale Miteinander überhaupt. Der grüne Weg sollte ein „dritter Weg" werden, weder kommunistisch noch kapitalistisch, er sollte die Natur bewahren und gleichzeitig die Gesellschaft erneuern. Weil alles anders gemacht werden musste, wollte die neue Partei bereits in ihren Verfahrensweisen – die Stichworte dazu lauteten etwa Rotationsprinzip, Frauenquote und Reißverschlussverfahren – eine echte „Alternative zu den herkömmlichen Parteien" darstellen. Das im März verabschiedete erste Grundsatzprogramm hielt als kleinsten gemeinsamen Nenner fest, dass die neue Partei „sozial, ökologisch, basisdemokratisch, gewaltfrei" sei. Insgesamt machte das Programm deutlich, dass die links-alternativen gegenüber den bürgerlich-ökologischen Kräften ein Übergewicht hatten. Die Kernpunkte lauteten: Stilllegung aller Atomanlagen, einseitige Abrüstung, Auflösung der Militärblöcke NATO und Warschauer Pakt, 35-Stunden-Woche bei vollem Lohnausgleich sowie Abschaffung des § 218 StGB.

Ich verfolgte das alles aus der Distanz, aber mit zunehmendem Interesse, auch an der Uni in Erlangen waren Grüne aktiv, darunter sogar ein Philosophieprofessor. Noch mehr fasziniert war ich Ende Januar von der Nachricht, dass ein waschechter Bundeswehr-Generalmajor, nämlich Gert Bastian, um seine Versetzung in den Ruhestand gebeten hatte, weil er den „Nachrüstungsbeschluss" nicht mittragen könne: Die neuen Raketen dienten nicht der Abschreckung, sie seien nur für den Angriff geeignet, Argumente und Zahlen der Regierung seien nachweisbar falsch. Es war seltsam verdreht: Da durfte ein General, der die Rüstungspolitik kritisierte, vorzeitig in den Ruhestand, während KDVer wie ich zur Bundeswehr gezwungen wurden. Das Ganze war so gelaufen: Anfang Januar zur sogenannten „Eignungsprüfung" zitiert, nahm ich widerwillig daran teil, überreichte aber einen schriftlichen Protest und stellte zugleich beim Kreiswehrersatzamt einen Antrag auf Zurückstellung vom Wehrdienst bis zur Beendigung des Studiums. Schon nach wenigen Tagen kam die Antwort: Der Antragsteller befinde sich im ersten von insgesamt acht Semestern, das Studium sei also „noch nicht weitestgehend gefördert" und der Antrag daher abzulehnen. Im letzten Satz dann der Schock: „Die

Einberufungsunterlagen für die Einberufung zum 20.2.80 sind als Anlage beigefügt." Einheit und Einsatzort: ein Jägerbataillon in Bayreuth. Damit durch die Zunahme von KDVern die Einsatzbereitschaft der Bundeswehr nicht gefährdet werde, so konnte ich recherchieren, gelte die Regel: Wer in zwei Instanzen als KDVer abgelehnt worden ist, verliert die aufschiebende Wirkung seines Antrags. Bis zum Abschluss des Anerkennungsverfahrens hätte ich „wie jeder andere Soldat Dienst mit der Waffe zu leisten". Natürlich legte ich sofort einen Widerspruch gegen den Einberufungsbescheid ein. Der würde aber, das schien klar, keinerlei Wirkung zeigen. Mit Freunden diskutierte ich, was passieren könnte, wenn ich die Einberufung einfach ignorieren würde. Die Prozedur war klar: Abholung durch die Feldjäger, Verweigerung von Befehlen, ab in den Arrest, erneut kein Gehorsam, wieder Arrest... Es wäre eine gute Gelegenheit, für viel Wirbel zu sorgen und auf die beschissene Situation von nicht anerkannten KDVern aufmerksam zu machen, meinte ein Bekannter. Mag sein, überlegte ich. Aber wie würde die Sache enden? Irgendwann kämen die Anklage und ein Prozess wegen Gehorsamsverweigerung und dann eine Verurteilung und der Knast. Lohnt sich das? Wie würde ich das verkraften? Hätte ich das notwendige Durchhaltevermögen? Und: Würde diese widerspenstige Haltung die Anerkennung als KDVer vielleicht endgültig unmöglich machen?

Wieder konsultierte ich den Anwalt von der DFG/VK. Der setzte gleich drei Schreiben auf. Zwei davon waren an das Kreiswehrersatzamt adressiert: Ein Antrag zur Zurückstellung bis zur Verhandlung vor dem Verwaltungsgericht Ansbach unter Berufung auf eine Weisung des Bundesministeriums für Verteidigung, wonach eine Einberufung zum Wehrdienst nicht erfolgen solle, solange das Klageverfahren über die Anerkennung als KDVer noch nicht abgeschlossen ist, sowie – falls das nicht klappen sollte – ein Antrag auf Zurückstellung bis zum Ende des Semesters. Der dritte Antrag ging an das Verwaltungsgericht Ansbach und beinhaltete die Bitte, einen vorgezogenen Termin zur mündlichen Verhandlung anzuberaumen.

Das Kreiswehrersatzamt antwortete umgehend: Zur Beendigung des 1. Studiensemesters werde der Wehrpflichtige bis zum 31. März zurückgestellt; eine Zurückstellung wegen des Verwaltungsstreitverfahrens wegen Anerkennung als KDVer sei allerdings nicht möglich. „Die Einberufungsunterlagen für die Einberufung zum 01.04.80 sind als Anlage beigefügt." Einheit und Einsatzort: ein Jägerbataillon in Ebern. Mein Anwalt riet mir, bei der nächsthöheren Instanz, der Wehrbereichsverwaltung, einen Widerspruch gegen die Entscheidung des Kreiswehrersatzamtes einzulegen. Und vielleicht sollte ich mal Amnesty International anschreiben.

Gesagt, getan. Außerdem verfasste ich ein Flugblatt, es war mein erstes überhaupt. Ein Auszug aus dem Text: „Obwohl längst nicht alle tauglichen Wehrpflichtigen zur Bundeswehr einberufen werden, greift sich die Bundeswehr in erhöhtem Maß auch KDVer, deren Verfahren noch gar nicht abgeschlossen sind. Die Betroffenen werden gezwungen, entweder den Dienst abzuleisten – womit sie ‚beweisen‘, dass sie gar kein Gewissen haben – oder aber eine Gehorsamsverweigerung zu begehen. Ein Prüfungsausschuss in München argumentierte gegen einen Antragsteller, der sich nicht gewehrt hatte: ‚Ein echter KDVer hätte jedoch auf die Gefahr hin, mit einer Disziplinarstrafe belegt zu werden, konsequent seine Weigerung der Teilnahme an einer Schießübung durchgesetzt.' Wer ein Grundrecht in Anspruch nimmt, muss also im Zweifel bereit sein, sich eine Strafe einzuhandeln. Das Ziel besteht offensichtlich darin, die Anzahl der KDVer zu reduzieren, notfalls über eine der Abschreckung dienende Kriminalisierung. Militärpolitische Zweckmäßigkeitsüberlegungen scheinen wichtiger als die Garantie, ein Grundrecht wahrnehmen zu können. Um Wehrgerechtigkeit jedenfalls kann es nicht gehen: Denn während immer mehr Anträge auf Kriegsdienstverweigerung abgelehnt werden, bleiben Tausende von Zivildienstplätzen unbesetzt." Das Flugblatt endete mit der Aufforderung an seine Leser, bei der Wehrbereichsverwaltung VI brieflich gegen die Einberufung von nicht anerkannten KDVern zu protestieren.

(Anmerkung: Alternative Blättchen und Flugblätter mit höheren Auflagen wurden von meist in Hinterhöfen angesiedelten kleinen Druck-Kollektiven im Offsetdruckverfahren hergestellt, für Mitteilungen in kleinerer Verteilmenge und für die Zettelwirtschaft der Studierenden gab es die Fotokopierer, die das Hektografieren von abfärbenden Vorlagen, den sog. Matrizen, ablösten. Es war fast noch so wie zu Martin Luthers Zeiten, Papier war unser wichtigster Informationsträger.)

Amnesty antwortete erstaunlich rasch, konnte aber keine Hilfe anbieten: Personen, „denen ein Ersatzdienst angeboten wird, der völlig außerhalb des Kriegsapparates liegt" würden nicht unterstützt, außerdem werde Amnesty grundsätzlich immer erst nach einer Verurteilung tätig. Dass die Wehrbereichsverwaltung VI meinen Widerspruch zurückwies, konnte mich inzwischen weder überraschen noch entsetzen. Die Begründung hingegen schon: Dem Kreiswehrersatzamt sei ein Absehen von der

Einberufung leider nicht möglich gewesen, „da ihm zum 1.4.1980 gleich oder besser geeignete Wehrpflichtige nicht zur Verfügung standen." Meinen die das wirklich ernst? fragte ich mich.

Ein Attest als letzte Rettung

Jetzt bleibe nur noch eines, meinte ein Freund. „Du musst dir ein Attest besorgen!" Das schmeckte mir überhaupt nicht, aber welche Alternative gab es, wenn ich Arrest und Knast vermeiden wollte? Ein Bekannter schaffte es, mir einen Termin bei einem „willigen" Psychiater zu verschaffen. Der bescheinigte mir, dass ich mich „in einer schweren Konfliktsituation mit wesentlichen Auswirkungen auf psychosomatischem Gebiet" befände. „In den ausführlichen Explorationen wird eine frühgeprägte soziale Einstellung und somit verständlich, dass Pat. besonders durch Begründungen in Bescheid und Widerspruchsbescheid in seinem Selbstverständnis tief getroffen ist. Aufgrund der psychischen Struktur könnte eine Zuspitzung des Konfliktes durch äußeren Zwang zu nicht vorhersehbaren Reaktionen führen." Die versteckte Drohung wirkte. Einen Tag vor dem Einberufungstermin kam der Bescheid: Zurückstellung vom Wehrdienst wegen vorübergehender Wehrdienstunfähigkeit bis zum 28. September 1980.

Inzwischen war in Zusammenarbeit mit der DFG/VK längst eine Pressekonferenz organisiert. Sie fand am Tag meiner Einberufung, dem 1. April, in deren Nürnberger Geschäftsstelle statt. Die Lage für KDVer habe sich weiter verschärft, wurde die Presse informiert. Die Ablehnungsbegründungen von Anträgen seien in letzter Zeit immer haarsträubender geworden. So sei zum Beispiel einem Verweigerer nahegelegt worden, seinen Führerschein zurückzugeben, „da auch das Autofahren immer die Gefahr beinhaltet, Menschen zu gefährden". Dem Argument, er setze sich schließlich nicht ins Auto, um zu töten, während er in der Bundeswehr dazu ausgebildet werde, hatte die Kammer nicht folgen wollen. Dazu gab es Fakten in Zahlen: Die Anerkennungsquote von KDVern in erster und zweiter Instanz war im Jahr 1979 auf 69 Prozent gesunken, vier Jahre zuvor waren es noch 83 Prozent gewesen. Amnesty International hatte in den Jahren 1978 und 1979 insgesamt 55 strafrechtlich verfolgte KDVer betreut, denen die Anerkennung versagt worden war. Dann kamen die zwei Fälle aus der Region dran, denen Ähnliches drohte. Ich erläuterte meinen Fall, danach war mein „Kollege" Udo an der Reihe. Der hatte sich kein Attest verschafft und suchte noch am selben Tag in der Nürnberger St. Markus Kirche Schutz vor den Feldjägern.

Zeitungsartikel zum Kirchenasyl des nicht anerkannten Kriegsdienstverweigerers Udo.

Wehrdienstverweigerer floh in Nürnberger Kirche
Bundeswehr zog ihn ein

Die Presse stieg groß ein. „In letzter Minute rettete ein Attest vor dem Einrücken", „Lieber Strafe als Dienst mit der Waffe" und „Wehrdienstverweigerer floh in Nürnberger Kirche" lauteten die Überschriften. Für Udo fand die Sache erfreulich rasch ein Ende. Nach zweitägigem Aufenthalt gab er sein Asyl auf, ließ sich zu Hause von der Kripo festnehmen und an die Bajuwarenkaserne in Regensburg ausliefern. Da musste er aber nicht lange bleiben. Der zuständige Divisonskommandeur teilte mit: „Der Schütze wurde nach dem verspäteten Dienstantritt untersucht. Der Befund der Ärzte ergab, dass er für den Dienst nicht tauglich ist. Darum wurde er entlassen."

Für mich hingegen war der Wehrdienst zwar vorübergehend aufgeschoben, aber noch nicht aufgehoben. Jede Entwicklung war offen. Ungeklärt war zudem nach wie vor die Frage, ob die völlig unglaubwürdige Aussage, dass zum 1. April in Ebern kein anderer geeigneter Wehrpflichtiger zur Verfügung gestanden haben soll, eine zulässige Begründung darstellte, meinen Widerspruch gegen die Einberufung zurückzuweisen. Daher nahm ich Kontakt auf zu dem SPD-Politiker und Landtagsvizepräsidenten Berthold Kamm. Der Mann, im Hauptberuf AWO-Vorsitzender, war in Nürnberg nicht nur für sein soziales Engagement bekannt: Unter der Herrschaft der Nationalsozialisten war er eine Zeit lang in Gestapo-Haft und hatte schreckliche Erfahrungen der Unterdrückung und Verfolgung machen müssen. Zu Kamms politischer Agenda zählte die unentwegte Aufklärungsarbeit gegen das Vergessen der NS-Gräueltaten ebenso wie die stete Sensibilität für die kleineren Ungerechtigkeiten der Gegenwart. Als ich ihm meinen Fall schilderte, schüttelte er empört den Kopf und versprach, umgehend bei der Wehrbereichsverwaltung VI nachzuhaken. Wenig später berichtete er mir: Der Jäger Bausenwein sei für die erforderliche Besetzung des Dienstpostens eines Militärkraftfahrers vorgesehen gewesen, und dafür habe in diesem Moment eben kein weiterer geeigneter Wehrpflichtiger zur Verfügung gestanden.

Wenige Tage später machte ich in der *Bayern 2*-Sendung „Streit an der Gewissensfront" den Skandal öffentlich. Dabei äußerte ich u. a. sinngemäß, dass durch die Praxis der Gewissensprüfungen das im Grundgesetz verankerte Recht auf eine Kriegsdienstverweigerung aus Gewissensgründen unterlaufen und missachtet werde. Indessen hatte ein Parteigenosse Kamms, der SPD-Bundestagsabgeordnete Egon Lutz, das Thema beim Verteidigungsministerium in Bonn zur Sprache gebracht. Und der erhielt von einem Staatssekretär mit dem schönen preußischen Namen von Bülow folgende Auskunft: Tatsächlich habe zu diesem Zeitpunkt kein anderer für den Posten eines Militärkraftfahrers geeigneter Wehrpflichtiger zur Verfügung gestanden, allerdings sei das Kreiswehrersatzamt Nürnberg „unzutreffend" davon ausgegangen, dass es hierfür nur auf die Wehrpflichtigen des eigenen Amtsbereichs ankomme. Inzwischen sei ausdrücklich angeordnet worden, „dass bei der Prüfung, ob ein anderer ebenso geeigneter Wehrpflichtiger verfügbar ist, die Wehrpflichtigen des Heimatwehrbereichs und die des angrenzenden Wehrbereichs zu berücksichtigen sind. Wiederholungsfälle sind dadurch ausgeschlossen."

Endlich anerkannt

Anfang Mai, während ich noch auf die Auflösung des Rätsels meiner soldatischen Einzigartigkeit wartete, beherrschte die Besetzung des Geländes rund um die Tiefbohrlochstelle 1004 in Gorleben die Schlagzeilen. Rund 5.000 friedliche Atomkraftgegner waren gekommen und riefen einen eigenen Staat aus: die „Freie Republik Wendland". Nein, nein, korrigierte mich ein Bekannter: Das ist die „Republik Freies Wendland". Während wir noch diskutierten, sorgte die Bundeswehr für eine so noch nie dagewesene Aufmerksamkeit. Zur Feier des 25. Jahrestags ihrer Gründung waren in verschiedenen Städten erstmals in der Geschichte der BRD öffentliche Rekrutenvereidigungen angesetzt. An verschiedenen Orten kam es zu Protesten, am heftigsten wurde es am 6. Mai im Bremer Weserstadion. Unter den 10.000 Demonstranten unterschiedlicher Couleur befanden sich so viele Krawallmacher, dass die Polizei vorübergehend völlig die Kontrolle verlor, Bundeswehrfahrzeuge brannten, Generäle und Politiker ließen sich mit Hubschraubern aus dem Stadion ausfliegen. Erst um Mitternacht hatte die Polizei die Lage wieder unter Kontrolle, am Morgen danach meldete eine Nachrichtensprecherin von Radio Bremen: „Bei der Verteidigung (sic!) von 1.200 Bundeswehrrekruten ist es gestern Abend zu schweren Krawallen gekommen." Der Versprecher machte danach die Runde und sorgte für viel Gelächter. Die Bilanz allerdings – über 300 Verletzte, die meisten davon Polizisten – war nicht witzig.

Die Vorstellung, als Rekrut bei einer Vereidigung doof herumzustehen, während Leute aus meiner Szene gegen die Zeremonie protestieren, kam mir völlig absurd vor. Was sollte ich nur tun, wenn es mit der Anerkennung nichts werden würde? Als die Ladung zur Verhandlung vor dem Verwaltungsgericht Ansbach am 22. Mai endlich eintrudelte, machte ich mir keine großen Hoffnungen. Obwohl mein Leidensgenosse Udo mir erzählt hatte, dass er in seiner zweiten Verhandlung mit dem Argument abgelehnt worden war, dass ihm die Begründung seiner KDV von Beratern der DFG/VK „aufgesetzt" worden sei, wählte ich jetzt genau diese Strategie. Nach einschlägig vorformulierten Vorschlägen formulierte ich sehr viele Sätze vor, die mit „Ich" bzw. „Ich kann nicht" oder „Ich würde innerlich zerbrechen, wenn" begannen und übte dann mit meinem Anwalt den Vortrag. Der schüttelte den Kopf: „Sie klingen nicht glaubwürdig." „Was soll ich denn tun?" lautete meine Antwort. „Ich glaub' den Scheiß ja selber nicht, aber ehrlich zu sein hat ja auch nichts gebracht." Um nicht noch unglaubwürdiger zu werden, beschloss ich, meinen Stil nicht vollständig zu ändern. Ich hatte weiterhin einschlägige Bücher studiert und wollte die daraus gewonnenen Erkenntnisse nun auch zur Sprache bringen. Besonders beeindruckte mich der eben erst herausgekommene Rowohlt-Band der Studiengruppe Militärpolitik: „Aufrüsten, um abzurüsten?" Viele Absätze aus diesem Buch konnte ich unterstreichen. Zum Beispiel den: „Nichts ist heute gefährlicher als Militärpolitik von politisierenden Militärs, als welche sich auch die einschlägig versierten Parteipolitiker gerieren. Unter militärischem Aspekt gesehen hätte der nächste Weltkrieg längst mehrfach ausbrechen müssen, so bedrohlich und gefährlich ist die Rüstung der Gegenseite zu mehreren Zeitpunkten in der Vergangenheit gewesen. Von der Kriegsgefahr weg gelangen wir alle nur, wenn die Gegensätze zwischen Ost und West primär nicht als militärische, sondern als politische begriffen werden, und entsprechend der Primat der Politik wieder aus dem Exil geholt wird."

EINWURF

Kriegsdienstverweigerung, Gewissen und Wehrpflicht

Etwa 18 Millionen Deutsche leisteten im Zweiten Weltkrieg pflichtgemäß Militärdienst. Sie führten einen Angriffs-, Eroberungs- und Vernichtungskrieg. Die Wehrpflicht war für Adolf Hitler ein unerlässliches Mittel der Kriegsvorbereitung und zur Durchführung des Krieges. Wehrmachtsangehörige wurden Zeugen zahlloser Verbrechen, waren als Helfer daran beteiligt oder verübten gar selbst welche. Sie waren mitverantwortlich, wenn aus den eroberten Ländern Menschen verschleppt und ermordet wurden.

Nach der Kapitulation Nazi-Deutschlands verbot die Proklamation Nr. 2 des Alliierten Kontrollrates vom 20. September 1945 den Deutschen jegliche militärische Betätigung.

Die Festschreibung eines Katalogs von unveräußerlichen Grundrechten in dem am 23. Mai 1949 vom Parlamentarischen Rat verabschiedeten Grundgesetz der Bundesrepublik Deutschland stellte eine unmittelbare Reaktion auf die Gewaltherrschaft Hitlers dar. Der neue, demokratische Rechtsstaat wollte seine Existenzberechtigung auf der Garantie der Menschenwürde basieren und nicht auf einer abstrakten Staatsräson, da sich diese in der Nazizeit als manipulierbar erwiesen und durch das gewissenlos staatstreue Verhalten der Bevölkerung diskreditiert hatte.

Als der spätere Bundespräsident Theodor Heuss in der Diskussion um den Artikel 4 Abs. 3 des Grundgesetzes am 18. Januar 1949 im Hauptausschuss des Parlamentarischen Rates seine Befürchtung ausdrückte, dass durch die Möglichkeit, den Kriegsdienst mit der Waffe aus Gewissensgründen verweigern zu können, „im Ernstfall ein Massenverschleiß der Gewissen" provoziert würde, entgegnete ihm der SPD-Politiker Fritz Eberhard, dass dieser Absatz gerade nach den Erfahrungen mit dem totalitären NS-System unverzichtbar sei: „Ich glaube, wir haben hinter uns einen Massenschlaf des Gewissens. In diesem Massenschlaf des Gewissens haben die Deutschen zu Millionen gesagt: Befehl ist Befehl und haben daraufhin getötet." Aufgrund der damals noch herrschenden pazifistischen Grundstimmung, der sich sogar ein Franz-Josef Strauß anschmiegte – „Wer noch einmal ein Gewehr in die Hand nehmen will, dem soll die Hand abfallen", lautete 1949 ein Wahlkampf-Spruch des jungen Politikers – wurde der Artikel ins Grundgesetz aufgenommen.

Zwar musste sich die Bundesrepublik im Petersberg-Abkommen vom 22. November 1949 verpflichten, die Entmilitarisierung aufrechtzuerhalten, doch hinter den Kulissen hatte sich die Haltung der westlichen Alliierten im Zuge des sich abzeichnenden Ost-West-Konflikts bereits geändert: Sie strebten nun eine Westintegration Westdeutschlands inklusive westdeutscher Streitkräfte an, und sie fanden im CDU-Bundeskanzler Konrad Adenauer einen Verbündeten, der das explizit befürwortete. Bereits 1955 hatte die BRD wieder Soldaten im Verbund der NATO, am 21. Juli 1956 wurde die Bundeswehr zu einer Wehrpflichtarmee.

Die Wiederbewaffnung Westdeutschlands, durchgeführt nicht zuletzt mithilfe ehemaliger Generäle Hitlers, hatte heftige Proteste und Diskussionen ausgelöst, aber im Schatten des sich abzeichnenden Kalten Krieges galt sie der Adenauer-Regierung als alternativlos. Dasselbe galt für die Wehrpflicht, durch die sich die Bundeswehr schließlich mit einer Sollstärke von 500.000 Soldaten zu einer der größten Armeen der europäischen NATO-Staaten entwickeln konnte. Immerhin: Im Grundgesetz von 1949 waren jetzt einige Sicherungen eingezogen, die eine neuerliche Militarisierung der Gesellschaft verhindern sollten. Der SPD-Politiker Carlo Schmid sagte vor dem Deutschen Bundestag anlässlich der zweiten Lesung des Wehrpflichtgesetzes am 6. Juli 1956: „Als wir in das Grundgesetz den Art. 4 Abs. 3 einführten, hatten wir nicht die Absicht, eine hübsche Verzierung anzubringen." Durch die Möglichkeit, den Kriegsdienst aus Gewissensgründen zu verweigern, betonte er, sollte „zum Ausdruck gebracht werden, dass in diesem Staat die Staatsraison nicht als die oberste Autorität für das Handeln von Staat und Bürger anerkannt wird".

Gerade mal elf Jahre hatte es seit den Verheerungen des Nationalsozialismus gedauert, bis die Wehrpflicht, trotz ihrer problematischen Geschichte, im Zuge der Wiederbewaffnung Bestandteil der Verfassung der neu gegründeten Bundesrepublik Deutschland geworden war. Kurz darauf zog man auch im anderen Teil Deutschlands nach: 1962 wurde die Wehrpflicht in der DDR eingeführt. Während sie im Westen mit dem Argument gerechtfertigt wurde, dass der freiheitliche Verfassungsstaat eine legitime Ordnung des Gemeinwesens darstelle und es daher ebenso legitim sei, den Bürger als Teil dieser Ordnung zum Schutz derselben heranzuziehen, war im Gesetz über die allgemeine Wehrpflicht in der DDR von „der ehrenvollen nationalen Pflicht" die Rede, entsprechend „dem Willen und der Entschlossenheit der Bürger" die sozialistische Heimat zu schützen.

Mehr Rüstung, lautete also (keineswegs nur) meine Ansicht, bringt nicht mehr Sicherheit für die Verteidigung, im Gegenteil. Aber ich wollte ja auch meine persönliche Haltung zum Ausdruck bringen. „Die Gewissensentscheidung, die ich getroffen habe", sagte ich vor Gericht, „bindet mich derart, dass es mir absolut unmöglich ist, mit der Waffe in der Hand am Kriegsdienst teilzunehmen. Genauso ist es mir aber auch unmöglich, am waffenlosen Dienst teilzunehmen; denn durch die Teilnahme an diesem würde ich auf ‚friedliche' Weise mithelfen, das Morden zu legitimieren – als ‚Beihelfer' in einer den Mord legitimierenden Institution."

Konnte so was überzeugen? Auf die Frage des Richters, ob ich den Eindruck hätte, von Ausschuss und Kammer vor allem wegen meiner sehr sachlichen Argumentation abgelehnt worden zu sein, antwortete ich leicht zickig: „Wer liest denn zwei Dutzend Bücher über Krieg und Gewalt, wer schreibt denn 43 Seiten zur Begründung seiner Auffassung, wenn er nicht mit seinen ganzen inneren Werten, seinem ‚Gewissen', hinter dieser Auffassung steht? Wäre ich ohne Gewissen, hätte ich mir den Aufwand auch sparen können."

Hatte das gewirkt? Keine Ahnung. Aber meiner Klage wurde stattgegeben! Plötzlich war alles gut, was vorher als schlecht oder ungenügend beurteilt worden war. In der Begründung hieß es nun: „Auf Grund seiner schriftlichen Äußerungen im Klageverfahren und seiner Einvernahme als Partei ist die Kammer davon überzeugt, dass der Kläger als KDVer anzuerkennen ist. Zwar wurde vom Kläger im verwaltungsbehördlichen Verfahren im Wesentlichen eine vernunftmäßige Ablehnung des Krieges und der Gewalt ausgeführt, wie sie jeder verständige Mensch hat. Im Rahmen des Klageverfahrens hat er jedoch dargestellt, wie er aus der rein vernunftmäßigen Überlegung durch bewusste Beschäftigung mit den inmitten stehenden Problemen zu der Überzeugung gekommen ist, dass Gewalt und Krieg untaugliche Mittel zur Bewältigung von Problemen und damit nicht gerechtfertigt sind, und dass der Einsatz eigenen wie fremden Lebens dafür ebenfalls nicht gerechtfertigt ist. ... Andererseits ist er Mensch genug, um zu sehen, dass er weder Held noch Märtyrer ist, und kann sich deshalb vorstellen, in einer Notsituation, in die er plötzlich und unerwartet gerät, wohl auch Gewalt anzuwenden." Auch aufgrund „der Zwischentöne im Vorbringen" und aufgrund des Eindrucks, den er in der mündlichen Verhandlung hinterlassen hat, glaube die Kammer dem Kläger daher, „dass er leiden würde, dass er mehr leiden würde als die Mehrheit der Wehrpflichtigen", wenn er einen Menschen mit der Waffe töten müsste.

Der Plan vom TNT-Würfel
Ob und wenn ja wie sie Gewalt anwenden sollte, musste sich wenig später die Polizei von Zürich fragen, wo am 30. Mai mehrere Hundert Jugendliche vor die Oper gezogen und das Premierenpublikum mit faulen Eiern beworfen hatten. Hintergrund: Als der Zürcher Stadtrat zwar Millionen für die Sanierung des Opernhauses bewilligt, aber zugleich die Forderungen nach einem selbstverwalteten Jugendzentrum abgelehnt hatte, waren Dämme gebrochen. Das Eier-Attentat war der Auslöser einer Gewaltspirale zwischen Jugendlichen und der mit Schlagstöcken und Tränengas zu Werke gehenden Polizei. In den folgenden Wochen und Monaten kam es zu Sachschäden in Millionenhöhe und mehreren Hundert Verletzten auf beiden Seiten.

Auch im Wendland lag am frühen Morgen des 4. Juni Gewalt in der Luft. Wie zu einem Feldzug gerüstet, mit Bulldozern, Panzern und Hubschraubern angerückt, umzingelten Tausende Polizisten und Bundesgrenzschutzbeamte das improvisierte Dorf der Protestierer in Gorleben und bereiteten, nach nur 33 Tagen, dem bunten Treiben in der „Freien Republik", brachial ein Ende. Nachdem sie die friedlich sitzenden Blockierer rüde abgeräumt hatten, walzten sie alles platt und sicherten anschließend das Gelände mit Stacheldraht. Die „Freie Republik" war tot, aber nur auf dem Gelände des geplanten Endlagers, nicht in den Köpfen. Ihr kurzes Leben entwickelte sich zu einem Mythos, der die ganze Bewegung immer wieder inspirierte. Und so wird es immer wieder heißen: „Es lebe die freie Republik!" Noch in diesem Jahr etwa in Frankfurt, nachdem dort die gerichtliche Auseinandersetzung um den wegen der damit verbundenen Umweltzerstörungen und -belastungen äußerst umstrittenen Bau der neuen „Startbahn 18 West" am Frankfurter Flughafen mit der Entscheidung des Hessischen Verwaltungsgerichtshofs ein Ende gefunden hatte. Als die Rodungen begannen, demonstrierten am 2. November am Waldrand in Walldorf 15.000 Menschen. In der Folge errichteten Aktivisten ein Hüttendorf, um das Gebiet langfristig zu blockieren und schneller auf Rodungsabsichten reagieren zu können. Es ging weiter, immer weiter ...

Während Politik und Polizei nicht müde wurden, vor der Gewalt von links zu warnen, kam die in einem bis dahin ungeahnten Ausmaß von rechts. Ein Bombenanschlag auf dem Oktoberfest am 26. September forderte 13 Tote, darunter den Täter selbst. Und am frühen Abend des 19. Dezember 1980 wurden Shlomo Lewin, der frühere Vorsitzende der Israelitischen Kultusgemeinde Nürnberg, und seine Lebensgefährtin

Frida Poeschke in ihrem Haus in Erlangen erschossen. Die genauen Umstände beider Bluttaten blieben zunächst ungeklärt. Spuren, die zu Karl-Heinz Hoffmann und dessen rechtsextremistischer „Wehrsportgruppe" (WSG) führten, wurden anfangs nicht ernstgenommen. Der Neonazi war in Nürnberg bekannt wie ein bunter Hund, auch ich hatte ihn schon gesehen, wie er im Kübelwagen vor dem „Bavarian American Hotel" gegenüber dem Hauptbahnhof vorfuhr und sich in seiner Fantasieuniform vor den GIs aufplusterte. Selbstredend schimpften wir alle: Auf dem rechten Auge sind Staat und Polizei natürlich blind ...

Aber wie stand es mit mir? War ich nicht vielleicht auf dem linken Auge blind? Ich bewegte mich ja inzwischen im Umfeld der DFG/VK, die galt als DKP-nah und war angeblich vom „Osten" unterwandert. Dasselbe wurde von dem im November publizierten und an die Bundesregierung gerichteten „Krefelder Appell" behauptet. „Der Atomtod bedroht uns alle – keine neuen Atomraketen in Europa!" lautete die zentrale, gegen den Nachrüstungsbeschluss der NATO gerichtete Forderung, zu deren zahlreichen Unterzeichnern auch ich gehörte. Die beiden Aushängeschilder des Aufrufs – das grüne Promi-Paar Gert Bastian und Petra Kelly, das kurz zuvor zusammengefunden hatte – galten zwar als unverdächtig. Den Vorwurf, dass die Initiative von sowjetfreundlichen Aktivisten mit guten DDR-Kontakten gesteuert wurde, konnte das freilich nicht entkräften.

Damals machte ich mir nicht viele Gedanken darüber, dass es problematisch sein könnte, sich mit der Forderung nach Abrüstung auf das westliche Bündnis zu konzentrieren. Schließlich ging es um Waffen, die im Westen stationiert werden sollten, und das musste eben hier vor Ort verhindert werden. Wir waren überzeugt, dass die Nachrüstung einen Krieg wahrscheinlicher zu machen drohte, weil das bis dahin gültige nuklearstrategische Patt unterlaufen werde: Die Entwicklung von Aufklärungssatelliten mache eine punktgenaue Ortung feindlicher Stellungen möglich; die Zielgenauigkeit der neuen Systeme sei so hoch, dass auch die besten Raketensilos einen Angriff nicht überstehen würden; und vor allem würden die amerikanischen Mittelstreckenwaffen in der Lage sein, die sowjetische Hauptstadt fast ohne Vorwarnzeit zu treffen. Kurz: Wegen der hohen Zielgenauigkeit, der kurzen Flug- und Vorwarnzeiten und der Fähigkeit, das gegnerische Abwehrsystem zu unterlaufen, seien die neuen Systeme als Erstschlagwaffen geeignet; und umgekehrt bestehe die Gefahr, dass die Sowjetunion durch die Stationierung dieser Waffen vor ihrer Haustür im Krisenfalle zu Präventivschlägen verleitet werden könne, sodass die Stationierungsgebiete besonders gefährdet seien. Europa hatte eine Doppelrolle als „Atomrampe" und potenzielles Hauptziel für Gegenschläge zugleich. Das konnte, das durfte so nicht bleiben.

Wir diskutierten, welche Art von Demonstration unter diesen Vorzeichen am wirkungsvollsten sein würde. Als ich in irgendeiner Zeitung die aktuellen Zahlen zum „Overkill" aufschnappte, diskutierten wir darüber in unserer kleinen Erlanger Friedensini. Es gab jetzt weltweit 50.000 Atomsprengköpfe mit einer Gesamtsprengkraft von 50 Milliarden Tonnen TNT. Wir machten uns die Dimensionen klar: Die Sprengkraft der im gesamten Zweiten Weltkrieg eingesetzten Bomben hatte etwa 3 Millionen Tonnen TNT betragen, man hätte jetzt also mehr als 16.000 Zweite Weltkriege führen können. Auf jeden Menschen in dieser Welt entfielen nach unserer Berechnung – bei inzwischen rund 4,5 Milliarden Erdenbewohnern – etwa 11 Tonnen TNT. Musste man da nicht Angst haben? Wir alle hatten Angst, sie war das Hauptmotiv dafür, dass wir uns engagieren wollten. Und wir waren betrübt darüber, dass die Mehrheit der Bevölkerung unsere Angst nicht teilte. Wir empfanden das als seltsam, denn es gab ja objektive Gründe für unsere Angst. Dass die anderen keine Angst hatten, erklärten wir uns mit psychischen Verdrängungsmechanismen. Und die wollten wir endlich mal aufbrechen. Die Frage war nur: Wie?

Einer meinte: 11 Tonnen TNT erzeugen in einem Radius von ca. 100 m eine Druckdifferenz von mehr als 350 Millibar. „Wir benötigen Vergleiche, die man sich vorstellen kann", sagte ich. Wir einigten uns auf „Auto" und „Haus": Schon ein halbes Kilo reicht, um ein Auto in ein glühendes Wrack zu verwandeln und dessen Insassen sämtlich zu töten, 5 Kilo sind völlig ausreichend, um ein Haus zu zerstören. Dann erinnerte ich mich an meine einstige Berechnung der Overkill-Situation in „Böller-Äquivalenten". Die Böller könnten das veranschaulichen, aber woher so viele Böller nehmen? Dann kam die Idee auf: Wir bauen einen Würfel! So können wir die Sache visualisieren! Und den Würfel stellen wir dann im Frühjahr auf dem Hugenottenplatz in Erlangen oder in Nürnberg vor der Lorenzkirche auf.

Welche Größe hätten 11 Tonnen TNT, wenn man sie als Würfel darstellen müsste? Wir rechneten aus: TNT hat eine Dichte von 1,65 g/cm³. 11 Tonnen TNT entsprechen 11.000.000 Gramm, geteilt durch 1,65 ergibt 6.666.666 cm³. Die Seitenlänge wird aus der Kubikwurzel errechnet. Es ergibt sich ein Würfel mit einer Seitenlänge von rund 1,88 Metern! „Stellt euch vor, wenn alle Menschen diesen mächtigen Würfel ständig über sich

Knallkörper-Label aus den 1970er-Jahren.

schweben sehen könnten!", rief einer begeistert. "Das könnte ja schon tödlich sein, wenn der nur aus Holz wäre", sagte ich.

Dann diskutierten wir die praktischen Fragen. Als Baumaterial kam nur Holz infrage. Das würde ganz schön schwer werden. Wo sollten wir den Würfel bauen und wie transportieren? Und wenn er bei der Demo so wie eine Kiste am Boden herumstünde – würde das überhaupt Eindruck machen? Es war klar: Wir bräuchten einen Kran, um ihn daran aufzuhängen, sodass er über den Leuten schweben würde. So wie ein Damoklesschwert, sagte einer. Aber so ein Kran wäre ziemlich teuer. Und war so was überhaupt erlaubt? Am Ende lautete der Beschluss: Erstmal klären, was genehmigungsfähig wäre. Einer ging los und kam beim nächsten Treffen mit der Info zurück: Ein solcher Würfel am Kran ist nicht genehmigungsfähig, weil zu gefährlich! Damit war die Luft raus aus unserer Initiative, der Würfel wurde nie gebaut, es blieb bei Flugblättern und Mahnwachen und damit bei Demonstrationsformen, die ich als viel zu schlapp und langweilig empfand.

Revolution ohne oder mit Waffen?

Während wir mit unserer kleinen Aktion bereits in der Planungsphase scheiterten, tat sich international einiges. Dass sich in Polen die aus einer Streikbewegung heraus entstandene Gewerkschaft Solidarnosc zu einer das gesamte Land erfassenden Revolutionsbewegung entwickeln würde, konnte zu diesem Zeitpunkt noch niemand ahnen, außerdem erregte das Geschehen im trüben Osten in Westdeutschland kein ausgeprägtes Interesse. Der wieder aufflackernde Enthusiasmus der linken Jugend war im Zuge der weit verbreiteten Che-Guevara-Romantik weitgehend absorbiert von der Solidarität für die Befreiungsbewegungen in Lateinamerika. Und da schieden sich hierzulande die Geister an der Frage: friedliche Initiativen unterstützen oder mit Waffen helfen?

Am 12. Oktober 1980 wurde dem nicaraguanischen Priester, Befreiungstheologen, Politiker und Schriftsteller Ernesto Cardenal – gerade auf einer Lesereise in Deutschland – in der Paulskirche zu Frankfurt am Main der Friedenspreis des Deutschen Buchhandels verliehen. Cardenal war seit Juli 1979, dem Jahr, als die Diktatur der Somoza-

Dynastie in Nicaragua durch die Sandinistische Nationale Befreiungsfront FSLN (Frente Sandinista de Liberación Nacional) gestürzt worden war, Kulturminister des Landes und betrieb auf Solentiname, einer Insel im Nicaraguasee, eine genossenschaftliche Gemeinschaft für die Armen. Die Revolution habe Befreiung und Frieden gebracht, gab sich Cardenal überzeugt. Johann Baptist Metz betonte in seiner Laudatio besonders, dass sich durch das gesamte Werk Cardenals „die Utopie einer künftigen gewaltfreien Gesellschaft" ziehe. „Alles an ihm zielt in Richtung einer gewaltfreien Friedenskultur. So wächst bei ihm das revolutionäre Bewusstsein über den Teufelskreis der Gewalt hinaus." Wie kaum ein anderer taugte Cardenal als Symbolfigur für einen humanen Sozialismus.

Das Nicaragua à la Cardenal erfüllte die Linke in Deutschland, ja weltweit, mit Hoffnung. Bald sollten überall in den Fußgängerzonen junge und idealistische Aktivisten stehen und die „Sandino-Dröhnung" anpreisen, den Nicaragua-Kaffee, mit dem sie für die Revolution der Sandinistas warben. Verwirrend allerdings war, dass sich in der linken Protestszene parallel zur Kritik an der Aufrüstung der NATO und der Begeisterung für den sanften Cardenal eine Pro-Waffen-Lobby herausgebildet hatte, kulminierend in einer Schlagzeile auf der Titelseite der *taz* vom 3. November: „Aufruf: Waffen für El Salvador". Der Zusammenschluss der linken Befreiungsbewegungen in El Salvador (FMLN,

Ernesto Cardenal, Schriftsteller und Kulturminister Nicaraguas, im Oktober 1980 bei einer Lesung in Tübingen.

dt.: Nationale Befreiungsfront Farabundo Martí) habe nur mit Waffengewalt eine Chance gegen die von den USA militärisch und politisch unterstützte Militärdiktatur, wurde argumentiert. In Lateinamerika sollte also geschossen werden dürfen, damit die „Guten" gegen die „Bösen" die Oberhand behalten können, meinten selbst solche deutschen Freiheitskämpfer, die dem bewaffneten Kampf in Europa eine klare Absage erteilten. (Der Aufruf erwies sich als durchaus erfolgreich: Rund ein Jahr später werden Beauftragte der *taz* über eine Million Dollar an Vertreter der FLMN übergeben.)

Nicht auszudenken, überlegte ich, wenn an die vermummten deutschen „Befreiungskämpfer" aus der militanten Autonomenszene Waffen verteilt worden wären. Da hätte man ja auch einen Bedarf herleiten können, deren Arsenal bestand ja lediglich aus Zwillen und Steinen. Aber schon damit ließen sich brutale Straßenschlachten durchführen. Zum Beispiel in Berlin, im Kreuzberger Stadtteil SO 36. Die ersten Hausbesetzungen waren da noch recht friedlich verlaufen, geduldet oder gar legalisiert worden. Doch in der Nacht vom 12. auf den 13. Dezember krachte es am Fraenkelufer, kurz vor einem geplanten Gespräch zwischen Senatsbeauftragten und den Vertretern eines inzwischen gegründeten Besetzerrates, als die Polizei den Versuch einer weiteren Hausbesetzung unterband und daraufhin andere Besetzer begannen, Barrikaden zu errichten. Es kam zu schweren Straßenschlachten, die auf beiden Seiten zahlreiche Verletzte forderten. Eine Demonstration drei Tage später führte zu 50 Festnahmen, wiederum vier Tage später waren 20.000 auf den Straßen, um gegen die Verhaftungen zu protestieren.

Etwa zeitgleich tagte in Essen der Bundesvorstand der Grünen, die in ihrem Programm im Angstbegriff „Atomkraft" die beiden Überlebensthemen Umwelt und Frieden inhaltlich wie semantisch miteinander verbunden hatten. Einer der Vorstandssprecher, der Gewerkschafter Dieter Burgmann, ein Nürnberger, fasste die apokalyptische Grundstimmung, die in Deutschland immer mehr Menschen erfasste, in die Worte: Es gehe angesichts des drohenden Atomtodes „um alles oder nichts!" Deswegen sei auch die grüne Bewegung und Partei „nicht an bestimmte Klassen und Bevölkerungsschichten gebunden. Der Atomtod unterscheidet nicht zwischen Arm und Reich, zwischen Arbeitern, Angestellten und Bauern oder Beamten. Die Geschichte wird uns nicht die Zeit lassen, eine zweite, bessere, vollkommenere Partei zu schaffen." Die grüne und alternative Bewegung müsse also die notwendige Wende umgehend herbeiführen, „oder die Katastrophe wird über die Menschheit hereinbrechen".

Wer sich intensiv mit den Ereignissen beschäftigte und die in der Szene verbreiteten Broschüren und Flugblätter eifrig las, der konnte allmählich den Eindruck gewinnen, dass sich die Bundesrepublik auf dem Weg in eine Art Bürgerkrieg befand. Dieser Eindruck bestätigte sich zu Weihnachten, als die in Westberlin längst Alltag gewordene Hausbesetzerbewegung Nürnberg erreichte. Dort standen laut einer späteren Erhebung der SPD-geführten Nürnberger Stadtspitze 72 Häuser leer. Am 24. Dezember wurde das Wohngebäude in der Johannisstr. 70 vom sogenannten „Olaf Ritzmann-Kollektiv" besetzt, benannt nach einem 16-Jährigen, der am 25. August in Hamburg nach einer Demonstration bei einem Polizeieinsatz am Bahnhof Sternschanze vor einen S-Bahn-Zug geraten und dabei tödlich verunglückt war. An Silvester folgte der zweite Streich: Nach dem Abschlussfest einer Künstler-Kooperative in der Veilloderstr. 33 wurde das Haus, in dem drei Jahre lang eine Kleinkunstbühne mit Kneipe, Cafe, Restaurant sowie eine Lebensmittelkooperative untergebracht waren, für besetzt erklärt. Beide Besetzungen sollten bald von der Polizei mit rüder Räumung und zahlreichen Festnahmen beendet werden.

Ich hatte es indessen statt mit dem Kreis-Wehrersatzamt mit dem Bundesamt für Zivildienst (BAZ) zu tun. Kurz vor dem Jahreswechsel erhielt ich einen Brief: Ich hätte meinen Zivildienst spätestens am 2. März 1981 anzutreten, auf Wunsch und bei Vorhandensein einer genehmigten Stelle auch früher.

Kunde von einer „herben Sache"

Zu Beginn des Jahres 1981 schien es an fast jeder Ecke von irgendwelchen „Kollektiven" besetzte Häuser zu geben. Die Hausbesetzer-Bewegung war nicht bloß ein Phänomen in Frankfurt, wo es vor Jahren angefangen hatte, oder von Westberlin – da waren inzwischen etwa 100 Häuser besetzt –, oder von Hamburg mit den ständigen Kämpfen um die „Rote Flora" oder die Hafenstraße, sie zeigte sich fast überall, in Hannover, Bremen, Freiburg und eben auch in Nürnberg. Auf der Suche nach selbstbestimmten Freiräumen radikalisierten sich viele in ihrem Kampf gegen die durch Staat und Kapitalismus diktierten Verhältnisse, die Verweigerung bürgerlicher Vorstellungen und Pflichten wurde zu einer sich immer weiter verbreitenden Grundhaltung der Jugend.

In Nürnberg lag nach den beiden Besetzungen Ende des letzten Jahres eine so noch nie da gewesene Spannung in der Luft. Das Geschehen um das Haus in der Veillodter Straße, die „Veille", wo meine Schulfreundin Regina hinterm Tresen werkelte, bewegte uns besonders, das war eine unserer Stammkneipen. Unter dem Eindruck der Hausbesetzungen und selbst als Dauer-Wohnungssucher unterwegs, registrierte ich Mitte Januar ein *Spiegel*-Cover zum Thema „Neue Wohnungsnot" mit besonderer Aufmerksamkeit. Im Heft elektrisierte mich dann jedoch ein anderer Artikel. „Herbe Sache" war er überschrieben. Es ging darin um sogenannte Totalverweigerer, die den Zivildienst ebenso ablehnen wie den Wehrdienst und dafür Haft und Vorstrafen auf sich nehmen.

Der Artikel stellte neun ungehorsame Jungs aus allen Teilen Westdeutschlands vor, die sich jeder Art von Zwangsdienst verweigerten, manche bereits bei der Musterung, andere hatten auf ihre Anerkennung als KDVer verzichtet und sich der Einberufung zur Bundeswehr widersetzt, einige hatten ihren Zivildienst zunächst angetreten und dann aus Protest abgebrochen. Alle diese Totalverweigerer handelten nicht – wie das eine nicht unerhebliche Zahl von Zeugen Jehovas tat – aus religiösen, sondern in erster Linie aus politischen und weltanschaulichen Gründen. Ihr Hauptargument: Der Zivildienst sei keine eigenständige Alternative zum Wehrdienst und also kein Friedensdienst, er sei vielmehr, weil im Rahmen der Wehrpflicht und der Wehrgesetze geleistet, ein Zwangsdienst und am Ende nichts anderes als ein Kriegsdienst ohne Waffen.

Besonders viele waren es offensichtlich nicht, die sich für diese mit einer Freiheitsstrafe geahndete „herbe Sache" entschieden. Der *Spiegel* errechnete für die letzten vier Jahre rund 20 Totalverweigerer pro Wehrpflichtigen-Jahrgang. Aber diese wenigen hatten es geschafft, mit spektakulären Aktionen auf sich aufmerksam zu machen, indem sie sich z. B. vor einer Kaserne in Ketten legten oder, wie Siegbert Künzel, sich fotogen von Feldjägern festnehmen ließen: Er war am 17. Juni 1979 in einem T-Shirt mit der Aufschrift „totaler KDVer" auf den Rasen des Hammer Jahnstadions gestürmt, wo gerade vor mehreren Tausend Zuschauern ein „Feierliches Gelöbnis" anlässlich der Übernahme der Patenschaft der Stadt Hamm mit dem 7. San.Bataillon der Bundeswehr stattfand. Die meisten dieser Totalverweigerer, so der *Spiegel* weiter, stammten aus „der Szene der aus Bürgerinitiativen in die Radikalität herausgefallenen Alternativler, der radikalen Grünen und Lebenskünstler, die sich in ländlichen Kommunen mit biologisch-dynamischem Ackerbau versuchen, der sogenannten gewaltfreien Anarchisten, wie sie sich beispielsweise um die Zeitschrift *Graswurzelrevolution* gruppieren, die eine ‚gewaltfreie, herrschaftslose Gesellschaft' predigt."

Ich war ziemlich angefixt von der „herben Sache", schnitt den Artikel aus und heftete ihn im Aktenordner mit den interessanten Texten ab. Auf

Verhaftung von Siegbert Künzel im Jahnstadion von Hamm. Er musste anschließend einen 63-tägigen Arrest in der Kaserne des 7. Sanitäts-Bataillons absitzen, wurde dann wegen „Gefährdung der Sicherheit und Ordnung der Truppe" unehrenhaft aus dem Wehrdienst entlassen und später vom Amtsgericht Hamm zu 8 Monaten Haft auf Bewährung verurteilt.

die Idee, mich intensiver mit den Argumenten zu beschäftigen, kam ich nicht. Ich hatte so lange um die Erlaubnis zum Zivildienst gekämpft, dass ich den nun auch tatsächlich antreten wollte. Und außerdem gab es rundherum durch andere politische Themen so viel „Aufmerksamkeitskonkurrenz", dass demgegenüber das Thema Kritik am Zivildienst irgendwie verblasste.

Als am 28. Januar zwei Hausbesetzer aus Amsterdam – damals ein Nukleus der Bewegung –, das Jugendzentrum KOMM besuchten, war das Interesse groß. Der Film über „Wohnungsnot und Selbsthilfe", den diese „Kraaker" mitgebracht hatten, durfte jedoch nicht gezeigt werden. Weil das Jugendzentrum nur in Teilen selbstverwaltet war, hatte in solchen Fragen das städtische Amt für kulturelle Freizeitgestaltung das Sagen, und das hielt den Film für „zu aggressiv". Da das KOMM sowieso als „Schandfleck" galt, als Hort für Drogensüchtige, Arbeitsscheue und gewaltbereite Linksextremisten, war die Stadt bestrebt, für eventuelle Eskalationen keinen Anlass zu geben. Aber die Maßnahme sorgte natürlich nur für weitere Unruhe.

Alte Dame mit Vergangenheit

Da bei der von mir ausgesuchten Tagesstätte für Körperbehinderte, wo meine Mutter arbeitete, inzwischen kein Platz mehr frei war, musste ich für den anstehenden Zivildienst was anderes auftreiben. Am Schwarzen Brett der Philosophischen Fakultät entdeckte ich eine Anzeige: Eine ältere Dame, Gertrud Kahl-Furthmann, Philosophin und Schriftstellerin aus Bayreuth, suchte einen Zivildienstleistenden als Betreuer und zur Katalogisierung ihres Nachlasses. Ich machte gleich einen Termin aus, fuhr nach Bayreuth und traf dort in einer großzügigen Altbauwohnung mit enorm hohen Räumen auf eine muntere und rüstige 87-Jährige, die mich freundlich empfing und mir sichtlich stolz die mächtigen, bis zur Decke reichenden Regale zeigte, in denen sie ihre Exzerpte und nicht publizierten Entwürfe lagerte. Als ich sie so betrachtete, wie sie durch die Räume schritt – leicht humpelnd, aber mit immer noch straffer Haltung, in einem selbstbewusst-unterkühlten Habitus, der etwas Unerbittliches ausstrahlte – fielen mir Ähnlichkeiten mit meiner Mutter und deren Freundin auf, der Sportwissenschaftlerin Annemarie Seybold. Alle drei waren beruflich erfolgreiche und durchsetzungsstarke Frauen und alle drei waren qua Alter beim „Bund deutscher Mädchen" sozialisiert. Mich störte das erst mal nicht besonders, ich kannte diesen herben und äußerst selbstdisziplinierten Frauentypus ja, der gewohnt ist, klare Ansagen zu machen. Diese kraftvolle und willensstarke Ausstrahlung imponierte mir sogar irgendwie.

Auf das Regal mit ihren Schriften deutend sagte die drahtige Frau Kahl-Furthmann mit energischem Ton, sie sähe es gerne, wenn das alles noch geordnet werden könnte vor ihrem ja bald zu erwartenden Ableben. Das sei ihr das Wichtigste, ansonsten käme sie noch ganz gut zurecht, etwas Hilfe beim Einkaufen und Putzen könne natürlich nicht schaden, der Rücken mache nicht mehr so mit und weite Strecken zu Fuß seien auch nichts mehr für sie. „Na, kommen wir zusammen?", fragte sie mich lächelnd. Die resolute Dame, die – wie ich später erfuhr – 1932 vergeblich versucht hatte, sich als erste Frau überhaupt an der Münchner Ludwig-Maximilians-Universität zu habilitieren und 1978 als erste Frau mit dem Bayreuther Kulturpreis ausgezeichnet worden war, zeigte sich äußerst angetan von der Aussicht, für 16 Monate die Arbeitskraft eines jungen Philosophiestudenten in Anspruch nehmen zu können. Sie überreichte mir zwei ihrer Bücher. Eines ihrer neueren mit dem Titel „Wann lebte Homer?" und ihr 1934 erschienenes, 600 Seiten mächtiges Hauptwerk „Das Problem des Nicht", eine phänomenologische und ontologische Vorbetrachtung „einer am deutschen Sprachgebrauch abgenommenen vorläufigen Bedeutungsanalyse", wie sie mir etwas kryptisch zu erläutern versuchte.

Ich war Feuer und Flamme, als ich zurück nach Nürnberg fuhr. Doch es gab ein Problem: Diese Stelle existierte gar nicht. Die selbstbewusste Philosophin war nicht auf die Idee gekommen, dass eine offizielle Genehmigung vonnöten sein könnte, um sich die Arbeitskraft eines ZDL zu sichern. So bemühte ich mich also selbst darum, diese einzuholen – vergeblich. Eine häusliche Pflege sei bei einer Rentnerin, die sich im Wesentlichen noch selbst versorgen könne, nicht möglich, hieß es bei dem Verband, der solche Stellen zu genehmigen hatte; außerdem sei die Mithilfe bei wissenschaftlichen Arbeiten grundsätzlich nicht genehmigungsfähig.

Vielleicht hatte es auch sein Gutes, dass sich die Sache im Nichts auflöste. Denn einige Jahre später sollte ich zufällig herausfinden, dass sich die 1984 verstorbene Bayreutherin noch nach dem Weltkrieg als glühende Verehrerin von NS-Parteigrößen hervorgetan hatte. Sie war im Nationalsozialistischen Lehrerbund gewesen und hatte sich 1935 als Herausgeberin der Reden und Werke des bei einem Flugzeugabsturz verunglückten Hans Schemm hervorgetan. Schemm – NSDAP-Gauleiter der Bayerischen Ostmark, Reichswalter des Nationalsozialistischen Lehrerbunds und Bayerischer Kultusminister – hatte u. a. den folgenden Satz geprägt: „Artfremdes Eiweiß ist Gift." Den mussten auch meine Mutter und ihre Freundin Annemarie kennen, beide einst Schülerinnen des Mädchengymnasiums Findelgasse in Nürnberg: Er stand auf dem Sockel einer Schemm-Büste, die der Schuldirektor Anton Lämmermeyr 1937 dort hatte aufstellen lassen zur Feier der Tatsache, dass die letzten jüdischen Mädchen seine Anstalt verlassen hatten – „entweder freiwillig oder vom Anstaltsleiter dazu veranlasst" – und die Schule damit endlich kein „Herrschgebiet der Jüdinnen" mehr sei.

Die Frage des direkten Widerstands

Im Februar bekam ich in der legendären Nürnberger Alternativ-Kneipe Gregor Samsa einen Artikel des Totalverweigerers Dieter Schöffmann in der „Links-Sozialistischen Zeitung" (Nr. 131) in die Finger. Die bisher öffentlich in Erscheinung getretenen Totalverweigerer – etwa 50 an der Zahl – hätten „eine kaum noch wegzudenkende Diskussion um die Frage des direkten Widerstandes ausgelöst", gab sich der Autor überzeugt. Es gebe die Chance, vor Gericht „bei geeigneter Argumentation (vor allem verfassungsrechtlich) relativ positive Urteile zu erlangen, was einerseits zu Folgehandlungen ermutigen und andererseits einen gewissen Druck auf die Gesetzgebung ausüben könnte". Mit direktem Widerstand unmittelbar etwas ändern – diese Vorstellung kitzelte meine Fantasie.

Im Nachklingen des Artikels kam es zu ersten Kneipendiskussionen mit Freunden über das Thema. Das lief dann etwa so: „Totalverweigerung ist richtig konsequent. Das könnte eine taugliche politische Strategie sein, um das staatliche Zwangssystem auszuhebeln." „Du träumst wohl immer noch von einer Revolution? Die Zeiten sind doch vorbei." „Ich hab' vor allem Angst vor einem Atomkrieg. Und ich will mich nicht in ein Zwangssystem einfügen lassen, das dessen Vorbereitung praktisch und ideologisch absichert." „Meinst du wirklich, du trägst zur Kriegsvorbereitung bei, wenn du dich beispielsweise um geistig Behinderte kümmerst?" „Das klingt schon ein bisschen absurd, da hast du recht. Trotzdem: Es geht darum, sich dem falschen Prinzip zu verweigern und das Zwangssystem an der Wurzel anzugreifen."

Klaus hatte es geschafft, mit der Diagnose „Leistungsfunktionsstörung" ausgemustert zu werden. Er hatte den Befund eines Bundeswehrkrankenhauses stets dabei und zeigte ihn oft wie eine Trophäe herum. „Der Schütze P. musste den Lehrgang in Hammelburg abbrechen wegen psychischer und physischer Erschöpfung. Nach ausführlicher Exploration war festzustellen, dass Pat. aus gesundheitlichen Einschränkungen nicht in der Lage ist, den allgemeinen militärischen Teil seiner Ausbildung zu absolvieren. Er genügt daher nicht den militärischen Anforderungen, die für jeden Soldaten unverzichtbar sind." Solche Diagnosen kämen gar nicht so selten vor, meinte er, die Bundeswehr habe ja auch gar kein Interesse, irgendwelches Kroppzeug in ne Uniform zu stecken. Seiner Meinung nach sei das die beste Variante, um den ganzen Scheiß loszuwerden. Und es sei auch gar nicht so schwer, sich invalid zu machen. Ob ich die LP „Rauchzeichen" von Cochise kennen würde, der Band aus Dortmund, da gebe es das Lied „Was kann schöner sein auf Erden": „Eines Tages war's soweit, / Da kam ein Brief ins Haus geschneit, / Das war mein Musterungsbescheid. / Ach du meine große Scheiße…" begann er zu singen. „Ja und dann?", fragte ich. „Dann kommt ne Anleitung, wie man sich untauglich macht: leistungsfunktionsgestört! Das ist die Befreiung ej!" „Aber politisch ist es nicht", wandte ich ein. „Es geht doch darum, den Leuten klarzumachen, dass das ganze System stinkt und geändert werden muss." „Und wie willst du das schaffen? Indem du öffentlich zur Totalverweigerung aufrufst? Viel Spaß damit! Ich seh schon Zehntausende auf den Straßen, wie sie skandieren: ‚Wir sagen Nein zur Wehrpflicht!' … Träum' weiter!" „Ja ja, schon recht", winkte ich missmutig ab. Und überhaupt: Cochise gefielen mir nicht besonders, dieser Folk, da war kein Drive drin. Die „Scherben" waren viel besser. „Macht kaputt, was euch kaputt macht" war aber nun auch keine zielführende Handlungsanleitung für meine weitere Zukunft. Außerdem: Mit einer Totalverweigerung würde ich mir ja alles nur selbst kaputtmachen, oder? Die Ketten Elternhaus, Schule und Bundeswehr hatte ich hinter mir gelassen. Nun also der Zivildienst. Aber wo da arbeiten? Sollte ich mich nun zum dritten Mal auf die Suche nach einer Zivildienststelle machen? „Das musst du doch gar nicht!", rief Klaus plötzlich eines Abends und schlug sich dabei an die Stirn. Und er führte aus: Mein erster Antrag auf Zurückstellung sei abgelehnt worden, weil ich das Studium gerade erst begonnen hätte. Bei „weitestgehender Förderung der Ausbildung" aber erfolge keine Einberufung mehr. Weitestgehend heiße: Mindestens ein Drittel ist absolviert. Ich würde doch mittlerweile bereits im 3. Semester studieren, das müsse auch vom BAZ anerkannt werden. „Dann hätte mich das BAZ ja widerrechtlich einberufen?", staunte ich. „Könnte man wohl so sehen", sagte Klaus. Ich fragte nach bei der DFG/VK. Ja, das sei so, lautete die Antwort. Das Bundesamt hätte es einfach mal probiert mit einer Einberufung, aber wenn ich jetzt einen Zurückstellungsantrag stellen würde, müsse dem stattgegeben werden, jedenfalls ergebe sich das aus den Bestimmungen. Nach all dem, was bis dahin geschehen war, hatte ich ein wenig Zweifel, ob das klappen würde. Aber warum nicht mal probieren?

Während mein Antrag unterwegs war, wehte der in der Jugendrevolte von Zürich entfachte Geist des Widerstands über den Umweg Westberlin, wo Mitte Februar bei den Internationalen Filmfestspielen die von dem alternativen Videoladen Zürich produzierte Dokumentation „Züri brännt" präsentiert worden war, auch nach Nürnberg herein. Der Streifen avancierte in den Offkinos der deutschen Alternativszene zu einem Publikumshit. Auch wir guckten uns das an und fragten uns, wie ausgerechnet das langweilige Zürich zu einem Protestzentrum hatte werden können – mit heftigen Straßenschlachten, Nacktdemos und witzigen Parolen, die auch die Sprayer hierzulande beflügelten: „Macht aus dem Staat Gurkensalat", „Freier Blick aufs Mittelmeer – sprengt die Alpen", „Nicht Arbeit macht frei, sondern Freiheit macht high", „Mehr Lutschbonbons für Eisbären". Und dann war da noch dieses Buch, das im Gefolge des Videos als Negativfolie für den Aufstand gelesen wurde: Fritz Zorns „Mars", das ich schon zu Schulzeiten gelesen hatte, verkaufte sich im sprichwörtlichen Sympathisantensumpf wie geschnitten Brot.

In Zürich war die puritanisch-spießbürgerliche Lebensordnung noch stärker als anderswo ausgeprägt, und das war vermutlich der Grund, dass der Kampf um ein autonomes Jugendzentrum hier besonders spek-

Graffiti in Zürich.

takulär eskalierte. Es wäre nötig, die Ketten überall zu sprengen, überlegte ich. Wehrsystem, Atomenergie, Arbeits- und Leistungszwang, Konsumverblödung – war das nicht alles Ausdruck ein- und desselben falsch gelebten Lebens? So jedenfalls kam es mir vor. Überall schien es Leute zu geben, die das ganz ähnlich empfanden. Und das „System" der Spießer-Bürger gab uns natürlich mit allen Mitteln Contra, wenn wir aufbegehrten. Im ganzen Land waren die Kneipen-Revolutionäre empört, als eine groß angekündigte Demonstration gegen die Wiederaufnahme der 1976 gestoppten Arbeiten beim AKW Brokdorf gerichtlich verboten wurde. Rund 80.000 AKW-Gegner ignorierten das Versammlungsverbot und kamen am 28. Februar dann sozusagen illegal. Die große Mehrheit der Demonstranten verhielt sich friedlich, aber ein paar Tausend Militante lieferten sich eine Schlacht mit der Polizei. Bei über 10.000 eingesetzten Beamten, darunter Einheiten des Bundesgrenzschutzes mit Großhubschraubern, handelte es sich um den bis dahin größten Polizeieinsatz in der Geschichte der Bundesrepublik. 128 Polizisten und ähnlich viele Demonstranten wurden verletzt.

Die Massenverhaftung von Nürnberg

Nach einigen Auseinandersetzungen und auf Initiative der aus einer KOMM-Gruppe hervorgegangenen „Medienwerkstatt Franken" wurde der Film über die Hausbesetzungen in Amsterdam am Abend des 5. März

1981, einem Donnerstag, schließlich doch noch im KOMM gezeigt, der Festsaal war mit 300 Besuchern gut gefüllt. Es wurde ein denkwürdiges Ereignis, das nicht nur bei mir und den staatskritischen Alternativen in Nürnberg für eine nachhaltige Erschütterung sorgte und die These plakativ bestätigte, dass, wer ein besseres und freieres Leben haben will, unbedingt Widerstand leisten muss. Über den genauen Ablauf kursieren unterschiedliche Versionen. Die von mir recherchierte geht so:

Bei der abschließenden Diskussion stand die Frage im Zentrum, ob Besetzer bei Auseinandersetzungen mit der Staatsmacht Gewalt gegen Sicherheitsorgane üben dürften – so wie in den Niederlanden, wo die Polizei bei Räumungen sogar Armeepanzer einsetzte. V-Männer des bayerischen Verfassungsschutzes und der Kriminalpolizei, die den Verlauf der Diskussion verfolgten, berichteten, dass es den „Kraakern" nicht gelungen sei, „die Mehrheit der Anwesenden von der Notwendigkeit zu überzeugen, notfalls auch Gewalttätigkeiten zu begehen". Das war nicht verwunderlich, denn die Nürnberger Stadtspitze war zu diesem Zeitpunkt durchaus an einer friedlichen Regelung mit der Hausbesetzerszene interessiert. Die darüber informierte Polizeiführung, auf Krawall vorbereitet, war beruhigt und entließ einige der vorsorglich bereitgestellten Kräfte.

Als gegen Ende der Veranstaltung um etwa 22.00 Uhr das Gerücht aufkam, beim nahe gelegenen Busbahnhof stünden größere Polizeitrupps bereit, verließen einige Teilnehmer das Gebäude, andere schlossen sich ihnen an. Als jemand ein gegenüber dem Eingang parkendes ziviles Polizeifahrzeug entdeckte, liefen Einzelne über die Straße, umringten das Auto und begannen, an ihm zu rütteln. Unter dem Gejohle der Menge traten die beiden Beamten die Flucht an und funkten uniformierte Streifen an. Die etwa 150 Neugierigen, die sich inzwischen vor dem Eingang des KOMM versammelt hatten, starteten nun zu einer Spontandemonstration durch die Innenstadt. Kaum waren sie losgegangen, wurden sie auch schon von Polizeifahrzeugen verfolgt. Es begann eine wilde Verfolgungsjagd, während der sechs Schaufensterscheiben zu Bruch gingen, Autoantennen umgeknickt und einige Häuserwände mit Parolen besprüht wurden – nach späteren Feststellungen entstand ein Sachschaden von rund 20.000 DM. Während sich einige der Beteiligten absetzten, flüchteten die meisten, nun von insgesamt 25 Polizeifahrzeugen verfolgt, eingekreist und blockiert, ins KOMM zurück. Die Polizei hatte das Geschehen aufmerksam beobachtet und fotografiert, jedoch keinerlei Anstalten unternommen, die Steinewerfer an Ort und Stelle dingfest zu machen.

Eiligst herbeigerufene Hundertschaften der Bereitschaftspolizei sowie von Schutzpolizeizügen aus Fürth, Ansbach, Lauf und Schwabach begannen etwa gegen 23 Uhr damit, das Gebäude abzuriegeln, zunächst allerdings noch nicht lückenlos, sodass es etlichen der Demonstrationsteilnehmer gelang, durch die Fenster an der Stadtgrabenseite des Hauses zu entkommen. Unter ihnen ein Bekannter von mir, der hernach erzählte, er sei da einfach nur mitgelaufen, das sei alles gar nicht so wild gewesen.

Nachdem der städtische Mitarbeiter des KOMM in Verhandlungen mit der Polizei die Zusicherung erwirkt hatte, dass lediglich die Personendaten der Anwesenden erfasst und erkennungsdienstliche Maßnahmen vorgenommen würden (anschließend könnten alle wieder nach Hause gehen), verließen die Eingeschlossenen ab 3.30 Uhr am Morgen des 6. März freiwillig und in Fünfergruppen das Gebäude. Es waren insgesamt 164 Personen, darunter auch Minderjährige. Doch anders als zuvor versichert, wurden die „erkennungsdienstlichen Maßnahmen" nicht an Ort und Stelle durchgeführt. Nur einige offensichtlich Unbeteiligte wurden aussortiert, der Rest wurde abtransportiert, in „Polizeigewahrsam" genommen und am nächsten Tag im Amtsgericht an der Fürther Straße einem der fünf inzwischen aktivierten Haftrichter vorgeführt. Diese unterschrieben insgesamt 141 gleichlautende, hektografierte Haftbefehle. Der Vorwurf lautete: Verdacht auf gemeinschaftlich begangenen Landfriedensbruch nach § 125 StGB, also die Beteiligung – als Täter, Teilnehmer oder Anstifter – an aus einer Gruppe heraus begangenen „Gewalttätigkeiten gegen Menschen oder Sachen". Die Notwendigkeit der sofortigen U-Haft wurde mit Flucht- und Verdunklungsgefahr begründet. Vorgedruckt waren auf den Haftbefehlen außer Angaben über den Tathergang („… zogen durch die Straßen und beschädigten …") auch die Haftgründe („… gehört zur Hausbesetzerszene oder sympathisiert mit ihr"), selbst der Punkt Fluchtgefahr war generalisiert („… hat eine Strafe zu erwarten, angesichts derer die vorhandenen Bindungen nicht ausreichen").

Jeder und jede in der Nürnberger Szene kannte jemanden von den Verhafteten. Ich z. B. Regina aus der „Veille", meine Schulfreundin. Eine von Reginas Schicksalsgefährtinnen, eine Studentin, gab später zu Protokoll, dass sie mit zehn weiteren Frauen in einer überhitzten Zwei-Mann-Zelle eingesperrt und erst über elf Stunden nach der Festnahme dem Ermittlungsrichter vorgeführt worden sei. „Bei dem hat's höchstens fünf Minuten gedauert. Ich hab' gesagt, ich war nicht dabei, ich war nur im ‚Komm', aber der Richter ist überhaupt nicht darauf eingegangen." Anschließend wurden die Verhafteten, darunter 21 Minderjährige und

Szene vor dem Haupteingang des KOMM nach der Abriegelung durch Polizeikräfte.

49 Heranwachsende unter 21 Jahren – teils Sprösslinge von Richtern und Pfarrern, auch die Tochter des Bundestagsabgeordneten Lutz war dabei –, auf zwölf Strafanstalten in ganz Bayern verteilt. Die Studentin, mit sieben anderen Frauen in die Justizvollzugsanstalt Aichach verfrachtet, berichtete, sie sei bei der Anstaltspforte von einem Polizeibeamten mit den Worten begrüßt worden: „Da kommen die Terroristinnen." Telefonate wurden von den Justizbehörden in vielen Fällen nicht erlaubt, sodass manche Eltern bis zu vier Tage ohne Nachricht von ihren Kindern blieben. „Sind wir denn hier in Südamerika", zürnte eine Mutter, „dass der Staat spurlos Menschen von der Straße verschwinden lassen kann?"

Am 10. März, wenigstens die Minderjährigen waren inzwischen aus der Haft entlassen, befand ich mich unter mehreren Tausend Menschen, die dem Aufruf der Nürnberger SPD zu einer Protestkundgebung vor der Lorenzkirche gefolgt waren, um gegen diese größte Massenverhaftung seit dem Ende des Dritten Reiches zu protestieren. Die Aktion sei maßlos überzogen und juristisch fragwürdig gewesen, meinte der Kulturreferent Hermann Glaser, der Schöpfer der Nürnberger „Soziokultur", und er war sich in dieser Einschätzung einig mit vielen anderen Juristen, unter ihnen der Bundesverfassungsrichter Martin Hirsch. Am Einwerfen von sechs Scheiben, so Hirsch, „können schlecht 141 Personen beteiligt gewesen sein". Die Bayerische Staatsregierung freilich verteidigte das Vorgehen von Staatsanwälten und Richtern unverdrossen und ungerührt als gerechtfertigt. Strauß rühmte die Einsatzkräfte gar, dass sie in Nürnberg „den Kern einer neuen terroristischen Bewegung" zerschlagen hätten. Bei zahlreichen jungen Menschen lösten die Ereignisse einen Radikalisierungsschub aus. Viele von uns Demonstranten waren überzeugt, dass die „Terroristen" unter denen zu finden wären, die uns regierten, überwachten und verfolgten. Auch ich selbst hatte plötzlich eine Sympathie für Sätze wie diesen: Gegen diesen Staat, der so etwas zulässt oder gar organisiert, muss man in den Widerstand gehen! „Irgendwann musst du dich entscheiden, was du willst", meinte ein Bekannter unter Bezug auf einen Buchtitel des kultigen Polit-Cartoonisten Gerhard Seyfried: „Freakadellen oder Bulletten." Einige Teilnehmer der Demo zogen zur Justizvollzugsanstalt, um ihre Solidarität mit den Verhafteten zum Ausdruck zu bringen. Die Proteste weiteten sich aus, vor allem an den Schulen, wo sich die Atmosphäre aufgrund eines Diskussionsverbotes („Maulkorberlass") noch mehr aufgeladen hatte. Am Freitag, den 13. März, gingen bundesweit Zehntausende auf die Straße, in Nürnberg gab es ein Solidaritätskonzert beim Knast, einige der Besucher besetzten danach ein Haus in der Wielandstraße.

In einem Aufruf zu den Protesten wurde gemunkelt, dass das nahezu zeitgleiche Losschlagen der Ordnungsmacht in Bayern und Baden und die Ähnlichkeit der Abläufe kein Zufall sein könne. Fest stand: Nicht nur in Nürnberg, auch in Freiburg hatte es am 5. März einen Großalarm gegeben. Es ging um den seit acht Monaten besetzten „Schwarzwaldhof", ein unter schließlicher Duldung der Stadt in ein alternatives Kulturprojekt umgewandeltes Areal aus vierzehn Häusern und maroden Werkhallen. Hier hatten sich schon in den frühen Morgenstunden des 5. März mehrere Hundertschaften Bereitschaftspolizei und SEK-Polizisten aufgemacht, das Gelände, das als Zentrale der Protestbewegung gegen das Kernkraftwerk-Vorhaben von Wyhl galt, in einer geradezu militärisch angelegten Aktion zu räumen. 91 Bewohner wurden abgeführt. Vorangegangen war auch hier eine nächtliche Randale mit mehreren zerbrochenen Scheiben von Banken, Kaufhäusern und Sexshops. Wie in Nürnberg hatten die Scherben ein überzeugendes Motiv abgegeben für die gleich danach begonnene Abriegelung des subkulturellen Schandflecks und die anschließende umfassende „Reinigung" der Breisgaustadt.

Auch aus der gewöhnlich schweigsamen Mehrheit der Bevölkerung lösten sich jetzt immer lauter werdende Stimmen, die diese Art der „Eindämmung von bürgerkriegsähnlichen Zuständen" befürworteten und sogar nach noch härteren Maßnahmen riefen. Es hagelte Leserbriefe in den Nürnberger Lokalzeitungen. „Müssen sich Millionen anständiger Bürger nach diesem Pöbel richten, der keine Ahnung hat von Recht und Unrecht, von Eigentum und harter Arbeit?" lautete ein noch moderater. Wesentlich weiter ging ein anderer Leserbriefschreiber, der forderte, „den Leopard 2 nicht oder nicht nur an Saudi-Arabien, sondern auch an die Nürnberger Polizei auszuliefern". Und in Freiburg äußerte sich der Bürgersinn knapp und radikal: „Bomben nei und vergase."

Am 16. März – einige der Verhafteten waren da immer noch nicht entlassen – lieferte der *Spiegel* eine Art Sonderheft zur Massenverhaftung mit gleich sieben (!) Artikeln zum Thema Jugendbewegung. Erich Böhme fasste zusammen: „Was sich im Freistaat Bayern Justiz nennt, lässt der flächendeckenden Totalsanierung deutscher Innenstädte die flächendeckende Totalverhaftung der gegen Abrisswillkür Protestierenden folgen." Hauptthese zum KOMM-Geschehen: Ganz auf der Linie des bayerischen Innenministers Gerold Tandler – Vater der späteren „Masken-Dealerin" Andrea –, der Nürnberg unter Hausbesetzungen und Demonstrationszügen „in Schutt und Asche" fallen sah, oder des Nürnberger CSU-Fraktionschefs Georg Holzbauer, der diese „Brutstätte blanker Kriminalität" am liebsten „sofort liquidieren" würde, sei der Nürnberger Polizeipräsident Helmut Kraus zu einer abschreckenden Massenfestnahme entschlossen gewesen. Anschließend hatte er in der *Nürnberger Zeitung* die Maßnahme auch noch mit der Behauptung gerechtfertigt, dass im KOMM drei „Top-Leute, die dem Umfeld der Terrorszene zugerechnet werden müssen" Flugblätter der „Rote-Armee-Fraktion" (RAF) verteilt hätten. Ungeniert offen äußerte sich der stellvertretende Leiter der Kripo Fürth, Hauptkommissar Walter Müller: „Wir haben jahrelang gewartet und das KOMM genau beobachtet. Und am 5. März haben wir geerntet, sozusagen."

Eine Woche später lieferte der *Spiegel* eine tiefer gehende Analyse nach. Bei diesen Unruhen handele es sich um weit mehr als nur um die Suche nach Wohnraum mit anderen Mitteln. Sie spiegelten die Sorgen und Ängste einer Jugend wider, die sich nicht abfinden wolle mit Leistungsdruck, Sozialgefälle und mangelnder gesellschaftlicher Perspektive, die sich lieber in selbstbestimmten Reservaten verkrümeln wolle, als sich in ein Korsett von Pflichten einspannen zu lassen. Kurz: Diese Jugendrevolte „kennt keine Programme, hat keine Anführer und will nichts mehr von der Gesellschaft wissen"; im Grunde genommen handele es sich um „zwei grundverschiedene Lebensstile, um unterschiedliche Wertvorstellungen, die sich hier gegenüberstehen". Für die Hausbesetzer und Randalierer der Jugendbewegung gehe es um einen dritten Weg zwischen Depression und Rebellion: „Sie wollen, Indianern gleich, ein von Staatsbehörden und Eltern respektiertes Reservat, in dem sich der Wunsch nach dem vermeintlich echten Leben umsetzen lässt." Autonom, frei von Konsumzwang und Leistungsdruck, ohne Vorschriften durch lästige Vermieter.

So ungefähr war es wohl tatsächlich. Und wie viele waren wir? Der *Spiegel* zitierte aus Erhebungen von Soziologen, wonach in den Großstädten etwa zehn Prozent der jungen Erwachsenen unter 24 Jahren dem subkulturellen Leben zuneigten und etwa ebenso viele täglich zwischen bürgerlichem Alltag und der Alternativkultur mit ihren Initiativen, Demos und Flugblattaktionen pendeln würden. Wer da kurz nachrechnete: Es handelte sich um ein Potenzial von mehr als einer Million junger Menschen. Und wir wurden immer mehr. Die 2. Auflage des Westberliner „Stattbuchs" von 1980 war bereits auf 1800 Selbstdarstellungen und 960 Seiten angewachsen. Auch andere Städte hatten inzwischen nachgezogen oder lieferten bald nach, im Juni 1981 war es in Nürnberg, Fürth und Erlangen so weit. Die Macher stellten das 453-Seiten-Werk als „1. Alternativer Stadtführer für Chauvis, Emanzen und sonstige Kranke" vor.

Einer von denen, die sich in dieser anderen Kultur bewegten, war ich. Und ich war plötzlich frei, wenigstens vorläufig, das weiterhin zu tun: Das BAZ gab meinem Antrag auf Zurückstellung vom Zivildienst umstandslos statt, ich dürfe weiter studieren bis zur voraussichtlichen Beendigung des Studiums im September 1983, hieß es jetzt amtlich. Damit hatte ich nicht gerechnet.

Wo ist der Plan?

Allerlei Demonstrationen, vereinzelte Randale-Aktionen, Diskussionen über die Verhältnismäßigkeit staatlicher Maßnahmen, weitere Hausbesetzungen mit Barrikadenbau und polizeilichen Räumungsaktionen hielten Nürnberg in Atem. Die weiterhin dialogbereite Stadtführung versuchte indessen, die Situation zu entschärfen, indem sie den Hausbesetzern Mietverträge über zwei leer stehende städtische Abbruchgebäude versprach. Laut einer Umfrage der Mannheimer Forschungsgruppe Wahlen hätte sogar eine Mehrheit der bundesdeutschen Jugendlichen zwischen 16 und 24 Verständnis für diese Linie gehabt: 63 Prozent der Befragten würden dem Staat das Recht einräumen, leer stehende Häuser auch gegen den Willen der Eigner an Wohnungssuchende zu vergeben.

Die Vorgänge rund um die KOMM-Verhaftungen empörten mich und ließen mich am Rechtsstaat zweifeln. Für mich persönlich waren Hausbesetzungen allerdings nicht das ganz große Thema, ich war da eher Zuschauer, auch am 3. April, als direkt gegenüber dem Haus in der Roritzerstraße, in dem ich zu dieser Zeit wohnte, von 40 bis 50 Leuten eine Villa besetzt und bereits nach drei Tagen durch Bereitschaftspolizei und ein Sondereinsatzkommando wieder geräumt wurde. Ich war es gewohnt, häufig die Wohnung zu wechseln, und fand immer irgendeine kleine Männer-WG mit einem oder zwei Mitbewohnern, wo wir eher neben- als miteinander lebten, ganz pragmatisch, ohne großartige Ansprüche an Ideologie (und, leider, auch Haushaltsführung). Das war mir ganz recht so, denn die permanenten Diskussionen in Groß-WGs, die ich mitbekam, gingen mir ziemlich auf den Senkel. Das kam mir vor wie ein permanentes Verhör, wegen jedem Furz wurden die Mitbewohner da zur Rede gestellt und hatten sich zu rechtfertigen. Bei meinem pragmatischen Wohnmodell hatte ich es wenigstens nur mit teils recht feindseligen Nachbarn zu tun, die einen schief anguckten. Udo Jürgens lag mit seinem Lied „Ein ehrenwertes Haus" nicht so weit weg von der Realität, die Spießer lauerten überall und maulten über alle, die nicht ins „normale" Schema passten. Leute im knittrigen Parka, die unten Turnschuhe und oben lange Haare trugen, waren in deren Augen nichts weiter als „Gammler". Nie vergessen werde ich den Zettel, der nach meinem Umzug in eine Wohnung in der Schoppershofstraße an meinem Briefkasten hing: „Asoziale im Hinterhaus sind ja schon schlimm genug, aber jetzt auch noch bei uns im Vorderhaus?!"

Abgesehen von solchen kleinen Feindseligkeiten hätte ich im Grunde einigermaßen zufrieden sein, ja mich glücklich schätzen können (und nach Ansicht meiner Eltern auch sollen): Ich war privilegiert aufgewachsen, meine Eltern finanzierten – zwar etwas widerwillig, denn was sollte das schon sein: Philosophie!? – mein Studium bürokratisch korrekt nach Höhe des BAföG-Satzes und ich hatte in der alternativen Kneipen- und Politszene eine Art Heimat gefunden.

Alle Optionen standen mir offen. Aber es gärte trotzdem in mir. Die Forderungen der anderen, der „unguten" Erwachsenenwelt waren ja nicht plötzlich verschwunden. Ebenso wenig die Bedrohung durch den Atomkrieg und die Atomkraft. Manchmal kam es mir so vor, als seien diese Raketen und Meiler nur die äußere, sichtbare Schale einer lebensfeindlichen, bis ins Innerste seelisch entleerten Gesellschaft. Ohne dass mir jemals völlig klar geworden wäre, warum – immer wieder schrie eine

Stimme in mir: Raus, raus, raus, aussteigen!!! Aber wie und wohin? Revolution? Ja, irgendwie. Aber viel zu weit weg, viel zu aufwendig, viel zu unwahrscheinlich! Allmähliche Reform des Systems? Hm, anstrengend, mühselig, aufreibend, deprimierend, und unterwegs verhungern da die Ideale. Also: Einfach anfangen, in freien Räumen, und zwar sofort – das wär's! Nur: Wie geht das? Bei irgendeinem Projekt einsteigen? Druckladen, Schrauberwerkstatt? Die Leute da kamen kaum über die Runden. Abhauen? Die Überlegung ploppte ständig auf, verschwand dann aber gleich wieder, es fehlten mir Idee und Mut. Mal abends in einer Kneipe oder auf einer fröhlichen Party, da zeigte er sich, der Mut. Aber dann war da am nächsten Tag nicht nur der Kopfschmerz und der zu leere Geldbeutel, sondern auch die nächste Anforderung, früher die Schule, jetzt die Uni, ich fügte mich wieder ein und der Mut zum Ausbruch hatte sich verdünnisiert. In dieser Gemütslage hatte ich mich nur mit knapper Not für das Abitur motivieren können, man wusste ja nie, ob man es noch mal gebrauchen könnte, jetzt also die Uni, aber es hatte sich trotz aller Freiheiten eigentlich nichts geändert.

Freiheiten zu haben hieß ja noch lange nicht, auch eine Antwort zu haben auf die berühmte Frage: Was tun? Und die Frage bezog sich eigentlich nicht nur auf das Thema Atomkriegsgefahr und Wehrpflicht. Was sollte ich überhaupt anfangen mit diesem Leben, mit meinem Leben, mit dem Studium? Ich hatte plötzlich überhaupt keine Lust mehr darauf, in diesem Elfenbeinturm herumzugeistern. Alles erschien mir grau, blutleer, dröge und irgendwie sinnlos. Gut, zwischendurch war es mal ganz interessant, zum Beispiel ein Seminar über den Nationalsozialismus oder eines über die Geschichte der Sowjetunion. Manches konnte ich auch in philosophischen Seminaren lernen. Vom Briten Thomas Hobbes und dessen im 17. Jahrhundert getätigten berühmten Aussprüchen zum Beispiel: „Homo homini lupus" und „Bellum omnium contra omnes". Der Mensch sei dem Menschen ein Wolf, der Naturzustand ein Krieg aller gegen alle, deswegen erscheine die Staatsentstehung mit der tendenziellen Monopolisierung der Gewalt zunächst als etwas Gutes. Fatal sei allerdings, dass der Naturzustand im potenziell destruktiven Verhältnis der Staaten zueinander weiter besteht, denn hier müssten „selbst die Guten bei der Verdorbenheit der Schlechten ihres Schutzes wegen die kriegerischen Tugenden, die Gewalt und die List, d. h. die Raubsucht der wilden Tiere, zu Hilfe nehmen". Man entkommt also dem Bösen nicht wirklich, lässt sich aus Hobbes' Thesen schließen. Außer man glaubt an Rousseau, seinen großen Gegenspieler. Der französisch-schweizerische

Philosoph, der in seinem berühmten „Contrat Social" den „Zusammenschluss der freien Bürger aus der Basis gleicher Rechte" forderte, sprach wie Hobbes ebenfalls von einem „Naturzustand", definierte diesen jedoch völlig anders. Bei ihm sind die Menschen im Naturzustand nicht von Egoismus und Hinterhältigkeit geprägt, sondern von Selbsterhaltungstrieb *und* Empathie. Es sei der natürliche Widerwille, „irgendein fühlendes Wesen, und hauptsächlich unseresgleichen, sterben oder leiden zu sehen", so Rousseau in seiner „Abhandlung über den Ursprung und die Grundlagen der Ungleichheit unter den Menschen" (1755), die einen Krieg aller gegen alle verhindere. Der Mensch sei also nicht von Grund auf böse, sondern „von Natur aus gut". Ungleichheit, Misstrauen und letztlich auch Kriege seien erst Folgen einer späteren, vor allem durch das Eigentum ausgelösten gesellschaftlichen Entwicklung.

Die Thesen von Hobbes und Rousseau, so war daraus zu lernen, markierten die unterschiedlichen Menschenbilder von „Linken" und „Rechten". Wer die Menschen von den „bösen" Entwicklungen der Gesellschaft(en) erlösen wollte, der kam nicht umhin, an ein „Gutes" im Menschen zu glauben, das sich befreien bzw. erlernen ließe. Wer allerdings glaubte, dass die Menschen unverbesserlich dem Schlechten zuneigen, musste zwingend für Zwangs- und Kontrollmaßnahmen plädieren. (Dass Hobbes selbst unvermittelt von den Guten spricht, die zu ihrer Verteidigung sich schlechter Mittel und Verhaltensweisen bedienen müssen, fiel mir zunächst nicht weiter auf, obwohl das ja ein zentrales Problem ist. Woher sollen denn die Guten kommen, wenn der Mensch von Natur aus böse bzw. schlecht ist? Dieser Frage begegnete ich einige Zeit später wieder bei Leo Tolstoi. Die Macht des Staates könne nie als die Macht der Guten bewiesen werden, bemerkt er in seinem Werk „Reich Gottes". Denn wenn die Verteidiger der bestehenden Ordnung sagen, dass ohne die staatliche Macht die Bösen über die Guten herrschen würden, „sehen sie als bewiesen an, dass die Guten eben die seien, die gegenwärtig die Macht innehaben, und die Bösen eben die, die sich ihnen unterwerfen. Aber eben das muss doch bewiesen werden." Wer sich also in der politischen Auseinandersetzung für etwas einsetzt und dies als „das Gute" bezeichnet, muss zumindest begründen können, warum das besser sein soll als das, was als „das Böse" bekämpft wird.)

An der Uni die nötigen Scheine einzusammeln, war kein Problem, aber richtig spannend und erfüllend wurde es selten. Die prickelnden Denk-Gefühle fanden außerhalb der Seminare statt, vor allem bei der Lektüre der Bändchen des Merve-Verlags, die ich zufällig in einer linken Buchhandlung entdeckt hatte. Die französischen Poststrukturalisten, an der Uni nicht im Ansatz ein Thema, waren mein Ding! Bald verschlang ich auch deren dicke Hauptwerke, die im Suhrkamp-Verlag erschienen, allen voran die von Michel Foucault, dessen Texte selbst in deutscher Übersetzung noch funkelten und Gedanken-Feuerwerke auslösen konnten. Mit der „Brille von Foucault", so hatte es die Merve-Verlegerin Heidi Paris im Juni 1979 im *taz-Magazin* suggeriert, sieht man besser – ich konnte dem nur beipflichten. Mich faszinierte vor allem, wie Foucault die Dinge gegen den Strich bürstet. So beschreibt er zum Beispiel in „Wahnsinn und Gesellschaft" die Geschichte der „Unvernunft" als einen Prozess der Ausschließung. Das heißt: Die Vernunft bzw. die sich als vernünftig ansehende Gesellschaft kann nicht über positiv formulierte Werte zu sich selbst kommen – ein „Normal-an-sich" lässt sich nicht definieren –, sondern lediglich indirekt über das, was sie als negativ betrachtet und ausschließt, wegsperrt, nicht zulässt, zum Schweigen bringt. Anders gesagt: „Normal" zu sein bedeutet vor allem, bei den Prozessen des Aussortierens auf der „richtigen" Seite zu stehen. Die, die sagen, was ist, schaffen Fakten, aber keine Wahrheit.

Aber mein Foucault-Flash war ja sozusagen privat und konnte die ganz große Frage natürlich auch nicht lösen: Was beginnen? Wie sollte ich aus diesem Studium einen Beruf machen? Vielleicht doch lieber was Praktisches? Was Pädagogisches? Was mit Behinderten? Über die Tagesstätte, in der meine Mutter arbeitete, hatte ich da ja schon erste Erfahrungen gesammelt. Als mir dann jemand von Basel erzählte, wo es einen interessanten Studiengang in Heilpädagogik gebe, fuhr ich dort hin, musste aber erfahren, dass dieser Studiengang grässlich verschult war, das entsprach überhaupt nicht meinen Vorstellungen.

Immer klarer stellte sich heraus: Ich brauchte mal einen Tapetenwechsel. Raus aus dem ständigen Kopfkino. Und plötzlich stand sie da, die Idee: Die naheliegendste Lösung ist es doch, die Uni zu unterbrechen und gleich jetzt den Zivildienst abzuleisten. Zögerlich wägte ich den Gedanken hin und her. Dann stand da ein kleines Ergebnis: Warum denn eigentlich nicht? „Jetzt kann ich es ja freiwillig machen", redete ich mir zu. Irgendwie hatte ich ein gutes Gefühl. Ich hatte einen Bekannten, der in einem kleinen Ort südlich von Nürnberg seinen Zivildienst in einem Heim für geistig Behinderte ableistete. Den bat ich, da mal anzufragen. Kein Problem, hieß es, es gebe ständig Bedarf. Also fuhr ich hin. Und dann ging alles ganz schnell: Am 13. März unterschrieb ich meine Verpflichtung, Arbeitsantritt am 4. Mai!

In der Zivildienstschule

Die ersten Tage an meiner Zivildienststelle ließen sich ganz gut an. Ich bekam ein eigenes Zimmer in einem Haus auf dem dorfartig angelegten Gelände mit Wohngebäuden, Schule, Werkstatt, Tagesstätte und Kirche. Es waren von da nur ein paar Schritte zum Dienst in einer Männer-Behindertengruppe mit ziemlich interessanten Charakteren. Doch kaum hatte ich damit begonnen, mich ein wenig einzuleben, kam wieder Post vom BAZ: Ich hätte mich am 11. Mai zum Einführungslehrgang in der Zivildienstschule Trier zu melden. Warum ausgerechnet so weit weg im Westen? Das war eigenartig, im nahe gelegenen Staffelstein hätte es auch eine gegeben. Aber das gehörte wahrscheinlich zu dem Versuch, es den Zivis nicht zu leicht zu machen: Wenn sie schon heimatnah arbeiten durften, dann sollten sie wenigstens fernab geschult werden. Gut, dann eben auf nach Trier, 450 Kilometer.

In der geschichtsträchtigen Moselstadt angekommen, staunte ich nicht schlecht: Die Zivildienstschule entpuppte sich als eine schlossartige Villa. Das 1912 für den Trierer Bankier Reverchon errichtete Gebäude thront bis heute markant auf einem Felsenplateau im Westen oberhalb der Mosel, es wirkt von unten imposant und bietet von oben einen tollen Blick über die Stadt. Als die Villa 1980 zur Zivildienstschule umgewidmet wurde, änderte man nur das nötigste, in Ein- bis Fünfbett-Zimmern bot sie insgesamt 82 Zivis Platz. Da der Bauherr bereits früh verstorben war, hatte die Villa schon zuvor einige Umnutzungen erlebt: nach dem Ersten Weltkrieg in der Zeit der Besatzung Hauptquartier der 178. Infanteriebrigade der US-Army, von 1941 bis 1945 Standort des Militärsondergerichts, nach dem Zweiten Weltkrieg Eisenbahner-Kurheim und in den 1970er-Jahren Bundesbahn-Schule.

Nun also die Zivis. Der dreiwöchige Einführungslehrgang bestand aus zwei Teilen: Dem Unterricht über Rechte und Pflichten im Zivildienst sowie einer fachspezifischen Einführung in den verschiedenen Bereichen, in meinem Fall war das die Behindertenhilfe. Den meisten Raum nahm die Vermittlung von Grundkenntnissen ein, denn schließlich sollten die Zivis den jeweiligen Dienst kompetent und fachlich angemessen sowie mit Verständnis für die auf Hilfe angewiesenen Menschen zu leisten imstande sein. Das Fachliche war zum Teil ganz nützlich und spannend. Schwer beeindruckend und lange nachhallend war die ungeschönte Doku „Behinderte Liebe", der erste Schweizer Film, der sich 1979 mit der Sexualität von Menschen mit Behinderung befasste, zum Beispiel mit der Frage: Wie macht man Sex, wenn man weder Beine hat noch

Arme? Daneben gab es viele Informationen über Geld- und Sachbezüge und Vorträge zur politischen Bildung. Und dann war da noch die Sache mit den Rechten und Pflichten ...

Aber der Reihe nach: Als zu Beginn des Lehrgangs ein Besuch des Zivildienst-Beauftragten Hans Iven angekündigt worden war, hatte ich sofort den Plan gefasst, diese Gelegenheit zu nutzen, um einen Protest gegen das Unrecht der Gewissensprüfung zu organisieren. Iven hatte zwar selbst einmal, 1971 war es gewesen, unumwunden zugegeben: „Keine Institution ist in der Lage, das Gewissen anderer zu testen." Andererseits hatte ihn diese Einsicht nicht gehindert, auf die Demonstrationen und Streiks, mit denen im Januar 1978 Tausende von Kriegsdienstverweigerern und Zivildienstleistenden gegen die „Wiedereinführung des Gewissens-TÜV" protestiert hatten, mit der Androhung von „empfindlichen Geldbußen" und rüden Sprüchen zu kontern: „Die Herren demonstrieren doch nur für ideologische Ziele und wollen dem Staat in die Fresse hauen."

Schon an einem der ersten Abende, als sich eine große Gruppe in einer Kneipe zusammenfand – fast alle kamen aus Bayern –, brachte ich das Thema auf die Schikanen des Anerkennungsverfahrens. Ich erzählte von meiner Geschichte und erläuterte das grundsätzliche Problem: Das Recht auf Kriegsdienstverweigerung steht zwar im Grundgesetz, nicht jeder darf es jedoch in Anspruch nehmen, denn berechtigt ist nur der, der als KDVer aus Gewissensgründen anerkannt wird. Die Verletzung des Grundrechts auf Kriegsdienstverweigerung sei ein Skandal, betonte ich: Laut einem Artikel in der *Zeit* vom 21. März waren in den letzten elf Jahren rund 5.000 nicht anerkannte Verweigerer wegen Fahnenflucht oder Gehorsamsverweigerung verurteilt worden! Es gebe also in Wahrheit gar kein Recht auf Kriegsdienstverweigerung. Es sei vielmehr so, dass die Menge an Kriegsdienstverweigerern über die Gewissensprüfung kontrolliert und kontingentiert werde nach den Bedarfsplanungen der Bundeswehr. Es gebe also nur einen Weg: Abschaffung der Gewissensprüfung!

Dann diskutierten wir. Was ich wolle, meinte einer, entspräche ja der alten Regelung von 1977: Dass jeder einfach wählen kann, was er tun will. Das Verfassungsgericht aber habe das alte Verfahren ja abgeschafft, da gebe es jetzt doch ganz offensichtlich keinen Weg zurück. Ein anderer bezweifelte, dass die Anerkennungen „von oben" gesteuert würden, da müssten die Leute in den Ausschüssen und Kammern ja Weisungen bekommen. Ein weiterer warf ein: „Das Recht auf Kriegsdienstverweigerung kam doch wegen der Nazis ins Grundgesetz, wenn ich mich recht erinnere. Damit sich so ein Terror nicht wiederholt, damit es einen individuellen Schutz gibt. Aber die Bundesrepublik ist doch kein Nazistaat. Ich finde es schon gut, wenn es da eine Armee gibt zur Verteidigung. Und gleichzeitig die Möglichkeit für jeden, Zivildienst zu machen." Das gelte ja aber nicht für jeden, wandte ich ein. „Ihr habt einfach nur Glück, dass ihr die Gewissensprüfung überstanden habt. Viele andere haben Pech, viel zu viele!"

„Und wie willst du jetzt protestieren?" wurde endlich einer konkret.

„Wir können in einem Schreiben die Abschaffung der Gewissensprüfung fordern und das dem Iven übergeben."

„Da wird der Iven nur drüber lachen, und der kann da ja auch gar nichts machen, da muss der Bundestag ein neues Gesetz beschließen."

„Dann müssen wir eben streiken, so können wir Druck machen. Wenn 80 Mann streiken, können die das nicht ignorieren."

„Streiken dürfen wir nicht!", riefen einige aufgeregt. „Es gab schon mal Streiks, als der Iven Anfang der 1970er-Jahre mit seinen Kasernierungen anfing, in Niedersachsen und anderswo", warf einer ein. „Da hat sich dann die ‚Selbstorganisation der Zivildienstleistenden' gegründet. Ich glaube, das hat sogar gewirkt. Jedenfalls haben die Versuche mit Kasernen dann aufgehört." (Tatsächlich waren die Kasernierungsversuche Ivens in Schwarmstedt und in der Kaserne Vinckehof in Castrop Rauxel am Widerstand der Zivis gescheitert, wie ich später nachlesen konnte.)

Egal, ob es eine Aussicht auf Erfolg gebe, plädierte ich am Ende, eine Art Warnstreik sei wenigstens ein Zeichen. „Wenn wir den Skandal der Gewissensprüfung nicht hinnehmen wollen", eiferte ich mich, „dann müssen wir streiken. Sonst ändert sich nie was. Und je mehr das machen, und je mehr es gleichzeitig machen – desto größer ist die Chance, dass sich was ändert." Die meisten winkten ab oder schüttelten den Kopf, das sei ihnen alles zu heftig wegen der möglichen Konsequenzen und außerdem sei es völlig sinn- und aussichtslos. Nur ein paar wenige blieben übrig, die eine kurze schriftliche Protestnote gegen die Gewissensprüfung unterzeichnen wollten. Der Zivi-Chef Hans Iven war nicht besonders erfreut, als wir ihm die überreichten. Er brummelte irgendwas in der Richtung: Wir sollten froh sein, dass wir in einem Staat leben mit einem Recht auf Kriegsdienstverweigerung, das sei nämlich alles andere als selbstverständlich im internationalen Vergleich.

Rechte und Pflichten
Immerhin: Durch dieses Vorspiel war mein Blick noch einmal geschärft worden. Ich hatte den Zivildienst bisher vor allem als sozialen Dienst im Interesse des Allgemeinwohls gesehen, und so wurde er in der Öffentlichkeit ja auch gerechtfertigt. Jetzt aber wurden wir im Unterricht über unsere Rechte und Pflichten darüber aufgeklärt: Er ist zuallererst ein Zwangsdienst mit Vorschriften, die denen im Wehrdienst entsprechen. Diese Unterkunft hier sehe vielleicht nicht so aus, aber sie sei eine Dienstunterkunft, wurden wir beispielsweise belehrt. Und das heiße: Wir müssten hier nicht nur zum Unterricht da sein, sondern auch nach der abendlichen Freizeit spätestens ab 23 Uhr und hätten die Bettruhe zu beachten. Einige von uns, die eine Quartiermöglichkeit in der Stadt klargemacht hatten, hatten das bereits geschickt und ohne Sanktionen zu unterlaufen gewusst. Wir hätten dafür bestraft werden können wegen „eigenmächtiger Abwesenheit". Aber daran hatten wir gar nicht weiter gedacht, es war ein Spaß, gewesen, uns spätnachts wieder zurückzuschleichen ...

Aber vielleicht hätten wir zuerst mal nachlesen sollen. Ich staunte nicht schlecht, als ich, angeregt vom Unterricht, das Zivildienstgesetz genauer durcharbeitete: Es war – mit kleinen Abweichungen nur in den Fällen, wo es eben gar nicht anders ging – in nahezu allen Paragrafen eine Kopie des Soldaten- bzw. Wehrstrafgesetzes mit den ebenda niedergelegten Grundrechtseinschränkungen. Ich erfuhr: Körperliche Unversehrtheit, Freiheit der Person, Freizügigkeit, Unverletzlichkeit der Wohnung, Meinungs- und Versammlungsfreiheit sind eingeschränkt, die politische Betätigung im Dienst ist verboten, die organisierte Zusammenarbeit der Zivildienstleistenden zur Vertretung ihrer Interessen nur bedingt möglich. Und selbst wenn es bei einer Tätigkeit im sozialen Bereich nicht jeden Tag spürbar ist: Der Zivildienstleistende unterliegt wie jeder Soldat grundsätzlich dem Befehls-Gehorsamsprinzip. Kurz: Rechtlich und disziplinarisch ist der Zivildienstleistende nichts anderes als ein Soldat ohne Waffen. Und wird bei Verfehlungen entsprechend bestraft, nur mit dem Unterschied, dass es zum Beispiel statt Fahnenflucht dann Dienstflucht heißt.

Im Prinzip war mir das alles eigentlich bereits klar, aber eigenartigerweise hatte ich bisher nicht so richtig kapiert, was es bedeutet. Alle denken beim Zivildienst immer an die soziale Arbeit, aber die ist eben nicht der Punkt. Der Zivildienst ist zuallererst ein Zwangs- und Ersatzdienst, dann erst kommt der Inhalt, die soziale Arbeit oder auch was anderes, z. B. der Naturschutz. Der Kern ist die Pflicht, und die muss erfüllt werden. „Die

Wehrpflicht wird durch den Wehrdienst oder im Falle des § 1 des Kriegsdienstverweigerungsgesetzes durch den Zivildienst erfüllt", heißt es im § 3 Absatz 1 des Wehrpflichtgesetzes. Der Zivildienst ist nicht – wie auch das Bundesverfassungsgericht feststellte – „als alternative Form der Erfüllung der Wehrpflicht gedacht", er ist ein Ersatz-Wehrdienst. Folgt daraus nicht, dass der anerkannte KDVer mit der Ableistung des Zivildienstes die Wehrpflicht und die Bundeswehr legitimiert bzw. legitimieren muss? Kann ein „echter" KDVer, der in Zeiten der Atomkriegsdrohung auf eine grundsätzliche Entmilitarisierung der Gesellschaft hinarbeiten will, einen Ersatz leisten für etwas, was er grundsätzlich ablehnt, nämlich den Anspruch des Staates auf Herstellung von Kriegsfähigkeit? Und plötzlich stand da der Gedanke: Für einen „echten" KDVer ist die staatliche Anforderung, im Rahmen der Wehrpflicht einen Ersatz für den Militärdienst zu leisten, eine nicht hinnehmbare Zumutung. Konsequenterweise müsste man eigentlich total verweigern, dachte ich. Wenn das nicht eine so verdammt herbe Sache wäre …

Der Zivi macht seinen Job

Wieder zurückgekehrt, beanspruchte der Job den Großteil meiner Energie. Der Alltag in meinem „Behinderten-Dorf" war streng geregelt, die Freizeit ziemlich zerstückelt. Montag bis Freitag hatte ich dreigeteilten Dienst auf einer Gruppe mit 13 Behinderten: 6 Uhr Arbeitsbeginn, Aufstehen und Frühstück, Begleitung zur Morgenandacht bzw. in die Werkstätten, 8 Uhr bis 11 Uhr Pause, dann Betreuung des Mittagessens bis 13 Uhr, 16 bis 20 Uhr Freizeitgestaltung, Abendessen, Vorbereitung zur Nachtruhe. Bei einer Einteilung zum Wochenende war auch durchgehender Acht-Stunden-Dienst möglich. Dazu kam für Zivildienstleistende einmal monatlich die Verpflichtung zur Nachtwache am Wochenende. Wenn Mitarbeiter ausfielen, konnte das anstrengend werden. Auch 14 Tage Dienst am Stück kamen schon mal vor. Mich störte das nicht weiter, ich war ja sowieso vor Ort. Ich maulte selbst dann nicht, wenn ich mal alleine Dienst hatte, obwohl Zivildienstleistende dafür eigentlich gar nicht zugelassen waren und 13 komplex Behinderte von einem Einzelnen nicht wirklich „betreut" werden können. Umgekehrt wurde kein Drama daraus gemacht, wenn ich mal einen schlechten Tag erwischt hatte. Zweimal passierte mir Morgens ein Missgeschick, als ich den Behälter mit dem vorgekochten Brei aus dem Lastenaufzug holte (den gab es dreimal in der Woche: Griesbrei, Haferbrei und Milchreis im Wechsel, an den anderen Tagen wurden den Bewohnern geschmierte Brote vorgesetzt):

Der Behälter hatte zwei Henkel, einen für den Deckel und einen für das Gefäß; wenn man beim Herausholen den Deckel-Henkel erwischte, flutschte das Unterteil weg und der Brei splashte auf den Boden. Dann wurde es stressig: Saubermachen und Brote schmieren. Die Bewohner hatten ihren Spaß und assistierten nach dem zweiten Malheur eifrig: „Herr Zivi! Der andere Henkel!"

Die Diagnosen der Gruppenbewohner, allesamt relativ junge Männer, waren erstaunlich. Drei hatten ein Downsyndrom, einer war spastisch gelähmt und hatte ansonsten nur das Pech gehabt, als Kleinkind den geistig Behinderten zugeordnet worden zu sein. Bei allen anderen stand im Befund: Sauerstoffmangel bei der Geburt. Die Gruppe bestand hauptsächlich aus sogenannten „schwierigen" Charakteren, das Aggressionspotenzial war bei einigen ziemlich hoch, es kam vor, dass einer nicht nur sich selbst, sondern auch einen Mitarbeiter zu beißen versuchte. Fast alle mussten Psychopharmaka nehmen, das Verteilen von Tranquillizern und anderen Ruhigstellungspillen war Teil der Aufgaben des Zivis (obwohl eigentlich auch das nicht zulässig war). Manche waren so hoch eingestellt, dass sich ihre Bewegungen und ihre geistige Aufnahmefähigkeit deutlich verlangsamt hatten.

Im Großen und Ganzen fühlte ich mich ziemlich wohl, die Arbeit fiel mir leicht, sie war interessant und das Zusammensein mit den Jungs machte oft richtig Spaß, die Betreuer und Betreuerinnen waren nett, ich schloss einige Freundschaften und nebenbei empfand ich es auch nicht als Nachteil, dass – anders, als das bei der Bundeswehr der Fall gewesen wäre – der Großteil des Personals weiblichen Geschlechts war. Die Atmosphäre war angenehm und ich lernte manches, zum Beispiel von einer Ex-Sanyasin, wie es in Bhagwans Ashram in Pune so abging. Die Aufteilung der Freizeit in kleine Häppchen blieb etwas gewöhnungsbedürftig, ließ sich aber ganz gut nutzen. Meine Bude war ja nur wenige Meter von meinem Einsatzort entfernt, ich konnte also nach dem Frühstück und dem Mittagessen in der Mensa rasch auf mein Zimmer gehen und mich für zwei, drei Stunden mit irgendwas beschäftigen. Ich las viel. Ein bisschen Philosophie, ein bisschen Geschichte. Dazu beschäftigte ich mich weiterhin mit dem Thema Rüstung, Wehr- und Zivildienst. In den „Antimilitarismus-Informationen", die ich bereits vor längerer Zeit abonniert hatte, fand sich auch immer wieder was zum Thema Totalverweigerung.

Während ich in meine Arbeit einstieg, registrierte ich nebenher, wie sich die Friedensbewegung immer vehementer formierte. Die Nachrüstung war auch bei meiner Zivildienststelle ein großes Thema. Viele

Mitarbeiter und Mitarbeiterinnen in diesem Betrieb der Rummelsberger Diakonie gehörten der Evangelisch-Lutherischen Kirche an, und einige von denen hatten sich Mitte Juni auf den Weg nach Hamburg gemacht zu dem unter dem Motto „Fürchte dich nicht" veranstalteten evangelischen Kirchentag. Da war es zum Teil heftig zugegangen. Der Verteidigungsminister Hans Apel, Ehrengast der Veranstaltung, wird sich selbst noch Jahre später mit Schrecken daran erinnern, wie er am 19. Juni „niedergebrüllt" und „mit Blutbeuteln beschmissen" worden sei. Die im Rahmen des Kirchentags am 20. Juni veranstaltete Großdemonstration mit sagenhaften 100.000 Teilnehmern hatte ein eigenes Motto: „Fürchtet euch, der Atomtod bedroht uns alle!" Später wird es heißen: Das war der Auftakt für eine ganze Serie von Massenveranstaltungen der Friedensbewegung.

Bald waren schärfere Formen des Protests zu registrieren. Ziemliches Aufsehen erregte zum Beispiel die Aktion von 13 Demonstranten, die sich am 13./14. Juli am Haupttor der Lance-Atomraketenkaserne bei Großengstingen auf der Schwäbischen Alb anketteten und so die Zufahrtsstraße zur Kaserne für 24 Stunden blockierten. Sie wurden von der Polizei losgeschnitten und weggetragen. Bei den Raketen handelte es sich um jenen Typ, der für Neutronenbomben geeignet war. Deren Bau wird der neue US-Präsident Ronald Reagan wenig später pünktlich zum Nagasaki-Tag verkünden. Großengstingen, wird es später heißen, sei der Auftakt gewesen für eine ganze Serie von über bloße Protestdemonstrationen hinausgehenden gewaltfreien Aktionen. Aber bei Weitem nicht alles, was geschah, erhielt die Aufmerksamkeit der überregionalen Presse oder des Fernsehens. Überall wurde protestiert in kleinen Gruppen, zum Beispiel vor Kasernen oder vor Wehrerfassungsämtern – auch da ketteten sich manchmal einige Friedensfreunde und Wehrpflichtgegner an –, andere verschickten fingierte Briefe, beispielsweise mit einem gefälschten Rathaus-Briefkopf, in dem Bürger dazu aufgefordert wurden, sich um die Aufnahme in eine Dringlichkeitsliste für die Zugangsberechtigung zu Atomschutzbunkern zu bewerben. Ich bekam Rundbriefe in die Hand, in denen zur Solidarität mit Inhaftierten aufgerufen wurde. Besonders nett die Selbstanzeige einer Mutter und der Schwestern zweier Totalverweigerer: „Wir zeigen uns an, weil ich meine Söhne bzw. wir unsere Brüder in ihrem Entschluss, Militär/und Zivildienst zu verweigern, bestärkt haben und nicht einsehen, dass sie für ihre Vergehen bestraft werden." Meinen Eltern, soviel war sicher, würden mich keinesfalls auf diese Weise unterstützen, falls ich mich tatsächlich dazu entschließen sollte, den Zivildienst abzubrechen.

Klaus lungerte zu dieser Zeit meist in Westberlin herum und berichtete von dem am 25. August mit einem Fackelzug gestarteten „Tuwat"-Kongress. Großes Thema war die angekündigte Räumung von acht besetzten Häusern. Doch alle Spektakel und Demonstrationen mit mehreren Tausend Teilnehmern nützten nichts: Die Häuser wurden am 22. September von rund 2.000 Polizisten geräumt, bei den Auseinandersetzungen zwischen der Polizei und den Hausbesetzern kam der 19-jährige Klaus-Jürgen Rattay ums Leben, als er von einem Bus erfasst wurde, und die Bewegung hatte einen im Tod zu verehrenden Helden mehr. Nahezu zeitgleich fand in Nürnberg auf der Pegnitzwiese am Westbad ein zweitägiges Benefizfestival statt: „Rock für die Richter". Hintergrund war die Beschlagnahme des Nürnberger Stadtmagazins *Plärrer*: Die Redakteure hatten den Text der normierten und hektografierten Massenanklage in den Nürnberger KOMM-Prozessen abgedruckt. Die beiden Musikfans und Plärrer-Mitarbeiter Peter und Axel – ein alter Freund aus Kinderzeiten – hatten u. a. Schroeder Roadshow, die Nürnberger Deutschrock-Band Ihre Kinder und die Tommie Bayer Band verpflichtet, die Stimmung war herausragend und wird später zur Legende verklärt werden.

Für das Gegenteil von guter Stimmung sorgte Margarethe von Trottas Film „Die bleierne Zeit", der gerade in den Kinos anlief. Das Ziel der Regisseurin war es offensichtlich, am Beispiel des Werdegangs der Schwestern Christiane und Gudrun Ensslin auszuforschen, auf welcher „Saat" der RAF-Terrorismus aufgegangen war: Es war die extrem beklemmende Atmosphäre von Elternhäusern, in denen die NS-Vergangenheit verleugnet und verdrängt wurde. Der Schriftsteller Karl-Heinz Ott beschreibt dazu in seinem Buch „Hölderlins Geister" (2019) eine treffende Szene: In einer Tübinger Pizzeria habe er vier Bekannte getroffen, um einen Tisch sitzend, „abgetaucht in wütende Trauer, die Lippen verengt. Sie schauen drein, als sei jemand gestorben, ja schlimmer, als müsse man jemanden dafür bestrafen, am besten die halbe Welt. Man wagt kaum zu fragen, was passiert ist. Es stellt sich heraus, dass sie aus dem Kino kommen. Sie haben Margarethe von Trottas ‚Die bleierne Zeit' gesehen. Am Tisch sind alle überzeugt, dass Baader, Ensslin und Raspe in Stammheim ermordet worden sind, vom deutschen Staat. Man lebt in bleierner Zeit." Der Film war wohl ein Erfolg, traf aber nicht mehr ganz den Nerv der Zeit: Inzwischen war das Thema Terrorismus von dem weitaus bewegenderen Thema „Angst vor Atomwaffen" an den Rand gedrängt worden.

Aber es gab natürlich nicht nur die Politik und den Protest, es gab ja auch noch die Arbeit. Bei einer der wöchentlichen Besprechungen des Betreuungsteams – zwei Männer, zwei Frauen und der Zivi – kam die Idee auf, bei einigen „unserer" Jungs die Dosis zu reduzieren oder die Medikamente sogar ganz abzusetzen, um deren Lebensqualität zu erhöhen und die geistige Entwicklungsfähigkeit zu verbessern. Die Idee wurde mit dem Arzt und den Eltern eines „Probanden" besprochen und für gut geheißen. Die Folge der Reduzierung bzw. Absetzung der Medikamente war erwartungsgemäß ein höherer Aggressionspegel, als Antwort auf diesen entwickelten wir eine spezielle Anti-Aggressionstherapie. Zeichnete sich ab, dass ein Anfall bevorstand, wurde der Betreffende von den anderen isoliert und mit einem speziellen Griff solange fixiert, bis er sich ausgetobt hatte. Das Ergebnis war frappierend: Der junge Mann war hernach wie ausgewechselt, fröhlich, locker und ausgelassen. Es war also ganz offensichtlich eine gute Lösung, statt einer Dauer-Ruhigstellung auf diese Weise den Druck vom Kessel zu nehmen. Allerdings blieben zwei Probleme: Erstens, das Bevorstehen eines Anfalls musste rechtzeitig erkannt werden, zweitens, es musste stets eine Betreuungsperson in der Nähe sein, die kräftig und versiert genug war, eine Fixierung vorzunehmen. Die Männer auf der Gruppe beherrschten die Sache, die Frauen aber kamen nicht klar damit. Also wurde ein Notfallplan erstellt, damit im Fall der Fälle von einer benachbarten Gruppe ein Ersatzmann gerufen werden konnte. Einmal erwies sich einer als zu schwächlich, um den Behinderten-Athleten H. – ein Typ mit der Figur eines Zehnkämpfers, der aufgrund seines besonderen Bewegungsdrangs u. a. mit einem beeindruckenden Sixpack ausgestattet war – zu bändigen: H. schleuderte den hilflosen Helfer wie eine lästige Fliege von sich. Als ich dazukam, zufällig etwas früher zum Dienst erschienen, war die bereits eskalierte Situation kaum mehr in den Griff zu bekommen. Aber ich schaffte es mit Mühe und Not gerade noch so, H. zu fixieren und unter Aufbietung meiner letzten Kräfte so lange zu halten, bis der Anfall vorbei war. Es fühlte sich wie ein Sieg an, den nun völlig gelockerten H. wieder fröhlich juchzend durch die Gruppe traben zu sehen.

„Für den Frieden!"
Auf ihrer Bundesversammlung Anfang Oktober in Offenbach verabschiedeten die Grünen ein Friedensmanifest, das vom Nein zum NATO-Doppelbeschluss über den schrittweisen Austritt der Bundesrepublik aus der NATO den Weg hin zu einem atomwaffenfreien Europa perspektivierte. „Diese Veranstaltung dient eindeutig den Interessen Moskaus, sie ist in ihrer Stoßrichtung gegen die offizielle Politik der Regierung gerichtet",

Große Friedensdemo in Bonn am 10. Oktober 1981.

wütete der CSU-Abgeordnete Friedrich Zimmermann, der spätere Innenminister, im Bundestag. Das hätte auch auf die Grünen-Versammlung gemünzt sein können, im Auge hatte er aber die Großdemonstration vom 10. Oktober 1981, die er allzu gerne verhindert hätte. 300.000 Menschen folgten bei nasskaltem Wetter dem von 777 Organisationen unterzeichneten Aufruf, in Bonn gegen die atomare Bedrohung gemeinsam vorzugehen. Ein bunt gemischter Haufen fand sich ein: Christen, Pazifisten, Gewerkschafter, Sozialisten, Kommunisten und sehr viele Schüler, etliche ausgestattet mit Transparenten, die Friedenstauben zierten. Die Bonner Geschäftsleute hatten aus Angst vor Krawallen durchweg ihre Schaufenster mit Brettern vernageln lassen. Ein Demonstrant schrieb darauf: „Jetzt bin ich extra aus Moskau gekommen, um hier einzukaufen."

Die zentrale Kundgebung fand auf der Hofgartenwiese statt, dort also, wo schon zwei Jahre zuvor unter dem Eindruck des Unfalls im US-Atomkraftwerk Three Miles Island mehr als 100.000 Menschen gegen die Kernenergie protestiert hatten. Fröstelnd hörten sie zahlreichen Rednern zu, unter ihnen Petra Kelly, Gert Bastian, Uta Ranke-Heinemann und der vom „Nachrüstungskanzler" Helmut Schmidt wegen seines Auftritts heftig kritisierte SPD-Politiker Erhard Eppler. Zwei aber stahlen allen die Show: der Stargast aus den USA, Coretta Scott King, die Witwe des ermordeten Bürgerrechtlers Martin Luther King und der Literaturnobelpreisträger Heinrich Böll, der die Hauptrede hielt: „Die Politiker haben

ja die Wahl, uns zu apathischen Zynikern zu machen. Das ist sehr leicht geschehen, sie können es haben. Sie können eine gelähmte Bevölkerung auf der ganzen Welt haben, die gelähmt ist von diesen Waffenzahlen. Wir wollen uns nicht lähmen lassen." Welche Waffenzahlen er meinte, hatte zuvor die Theologin Uta Ranke-Heinemann ausgemalt mit der Frage, woher denn die aberwitzige Anzahl von 100 Milliarden (nicht Millionen!) Menschen herkommen sollte, so man diese denn umbringen wolle?

Höhepunkt des Kulturprogramms war der Auftritt des Calypso-Sängers und engagierten Bürgerrechtlers Harry Belafonte. Hannes Wader profilierte sich auf dem Weg zum Orpheus der Friedensbewegung mit seinen Songs „Schon so lang" und „Es ist an der Zeit". Andere bevorzugten die Lieder der niederländischen Gruppe Bots und ihres Sängers Hans Sanders, der – mit Übersetzungshilfe deutscher Künstler – auf deutsch sang. „Jetzt müssen wir streiten, keiner weiß wie lang / Ja, für ein Leben ohne Zwang", sang er in „Sieben Tage lang". Zu einer Art Hymne der friedvollen Revolutionäre avancierte der zusammen mit Georg Danzer getextete Song „Aufstehn!". Viele konnten die Strophen auswendig: „Alle, die nicht schweigen, auch nicht, wenn sich Knüppel zeigen, sollen aufstehn", „Wir träumen von ner Revolution hier / Doch wer will schon, dass dabei Blut fließt / Wenn Du Dich da ganz mitbringst / Mag sein, dass es gelingt. ... Alle Menschen, die ein besseres Leben wünschen, sollen aufstehn. Guten Aufstand!"

Viele Teilnehmer empfanden die Demonstration als ein Zeichen der Hoffnung: Wir sind viele und wir können ausbrechen aus der Logik der herrschenden Systeme. Aber war das wirklich so? Zentrale Forderung der Demonstranten war, dass die NATO-Länder ihre Zustimmung zur Stationierung neuer Mittelstreckenraketen zurückziehen sollten, um den „Weg für die Verringerung der Atomwaffen in West- und Osteuropa" zu öffnen. Diese Formulierung stellte einen Kompromiss dar. Denn im Koordinierungsausschuss der Friedensbewegung mischten auch Organisationen mit, die versuchten, die außenpolitischen Interessen der DDR und UdSSR in die Friedensbewegung hineinzutragen, allen voran das „Komitee für Frieden, Abrüstung und Zusammenarbeit" (KOFAZ). Kein Wunder also, dass die u. a. von den Grünen vorgebrachte Forderung nach einer gleichzeitigen Abrüstung in West und Ost nicht konsensfähig war.

Die Reaktionen aufseiten der Demonstrationsgegner fielen teilweise heftig aus. Während der Kanzler Helmut Schmidt sich damit begnügte, sie als „infantil" zu bezeichnen, wollte Franz Josef Strauß einen „umgekehrten Reichsparteitag" gesehen haben. Er hatte wohl nicht genau hingeguckt: Denn solche umgekehrten Reichsparteitage gab es auch anderswo, es folgten viele weitere mit sechsstelligen Teilnehmerzahlen, nicht nur in Deutschland, sondern in ganz Europa, in Rom, Madrid, Paris, Brüssel, London, Oslo, Kopenhagen und Amsterdam. Und viele weitere Großkonzerte und Initiativen, etwa die der „Künstler für den Frieden", kamen hinzu.

Ich hatte mir auch überlegt, nach Bonn zu fahren, vermutlich hatte ich keinen Urlaub bekommen, es gab ja viel zu tun, vielleicht war es mir aber auch nicht wichtig genug, an Leuten bestand ja kein Mangel. Ich beschäftigte mich stattdessen in meiner Freizeit weiter intensiv mit dem Thema Totalverweigerung. Denn seit dem Kurs an der Zivildienstschule bekam ich die „herbe Sache" einfach nicht mehr aus dem Kopf. Die Lektüre war teilweise recht trocken. Gesetzestexte etwa und Materialien der Bundesregierung und des Verteidigungsministeriums. Selbst wenn es auf den ersten Blick nicht so aussah, es bestand kein Zweifel: Auch der Zivildienst hatte viel mit Krieg zu tun, im Ernstfall wurde er zu einem echten Kriegsdienst. Zivildienstleistende konnten über den Notstandsartikel 12a Abs. 3 GG und den § 79 des Zivildienstgesetzes im Verteidigungsfall „zu zivilen Dienstleistungen für Zwecke der Verteidigung einschließlich des Schutzes der Zivilbevölkerung" dienstverpflichtet werden. All das stand im Rahmen des Konzepts einer Gesamtverteidigung. Seit 1971 wurde auf der Grundlage der Notstandsgesetze alle zwei Jahre in den WINTEX-CIMEX-Übungen (winter-exercise/civil military exercise) das Zusammenwirken zwischen militärischer Verteidigung, Zivilschutz und Katastrophenschutz im Fall eines Atomkriegs auf deutschem Boden trainiert. Zivilschutz und Katastrophenschutz waren der Kern der zivilen Verteidigung, aber auch diejenigen Wehrpflichtigen, die da nicht unmittelbar eingebunden waren, konnten im Ernstfall rekrutiert werden. Ich notierte mir: „Zivildienstleistende sind eingeplant und einbezogen in alle zivilen Maßnahmen, die eine Verteidigungsfähigkeit erst herstellen und gewährleisten. Wie der Soldat kann der Zivildienstleistende im Ernstfall unbefristet eingesetzt werden. Sein Einsatzbereich ist die zivile Verteidigung. Und zivile Verteidigung heißt: die Staats- und Regierungsfunktionen aufrechterhalten, die Zivilbevölkerung schützen und versorgen und die Streitkräfte mit Gütern und Leistungen unmittelbar soweit unterstützen, dass die militärische Einsatzbereitschaft aufrecht erhalten wird."

Daneben studierte ich auch „subversive Schriften". Etliche Totalverweigerer hatten über ihren „Fall" eine Broschüre herausgegeben. Das zentrale Motiv der meisten hieß (neben der Allergie gegen staatlichen Zwang): Kriegsursachen an der Wurzel bekämpfen, der Kriegslogik entgegentreten. Egon Spiegel, einer der Totalverweigerer der ersten Stunde, argumentierte bereits 1975 – ausgerechnet in der Zeitschrift „Zivildienst-Informationen" – überzeugend, dass zivile Verteidigungsmaßnahmen für jegliche militärische Operation unverzichtbar sind. „Ohne Rüstungsarbeiter gibt es keine Waffen. Ohne Wartungsarbeiter kann kein Bomber fliegen. Ohne Verwaltungsbeamte gibt es keine Einberufung. Ohne Lagerarbeiter gibt es keine Uniform- und Waffenauslieferung. Ohne Sanitäter fehlt die medizinische Versorgung. Ohne Militärseelsorger fehlt die Moral... Und endlich: ‚Ohne Mampf kein ‚Kampf'". Es liegt ja auf der Hand: Krieg fängt nicht erst beim Schießen und Töten an. Viele Leute, die gar keine Waffe in der Hand haben, sind nötig, um eine für die Kriegführung nötige Infrastruktur herzustellen. In jedem Krieg standen und stehen hinter jedem Waffenbediener gleich mehrere andere, die dessen Agieren erst möglich machten und machen. „Eine Kriegsdienstverweigerung, die die militärstrategische Relevanz ziviler Dienste unberücksichtigt und sich auf dem Umweg des Zivildienstes für militärische Zwecke verwenden lässt", so Spiegel in einem anderen Artikel, „hat ihr Ziel aus dem Auge verloren. Die modernen Entwicklungen im militärischen und gesellschaftspolitischen Bereich erzwingen eine Radikalisierung der Kriegsdienstverweigerung: eine gründlichere Analyse der militärpolitischen Gegebenheiten und entsprechend wirksamere Formen der Nichtzusammenarbeit."

Es war einigermaßen rätselhaft. Wie unter einem inneren Zwang stehend füllte ich immer weiter Informationen in mein Hirn. Irgendwie fühlte es sich so an, als würden mich Gewissensbisse antreiben, mich so lange mit dem Thema zu beschäftigen, bis endlich die richtige Entscheidung „reif" sein würde.

(Hierzu eine Anmerkung: Im Jahr 1987, ich hatte den Knast gerade hinter mich gebracht, erhielt ich einen Brief von einem angehenden Pfarrer. Eigentlich habe er, so wie ich, auch den Zivildienst verweigern wollen. Er habe es schließlich doch nicht getan, weil er befürchtet habe, als Vorbestrafter nicht ins Pfarramt übernommen zu werden. „Ich hab dann den Zivildienst zu Ende gemacht, worüber ich mich heute schon sehr stark ärgere", fuhr er fort. Ständig quäle ihn die Frage: „Was kann ich mir eigentlich erlauben? Was unterlasse ich mit Rücksicht auf die Zukunftsperspektive?" Weil er soviel über Totalverweigerer gesprochen habe, werde er heute immer noch manchmal als ein solcher gesehen. Da schmerze es noch einmal mehr, es nicht durchgezogen zu haben, da zwicke ihn sein schlechtes Gewissen. Und dann schrieb er: „Weißt du überhaupt, was es mit dem Gewissen auf sich hat? Die Vorstellung des Gewissens stammt aus der Bibel und taucht da unter der Redewendung ‚auf Herz und Nieren prüfen' auf. Zum Beispiel in Psalm 7 Vers 10, da bittet König David: ‚Die Bosheit der Frevler finde ein Ende, doch dem Gerechten gib Bestand, der du Herzen und Nieren prüfst, gerechter Gott!' Man wusste damals nichts Genaues über die Funktion der lebenswichtigen inneren Organe – Nieren, Leber und Herz –, aber sie wurden wahrgenommen als Sitz der Lebenskraft und der Empfindungen. Wenn der leidende Hiob klagt, Gott habe seine ‚Nieren durchbohrt und nicht verschont', wenn es den Psalmbeter ‚tief in seinen Nieren' sticht, ist damit eine besonders tiefe Verletzung gemeint. Wir würden dazu heute Gewissensbisse sagen, denn in den Nieren sitzt der biblischen Vorstellung nach der Kern der Gemütsbewegungen, das Innerste und Geheimste, eben das Gewissen." Wenn Gott nun auf Herz und Nieren prüfe, zeige das seine Allmacht, das Fühlen und Gewissen des einzelnen Menschen erfassen zu können. Ob nun mit oder ohne Gott: Es scheint so, dass mich damals tatsächlich so was wie mein Gewissen gezwickt hat.)

Es ist schon bizarr, überlegte ich mir: Würden KDVer in ihrem Anerkennungsverfahren angeben, dass sie zwar einerseits keinesfalls eine Waffe in die Hand nehmen würden, andererseits aber jederzeit willens wären, die Kriegsführung ohne Waffe unmittelbar zu unterstützen – etwa indem sie Soldaten versorgen oder die Infrastruktur für militärische

Abläufe funktionstüchtig halten – dann würde ihnen mit Sicherheit abgesprochen werden, dass ihre Kriegsdienstverweigerung von ernsthaften Gewissensgründen motiviert ist. Totalverweigerung ist – jedenfalls von der Logik her – die einzige richtige Konsequenz aus der Situation, war ich mir irgendwann sicher, es gab da keine Unklarheiten.

Ich diskutierte die Sache, die ich „als wirklich konsequente Verweigerung" anpries, mit den anderen Zivis in meinem Wohnheim. Die waren für Friedensthemen aufgeschlossen, einer war sogar in Bonn gewesen. Er berichtete begeistert von der tollen Musik der „Bots" und dem tollen Gefühl, mit so vielen Gleichgesinnten zusammen gewesen zu sein. Aber beim Thema Totalverweigerung blieben alle genauso skeptisch wie meine Arbeitskollegen: Der von mir behauptete Zusammenhang von Zivildienst und Wehrdienst sei doch ziemlich konstruiert; das sei ja gar nicht vermittelbar, denn die Leute sähen doch nur, dass da einer seine Arbeit mit den Behinderten verlässt; die Konsequenz Knast stehe in keinem Verhältnis zu dem, was man erreichen könne, denn durch die Taten von ein paar wenigen Extremisten würde die Wehrpflicht ja wohl kaum abgeschafft. Der Gruppenleiter bezeichnete die Idee, dass viele meinem Beispiel folgen und für den Frieden in den Knast gehen könnten, als absurd; es seien ja schon kaum Leute bereit, aus Gründen des Umweltschutzes auf ihr Auto zu verzichten. „Ja, deswegen sind so viele nach Bonn gefahren, weil sie auf nichts verzichten müssen. Im Gegenteil: Da gibt's sogar noch Musik oben drauf", maulte ich. Ein paar Tage danach, als ich mit dem Bots-Fan mal wieder über den Sinn und Zweck von politischem Protest diskutierte und der mich fragte, ob ich denn was gegen Demonstrationen hätte, sagte ich etwa dies: „Nichts Prinzipielles. Aber dem Hans Sander gemeinsam zuzuhören, wie er vom Aufstand singt und dann zu Hause wieder seinen gewöhnlichen Beschäftigungen nachzugehen – das ist halt kein Aufstand." Wir wurden keine besten Freunde mehr.

Widerstand gegen die Apokalypse?

Im tristen November waren die Auseinandersetzungen um den Bau der Startbahn 18 West des Frankfurter Flughafens Dauerthema in der Presse: kompromisslose Räumung des im Flörsheimer Wald errichteten Protest-Hüttendorfes, zahlreiche Verletzte bei einer Demonstration im Frankfurter Stadtteil Nordend, Großdemo in Wiesbaden, Blockade der Flughafen-Zufahrten, Barrikaden auf der A3. In Nürnberg stand indessen der berühmte Justizpalast in der Fürther Straße, ehemals Schauplatz der „Nürnberger Prozesse", im Focus der deutschen und auch internationalen

Presse. Am 3. November 1981 begann unter Absicherung starker Polizeikräfte der erste „KOMM-Prozess" gegen zehn der insgesamt 66 Angeklagten. Der Rest der 141 Verhafteten, das stand also schon vor Beginn des ersten Verhandlungstages fest, hatte unschuldig in den Zellen gesessen. Die Staatsanwaltschaft war sich sicher, aus den vorliegenden Vernehmungsprotokollen der am 5. März eingesetzten Polizeibeamten den Vorwurf des Landfriedensbruchs, der ein gemeinschaftliches und zielgerichtetes Handeln voraussetzt, hinreichend belegen zu können. Die Anklage stützte sich auf Aussagen, die zum Teil Wochen nach dem 6. März vorgenommen worden waren, vor allem von den Anklagevertretern selbst. Als die Verteidiger jedoch Hinweise fanden auf unmittelbar nach dem Geschehen verfertigte Protokolle, verlangten sie vollständige Akteneinsicht. Staatsanwalt Klaus Hubmann tat dies als taktisches Manöver zur Prozessverschleppung ab, Richter Hans Manger jedoch ordnete nun an, dass die Staatsanwaltschaft schriftlich erklären möge, lediglich über die von ihr vorgelegten Akten zu verfügen. Diese Erklärung blieb aus. Stattdessen erhielt das Gericht einen Umschlag mit zehn Protokollen der Aussagen vom 6. März. Tatsächlich schienen diese, ganz anders als die später protokollierten Aussagen, eher ein spontanes Zustandekommen der Demonstration zu belegen. Und damit deutete sich an: Ein einfaches Mitmarschieren in einem solchen Demonstrationszug reicht als Beleg für den Tatbestand des Landfriedensbruchs nicht aus.

Die Verteidigung sprach nun von absichtlicher Akten- und Beweisunterdrückung mit dem Ziel der nachträglichen Rechtfertigung der Haftbefehle, stellte Strafanzeige gegen die verantwortlichen Staatsanwälte wegen „Verwahrungsbruchs" und beantragte außerdem die Einstellung des Verfahrens. Der Prozess wurde erst einmal für unbestimmte Zeit ausgesetzt und den Nürnberger Staatsanwälten die Zuständigkeit entzogen. „Die bayerische Justiz hat sich übernommen", kommentierte die *Zeit*. „Statt den Rechtsstaat ‚angemessen, aber energisch' zu verteidigen, hat sie ihn demontiert." Die Nürnberger Vorgänge seien „ein Lehrbeispiel für politische Justiz, wie sie nicht geübt werden sollte". (Anmerkung: Zu einer juristischen Aufarbeitung der Vorgänge rund um die KOMM-Prozesse kam es nicht mehr, da im Jahr darauf der Eröffnungsbeschluss des Verfahrens zurückgenommen wurde. An dem Skandal maßgeblich beteiligte Juristen wie Klaus Hubmann konnten daher noch richtig Karriere machen bis hin zum Generalstaatsanwalt.)

Neben dem Nürnberger Justizskandal geriet zu dieser Zeit noch ein ganz anderes Thema in die Schlagzeilen. „Der Wald stirbt" titelte der

Spiegel schlicht und apokalyptisch am 16. November. In den Wäldern, so Hessens Landesbeauftragter für Naturschutz, Karl-Friedrich Wentzel, ticke „eine Zeitbombe". Ursache sei ein Stresskomplex, hervorgerufen durch Luftverunreinigungen und sauren Regen. Was in Deutschland vom Himmel falle, habe mit dem Regen vorindustrieller Zeiten nur noch den Namen gemeinsam. „Nicht Wasser, sondern verdünnte Lösungen von Schwefel- und Salpetersäure gehen hernieder – allemal aggressiv genug, selbst Marmor, Stein und Eisen zu zerfressen." Die im Fernsehen zu sehenden traurigen Baumgerippe im tschechischen Erzgebirge, denen die dreckigen Abgase aus der Erzverhüttung und den Braunkohlekraftwerken zugesetzt hatten, wirkten wie ein Endzeitszenario. Ich kannte das alles aus eigener Anschauung. Durch diese toten Wälder zu fahren – da fühlte man sich wie in einer Szenerie von „Mad Max", dem dystopischen Endzeitfilm mit Mel Gibson.

Was will ich vor diesem Hintergrund mit einer Totalverweigerung?, zweifelte ich. Jeder Widerstand schien ja sinnlos – siehe Frankfurt –, die Justiz gnadenlos, zumal in Bayern – siehe KOMM-Prozesse – und die Frage nach der Funktion des Zivildienstes in Anbetracht aller anderen großen Probleme vernachlässigenswert.

Ein Zeichen setzen

Trotz aller Zweifel ließ mich das Thema Totalverweigerung nicht mehr los. Selbst wenn der Beitrag der Zivildienstleistenden zur Kriegsführung nur marginal erscheinen mag, sinnierte ich, gilt doch Folgendes: Heute ist grundsätzlich nicht mehr der einzelne Soldat und sein Gewehr entscheidend für die Kampfkraft einer Armee. Der Krieg hat eine neue Qualität, er wird mit hoch komplizierten Waffensystemen geführt, die nur Spezialisten bedienen können. Die Wehrpflicht hat insofern weniger eine kriegstechnische, sondern in erster Linie eine psychologische und symbolische Funktion: Zwang und Disziplinierung sollen eine „seelische" Verteidigungsgemeinschaft zusammenschweißen. Durch die Wehrpflicht werden junge Männer zur Konformität konditioniert und sind selbst dann, wenn sie keine Waffe in die Hand nehmen, in die Gesamtverteidigung integriert. Zivildienstleistende bleiben also berechenbar und verfügbar im Rahmen jener wehrpolitischen Zwecke, denen sie mit ihrer Kriegsdienstverweigerung eigentlich entgegenwirken wollten. Genau genommen kaufen sich Zivildienstleistende frei vom wirkungsvollen Engagement gegen militaristische Strukturen, insofern sie mit befriedigtem Gewissen ruhiggestellt werden im Irrglauben, der Erfolg ihrer

Kriegsdienstverweigerung (kein direkter Waffengebrauch) sei Friedensarbeit genug. Und dann gibt es da noch erwünschte Nebeneffekte, war ich mir sicher. Zum Beispiel den, dass es durch die billige Arbeit von Zivildienstleistenden im sozialen Bereich möglich wird, dort eingespartes Geld wieder in die Rüstung zu stecken. Im Rahmen der Wehrpflicht kann es keinen Friedensdienst geben, fasste ich meine Überlegungen zusammen. Immer stärker festigte sich in mir die Überzeugung: Die Proteste müssen radikaler werden! Es geht darum, dass die einzelnen Menschen die Sache an der Wurzel anpacken. Und eine Wurzel befindet sich auf jeden Fall dort, wo ein einzelner Mensch dazu gezwungen wird, sich in dieses menschenfeindliche System einzufügen und daran mitzuflechten. Das ist vielleicht nicht an jedem Punkt leicht zu erkennen, für diejenigen aber, die der Wehrpflicht unterliegen, ist es ganz einfach: Sie können „Nein" sagen zur Wehrpflicht und ihrem Dienst fernbleiben. Punkt. Fertig. Schluss. Zufällig kramte ich noch einmal in der Begründung meiner Kriegsdienstverweigerung. Vor dem Verwaltungsgericht hatte ich gesagt, dass es mir unmöglich sei, am waffenlosen Dienst teilzunehmen, „denn durch Teilnahme an diesem würde ich auf ‚friedliche' Weise mithelfen, das Morden zu legitimieren – als ‚Beihelfer' in einer den Mord legitimierenden Institution." Damit ist doch eigentlich schon fast alles gesagt, dachte ich, das ist doch schon der Kern einer totalen Kriegsdienstverweigerung, die im Grunde nur die konsequente Fortsetzung einer „normalen" Kriegsdienstverweigerung ist.

Die Wehrpflicht lässt sich durch die Totalverweigerung von ein paar Wenigen natürlich erst mal nicht abschaffen. Und der Krieg erst recht nicht. Aber es wäre ein Zeichen, wo es hingehen muss: Einfach nicht mitmachen. So schlicht ist es doch, dachte ich. Und im Prinzip ist das doch auch nur das Mindeste, was man tun muss. Die Konsequenzen muss man dann eben tragen. Als ich allerdings von dem Hammer-Urteil in Hildesheim hörte – dort war im Oktober ein Totalverweigerer, der bereits 65 Tage Arrest in einer Kaserne abgesessen hatte, zu einer Strafe von 18 Monaten verurteilt worden – kam ich wieder ins Zweifeln. Das Urteil dieses Jugendschöffengerichts war ungewöhnlich brutal. War es das wert, so was zu riskieren? Und selbst wenn ich glimpflicher davonkäme – eine Vorstrafe wäre garantiert, mit allen Konsequenzen für mein weiteres Leben. Sollte ich mir das wirklich antun? Argumente nachzuvollziehen, von einer Sache überzeugt zu sein – dieses Gefühl stellte sich in diesem Winter 81/82 bei mir ein – und sich tatsächlich für einen Widerstandsakt zu entscheiden, das waren zwei Paar Stiefel.

Es begann eine Phase des Grübelns. Und des Absicherns. Denn eigentlich fand ich gar nicht alles schlecht am deutschen Staat. Das Grundgesetz, mit dem ich mich unter Anleitung eines progressiven Lehrers schon zu Schulzeiten ziemlich intensiv beschäftigt hatte, fand ich sogar richtig gut. Aber die Qualität einer Verfassung, dachte ich, hängt eben vor allem davon ab, wie man sie interpretiert und umsetzt. „Mein" Grundgesetz unterschied sich in Teilen erheblich von dem der Politiker und Verfassungsrichter. In seiner Entscheidung zur Wehrpflichtnovelle vom 13. April 1978 hatte das Bundesverfassungsgericht von der Wehrpflicht als „einer verfassungsrechtlichen Grundpflicht" gesprochen. Konnte man das wirklich so behaupten? Die Gegenargumentation geht so: Im Art. 12a Abs. 1 GG heißt es lediglich „Männer können... verpflichtet werden". Eine militärische Landesverteidigung ist demnach keineswegs zwingend an die Wehrpflicht gebunden, diese ist lediglich Konsequenz einer Ausführungsermächtigung und könnte problemlos – das Gericht sagt das auch selbst – durch eine Berufsarmee erfüllt werden. Schon an diesem Punkt wird erkennbar, dass das Grundrecht auf Gewissensfreiheit aus Art. 4 GG einen höheren Rang als die Wehrpflicht einnimmt, die lediglich eine im Wehrpflichtgesetz geregelte einfachgesetzliche Pflicht darstellt. Wer den Kriegsdienst mit der Waffe aus Gewissensgründen verweigert, sollte das ohne jedes Wenn und Aber tun dürfen. Eine zwingende Verpflichtung zur Ableistung eines Ersatzdienstes – zumal dann, wenn sich dieser als ein Kriegsdienst ohne Waffen erweist – ergibt sich aus der Inanspruchnahme des Grundrechts aus Art. 4 Abs. 3 jedenfalls nicht. Weiterhin ist festzuhalten, dass der erst 1968 nachträglich zusammen mit der Notstandsgesetzgebung in das Grundgesetz eingefügte Art. 12a lediglich eine *Ausnahmeregelung* von der Bestimmung des Art. 12 Abs. 2 GG darstellt, wonach niemand „zu einer bestimmten Arbeit gezwungen werden" darf.

Für mich war klar: Eine Wehrpflicht, die den Waffendienst zur Priorität macht, passt nicht ins Grundgesetz, sie passt vor allem nicht zu dessen „Geist". Als es 1949 diskutiert wurde, hatte man im Zeichen der Schrecken der Nazizeit Sicherungen einbauen wollen, die künftig die Ausrede „Pflicht war eben Pflicht" zuverlässig verhindern sollten. Die Verhängung eines Dienstzwangs, der Grundrechte systematisch aushebelt – vor allem der zusammen mit der Wehrpflicht 1956 eingeführte Art. 17a erlaubt eine massive Entrechtung von Dienstleistenden – steht demnach prinzipiell im Widerspruch zum Anspruch des Grundgesetzes, die Individuen vor übermäßigen Zugriffen des Staates zu schützen. Klar:

Wenn juristisch argumentiert wird, sind die Interpretationsspielräume immer weit. Aber ich war überzeugt: Meine Argumentation – also die der Totalverweigerer – ist die weitaus stimmigere.

(Anmerkung: Hätte ich damals schon die im Jahr 2023 publizierte Dissertation „Ziviler Ungehorsam als Verfassungsinterpretation" der Juristin Samira Akbarian gekannt, hätte ich meinen Protest u. U. als Bestandteil einer lebendigen, sich stetig wandelnden Demokratie dargestellt. Akbarian stellt die Möglichkeit zum Dissens als zentrales und zukunftsweisendes Element einer funktionierenden Demokratie heraus. Ihre These: Proteste im Sinne eines zivilen Ungehorsams, die zwar gegen Gesetze verstoßen, dabei aber die Verfassung des demokratischen Rechtsstaates als Rahmen akzeptieren, können einen positiven Beitrag leisten zur Fortentwicklung der Interpretation dieser Verfassung.)

Die Tat

Am 25. Januar 1982 publizierten der Dissident Robert Havemann und der Pfarrer Rainer Eppelmann in Ostberlin den „Berliner Appell – Frieden schaffen ohne Waffen", in dem sie zur Abrüstung in beiden deutschen Staaten aufriefen. „Die in Ost und West angehäuften Waffen werden uns nicht schützen, sondern vernichten", heißt es darin. Der Appell sei bereits in der ganzen DDR verbreitet, berichtete die Presse Ende Februar, er kursiere vor allem auf sogenannten Friedensforen. Auch „drüben" tut sich was, freute ich mich. Der *Spiegel* kommentierte voller Häme: „Seit Monaten trommeln die ostdeutschen Medien gegen die ‚Superrüstung' der NATO und preisen den wachsenden Widerstand im Westen gegen Raketen und Atomwaffen. Jetzt muss die Partei erkennen, dass die Agitation kräftig in die eigene Richtung gewirkt hat." Bei der großen Demo in Bonn hatte Petra Kelly, die bekannteste Politikerin der Grünen, gerufen: „Wir wollen aus diesem waffenstarrenden, weltumspannenden Irrenhaus ausbrechen. Wir wollen kein Feindbild, wir wollen nicht das Fußvolk einer Raketenpartei sein." Ja, ausbrechen aus dem Wahnsinn, darum geht es, war ich mir sicher, und zwar auf beiden Seiten. Die Frage aber lautete: Wie bricht man aus dem Wahnsinn aus? Indem man in Bonn auf die Straße geht oder in Dresden in die Kirche? Das war ja alles gut und richtig. Da sollte, da musste noch mehr kommen!

Eines Abends setzte ich mich an meinen Schreibtisch und notierte mir auf einem Zettel das berühmte Zitat von Erich Kästner: „‚Nein' sagen reicht nicht! Denn: Es gibt nichts Gutes, außer man tut es." Und weil es nichts nützt, wenn sich nur Einzelne verweigern, muss man sich dafür einsetzen, dass es viele werden. Und wenn es so viele geworden sind wie bei der Demo in Bonn – dann fliegt das ganze Wehrsystem auseinander! Einige sind wir ja schon, dachte ich und bemerkte verwundert das „wir" in meinen Gedanken. Denn ich war ja noch gar kein Totalverweigerer. Aber ich hatte bereits Kontakte. Ich hatte den Rundbrief einer „Gruppe Kollektiver Gewaltfreier Widerstand gegen Militarismus" (KGW) abonniert und brieflich Kontakte zu einigen Totalverweigerern aufgenommen, deren Adressen ich herausbekommen hatte. Bücher zum Thema gab es leider kaum welche, genau genommen nur eines: Die „Dokumentation zum Widerstand gegen die Wehrpflicht", ab 1976 in mehreren Auflagen von der „KGW" herausgegeben. Dazu begann ich, mich in einige historische Schriften zu vertiefen: Einstein, Tolstoi, Texte zur Geschichte der Wehrpflicht und zur Entstehung des Grundgesetzes, Papiere der WRI. Ich wollte alles ganz genau wissen. Wie genau war der Zusammenhang von Wehrpflicht und Demokratie, welche historischen Hintergründe liegen da vor? Außerdem war mir irgendwie klar geworden, dass ich raus musste aus der Einsamkeit meiner Gedankenkreisel. Ich wollte Teil einer Bewegung werden. Schließlich konnte und durfte der Einsatz für den Frieden keine Sache von Einzelkämpfern sein. Und es war ja auch festzustellen: Es gibt eine lange Tradition von Wehrpflichtkritikern. Ich war nicht allein!

Spätestens mit diesen historischen Nachforschungen war die Totalverweigerung für mich endgültig überzeugend geworden. Theoretisch war es also entschieden. Nur: Wie war es mit den Konsequenzen? Die 18 Monate Strafe aus dem Urteil von Hildesheim hatten mich ziemlich eingeschüchtert. Aber es war anzunehmen, dass es so schlimm nicht zwingend kommen musste. Den publizierten Materialien konnte ich entnehmen, dass die Verweigerung des Zivildienstes – „Dienstflucht" genannt – meistens mit einer Freiheitsstrafe von einigen Monaten geahndet wurde, und die wurde meist auf Bewährung ausgesetzt.

Nicht anerkannte KDVer erwischte es offensichtlich in der Regel härter. Ende Februar wurde Thomas Hansen vom LG Oldenburg zu zehn Monaten ohne Bewährung verurteilt – zur Abschreckung, wie das Gericht ganz offen formulierte: „Das Verfahren gegen den Angeklagten hat in der Öffentlichkeit erhebliches Interesse gefunden, was u. a. dadurch zum Ausdruck kommt, dass eine Vielzahl auch jüngerer Menschen im wehrpflichtigen Alter an der Hauptverhandlung als Zuhörer teilnahmen. Diese Personen würden bei Bewilligung von Strafaussetzung zur Bewährung ermutigt, gleiches wie der Angeklagte zu tun." In Rheine erhielt ein anderer acht Monate ohne (unter Anrechnung von 63 Tagen

Bundeswehr-Arrest). In der Verhandlung hatte ein als Zeuge geladener Hauptmann erklärt, solche Straftäter würden im Hinblick auf die Drittwirkung auch dann nicht entlassen, wenn sie ihre Strafe verbüßt hätten. Die wollten also offensichtlich noch weiter machen! Und es war ja, bei einer Androhung von maximal fünf Jahren Haft, noch jede Menge Luft nach oben.

Ich rechnete mir aus: Wenn ich die letzten vier Monate verweigern würde (Urlaub hatte ich noch keinen genommen, also würden es reell nur drei Monate sein), dürfte es wohl nicht so hart kommen. Denn vermutlich hing die Höhe der Strafe auch davon ab, wann einer verweigerte: vor der Musterung, vor der Einberufung, bei der Bundeswehr, nach der Anerkennung als KDVer, im Zivildienst. Ich hatte insgesamt ein Jahr Zivildienst geleistet, da dürfte es eigentlich nicht mehr als vier oder maximal sechs Monate auf Bewährung geben, redete ich mir ein.

Es war ein seltsames Gefühl: Mitstreiter hatte ich vor Ort noch keine gefunden, Freunden und Bekannten gegenüber, die mich überzeugen wollten, das bisschen Zivildienst doch noch zu Ende zu bringen, erwies ich mich als sehr beratungsresistent, ich hatte die Sache inzwischen gedanklich so weit vorangetrieben, dass ein Zurück eigentlich nicht mehr vorstellbar war, ich hätte mir das selbst kaum verzeihen können. Aber hat die Theorie überhaupt eine Relevanz für Entscheidungen?, fragte ich mich. Man kann ja von etwas überzeugt sein und trotzdem anders handeln. Es gab da, stellte ich fest, einfach ein ganz tief im Körper empfundenes Unwohlsein, das mich zum Handeln trieb. Und ehe ich mich versah, war ich dabei, einen langen Text zu verfassen. Tagelang saß ich jeden Abend in meinem Kämmerchen und hackte in meine Schreibmaschine. Irgendwann hatte ich das Gefühl, fertig zu sein. Ob das Ergebnis intellektuell zufriedenstellend war, interessierte mich nicht wirklich. Ich hatte einfach, ausgehend von selbst gestellten Fragen, alles aufgeschrieben, was mir zum Thema Totalverweigerung eingefallen war – und mir damit die Entscheidung „warmgeschrieben". Aber auf welchen Termin sollte ich den „Point of no Return" setzen?

„456 und der Rest von heute" lautet der Titel des 1979 erschienenen Erfolgsromans von Christian Klippel über einen Wehrpflichtigen, der zunächst von der Bundeswehr überzeugt ist und sich dann unter den Schikanen beim „Barras" zum Pazifisten wandelt. Ich hatte das Buch gelesen, überzeugen musste mich niemand mehr von einer antimilitaristischen Haltung. Aber die Kriegsdienstverweigerung war natürlich keine Lösung. Für mich war nur noch die Frage, wann ich den Zivildienst abbrechen sollte. 484 Tage – statt wie Soldaten 456 – hätte ich als ZDL dienen müssen. Sollte ich bis zum 456 Tag warten, um auch noch auf die Ungerechtigkeit hinzuweisen, dass der Zivildienst länger dauerte? Das würde vom eigentlichen Argument ablenken, überlegte ich. Außerdem wurde ich allmählich ungeduldig. Der 1. Mai wäre ein guter Tag, kam mir in den Sinn. Und: Du musst jetzt handeln, sonst bleiben dir irgendwann keine Tage zum Verweigern mehr übrig!

Am 14. April – die Friedensbewegung hatte gerade mit der Wiederaufnahme der Tradition der Ostermärsche Fahrt aufgenommen, in den Radios lief in Permanentschleife die Ballade „Ein bisschen Frieden" der 17-jährigen Gymnasiastin Nicole, mit der sie wenige Tage später im englischen Harrogate als erste deutsche Vertreterin überhaupt den Eurovision Song Contest gewinnen wird – machte ich Ernst mit meinem Bisschen an Friedensbeitrag: Ich kündigte der Leitung meiner Beschäftigungsstätte an, zum 1. Mai – also nach 362 Tagen – meinen Zivildienst abzubrechen, gleichzeitig bot ich an – denn der Abbruch des Zivildienstes sollte ja nur ein Zeichen sein und sich nicht gegen die Arbeit als solche richten –, als Freiwilliger zu gleichen finanziellen Konditionen weiterzuarbeiten. Dann setzte ich ein Schreiben an das BAZ auf: „Sehr geehrte Damen und Herren, hiermit erkläre ich, dass ich zum 1. Mai meinen Zivildienst abbrechen werde, um ernst zu machen mit meiner Kriegsdienstverweigerung …". Endlich war es passiert. Ich spürte eine enorme Erleichterung. Und siehe da: Dieses eigenartige Zwicken, das mich monatelang gequält hatte, war mit einem Mal verschwunden. Zur Nichtunterwerfung, hatte Tolstoi in seiner Kritik der Wehrpflicht geschrieben, bedürfe es „eines selbständigen Urteils und einer Anstrengung, zu der nicht jeder fähig ist". Ich hatte das Gefühl, mich sehr angestrengt zu haben.

Endspiel

Die letzten Tage bei meiner Arbeit waren seltsam. Alle versuchten mich zu überreden, doch noch einen Rückzieher zu machen. Nur den Leiter der Einrichtung hatte ich offensichtlich völlig überzeugt. Er wandte sich brieflich an den zuständigen Zivildienst-Betreuer und legte dabei ein gutes Wort für mich ein: In einem längeren Gespräch mit dem Herrn B. sei deutlich geworden, „dass es sich um eine wohlüberlegte Handlung handelt und er davon weiß, dass es unangenehme Folgen für ihn haben kann". Die Entscheidung von Herrn B. hänge nicht mit dem Einsatzort und der Einsatzaufgabe zusammen, er habe vielmehr seit seinem Dienstbeginn „zu keinem Tadel Anlass" gegeben und sehr engagiert gearbeitet.

EINWURF

Die Wehrpflicht und die Kritik Tolstois

Als Theodor Heuss die Wehrpflicht im Januar 1949 vor dem Hintergrund der Diskussionen um einen Kriegsdienstverweigerungs-Artikel im Grundgesetz als „das legitime Kind der Demokratie" bezeichnete, hatte er das vom französischen Nationalkonvent beschlossene Dekret zur allgemeinen Volksbewaffnung (Levée en masse) vom 23. August 1793 vor Augen. Die dort ausgerufene Heeresdienstpflicht war allerdings befristet und beschränkt auf einen konkreten Verteidigungskrieg, zudem mussten nur die jungen, unverheirateten Männer mit der Waffe Dienst leisten. Für die anderen waren Ersatzdienste vorgesehen wie das Waffenschmieden und die Sicherstellung der Verpflegung, Frauen sollten Zelte und Uniformen fertigen und in den Lazaretten Dienst tun. Die Einrichtung einer allgemeinen Wehrpflicht im modernen Sinn erfolgte erst 1798 durch ein Gesetz, das alle jungen Männer dazu verpflichtete, sich registrieren zu lassen, und dieses ermöglichte später dem durch einen Staatsstreich an die Macht gekommenen Diktator Napoleon die Aufstellung riesiger Heere für seine Eroberungsfeldzüge. Mit dem Wesen der Demokratie hatte die Wehrpflicht also nicht wirklich etwas zu tun, im Gegenteil: Sie entfaltete als ein die Gesellschaft militarisierendes Instrument in den Händen von Diktatoren, angefangen bei Napoleon bis hin zu Hitler und Putin, eine verheerende Wirkung.

Vorläufer der modernen Wehrpflicht gab es einige – in den griechischen Stadtstaaten, in Rom –, ihre eigentliche Geschichte aber beginnt im Zeitalter absolutistischer Fürsten. Ab 1733 entwickelte das Königreich Preußen mit dem Kantonsystem eine allgemeine Dienstpflicht mit regionalen Rekrutierungsquoten: Jedes preußische Regiment zog seine Rekruten aus einem bestimmten Kanton, der wiederum in Distrikte unterteilt war, aus denen dann der jeweilige Kompaniechef pro Jahr drei bis vier „Kantonisten" direkt einzog. Viele Bauernburschen hatten natürlich keine Lust, sich verpflichten zu lassen, zumal dann, als ab 1740 unter Friedrich II. ständig irgendwelche Kriege mit Hunderttausenden von Toten anstanden. Sie entzogen sich als „unsichere Kantonisten" möglichst bereits ihrer Einberufung, und wenn das nicht gelang, nutzten sie spätere Gelegenheiten zur Desertion. Flüchtige Soldaten gehörten in Preußen zum Alltag. Selbst in Friedenszeiten unternahmen alljährlich mehr als 1.000 Soldaten einen Versuch, der preußischen Armee zu entkommen.

Im Rahmen der Befreiungskriege gegen Napoleon führte Preußen schließlich im Jahr 1813 die allgemeine Wehrpflicht ein. Auch andere europäische Länder sollten bald nachziehen. In seinem 1894 erstmals in Deutschland publizierten 500-Seiten-Werk, „Das Reich Gottes ist inwendig in Euch", verfasst unter dem Eindruck der 1874 erfolgten Einführung der allgemeinen Wehrpflicht im zaristischen Russland und dort aus gutem Grund verboten, formulierte Leo Tolstoi, der berühmte Autor von „Krieg und Frieden", erstmals eine detaillierte Kritik der Wehrpflicht. Der Kernsatz: „Die allgemeine Wehrpflicht ist die äußerste Grenze des Gehorsams, das heißt, sie fordert im Namen des Staates den Verzicht auf alles, was dem Menschen teuer sein kann."

Der Staat, führt Tolstoi aus, verdankt seinen Sinn und seine Berechtigung dem Interesse der Menschen, sich einem gemeinschaftlich organisierten Schutz zu unterstellen. Statt aber nun die Unverletzlichkeit der staatlichen Lebensordnung zu garantieren, seien die Regierungen mit der Einführung der allgemeinen Wehrpflicht dazu übergegangen, den Personen die Notwendigkeit des Kampfes wieder aufzubürden. Die Sache werde nur verschoben „von dem Kampfe mit den nächsten Personen zu dem Kampfe mit Personen anderer Staaten", wobei „die gleiche Gefahr der Vernichtung der Personen sowohl wie des Staats bestehen" bleibe. Kurz: „Die allgemeine Wehrpflicht zerstört alle die Vorteile des gesellschaftlichen Lebens, die sie zu schützen berufen ist." Der Gehorsam gegen die Macht sei also „vollständig unnütz", so Tolstoi, ja schlimmer noch, die Unterwerfung, die der Staat vom Einzelnen fordere, führe auch noch dazu, dass jeder Mensch, der seine Wehrpflicht ableistet, „unwillkürlich Teilnehmer der ganzen Gewalt des Staates" über die Menschen werde. Anders ausgedrückt: Mit der Unterwerfung durch die Wehrpflicht werden die Menschen nicht nur zu Sklaven, sondern gleichzeitig auch zum Instrument, diese Versklavung aufrechtzuerhalten. Auf der Wehrpflicht aufgebaute Heere richten sich nach Tolstoi also nicht nur gegen die Menschenwürde, sie haben zudem die elementare Funktion, das innere Gefüge eines Herrschaftssystems aufrechtzuerhalten. Menschen in einem „jugendlichen Alter, in dem noch keine klaren Begriffe von Sittlichkeit sich in ihnen fest gebildet haben", werden aus ihren natürlichen Zusammenhängen gerissen, in Kasernen zusammengepfercht und dressiert, bis „sie aufhören, Menschen zu sein, und gedankenlose, gehorsame Werkzeuge" in der Hand eines staatlichen „Hypnotiseurs" geworden sind.

Ich war froh, dass ich zum Wochenende rauskam: zum Bundestreffen der Totalverweigerer nach Essen. Endlich unter Gleichgesinnten! freute ich mich auf ein freudvolles Miteinander. Die „Gesinnungsgenossen", es war vielleicht ein gutes Dutzend, waren mit allerlei Organisatorischem beschäftigt, weil der bisherige Koordinator Klaus D. aus Mespelbrunn mitgeteilt hatte, er könne demnächst keine Äkschn mehr für die KGW bringen: „Bei mir steht ne Reise nach Indien auf dem Plan", hatte er schriftlich mitgeteilt. „Das hängt für mich ziemlich mit meiner persönlichen Entwicklung zusammen. Ich geh' also der Friedensbewegung nicht verloren, sondern steig' nur auf eine andere Ebene um." Auch einen kritischen Seitenhieb verkniff er sich nicht in seinem Abschiedsbrief, indem er sich über die herrschende Entweder-Oder-Mentalität beklagte, dass es also einerseits Leute gebe, die „irre auf den politischen Trip abfahren und sich selber dadurch total verdrängen" und andererseits solche, „die auf dem totalen, egoistischen Verinnerlichungstrip sind und die Welt drumherum den Bach runtergehen lassen". Die richtige Mischung mache es, meinte er.

Der zur Diskussion gebrachte Vorschlag, ein Haus zu kaufen und darin ein Zentrum für antimilitaristische Arbeit einzurichten, wurde als völlig unrealistisch abgetan. Die Erörterung über die Zusammenarbeit in der „Föderation Gewaltfreier Aktionsgruppen" wurde eher gelangweilt verfolgt. Lebhaft und kontrovers fielen hingegen die Diskussionen über eine neue Prinzipienerklärung aus, vor allem über die Möglichkeit bzw. Unmöglichkeit der staatlichen Regulierung eines „echten" Friedensdienstes. Einige meinten, dass ein „echter" Friedensdienst doch durchaus etwas Positives sei und das Anliegen der Totalverweigerer untermauern könnte, was bei den meisten anderen allerdings zu frustrierten Tarzan-Schreien (arrghh!) führte, weil „echt für den Frieden" und „Dienst unter Staatsaufsicht" einander strikt ausschließen würden. Auf der Tagesordnung stand ansonsten noch die Planung möglicher Aktionen bei der großen Demo in Bonn am 10. Juni, mindestens ein gemeinsames Flugblatt sollte erstellt werden. Die Hannoveraner Totalverweigerer berichteten von den geplanten Widerstandsaktionen gegen die Militärelektronikmesse I.D.E.E. Mitte Mai auf dem Messegelände.

Einigermaßen unterhaltsam gestalteten sich die ausufernden Diskussionen am Rande. Es ging meist darüber, was ein konsequenter Totalverweigerer tun darf oder nicht: Muss er Veganer sein oder wenigstens Vegetarier? Darf er nur fair produziertes Gemüse essen oder reicht bio? Einer bekannte sich zu seiner Leidenschaft für Coca Cola und musste dafür herbe Kritik einstecken. Als überzeugter Biertrinker, leidenschaftlicher Raucher und Fan des fränkischen Krustenschäufele zog ich es in diesem Zusammenhang lieber vor, mich bedeckt zu halten.

Auf der Rückfahrt war ich einigermaßen enttäuscht. Dieser zerstrittene und rüpelhafte Haufen da sollte die konsequenteste Zelle des gewaltfreien Widerstands in der Bundesrepublik sein? Die Jungs hatten mich um keinen Deut hoffnungsvoller oder auch nur schlauer gemacht. Das einzige, was ich an dem Wochenende gelernt hatte, war, dass es sehr unterschiedliche Totalverweigerer gab, zum Beispiel solche, die es geschnallt hatten (in der Regel aus Hamburg) und andere, die angeblich keine Ahnung von Politik hatten (in der Regel aus Südwestdeutschland). Als „Novize" hatte ich mich ziemlich zurückgehalten, aber klargemacht, dass ich mitmischen wollte. Ich trat der Grundsatzerklärung der KGW bei und erklärte mich bereit, dass meine Telefonnummer und Wohnadresse als „Kontakt KGW Bayern/Nürnberg" in den einschlägigen Publikationen veröffentlicht wurde.

Kaum zurück im Frankenland, war der „letzte Tag" auch schon da, Samstag, der 1. Mai. Ich hatte völlig übersehen, dass es der Tag des Pokalfinales war. Und dass es mein Verein, der 1. FCN, ins Endspiel geschafft hatte. Und dass der dort dann ausgerechnet auch noch auf seinen Erzfeind traf, den FC Bayern München! Während ich in der Zivi-Bude meinen Kram zusammenpackte, drehte ich den Fernseher auf volle Lautstärke. Was für ein Wahnsinn! 1:0 Reinhold Hintermaier, 2:0 Werner Dreßel – der Club führte zur Halbzeit! Aber dann drehten die Bayern das Spiel, Endstand 2:4, der nach einem Zusammenprall mit einem blutigen „Turban" drapierte Dieter Hoeneß hatte per Kopfball den Schlusspunkt gesetzt. Traurig fuhr ich nach Nürnberg, wo ich mir inzwischen wieder ein Zimmer organisiert hatte. Schon am Montag lag eine – offensichtlich bereits vor der „Tat" abgeschickte – Dienstantrittsaufforderung des Diakonischen Werks in meinem Briefkasten. Ich wies sie mit einem knappen Schriftsatz zurück. Heute denke ich: Hätte ich in dem Moment gewusst, was in den nächsten vier Jahren noch alles folgen würde, hätte ich es mir vielleicht noch einmal überlegt.

Vorläufig war ich noch voller Euphorie. Ich ließ das Ergebnis meiner nächtlichen Schreibanfälle ins Reine tippen und klebte die Textstücke mit ein paar Cartoons zusammen. Wird ne ganz schön dicke Broschüre, dachte ich, vielleicht wäre weniger mehr gewesen. Egal. Das etwas wirre Geschreibsel endete mit der Quintessenz: „Das Stichwort lautet: Totalverweigerung! Einfach Nein sagen zu untragbaren Forderungen des

Titelblatt meiner selbst produzierten Broschüre von 1982.

Staates und für sein Nein konsequent einstehen. Darum geht es. Und darum, öffentlich dafür einzustehen, ein Beispiel zu geben, ein Zeichen zu setzen ..." Ein Titel musste noch her. Ich bastelte eine Collage aus einem Totenkopf und einem Kriegsgräberfeld. Und wie sollte das Ganze heißen? Möglichst schlicht musste es sein. Und das wurde es: „Eine Aufgabe für alle: Totalverweigerung." Dann machte ich mich auf in den Druckladen in der Nürnberger Hochstraße und gab den Druck von 1.000 Exemplaren in Auftrag.

Wenige Tage nach meiner „Tat" zitierte mich mein Vater zu einem Gespräch. Wir trafen uns in einem Café in der Nähe seiner Praxis. Bei Kaffee und Kuchen examinierte der erfahrene Nervenarzt seinen Sohn gründlich zu den Beweggründen von dessen politischem Extremismus und kam zu dem Ergebnis: „Du bist nicht verrückt. Warum also tust du das alles?" „Weil es richtig ist", lautete meine schlichte Antwort. „Weil so viel verkehrt läuft in diesem Land. Weil wir aufgerufen sind, uns dagegen zu wehren." Und ich stellte die Frage: „Warum ist es normal, das atomare Abschreckungssystem zu unterstützen? Warum müssen Kriegsdienstgegner um Anerkennung kämpfen und nicht die Soldaten ihre Bereitschaft zum Töten rechtfertigen? Warum ist es nicht umgekehrt?" Der Vater schüttelte den Kopf und rang um Fassung. „Du bist ein sozialer Selbstmörder", diagnostizierte er. „Du wirst dich völlig ins Abseits stellen und im Leben kein Bein mehr auf die Erde bringen." Er machte eine Pause und atmete tief durch. „Ich kann das nicht unterstützen." Und dann erklärte er, mit Tränen in den Augen, dass er offensichtlich machtlos sei, aber Konsequenzen ziehen müsse: „Ich werde dich enterben!" Ich zuckte gespielt lässig mit den Schultern. „Tu, was du willst."

(Anmerkung: Wann mich mein Vater wieder „eingeerbt" hat, weiß ich nicht, er hat es jedenfalls getan. Mein Studium hat er, abgesehen von vorübergehenden Aussetzern nach verzweifelten Wutanfällen anlässlich meiner Verurteilungen, weiter finanziell unterstützt, da ihn meine achtbaren Studienleistungen hoffen ließen, ich könnte doch noch in eine berufliche Erfolgsspur einbiegen.)

Unter Gefangenen
(1986, 2. Teil)

DONNERSTAG, 30. JANUAR 1986 (BAYREUTH)
Werde um 6:00 Uhr geweckt. Packe meine Sachen zusammen, dann gehts hinterm Schließer her auf die Kammer. Dort darf ich meine Zivilkleidung wieder anziehen. Der Uniformierte hinterm Tresen scherzt: „Ihnen gefällts wohl nicht bei uns?!"
Um 7:00 Uhr sitze ich zum zweiten Mal in der Schubzelle, dem ehemaligen Pferdestall. Schaue mir die anderen Gefangenen an und entscheide mich instinktiv für einen bestimmten Tisch. Dort sitzen zwei Typen, die einigermaßen ansprechbar wirken. Irgendwie habe ich den Eindruck, in den wenigen Tagen im Knast bereits gelernt zu haben, Charaktere schneller zu erkennen. Es scheint so, als schärfe sich hier der „Riecher" dafür, wie Menschen drauf sind. Komme mit Sigurd rasch in Kontakt. Der Enddreißiger war lange in Einzelhaft und ist froh, endlich sprechen zu können. Habe heute einen Erzähltag, meint er zwischendurch. Er habe zwei Wochen das Essen verweigert, um seine Verlegung durchzusetzen, das habe sogar in der Zeitung gestanden, meint er. „Was ich will, setz' ich auch durch." Der Typ hat ein seltsam hartes Gesicht, wirkt ein wenig psychopathisch. Ich glaube ihm, dass mit ihm im Zweifel nicht gut Kirschen essen ist. „Toller Name übrigens", sage ich ihm. Als Kind habe ich die Piccolo-Comics von „Sigurd" verschlungen, die gab es beim Bäcker zu kaufen: Ein guter Superritter, der stets gegen das Böse kämpft und alle Probleme lösen kann.
Mit am Tisch sitzt Robert, noch keine 18 Jahre alt. Sigurd untersagt ihm, mit den anderen Karten zu spielen. Er will den Jungen vor schlechten Einflüssen bewahren. Denke mir: Sobald der Junge allein ist, dürfte er wohl keine Chance mehr haben – das prädestinierte Opfer. Ein anderer, der sich als Fritz vorstellt, lobt mich. „Du machst einen guten Eindruck." Das freut mich. Bin mir aber unsicher, ob ich den Knast tatsächlich so gut verkrafte. „Nutze den Knast", fügt Fritz hinzu. „Da kannst du unheimlich viel Lebenserfahrung gewinnen." Er guckt in seinen *Playboy* und meint: „Früher war ich immer ein totaler Busenfetischist. Im Knast sagt mir das

aber gar nichts mehr." Dann doziert er über die anderen Knackis. Viele seien zu Recht da. Die meisten würden das aber bestreiten. Er hingegen sehe seine Schuld ein. Deswegen komme er gut mit dem Knast klar.

Die Stunden ziehen sich. Erst kurz vor 15:00 Uhr geht die Verladung los. Der Weg von der Schubzelle zum Bus wird von etlichen bewaffneten Beamten abgesichert. Sind wohl auch schwere Jungs dabei, einigen werden Handschellen angelegt. Nacheinander werden alle aufgerufen und müssen zur Kontrolle ihr Geburtsdatum aufsagen. Im Bus gibt es mehrere einzeln verschlossene, unterschiedlich große Abteile. Ich werde zusammen mit einem anderen in ein Vier-Mann-Abteil gesteckt. Es hat etwa die Größe einer Vierer-Kombination in der Straßenbahn. Die Sitze sind aus Holz. Schon bald tut mir der Arsch weh. Für den Blick nach draußen gibt es ganz oben einen handbreiten Sehschlitz. In der Decke ist eine kleine Lüftungsklappe erkennbar. Die Heizung lässt sich nicht regulieren. Wir sind kaum losgefahren, da ist die Luft bereits trocken und stickig. Und die winzige Zelle macht mich klaustrophobisch, es fühlt sich an wie ein Würgen am Hals. An Aufstehen ist in dem nur schulterhohen Raum nicht zu denken. Bald hämmern Kopfschmerzen. Und eine weitere Angst macht sich breit: Was wird, wenn der Transporter einen Unfall hat? Dann bleiben wir eingesperrt in unseren Legebatterien, das ganze Ding wird zum Massensarg. Dass für solche Transporter eine Höchstgeschwindigkeit von 60 km/h vorgeschrieben ist, beruhigt mich etwas. Und immerhin bringt das Schleichtempo einen Vorteil für die Insassen mit sich: Durch die Sehschlitze hindurch lässt sich die langsam vorbeigleitende Landschaft ganz in Ruhe betrachten. Die Außenwelt wirkt traumhaft fern, der Blick durch das Fensterchen fühlt sich so unwirklich an wie der durch ein Diorama.

Als wir Nürnberg erreichen, wird es ganz eigenartig. Auf diese ungewohnte Weise die Straßen zu sehen, die ich in Freiheit schon so oft entlanggegangen bin, kommt mir vor wie die Perspektive aus einem Sarg. Mir wird beinahe schwindlig, als wir ganz nah – und doch so unendlich weit weg – an meiner Wohnung vorbeidriften. Gleichzeitig nervt mein ständig quatschender Mitfahrer Hassan. Seine fünf Jahre Haft seien eigentlich unheimlich schnell vorbeigegangen, erzählt er. Er habe sich die Zeit immer mit Kiffen vertreiben können. Hm, grummele ich und drücke mein Gesicht dichter ran an den Fensterschlitz. Die meisten Passanten bemerken gar nicht, dass hier ein ganz besonderer Bus unterwegs ist. Einige wenige zeigen mit dem Finger auf uns, so als wollten sie sagen: „Da sind sie, die Schwerverbrecher!" Und niemand steht an der Straße und wartet, dass ich vorbeikomme. Hatte Jörg das nicht versprochen? Da bemerke ich Christine, eine der Frauen, die bei den Trainings für gewaltfreie Aktionen mitgemacht hat, sie war auch selbst kurz im Knast, verhaftet als Buchstabe der FREIHEIT-Aktion bei meinem Prozess vor dem Landgericht. Ganz nah fährt sie mit dem Rad am Bus vorbei. Ich klopfe hektisch an das Panzerglas und rufe. Vergeblich, sie bemerkt mich nicht.

Beim Aussteigen im Hof des Nürnberger Knastes verkündet ein Schließer, dass ich heute noch Besuch bekommen würde. Ich wundere mich. Es kann sich eigentlich nur um meinen Vater handeln. Als Gefängnisarzt bekommt er wohl Sonderrechte.

Komme mit zwei Mann auf eine Zelle. Einer stellt sich als Ex-Unteroffizier der Bundeswehr vor, der andere wirkt völlig entrückt und sagt erst mal gar nichts. Der Entrückte nimmt das Stockbett über mir und beginnt zu erzählen, von einem Autounfall, den er mit sieben Jahren erlitten habe. Seitdem funke es bei ihm nicht mehr so richtig. Der kleine Finger seiner rechten Hand ist halb weggerissen. Er grinst: Seit der Finger ab sei, würden ihn die Mädels nicht mehr so mögen. Aber wenn er am Stumpf kitzle, werde sein Penis immer steif. „Na, dann hat sichs ja wenigstens gelohnt", bemerke ich lapidar. „Fingerlos", wie ich ihn für mich taufe, legt sich auf den Rücken, verschränkt die Arme hinterm Kopf und beobachtet das Dach gegenüber: „Der Vogel, der sich da draußen auf die Antenne setzt, müsste doch eigentlich genauso Radiohören können." Der Unteroffizier macht den Scheibenwischer. „Möchte wissen, was der für Drogen drinhat, der Verrückte."

Der Unteroffizier erzählt ein wenig aus seinen acht Jahren bei der Marine. Viel Langeweile, manchmal schweres Wetter und stets harte Umgangsformen. Wehrpflicht sei gut, meint er. Da könnten die Leute Disziplin lernen, und ohne strenge Regeln ginge ja sowieso gar nichts im Leben. „Wenn alle auf der Straße rumlaufen, ohne dass ihnen jemand sagt wie, gibts ein Chaos. Da muss jemand her, der ihnen zeigt, dass sie in Zweierreihen laufen müssen." Ich schürze scheinbar anerkennend meine Lippen: „Aha, so ist das." Als ich ihm beichte, dass ich hier bin, weil ich es mit dem zackigen Marschieren nicht so habe, schüttelt er den Kopf. „Wenn du jetzt hier sitzen musst, hättest du genauso auch zur Bundeswehr gehen können. Da ist kein Unterschied. Außer dass bei der Bundeswehr die Türen offen sind." Später stellt sich heraus, dass der Ex-Unteroffizier mit seiner eigenen Disziplin Probleme gehabt hat: Er sei wegen Trunkenheit beinahe entlassen worden, die letzten zwei Jahre seiner Dienstzeit habe er wegen psychosomatischer Probleme in Krankenhäusern verbracht. Seine

Meinung zu Frauen: Unbedingt eine Thailänderin kaufen. Die seien billig und kämen nicht auf die Idee, eine eigene Meinung zu haben. Später werden noch ein hünenhafter Afrikaner und ein aufgeregter Oberfranke in die Zelle gesteckt. Der Afrikaner schweigt. Der Franke jammert. Er sei vor fünf Tagen in Hof verhaftet worden: Zwangsvorführung zu einem Gerichtstermin. Seitdem habe er sich nicht waschen und nicht einmal die Unterhose wechseln können. So riecht er auch.

Um 19:30 Uhr werde ich zum Besuch abgeholt. Auf die Beschwerde des Verrückten, dass sein Knieverband aufgegangen sei, steigt der Beamte auf mein Bett und zeigt ihm, wie er den Knieverband wieder zumachen muss. Währenddessen trampelt er mit seinen staubigen Schuhen auf meinem Laken rum. Es bereitet ihm sichtlich Vergnügen, möglichst viel Dreck zu machen. Auf dem Gang erläutert der Bettbeschmutzer einem anderen Schließer: „Das ist der Mann aus der Zeitung."

Drunten im Besuchertrakt warten Gitta und mein Vater. „Das hast du jetzt davon", sagt der, schwer atmend und ein wenig zitternd. Ich wittere eine Mischung aus Wut, Verzweiflung, Scham und Mitleid. Gitta steht daneben, Tränen in den Augen. Die Situation mit meinem Vater ist beklemmend. Wir wechseln nur ein paar Worte.

„Wie geht's dir denn?", fragt er.

„Passt schon soweit."

„Der Knast ist ja heute nur mehr halb so wild", meint er, „das ist ja wie in einer Jugendherberge."

„Du musst es ja wissen", sage ich, „du bist ja auch jeden Tag hier. Aber ich kann dir sagen: Wenn du abends nicht nach Hause gehen kannst, fühlt es sich ein bisschen anders an."

Es ist eine unfassbar seltsame Situation, beinahe tut mir mein Vater leid, wie er da so steht, sprachlos fast, hilflos, offensichtlich hin- und hergerissen, ob er mich tröstend in den Arm nehmen oder mir eine Ohrfeige verabreichen soll. Überrascht stelle ich ein Gefühl des Respekts in mir fest, das mir ganz neu ist. Es muss ihn eine ungeheure Überwindung gekostet haben, mich hier zu besuchen.

(Die Begegnung löst in diesen Tagen viele Gedanken aus, die ich mir später notiere: Bernds Marcuse-Brief über das Vater-Sohn-Verhältnis gibt mir lange zu denken. Habe ich ein Problem, weil es mir nicht gelungen ist, einen symbolischen Vatermord zu begehen? Aber was wäre ein symbolischer Vatermord? Ich habe mich früh von meinem Vater und dessen Lebensweise als braver, disziplinierter und fleißiger Bürger distanziert. Wir hatten unzählige Konflikte, auch physische. Schon mit 16 Jahren war ich stärker als er und habe ihn einmal bei einer Auseinandersetzung kurzerhand zu Boden geworfen. Ja, das war alles nicht optimal, ja, ich habe mir manches anders vorgestellt im Umgang mit ihm. Aber gehasst habe ich ihn nie, selbst dann nicht, als er mich enterbt, mir das Studiengeld gestrichen und dann den Kontakt abgebrochen hat. Von meiner Mutter weiß ich, dass er sich viele Gedanken macht über mich und überlegt, wie er mir helfen kann, dass er auch einen gewissen Respekt hat und anerkennt, dass meine Tat moralisch nicht verwerflich ist. Was wäre da also ein symbolischer Vatermord? Ihm zu zeigen, dass es auch anders geht, als er es vorgemacht hat?

Ich fand die Befürchtung meines Vaters, sich der Beihilfe zu einer Straftat (nach § 27 StGB) schuldig zu machen, wenn er mich zu sehr unterstützen würde, immer vollkommen lächerlich. Aber änderte das was dran, dass er tatsächlich Angst hatte und immer mit irgendwelchen Paragrafen kam? Und dann hat er mich trotz dieser Angst im Knast besucht. Ich denke an die Kellerpartys in meinem Elternhaus, die mein Vater durch plötzliche Betätigung des Lichtschalters zu stören pflegte, um herauszufinden, ob sich in der schummrigen Szenerie eventuell verbotene Handlungen abspielten, weil er fürchtete, wie er mich später wissen ließ, sich wegen Kuppelei (nach § 180 StGB) strafbar zu machen, und ich denke an die Szene, als ich einmal nach einem Besuch im Çayhaus unter dem Dach des KOMM ohne Schuhe nach Hause gekommen war – sie waren mir geklaut worden, nachdem ich sie, wie dort üblich, am Eingang ausgezogen hatte –, und er mich wutentbrannt verdächtigt hatte, im Puff gewesen zu sein. Ja, wir hatten zahllose Konflikte, aber das waren alles Kleinigkeiten gegenüber dem, was er hat ertragen müssen, seit sein Sohn als Gesetzesbrecher bekannt geworden ist! Die Verwandtschaft und die Nachbarn hatten sich darüber pikiert, ehemalige Kameraden hatten ihn gehänselt, befreundete Richter hatten sich von ihm abgewandt nach dem Motto: Mit einem, der einen derartigen Sprössling in die Welt gesetzt hat, kann man sich doch nicht sehen lassen. Er wurde so behandelt, als ob von seinem Sohn eine Ansteckungsgefahr ausginge oder eine Art Sippenhaft verhängt wäre. Und dann machte sich auch noch das ganze Knastpersonal lustig über ihn. Ja, stimmt schon, er hatte und hat es nicht leicht mit mir ...)

Er sei nur gekommen, weil ich ja kein Straftäter im eigentlichen Sinn sei, erklärt mein Vater. „Bist du dir da wirklich sicher?", albere ich.

„Geht da rein", sagt er nur, dabei auf einen Büroraum deutend, „ich warte so lange. Ihr habt eine halbe Stunde."

Ich nehme seine Hand, meine Antwort ist kurz: „Danke."

Es wird eine seltsame halbe Stunde mit Gitta. Ungelenke Berührungen, stockende Worte. Aber doch schön, Kontakt zu einem vertrauten Menschen zu haben. Wir sind uns einig: Das hier ist eine große Geste meines Vaters. Irritiert stelle ich eine gewisse Sehnsucht fest, mich mit meinem Vater zu unterhalten.

Mein Vater klopft, als die halbe Stunde rum ist. Ich danke ihm noch einmal und überlege kurz, ihn anzusprechen auf diese dunkle Stelle in seiner Wehrmacht-Karriere, wie genau das jetzt noch mal gewesen war damals im Jahr 1943, als die Front zusammengebrochen war und er erst nach langer Odyssee seine Einheit gefunden hatte, lasse es aber schließlich bleiben, da ich in dieser Situation jeden Streit vermeiden will. Verwundert stellen wir fest, dass sämtliche Schließer verschwunden sind. Der Schlüssel meines Vaters funktioniert nicht für die Türen auf diesem Gang. Er klopft mit dem Schlüsselbund an die Gitter und ruft: „Haalloo, ist da wer!?" Ich witzele höhnisch: „Jetzt siehst du mal, wie es ist, wenn man die Türen in der Jugendherberge nicht aufsperren kann." Die Szene amüsiert mich immer mehr, je länger sie andauert. Dann entdecke ich verwundert: Auf dem Gang hängt ein Druck von Picassos „Kind mit Taube" (also jener anlässlich des Weltfriedenskongresses 1949 entworfenen Lithografie, durch die aus der – in der Natur ja stets sehr kampflustigen – Straßentaube ein weltweit bekanntes Symbol für den Frieden geworden ist). Ich erwäge die Möglichkeit, dass jemand das Plakat als kleine Solidaritätsbekundung extra für mich aufgehängt haben könnte. Aber das kann eigentlich nicht sein. Dieser Jemand hätte ja vom außergewöhnlichen Besuch meines Vaters wissen müssen.

Ziemlich klar ist: Der unbekannte Plakataufhänger dürfte sich nicht unter den diensthabenden Schließern befinden. Denn die ziehen ihren Spaß ziemlich in die Länge, sie feixen vermutlich irgendwo in einer Ecke, während mein Vater, immer hektischer rufend und klopfend, zunehmend in Panik gerät. Es dauert gefühlt eine halbe Stunde, bis endlich Schritte zu hören sind und das charakteristische Klappern eines mächtigen Schlüsselbundes. Als die Gittertür endlich geöffnet ist, wirkt mein Vater abgekämpft. Beiläufig nimmt er eine matte Entschuldigung entgegen und will nur noch hinaus. Ich gebe Gitta einen flüchtigen Kuss, winke den beiden hinterher und werde traurig.

Der Überraschungsbesuch hat mich mitgenommen. Ich finde die ganze Nacht kaum in den Schlaf. Daran ist auch der Verrückte schuld, er schnarcht wie ein Holzfäller. Aber der entscheidende Wachmacher ist wohl was anderes. Die flüchtigen Berührungen mit Gitta haben die Sehnsucht nach dem vertrauten Körper aufgeweckt. Und ich hatte schon gedacht, dass ich mich auf alle Entbehrungen eingestellt hätte.

FREITAG, 31. JANUAR (NÜRNBERG – OFFENBACH)
Um 5 h aus dem Bett und um 7:30 h Abfahrt nach Offenbach. Ich schaue aus dem Sehschlitz und hoffe wie gestern, dass ein Freund an der Straße steht und mir zuwinkt. Sigurd ist auch mit im Bus, zu mir ins Abteil kommen allerdings zwei Türken. Der eine von den beiden, der bärtige, macht einen ganz sympathischen Eindruck. Er erzählt, dass er wegen des Besitzes von Falschgeld verhaftet worden sei, davon aber gar nichts gewusst habe. Die Polizei habe seine beiden kleinen Kinder nach der Verhaftung drei Tage im Auto sitzen lassen. Es kommt zu einer Unterhaltung über Yilmaz Güney. Er kann den vor zwei Jahren verstorbenen Regisseur, dessen nach dem Militärputsch von 1980 produzierter, kurdenfreundlicher Film „Yol – Der Weg" in Cannes die Goldene Palme gewonnen hatte, nicht leiden. Güney sei ein Türkenhasser. Breche das sinnlos gewordene Gespräch ab und versuche, so gut es geht, den engen Schießscharten-Blick auf die Landschaft zu genießen. Ein Blickfeld wie das eines Scharfschützen an der Front, denke ich mir.

Erste Station Ebrach. Dort werden die Jugendlichen rausgelassen. „86 Prozent Rückfallquote", erklärt wichtigtuerisch ein älterer Beamter, der uns in eine Ecke des Hofes führt, damit wir uns ein wenig die Beine vertreten können. „Wer seine Jugend nicht in Ebrach verbracht hat, hat was versäumt", bemerkt er spöttisch. „Und du? Wo schieben sie dich hin? Bist du der APO, von dem die Kollegen erzählt haben?" „Apo?", frage ich. „Na APO eben. Oder soll ich Affe sagen?" Und dann erzählt er was von dem „Remmidemmi", das es gegeben habe, 1969, als der Fritz Teufel und Konsorten vor der Anstalt demonstriert hatten.

(Was war da passiert? Die spätere Recherche ergibt: Damals saß hier Reinhard Wetter ein, Mitglied im Sozialistischen Deutschen Studentenbund (SDS), er hatte an einigen der damaligen Protestaktionen teilgenommen und war deswegen Ende 1968 zu acht Monaten Jugendstrafe verurteilt worden. Mitglieder der APO, unter ihnen Fritz Teufel, Dieter Kunzelmann und Georg von Rauch, errichteten vor der Haftanstalt ein „Knastcamp" und demonstrierten tagelang für seine Freilassung, dabei feindselig beäugt von der Landbevölkerung. Die Situation eskalierte, als die Rebellen auch noch das Bamberger Landratsamt besetzten. Im Kopf des CSU-Chefs Franz Josef Strauß eskalierte es nun auch. „Die Außergesetzlichen haben in gröbster Weise die öffentliche Ruhe und Ordnung gestört, das Landratsamt in Bamberg besetzt, die Akten durch das Fenster auf die Straße geworfen und sich bei ihrer Festnahme in übelster Form aufgeführt. Diese Personen nützen nicht nur alle Lücken der Paragrafen eines Rechtsstaates aus, sondern benehmen sich wie Tiere, auf die die Anwendung der für Menschen gemachten Gesetze nicht möglich ist, weil diese Gesetze auch bei Rechtsbrechern noch mit Reaktionen rechnen, die der menschlichen Kreatur eigentümlich sind.")

Wieder vor dem Bus stehend sage ich zu dem Beamten: „Schaut aus wie ein Kloster." Er nickt. „War auch ein Kloster, nur ist es jetzt umgebaut, mit Gittern." Knast oder Kloster, man bemerkt den Unterschied kaum, denke ich mir. Etwas abseits neben dem Bus steht eine attraktive junge Afrikanerin, die in einer Einzelzelle mitgefahren ist. Ich erfahre, dass sie nach Frankfurt gebracht werden soll, um von dort nach Uganda abgeschoben zu werden. Sie blickt traurig, macht einen extrem verlorenen Eindruck. Mindestens zwanzig geile Augenpaare sind auf sie gerichtet. Ein Mitfahrer, den ich als Zuhälter kennengelernt habe, steckt ihr einen Zettel zu. Später wird er mir erklären, dass er versuchen werde, ihr einen Ehemann zu vermitteln. Sie werde bestimmt ein lukratives Pferd in seinem Stall. Ich überlege mir, der Frau aufmunternd zuzulächeln. Unterlasse es aber: Sie könnte es missverstehen.

Von Ebrach geht es über die Landstraße weiter nach Würzburg. Wieder ein alter Knast, beinahe burgenartig auf einem kleinen Berg. Der Gang, in dem wir warten müssen, weckt Fantasien: Château d'If! Hier hätte man auch Szenen aus „Der Graf von Monte Christo" drehen können! Die Zellen wirken mit ihren extrem schweren Türen wie mittelalterliche Verliese. Unwillkürlich kommen mir Bilder von Folterungen in den Sinn. Wir werden nur kurz herumgeschleust, Umstieg in eine andere „Knastlinie" ist angesagt.

Nächste Station: Aschaffenburg. Dort lernen wir einen kleinen, tristen Betonbau kennen, alles erscheint konturenlos grau in grau. In einer winzigen Schubzelle gibt es Mittagessen. Angeblich eine Kartoffelsuppe, nahezu ungenießbar. Schuberfahrene Knackis meinen, für diese Suppe hier sei der Knast berüchtigt. Also besser nicht essen. Lerne bei dieser Gelegenheit, dass es so etwas wie einen Knast-Gault-Millau gibt. Über Dieburg, wo ich hinkommen soll, berichten alle nur das Allerbeste. Das Essen soll sehr gut sein, überhaupt sei Dieburg so eine Art Vier-Sterne-Knast. Werde mich mal überraschen lassen. Der Raum ist kaum ent-

Juli 1969: Lagebesprechung im Knastcamp nahe Ebrach. In der Mitte Fritz Teufel.

lüftet, von dem Mief wird es mir fast schlecht. Einige Knackis, darunter ein auf seine Herkunft stolzer Ostfriese, schwärmen vom Fischen in der Nordsee. Ihre Erzählungen machen Appetit. Nachdem ich doch ein paar Löffel genommen habe, merke ich, wie sich nun der Darm bemerkbar macht. Ich müsste kacken. Das Klo, eine stinkende Nische ohne Licht, ist so ekelhaft, dass ich es mir verkneife. Während ich mit meinem Gedärm kämpfe, unterhalte ich mich angeregt mit Sigurd. Themenspektrum: Glaube, Überzeugung, Ernährung, Liebe und Knast.

Die letzte Etappe für heute, es geht noch bis Offenbach, ist kurz. Diesmal werde ich mit dem Zuhälter eingepfercht. Ein unangenehmer Typ. Er erzählt, dass er nach einem Bankraub erwischt worden sei, weil ihn seine Alte verpfiffen habe. In Offenbach gibt es nur einen winzigen sog. Schubknast, alt und abgerannt. Außer den „Reise-Knackis" und ein paar Hausarbeitern sind hier keine weiteren Gefangenen. Wir stehen im Gang und werden auf die Zellen verteilt. Jeder bekommt eine Art Laufkarte. Der Zuhälter witzelt: „Jetzt teilen Sie die Scheine für einen Gratis-Stich im Puff aus." Als dem plauderfreudigen Ostfriesen eine Einzelzelle zugewiesen wird, meint er: „Der hats gut, der kann wenigstens in Ruhe wichsen." Ich bete, dass ich nicht mit dem Zuhälter zusammengelegt werde. Und juble innerlich, als ich allein auf eine Zelle komme. Sie ist überraschend geräumig, hat Platz für sechs Mann, drei Stockbetten. Toilette im Raum, „geschützt" durch einen schmalen, zweiteiligen Paravent. Ich genieße es, endlich meinen Darm entspannt entleeren zu können. Es braucht manchmal nur sehr wenig für ein kleines Glück. Und diese

Ruhe! Zwei Tage Schub mit ständigem Knacki-Kontakt haben mich völlig erschöpft. Leider ist mein bescheidenes Paradies nur von kurzer Dauer. Es klappert im Schloss und ein Kollege wird hereingeführt. Gott sei Dank hast du dein Geschäft schon gemacht, denke ich mir. Was ich da noch nicht weiß: Für den Neuen gilt das nicht!

Die Tür wird aufgeschlossen. „Essenausgabe!", brüllt ein Uniformierter. Ich trotte hinaus, der Schließer postiert sich neben der Tür. Zwei weitere Schließer sichern martialisch den Gang, der eine die Arme hinter dem Rücken, Beine breit gespreizt, der andere mit verschränkten Armen und grimmigem Blick. Unsicher nähere ich mich dem „Buffet" in Form eines Küchenwagens, das in der Mitte des Ganges von vier Gefangenen aufgebaut worden ist. In krassem Kontrast zu den strammstehenden Uniformierten wanken die vier so krumm und träge herum, als müssten sie vor Schwäche gleich umfallen. Jeder der Hausarbeiter ist zuständig für eine Zutat. Und so wird der Reihe nach ausgeteilt: Wasser – Eintopf – Brotscheibe – Apfel. Alles läuft mit schläfriger Routine ab. Einer reicht mir dann auch noch einen Beutel mit Kaffee: „Schöne Grüße von Sigurd." Freue mich sehr über die Geste.

Ich lümmele mich ins Bett, der Mitgefangene brabbelt ein wenig vor sich hin und macht einen Kontaktversuch, ich greife zu meinem Dostojewski und bremse lesend seinen Gesprächsversuch aus. Habe keine Lust mehr auf Knacki-Gerede, und der Typ ist mir unsympathisch. Dann verschwindet er hinter dem Paravent ... Es knattert laut, der Geruch lässt nicht lange auf sich warten – ein Angriff auf die Gesundheit! Ich wühle meine Nase in die Bettdecke und versuche, mich in ein Duftreich hinwegzumeditieren. Wider Erwarten schaffe ich es tatsächlich, rasch einzuschlafen.

SAMSTAG, 1. FEBRUAR

Morgens Hofgang. Es ist sehr eng in diesem Miniatur-Knästchen. Eigentlich kann gar nicht von „-gang" gesprochen werden. Denn der Hof ist so winzig, dass die angetretenen Gefangenen gleichsam nur auf der Stelle trippeln können. Wir bekommen Kommando, nur im Kreis zu laufen, immer linksherum, dabei wird uns fast schwindlig. Will mich mit Sigurd unterhalten, aber der Ostfriese quatscht ständig dazwischen. Seit sieben Jahren sitze er im Knast, in elf verschiedenen Gefängnissen, tönt der plauderfreudige Nervling. Kaum hat er das gesagt, beginnt er schon damit, sämtliche Stationen aufzuzählen. Sein Idiom ist kaum zu verstehen. Und witzig will er dabei auch noch sein. Der Knast in Holzminden, der sei gegenüber einer Brauerei gelegen. Ständig dieser frische Biergeruch – was für eine Haftverschärfung! Als er hört, dass ich Student bin, meint er: Ein Intellektueller sei ich erst dann, wenn ich alle Vereine aufzählen könne, die seit 1963 in der Bundesliga gespielt haben. Und als er sogleich mit der Aufzählung beginnt, hat Sigurd endgültig genug von dem Geblubbere: „Ich glaube, die schlimmste Haftverschärfung ist es, wenn man mit dir auf eine Zelle gelegt wird. Anstatt uns zu nerven, solltest du lieber deine Kontakte nach draußen pflegen." Das trifft den Ostfriesen ins Mark. „Lüüd, ik heff keen", stößt er jammrig hervor.

Mittags gibt es Sauerbraten mit Knödeln, zum Nachtisch Ananasstückchen. Gar nicht mal schlecht. Das Essen ist wesentlich besser als in Bayreuth. „Das beste Essen gibts in Hessen" – der Knastspruch scheint zu stimmen. Und der Akt der Essensausgabe hier – es läuft wieder genau so ab wie gestern – ist geradezu filmreif. Eine quasireligiöse Zeremonie, ein tägliches Ritual der Macht, aber in seiner Absurdität zugleich voller Komik. Zurück auf der Zelle lese ich weiter in den „Dämonen" und bin hocherfreut, als mein unappetitlicher Kollege wieder abgeholt wird. Ich freue mich auf ein Wochenende allein und beschließe, endlich am Rundbrief zu arbeiten. Am Abend beginne ich mit ungeordneten Notizen.

SONNTAG, 2. FEBRUAR

Es wird ein extrem zäher Tag in meinem schmuddeligen Zuhause. Der Gedanke an die Solidaritätsveranstaltungen in der Zabo-Linde quält mich. Wäre so gerne da und bei meinen Freunden. Du darfst nicht an draußen denken, ermahne ich mich, das facht die Sehnsucht nur noch weiter an. Aber wie mich ablenken? Hier gibts nur Wände, ein vergittertes Fenster, eine Tür. Die Luft ist trocken und stickig, das Fenster lässt sich nur schlitzbreit öffnen. Jetzt gehen auch noch die Zigaretten aus. Und der Kaffee. Ich fühle einen psychischen Zusammenbruch nahen. Mit aller Kraft reiße ich mich zusammen. Schreibe! Schreibe! Schreibe! Obwohl mein Kopf sich anfühlt, als sei er mit Schleim ausgepolstert, martere ich ihn den ganzen Tag und bringe schließlich neun Seiten zu Papier: „Gedanken aus dem Knast". Das Ergebnis stellt mich nicht zufrieden, aber immerhin steht da jetzt was.

MONTAG, 3. FEBRUAR

Habe schlecht geschlafen und fürchterlich geträumt. Die Tür meiner Zelle öffnete sich, aber der nächste Raum war auch wieder nur eine Zelle. Und so ging es weiter, endlos …

Hofgang mit Kopfschmerzen, zähe Stunden folgen. Kämpfe mich den ganzen Tag durch Dostojewskis Dämonen. Wenn du dich gehen lässt, drehst du durch, ermahne ich mich. Weg mit der ekelhaften Schlappheit! Weg mit dieser Unruhe! Aber Dostojewski macht es mir nicht leicht. Vielleicht noch mal meinen Text überarbeiten? Keine Lust. Ich kann ja nicht den ganzen Tag lesen oder schreiben. Nach fünf oder sechs Stunden langweilt alles. Immer wieder neu die Frage: Womit soll ich mich beschäftigen? Übungen machen? Zu schlapp, zu schlechte Luft hier. Schaffe nur magere 20 Liegestütze. Ich gucke aus dem Fenster, sehe die triste Hofmauer mit Stacheldraht und dahinter die Rückseite des Offenbacher Gerichts. Nirgendwo eine Regung, nicht einmal ein Vogel, keinerlei Nahrung für meine Sinne.

Ich lege mich ins Bett und stiere gefühlte Stunden vor mich hin. Nicht vegetieren, ermahne ich mich, träum' von was Schönem. Auch nicht gut, im Gegenteil! Je intensiver ich mir körperliche Nähe vorstelle, desto größer wird das Gefühl des Mangels. Ablenken, befehle ich mir. Ohne dass ich einen rechten Beschluss gefasst hätte, schnappe ich mir einen Zettel und mache mich an eine Dokumentation der Zellenwände. Die sind nämlich von oben bis unten bekritzelt. Mit Sprüchen à la „nach dem Essen sollst du rauchen oder eine Frau gebrauchen". Außer Ficken und Blasen kaum weitere Themen. Nach der Nummer 17 gebe ich auf. Lohnt sich nicht.

Es kostet meine ganze Kraft und Konzentration, nicht durchzudrehen, nicht gegen die Tür zu treten, nicht mit den Fäusten gegen die Wand zu trommeln, mich nicht sinnlos auf dem Boden herumzuwälzen. Lass! Dich! Nicht! Gehen! hämmere ich mir ein. Ich laufe, wieder gefühlte Stunden, wie ein gefangener Tiger im Kreis, irgendwann liege ich mit hämmernden Kopfschmerzen im Bett, völlig erschöpft. Ich nicke ein. Als ich wieder aufwache, fühlt es sich endlich besser an. Körper und Geist haben sich entspannt. Riesige Erleichterung. Ich habe mich wieder im Griff, wenigstens einigermaßen.

Am Abend kann ich wieder ruhig überlegen. Hätte ich glücklich werden können, wenn ich den Weg des geringsten Widerstands gegangen wäre? Ich wollte doch unbedingt wissen, ob Widerstand möglich ist, ob ich dazu fähig bin. Aber war das wirklich das Entscheidende? War da nicht auch noch der seltsame Reiz, einfach mal zu erfahren, was Knast ist? Eigentlich habe ich jetzt schon genug, mehr brauche ich nicht. Aber ich habe keine Wahl mehr. Ich muss jetzt da durch, irgendwie, durch diese viel zu langen Tage, die viel zu viel Zeit lassen für fragwürdige Beschäftigungen: kuriose Gedankenfetzen haschen, psychosomatische Erscheinungen registrieren, Tränen unterdrücken, Sekunden zählen. Wie werde ich da am Ende herauskommen? Nur eines steht jetzt schon fest: Mein Verhältnis zu diesem Staat wird sich, wenn ich rauskomme, mit Sicherheit nicht zum Positiven geändert haben.

DIENSTAG, 4. FEBRUAR

Es geht nach Dieburg. Endlich der Grabesatmosphäre in Offenbach den Rücken kehren! Ich sitze diesmal allein in der Buszelle. Glotze, noch benommen von dem fürchterlichen Wochenende, ziemlich teilnahmslos in eine trübe Landschaft. Was ich sehe, ist nicht dazu angetan, eine fröhliche Stimmung auszulösen: Fabriken, Brache, dazwischen abgestorbene Bäume, der Himmel grau und wolkenverhangen. Kurzer Zwischenstopp in Darmstadt. Das Motto über dem Tor – kaum zu fassen, aber die haben da tatsächlich einen Sinnspruch von Fritz Bauer angebracht – kommt mir vor wie eine Hommage an Auschwitz: „Die Würde des Menschen ist unantastbar." Ein paar Leute werden reingelassen, einer kommt zu mir in meinen „Spind". Er ist unscheinbar und schweigsam und hinterlässt in meinem Gedächtnis keinerlei Spuren. Nach Dieburg ist es nun nicht mehr weit.

Der Dieburger Knast ist hufeisenförmig angelegt: Zwei fünfstöckige Neubauten mit den Zellen schließen beidseitig an den Altbau an, dem Restbestand eines ehemaligen Klosters, in dem Verwaltung, Kammer, Arzt et cetera untergebracht sind. In den Neubauten gibts pro Stock etwa 40 Zellen, jeweils 20 Einzelzellen bilden eine geschlossene Abteilung, mit einem Beamten, der vor dem Gang – getrennt durch eine Gittertür – in einer Art Pförtnerloge sitzt. Die Fenster sind seitwärts an dreieckigen Vorbauten angebracht, sodass die Insassen nur in eine Richtung hinausblicken können. Der Zweck dieser Bauweise ist es, den Kontakt zwischen Gefangenen zu erschweren und außerdem das sog. „Pendeln" zu verhindern: So nennt man es, wenn kleine Päckchen – Drogen etwa – an einer Schnur aus dem Fenster gelassen werden und durch eine Schwingbewegung an andere Fenster adressiert werden.

Das klingt alles streng, aber im Grunde wirkt dieser Knast im Vergleich zu Bayreuth tatsächlich beinahe wie ein Studentenwohnheim (dieses allerdings mit Gittern und schweren Schlössern gedacht). Habe eine Einzelzelle im vierten Stock. Wenn ich aus dem Fenster schaue, sehe ich vom Knast selber nur Beton, aber keine Gitter und eventuelle Gesichter dahinter. Mein Blick von hier geht seitwärts über die

Zellentrakt der JVA Dieburg: Alle Gitterfenster sind zur Seite ausgerichtet.

Knastmauer und ein paar Hausdächer von Dieburg hinweg zu einem mit ein paar Bäumen bewachsenen Hügel. Eigentlich ganz nett. Auch die Atmosphäre ist wesentlich entspannter. Die Knackis sind freundlich. Als ich nach dem Mittagessen (Linseneintopf) zur Einkleidung auf die Kammer zitiert werde, warnt mich einer: „Pass auf, das ist ein Schwuchtelnest." Es wird dann ganz lustig. Der eine bietet mir fröhlich eine „Pierre-Cardin-Hose" an, „extra für dich geschneidert". Die ist leider zu eng, schließlich bleibt am Ende nur eine „passende" übrig, die an mir hängt wie ein Sack.

Danach noch mal AIDS-Test und Einführung in den Tagesablauf. 6:00 Uhr wecken, 6:15 Uhr bis 6:25 Uhr Frühstücksausgabe. Dann Arbeit oder geschlossene Zelle. Schreibmaschine plus Papier und ein Tauchsieder wird mir ausgehändigt, ich kann also arbeiten und Kaffee trinken. 12:00 bis 13:00 Uhr Mittagspause, die Zellen sind offen. Dann wieder Einschluss. Von 15:45 Uhr bis 16:45 Uhr Hofgang. Von 16:45 Uhr bis 17:15 Uhr Abendessenausgabe. Anschließend offene Zellen bzw. (wenn man dafür zugelassen ist) Freizeitgestaltung – Fernsehen, Tischtennis, Kraftraum u. a. – bis 19:30 Uhr.

Es geht insgesamt etwas gemütlicher zu als im düsteren Bayreuth. Das Leben der Bewohner einer Abteilung spielt sich während des Umschlusses immer auf dem Gang ab, es gibt keinen weiteren Aufenthaltsraum. Es läuft dann also in der einen Ecke der Fernseher, mehrere Leute hören Radio, einige spielen Karten. Ein ziemlich lautes Chaos.

Leider gibt es auch hier nervige Typen. Vor allem einer, der stolz darauf ist, den berühmten Ösi-Zuhälter und Bestseller-Autor Heinz Sobota zu kennen („Der Minus-Mann": laut Buchwerbung „der schonungslose, atemverschlagende Lebensbericht eines Mannes, der als Zuhälter und Gewalttäter gelebt hat, im Gefängnis verfasst"). Angeblich war der Kollege mit dem eine Woche lang zusammen in einer Zelle, in der U-Haft Etschstraße in München. Seine Lieblingsgeschichte: Sobota hat in der Zelle jede Menge Bomben und Koffer gebunkert. Die beiden knallen sich mit extrem koffeinhaltiger „Bombensuppe" das Hirn zu, qualmen wie die Irren, zocken und lärmen. Der Wärter guckt immer wieder durch die Kostklappe und mahnt energisch zur Ruhe. Sobota wird irgendwann ärgerlich, stellt sich auf einen Stuhl, lässt die Hose runter und wartet mit dem offenen Arsch vor der Kostklappe auf das nächste Erscheinen des Wärters, und dann: „Pffft…" Kommentar des Kollegen: „Der hat sich nie mehr wieder blicken lassen!"

Der Typ sitzt wegen Kreditkartenbetrugs und ist Waffenfanatiker, so wie fast jeder Zweite hier. Ich bin froh, als die Zelle wieder zugemacht wird, viel länger hätte ich seinen Redeschwall nicht mehr ertragen. Trotzdem wollen wir eine Skatrunde gründen, er will einen dritten Mann suchen. Einsatz bei einer Runde: ein Koffer. Dann dreht er mir – für zwei Koffer – noch einen angeblichen Super-Tauchsieder an („der kocht wie der Blitz!"), worauf ich mich einlasse, weil mein alter nicht so gut funktioniert. Abends gucke ich mir erstmals die Wände meiner Zelle genauer an. Sie sind komplett – wirklich lückenlos! – mit nackten Frauen tapeziert. Die Betrachtung dieser pornografischen Galerie bleibt nicht ohne Wirkung auf mich.

MITTWOCH, 5. FEBRUAR

Am Morgen Arztbesuch und Hinweise zur Besuchsregelung. Besuche müssen zwei Wochen vorab beantragt werden. Nur Besucher, die einen Besuchsschein haben, werden hineingelassen. Ich muss die Scheine ausstellen und dann, wenn sie genehmigt sind, verschicken. Ein schwieriges Prozedere, da lange Vorab-Absprachen nötig sind und dazu der Besuchsraum oft ausgebucht ist, vor allem am Wochenende. Und wie soll ich das absprechen? Auch Telefongespräche sind limitiert und müssen genehmigt werden. (Anmerkung: Aufgrund des komplizierten Verfahrens klappt es während meines Aufenthaltes in Dieburg nur mit einem einzigen Besuch.)

Abends Gespräch mit dem Sobota-Fan. Er bleibt nicht der Einzige, der mich vollquatscht. Wieder stelle ich den enormen, kaum zu stoppenden Redebedarf mancher Knackis fest. Es ist völlig gleichgültig, ob ich zuhöre oder nicht, es genügt, dass ich nicht weglaufe und ab und zu mal mit dem Kopf nicke. Diese „Erzähltage", wie sie im Knacki-Jargon heißen, sind wohl ein Einzelzellensymptom. Der Typ von der Zelle gegenüber regt beim Umschluss einen Büchertausch an. Ich habe grade nur Dostojewskis „Dämonen" zu bieten. „Einer der besten Schriftsteller der Welt", sage ich ihm, bin aber skeptisch, ob es ihm gefallen wird. Erhalte dafür ein Buch von Jules Verne.

DONNERSTAG, 6. FEBRUAR

Morgens Knast brutal: Beim Austeilen des Frühstücks kommt es zu einer Schlägerei. Ein Hausel, der den Gang wischt, dringt in die Zelle eines „Giftlers" ein und verdrischt ihn hemmungslos. Es ist ein Höllenlärm, dumpfes Knallen, Gebrüll und Schmerzgeschrei, auf dem Gang steht ein Schließer mit verschränkten Armen und schaut ungerührt zu. Erst nach längerer Zeit geht er gemütlich in seinen Wachraum. „Durchsage: Alle zurücktreten, die Zellen werden nun geschlossen." Automatisch schließen sie sich, die Riegel klicken ein. Wenig später eine Trillerpfeife. Ein Einsatzkommando hetzt mit schweren Tritten durch den Gang. Kurze Rangelei. Täter und Opfer werden abgeführt.

Einige Minuten danach werde ich abgeholt und in die Verwaltung geführt zur Besprechung des Vollzugsplans. Wir folgen einer Blutspur von der Zelle bis zum Sani-Raum. Unfassbar, wie viel Blut ein Mensch in sich hat. Vor dem Sani-Raum sitzt der Typ, ziemlich hergerichtet, er ist völlig fertig. Vom Sanitäter wird er fürchterlich angeschissen. „Jede Woche die gleiche Scheiße!" Ich erfahre: Der Mann wird regelmäßig zusammengeschlagen, weil er die anderen pausenlos übers Ohr haut. Einmal sei er schon halb tot gewesen. Mehrmals habe man ihn in eine andere JVA verlegt, überall sei das Gleiche passiert. Außerdem habe er AIDS. Ein Knacki-Kommando, ausgerüstet mit Gummihandschuhen, muss die Blutspur beseitigen. Ein bemitleidenswerter Kerl. Aber vermutlich könnte ihm nicht einmal dann jemand helfen, wenn er aus dem Knast rauskäme.

Der Typ kommt später wieder auf die Zelle, hämmert wie ein Wilder gegen seine Tür, schreit und jammert herzzerreißend. Es ist völlig klar: Dem Mann müsste geholfen werden, der ist hier fehl am Platz! Beim Umschluss knallt plötzlich ein Buch an meinen Kopf. „Den Scheiß kannst du selber lesen", ruft der Lektürefreund von gestern und zieht wieder ab. Merke: Weltliteratur aus der Feder Dostojewskis kommt offensichtlich nicht immer und überall gut an.

FREITAG, 7. FEBRUAR

Morgens Gespräch mit der Sozialarbeiterin. Ich erkläre ihr, dass ich mich hier im Knast auf keinen Fall zu irgendeinem Scheißjob zwingen lassen würde, die Haft sei Strafe genug, da wolle ich mich hier wenigstens mit meinem Studium beschäftigen. Sie ist kooperativ und meint, ich solle versuchen, auf die hiesige Schulstation zu kommen, da seien die Haftbedingungen besser. Außerdem werde mir dort automatisch das Selbststudium genehmigt, ich käme also gar nicht in Versuchung, mir eine Strafe wegen Arbeitsverweigerung einzuhandeln. Arbeitsverweigerung, das ist mir bereits von anderen Totalverweigerern bekannt, führt auf jeden Fall zum Entzug von Vergünstigungen (keine Gemeinschaftsveranstaltungen, Sperrung des Einkaufs u.v.m.) und zu einer schlechten Prognose, das heißt, die vorzeitige Entlassung nach 2/3 der Strafe ist gefährdet. Um in den offenen Vollzug nach Frankfurt zu kommen – als Erstbestrafter hätte ich darauf einen Anspruch – sei hier in Dieburg eine positive Beurteilung nötig. Ich wisse noch gar nicht, meine ich, ob ich überhaupt Lust auf den offenen Vollzug hätte.

Abends erstmals Skat. Natürlich verliere ich. Neben dem Sobota-Fan spielt noch einer mit, der mal in einer Nervenklinik war und so um die Wehrpflicht herumgekommen ist. Ich unterhalte mich ein wenig mit ihm. Als ich sage, dass ich Philosophie studiere, bemerkt er: "Wenn man so viel mehr weiß wie die anderen, die den Scheiß hier fabrizieren, dann ist es wahrscheinlich noch schwieriger, dieses idiotische System zu akzeptieren. Man sieht ja viel deutlicher, was alles falsch läuft." Interessanter Aspekt.

Als ich mich als "irgendwie Linker" zu erkennen gebe, meint er: "Die Linken gefallen mir besser als die Rechten. Aber ich habe von Politik die Schnauze voll." Es stellt sich heraus, dass er mal Mitglied in einer Neonazi-Organisation war. Einmal sei er fürchterlich verprügelt worden, als er sich bei einer Demonstration geweigert habe, den deutschen Gruß mitzumachen und "Heil Hitler" zu brüllen. Der Typ wirkt naiv und unreif. Wie ein Mensch, der sich an irgendjemanden ranhängen muss, der ihm sagt, was er tun soll. Es sitzt wahrscheinlich nur deswegen im Knast, weil er den falschen Kameraden hinterhergetrappelt ist.

Wieder allein. Es quält mich die Frage: Was wäre aus mir geworden, wenn mich in meiner Jugend eine RAF-Gruppe von der Schule abgeholt und unter ihre Fittiche genommen hätte? Wäre ich zum Mörder geworden? Und was bin ich eigentlich jetzt? Viele halten mich für einen selbstquälerischen Extremisten und/oder einen politischen Naivling. Womöglich ist beides wahr. Aber wäre es besser, wenn ich stattdessen beim Stammtisch klugscheißen und ansonsten nichts weiter tun würde? Feige und faule Selbstgefälligkeit hat mich schon immer angekotzt.

Mein Anwalt Harald Roth teilt mir mit, dass seine Beschwerde gegen die Kontrolle seiner Briefe in Bayreuth vom dortigen Anstaltsleiter Springer zurückgewiesen worden ist: Es sei nicht mehr festzustellen, wann die Eintragung als Verteidiger und damit die Zulassung zum unüberwachten Briefverkehr erfolgt sei.

SAMSTAG, 8. FEBRUAR

Lese in einem Zug die „Leiden eines Chinesen in China" (Jules Verne). (Guter Lesestoff, das Buch wurde mehrmals verfilmt, u. a. von Aki Kaurismäki unter dem Titel „I Hired a Contract Killer".) – Abends Skat gespielt und Fernsehen geschaut. Später schwappt beschwipstes Frauengelächter über die Mauer in meine Zelle ... Es erotisiert mich.

MONTAG, 10. FEBRUAR

Werde in einen anderen Trakt verlegt, die sog. „Schulstation", und beziehe eine frisch gestrichene Zelle mit jungfräulich weißen Wänden. Die Gefangenen hier arbeiten nicht, sondern werden anderweitig beschäftigt, erhalten z. B. Unterricht. Es ist geplant, dass ich als Deutschlehrer eingesetzt werde. Vorläufig kann ich aber tun und lassen, was ich will. Die Zellen sind fast den ganzen Tag über offen. Das heißt, ich kann mich je nach Lust und Laune auch zu einem anderen in die Zelle setzen. Oder jemanden einladen. Werde erst mal selbst eingeladen, von Achmed, der einen Kuchen gebacken hat. Aber was heißt gebacken? Der Ägypter hat sich im Knastladen einen Tortenboden gekauft und ein paar Dosenpfirsiche draufgelegt. Achmed ist schon etwas älter, intelligent, charmant und witzig. In seiner Runde scheinen sich die interessantesten Leute hier zusammenzufinden.

MITTWOCH, 12. FEBRUAR

Ich hause in einer Einzelzelle, aber das bedeutet keineswegs, dass hier Stille herrscht. Immer brüllt irgendeiner rum, mehrere Radios sind auf volle Lautstärke aufgedreht, ein Nachbar hämmert auf seiner Schreibmaschine. Pausenlos lärmen andere Leute – und ich fühle mich dadurch noch einsamer. Bekomme mit, wie sich zwei vor meiner Tür über mich unterhalten, was ich denn so treiben würde. Der sei doch Totalverweigerer, witzelt der eine. „Der muss nichts machen." Beim Hofgang kommt einer auf mich zu, mutmaßlich ein Araber. Lächelnd, in breitem amerikanischem Englisch, fragt er: „Aitsch? Heroin?" Ich sage schlicht: „Nein." Darauf er: „Politisch? Sozialist? Kommunist?" Ich muss lachen und antworte: „Anarchist!" Wir unterhalten uns eine Weile. Der Mann ist spürbar geschult und gehärtet in Sachen Polit-Diskussionen, er hat auch eine Weile in Frankfurt studiert. Seine Meinung über mich steht schnell fest: Student mit Halbwissen, hat keine Ahnung vom Leben, kann man nicht ernst nehmen. Hätte gedacht, dass ich immun bin gegenüber solchen Dingen und ärgere mich darüber, dass mich seine Einschätzung verunsichert und grollig macht.

DONNERSTAG, 13. FEBRUAR

Verpasse den Hofgang, weil ich die Ansage überhört habe. Bin aber gar nicht so traurig. Es ist arschkalt, und ich habe auch hier bislang weder Pullover noch Mantel bekommen. „Beides aus", hatte es in der Kammer geheißen.

Heute endlich mal wieder duschen! Die ganze Abteilung wird in den Keller geführt. Der Duschraum sieht aus wie eine Gaskammer: Ein großer Raum, etwa 30 Duschköpfe sind direkt in die Decke eingelassen. Sie laufen alle gleichzeitig, reguliert werden kann nichts. Aber was heißt laufen? Aus dem einen kommt es heiß, aus dem anderen kalt, aus dem einen tröpfelt es nur, aus dem anderen spritzt ein harter Strahl. Einige Glückliche erwischen die richtige Menge und Temperatur, der Rest springt zwischen „heiß" und „kalt" umher oder bibbert, kaum von Tröpfchen benässt.

Eine Einkaufsberechtigung wird mir überbracht. Erhalte außerdem eine Berechtigung zur Teilnahme am literarischen Arbeitskreis. Ich könne morgen schon mitmachen, erklärt der Lehrer. Zudem besprechen wir mögliche Inhalte für meinen Unterricht. Er ist begeistert von meiner Idee, ein Nietzsche-Seminar abzuhalten. Wir unterhalten uns auch ein wenig über das Buch „Das Deutsche als Männersprache" der Linguistin Luise F. Pusch, das ich in meiner kleinen Knast-Bibliothek dabeihabe. Beim Einschlafen träume ich, dass Gitta neben mir liegt und sich an mich kuschelt.

FREITAG, 14. FEBRUAR
Erster Einkauf. Endlich Süßes, Obst und Käse! Der Knastladen ist extrem hochpreisig, viel teurer als draußen. Eine Unverschämtheit in Anbetracht des wenigen Geldes, das die Knackis zur Verfügung haben. Aber wen kümmern schon Knackis? Leiste mir zehn Tafeln Schokolade. Voller Heißhunger verspachtele ich gleich zwei hintereinander. Koche mir dann mit dem Tauchsieder Milch auf und bröckle eine weitere hinein. Hervorragender Kakao! Apropos Tauchsieder: Mein neues Gerät fällt auch schon wieder aus. Bekomme einen Wutanfall, dass ich mich da übers Ohr habe hauen lassen. Plötzlich geht er wieder, es war nur ein kurzzeitiger Stromausfall. Später lerne ich: Ursache für die Überlastung des Stromnetzes sind „getunte" Geräte der Gefangenen, sogenannte „Rennfahrer-Tauchsieder".

Später setzt sich Milon Khan in meine Zelle, ein Mann aus Bangladesch. Er erzählt eine sehr bewegte Geschichte. Ein recht sympathischer Junge, etwas jünger als ich. Als Kind erlebte er den Krieg von 1971 mit, nachdem das ehemalige Ostpakistan zu Bangladesch wurde. Während des Krieges fanden schreckliche Schlächtereien unter der Zivilbevölkerung statt, Milon kam als Vollwaise nach Deutschland und dort bald in den Knast. Wegen Körperverletzung: Er hat seine Freundin, eine Prostituierte, niedergestochen. Der Junge macht einen derart sanften und harmlosen Eindruck, dass ich mir das kaum vorstellen kann. Und er ist ziemlich intelligent, schreibt Gedichte auf Deutsch und spricht fließend Englisch. Wenn er seine Strafe abgesessen habe nach drei Jahren, wolle er sofort aus Deutschland weg, meint er. Er verkrafte den materiellen Charakter der Deutschen nicht mehr. „Geben und Nehmen haben hier nur materielle Bedeutung. Die Menschen fühlen nicht mehr, sie fühlen sich selbst nicht mehr, und so können sie auch andere nicht empfinden."

Milon erzählt außerdem noch von einem ziemlich speziellen Freund: Hans-Peter Fraas, einem (ehemaligen) Mitglied der verbotenen Wehrsportgruppe Hoffmann. Milon war mit Fraas in U-Haft, hat sich mit dem gut verstanden und mit dessen Schwester eine Brieffreundschaft geschlossen. Er gibt mir einen Brief von Fraas zu lesen. Interessante Lektüre. Stilistisch gar nicht schlecht, viel rechtsrevolutionäres Pathos. (Später recherchiere ich: Der Nürnberger Fraas, ein von der El Fatah im Libanon geschulter Kämpfer, wurde im Februar 1983 als mutmaßlicher Terrorist verhaftet. Einige Bombenanschläge auf US-amerikanische Einrichtungen Ende 1982 gingen offensichtlich auf sein Konto bzw. auf das seiner Kameraden, der in Hessen agierenden Hepp-Kexel-Gruppe, deren Ziel es war, die US-Truppen aus Deutschland wegzubomben – und nicht, wie von der Polizei zunächst vermutet, auf das der linken „Revolutionären Zellen". Das abtrünnige WSG-Mitglied Fraas wurde dann zu einem der Hauptbelastungszeugen im Prozess gegen den wegen des Doppelmordes von Erlangen in Nürnberg angeklagten Karl-Heinz Hoffmann.)

Plötzlich taucht ein Wächter auf. Er staucht Milon zusammen und scheucht ihn aus meiner Zelle. Es sei gerade Selbststudium verordnet, und da habe jeder auf seiner eigenen Zelle zu sitzen und zu lernen. Wer beim Nichtstun oder Schlafen erwischt werde, werde eingeschlossen und bekomme eine Verwarnung. „Beim zweiten Mal fliegst du aus der Schule! Und keine Vergünstigungen mehr, denn das ist ja Arbeitsverweigerung!" Seltsamerweise lassen mich die Wächter unbehelligt, obwohl sie mich schon mehrmals bei einem Nickerchen erwischt haben. Aber ich sehe ja auch nicht so „indisch" aus.

Denke mir: Ein junger Mann aus Bangladesch, Mohammedaner, Vollwaise, in einem deutschen Knast, ohne alle Kontakte. Was für eine Zukunft steht diesem Menschen offen? Er hat keinerlei Halt, überhaupt keine Orientierung, ist völlig entwurzelt.

Am Nachmittag erstmals im Arbeitskreis Literatur. Es werden Gedichte zum Thema Liebe vorgetragen. Ein Knastliterat tritt mit diesem an: „Du findest deinen Weg / wenn du ihn verloren hast / Dir öffnet sich ein Sinn / wenn du ihn vergessen hast / Du spürst dich selbst / wenn sich alles aufgelöst hat / Du erfährst Vertrauen dort / wo dein Misstrauen am Ende ist / Du fühlst deine Liebe erst / wenn du sie schon aufgegeben hast / Wir wachsen zusammen / wenn nichts mehr gilt / Denn wir können erst geben / wenn wir nichts mehr nehmen wollen."

Denke dabei an Habermas' Definition von Liebe: Es handle sich dabei um die reziproke Anerkennung von Geltungsansprüchen ...

SAMSTAG, 15. FEBRUAR

Als Folge der „mantellosen" Hofgänge habe ich mir eine Erkältung eingefangen.

Langes Gespräch mit Milon über die Panzerungen, die man sich hier drin anlegen muss, um zurechtzukommen. „Ich traue mich nicht, meine Probleme zu erzählen. Sie interessieren eh niemanden, und helfen kann mir ja auch keiner. Ich will nur weg aus Deutschland." Die Tränen stehen ihm in den Augen. Wenn solche Leute hier drin ihren Schutzpanzer aufbrechen, schwappt eine Schicksalsflut heraus, die kaum mehr einzudämmen ist. Am Ende werden wir uns aber einig: Es tut gut, diese Verpanzerungen aufzubrechen und einem Freund zu begegnen, der bereit ist zu Offenheit und Toleranz. Wer ständig mit seinen Verpanzerungen unterwegs ist, kann andere immer nur als fremd und feindlich erleben und bleibt eingeschlossen in seinem Gehäuse der Angst und Einsamkeit.

SONNTAG, 16. FEBRUAR

Immer wieder bin ich verwundert, dass ich in dieser Situation nicht durchdrehe. Eigenartig ist, dass ich selbst dann nicht durchdrehe, wenn ich an mir diese Verwunderung beobachte. Manchmal habe ich ein Gefühl, als ob die Zeit stehen bliebe bzw. als ob sich dieser Knast außerhalb der Zeit befände. Ich werde rauskommen und es wird sich nichts geändert haben. Es war nur eine Zeitlücke ... Aber die Lücke schmerzt. Das ständige Rumsitzen in trockener Zellenluft, ohne jede Bewegung, hat mich mürbe gemacht. Ich fühle mich krank und habe ständig Kopfschmerzen.

MONTAG, 17. FEBRUAR

Ich entschließe mich nach einem Gespräch mit der Sozialarbeiterin, einen Antrag auf Verlegung nach Frankfurt in den offenen Vollzug zu stellen. Die vorsorglich von Habermas ergatterte Bestätigung lege ich bei.

Spät am Abend gibt es Extra-Duschen. Grund: Der diensthabende Beamte, ein starker Alkoholiker, wurde mit einer Flasche Schnaps bestochen. Er führt uns in den Keller und setzt sich dann zum Saufen wieder in seinen Kabuff. (Anmerkung: „Der einzige bessernde Einfluss, den man von unserer Freiheitsstrafe mit einiger Zuversicht erwarten kann, ist die Alkoholentwöhnung", schrieb Gustav Radbruch, Namensgeber des Radbruchhauses, in das ich bald verlegt werden sollte. „Voraussetzung dafür sind aber abstinente Strafanstaltsbeamte." Dieser hier gehörte nicht dazu – und führte vor, wie der Alkohol einem Menschen die Würde nehmen kann. Über den schlechten Einfluss von JVA-Beamten auf ihre Schützlinge hat noch keiner eine Studie geschrieben ...)

Da diesmal nicht soviele Gefangene mitgehen, erwische ich eine ergiebige und wohltemperierte Duschstelle. Ich genieße das wohlige Nass intensiv und verliere darüber das Zeitgefühl. Bis ich merke, dass die anderen schon alle verschwunden sind. Das heißt, nicht alle. Durch den Duschnebel hindurch werde ich beobachtet. Drei beeindruckend kräftige Afrikaner mit riesigen Geschlechtsteilen kraulen sich die Eier und grinsen mich an. Ein kurzer Angstschauer überkommt mich. Wenn die mich jetzt rannehmen würden, hätte ich keine Chance. Und nirgends ein Beamter. Ich verziehe mich in die Umkleide und verdrücke mich, so schnell ich kann. Die Türen bis zu meinem Gang sind offen. „Iss wer noch unne?", lallt der uniformierte Säufer aus seinem Kabuff. „Ich hör jetz uff."

MITTWOCH, 19. FEBRUAR

Notiere mir nach einem Gespräch mit Milon eine Meditation über die gelingende Liebe: Liebe ist ein Gefühlsaspekt des Bedürfnisses, sich orientierend zu binden. Es gibt keine wahre Liebe, sondern nur eine gelingende. Diese ist – anders als die „falsche", vereinnahmende „Liebe" – keine autistische Projektion. Weil sie nicht alles der eigenen Perspektive unterordnet, führt sie zu einer Erweiterung der eigenen Weltwahrnehmung. Sie fängt also da an, wo der/die andere in seinem/ihren Anderssein anerkannt und respektiert wird. Es ist ein aufeinander Zugehen und miteinander Weitergehen. Sie pocht nicht auf Wahrheit, ist aber fähig, „echte" Nähe zu empfinden, auch wenn sie weiß, dass in jedem Empfinden von Nähe – Resultat verlässlicher Zuneigungs-Reaktionen – immer auch eine Illusion enthalten ist.

FREITAG, 21. FEBRUAR

Viele Knackis gehen völlig im Knast auf. Sie kennen nur drei Themen: Knast-Drogen-Ficken. Nur wenige sind anders. Milon, Eckbert und Achmed gehören zu diesen wenigen. Wir überlegen, einen „Männer-AK" aufzumachen. Milon berichtet von einem Gespräch mit dem Pfarrer. Der habe ihn als „Bettler" bezeichnet, genauer: als „Um-Hilfe-Bettler". Vergebliche Hoffnung, in diesen Mauern auf Empathie oder Verständnis zu treffen.

Unter den Briefen befindet sich ein erfreulicher. Und ein unerfreulicher. Der erfreuliche: Ein Journalist vom *Spiegel* kündigt sich für 5. März an, er will ein Interview mit mir machen. Der unerfreuliche: Gitta attackiert mich in heftigster Weise als Männer-Sau. Ich solle mir mal überlegen, dass ich mir selbst Gewalt antue, wenn ich mich durch solche Porno-Bildchen aufgeilen lasse. Der Knast sei eben eine „männermachende" – also schlechte Männer machende – Institution. Männer seien schwanzgesteuert, in jedem Mann stecke ein Vergewaltiger, und das fange damit an, wenn Frauen als bloße Aufgeil-Objekte betrachtet werden. Die Tatsache ist nicht zu leugnen, denke ich mir, dass ein paar Blicke meinem Schwanz genügt hatten, um ihn knallhart seine Forderungen stellen zu lassen. Aber bin ich deswegen ein potenzieller Vergewaltiger? Muss ich mir den Schwanz abschneiden? Sicher ist: Männer können nicht nur tumb daherreden, sondern auch sexuell äußerst primitiv funktionieren. Sicher ist auch: Ich hätte Gitta lieber nichts davon berichten sollen.

MONTAG, 24.02.

Ich spreche mit einem mir nicht näher bekannten Mitgefangenen über die feministischen Vorhaltungen Gittas. Der sagt trocken: „Hält dich deine Schnecke für so heilig, dass sie dir keinerlei Playboy-Erregungen zutraut? Selbst wenn ich mir vornehmen würde, mich da nicht aufgeilen zu lassen, würde ich jederzeit wieder gerne rückfällig." Als ich mit Milon über das Thema diskutiere, reißt der sofort sämtliche Nacktfotos von den Wänden seiner Zelle. Anschließend will er sein Säuberungswerk in anderen Zellen fortsetzen. „Kanns eh nimmer sehn", sagt der erste und macht mit, und noch vier weitere sind dabei bei diesem feministischen Reinigungsakt. Wir alle sind voller Stolz überzeugt: Das war jetzt mit Sicherheit eine Premiere in deutschen Knästen!

Im Literaturkreis trägt der dunkelhäutige Dichter Bryan aus Chicago was vor. Eine Zeile von ihm: „Prison is a place where you exchange the dignity of your name for the degradation of a number." Es wird eine angeregte und anregende Stunde. Danach plaudere ich noch ein wenig mit Bryan. Wir diskutieren u. a. über das Gendern und Luise Puschs Kritik an der Männersprache. Bryan empfiehlt mir, einfach Englisch zu reden. Da gebe es ja keine bestimmten Artikel („der", „die" und „das"), sondern nur ein „the", der Geschlechtsunterschied werde allein durch die Nennung von „he", „she" oder „it" gesetzt. (Anmerkung: Damals wurde in den meisten alternativen Publikationen bereits gegendert. Die *taz* führte 1986 das Binnen-I ein.)

Später Gespräch mit Achmed. Er erzählt, dass er wohl bald Freigang bekäme und dafür ins Radbruch-Haus nach Frankfurt verlegt werde, das habe ihm der Lehrer mitgeteilt. Und, eigenartig: Der Lehrer habe sich bei ihm dafür entschuldigt, dass er – also der Lehrer – das befürwortet habe. Die Begründung: Achmed würde dadurch ja von seinen guten Freunden hier getrennt! „Was sagst du zu so viel Mitgefühl", lachte Achmed. „Und wie hast du darauf reagiert?" „Ich habe ihm gesagt: Sie brauchen sich nicht bei mir entschuldigen, sie wissen doch, ich bin Gefangener, sie können mit mir machen, was sie wollen." So allmählich macht es richtig Spaß hier, denke ich mir.

MITTWOCH, 26. FEBRUAR

Erhalte etliche und sehr unterschiedliche Reaktionen auf meinen Rundbrief. Überraschend viele Leute teilen mit, dass sie ihn nicht verstanden haben. Was habe ich da falsch gemacht?

DONNERSTAG, 27. FEBRUAR

Erster Ausgang, um mich mit meinem Anwalt zu besprechen. Wunderbar! Ich genieße es, im Freien zu sein, einfach die Straße lang zu gehen, und die nächste ... ohne Ende, ohne Grenzen! Habe völlig vergessen, wie gut sich das anfühlt.

Nach dem Freiheits-Zuckerl wird die Rückkehr in den Knast umso schlimmer. „Wie bestellt", kommentiert der Beamte an der Pforte mein pünktliches Erscheinen. Ich reiche meinen Ausgangs-Schein durch die Pforte, drücke die Türe auf. Wumm! Dicht! Kein Zurück! Drinnen blickt ein Beamter auf das Foto im Ausweis, vergleicht es mit der Realität: „Na, sie haben auch schon mal besser ausgesehen." Tatsächlich habe ich, trotz der passablen Verpflegung in Dieburg, einige Kilos abgenommen. Bayreuth hängt mir noch in den Knochen. Und genau die tastet der nächste Beamte ab. „Mann, da müssen sie mal was machen, da verletzen sich ja die Frauen", bemerkt er zu meiner knochigen Erscheinung. Es folgt der Gang zur Zelle. Schlüsselgeklapper – quietsch-bummm. Schlüsselgeklapper – quietsch-bummm. Schlüsselgeklapper – quietsch-bummm. ... Mehr als ein Dutzend Türen öffnen und schließen sich, dann bin ich wieder „zu Hause" in meiner Zelle.

SAMSTAG, 1. MÄRZ

Ein Bekannter schickt einen Bericht über den Nürnberger Auftritt der Band „Einstürzende Neubauten" am letzten Wochenende: Was für ein Event im „Goldenen Saal" unter der Steintribüne des ehemaligen Reichsparteitagsgeländes. Außergewöhnlicher Klang, das Schlagzeug stählern, Blixa Bargeld mit schneidender Stimme im Bestreben, den totalitären Fascho-Teufel aus dem NS-Heiligtum zu vertreiben.

Erhalte die Mitteilung, dass der Besuch des Redakteurs vom *Spiegel* nicht stattfinden könne, denn ich würde bereits am Montag nach Frankfurt verlegt. Milon jammert sich aus und ist den Tränen nahe. Er hat in mir einen Freund gefunden und Angst davor, wieder allein zu sein. War eigentlich ganz nett in Dieburg, denke ich mir. Werde die Jungs vom Literaturkreis und den umtriebigen Lehrer vermissen.

Nachtrag: Was draußen geschah & Briefverkehr

Solidaritätsfragen

Meine Botschaft zu den Solidaritätstagen in der Zabo-Linde (2. bis 6. Februar) kam zu spät, sodass sie nicht mehr verlesen werden konnte. So begann sie: „Ich wurde in den Knast gesteckt, damit ich euch jetzt durch diese Gitterstäbe hindurch zuwinke und rufe: ‚Schaut mal her, euch wirds genauso gehen, wenn ihr nicht spurt.' Aber ich habe überhaupt keine Lust dazu, so etwas zu machen ..."

Die „Solidaritätstage" waren mit mehreren Veranstaltungen an vier Tagen fraglos (zu) ambitioniert. Es gab eine Ausstellung des niederländischen Künstlers Roboodt („Kunst aus NATO-Draht", geklaut vom Militär-Stützpunkt Woensdrecht), ein Solidaritätskonzert mit der Nürnberger Band „Blueswurscht", eine Filmvorführung meiner Video-Dokumentation „Dienen oder Sitzen" und eine Diskussionsveranstaltung mit den Totalverweigerern Bernd S., Marut und Ossi sowie Renate Schmidt (SPD), Dieter Burgmann (Grüne), Walter Deindörfer als Vertreter der Evangelischen Kirche und meinem Rechtsanwalt Hans Graf.

Der von Veranstalter Tommy versprochene Massenandrang zum Auftritt von „Blueswurscht" war ausgeblieben. Das Konzert sei zwar sehr gut gewesen und hätte eine volle Hütte verdient gehabt, konzedierten die Musikexperten, aber, so mein Freund Artur, „Tommy hatte leider mit seiner Prognose von 800 Leuten auf dem Konzert nicht so ganz recht, es waren, glaube ich 19 (zahlende), also wie üblich." Einzig die Diskussionsveranstaltung war ganz gut besucht, der Zündfunk brachte einen 20-minütigen Bericht. Ossi berichtete über seine Haft und die Schwierigkeiten, danach wieder einen Job zu finden. Die Diskussion gewann eine gewisse Schärfe, nicht nur, weil der übliche Vertreter der „Marxistischen Gruppe" aus dem Publikum die SPD beschimpfte, sondern auch weil Bernd und Marut vor allem Renate Schmidt hart rannahmen: „Die SPD hat doch nicht das mindeste Interesse an einer ernsthaften Auseinandersetzung mit Totalverweigerung", so Marut, „die nutzt die Totalverweigerung nur aus, um sich als Verteidiger der Grund- und Menschenrechte aufzuspielen und plädiert dann dafür, dass Strafe sein muss, aber bitte nicht mehrfach."

Bernd berichtete brieflich, dass er Renate Schmidt eine „Caritas-Haltung" vorgeworfen habe, da sie nur ihre Betroffenheit über „ehrenwerte Märtyrer" bekunden wolle, und habe ihr mit dieser Provokation klare Aussagen über die Wehrpflicht und die Bundeswehr herausgekitzelt.

„Renate Schmidt erklärte: Wir sind gegen die Abschaffung der Wehrpflicht, gegen die Abschaffung der Bundeswehr. Die Totalverweigerer, die angetreten sind, diesen Mordapparat zu zersetzen, werden durch die doppelzüngige Politik einer Renate Schmidt total verarscht. Denn aus ihrer politischen Stellung zur Bundeswehr heraus kann Totalverweigerung niemals objektiv berechtigt und notwendig sein. Wir bleiben immer abnorme Einzelgewissen, die es mit der Wehrpflicht nicht aushalten; für sie fordert die SPD ganz fortschrittlich das Gebot der Gewissensfreiheit. Aus dieser Position heraus fordert sie, ‚das Problem muss vom Tisch!', denn es steht unserer ach so demokratischen Maske so schlecht zu Gesicht. Einzelgewissen o. k., und gleichzeitig bleibt die Wehrpflicht. Die Kritik auf den Nenner gebracht: In dem Maße, in dem die Totalverweigerung als subjektive, individuelle Angelegenheit von einigen verirrten Moralaposteln mit Harakiri-Mentalität gehandelt wird, schwindet unsere politische Schärfe, weil dann nicht die gesellschaftlichen Unrechtszustände die Ursache unserer Verweigerungsaktion sind, sondern die bloße Existenz besonders stark (antimilitaristisch) ausgeprägter Gewissen. Die Politik der SPD reproduziert und stabilisiert genau diese Auffassung der Gewissenstäter; sie fällt uns damit politisch in den Rücken."

Nicht bei allen Zuhörern kam das gut an. Einer schrieb mir: „Die Rede vom Verrat der SPD und der Grünen an den politischen Zielen der Totalverweigerer durch die Vereinnahmung der Verweigerer zugunsten von Parteiinteressen empfand ich nicht nur als unangemessen, sondern bisweilen geradezu als peinlich. ... Wenn fundamentalistische Totalverweigerer Parteien und Parlamenten jegliche ernst zu nehmende Kompetenz absprechen, warum wählen sie dann Parteipolitiker überhaupt als Ansprechpartner? Der Vorwurf der Vereinnahmung ist deshalb verfehlt, weil die SPD bei der Parteinahme für Totalverweigerer kaum Stimmen gewinnen, sondern eher welche einbüßen wird."

Ossi resümierte abgeklärt: Renate Schmidt wolle individuell helfen, so wie in seinem Fall durch eine Empfehlung bei der Jobsuche, „aber die Bewegung der Totalverweigerung kann und will sie nicht legitimieren. Mit Bundeswehr weg, raus aus der NATO, hat sie nichts am Hut. Deindörfer ist sowieso klar und Burgmann hat alles nur etwas zaghafter als Schmidt ausgedrückt." Das „Fundi-Realo-Problem" lässt sich nie lösen, dachte ich mir beim Lesen dieser Briefe. Will man bei Politik und Prominenz Aufmerksamkeit und Engagement erreichen, muss man Kompromisse eingehen, und dann ist man rasch genötigt, seinen Ansatz so sehr zu verfälschen, dass von dem ursprünglich Gewollten kaum mehr etwas übrig bleibt; bleibt man umgekehrt konsequent bei seinem radikalen Anspruch und seiner Maximalforderung, rennt man bald nur noch gegen Wände und wird am Ende als Extremist isoliert.

Gemischte Reaktionen

Neben einer knappen Schilderung meiner ersten Knastwochen verzapfte ich in meinem Rundbrief einige Thesen zum beispielhaften Widerstand der Totalverweigerung. Tenor: Wir müssen gegen eine menschenverachtende und zukunftsgefährdende Politik vorgehen und dabei auch jene gesellschaftlichen Verhaltensstandards angreifen, die ein kritikloses Sich-Fügen unterstützen. Meine Hauptthese: Im Knast erfreue ich mich einer inneren Freiheit, denn ich habe mich nicht korrumpieren lassen, die anderen, die draußen im Mainstream mitlaufen, sei es als Zivildienstleistende oder sonst wie, sind die eigentlichen Gefangenen. „Jeder verkraftet es, als Gefangener im Gesellschaftssystem zu funktionieren, solange er eine ‚Ideologie' vorschützen kann, die ihn daran hindert, seine Unfreiheit zu erkennen. Gerade dieser unser Staat kann nur deshalb so prächtig funktionieren, weil es ihm so hervorragend gelingt, seinen Bürgern zu vermitteln, dass sie in ‚Freiheit' leben." Den Schlussabschnitt formulierte ich als ein „Trotz alledem" gegen die politische Ohnmacht: Denn selbst dann, wenn sich die totale Kriegsdienstverweigerung politisch als sinnlos erweisen sollte, bleibe mir ja immer noch die Wahrhaftigkeit meines Tuns. „Ich hatte große Angst vor dem Knast. Aber es gehört wohl mehr Mut dazu, seine Angst zu überwinden, als gar keine zu haben. Ich habe den Knast angehen können und kann jetzt mit ihm umgehen, weil ich weiß, warum ich drinsitze. Ich hätte nicht vor ihm fliehen können, sondern nur vor mir selbst. Ich habe es nicht getan, obwohl die Versuchung groß war."

Der Rundbrief löste zahlreiche und völlig unterschiedliche Reaktionen aus. Viele sahen sich animiert oder gar provoziert, mir ein paar Zeilen zu schreiben. Es gab natürlich viel Kritik, darunter absolut berechtigte Hinweise wie etwa den, dass das gesellschaftliche Leben natürlich nicht nur – wie ich undurchdacht hingeschrieben hatte – aus dem „Aufnehmen und Fortentwickeln von irgendwelchen Normen" besteht. Ein Schreiber fühlte sich sogar dazu animiert, sich völlig von mir abzuwenden, weil man so einen Typen, der andersdenkende Mitmenschen quasi als Automaten wahrnehme, keinesfalls unterstützen könne. Pauschal verurteilt wurde auch die saumselige Nichterwähnung der weiblichen Perspektive. Während einige sich witzelnd darüber ausließen, dass eine wie stets energiegeladene Gitta „an der Heimatfront" die tapfere „Heldenwitwe" gebe, rügten mich einige Schreiber und Schreiberinnen dafür, dass ich im Rundbrief meine Beziehung nur am Rande erwähnt hätte – und dies ja wohl nicht der Bedeutung entsprechen könne, die Gitta auch und vor allem in dieser Zeit für mich einnehme, geschweige denn, dass ich ein mitfühlendes Wort übrig gehabt hätte für ihre Ängste und ihre Verzweiflung. In dieser Hinsicht würde ich mich also bessern müssen.

Einige Reaktionen fielen hingegen geradezu übertrieben begeistert aus. Von einer „Fülle des Wichtigen und Überlegenswerten" sprach ein Hannes, ein Stefan lobte mich für die Konsequenz, für meine „frei entwickelten Entscheidungen auch einzustehen". Ein Aktivist von der DFG/VK ließ mich wissen, dass er es „immer wieder verblüffend und mutmachend" erlebe, „wie viel Kraft von den ‚Leuten drinnen' ausgeht". Der „sehr schlüssige" Rundbrief habe ihm viel zu denken gegeben, „auch wie ich hier mit Normen, Werten etc. umgehe". Ein Kriegsdienstverweigerer aus Villingen meinte beinahe entschuldigend, dass er „wohl zu feige oder nicht konsequent genug" sei, um aus dem Zivildienst auszutreten, aber er mache sich viele Gedanken über die Integrationsfunktion der aktuellen Regelungen zur Kriegsdienstverweigerung, da er wie ich der Meinung sei, „dass dieser Staat so prächtig funktioniert, weil es ihm gelingt, seinen Bürgern die Illusion zu vermitteln, sie könnten frei entscheiden". Zugleich fragte er: „Selbst wenn man die Wehrpflicht abschaffen könnte – es ist ja nur ein kleiner Teilbereich. Muss man danach den Staat abschaffen? Was kommt dann?" Sein vorläufiges Zwischenergebnis: „Die innere Freiheit, die Entscheidungsfreiheit über das vorgegebene Gesellschaftssystem hinaus will ich bei mir größer werden lassen. Aber ohne mich der Gesellschaft zu entziehen oder zu entfremden." Aber so richtig weiter komme er nicht mit seinen Überlegungen: „Zum Denken fehlt mir die Ruhe der Zelle." Nur kein Neid, dachte ich mir da.

Der Grünen-Abgeordnete Henning Schierholz führte aus, dass ihn mein Text „an etlichen Stellen an die Abendgedanken eines Parlamentariers" erinnert habe, „der sich auch dann und wann fragt, wessen Nutzen er durch seine ganzen Pflichtübungen eigentlich mehrt". Ein Journalist aus Essen sinnierte: „Bis zu einem gewissen Punkt verstehe ich dich und habe dann ein schlechtes Gewissen, weil ich wohl nicht so konsequent bin." Aber dann habe er doch das Gefühl, dass ich ein Purist sei: Denn wie könne man sich weigern, für diese Realität zu funktionieren? Es sei ja wohl allenfalls möglich, sich in Teilbereichen zu verweigern. Jürgen von der Medienwerkstatt Nürnberg, mit dem ich viele Diskussionen geführt hatte, wunderte sich, dass ich mich „plötzlich" wieder am „politischen

Wert" der Totalverweigerung abkämpfe. Er sei nach unseren letzten Gesprächen davon ausgegangen, dass ich für eine Sache in den Knast ginge, die für mich inhaltlich längst abgeschlossen sei. Er selbst habe ja, wie ich wisse, nie gesehen, dass mit der Totalverweigerung irgendetwas erreicht werden könnte. Denn es gebe kein Herrschaftssystem als ausgeklügelte und funktionierende Struktur, es sei vielmehr so widersprüchlich wie eben die Menschen selbst, die es bilden. Dieses System werde, wenn es denn scheitern wird, nicht an irgendeinem Widerstand zerbrechen, „sondern an den eigenen Widersprüchlichkeiten. Diese inneren Widersprüche verdichten sich in bestimmten historischen Situationen zu nicht mehr kontrollierbaren Turbulenzen und der wacklige Bau bricht in sich zusammen". Er müsse mir jedenfalls mitteilen, dass er von meinen Pauschalisierungen ziemlich genervt gewesen sei. Aber gut, womöglich verenge sich eben im Knast mit diesem völlig auf sich selbst Zurückgeworfen-Sein der Blickwinkel.

Einer meiner Mitkämpfer, Christoph Schlegel, machte sich Gedanken über die totalitären Tendenzen, die ein Mensch im politischen Kampf entwickeln könne, und erinnerte in diesem Zusammenhang an den französischen Revolutionär André Chénier. Der hielt die Revolution für verloren, als die Jakobiner ihren Terrorapparat aufbauten, um die reine Idee durchzusetzen: Der Versuch, die Vernunft gleichzuschalten, sei die Abkehr vom Vertrauen in die Vernunft bei gleichzeitiger Installation einer nicht mehr hinterfragbaren Macht. Man könne also durchaus nachvollziehen, warum Chénier – der, wenig überraschend, ein Opfer der Guillotine geworden ist – nie eine Jakobinermütze aufgesetzt hat. Folgt man Chénier, darf man anderen seine Überzeugung nicht aufdrücken. Was für einen Sinn aber macht dann konsequentes Verhalten? Weil man damit die Legitimation der Herrschaft infrage stellt. Allein durch seine „widerständige" Existenz kann man Leuten wie Gefängniswärtern die Gespaltenheit ihrer Identität vor Augen führen und sie spüren lassen: Dass sie zwar funktionalisiert sind für Zwecke einer „fremden Macht", dabei aber – in den meisten Fällen jedenfalls – auch mitfühlende Menschen bleiben.

Ein ehemaliger Zivildienstleistender beschwerte sich, dass sich keineswegs alle Zivildienstleistenden in ihrer Arbeit frei fühlten. Das Problem sei vielmehr, dass aufgrund der Strafandrohung die Totalverweigerung für viele – so eben auch für ihn – keine Alternative sei. „Daher musste ich die Zeit irgendwie durchhalten, was aber nicht heißt, dass ich damit das Wehrsystem legitimiert habe, auch wenn es nur ein erzwungener, billiger Arbeitsdienst zum Ersatz von teuren Planstellen war." Etwas differenzierter sah es ein anderer. Er habe ein Problem mit der Haltung von Kriegsdienstverweigerern, die behaupteten, im Ernstfall jede Einplanung zu verweigern, gleichzeitig aber meinten, „dass eine Totalverweigerung im Vorhinein denn doch ‚zu viel Ärger' mit sich bringen würde. Es gibt noch einige andere Verhaltensweisen, die auch mich, eben aus Angst vor den Konsequenzen, einen Bogen um die Frage der Totalverweigerung machen lassen. Man betrügt sich im Grunde selbst, doch der nötige Mut erscheint so endlos weit entfernt, damit ungreifbar und schon fast wieder vergessen. Ich kann dir also nur mit leicht beschämter Bewunderung so viel Kraft und Mut wie möglich wünschen."

Eine derart respektable und reflektierte Haltung nahmen bei Weitem nicht alle Zivildienstleistenden an. Jan aus Göttingen, Beauftragter der evangelischen Kirche für Zivildienst-Lehrgänge, erläuterte mir, dass seine Lehrgänge als Sonderurlaub unter Belassung der Geld- und Sachbezüge liefen und eben deswegen gut besucht seien. Er könne definitiv sagen, dass die sich bei ihm einfindenden Zivildienstleistenden nicht frei fühlten. „Beim letzten Lehrgang ist allen klar gewesen, dass Zivildienst Zwangsdienst ist, etwas, was sie eigentlich nicht leisten wollen, aber eben doch tun, weil man ja sonst in den Knast kommt." Das Problem liege also nicht darin, dass sich die Zivildienstleistenden über ihre Situation Illusionen machten. Sie würden sich vielmehr mit dem Zwangsdienst arrangieren, bis dann im Laufe der Zeit ihre Resignation umschlage in politische Trägheit. „Daher hast du recht: Es ist über zehn Jahre gelungen, das politische Potenzial der Kriegsdienstverweigerer so zu kanalisieren, dass immer weniger wissen, warum sie eigentlich verweigern." An einer politischen Arbeit gegen Bundeswehr und Wehrpflicht hätten die wenigsten ein Interesse, und wenn man ihnen was von Totalverweigerern erzähle, imponierten ihnen diese als besonders mutige Typen. Über die politische Absicht der Totalverweigerer, eine konsequente Kriegsdienstverweigerung einzufordern, müsse man sie allerdings erst aufklären – an einer Auseinandersetzung mit Kriegsdienst und Friedensarbeit hätten die meisten von sich aus kein Interesse. Das Resümee lautet also: Haftstrafen für Totalverweigerer schrecken in erster Linie nicht überzeugte, aber zu ängstliche Friedensaktivisten ab, sondern Leute, die sich – so meinte auch mein Freund Artur – „bei Straffreiheit von Totalverweigerung als Null-Bock-Leute drücken würden".

Selbst wenn ein politischer Erfolg der Totalverweigerung nicht zu erwarten sei, gab mir eine Briefschreiberin zu bedenken, sei die Sache wohl trotzdem nicht sinnlos, denn: „Wenn es jemanden gibt, und sei er auch ganz allein, der es wagt, in Übereinstimmung mit seinen Vorstellungen zu leben, dann werden viele andere Mut bekommen und ein wenig von ihrer Würde wiederfinden." Ganz ähnlich, nur ein wenig verhaltener, formulierte es überraschenderweise auch meine Mutter. Sie bezweifelte wie viele andere und wie ja im Grunde auch ich selbst die „politische Machbarkeit der Totalverweigerung". Andererseits sei ja aber die Wahrhaftigkeit des Handelns eine hohe Qualität. Denn was sollte aus der Welt werden, wenn überhaupt niemand mehr wahrhaftig handelt, sondern es nur noch Opportunisten und Karrieristen gibt? Ein Sympathisant schickte mir in diesem Sinne interessante Auszüge aus Vaclav Havels Buch „Versuch, in der Wahrheit zu leben". Havel beabsichtige eine Kritik des kommunistischen Systems, seine Gedanken aber hätten allgemeine Relevanz. Ihm gehe es darum, durch ein Leben in der Wahrheit die tägliche Lüge der Macht zu durchbrechen, einer Lüge, zu der die Menschen zwar gezwungen werden, die sie aber durch die Bereitschaft zur Unterwerfung auch selbst mit ermöglichen. Die Ideologie ist für Havel ein Schleier über der Wahrheit und somit ein Alibi, um das Leben in Lüge weiterführen zu können. „Die Macht muss fälschen, weil sie in eigenen Lügen gefangen ist. Sie täuscht vor, dass sie keinen allmächtigen und zu allem fähigen Polizeiapparat hat, sie täuscht vor, dass sie die Menschenrechte respektiert, sie täuscht vor, dass sie niemanden verfolgt, sie täuscht vor, dass sie keine Angst hat, sie täuscht vor, dass sie nichts vortäuscht. Der Mensch muss nicht an alle diese Mystifikationen glauben. Er muss sich aber so benehmen, als ob er an sie glaubt, muss sie zumindest schweigend tolerieren oder sich wenigstens gut mit denen stellen, die mit den Mystifikationen operieren. Schon deshalb muss er aber in der Lüge leben. Er muss die Lüge nicht akzeptieren. Es reicht, dass er das Leben mit ihr und in ihr akzeptiert. Schon damit nämlich bestätigt er das System, erfüllt er es, macht es – er ist das System." In diesem Zusammenhang müsse man die Totalverweigerung sehen, nämlich als einen Schritt vom Leben in Lüge hin zum Versuch, in der Wahrheit zu leben: Indem sie aufzeigt, dass der Zivildienst, der als Friedensdienst ausgegeben wird und gleichzeitig die Kriegsvorbereitung unterstützt, die Wehrpolitik legitimiert. Wie Erich Mühsam schon bemerkte: „Sich fügen heißt lügen." Ganz in diesem Sinne bemerkte ein weiterer Sympathisant, dass er sich durch das Beispiel der Totalverweigerer „seelisch gestärkt" fühle: „Es ist eine böse Zeit, wenn die Wahrheit, die allein uns frei macht, Menschen ins Gefängnis führt."

Erwartungsgemäß griffen auch etliche Totalverweigerer zum Stift. HaGe lobte die „mutmachende Stimmung", die aus meinen Zeilen hervorgehe. Vielleicht helfe das dem einen oder anderen, zu gleichen Gedanken und Konsequenzen zu gelangen. Markus stellte fest, dass der Text Zweifel aufs Tablett bringe, „die es auch den Weggenossen/innen nicht leicht machen und ihnen unbequeme Fragen aufgeben". Jens erkannte seine eigenen Gedanken wieder, dass es nämlich nur darum gehen könne, seine politischen und ethischen Ansichten zur Diskussion zu stellen, man könne sie niemandem aufzwingen. Die Reaktionen der erfahrenen Knastologen in der Szene fielen spezifischer aus. Erich, der fünf Monate in Ravensburg in Haft gewesen war, bekannte, dass es ihm bei meinen Schilderungen „eiskalt den Buckel runtergelaufen" und die Erinnerung an seine Knastzeit wieder „total gegenwärtig" geworden sei. Der Knast sei hart, aber trotzdem sei es der richtige Weg, resümierte er. Klaus, ebenfalls einige Monate hinter Gittern, ließ hingegen die Frage nicht los: „Wie aber kommt es, dass die einen in Konflikt geraten mit der gesellschaftlichen Normalität und diese Situation dann dazu nutzen, an ihrer (inneren) Befreiung zu arbeiten, und die anderen (die meisten) alles daransetzen, nicht frei zu werden?" Und Christoph Rosenthal gab zu bedenken, dass die Totalverweigerer natürlich auch in das System integriert werden: Als Abschreckungsbeispiele, „an denen demonstriert wird, was mit Abweichlern geschehen wird". Außerdem müsse jeder Totalverweigerer aufpassen, im Kampf gegen die Repression sich nicht zu sehr in die Isolation treiben zu lassen und die (mit-)menschlichen Qualitäten, vor allem ein Gefühl für Toleranz, nicht zu verlieren. „Deine Überlegungen gehen allzu sehr in eine moralische Richtung." Ich käme eben doch wie ein Vertreter der reinen Lehre rüber, so als ob der konsequente Widerständler der bessere Mensch werde.

Ossi berichtete, dass er sehr mit den Nachwehen seiner Totalverweigerung zu kämpfen habe – er habe jetzt einen neuen Job, aber in dem sei es ihm zur Bedingung gemacht worden, seine Identität nicht zu offenbaren –, und trotzdem fühle er sich nach wie vor wohl mit seiner Entscheidung, denn so sei er sich treu geblieben: „Die ‚innere Freiheit' ist halt schwerer zu haben als die des Westens." Einige Zeit später, offensichtlich nach einem frustgesättigten Treffen mit anderen Totalverweigerern, klang er nicht mehr so munter: Er könne für sich einfach keinen Ansatzpunkt mehr finden in der Diskussion um Totalverweigerung als politische Bewegung. Und außerdem gelte doch ganz grundsätzlich Folgendes: „Einmal ist man überkritisch und an anderen Punkten hapert dann." Da konnte ich nur zustimmend nicken.

Was für eine Freiheit?
In meinem Text schwärmte ich zwischendurch regelrecht von einer Art von „Befreiung", die der Knast in mir bewirkt habe. „Ich bleibe hier nicht nur der Mensch, der ich bin, ich wachse sogar und schöpfe mehr aus mir, als ich das draußen vermochte", schrieb ich zum Beispiel. „Ich fühle mich freier, nicht überfahren von der ‚normativen Kraft des Faktischen'." Und dann schwang ich mich fast zu einem Knast-Lob auf. „Es mag seltsam klingen: Ich hatte im Knast bislang weniger Verpflichtungen zu erfüllen als in Freiheit. Ich konnte mich tagelang in meiner Zelle mit mir selbst beschäftigen. Es gibt hier keine größeren terminlichen Verpflichtungen, und ich konnte bislang gar nicht in die Versuchung kommen, irgendeinem Drang nach Ablenkung nachzugeben. Da ist es mir erschreckend deutlich vor Augen gekommen, wie viel Raum draußen recht nebensächliche Gewohnheiten annehmen und wie ich dazu neige, vor mir selbst zu flüchten, indem ich irgendwelche Zerstreuungen für mich als Notwendigkeiten ausgab. Mir wurde auch klar, wie sehr mein Leben von äußeren Einflüssen bestimmt war. Mir fehlt hier jetzt jegliche Ablenkung, und so merke ich erst, was ich bisher alles nicht getan oder an mir übersehen habe. Freilich: Zum Teil führt diese Freiheit auch zum Eingeständnis meiner eigenen Jämmerlichkeit, dann nämlich, wenn es mir nicht gelingt, meine Zeit zu nutzen. Ich muss noch lernen, mit dem umzugehen, was von mir jenseits aller Zerstreuungen übrig bleibt. Sicher ist aber auf jeden Fall: In den Konstanten, die sich hier herauskristallisieren, liegt der Kern meiner Identität."

Der Knast, so behauptete ich, könne mir nichts anhaben. „Bis jetzt habe ich mich noch nie so richtig als Knacki fühlt. Eher wie ein Journalist, der an die Front geht, ohne selbst Soldat zu sein. So komme ich mir oft vor wie ein Knastberichterstatter, der gar nicht Gefahr laufen kann, selbst zum Knacki zu werden. So deutlich spüre ich, dass mir dieser Knast innerlich nicht gefährlich werden kann. Ich habe keine Angst, kaputtzugehen, gewinne viele neue Erkenntnisse und Erfahrungen, und in dem, wie Knackis und Schließer mit mir umgehen, spüre ich mich selbst in einer Art, die mich zufrieden macht. (…) Ich fühle weitaus intensiver, was mir das Leben bieten kann, und im Mangel lerne ich zu schätzen, was mir draußen unbemerkt einfach so zugeflogen ist. Ich weiß jetzt eher zu unterscheiden zwischen dem, worauf es ankommt, und dem, worauf sich verzichten lässt. Ich spüre jetzt deutlicher, was ich will und kann mir nun sicher sein, dass es nicht zerstört worden ist. Ich bin ein freier Mensch, allein im Moment, aber nicht einsam. Dieser Staat wird es nie schaffen, mich zum Gefangenen zu machen!"

Manche Briefschreiber fanden den Text zu abgehoben. Warum ich denn nicht einfach von „Gewohnheiten" geschrieben hätte statt von der „normativen Kraft des Faktischen", wollte einer wissen. Ja, das hätte ich ein bisschen erläutern müssen (wenn ich dazu in der Lage gewesen wäre). Den Begriff hatte ich mal aufgeschnappt von dem Staatsrechtler Georg Jellinek, ich hatte die „Allgemeine Staatslehre" im Knast aber natürlich nicht dabei, wusste aber, dass „Gewohnheit" die Sache nicht ganz trifft. Jetzt kann ich nachschlagen: Jellinek hat die Eigenschaft des Menschen vor Augen, das „ihn stets Umgebende, das von ihm fortwährend Wahrgenommene, das ununterbrochen von ihm Geübte nicht nur als Tatsache, sondern auch als Beurteilungsnorm" anzusehen, „an der er Abweichendes prüft, mit der er Fremdes richtet". Das Faktische hat also stets und überall die psychologische Tendenz, „sich in Geltendes umzusetzen", denn es erzeugt die Vorstellung, „dass der gegebene soziale Zustand der zu Recht bestehende sei". Was ich ausdrücken wollte: Nur dann, wenn man sich von dem gewohnten Verpflichtungsgefühl löst, das zu tun und für richtig zu halten, was die Allermeisten tun und meinen in der Überzeugung, dass es dem „normalen Richtig" entspricht, kann man die Dinge anders wahrnehmen. Das ist natürlich nicht einfach, wie schon Tucholsky wusste: „Nichts ist schwerer und nichts erfordert mehr Charakter als sich im offenen Gegensatz zu seiner Zeit zu befinden und laut zu sagen: Nein!"

Das führt zur Frage, welche Art von Freiheit die von mir hinter Gittern (angeblich) gefundene wohl sein könnte. Ich empfand es manchmal so, als sei meine Seele aus dem Fluss gestiegen und würde von der gefährlichen Strömung nicht mehr mitgerissen. Aber konnte man den Knast in diesem Sinne wirklich in eine positive Erfahrung umdeuten? Jörg, ein Freund mit psychologischer Ausbildung, warnte: „Immer, wenn jemand auf positive Erfahrungen in einer ‚an sich' beschissenen, leidvollen Situation hinweist, schrillen bei mir die Alarmglocken. Für mich scheint bei solchen Sätzen immer ein, wenn auch wirklich nachvollziehbarer, Abwehrmechanismus durch ...". Kurz: Ihm schien die von mir behauptete Korrelation von Eingesperrt-Sein und „innerlicher Befreiung" ziemlich unglaubwürdig.

Der in philosophischer Begriffsarbeit bewanderte Hans echauffierte sich hingegen über meinen „hoch aggregierten" Freiheitsbegriff. „Freiheit gibt es nur relativ, in Bezug auf irgendetwas, Freiheit von Unterdrückung, von Elend usw. Damit ist Freiheit ein ‚negativer' Begriff: Er drückt das Fehlen von etwas, einen Mangel aus." Da Freiheit in Bezug auf etwas immer Unfreiheit in Bezug auf etwas anderes bedeute, müsse man sich entscheiden, welcher man einen höheren Wert zumesse. Bei der Totalverweigerung gehe es um Freiheit vor Knast oder Freiheit der Person. „Wir können aber nur dienen oder sitzen. Weil uns hier die Wahlfreiheit fehlt, sind wir unfrei." Okay, dachte ich mir. Aber es gibt doch immerhin die Freiheit, sich zu bestimmten Handlungen nicht zwingen zu lassen und auf diese Weise zu einer Art innerer Freiheit zu gelangen bei Verlust der äußeren Freiheit. So etwa wie ein Buddhist.

Oder wie ein Mönch. Der Franziskaner Thomas M. Folger aus dem Kloster Dorsten schickte mir einen Brief „als Gruß eines Mitmenschen, der sich mit dir verbunden fühlt in der Trauer über so viel menschliche Entfremdung und lebenszerstörende Gewalt in dieser Welt und im persönlichen und gemeinsamen Bemühen um authentisches Menschsein und die Entwicklung einer Kultur des Lebens". Er fühle sich beschenkt durch die aus meinen Zeilen sprechende Redlichkeit und Konsequenz, durch die große innere Freiheit und die Treue zu mir selbst und meinem Gewissen. Mein Text habe ihn an die Gefängnis-Briefe Dietrich Bonhoeffers erinnert. Der wegen „Wehrkraftzersetzung" angeklagte und in Tegel einsitzende Theologe hatte am 11. April 1944 geschrieben: „Gestern hörte ich hier irgend jemand sagen: die letzten Jahre seien für ihn verlorene Jahre. Ich bin sehr froh, dass ich dieses Gefühl noch nie einen Augenblick gehabt habe. Ich habe auch noch nie meine Entscheidung im Sommer 1939 bereut, sondern stehe ganz unter dem Eindruck, dass mein Leben – so merkwürdig es klingt – völlig geradlinig und ungebrochen verlaufen ist. Es ist eine ununterbrochene Bereicherung der Erfahrung gewesen, für die ich wirklich nur dankbar sein kann." Der Kriegsdienstverweigerer Ulrich F. aus Bad Honnef fühlte sich ebenfalls an Bonhoeffer erinnert, der sich in der Haft, ähnlich wie ich, „innerlich frei und ausgeglichen" gefühlt habe, eben „weil er wusste, weshalb er saß". Und ganz nebenbei würde es denen draußen ja auch nicht helfen, wenn es im Knast nur noch um das „Durchtragen" von Überzeugungen ginge. Macht jetzt mal bitte langsam, Leute, dachte ich mir. Der Vergleich mit Bonhoeffer berührte mich unangenehm, ich empfand ihn als äußerst unangemessen, schließlich war Bonhoeffer zum Tod durch den Strang verurteilt und im April 1945 im Hof des KZ Flossenbürg erhängt worden. Das, so viel stand fest, drohte mir auf keinen Fall.

Dann gab es noch einen Vergleich. Wieder mit einem religiösen Hintergrund, wunderte ich mich, eine Tat wie die Totalverweigerung schien gottesfürchtige Leute irgendwie anzulocken. Ein 43-jähriger Lehrer – er hatte, wie er berichtete, einst Missionar werden wollen, war aber dann wegen Übertretens der Hausordnung aus dem Seminar geflogen – fühlte sich bei meinen Zeilen an den katholischen Priester Carl Kabat erinnert, der als einer der sogenannten Pflugschar-Aktivisten mehrmals mit spektakulären Protestaktionen gegen das atomare Wettrüsten für Aufsehen gesorgt hatte. Da konnte ich nicht mitgehen, denn deren Form von Radikalität schien mir zu heftig und getrieben von einem religiösen Fanatismus. Ein Beispiel für deren Aktionen: Im November 1984 – es war bereits die elfte Aktion der Gruppe, die dem biblischen Auftrag Jesajas folgen wollte, Schwerter in Pflugscharen zu verwandeln – war Carl Kabat zusammen mit seinem Bruder Paul, ebenfalls Priester, der Aktivistin Helen Woodson und dem indigenen Bürgerrechtler Larry Cloud Morgan in der Nähe von Kansas City mithilfe eines Bolzenschneiders in ein Minuteman-II-Raketen-Silo eingebrochen. Die Demonstranten beschädigten die Warnanlagen und ritzten mit einem Presslufthammer den Betondeckel des Silos an, den sie zuvor mit ihrem eigenen Blut übergossen hatten. Sie wurden verhaftet, während sie im Kreis saßen, sangen und Händchen hielten. Während ihres Prozesses im März 1985 drang ein anderer Pflugschar-Aktivist, Martin Holladay, erneut in ein Minuteman-Silo ein, bearbeitete es mit Hammer und Meißel und vergoss sein Blut. Wegen Einbruch und „kriminellem Unfug" wurden Carl und Helen zu 18 Jahren Gefängnis verurteilt, Paul zu zehn und Larry zu acht Jahren, Martin bekam später ebenfalls acht Jahre. Auf die Frage nach der Effektivität solcher Aktionen habe Kabat geantwortet: Abgesehen davon, dass mit so einem derart idiotischen Strafmaß nicht habe gerechnet werden können, halte er auch den Aufenthalt im Gefängnis für eine „sehr effektive Sache". Zur Frage, in welchem Sinne ich meinen Gefängnisaufenthalt für effektiv halten könnte, fiel mir nichts ein. Und hätte im Raum gestanden, für meine Tat 18 Jahre statt 16 Monate zu erhalten – hätte ich meinen Zivildienst zu Ende gebracht.

Vorläufiges Fazit

Es blieb die große Frage: Welche Schlüsse waren aus diesen gemischten Reaktionen zu ziehen? Ich musste zugeben: So ganz aufrichtig war ich im Rundbrief nicht gewesen. Ich hatte viele Zweifel weggelassen und mir meine politische Überzeugung ein wenig herbeigeredet. Ich ahnte bereits, dass es schon lange nicht mehr (nur) eine tiefe innere Überzeugung vom politischen Sinn der Totalverweigerung war, die mich trug, sondern die Angst, mich nicht zu blamieren und der Wille, nicht als Versager dazustehen. Unbeugsam bleiben aus Prinzip – reicht das als Verhaltensrichtschnur aus? Ist das sinnvoll? Aber was wäre die Alternative? Die Totalverweigerung hat Jahre meines Lebens beherrscht. Was sollte werden, wenn diese Widerstandsperiode beendet war? Was wollte ich über diesen Widerstand hinaus? Was bedeutete so ein relativ isoliertes, einmaliges, winziges, geradezu mickriges „Nein"? Ich spürte, dass ich mich intensiv der Frage nach meiner persönlichen Motivation stellen musste. Hatte meine Entscheidung zur Totalverweigerung nicht auch damit zu tun, dass ich mich interessant machen konnte und auch wollte? Fakt war, dass mich die Sache bekannt gemacht und meine „Heldenrolle" in manchen Kreisen sogar Bewunderung ausgelöst hatte. War meine Totalverweigerung nicht eine Art billig erworbener Weg zu einem (freilich recht bescheidenen) „Ruhm"? Billig deshalb, weil ich ja keine besondere Leistung erbringen musste, denn dieser Knast war ja auch nur eine halbe Sache, keine echte, brutale Haft (allerdings auch keine „Jugendherberge", wie mein Vater meinte). Und was sollte diese mehr oder weniger klar ausgesprochene Hoffnung auf einen allgemeinen Aufstand? Würden alle total verweigern, wäre ich ja nichts Besonderes mehr und würde ich mich gar nicht mehr interessant machen können, weil die Totalverweigerung normal geworden ist. War also Geltungssucht der hauptsächliche Antrieb zu meiner Tat? Galt das nicht auch für viele andere aus diesem Totalverweigerer-Grüppchen von Hyperindividualisten? Oder hat mich einfach nur Abenteuerlust getrieben? Oder die Abscheu vor der Dürftigkeit eines durchschnittlichen Lebens?

Ich hatte mir damals ein paar Notizen gemacht zu dem Stierkämpfer Michael von der Goltz, der in den 1980er-Jahren mehrmals in den Medien war, in Zeitschriften und in Talkshows wie Thomas Gottschalks „Na so was!?". Der Spross einer bekannten Adelsfamilie hatte sich 1968 in Mexiko studentischen Rebellen angeschlossen, die mit militanten Mitteln eine Landreform hatten durchsetzen wollen. Seine Geschichte: Eines Tages wurde er in der Ortschaft Cuernavaca von einem Suchkommando geschnappt und vor ein Erschießungskommando gestellt. Da habe er gedacht, dass er nun sterben müsse, ehe er seinen Kindheitstraum – nämlich Stierkämpfer zu werden – sich hat erfüllen können. Dass er doch ein Matador hat werden können, war dann nicht nur dem glücklichen Umstand zu verdanken, dass sich das Todesurteil noch rechtzeitig als ein Irrtum herausgestellt hatte, sondern wohl auch einer Erkenntnis. Wenn ich mich richtig erinnere, sprach er von einer Art innerer Reinigung: Bei der Rebellion in Mexiko habe ihn nicht zuletzt seine Abenteuerlust angetrieben und eben nicht nur eine politische Überzeugung. Eine politische Entscheidung und Aktion könne aber nur dann richtig sein, wenn sie sich nicht mit anderen, rein persönlichen Antrieben vermische. Also müsse er erst sein „unsauberes" Begehren befriedigen, erst danach könne er zu einem „sauberen" politischen Engagement finden. Der Gedanke imponierte mir.

Weitere Proteste, Fragen und Grüße

Während sich in der großen Politik Großes tat – Michail Gorbatschow trieb in der Sowjetunion „Glasnost" (mehr Rede-, Meinungs- und Pressefreiheit im Lande) und „Perestroika" (Umstrukturierung) voran –, herrschte auch in meinem kleinen Polit-Kosmos ein reges Treiben, es gab auf allen möglichen Ebenen Unterstützer-Aktionen. Die Grünen im Europaparlament appellierten an den bayerischen Justizminister und das Bundesamt für Zivildienst, die Selbstorganisation der Zivildienstleistenden organisierte eine Unterschriftenaktion, niederländische Aktivisten und deutsche Juraprofessoren intervenierten bei Amnesty International, die Evangelische Kirche Bayern tat kund, ein Gnadengesuch einreichen zu wollen – allerdings erst nach Ablauf von fünf Monaten Haft (weil zuerst einmal einem Minimal-Strafbedürfnis des Staates Genüge getan worden sein muss?). Heinrich Grißhammer, HaGe und viele weitere Unterstützer – auch aus dem Ausland, z. B. José Luis García Ortega aus Almería – produzierten anhaltend fleißig Protestbriefe, nun adressiert an den Leiter der JVA Dieburg.

Aus ganz Westdeutschland meldeten sich Unterstützer, die ihre Anerkennung für den radikalen Antimilitarismus der Totalverweigerer aussprachen, manche rafften sich sogar zu Spenden auf. Nette Aufmunterungen kamen auch von „Drüben". Zum Beispiel von Gerold aus Ostberlin: „Verliere nicht ganz den Humor und spare deine Wut für morgen." Der 17-jährige Bert, der meine Adresse an einer Hängetafel bei einer Ostberliner Kirche gefunden hatte, schrieb aufmunternde Worte. Hier im Osten habe man ohne eine Armeekarriere keine Chance auf ein Studium oder einen ordentlichen Beruf, und außerdem werde man ständig indoktriniert: „Jeden Tag hörst und siehst du, wie böse doch die Kapitalisten sind und wie sie uns bedrohen." Natürlich meldete sich auch mein persönlicher Friedensvertrags-Partner Herbert Mißlitz aus Prenzlauer Berg. Über Gernot ließ er anfragen, was er und seine Solidarität eventuell für mich tun könnten. Recht putzig kamen die Grüße eines Sympathisanten aus Nicaragua daher: „Nicaraguas und deine Hoffnung für eine friedliche Zukunft sind mit ähnlichen Opfern gepflastert."

Aus der Sache mit der individuellen Abrüstung, aus den Friedensverträgen zwischen den West- und den Ost-Totalverweigerern hätten wir unbedingt mehr machen müssen, ging mir durch den Kopf, als die Medien am 9. Februar breit von einem geplanten Agentenaustausch auf der Verbindung von Potsdam nach Westberlin, der berühmten Glienicker Brücke, berichteten. Man hätte einen Totalverweigerer-Austausch zwischen Ost und West inszenieren müssen, erträumte ich mir, das hätte Potenzial gehabt! (Anmerkung: Der Tausch am 11. Februar – vier westliche gegen fünf östliche Agenten – war der letzte des Kalten Krieges.)

Bliebe noch zu erwähnen, dass sich ein nicht unerheblicher Teil der Briefe um ganz profane Fragen drehte. Viele, die mit einer Totalverweigerung liebäugelten, wollten konkrete Infos aus dem Knastleben, um sich darauf vorbereiten zu können bzw. um über die Konsequenzen eines solchen Schrittes Klarheit zu erhalten: Wie sind die anderen Gefangenen so drauf? Wie stellen sich diese zum „Delikt" Totalverweigerung? Kann man Solidarität von den Mithäftlingen erwarten? Oder lehnen die Totalverweigerer total ab? Wie kann man mit der Isolation klarkommen? Wie hält man Kontakt zur Außenwelt? Werden Totalverweigerer anders behandelt als andere Kriminelle? Kann man sich im Knast Bücher ausleihen, und wenn ja, welche?

Ebenfalls zahlreich waren die eher unpolitischen Solidaritätsbekundungen aus meinem engeren Freundeskreis. Kneipenkumpels schickten mir virtuelle Hefeweizen („wir haben für dich heute gleich zwei extra geordert, du bist sicher durstig"). Roland bezweifelte mein brieflich geäußertes Gefühl, dass ich mich durch die Knasterfahrung eventuell ändern könne. „Du machst Erfahrungen, baust Ängste ab, wirst verständnisvoller und toleranter, aber änderst du dich dadurch? Vielleicht ist es gar nicht schlecht, immer wieder in seine Fehler zu verfallen, denn dann lernt man sie und sich wenigstens gründlich kennen." Meine Mutter wehrte sich brieflich gegen die von mir vorgebrachte Kritik, dass in ihrem Gram auch ein gutes Stück Selbstmitleid mitschwinge. Darunter in krakeliger Ärzteschrift ein Satz meines Vaters. Es war sein erster seit meiner Inhaftierung und er war von entwaffnender Sachlichkeit: „Falls du in Frankfurt studierst, eröffne dort ein Konto, ich werde dann Geld dorthin überweisen. Herzliche Grüße, Dein Vater."

Und dann war da noch – mitten im Winter und in den Knast – ein Reisebericht aus sonnigen Gefilden! Musste das sein? Franz-Ferdinand berichtete ausführlich von seinem Südostasien-Trip durch Thailand und die Philippinen. Für mich eine schwer erträgliche Kost, die extrem

Achtsam waschen und spülen nach Anleitung von „fischer alternativ" und dann auf der Fernreise eine Selbstgedrehte genießen: Das war in den 1980er-Jahren nicht zwingend ein Widerspruch.

schmerzhaft die Sehnsucht kitzelte: Bambusmattenbungalows am Chaweng-Beach auf Koh Samui! Unberührte Strände auf Koh Chang! Ein irdisches Paradies auf Koh Lipe! Traumhafte Szenerien auf Palawan und Boracay: „In Boracay gab es Hütten für ein paar Mark direkt am Strand, nirgends ein Auto. Abends haben wir Disco gemacht mit den Cassetten, die jeder dabei hatte ... störend allein, dass es nachts beim Sex mit Musik in der Hütte manchmal Unterbrechungen gab durch Bandsalat, wenn sich das reisegestresste Magnetband in die Mechanik des Abspielgerätes eingewickelt hatte ...".

(Anmerkung: Die 1980er-Jahre waren die Zeit, zu der Fernreisen groß in Mode kamen, trotz hoher Flugpreise auch im alternativen Milieu. Flugscham war noch kein relevantes Thema, man versuchte lieber zu sparen – der Geheimtipp hieß: per Interflug ab Ostberlin –, Erkundungs- und Abenteuerlust galten noch weitgehend als unschuldig, sodass manche semiprofessionellen Globetrotter ungeniert CO_2-Fußabdrücke in Badewannengröße hinterließen. Den Vorwurf der Nachgeborenen, dass sie Rekorde im Ressourcenverbrauch aufstellte, muss sich die Generation der westdeutschen Boomer zweifellos gefallen lassen. Gleichzeitig ist festzustellen, dass Teile dieser Generation erstmals den Öko-Gedanken in Politik und Alltag zur Geltung gebracht haben: Das ab 1981 in der Reihe „fischer alternativ" erschienene „Handbuch für den öko-bewussten Verbraucher" z. B. erreichte mehrere Auflagen. Es war ein Widerspruch, erst zuhause in der WG die Nutzung umweltfreundlicher Wasch-, Putz- und Spülmittel zu diskutieren, um dann einige Tage später mit der Selbstgedrehten in der Hand zur Fernreise aufzubrechen – aber die meisten Alternativen schienen mit dem Spagat zwischen kritischem Bewusstsein einerseits und egozentrischer Schönlebe andererseits ganz gut klarzukommen.)

Totalverweigerer vor Gericht
(1982 bis 1985)

Ein Berufs-Totalverweigerer
Mit dem Tag der Entscheidung war ich ab Mai 1982 in gewisser Weise ein Berufs-Totalverweigerer geworden. Ich stürzte mich in Arbeit und Aktivitäten. Viel Zeit kostete der weitgehend in Eigenregie betriebene Vertrieb der Broschüre. Da waren Anzeigen zu schalten und Besprechungen in den einschlägigen Publikationen anzuleiern. Nicht alle fielen so aus, wie ich mir das erhofft hatte. In einer hieß es sinngemäß: „Der Verfasser verrät nicht viel darüber, wie er sein Ziel, die Abschaffung der Wehrpflicht, erreichen will. Er hofft auf eine Art allgemeinen guten Willen." Vermutlich schnaubte ich bei der Lektüre dieses Satzes und dachte mir: Wenn niemand einen guten Willen hat, können wir gleich einpacken.

Meine alten KDV-Kontakte zur DFG/VK aufgreifend, verfasste ich ein Info-Flugblatt zur Totalverweigerung. Es war kaum gedruckt, da kam schon eine Mahnung von der Landesspitze der Vereinigung: Das Flugblatt sei „zu 2/3" ein Aufruf zur Totalverweigerung, es dürfe so nicht unter die Leute! „Lasst euch nicht zum Krieg zwingen, handelt selbstbestimmt in Verantwortung für alle!" hatte ich geschrieben. Und dann: „Verweigert jeden Zwangsdienst! Überfüllt die Gefängnisse!" Okay, da gab es keine Zweideutigkeiten. Das Flugblatt war Makulatur und damit ebenso der Plan, es großflächig zu verteilen, zum Beispiel in Bonn.

Die Befürchtung der Veranstalter, dass die zum 10. Juni angesetzte Großdemo kleiner ausfallen könnte als im Jahr zuvor – da hatte man 3.000 Busse und 41 Sonderzüge gezählt, jetzt waren es vermutlich sogar noch mehr – bewahrheitete sich nicht: Mindestens 400.000 sollen es gewesen sein – wieder ein neuer Demonstrations-Rekord für Deutschland. Der Songtitel der Bots war nun das Motto: „Aufstehn! Für den Frieden." Dass das Ganze diesmal nicht im Hofgarten stattfand, sondern auf den Rheinwiesen, hatte einen speziellen Grund: Die gesamte linksrheinische Bonner Innenstadt war wegen des gleichzeitigen Gipfeltreffens der NATO, an dem auch der US-amerikanische Präsident Ronald Reagan teilnahm, zur Bannmeile erklärt worden. Damit es nicht zu langweilig wurde, hatte der Koordinationsausschuss einige dezentrale Aktionen eingeplant, etwa ein fünfminütiges Massen-Die-In.

Nicht zuletzt durch den Anlass war diesmal die Anti-NATO-Attitüde der Demonstrierenden noch ausgeprägter als im Vorjahr. Das war nicht unumstritten. Was war mit der Hochrüstung der Staaten des Warschauer Paktes? Und wie stand es mit den Freiheiten im Osten? Unter Führung einiger Grüner, allen voran Petra Kelly und der DDR-Dissident Rudolf Bahro, der mit seiner 1977 erschienenen Kritik am real existierenden Sozialismus für Furore gesorgt hatte („Die Alternative"), lehnte ein Teil der Friedensbewegung einen gemeinsamen Aufruf ohne Einbeziehung der Menschenrechtsfrage und klare Solidarität mit den politischen Gefangenen in der DDR und Osteuropa ab. So gab es diesmal also zwei Aufrufe. Jürgen Fuchs, in der DDR als Oppositioneller inhaftiert, dann zwangsausgebürgert und nun in Westberlin ansässig, durfte auf der Hauptkundgebung die Stimme des Ostens geben und hielt ein Plädoyer für eine Verständigung von unten her, über alle ideologischen und militärischen Schützengräben hinweg: „Ganz ohne Zweifel wären auch viele DDR-Bürger nach Bonn gekommen, um gemeinsam mit euch für ein atomwaffenfreies Europa und eine Welt ohne nukleare Zerstörung zu demonstrieren. Aber ihr kennt ja die real existierenden Verhältnisse und die Beschaffenheit des militärischen Sperrgebietes, das sich ‚Staatsgrenze' nennt. Vielleicht finden bald von unten organisierte Friedensdemonstrationen wie diese in Leipzig oder Dresden statt. Dann beantragt rechtzeitig die Einreise und seid dabei..."

Während des Musikprogramms stieg auch ein Mann mit Filzhut auf die Bühne: Der Künstler Joseph Beuys, Gründungsmitglied der Grünen und berühmt für provokative Kunst, ergriff das Mikrofon. Begleitet von der Band BAP – Gitarrist Klaus Heuser hatte das Lied komponiert – sang er: „Wir wollen Sonne statt Reagan / Ohne Rüstung leben / Ob West, ob Ost / Auf Raketen muss Rost". Wolfgang Niedecken, Frontmann der Kölschrocker, ließ sich vom Anlass zu dem Stück „10. Juni" inspirieren. Erste Zeile: „Plant mich bloß nit bei üch en" (Plant mich bloß nicht bei euch ein). Das Lied avancierte zu *dem* Protestsong dieser Jahre. Es war dem Publikum aus dem Herzen gesprochen: Wir wollen nichts mit der perversen Logik des Wettrüstens zu tun haben, wir wollen, dass das aufhört. Das ungezügelte Wettrüsten, so Niedecken vierzig Jahre später, „hatte uns solche Angst gemacht, dass wir einfach protestieren wollten.

Man wusste nicht genau, wie – aber es sollte aufhören." Dass es aufhören sollte, meinten übrigens auch die Menschen in den USA. Zwei Tage später fand in New York parallel zur Sondersitzung der Vereinten Nationen zur Abrüstung die bis dahin größte Friedenskundgebung in der Geschichte der USA statt: Etwa eine Million Menschen nahmen teil an dieser „Nuclear Weapons Freeze Campaign".

Ganz im Sinne von Niedeckens Song hatten Aktionsformen einer vorsorglichen Verweigerung Hochkonjunktur. Ehemalige Zivildienstleistende forderten auf vorgedruckten Briefen ihre Entlassung aus der Zivildienst-Überwachung: „Ich habe nicht die Absicht, mich als KDVer für einen Krieg einplanen zu lassen und daran direkt oder indirekt teilzunehmen. Deshalb: Streichen Sie meine Personalkennziffer aus ihren Karteien!" Reservisten der Bundeswehr organisierten sich und erklärten gruppenweise: „Für einen dritten Weltkrieg und seine Vorbereitung stehe ich nicht zur Verfügung!" Allein in Nürnberg beteiligten sich 130 Reservisten an einer Rückgabe-Aktion. Erfreut stellte ich fest, dass im ganzen Land Wehrpassverbrennungen groß in Mode kamen. Auf dem Stoltzeplätzchen in Frankfurt verbrannten bei einer in der Presse als „Demonstration von Totalverweigerern" bezeichneten Aktion 86 Bundeswehr-Reservisten ihre Wehrpässe, etliche taten dasselbe auf dem Hugenottenplatz in Erlangen. Andere bekannten sich auf Vordrucken zur Rüstungssteuerverweigerung. Da das alles ganz auf der Argumentationslinie der Totalverweigerer lag, war ich überzeugt, dass sich hier mühelos Anschlüsse herstellen lassen müssten. Von Bonn allerdings war ich ziemlich enttäuscht: Kilometerweit laufen vom Busparkplatz, dann nicht wissen, wohin, überall Party – es erinnerte alles mehr an Popfestivals denn an eine politische Veranstaltung.

Wieder zu Hause sonnte ich mich vorübergehend in dem Gefühl, dass ich mit meiner Broschüre wirklich ein bisschen was bewirken könnte. Denn immerhin: Hunderte von Interessenten und potenziellen Totalverweigerern und Dutzende von Organisationen und Gruppen bestellten sie. Bereits im August waren nur noch 200 Exemplare übrig. Es fühlte sich an wie ein Erfolg. Aber im Vergleich zu den Verkaufszahlen professioneller Bücher war das natürlich lächerlich. Während ich mit meinem Ein-Mann-Broschürenvertrieb beschäftigt war, katapultierte sich ein Buch auf den Platz 1 der Bestsellerliste in der Bundesrepublik, das zuvor schon in den USA ein Verkaufsschlager gewesen war: Jonathan Schells „Das Schicksal der Erde. Gefahr und Folgen eines Atomkrieges." Die zentrale Aussage dieser „Bibel der Friedensbewegung" lautete: „Nachdem die Abschreckung uns den Vorwand zum Bau der (atomaren) Maschine geliefert hat, kettet sie uns jetzt an sie und bietet uns bestenfalls, wenn wir Glück haben, noch eine Gnadenfrist auf Erden, bevor es zum unvermeidlichen menschlichen oder mechanischen Versagen kommt, das uns die Vernichtung bringt." Der Autor habe auch eine Ahnung, so Franz Alt in seiner Besprechung der deutschen Ausgabe Anfang Juli, wie die Ereignisse beginnen könnten: „In den letzten drei Jahren wurden die US-Atomstreitkräfte dreimal in Alarmzustand versetzt: zweimal, weil ein Chip im computergesteuerten Warnsystem nicht funktionierte, und einmal, weil das Testband, das einen Raketenangriff simulierte, unbemerkt in das System geraten war." Es gebe also nur eine Alternative, meinte Schell: Frieden oder Vernichtung. Und was braucht man, um Frieden machen zu können? Den guten Willen aller Beteiligten, belehrte ich in einem inneren Dialog die Kritiker meiner Broschüre.

Meine Versuche, Prominente für die Sache der Totalverweigerung zu begeistern, brachten wenig befriedigende Ergebnisse. Immerhin drei antworteten. „Junge Menschen sollten an der politischen Willensbildung der Parteien mitwirken, statt durch spektakuläre Aktionen die breite Flut der öffentlichen Meinung auf die Mühlen der Reaktion zu leiten", meinte der evangelische Landesbischof Hanselmann aus München, den ich auf Anraten meiner Mutter mal angeschrieben hatte. „Ich meine, dass Menschen wie Sie zu schade sind, sich in einem ‚Partisanenkrieg' mit den augenblicklichen Institutionen dieses Staates zu verschleißen, vielleicht nur deshalb, um mit reinem Gewissen in den Untergang unserer Epoche zu gehen." Der SPD-Friedensaktivist Erhard Eppler konstatierte, dass meine Schrift „Unwiderlegliches" enthalte, doch: „Was Sie als ZDL im Ernstfall tun müssten, ist nichts anderes, als was jeder andere Zivilist auch tun müsste." Da hatte er recht. Aber war das ein Gegenargument? Prof. Theodor Ebert von der FU Berlin, eine Art „Doyen" der Sozialen Verteidigung, sah in der „bloßen" Totalverweigerung nicht den richtigen Weg und plädierte für eine alternative Form des Zivildienstes: „Meines Erachtens sollten die KDVer für einen Zivildienst eintreten, der ihnen die Möglichkeit bietet, sich mit Theorie und Praxis der gewaltfreien Konfliktaustragung zu befassen." Auch Carl Friedrich von Weizsäcker, den Physiker, Philosophen und Friedensforscher, hatte ich angeschrieben. Aber der Mann, der gerade dabei war, sich im Garten seiner Villa am Starnberger See einen Atomschutzbunker bauen zu lassen, war wohl zu beschäftigt und antwortete nicht.

Als ich das Thema bei einer Veranstaltung der Friedensbewegung einbrachte, kamen viele zögerliche bis abwehrende Reaktionen von Zivildienstleistenden. Einer meinte, dass er zwar vollkommen überzeugt sei von der Sache, er aber seine Beamtenkarriere nicht gefährden wolle. Ein anderer glaubte gar, sich entschuldigen zu müssen, dass ihn eine Totalverweigerung „überfordern und kaputtmachen" würde. Er habe sich daher für andere Formen des Engagements entschieden, er werde sich z. B. an Blockaden wie der in Großengstingen beteiligen. Ab Anfang August 1982 wurde das dortige Sondermunitionslager eine ganze Woche lang von rund 700 Menschen aus dem ganzen Bundesgebiet, aufgeteilt in etwa 60 „Blockade-Einheiten", den sogenannten Bezugsgruppen, rund um die Uhr blockiert. Wie ich späteren Berichten entnehmen konnte, war diese erste mehrtägige Sitzblockade eines Atomwaffenlagers in der Bundesrepublik erstaunlich friedlich abgelaufen. Die aus Gründen der Deeskalation in Alltagsuniform – also ohne Helm, Schild und Schlagwaffen – angetretenen Bereitschaftspolizisten hätten pro Tag zwei bis vier Räumungen durchgeführt: Nach zweifacher vergeblicher Aufforderung, den Weg freiwillig für die Versorgungsfahrzeuge der Bundeswehr freizumachen, seien die Blockierer einzeln weggetragen und kurzzeitig festgenommen worden, um ihre Personalien festzustellen.

Mitstreiter und Gegner

In der zweiten Hälfte des Jahres war ich sehr viel unterwegs. Es handelte sich um eine Art „Revolutionstourismus" zu bundesweiten und regionalen Treffen mit den Gleichgesinnten von der KGW, zu allerlei Veranstaltungen, zu Demonstrationen bei Kasernen und Knästen und vor allem bei Gerichtsprozessen. Wo ich auch hinkam, es gab da immer eine Übernachtungsmöglichkeit in irgendeiner WG von „Kollegen" oder Sympathisanten, und das gab mir das Gefühl: Wir sind ganz schön viele, da bewegt sich wirklich was. (Anmerkung: Wir waren auch ganz schön viele Ferkel, bei solchen „(Männer-)WG-Reisen" durfte man nicht pingelig sein. Da musste man mit allerlei Hygienemängeln rechnen, angefangen von Abwaschbergen in der Küche (kannte ich von mir selbst), versifften Klos und klebrigen Waschbecken etc. bis hin zu – der ultimative GAU! – Sackratten im Bett.) Als irritierend erlebte ich allerdings die ausgeprägte Uneinigkeit und Streitlust, sobald Totalverweigerer unter sich waren. Ich lernte: Wenn eine individual-anarchische Grundhaltung auf hohen moralischen Anspruch trifft, ist es kaum möglich, sich auf eine gemeinsame Linie zu einigen. Diese Totalverweigerer zeigten sich als extreme

Individualisten, ich hatte den Eindruck, den meisten war das Zelebrieren ihres eigenen Falls wichtiger als gemeinsame Aktivität.

Auch in Nürnberg gab es viel zu tun. Ich war erstaunt, wie viele potenzielle oder bereits entschiedene Totalverweigerer sich bald beim „KGW Kontakt Nürnberg" meldeten. Einer schrieb, er sei entschlossen, „sich der Willkür der Justiz auszusetzen", und erbat konkrete Hilfe bei der Öffentlichkeitsarbeit für die eigene Totalverweigerung. Ein anderer verkündete, sofort losgelegt zu haben mit der Verweigerung der Musterung. Er sei von der Polizei abgeholt und zwangsgemustert worden – und nun überlege er: Knast oder doch lieber nach Westberlin? Der nächste erklärte, sich auf jeden Fall der Wehrpflicht zu widersetzen, aber noch hin- und herzuschwanken: Total verweigern – mit einem Attest um die Wehrpflicht herumkommen – nach Berlin abhauen – oder ab ins Ausland. Gleich mehrere fragten an, welche Möglichkeiten es gebe, mit einem psychiatrischen Attest aus der Sache rauszukommen und welche Ärzte da taugen würden, ein solches auszustellen. Ein weiterer schickte gleich sein neurologisches Attest, in dem ihm eine „Militärneurose" bescheinigt wurde – das sei doch die bessere Alternative zur Totalverweigerung. Ein Soldat schrieb aus der Kaserne: „Ich finde deinen Mut zu dieser Tat einfach gut. Es wird Zeit, es den selbstherrlichen Schweinen zu zeigen, dass sie nicht alles mit uns machen können. Eigentlich stinkt es ja den meisten in diesem Pseudoknast, der Kaserne. Nur lassen sich diese lieber zusammenscheißen, als aufzumucken." Überall schien es Demos vor Kasernen zu geben, in denen ein nicht anerkannter KDVer oder ein Totalverweigerer im Arrest saß. Schließlich fehlten auch die Sympathisanten nicht, die sich anboten, Inhaftierte zu unterstützen oder beim Flugblatt-Verteilen zu helfen.

Im Sommer fand ich endlich auch vor Ort in Nürnberg Gesinnungsgenossen. Einige hatte ich über die KGW kontaktiert, andere hatten meine Anzeige im „Plärrer" gelesen, mit der ich für einen „Totalverweigerer-Treff" in dem von einem Kollektiv betriebenen Kneipen-Café Balazzo Brozzi geworben hatte. Zum vereinbarten Treff erschienen nicht nur Sympathisanten, sondern auch echte Totalverweigerer, fünf an der Zahl: Tom, Ossi, Jürgen, Herbert und Robert. Begeistert vereinbarten wir, das Treffen ab sofort jeden 1. Mittwoch im Monat zu wiederholen.

Robert hatte Widerspruch gegen den Musterungsbescheid eingelegt und fragte nach Beratung. Herbert, ein in dritter Instanz abgelehnter KDVer, stand unmittelbar vor seiner Einberufung zur Bundeswehr. Jürgen, von manchen wegen seiner Eigenschaft als eine Art professioneller Trainer in Gewaltfreiheit auch als „Gandhi" bezeichnet, war nach dem Abbruch des Zivildienstes zu einer niedrigen Strafe auf Bewährung verurteilt und dann nicht mehr weiter verfolgt worden. Ossi und Tom, beide Zivildienst-Abbrecher, steckten mitten drin in ihren Strafverfahren, die sich sehr verwirrend entwickelt hatten. Beide waren bereits rechtskräftig verurteilt, wurden aber wegen ihrer Tat weiterhin strafrechtlich verfolgt. Dass das im Fall von anerkannten KDVern möglich war, hatte ich mir bis dahin noch gar nicht so richtig klargemacht. Aber es gab da Hoffnung: Ossi und Tom waren im zweiten Verfahren freigesprochen worden, die Richter hatten sich dabei auf das vom Grundgesetz garantierte Verbot der Doppelbestrafung berufen. Ein Nürnberger Oberstaatsanwalt namens Ludwig Prandl betrieb die Sache allerdings weiter, denn er war der Meinung, dass die Dienstpflicht mit einer Verurteilung nicht endet und die Weigerung, die Restzeit nachzudienen, erneut bestraft werden müsse.

Ich war entsetzt: Wenn der damit durchkäme, ginge es ja nicht mehr um Strafe, sondern um Beugehaft, um ein Immer-wieder-Bestrafen, bis wir uns endlich dem Dienstzwang unterwerfen! Und so schrieb ich dem Oberstaatsanwalt Prandl, der ja auch für mich zuständig sein würde, einen Brief, legte dem meine Broschüre bei und bat um ein Gespräch in der Hoffnung auf eine „fruchtbare Auseinandersetzung" zu „Streitfragen". Dazu ermutigt hatte mich nicht zuletzt, dass dieser Prandl, wie ich herausgefunden hatte, vor einigen Jahren mit Mordanklagen gegen verbrecherische Nazirichter einen ausgeprägten Gerechtigkeitssinn an den Tag gelegt hatte.

Unser Hauptaugenmerk galt aber zunächst der Unterstützung Herberts. Wir produzierten ein Flugblatt mit dem Titel „Wir müssen dem System zeigen, wo es lang geht – nicht das System uns!", organisierten ein rundes Dutzend weiterer Leute und vier Autos – ich lieh mir unter einem Vorwand den Volvo meines Vaters – und fuhren nach Hemau bei Regensburg, um Herbert vor der dortigen Kaserne zünftig zu verabschieden. Kaum hatten wir ein paar Flugblätter an die ankommenden Rekruten verteilt, kaum war der mit großem Helau und Sprüchen am Tor verabschiedete Herbert auf dem Gelände verschwunden, da war auch schon die Polizei heran und verscheuchte uns. Wir flüchteten einige hundert Meter weiter auf die Wiese und setzten die Demonstration am Zaun fort. Von dort konnten wir im Hintergrund eine scherenschnittartige Szene wahrnehmen. An der Einmündung der Straße zu der etwa einhundert Meter langen Zufahrt zum Kasernentor stoppte ein Mercedes, drei Personen stiegen aus, ganz offensichtlich Vater, Mutter und Sohn.

Es gab mehrmals innige Umarmungen, dann stolperte der etwas füllige und sichtlich nicht besonders sportliche Sohn mit schwerem Gepäck in Richtung Kaserne. Auf halbem Weg ließ er abrupt den Koffer stehen und rannte wieder zurück. Noch einmal innigste Umarmungen, dann stakste der Sohnemann mit geknicktem Kopf wieder zum Koffer und weiter zum Tor. Kurz vor dem Eintreten noch einmal ein Winken, Vater und Mutter – diese nun mit einem Taschentuch in der Hand – winkten zurück. Endlich fuhr der Mercedes von dannen. Wir Demonstranten hatten die ganze Zeit über die Szene staunend und mit angehaltenem Atem verfolgt. „Das war ja zum Heulen", bemerkte ich, „ich glaube nicht, dass der Junge viel Spaß haben wird da drin." „Jo", kommentierte einer, „die werden das Muttersöhnchen so richtig einmachen".

Inzwischen war auf der anderen Seite des Zauns ein Offizier herangekommen und begann eine Diskussion. Er gab sich überzeugt, dass den Zivildienst vor allem Leute machen würden, die sich vor dem Wehrdienst drücken wollten. Wehrdienst sei zwingend nötig und eine Pflicht, damit die Abschreckung „des Russen" gelinge. „Und wenn sich herausstellt, dass das nicht funktioniert?", wollten wir wissen. Wenn ein Krieg ausbräche, würde er desertieren, antwortete der Offizier. „Wie bitte?", fragte ich ungläubig. Ein Krieg mache im Atomwaffenzeitalter keinen Sinn, begründete der Offizier. Jetzt wollte ich es genau wissen. Wir waren gerade dabei, ein Treffen zur weiteren Diskussion zu vereinbaren, da näherten sich erneut Polizisten. Wir rannten zu den Autos und verdünnisierten uns.

Ein paar Tage später berichtete Herbert brieflich aus der Arrestzelle. Seine Haftbedingungen: Eine etwa zehn Quadratmeter große Arrestzelle, ausgestattet mit Stuhl, Tisch, WC und Pritsche; die Pritsche soll tagsüber hochgeklappt sein; hoch gelegene vergitterte Milchglasfenster verhindern den Blick nach draußen. Erstaunlich vergnügt berichtete er, dass er seine Inhaftierung als Bildungs- und Kuraufenthalt betrachte und die Zeit zum Lesen und Schreiben genieße. Seinen Bewachern stinke der Bund auch, das Verhältnis zu den Soldaten gestalte sich erstaunlich freundschaftlich. Nach einer Woche durfte er abends kurz raus auf die Stube, als er am nächsten Morgen den Befehl erneut verweigerte, folgte der nächste Arrest. Das würde noch eine Weile so weitergehen, war uns klar, uns blieb nur, Herbert fleißig weiter zu schreiben. Und der war froh drüber: „Der wichtigste Faktor, um den Knast zu überstehen, ist die Solidarität von draußen. Jeder Brief bestätigt dich, gibt dir Mut zum Träumen und somit Kraft zum Kämpfen."

EINWURF

Organisierter Widerstand gegen sämtliche Kriegsdienste

Vor allem nach dem Ersten Weltkrieg wurden zahlreiche Manifeste gegen den Krieg und Kriegsdienste initiiert. Zu den bekanntesten zählt das 1925 unter dem Dach der Internationale der Kriegsdienstgegner (WRI) entworfene und von vielen Prominenten – u. a. von Mahatma Gandhi, Albert Einstein, Martin Buber, Bertrand Russell und Romain Rolland – unterzeichnete „Internationale Manifest gegen die Wehrpflicht". Darin heißt es: „Wir glauben, dass auf der Wehrpflicht aufgebaute Heere mit ihrem großen Stab von Berufsoffizieren eine schwere Bedrohung des Friedens darstellen. Zwangsdienst bedeutet Entwürdigung der freien menschlichen Persönlichkeit. Das Kasernenleben, der militärische Drill, der blinde Gehorsam gegenüber noch so ungerechten und sinnlosen Befehlen, das ganze System der Ausbildung zum Töten untergraben die Achtung vor der Persönlichkeit, der Demokratie und dem menschlichen Tun. Menschen dazu zu zwingen, ihr Leben aufzugeben, oder sie gegen ihren Willen, gegen ihre Überzeugung und gegen ihren Sinn für Gerechtigkeit zum Töten zu zwingen, stellt eine Erniedrigung der menschlichen Würde dar. Ein Staat, der sich für berechtigt hält, seine Bürger zum Kriegsdienst zu zwingen, wird auch in Friedenszeiten die gebührende Achtung und Rücksicht auf das Wohl und Wehe des Einzelnen vermissen lassen. Mehr noch: Die Wehrpflicht pflanzt der ganzen männlichen Bevölkerung einen militaristischen Geist von Aggressivität ein, und das in einem Alter, in dem sie solchen Einflüssen am ehesten erliegt. So kommt es, dass durch die Ausbildung für den Krieg schließlich der Krieg als unvermeidlich, ja als erstrebenswert angesehen wird."

Bereits 1924 hatte die WRI auch eine Resolution verabschiedet, in der gemahnt wurde, „dass in Zeiten des Krieges der Ersatzdienst abgelehnt werden sollte, denn ein jeder solcher Dienst wird zum Teil der Kriegsorganisation". Nach dem Zweiten Weltkrieg wurde dieser Gedanke von dem Philosophen Nikolaus Koch aufgegriffen, der den Ersatzdienst im Jahr 1958 als „surrogathaft" bezeichnete. Der Jungdemokrat Peter Rath, Mitarbeiter und Mitstreiter Kochs, war Anfang der 1970er-Jahre vermutlich der Erste, der den Zivildienst aus dezidiert politischen Gründen verweigerte. Die Totalverweigerungs-Bewegung erhielt eine breitere Basis, als Dieter Schöffmann und Siegfried Rupnow, die aus dem Spektrum der gewaltfreien Graswurzelbewegung kamen, eine von der WRI unterstützte internationale, vor allem von Frankreich und Spanien ausgehende Widerstandskampagne gegen die Zwangsverpflichtung von Menschen zum Wehr- oder Ersatzdienst („International Collective Resistance" / ICR) in der BRD vorantrieben.

Bei einem internationalen Kampagnentreffen Ende 1975 in Freiburg beschlossen einige deutsche Teilnehmer, eine eigene Gruppe zu gründen, und luden zu einem Treffen im März 1976 ein. Dabei wurde die (später sogenannte) Gruppe „Kollektiver gewaltfreier Widerstand gegen Militarismus" (KGW) als loser Zusammenschluss gegründet, die in der Folge Vernetzungsarbeit unter Totalverweigerern organisierte, regelmäßige bundesweite Treffen veranstaltete und den KGW-Rundbrief als Vorläufer der Zeitschrift „Ohne uns" herausgab. Im Anschluss an Demonstrationen gegen das Urteil des Bundesverfassungsgerichts, das die Aufhebung des KDV-Prüfungsverfahrens wieder zurückgenommen hatte, trafen sich Mitglieder der KGW zu einem Bundestreffen in Köln und verabschiedeten am 1. Mai 1978 eine „Plattform". Darin heißt es u. a.: „Wir sind freie Menschen, verpflichtet, ohne eine Begrenzung für eine menschenwürdige und friedliche Gesellschaft zu kämpfen. Wir wollen Friedensarbeit leisten und verstehen darunter den Abbau von Gewalt- und Herrschaftsstrukturen, in denen wir Kriegsursachen sehen und den Aufbau einer Gesellschaft, die selbstbestimmtes Leben und Arbeiten ermöglicht. Das heißt für uns Kampf gegen die Wehrpflicht (Bundeswehr, Ersatzdienst), gegen Aufrüstung, Rüstungsproduktion und Rüstungsexporte, sowie den Aufbau von Alternativen, die jetzt schon das vorwegnehmen, was einmal für alle erzielt werden soll. Das betrifft sowohl soziale Verhaltensweisen im persönlichen Bereich, als auch den Aufbau alternativer Institutionen im gesellschaftlichen Bereich. In der Sozialen Verteidigung (gewaltfreie, nichtmilitärische Verteidigung) sehen wir die einzig mögliche Verteidigung, die das, was sie verteidigen will, auch erhält. Soziale Verteidigung kann überall da funktionieren, wo gesellschaftliche Veränderungen mit gewaltfreien Mitteln und Methoden erkämpft worden sind." Das entsprach in allen wesentlichen Punkten der Grundsatzerklärung der „Graswurzel-Förderation gewaltfreier Aktionsgruppen" (FöGA), die sich u. a. mit Kampagnen wie den friedlichen Blockaden der Stationierungsorte von Atomraketen für Abrüstung und gesellschaftliche Veränderungen einsetzte. Am 29. März 1981 schloss sich die KGW der FöGA an.

Der Brief des Oberstaatsanwalts Prandl an mich hingegen fiel ernüchternd aus. „Ihren Brief mit der anliegenden ‚Dokumentation' habe ich erhalten", lautete seine Antwort. „Ich bin der Meinung, dass Sie die dafür aufgewandte Zeit besser für Ihr berufliches Vorwärtskommen genützt hätten. Das Bundesamt für den Zivildienst wird im Übrigen in den nächsten Tagen die von Ihnen schon erwartete Anzeige wegen Dienstflucht erstatten. Dass der Tatbestand vorliegt, wissen Sie selbst – da hilft auch keine ‚fruchtbare Auseinandersetzung' zu ‚Streitfragen'." Vielleicht hätte ich meine Recherchen noch intensiver betreiben sollen. Denn später werde ich feststellen, dass dieser Prandl, Träger der Medaille des II. Korps der Bundeswehr und Vorsitzender der Kameradschaft der Ehrennadelträger des Nürnberger Transportbataillons 270, immer wieder auch in der Öffentlichkeit „engagiert für den Gedanken der Landesverteidigung" einzutreten pflegte. Was war da also zu erwarten?

Während Herbert noch im Arrest saß, stand im Nürnberger Gerichtsgebäude die nächste Verhandlung gegen Tom an. Da ging es nun, ob wir das wollten oder nicht, vor allem um den Begriff des Gewissens, und – was uns ebenso wenig passte – um einen Vergleich mit den Zeugen Jehovas. Wir fragten uns: Was waren da eigentlich die Hintergründe?

Ein Oberstaatsanwalt sieht doppelt

Allein im Gefängnis in Nürnberg verbüßten im September 1967 drei Zeugen Jehovas eine Haftstrafe, weil sie den damals sogenannten Wehr-Ersatzdienst verweigert hatten, der nach der staatsskeptischen Lehre ihrer Sekte als Sünde gilt. Alle drei waren nicht nur einmal, sondern zweimal verurteilt worden, in der gesamten Bundesrepublik waren bis zu diesem Zeitpunkt 153 Zeugen Jehovas Opfer einer solchen Doppelbestrafung geworden, zwei hatten sogar eine dritte Strafe erhalten, weitere Verfahren liefen. Die Gerichte argumentierten: Die Dienstflucht eines Doppelverweigerers (von Wehr- und Zivildienst) sei eine „Dauerstraftat", bei der spätestens mit der Rechtskraft der ersten Verurteilung eine neue Tat beginne, die dann wiederum bestraft werden müsse. Das Verbot einer mehrfachen Bestrafung nach Art. 103 Abs. 3 GG greife hier also nicht.

Es war eine ungeheuerliche Strafpraxis, aber nur wenige Juristen fanden das bis dahin empörend. Einer von denen, der Münchner Rechtsprofessor Willi Geiger, gab zu bedenken, dass der freiheitliche Rechtsstaat niemals von Rechts wegen gegen seine Bürger den Zwang ausüben dürfe, „gegen ihr Gewissen handeln zu müssen". Und der Berliner Rechtsanwalt Dr. Adolf Arndt sprach von dem „Widerspruch", dass die Auschwitz-Mörder wegen der Unterdrückung ihres Gewissens strafrechtlich zur Verantwortung gezogen werden, während gleichzeitig Ersatzdienstverweigerer, die ihrem Gewissen folgen, ins Gefängnis gesperrt werden, „und zwar unbegrenzt und immer wieder, um ihr Gewissen zu brechen, und darauf zu pochen, Gesetz sei Gesetz und das Gesetz komme vor dem Gewissen". Man müsse also ernst machen, so Arndt, mit der grundgesetzlich garantierten Gewissensfreiheit: „Entweder ist es die Grundwahrheit, dass der Mensch ein Gewissen hat (auch wenn er irrtumsanfällig ist) oder das Gewissen ist nach Hitlers Behauptung nichts als eine ‚jüdische Erfindung'."

Einige Rechtsanwälte der doppelt und dreifach Verfolgten taten sich in diesem Jahr 1967 zusammen und riefen das Bundesverfassungsgericht an. Am 7. März 1968 entschied dessen zweiter Senat: „Dieselbe Tat im Sinne von Art. 103 Abs. 3 GG liegt auch vor, wenn die wiederholte Nichtbefolgung einer Einberufung zum zivilen Ersatzdienst auf die ein für alle Mal getroffene und fortwirkende Gewissensentscheidung des Täters zurückgeht (…) Hinzu kommt, dass dieses durch eine ein für alle Mal getroffene Gewissensentscheidung determinierte äußere Verhalten (…) dem Anspruch des Staates begegnet, der mit dem ersten und allen folgenden Einberufungsbescheiden vom anerkannten Kriegsdienstverweigerer immer nur dasselbe verlangt, nämlich die einmalige Leistung von 18 Monaten zivilem Ersatzdienst."

Schließlich wurde 1969 unter dem damaligen Bundesjustizminister und späteren Bundespräsidenten Gustav Heinemann mit dem sog. freien Arbeitsverhältnis nach § 15a Zivildienstgesetz eine entkriminalisierende Regelung eingeführt, nach der aus Gewissensgründen an der Ersatzdienstleistung gehinderte staatlich anerkannte Kriegsdienstverweigerer dann nicht zum Dienst herangezogen wurden, wenn sie ein gegenüber dem Ersatzdienst acht Monate längeres Beschäftigungsverhältnis z. B. in einem Krankenhaus eingingen. Für die meisten der Zeugen Jehovas war diese als „Lex Jehova" bekannt gewordene Regelung eine Lösung, aber längst nicht für alle. Immer noch mussten viele in den Knast, nun aber immerhin nur noch einmal verurteilt.

(Anmerkung: Erst im Jahr 1996 erledigte sich das Problem, als die Leitung der Zeugen Jehovas ihre Position in der Zivildienstfrage grundlegend änderte und es ihren Gemeinschaftsmitgliedern freistellte, den Zivildienst zu leisten. Die Möglichkeit des Dienstes in einem „freien Arbeitsverhältnis" nach diesem § 15a wurde unter Totalverweigerern immer wieder mal diskutiert, aber offensichtlich nie in Anspruch genommen, denn erstens setzte er eine Anerkennung als Kriegsdienstverweigerer voraus und zweitens bedeutete ja auch ein Ersatz-Ersatzdienst eine grundsätzliche Anerkennung der Wehrpflicht. Die Forderung nach einer Reform des staatlichen Ersatzdienstes hin zu einem „Friedensdienst" passte grundsätzlich nicht zu einer konsequenten Totalverweigerung. In Totalverweigerer-Kreisen fand lediglich eine völlig freiwillig und unabhängig vom Staat organisierte Friedensarbeit Akzeptanz. Christian Herz etwa praktizierte das, er arbeitete im Aktionsbüro Herbst '83 der Friedensbewegung im Rahmen der Kooperative Friedensarbeit in Selbstverwaltung (KoFiS), deren Motto lautete: „Wir warten nicht mehr auf die Reform des sogenannten staatlichen Zivildienstes. Wir entstaatlichen den sogenannten Zivildienst und leisten Friedensarbeit.")

Die Neuregelung für die Zeugen Jehovas konfrontierte in der Folge die Staatsanwälte und Richter mit der Frage, ob mit anderen Totalverweigerern genau so verfahren werden müsse wie mit den Zeugen Jehovas. In den Fällen von Ossi und Tom gerieten die fränkischen Richter darüber in heftige Verwirrung.

Ossi hatte zwölf Monate Zivildienst in der Erlanger Uni-Klinik geleistet und diesen dann Ende April 1979 abgebrochen. Dem Amtsgericht erklärte er im April 1980 unter anderem, er verdiene als ZDL rund tausend Mark im Monat weniger, als wenn er seinen Beruf – er war ausgebildeter Krankenpfleger – ordentlich ausübe. Dieser eingesparte Betrag aber werde in die Rüstung gesteckt. Als anerkannter Kriegsdienstverweigerer könne ihm niemand zumuten, die Militarisierung auf diese Weise zu unterstützen. Auf die nüchterne Feststellung des Erlanger Amtsrichters Althoff, dass er mit diesem Verhalten das Gesetz missachte, antwortete Ossi ebenso trocken: „Vielleicht ist das Gesetz falsch." Der Richter fand es aber richtig und verdonnerte ihn ungerührt zu vier Monaten Gefängnis mit der Auflage, den Rest des Zivildienstes umgehend abzuleisten. Ossis Berufung wurde vom Landgericht Nürnberg-Fürth zwar verworfen, aber der Richter Helldörfer verfügte zugleich eine Aufhebung der Auflage, den Rest des Zivildienstes abzuleisten. Das war der Auftakt zu einer ganzen Serie von „Nürnberger Prozessen".

Nachdem seine Strafe rechtskräftig geworden war, ging Ossi davon aus, dass die Sache damit erledigt sein musste. Es kam aber anders. Denn der Nürnberger Oberstaatsanwalt Ludwig Prandl leitete ein neuerliches Strafverfahren ein, und zwar ganz ohne äußeren Anlass. Obwohl Ossi vom Bundesamt gar nicht dazu aufgefordert worden war, den Rest seines Zivildienstes abzuleisten – und er also gar keine Möglichkeit gehabt hatte, einen Nachdienbescheid zu verweigern –, sah Prandl durch das bloße Nichterscheinen des Zivildienstpflichtigen bereits eine neue Straftat gegeben: Die Pflicht zur Ableistung des restlichen Zivildienstes bleibe auch ohne förmlichen Einberufungsbefehl bestehen, argumentierte er unter Bezugnahme auf eine entsprechende Entscheidung des Oberverwaltungsgerichts, es handele sich nämlich um eine sogenannte Dauerstraftat. Nun lag die Sache wieder auf dem Tisch des Richters Althoff beim Amtsgericht Erlangen. Der sah die Sache anders und lehnte im Dezember 1980 die Eröffnung eines neuen Hauptverfahrens ab, mit dem Argument, dass der Angeklagte bereits in derselben Sache verurteilt worden sei und eine neuerliche Aburteilung gegen den Grundsatz der Einmaligkeit der Strafverfolgung verstoßen würde.

Alles klar also? Nein. Der Oberstaatsanwalt Prandl, vom Ankläger des Nazi-Unrechts zum fanatischen Totalverweigerer-Jäger mutiert, betrieb vehement die Aufhebung dieses Beschlusses, denn in der Hauptverhandlung werde sich ergeben, dass der Angeschuldigte „keinesfalls" zu dem Täterkreis gehöre, den das Bundesverfassungsgericht in seinem Beschluss von 1968 gemeint habe. Es gelte zu verhindern, dass der Behauptung, ein Gewissenstäter zu sein, „Tür und Tor geöffnet" werde, denn dann wäre Dienstflucht „kaum mehr verfolgbar". Der Oberstaatsanwalt setzte sich auch mit dem Bundesamt für Zivildienst ins Benehmen, um sich mit dessen Rechtsauffassung abzustimmen. Am 12. Juni 1981 erhielt er eine ausführliche Stellungnahme (die wir später unbefugt einsehen konnten). In dem Schreiben wurde erklärt, dass alle Zivildienstabbrecher „mit einer weiteren Einberufung oder einem Nachdienbescheid rechnen" müssten, sofern sie keine gerichtliche Auflage zur Ableistung des restlichen Zivildienstes erhalten hätten. Dazu wurde beklagt, dass viele Gerichte nicht wahrhaben wollten, dass für solche „Gewissenstäter" (sic!) „das Strafurteil eine Auszeichnung sein kann". Ließe man die Verfahren mit auflagenlosen Strafaussetzungen zur Bewährung enden, würde das „schlechte" Auswirkungen haben „auf das Bemühen des Bundesamtes, die Zivildienstverweigerer zur Erfüllung der Dienstpflicht anzuhalten".

Das Landgericht Nürnberg/Fürth freilich blieb störrisch und verwarf im August 1981 Prandls Beschwerde mit der Begründung, dass der Angeklagte wegen eines erneuten Vergehens der Dienstflucht schon allein deshalb nicht verurteilt werden könne, weil seit der Berufungshauptverhandlung im vorangegangenen Strafverfahren kein Bescheid des Bundesamtes für den Zivildienst ergangen sei, „in dem die Verpflichtung des Angeschuldigten zum Nachdienen angeordnet ist". War nun endlich alles geklärt? Nein. Denn – was für ein Zufall! – im September 1981 verschickte das Bundesamt eben diesen vermissten Nachdienbescheid. Ossi ignorierte konsequenterweise auch diesen und so ging es denn in eine neue Runde.

Nun zum Fall von Tom. Dessen Karriere: Abbruch des Zivildienstes beim Roten Kreuz nach sechs Monaten, im Februar 1980 Verurteilung zu sechs Monaten auf Bewährung, erneute Einberufung, erneute Verurteilung zu acht Monaten ohne Bewährung, am 7. Dezember 1981 Einstellung des Verfahrens (ohne mündliche Verhandlung) durch den Richter Helldörfer beim Landgericht Nürnberg-Fürth wegen des Verbotes der Doppelbestrafung. Dessen Argument: „Dass der Angeklagte kein Zeuge Jehovas ist, ist für die rechtliche Qualifikation ohne jede Bedeutung, denn dass die Weigerung tatsächlich auf einer Gewissensentscheidung beruht, ist durch die Anerkennung als Kriegsdienstverweigerer glaubhaft."

Und wie ging es nun weiter? Genau: Der Oberstaatsanwalt Ludwig Prandl trat auf den Plan und legte beim Oberlandesgericht sofortige Beschwerde ein, um eine Wiederaufnahme des Verfahrens zu erreichen. Seine Begründung: *Ausschließlich* bei den Zeugen Jehovas sei es nicht statthaft, „das auf ihre Gewissensentscheidung zurückgehende Dauerverhalten in einzelne, jeweils ‚neue' Handlungen aufzuteilen". Der Angeschuldigte hingegen habe sich keineswegs ein- für allemal gegen den Zivildienst entschieden, er habe ja lange Dienst geleistet: „Offenbar hat ihm sein Einsatz beim Roten Kreuz nicht gepasst." Täter dieser Art, die lediglich dienstunwillig seien, habe das Bundesverfassungsgericht in seinem Beschluss nicht gemeint.

Am 10. Mai 1982 gab das OLG Nürnberg-Fürth Prandls Ansinnen statt. Die Argumentation: Prinzipiell könnten zwar nicht nur Zeugen Jehovas, sondern „auch Angehörige vergleichbarer anderer Sekten, aber auch nichtorganisierte Anhänger religiöser und weltanschaulicher Bekenntnisse", eine einmalige und prinzipielle Gewissensentscheidung gegen den Zivildienst treffen. Typisch in diesen Fällen aber sei, „dass eine solche Einstellung in aller Regel nicht das Ergebnis sachlicher, rationaler Überlegungen, sondern die Folge sektiererischer Glaubensvorstellungen oder logisch nicht nachvollziehbarer, realitätsferner Ansichten ist. (...) Da es sich somit bei den rein gewissensbedingten Zivildienstverweigerungen auch unter den anerkannten Kriegsdienstverweigerungen um Ausnahmefälle handelt, die ihre Ursache in einer zwar häufig idealistischen, jedoch extremen und wirklichkeitsfremden Geisteshaltung haben, beinhaltet die Zugehörigkeit zu einer in dieser Richtung orientierten

Glaubensgemeinschaft ein gewichtiges Indiz für die Ernstlichkeit und Dauerhaftigkeit einer gewissensbedingten Ablehnung des Zivildienstes." Liege ein solcher Anhaltspunkt nicht vor, müsse vom Gericht eingehender, nämlich durch persönliche Anhörung in einer mündlichen Verhandlung, geprüft werden, inwieweit „ein den Fällen ersatzdienstverweigernder Zeugen Jehovas vergleichbarer Gewissenskonflikt" vorliege.

Derselbe Richter Helldörfer musste also am 13. Juli abermals ran. In dem mit Sympathisanten des Angeklagten gut gefüllten Verhandlungssaal verhaspelte er sich zwar zwischendurch begrifflich – er sprach von der „Wehrmacht", wenn er eigentlich die Bundeswehr meinte –, blieb aber inhaltlich auf seiner Linie und verneinte Prandl zum Trotz unter Hinweis auf seine bereits vorgebrachten Gründe die Möglichkeit einer weiteren Verurteilung. Das Verfahren wurde eingestellt, der Beschluss des Landgerichts vom 7. Dezember 1981 bestätigt.

Was passierte nun? Richtig geraten: Die Nürnberger Staatsanwaltschaft legte Revision ein.

Eine kleine Veränderung aber gab es immerhin: Ludwig Prandl reichte das Totalverweigerer-Jagdgewehr weiter an Klaus Hubmann, den legendären „Aktenzauberer" aus den KOMM-Prozessen. Leute wie Tom habe das Bundesverfassungsgericht in seinem Urteil zu den Zeugen Jehovas nicht gemeint, wiederholte Hubmann die Argumentation des Oberlandesgerichts, es liege in diesem Fall kein „von logisch nicht nachvollziehbaren, realitätsfernen weltanschaulichen Ansichten" getragener Gewissenskonflikt vor, der Angeklagte sei vielmehr „der großen Zahl derer zuzuordnen, die in den letzten Jahren – angeleitet durch einschlägige Literatur – dazu übergehen, schlicht zu behaupten, sie würden aus Gewissensgründen auch den Zivildienst verweigern".

Auf zu den Grünen!

Ich selbst hatte inzwischen die Anklageschrift der Staatsanwaltschaft wegen Dienstflucht und die Aufforderung des BAZ erhalten, meine restliche Dienstzeit abzuleisten. Drei Monate und 25 Tage hatten die Beamten errechnet. Ich hätte noch vier Wochen Urlaub übrig – 35 Werktage –, stellte ich in meiner Antwort richtig, also handele es sich bei einem Viertel der nicht abgeleisteten Zeit streng genommen lediglich um eine Urlaubsverweigerung. Dennoch würde ich aber weder meinen Dienst antreten noch einen Urlaub beantragen.

Seltsam war, dass ich in diesem Zusammenhang zu einer kriminalpolizeilichen Vernehmung zitiert wurde. Was da zu ermitteln war, blieb unklar. An der Tat „Dienstflucht" bestand ja kein Zweifel, ich hatte sie ja nicht nur nicht bestritten, sondern nach allen Kräften in der Öffentlichkeit bekundet. Ging es also nur um eine Einschüchterung? Oder darum, vorsorglich mal meine Fingerabdrücke abzunehmen wegen etwaiger weiterer Straftaten? „Für den Nachweis einer völlig offensichtlichen Dienstflucht benötigen sie doch keine Fingerabdrücke!" beschwerte ich mich bei den Beamten, denen selbst keine schlüssige Begründung für ihr Tun einfiel.

Klarer waren die Hintergründe der Strafanzeige, die bei meinem Vater eintrudelte. Der Absender: Die Staatsanwaltschaft Regensburg. Der Vorwurf: „Öffentliche Aufforderung zu Straftaten gem. § 111 StGB und Verstoß gegen das Pressegesetz." Der Anlass: Das Flugblatt zu dem arrestierten Herbert, das die Beamten offensichtlich beim väterlichen Auto sichergestellt hatten. Mein Vater fand das erwartungsgemäß nicht besonders lustig, aber unser Verhältnis war ohnehin kaum mehr zu verschlechtern ...

Während die Themen Frieden und Abrüstung bei zahlreichen Großveranstaltungen – etwa bei der Konzertreihe „Künstler für den Frieden", die ganze Stadien füllte, oder bei Kundgebungen der Gewerkschaften „gegen Hochrüstung und Sozialabbau" – präsent blieben und Hunderttausende bewegten, war ich bei zahlreichen Kleinveranstaltungen und Kleinstaktionen permanent in Sachen „Werbung für Totalverweigerung" unterwegs. Inzwischen hatte ich auch das Info-Portfolio verbreitet. Flugblätter, Plakate, Infoveranstaltungen – schön und gut, wir brauchen mehr Präsenz, dachte ich. Warum also nicht mal ein Totalverweigerer-Button? Die waren ja schwer in Mode: „Atomkraft? Nein danke" „Baum ab? Nein danke", „Gorleben soll leben", „Ich schwärme für Sonnenwärme", „Nimm mich, wie ich bin" (für Hausbesetzer), „Umwelt schützen – Rad benützen", „Wir müssen leider draußen bleiben" etc. pp. Ich ließ bei der „Konspirativen Plaketten-Manufaktur Bamberg" 500 Buttons „Totalverweigerung ja bitte" fertigen. Pünktlich zur Friedenswoche der Aktion „Ohne Rüstung leben" vom 7. bis 14. November, zu der wir vor der Lorenzkirche einen Infotisch reserviert hatten, waren sie fertig.

Direkt nebenan warben die Grünen für sich, wir kamen ins Gespräch. Ich hatte die Grünen bis dahin vor allem als Öko- und Anti-AKW-Partei wahrgenommen. Sie standen aber auch für eine andere Asylpolitik, möglichst autofreie und begrünte Städte, Feminismus, Cannabis-Freigabe und natürlich für Frieden. 1981 hatten sie bei einem Friedensfest in Breisach und bei der Bundesdelegiertenkonferenz erstmals friedenspolitische Grundsätze formuliert: keine Umsetzung des NATO-Doppelbeschlusses, schrittweiser Austritt der Bundesrepublik aus der NATO, atomwaffenfreies Europa von Polen bis Portugal. Grundlage eines nachhaltigen Friedens seien nicht die Vereinbarungen von Politikern, sondern die sozialen Bewegungen von „Millionen ‚Machtlosen', die vereinzelt ohnmächtig, gemeinsam jedoch unwiderstehlich" seien.

In Bayern hatten es die zotteligen Neulinge noch schwer. Während in Bremen längst eine Grüne Liste ins Parlament eingezogen war und sie im März 1982 es auch in Niedersachsen in den Landtag geschafft hatten, waren sie bei den Landtagswahlen in Bayern im Oktober knapp an der Fünf-Prozent-Hürde gescheitert. Ich hatte grün gewählt, mich aber nicht allzu ausführlich über das Programm der Partei informiert. Nun staunte ich nicht schlecht, als ich am Nachbartisch erfuhr, dass die Grünen durchaus offen seien für Forderungen wie die Abschaffung der Wehrpflicht oder die Anerkennung eines Rechts auf Totalverweigerung. Dazu waren Artur und Fred vom Stand vor der Lorenzkirche sehr nett. Kurz entschlossen trat ich in die Partei ein und engagierte mich fortan innerhalb des bereits seit drei Jahren bestehenden Kreisverbandes Nürnberg beim Arbeitskreis Frieden, der regelmäßig im Kulturladen Nord zusammenkam. Vielleicht ließe sich ja auf dem parlamentarischen Weg doch etwas erreichen, dachte ich. Als Einzelkämpfer weiterzumachen, schien mir jedenfalls wenig zielführend. Wiederholt hatte ich es zudem bereut, meine Adresse als „KGW-Kontakt Nürnberg" publik gemacht zu haben. Denn wessen Adresse mal irgendwo in den einschlägigen Publikationen drinstand, der musste ständig mit irgendwelchen Besuchen rechnen, nicht nur von Totalverweigerern, sondern ebenso von ziemlich lästigen Übernachtungskosten- und Waschzwang-Verweigerern wie dem obdachlosen Heinz, der von einer WG zur nächsten zog, oder von Enteignungskünstlern wie Alfons, der mich bei einem Gang durch den Supermarkt ungefragt als „Ablenker" missbrauchte, um sich seinen Rucksack mit Lebensmitteln zu füllen und dann einen langen Fluchtsprint im Kaufhaus enden ließ, weil er sich dort einen neuen Umsonst-Schlafsack zu besorgen trachtete.

Jagdszenen aus Jena

Es war kein Zufall, dass die Blockade-Aktion von Großengstingen im August unter dem von der DDR-Friedensbewegung entliehenen Motto „Schwerter zu Pflugscharen" angekündigt und dass im November die westdeutsche Friedenswoche parallel zur Friedensdekade im Osten angesetzt worden war. Die Friedensbewegung in der DDR, bis vor kurzem in

Rowohlt-Buchtitel „Schwerter zu Pflugscharen" von 1982.

der BRD weitgehend eine Terra incognita, war im Verlauf des Jahres 1982 durch einige Publikationen zunehmend auch in das Bewusstsein der Westdeutschen getreten.

Im Mai war in der „rororo"-Reihe das Buch „Schwerter zu Pflugscharen" erschienen, auf dem Titel das bekannte Signet, gestaltet nach einer von dem sowjetischen Bildhauer Wutschetitsch gefertigten und einem biblischen Motiv folgenden Bronzeplastik. Sie stand als Geschenk der UdSSR im Garten des UNO-Hauptgebäudes in New York City. Ursprünglich das Erkennungszeichen der 1979 eingeführten Friedensdekaden des DDR-Kirchenbundes, bei denen die Gemeindemitglieder – stets in den zehn Tagen vor dem Buß- und Bettag im November – intensiv über den Frieden nachdenken und debattieren konnten, war die Plastik inzwischen zum Symbol der gesamten Friedensbewegung in der DDR avanciert und dort weithin präsent, vor allem auf unzähligen Aufnähern. Neben dem Buch waren in der Presse auch immer mehr Artikel zu dem Thema erschienen, unter anderem im *Spiegel*, der Anfang November mit der Schlagzeile „Jagdszenen aus Jena" aufwartete. Was war da los im Osten?

Als einer der ersten öffentlichkeitswirksamen Versuche, sich über die Mauer hinweg die Hände zu reichen und sich an einer Friedenspolitik von unten zu versuchen, gilt das deutsch-deutsche Treffen von Schriftstellern und Schriftstellerinnen Mitte Dezember 1981 in Ost-Berlin. Die sowohl im Osten wie im Westen bekannte DDR-Schriftstellerin Christa Wolf fand dabei Worte, die vielen aus dem Herzen sprachen: „Diese Raketen, diese Bomben sind kein Zufallsprodukt dieser Zivilisation. Wenn diese Zivilisation imstande war, ihren eigenen Untergang derartig zu planen und vorzubereiten, sich die Mittel dafür zu beschaffen unter solch furchtbaren Opfern, dann ist sie krank, wahrscheinlich geisteskrank, vielleicht todkrank." Viele weitere Aktivitäten, u.a. der „Berliner Appell", sollten folgen. Und auch die Totalverweigerer, die nicht nur den Wehrdienst mit der Waffe, sondern auch den Dienst als Bausoldat verweigerten, machten sich zunehmend bemerkbar (einen Zivildienst gab es in der DDR nicht).

Wie in der BRD kamen auch in der DDR die ersten Totalverweigerer aus den Kreisen der Zeugen Jehovas. In den 1970er-Jahren tauchten dann immer mehr „Politische" auf, die den in der DDR als „Alternative" zum Wehrdienst angebotenen Dienst als „Bausoldat" als falschen, weil das System unterstützenden Kompromiss empfanden. Viele ließen sich selbst von einer Strafandrohung von bis zu fünf Jahren Haft nicht davon abschrecken, diesen zu verweigern. Einige von denen, nämlich diejenigen, die einen Ausreiseantrag gestellt hatten, waren vermutlich auch von der Hoffnung motiviert, per Abschiebung schneller in den Westen zu kommen nach dem Motto: Seht her, ihr könnt ohnehin nichts mit mir anfangen, also lasst mich ausreisen. Fest steht: Die DDR-Oberen wollten sich nicht selten auf diese Weise unliebsamer Personen entledigen und viele Totalverweigerer wurden aus Furcht vor Protesten stillschweigend gar nicht erst einberufen. Ansonsten schwankten die Reaktionen der Verfolger zwischen Strenge und Milde: Einerseits war bei zu viel Nachsicht ein Nachahmungseffekt zu befürchten, andererseits war bei zu harter Bestrafung nicht nur der internationale Ruf der „Friedensmacht" DDR gefährdet, sondern darüber hinaus auch mit der lästigen Dauer-Einmischung von friedensbewegten Kirchenleuten zu rechnen.

In der DDR wurden zwischen 1964 und 1982 jedes Jahr durchschnittlich etwa 150 Totalverweigerer von den zuständigen Militärgerichten verurteilt, die meisten davon Zeugen Jehovas, einige erhielten Zuchthausstrafen von bis zu 24 Monaten. Detlef Pump aus Jena war einer von denen, die es besonders hart erwischte. Am 4. Mai 1978 wurde er an seinem Arbeitsplatz bei Carl Zeiss von der Staatssicherheit verhaftet, nachdem er zur Einberufungsüberprüfung im Jahr zuvor seine Verweigerungsabsicht erklärt hatte. „Mit dem politischen System in der DDR hatte ich schon länger Schwierigkeiten", begründete er seine Entscheidung. „Ich sagte mir: Irgendwann muss Schluss sein." In der U-Haft in Erfurt traf er auf 14 andere Verweigerer, zehn davon waren Zeugen Jehovas. Pump wurde sieben Wochen lang im Stasi-Knast in Gera – vergeblich – über seine „Verbindungen" in Jena ausgequetscht, dann kam er in die berüchtigte Strafvollzugseinrichtung Unterwellenborn. Das hieß: Arbeit in einer stacheldrahtumzäunten Halle, Unterbringung in windigen Holzbaracken, mieses Essen. Im Zuge einer Amnestie vorzeitig entlassen, durfte Pump 1981 nach Westberlin ausreisen.

Der Bildhauer Michael Blumhagen, ebenfalls Mitglied der Jenaer Oppositionsgruppe – u. a. Roland Jahn, der spätere Journalist und Bundesbeauftragte für die Stasi-Unterlagen sowie der Autor Gerold Hildebrand zählten zu seinem Kreis –, hatte seinen Wehrdienst bereits abgeleistet, als er in das Visier der Stasi geriet. Das kam so: Am 10. April 1981 war der Jenaer Bürgerrechtler Matthias Domaschk mit einem Freund unterwegs zu einer Geburtstagsfeier nach Ost-Berlin, wo zeitgleich auch der X. Parteitag der SED stattfand. Die beiden wurden auf dem Bahnhof Jüterbog aus dem Zug herausgeholt und, wie zuvor schon Pump, in die Stasi-Untersuchungshaftanstalt nach Gera verbracht. Der Vorwurf: Sie hätten Störaktionen während des Parteitages geplant und würden staatsfeindliche Kontakte pflegen. Nach stundenlangen Verhören unterschrieb Domaschk am 12. April eine Verpflichtungserklärung zur inoffiziellen Mitarbeit für das MfS. Kurz danach kam er im Besucherraum der Haftanstalt unter ungeklärten Umständen ums Leben. Die Stasi-Version: Er habe sich an seinem Oberhemd erhängt. Die Sache sorgte bei den Oppositionellen für entsprechende Unruhe.

Michael Blumhagen und seine Freunde stellten auf dem alten Stadtfriedhof eigenmächtig eine steinerne Statue zum Gedenken an Domaschk auf. Vier Ordnungshüter, in einem schwarzen Lada vorgefahren, beschlagnahmten die Figur. Wenig später griffen sie sich auch deren Schöpfer: Blumhagen erhielt einen außerterminlichen Einberufungsbefehl zum Reservistendienst der Nationalen Volksarmee. Das war ein häufig von den Behörden gegenüber missliebigen Personen und Oppositionellen eingesetztes Disziplinierungsinstrument. Der Bildhauer verweigerte die Einberufung. Als eine Eingabe an Staats- und Parteichef Erich Honecker erfolglos blieb und stattdessen Stasi-Männer Blumhagens Haus durchsuchten, stellte er sich am 15. Juni 1982 den Behörden. Im Juli wurde er vom Erfurter Militärgericht zu sechs Monaten Haft ohne Bewährung verurteilt, sein Bauernhaus in Graitschen bei Bürgel wurde wegen angeblicher „Baufälligkeit" abgerissen. Auf Proteste aus dem In- und Ausland – Roland Jahn hatte die Beschlagnahme von Blumhagens Skulptur und den Abriss seines Hauses fotografiert und dem westdeutschen *Spiegel* zugespielt –, folgte im Dezember 1982 die Entlassung aus der Staatsbürgerschaft der DDR und die Abschiebung in die Bundesrepublik

Eine endgültige Weigerung?

Im Bonner Parlament, wo seit dem Oktober Helmut Kohl auf der Regierungsbank saß, nachdem er im Wege des konstruktiven Misstrauensvotums Helmut Schmidt als Bundeskanzler beerbt hatte, stand in diesem Moment gerade wieder einmal die Ausgestaltung des westdeutschen Rechts auf Kriegsdienstverweigerung auf dem Prüfstand. Der CDU-Politiker Heiner Geißler war als Bundesminister für Jugend, Familie und Gesundheit nun oberster Dienstherr der Zivildienstleistenden. Und

Für viele in der DDR gab es keinen Zweifel: Matthias Domaschk wurde zu einem Opfer der Stasi (Graffiti an der Stasi-Zentrale in der Berliner Normannenstraße).

dieser Mann, der über das Recht auf Kriegsdienstverweigerung promoviert hatte, hielt am 26. November die Grundsatzrede zu einem geplanten Kriegsdienstverweigerungs-Neuordnungsgesetz, das eine Entschärfung des Gewissensprüfungsverfahrens bei gleichzeitiger Verlängerung des Zivildienstes auf 20 Monate vorsah, der damit um ein Viertel länger als der Wehrdienst sein würde.

Die Frage um die Kriegsdienstverweigerung bewege sich zwischen zwei Polen, der Verteidigungspflicht des Staates und der Gewissensfreiheit des einzelnen, erläuterte Geißler, beides müsse gewährleistet sein. Verteidigungspflicht und Gewissensfreiheit stünden in einem verfassungsrechtlichen und moralischen Zusammenhang: „Der verfassungsrechtliche Schutz des Gewissens hebt diese Verfassung und ihren Staat in ihrem verfassungsrechtlichen Rang weit über die Staatsordnung totalitärer Herrschaftssysteme hinaus und macht sie verteidigungswert." Das Grundrecht auf Kriegsdienstverweigerung aus Gewissensgründen könne nur durch diejenigen gewährleistet werden, die es „notfalls mit der Waffe in der Hand verteidigen. Ohne Bundeswehr, ohne Atlantische Allianz gibt es keinen Schutz des Gewissens, keine Anerkennung als Kriegsdienstverweigerer und keinen zivilen Ersatzdienst." Unter bestimmten Umständen könne daraus ein unauflösbarer Widerspruch werden, zum Beispiel wenn „eines Tages so viele Menschen in der Bundesrepublik Deutschland den Verteidigungsdienst mit der Waffe aus Gewissensgründen ablehnen würden, dass der Verteidigungsauftrag der Bundeswehr, der ja auch im Grundgesetz verankert ist, nicht mehr erfüllt" werden könne. Also müsse

EINWURF

Die Bausoldaten in der DDR

Ein mit der BRD vergleichbares Recht auf Kriegsdienstverweigerung gab es in der DDR nicht. Als der Nationale Verteidigungsrat der DDR im Jahr 1961 kurz nach dem Mauerbau die Wehrpflicht eingeführt hatte und sehr rasch mit einem Andrang von einigen Hundert jungen Männern konfrontiert wurde, die den Dienst mit der Waffe verweigerten, sah er sich jedoch zu einer Reaktion genötigt. Um die Situation zu entschärfen – und befördert von der Fürsprache der evangelischen Kirche – wurde im September 1964 mit der Bausoldatenverordnung die Möglichkeit eines 18-monatigen und damit der Dauer des „normalen" Grundwehrdienstes entsprechenden waffenlosen Wehrersatzdienstes eingeführt. Die neue Regelung war ein Fortschritt im Vergleich zu anderen sozialistischen Ländern, die so etwas nicht kannten, allerdings wurden die Rahmenbedingungen der Regelung derart unattraktiv gestaltet, dass die Bausoldaten stets eine Randerscheinung blieben: Nur rund 15.000 junge Männer – von weit über zwei Millionen Wehrpflichtigen – wählten bis zum Ende der DDR 1990 diesen Sonderweg.

Die Verweigerung musste bei der Musterung im Wehrkreiskommando schriftlich erklärt und begründet werden. Bausoldat durfte nur werden, wer aus religiösen Anschauungen oder „aus ähnlichen Gründen den Wehrdienst mit der Waffe ablehnt". Das Gewissen der Bausoldaten wurde nicht geprüft, aber die Verweigerung wurde ihnen schwer gemacht: Nach einer 1970 herausgegebenen Order des von Margot Honecker geleiteten Volksbildungsministeriums sollten Wehrpflichtige, die sich nicht bereit zeigten, ihr Vaterland mit der Waffe in der Hand zu verteidigen, nicht studieren dürfen. Hinzu kamen weitere Nachteile etwa bei der Wohnungs- und Arbeitssuche oder bei der Bestellung von Kraftfahrzeugen und anderen Konsumgütern.

Die in Kasernen untergebrachten Bausoldaten mussten eine besondere Uniform tragen – mit einem Spaten auf ihren Schulterstücken –, eine Beförderungsmöglichkeit war für sie nicht vorgesehen. Sie brauchten zwar keinen Fahneneid abzulegen, der sie zum Einsatz ihres Lebens verpflichtet, mussten aber in einem Gelöbnis erklären, dass sie ihren militärischen Vorgesetzten unbedingten Gehorsam leisten. Mit straffer Ausbildung samt Gefechtsalarmübungen wurde den Bausoldaten klargemacht, dass sie sich den eigentlichen Friedenssoldaten anzugleichen haben. Die Spatenträger galten dem Ministerium für Staatssssicherheit (MfS) grundsätzlich als „negative Konzentration feindlich negativer Kräfte" und wurden entsprechend intensiv überwacht. Im „Lesematerial für die staatspolitische Schulung der Bausoldaten" (Mai 1966) konnten sie nachlesen, dass nur der „Waffendienst echter Friedensdienst" sei, denn es sei unmöglich, ernsthaft für den Sozialismus zu sein, „ohne die Feinde des Volkes (...) aus tiefstem Herzen zu hassen".

Ursprünglich gab es bei den beiden Militärbezirken und den Teilstreitkräften je ein Baupionierbataillon, das vorwiegend zum Bau von Militäranlagen eingesetzt wurde, in späteren Jahren wurden Bausoldaten vor allem in Prora auf Rügen konzentriert: in den Gebäuden des ehemaligen KdF-Seebades aus der Nazizeit waren bis zu 360 Mann kaserniert, die zur Unterstützung des Fährbahnhofs Mukran eingesetzt wurden. In den 1970er-Jahren erfolgte die Einziehung nach einigen Arbeitsniederlegungen und Gelöbnisverweigerungen vorübergehend dezentraler, meist in kleinen Gruppen von zehn bis 20 Mann, die für Transport- und Versorgungseinheiten der Nationalen Volksarmee, für Schulen oder beim Bau von Erholungsheimen und Krankenhäusern tätig waren. Die DDR-Führung wollte so der Gefahr entgegenwirken, dass sich größere Einheiten von „aufmüpfigen" Antimilitaristen schlecht auf die Moral der „normalen" Wehrpflichtigen auswirken können.

Wohl auch deswegen, weil der Bausoldaten-Dienst eine noch weniger attraktive Alternative zum Wehrdienst darstellte als der Zivildienst in der BRD, war die Zahl der Totalverweigerer in der DDR verhältnismäßig hoch. Laut Robert-Havemann-Gesellschaft verweigerten bis 1989 ungefähr 6.000 bis 7.500 Wehrpflichtige den Dienst völlig. Insgesamt wurden 3.144 Personen verurteilt, die allermeisten davon waren Zeugen Jehovas, die in der DDR als nicht integrierbare „Systemfeinde" einer besonders rigorosen Verfolgung ausgesetzt waren. (vgl. „Totalverweigerer", hrsg. v. Bundeszentrale für politische Bildung und Robert-Havemann-Gesellschaft e.V., letzte Änderung Oktober 2018, www.jugendopposition.de/145449)

Als dann am 1. März 1989, nachdem sich die DDR-Führung von der immer stärker gewordenen friedlichen Opposition unter Druck gesetzt sah, doch noch eine neue Zivildienstverordnung eingeführt wurde – jeder Wehrpflichtige, der wollte, konnte jetzt durch einfache Erklärung für einen zwölfmonatigen Dienst in zivilen Bereichen zugelassen werden – war es für einen Praxistest der Regelung bereits zu spät: Die „Wende" und damit das Ende der DDR stand vor der Tür.

dafür gesorgt werden, dass nur die wirklichen Kriegsdienstverweigerer, nämlich die aus Gewissensgründen, anerkannt werden. Wenn aber die Gewissensprüfung abgeschafft werde, weil das Gewissen so schwer zu überprüfen ist, dann sei es zwingend, „den zivilen Ersatzdienst als die eigentliche Probe auf das Gewissen auszugestalten". Das heiße vor allem: Jeder Kriegsdienstverweigerer müsse wissen, dass er auf jeden Fall einen Ersatzdienst abzuleisten hat, der keinesfalls angenehmer und in jedem Fall länger ist als der Wehrdienst.

In der Presseerklärung zu meinem für den 9. Dezember angesetzten Prozess wegen „Dienstflucht nach § 53 des Zivildienstgesetzes" nahm ich zu dem geplanten neuen Gesetz Stellung: Es ändere nichts Grundsätzliches an der Situation der KDVer in der BRD. Außerdem gab ich eine kurze Begründung der Totalverweigerung, die ich als eine Form der „Sozialen Verteidigung" vorstellte, gerichtet gegen den Zwang, sich an der Vorbereitung eines möglichen Krieges beteiligen zu müssen. Am Tag vor dem Prozess mobilisierte unsere Gruppe viele Leute für eine Infoveranstaltung im KOMM, bei der ich ziemlich revolutionäre Töne schwang. Ich bezeichnete die Totalverweigerung als „Vernunftentscheidung im Vorkriegs-Zustand", als „ein radikales Nein zu militaristischer Gleichschaltung, nicht hinterfragter Gehorsamsautomatik und politischer Gleichgültigkeit" und postulierte, dass eine Auflösung der in den Staat eingeschriebenen strukturellen Gewalt nur dann möglich sei, wenn es „eine massenhafte Totalverweigerung" gebe. Außerdem berief ich mich auf das Recht auf Widerstand nach Art. 20 GG, das greifen müsse, solange das Grundrecht auf Kriegsdienstverweigerung nach Art. 4 Abs. 3 GG nicht im Geiste der Verfassung ausgestaltet sei.

Von außerhalb waren etliche „Mittäter" angereist, einige hatten ihr Fernbleiben damit begründet, vollkommen überlastet zu sein: Burkhard etwa entschuldigte sich mit dem Hinweis, es sei gerade einfach zu viel los, auf seiner „Prozessreise" sei er in dieser Woche erst in Bad Kreuznach, dann in Hamburg und schließlich in Berlin gewesen, wo ein befreundeter Hausbesetzer wegen Gefangenenbefreiung und Körperverletzung angeklagt war. Aber er wolle mir Hoffnung machen: Der Totalverweigerer in Hamburg sei wegen Verweigerung nach zwei Monaten Zivildienst lediglich zu einer Geldstrafe verurteilt worden!

Vor Gericht ohne Anwalt erschienen – ich wollte mich nicht mit juristischen Mitteln „verteidigen" lassen –, kam es mir besonders darauf an, deutlich zu machen, dass es bei der Totalverweigerung keinesfalls um die Verweigerung der Arbeit mit Behinderten geht, sondern darum, die

Funktion des Zivildienstes als Zwangs-Ersatzkriegsdienst an den Pranger zu stellen. Einen wesentlichen Teil meiner Argumente baute ich auf dem Grundgesetz auf. Die Wehrpflicht und somit auch der Zivildienst seien nach dem GG keineswegs zwingend; nach Art. 4 Abs. 1 GG stünde eine Verweigerung des Zivildienstes aus Gewissensgründen im Prinzip mit dem Grundgesetz in Einklang, dies zumal, da die Intention der Kriegsdienstverweigerung innerhalb eines Ersatz-Wehrdienstes und im Rahmen der Verpflichtung, die Kriegsmaschinerie im Verteidigungsfall zu unterstützen, in ihr Gegenteil verkehrt werde.

Richter Dr. Röhrich gestand zu, dass etliche meiner Argumente nachvollziehbar seien, ging auf etwaige Gewissensgründe überhaupt nicht ein und fällte ungerührt sein Urteil: Acht Monate Freiheitsstrafe auf drei Jahre zur Bewährung. „Zu Lasten des Angeklagten sprach insbesondere", begründete er das Strafmaß, „dass er sich endgültig weigert, den Rest seines Zivildienstes abzuleisten." Endgültig verweigert und dafür acht Monate, dachte ich mir, dann ist ja alles erledigt. Ich verzichtete auf eine Berufung. Denn wem zugestanden wird, dass er sich endgültig weigert, der kann sich ja nicht ein zweites Mal endgültig verweigern und dann erneut dafür bestraft werden. Oder sah ich das falsch?

„Wiederholungstäter" ohne amtliches Gewissen

Vor Gericht hatte ich mich als sogenannter „Zivildienst-Verweigerer" wegen „Dienstflucht" verantworten müssen. Andere Totalverweigerer, die sich schneller entschieden hatten, wurden wegen anderer Straftaten verfolgt. Wer bereits die Musterung oder das Verfahren zur Anerkennung als Kriegsdienstverweigerer ablehnte, stand mit der Einberufung zur Bundeswehr vor der Entscheidung, ob er dieser Folge leistet und in der Kaserne alle Befehle verweigert (Gehorsamsverweigerung) oder ob er der Einberufung überhaupt nicht folgt (eigenmächtige Abwesenheit, Fahnenflucht). Im zweiten Fall musste er mit einer „Zuführung" durch Polizei oder Feldjäger rechnen. Manche Totalverweigerer stellten sich selbst, um Ort und Zeitpunkt des Zugriffs durch Polizei und Feldjäger zu beeinflussen oder öffentlichkeitswirksam vorzubereiten.

Für die Totalverweigerer selbst war die Unterscheidung zwischen verschiedenen Arten der Totalverweigerung irrelevant bzw. rein formal. Uns alle verband ein gemeinsamer Nenner: das klare „Nein" zu jeder Form von Wehrpflicht-Erfüllung. Das war für uns das Entscheidende, nicht der Zeitpunkt der „Tat". Diejenigen, die uns verfolgten und aburteilten, sahen das allerdings anders.

Nicht anerkannte Kriegsdienstverweigerer wurden in der Regel noch unnachgiebiger verfolgt. Gehorsamsverweigerung bei der Bundeswehr wurde mit (meist wiederholtem) Disziplinararrest bis zu 21 Tagen am Stück bestraft. Nach den Disziplinarmaßnahmen folgten in der Regel ein Dienstverbot, dann die Strafanzeige und schließlich ein Prozess wegen Fahnenflucht und/oder Gehorsamsverweigerung. In den meisten Fällen fielen die Strafen bei den Wehrdienstverweigerern höher aus als bei den Zivildienstverweigerern. Der Hauptgrund dafür: Da sie nicht als Kriegsdienstverweigerer aus Gewissensgründen anerkannt waren, mussten sich die Richter auch keine Gedanken darüber machen, ob es sich bei ihnen um „Gewissenstäter" handeln könnte. Und das Nichtvorhandensein eines amtlich anerkannten Kriegsdienstverweigerer-Gewissens führte dann auch dazu, dass die für die Zeugen Jehovas entwickelten Gewissenstäter-Grundsätze auf sie keine Anwendung fanden und sie dadurch wesentlich leichter zu Opfern einer Mehrfachbestrafung werden konnten. Logisch konsistent war diese Totalverweigerer-Einsortierung allerdings keineswegs. Denn eigentlich sollte ja anzunehmen sein, dass diejenigen, die von vorneherein jeglichen Wehrdienst verweigern, am konsequentesten handeln und also auch die Kriterien für einen Gewissenstäter am besten erfüllen. Tatsächlich wurden sie aber genau gegenteilig beurteilt.

Für bundesweite Schlagzeilen sorgte kurz vor Weihnachten der Fall von Thomas Hansen. Hansen war in drei Instanzen nicht als Kriegsdienstverweigerer anerkannt und insofern zunächst eigentlich gar kein „richtiger" Totalverweigerer, er wurde es sozusagen notgedrungen. Zur Bundeswehr einberufen, hatte er dort den Gehorsam verweigert und war dann zu zwei Monaten Freiheitsstrafe verurteilt worden, nach erneuter Einberufung und abermaliger Verweigerung wurde er zum weiten Mal verurteilt, diesmal zu zehn Monaten Freiheitsstrafe, dann legte er Verfassungsbeschwerde ein unter Berufung auf das Verbot der Doppelbestrafung nach Art. 103 Abs. 3 GG. Und diese war nun, am 20. Dezember, vom Bundesverfassungsgericht nicht zur Entscheidung angenommen worden. Die Begründung: Bei einem Wehrdienstverweigerer, der nicht als Kriegsdienstverweigerer anerkannt ist, könne „die Gewissensentscheidung nicht zum beherrschenden Tatbestandsmerkmal werden". Nur bei den Ersatzdienstverweigerern, die „der stets gleichbleibenden Forderung des Staates auf einmalige Erfüllung der Wehrpflicht nicht nachkamen", könne ein Verbot der Mehrfachbestrafung greifen, argumentierte das Gericht. Der Ungehorsam bei der Bundeswehr hingegen bedeute „nur die Weigerung, einzelnen Weisungen (Tragen der Uniform, Schneiden der Haare) Folge zu leisten. Hierin liegt ein wesentlicher Unterschied." Das bedeutete in der Konsequenz: Nicht anerkannte Kriegsdienstverweigerer, die sich darauf berufen, aus Gewissensgründen jeglichen Kriegsdienst verweigern zu müssen, und deswegen dann nach den Vorschriften des Wehrgesetzes bestraft werden, sind vor einer Mehrfachbestrafung prinzipiell nicht geschützt. Im Umkehrschluss hätte daraus eigentlich folgen müssen: Anerkannte Kriegsdienstverweigerer, die den Zivildienst verweigern, dürfen in ihrer Eigenschaft als Gewissenstäter nicht mehrfach bestraft werden.

Diese Entscheidung war völlig abstrus, wie nicht nur der Bundestagsabgeordnete Alfred Emmerlich (SPD) sofort bemerkte: „Das Bundesverfassungsgericht geht mit keinem Wort darauf ein, dass der Beschwerdeführer zunächst ebenfalls der stets gleichbleibenden Forderung des Staates auf einmalige Erfüllung der Wehrpflicht nicht nachkam, dann zwangsweise der Bundeswehr zugeführt wurde und erst durch diese zwangsweise Zuführung überhaupt in die Situation kam, einzelne Weisungen nicht zu befolgen." Außerdem wäre im Umkehrschluss genau derselbe Sachverhalt ebenso für Zivildienstpflichtige denkbar, wenn sie denn entsprechende Befehle zum Tragen einer bestimmten Arbeitskleidung oder zur Pflege ihrer äußeren Erscheinung bekommen würden. Möglich wäre das durchaus gewesen, denn ein „Nichtbefolgen von Anordnungen" konnte laut Zivildienstgesetz (§ 54) mit einer Freiheitsstrafe von bis zu drei Jahren geahndet werden.

Die Widersinnigkeit der Argumentation im Fall Hansen wurde zudem im Vergleich zu anderen Totalverweigerern deutlich, die wegen wiederholter Fahnenflucht und Gehorsamsverweigerung zu einer sogenannten „Gesamtstrafe" verurteilt wurden. Gerichte hatten also kein Problem damit, mehrere Straftaten nach den §§ 16 und 20 WStG (Fahnenflucht bzw. Gehorsamsverweigerung) wegen der ihnen zugrunde liegenden einheitlichen Motivation zu einem Gesamt-Tatvorwurf zusammenzufassen und daraus eine Gesamtstrafe zu bilden. Dabei wurde den Tätern regelmäßig die Hartnäckigkeit ihrer Weigerung – die bei einem Gewissenstäter Bedingung einer Entlastung gewesen wäre – erschwerend zur Last gelegt. (Ein besonders krasses Beispiel: Am 20. Oktober 1983 verhängte das Landgericht Münster im Fall von Hubert K. nach einer über zweijährigen Verfolgungsjagd eine Gesamtstrafe von zwölf Monaten, in die eine bereits verbüßte Erststrafe von sechs Monaten sowie ein Teil von insgesamt 105 Tagen Bundeswehrarrest einberechnet wurden.)

Es war einigermaßen beklemmend, diesen Juristen dabei zuzusehen, wie sie schludrig mit den Begriffen „Pflicht", „Gewissen", „Bescheid" und „Weisung" hantierten und daraus wackelige Argumentationen zusammenschraubten. Zugutehalten musste man ihnen wohl, dass sie es in ihrem Geschäft ja auch nicht alle Tage mit dem Grundgesetz zu tun hatten. Immerhin einer gab zu, da nicht sattelfest zu sein. Als der Nürnberger Herbert in Regensburg wegen Gehorsamsverweigerung vor Gericht stand und dort erklärte, dass er lediglich den Kriegsdienst verweigere und das ja wohl laut Grundgesetz auch dürfe, reagierte der Richter verblüfft. „Grundgesetz?", fragte er und überlegte. Dann verkündete er, dass er da erst mal nachlesen müsse – und vertagte die Angelegenheit auf unbestimmte Zeit.

Widerstand als Mainstream

Das Jahr 1983 war nicht nur das Jahr, in dem die Neue Deutsche Welle mit Songs wie denen von Falco („Der Kommissar") oder Peter Schilling („Major Tom") bereits voll etabliert und so „In" war wie die Kult-Fernsehserien Dallas und Denver Clan, in dem Aerobic mit Schweißbändern à la Jane Fonda, moonwashed Röhrenjeans, Schulterpolster in Frauenblusen sowie Vokuhila auf den Köpfen der Männer zum Mainstream geworden waren, es war auch das Jahr, in dem Nena mit dem Anti-Kriegs-Song „99 Luftballons" einen Mega-Hit landete und es bei den meisten jüngeren Menschen beinahe schon zum guten Ton gehörte, gegen Pershing-Raketen, Atomkraft und das Waldsterben eingestellt zu sein sowie die Entschlossenheit zu bekunden, dass man die angekündigte Volkszählung boykottieren werde.

Das Jahr 1983 war das Jahr, in dem die Partei Die Grünen in den Bundestag einzog und es war das Jahr, an dessen Ende der Bundestag über die Stationierung von Cruise Missiles und Pershing II abstimmen sollte. Über vier Millionen Menschen hatten inzwischen den vor zwei Jahren aufgelegten Krefelder Appell gegen die Stationierung amerikanischer Mittelstrecken-Atomwaffen in Europa unterzeichnet, in ganz Deutschland, wo Bürgerinitiativen an allen Ecken „atomwaffenfreie Zonen" deklariert hatten, waren nach Schätzungen etwa eine halbe Million Friedensaktivisten dauerhaft in rund 5.000 Einzelinitiativen unterwegs. Überall standen welche herum, hielten schweigend und Händchen haltend Mahnwachen für den Frieden, stellten sich mit Gasmasken vor Atombunker, erklärten auf Transparenten dem „Atomtod" den Kampf oder empörten sich über die Pläne des US-Präsidenten Reagan, das Territorium der USA mit Hilfe von Anti-Raketen-Raketen und weltraumgestützten Laserwaffen (Strategic Defense Initiative/SDI) unverwundbar zu machen, und einige besonders Mutige machten sich einen Spaß daraus, vor angekündigten Manövern Straßenschilder abzumontieren oder umzudrehen, um Militärkonvois entsprechend in die Irre zu führen.

Das Jahr 1983 war das Jahr der größten Massenproteste in der Geschichte der Bundesrepublik. Höhepunkte waren die „Prominenten-Sitzbockade" Anfang September vor dem US-Stützpunkt in Mutlangen, einem der drei Stationierungsorte der Pershing II-Mittelstreckenraketen, die von den Organisatoren zur Auftaktaktion der Kampagne „Ziviler Ungehorsam bis zur Abrüstung" erklärt worden war, eine Riesen-Demo in Bonn sowie eine 108 Kilometer lange Menschenkette. Aber das war bei Weitem noch nicht alles in diesem mit Ereignissen übervollen Jahr, vieles ist heute nahezu vergessen. Zum Beispiel ein Foto, das um die Welt ging: Beim ersten Nicaragua-Besuch Karol Wojtylas am 4. März kniet sich der als Protest-Ikone international bewunderte Priester Ernesto Cardenal nieder, um den Ring des Papstes zu küssen, der aber weist den unbotmäßigen – und knapp zwei Jahre später deswegen suspendierten – Kirchen-Kritiker mit erhobenem Zeigefinger zurecht. Oder eine Schlagzeile, die damals für Schrecken sorgte: „Wie die Pest" übertitelte der *Spiegel* am 11. Juli einen Artikel, in dem berichtet wurde, dass Erkrankte der „Homosexuellen-Krankheit AIDS" wie Aussätzige behandelt würden. Auch für mich war dieses Jahr 1983 ein regelrechter Parcours von intensiven Ereignissen, die hier gar nicht alle erzählt werden können.

Widerstand war Mainstream, wir Totalverweigerer schwammen da mit und fühlten uns gar nicht als extreme Außenseiter. Mein „revolutionäres Tagesgeschäft" sah zu Beginn des Jahres etwa so aus: Verfolgen der wesentlichen Entwicklungen durch Lektüre einschlägiger Publikationen wie der *Graswurzelrevolution*, Verfassen von Artikeln in denselben, Mitwirken bei den Grünen und gewaltfreien Gruppierungen der Friedensbewegung, Abhalten von Beratungen und Veranstaltungen in nah und fern, Besuchen von Prozessen und Totalverweigerer-Treffen (bundesweit und regional), und vor allem: Unentwegtes Produzieren von Flugblättern. Bisher treuer Kunde des „Druckladens" in der Nürnberger Hochstraße wechselte ich nach einem Streit im dortigen Kollektiv zum neu gegründeten „Rosa Druck". Im Druckladen habe man nicht anständig drucken können, warben die Abtrünnigen, nun stünden Maschinen „in etwas besserem Zustand als im Druckladen" zur Verfügung, und zum Kennenlernen gebe es eine Ermäßigung. Immer mehr in Anspruch nahm mich zudem die Vorbereitung einer größeren Publikation. Ich hatte mir vorgenommen, alle zugänglichen Urteile gegen Totalverweigerer zu sammeln, um nach Art eines „Weißbuches" das Vorgehen von Bundeswehr, Bundesamt und Justiz möglichst vollständig zu dokumentieren. Die Idee dahinter: Vielleicht ließe sich daraus eine Verhaltensstrategie für die Zukunft ableiten und möglicherweise auch eine auf dem Grundgesetz basierte rechtliche Argumentation ermitteln, mit der künftig besonders harte Urteile verhindert bzw. vielleicht sogar Freisprüche „vorformuliert" werden könnten.

Mir ist heute kaum mehr nachvollziehbar, wie ich da nebenher noch mein Studium erledigen konnte, das ich zum WS 82/83 wieder aufgenommen hatte. Und nachdem mir mein Vater vorübergehend die Unterstützung gestrichen hatte, war auch noch Geld zu verdienen. U. a. arbeitete ich als Bandzulieferer bei der Fahrradfabrik Hercules oder als Aktenschlepper bei der Universa-Versicherung und schließlich als Aufbauhelfer bei Konzerten.

(Das Leiden unter notorischem Geldmangel hielt meine Freunde und mich im Übrigen nicht davon ab, ambitionierte Projekte wie „Die Höhe" in der bereits erwähnten Hochstraße zu verfolgen. Dort gab es ein großes Anwesen mit Vorder- und Hinterhaus, wo eine lokale Kommune der 1972 von dem Wiener Aktionskünstler Otto Mühl gegründeten AAO (Aktionsanalytische Organisation) in zeituntypischem Look – Männlein wie Weiblein liefen mit kahlgeschorenen Köpfen herum – zukünftige Formen des Zusammenlebens samt kollektivierter Liebe experimentell erprobte. Als die Gruppe sich auflöste und das Gebäude zum Verkauf kam, strebten Artur, Fred, Tommy (der spätere Betreiber der Zabo-Linde) und ich in einem vorübergehenden Anfall von Größenwahn einen Erwerb an, um dort nicht nur zusammen mit vielen Gleichgesinnten zu wohnen, sondern auch ein alternatives Zentrum samt Kneipe und einem Grünen Büro einzurichten. Unser Ansinnen war eigentlich nichts Besonderes. Jede zweite WG träumte damals von einem eigenen Anwesen, in der Regel auf dem Land, um dort Seminare und Kurse zur Beförderung der politischen und psychischen Achtsamkeit Gleichgesinnter anzubieten. Einige Projekte funktionierten sogar eine Weile, unseres scheiterte bereits im Ansatz. Nie werde ich das Gesicht des Angestellten der Commerzbank vergessen, als wir mittellose Studenten wegen eines Kredits von einigen Hunderttausend DM anfragten ...)

Grüne Sympathie für Totalverweigerer

Bestärkt durch Aussagen wie der des Grünen-Bundesvorstands Roland Vogt, dass das Recht auf Kriegsdienstverweigerung verfassungsmäßig nicht verwirklicht, deshalb die Totalverweigerung momentan zu akzeptieren und zu unterstützen sei und ein entsprechender Gesetzentwurf ausgearbeitet werden solle, entschloss ich mich, über den Arbeitskreis Frieden in Nürnberg selbst ein wenig mitzumischen.

Bei der Vollversammlung des Kreisverbands Nürnberg – übrigens auch der Heimatverband von Petra Kelly, die allerdings, meist blass und abgespannt, sich nur sporadisch sehen ließ – brachte der Arbeitskreis Frieden am 1. Februar einen Antrag zur Änderung des Bundesprogramms ein. Der beinhaltete eine Ablehnung des Zivildienstes in seiner jetzigen Form und die Forderung einer Straffreiheit für Totalverweigerer sowie deren politische und finanzielle Unterstützung. Eine ursprüngliche, schärfere Fassung war nach langen Diskussionen abgemildert worden, außerdem wurde noch ein besonderer Passus hineinverhandelt: „Die Anerkennung der Totalverweigerung bedeutet keine Diskriminierung von Zivildienstleistenden. In Anbetracht der zur erwartenden strafrechtlichen Konsequenzen für die Totalverweigerung sowie in ihrer Eigenart als persönlicher Gewissensentscheidung rufen wir auch nicht zur Totalverweigerung auf." Politik, musste ich erkennen, ist ein mühsames Geschäft.

Für den Bundestagswahlkampf hatten die Grünen mit Unterstützung des Konzert- und Tourneeveranstalters Fritz Rau die „Grüne Raupe" initiiert, eine Serie von Wahlkampfveranstaltungen im Februar, die kombiniert waren mit Auftritten von Musikgrößen wie Gianna Nannini, Spliff oder Udo Lindenberg, der mit seinem neuen Lied „Sonderzug nach Pankow" den DDR-Staatschef Erich Honecker umgarnte, endlich einen Auftritt in Ostberlin zuzulassen: „Ey, Honey, ich sing' für wenig Money im Republik-Palast, wenn ihr mich lasst." Ich war mit einem Infostand dabei, als die „Raupe" in der Fürther Stadthalle Station machte, und auch wenig später, beim 2. Nürnberger Tribunal in der Meistersingerhalle gegen die neuen Erstschlag- und Massenvernichtungswaffen in Ost und West, war ich als Werber für die Totalverweigerung unterwegs und suchte das direkte Gespräch mit prominenten Grünen wie Otto Schily. Im Wahlaufruf der Grünen zur Bundestagswahl standen schließlich nicht nur die üblichen Punkte wie die, dass sich die BRD aus der militärischen Integration in die NATO lösen solle mit dem Ziel, zusammen mit der DDR das zentrale Glied eines neutralen Gürtels zu bilden, dass in der BRD

Grün-Alternative im Bundestag. Im Bild Joschka Fischer und Hubert Kleinert. Vorne mit wilder Haarpracht Dieter Drabiniok (rechts), Maurer aus dem Ruhrgebiet, und Gert Jannsen (links), Oldenburger Geografie-Professor.

ein „Abrüstungswettlauf" von unten ausgelöst werden solle, oder dass die BRD auf Rüstungsexporte und Rüstungsproduktion verzichten solle, sondern es gab nun auch die Forderung, dass die Gewissensprüfung für Kriegsdienstverweigerer gestrichen werden und es „keine Verfolgung von Totalverweigerern" geben solle.

Die Grünen, zu diesem Zeitpunkt bereits in sechs Landesparlamenten präsent, schafften am 6. März mit einem Anteil von 5,6 Prozent der Stimmen erstmals den Sprung in den Bundestag. 28 neue Abgeordnete – 18 zumeist bärtige und langhaarige, in Wollpullovern gewandete Männer und zehn mehr oder weniger „alternativ" gekleidete Frauen –, zogen mit Sonnenblumen und Zweigen einer umweltkranken Tanne in den Plenarsaal ein. Die Szene markierte einen Kulturbruch und hatte etwas Unwirkliches, ungewöhnlich war zudem, dass 28 weitere Grüne bereitstanden, um in zwei Jahren nach dem Rotationsprinzip als sogenannte „Nachrücker" den Bundestagsjob zu übernehmen.

Hubert Kleinert, einer der neuen Grünen-MdBs, äußerte hernach, dass die Proteste gegen den NATO-Doppelbeschluss sowie die Verbindung von Umwelt- und Friedensbewegung „den gesellschaftlichen Resonanzboden der neuen Partei beträchtlich erweitert" hätten. Aber auf der Agenda der Grünen standen nicht nur die Ökologie und der Protest gegen die Hochrüstung. Auch die Frauen erlangten in dieser Partei eine bis dahin nicht gekannte Vielstimmigkeit, und mit dem Landesgeschäftsführer der Grünen Hessen, Herbert Rusche, zog der erste sich öffentlich bekennende Schwule in den Bundestag ein. (Hierzu die Anmerkung: Sexuelle Handlungen zwischen Personen männlichen Geschlechts waren nach § 175 StGB damals immer noch strafbar und blieben es noch bis 1994.)

Sitzblockade vor der „Muna"

Nach den bundesweit organisierten Blockaden vom 12. Dezember des Vorjahres hatten die gewaltfreien Aktivisten damit begonnen, überall im Lande geeignete Militäranlagen für die zu Ostern des nächsten Jahres geplanten konzertierten Blockade-Aktionen auszuforschen. An insgesamt 15 Orten sollten Blockaden stattfinden. Nicht alle waren Stationierungsorte der „Nachrüstungswaffen". Die fränkische Gruppe, bei der ich engagiert war, hatte das „Muna"-Depot der US Army in Feucht bei Nürnberg (zuvor eine „Munitionsanstalt" der Wehrmacht) ins Visier genommen. Herauszufinden war, ob dort Atomwaffen lagerten. Die NATO-Strategie der „Flexible Response" drohte für den Ernstfall mit dem Einsatz von taktischen Atomwaffen, also mussten entsprechende Waffen und Munition auch in Nordbayern stationiert bzw. bereitgestellt sein. Das Ergebnis unserer teils vor Ort durchgeführten Nachforschungen: Laut Pentagonliste des militärischen Grundbesitzes der USA in der BRD befanden sich auf dem Gelände des Depots in Feucht 18 Bunker für konventionelle Munition und drei für die Lagerung von atomaren und chemischen Granaten geeignete Sondermunitionsbunker. Das Depot war das mit Abstand am besten gesicherte im Raum Mittelfranken, daher wäre es äußerst unwahrscheinlich gewesen, wenn dort keine A-Waffen gelagert worden wären, zumal geeignete Trägersysteme – Haubitzen entsprechenden Kalibers und Lance-Raketen mit einer Reichweite von 120 Kilometern – ganz in der Nähe stationiert waren. Also empfahlen wir auf der Vollversammlung der Aktivisten, die „Muna" in Feucht als Ziel unserer Blockadeaktion auszuwählen. Geplant war, die Zufahrt für zwei Tage in Drei-Stunden-Schichten von jeweils zwei (Bezugs-)Gruppen zu sperren.

Passend zur gut getimten Deutschland-Premiere von Richard Attenboroughs „Gandhi"-Film (mit Ben Kingsley in der Hauptrolle) boten im Februar 1983 zwei „Gewaltfreiheitsprofis", einer von ihnen war der Totalverweigerer Jürgen, im Pfadfinder-Zentrum Rothmannsthal bei Lichtenfels für die künftigen Blockierer ein Training in gewaltfreier Aktion an. Warum ein solches Training? Es sei elementar, hieß es, sich vor der Aktion gut kennenzulernen, etwas über das Verhalten der anderen zu erfahren und miteinander vertraut zu werden, um Sicherheit für die Aktion selber zu gewinnen. Dies sei durch das Bezugsgruppen-System gewährleistet: Bei einer großen Zahl von Aktionsteilnehmern ermögliche es die Aufteilung in kleine, nicht-hierarchisch organisierte Gruppen von zehn bis fünfzehn Personen, dass der/die einzelne nicht in der Masse verloren gehe und dass Entscheidungen nicht von oben herab, sondern von allen im Konsensprinzip getroffen würden. Wechselnde Gruppensprecher sollten dann im Sprecherrat die für alle verbindlichen Beschlüsse umsetzen.

Des Weiteren klärten uns die Instruktoren darüber auf, dass es nicht genüge, nur über den Sinn und Ablauf der Aktion und eventuelle Folgen (etwa Strafen) Bescheid zu wissen. Gewaltfreies Verhalten sei etwas Ungewöhnliches in einer von Gewalt geprägten Umwelt, hieß es, für die Umwelt ebenso wie für uns; es führe zu Angst und Unsicherheit, und die könnten wir am ehesten durch Einüben verringern. Also machten wir ein paar Übungen, bei denen einige der Teilnehmer auftragsgemäß die Rolle von möglichst aggressiven US-Wachsoldaten übernehmen. Dabei wurde der Einsatz des „GI Fred" legendär, der Artur mit seinem Besen-Gewehr wegschubste, dabei unwirsch das Kommando „Weggehen!!!" herauspressend.

Ende März absolvierten die künftigen Blockierer vor dem Nürnberger Caritas-Pirckheimer-Haus, also mitten in der Innenstadt, letzte spektakuläre Übungen für den Ernstfall. Ich übernahm dabei am Steuer meines alten Kadett die Rolle eines auf die Sitzenden zurollenden Provokateurs und ließ dabei den Motor derart aufheulen, dass es einigen der vor mir Kauernden Schweißperlen auf die Stirn trieb. Beim Plenum der Bezugsgruppen am selben Wochenende sollten noch verbliebene Unstimmigkeiten nominell im Konsens beseitigt werden, tatsächlich aber wurden die Entscheidungen durch Absprachen „informeller" Anführer im Nebenraum unter der Hand gesteuert. Schließlich informierten die Sprecher der „Muna-Blockierer" die Presse, dass etwa hundert Menschen aus Erlangen, Forchheim, Nürnberg und anderen fränkischen Orten, darunter auch Mitglieder des Bundestages (Dieter Burgmann von den Grünen), ab dem Karfreitag 1. April (8 Uhr) bis 2. April (18 Uhr) die Zufahrt des amerikanischen Munitionslagers bei Feucht gewaltfrei blockieren werden. Weil Unterschriftenaktionen und Demonstrationen offensichtlich nicht ausreichten, um die Stationierung von Pershing II und Cruise-Missile-Raketen zu verhindern, hieß es in der Erklärung, würden wir nun, selbst wenn wir dafür eine Kriminalisierung in Kauf zu nehmen hätten, durch gewaltfreien Widerstand „diesen Forderungen Nachdruck verleihen und unsere Ernsthaftigkeit unterstreichen". Dass so was bestraft würde, stand bereits fest: Die Teilnehmer der Blockade in Großengstingen hatten inzwischen Strafbefehle erhalten, in der Regel 25 Tagessätze à 15 DM.

Die Aktion selbst verlief wenig spektakulär. Nur die Bäume im dichten Feuchter Wald und ein paar Presseleute waren Zeuge, wie die in großer Zahl anwesenden Polizisten Gruppe für Gruppe einigermaßen sanft wegtrugen und deren Personalien feststellten. Ich selbst stand freiwillig auf, bevor mich die Häscher greifen konnten, und entging so einer Anzeige, die bedeutet hätte – was ich vorläufig vermeiden wollte –, dass meine achtmonatige Bewährungsstrafe widerrufen worden wäre.

Sanftes Marketing, Gewaltfrage und Aktionen

Inzwischen schritt die Arbeit an meinem Buch fort. Die Idee, wer es lesen sollte oder könnte, blieb vorläufig noch recht verschwommen. Es war ja klar, dass nicht einmal alle Totalverweigerer zur potenziellen Leserschaft zählten, vor allem die radikalen Anarchisten würden die Nase rümpfen. Im Auge hatte ich vor allem die große Zahl friedlich engagierter Zivildienstleistender, denn immerhin 11.000 hatten sich am 27. Januar an dem von der Selbstorganisation der Zivildienstleistenden (SOdZDL) organisierten Streik gegen das neue Kriegsdienstverweigerungsgesetz beteiligt. Viele von denen musste man theoretisch nicht mehr von der Totalverweigerung überzeugen, die hatten einfach Angst vor dem Knast, da war also eine entsprechende Aufklärung gefragt. Überhaupt war das Potenzial ja riesengroß. Die Presse berichtete über aktuell 30.000 „Deserteure" in Westberlin. Wer polizeilich in Westberlin gemeldet und in Westdeutschland noch keinen Einberufungsbescheid erhalten hatte, dem konnte im Sonderterritorium auch keiner zugestellt werden. Wer allerdings zu spät abhaute und seine Einberufung an eine westdeutsche Adresse bekommen hatte, lief Gefahr, per Haftbefehl verfolgt werden. Auch diese Jungs waren sozusagen „natürliche" Ansprechpartner, ebenso wie die abgelehnten Kriegsdienstverweigerer und sonstigen Unzufriedenen bei der Bundeswehr wie z. B. ein Soldat, der mich aus der Arrestzelle einer Ulmer Kaserne um Hilfe anschrieb: Er habe sich nach all den bei der Bundeswehr erlebten Schikanen entschlossen, sich der Totalverweigerer-Bewegung anzuschließen.

Sympathisanten also gab es genug. Und die galt es, entsprechend „sanft" anzusprechen. Denn mittlerweile hatte ich davon Abstand genommen, offen zur Totalverweigerung aufzurufen. Es konnte und durfte nicht unser Ziel sein, Leuten Druck zu machen und sie zu einer mit einer Gefängnisstrafe sanktionierten Tat zu überreden. Das widersprach nicht nur der Idee von einer freien, selbstbestimmten Entscheidung, sondern konnte auch dazu führen, dass einer sich zu einer Straftat entschied, der den Folgen – nämlich Gefängnis – nicht gewachsen war. Unser Ziel musste sein, unser Wissen und unsere Erfahrungen an bereits Entschiedene weiterzugeben und ansonsten auf Veranstaltungen und in Diskussionen mit Wehrpflichtigen, Zivildienstleistenden und Reservisten die Logik der Begründung zu vermitteln. Auch jeder Wehrpflichtige, der erklärte, dass er nur dem Zwang folgt und im Ernstfall nicht zur Verfügung stehen wird, war ein Fortschritt in die richtige Richtung.

Ein grundsätzliches Problem stellten allerdings die militanten Aktivisten aus dem Spektrum der Autonomen dar, von denen einige mit den „Revolutionären Zellen" (RZ) sympathisierten (Die RZ lehnten die gezielte Tötung von Menschen ab, waren bei ihren Attentaten aber bereit, Menschen schwer zu verletzen). Als ich eine Info-Veranstaltung zu gewaltfreiem Widerstand im Nürnberger KOMM dazu nutzte, für eine „friedliche" Totalverweigerung zu werben, wurde ich von einigen derben Autonomen hart angegangen. Die Verweigerung sei zwar prinzipiell richtig, meinten sie, allerdings bestanden sie auf ihrer Ansicht, dass sich an diesem Staat nichts ändern ließe, wenn man auf Gewalt völlig verzichte, und außerdem benötige man für den politischen Kampf eine klare Ideologie. Das hörte sich dann aus dem Mund des militanten Vertreters eines Hausbesetzer-Kollektivs etwa so an: „Wir müssen gegen den Nachfolgestaat des Dritten Reiches anstelle von pazifistischen Träumen und moralischen Appellen den Widerstand auf allen Ebenen zum antiimperialistischen Kampf entwickeln und zur Front bringen." „Und wo bitte gehts zur Front?", fragte ich daraufhin scherzhaft, nicht ahnend, dass ich kurz darauf mit der Gewaltbereitschaft von Rechts konfrontiert sein würde.

Bei einer Veranstaltung in einem Kulturzentrum in Würzburg zur Unterstützung des ersten dortigen Totalverweigerers Matthias verbreiteten etliche Rechtsradikale unter den Anwesenden eine aggressive Stimmung und die herbeigerufenen Feldjäger, die den Gesuchten zu verhaften trachteten, zeigten keinerlei Interesse, deeskalierend einzugreifen. „Wenn's nach mir gegangen wäre, hätten wir das Kulturzentrum mit 40 Mann gestürmt und alles kurz und klein geschlagen", sagte einer der Häscher, als diese unverrichteter Dinge abziehen mussten, und fügte hinzu: Der Flüchtige werde sowieso geschnappt und kriege das, was er verdiene, nämlich „Café Viereck" (= Arrestzelle bei der Bundeswehr) und Knast. So kam es denn auch. Der noch rechtzeitig geflohene Matthias wurde wenig später zu Hause von der Kripo verhaftet und verhört, den Feldjägern übergeben und in die Kaserne verfrachtet. Dort folgte der übliche Ablauf mit Befehlsverweigerungen und Arreststrafen (in diesem Fall mit der speziellen Weisung, dass im Vollzug nur ein Buch pro Tag gelesen werden dürfe und weitere Bücher daher in einem Spind außerhalb der Zelle einzuschließen seien!). Schließlich gaben die Uniformierten auf und die Sache an die Staatsanwaltschaft ab.

Die Feldjägertruppe trägt bis heute das römische Motto „suum cuique" („Jedem das Seine") am Barettabzeichen. Es stand während der Zeit des Nationalsozialismus auch über dem Eingangstor des KZ Buchenwald.

Nicht nur in Unterfranken, auch in der Oberpfalz war was los. Christoph Schlegel aus Hof, als Kriegsdienstverweigerer im ersten Zug abgelehnt und daraufhin nicht mehr willig, das Verfahren weiterzubetreiben, lud am 5. April zu seiner Einberufung nach Neunburg vorm Wald. Es gab einen großen Auftrieb vor dem Kasernentor, zahlreiche Totalverweigerer waren da, der Zündfunk des BR machte ein Live-Interview. Aus der Demo heraus erbaten nacheinander drei Personen mit einer beglaubigten Kopie des Einberufungsbefehls von Christoph um Einlass. Die ersten beiden wurden durchgewunken, beim Dritten hieß es: „Sie kommen hier nicht rein!" Für eine Weile herrschte große Verwirrung unter den Uniformierten: Wer war denn nun der richtige Christoph? Als sich die Sache endlich aufgelöst hatte, landete der erwartungsgemäß den Gehorsam Verweigernde gleich im Arrest. Nach zehn Tagen erst mal per Dienstverbot nach Hause entlassen, hatte sich Christoph für seine nun wieder erzwungene Rückkehr was Neues einfallen lassen: Er kettete sich ans Kasernentor an und übergoss sich mit seinem eigenen Blut. Fünf Freunde mit Tafeln erläuterten die Aktion. Wieder arrestiert, startete Christoph eine Fastenaktion, und so ging es über Wochen weiter mit Gehorsamsverweigerungen, Arresten und Fastenaktionen, draußen vor der Kaserne begleitet von Mahnwachen.

„Angesichts meines Fastens stellt sich die Frage, wer länger durchhält: die Bundeswehr oder ich", meldete sich Christoph zwischendurch bei mir. „Gerade war der Obermassa da und hat mir strafrechtliche Verfolgung des Fastens als Selbstverstümmelung angekündigt." Die Sturheit der Bundeswehr war vollkommen sinnlos. Selbst der Wehrbeauftragte Karl Wilhelm Berkhan hatte im Vorjahr zum Umgang mit wiederholten Arreststrafen ausgeführt: „Ob eine Fortsetzung dieses Weges noch Wirkung verspricht, ist zweifelhaft und auf Grund der bis dahin gemachten Erfahrungen eher unwahrscheinlich. Ungewiss ist aber auch, ob aus Gründen der allgemeinen Disziplin die Verhängung weiterer Disziplinarmaßnahmen notwendig oder ob solche nicht eher dazu geeignet sind, Kritik an der Handhabung der Disziplinargewalt laut werden und offenes Unverständnis bei den Kameraden des sich weigernden Soldaten entstehen zu lassen." Offenes Unverständnis hatte auch der Bundestagsabgeordnete Dieter Burgmann, der Christoph in seiner Zelle besuchte. Erst nach 66 Arresttagen, 21 davon fastend verbracht, gab die Bundeswehr auf, nun war die Staatsanwaltschaft zuständig.

Ein Bundestreffen, das keines war

Das sogenannte Bundestreffen der Totalverweigerer Mitte Mai in Neuwied war dünn besetzt, denn es waren überhaupt keine Norddeutschen anwesend, da sie das Treffen aufgrund andauernder Zwistigkeiten mit den Süddeutschen boykottierten. Auch ohne die streitlustigen Hamburger und Niedersachsen verlief das Treffen nicht sonderlich harmonisch. Wieder wurden große Aktionen enthusiastisch vorgeschlagen – man müsste mal was vor einem Rüstungsbetrieb machen oder beim Bundesamt –, dann intensiv besprochen und mangels Einigung schließlich verworfen und zuletzt allgemein konstatiert, dass „der rote Faden" fehle und „die längerfristige Strategie". Von einem „kollektiven Widerstand gegen die Wehrpflicht", wie ihn die KGW im Namen trage, von einem wirkungsvollen Widerstand, der für das „System" gefährlich werden könnte, könne ja nicht einmal im Ansatz die Rede sein. „Totalverweigerung ist eine Konsequenz, die ich individuell für mich entscheide, und sie ist abgeschlossen, wenn ich nicht zum Dienst erscheine", sagte einer. „Danach bleibt nur, mit der entstandenen Situation umzugehen." Wo sei da der Anknüpfungspunkt für eine weiterführende Politik? „Die bisher praktizierten Aktionsformen zur Totalverweigerung orientieren sich an der klassischen Öffentlichkeitsarbeit, weiter ist das nichts." An dem Vorwurf war was dran. Das ständige Verteilen von Flugblättern in

Szenekneipen und das Mobilisieren von Leuten, die man eh schon überzeugt hatte, war genau genommen vollkommen lächerlich. Mit Presseerklärungen und Zeitungsartikeln verließ man wenigstens die eigene Blase und kam an Empfänger ran, die ansonsten nichts mit dem Thema zu tun hatten. Aber was bewirkte das? Die Leute machten hinterher einfach weiter in ihrem Alltag. Und überhaupt diese Fixierung auf Gerichtsverhandlungen! War ein Gerichtssaal der richtige Ort, um die objektiven Zusammenhänge zwischen Militärdienst und Ersatzdienst darzustellen und zu diskutieren? Es war nicht zu leugnen: Von einer politischen Strategie war das, was wir taten, weit entfernt.

Und weil wir uns über kaum etwas einig waren, ging es natürlich auch wieder um Grundsätzliches mit vorhersehbaren Fragen – Gewalt ja oder nein, wie viel Zusammenarbeit mit Parteien und Institutionen etc. – und schließlich auch um das ganz große Ganze, mit dem man erst mal bei sich selbst beginnen müsse. Auch da ging es nicht ohne Differenzen ab. „Wir brauchen eine neue Kulturidee", meinte einer, „wir müssen die westliche Todeskultur in unseren Köpfen besiegen." Ein anderer wandte darauf hin ein, dass es ja wohl nicht nur um die Köpfe gehen könne. „Radikal sein heißt auch zu versuchen, so intensiv wie möglich zu leben."

Zwischendurch wurde es ziemlich persönlich. Die bereits vom Staat Verknackten beklagten, dass sie ihre Entscheidung, letztlich ungewollt, in Isolation und Einzelgängertum getrieben habe. „Ist der Verfolgungs- und Bestrafungsapparat erst mal angelaufen, kommst du da nicht mehr raus. Du machst einfach weiter und weißt irgendwann gar nicht mehr, warum." Einige von denen, die sich noch in Erwartung der Haft befanden, formulierten ihre Ängste und mussten sich von anderen anhören, dass das Opfer Knast angesichts der Kriegsgefahr lächerlich sei. Und schon war er wieder da, der prinzipielle Zweifel: „Was bringt es, für mehrere Monate in den Knast zu gehen? Wem nützt es? Einzig dem Staat: Er hat alle Daten; er hat es geschafft, jemanden, der ‚staatsfeindlich' denkt, zu speichern, zu kriminalisieren, vielleicht zu brechen." Dann sollten wir lieber untertauchen und uns alle ins Ausland absetzen, warf jemand ein.

Letztlich, stellte ich fest, war die Totalverweigerung politisch betrachtet vorläufig nicht mehr als eine zwar radikale, aber eben nur individuelle Variante von Öffentlichkeitsarbeit, die weitestgehend in der eigenen Blase ablief. Das schlug sich auch in „privaten" Nebengesprächen nieder, in denen die Themen eng ums eigene Ich kreisten und oft punktuelle Manöverkritik nach Art einer Schauspiel-Truppe angesagt war, etwa so: „Wie hast du mich eigentlich gesehen im Prozess? War das okay so?"

EINWURF
Ein „Kollektiv" der Singularitäten

Die jungen Männer, die auf den Bundes- und Regionaltreffen der Totalverweigerer-Organisation KGW (und später ohne diesen minimalen Organisationsrahmen) zusammenkamen, waren alles andere als ein „Kollektiv". Sie hatten weniger Gemeinsamkeiten, als man vermuten könnte. Klar, sie lehnten den Zivildienst als Erfüllung der Wehrpflicht und als verkappten Kriegsdienst ab. Alle waren sich einig darüber, dass die Totalverweigerung gegenüber der Kriegsdienstverweigerung letztlich nicht etwas völlig anderes war, sondern die Konsequenz aus einer Entscheidung gegen den Kriegsdienst. Der größte Teil war davon überzeugt, dass die grundsätzliche Ablehnung der Wehrpflicht offen und begründet erfolgen muss, dass Desertion oder Flucht nach Westberlin also keine politische Form der Verweigerung ist. Diese Grundhaltung, oft untermauert von einer trotzigen Unbedingtheit und Kompromisslosigkeit, war aber bei jedem von unterschiedlichen Motiven geleitet: religiösen, ethisch-moralischen, sozialistischen, pazifistischen, anarchistischen, antiimperialistischen oder ganz und gar individualistischen.

Drei Hauptargumentationsgruppen ließen sich unterscheiden: die Gläubigen, die Apokalyptiker und die Zwangsgegner. Die evangelischen Gläubigen hatten es am einfachsten, sie wollten sich nicht schuldig machen an der sündhaften Kriegsvorbereitung, folgten Luthers „hier stehe ich und kann nicht anders" und mussten sich dabei nicht den Kopf zerbrechen über politische Konsequenzen, denn ihnen ging es ja in erster Linie um das eigene Seelenheil. Die Apokalyptiker behaupteten, dass sie sich jeglicher Beteiligung an der Vorbereitung zur Auslöschung verweigern wollten, bekamen aber argumentative Probleme, wenn sie einen Zusammenhang zwischen Overkill, Computer-Fehlalarm und Totalverweigerung herzustellen versuchten. Die Zwangsgegner (Anarchisten) richteten sich als Freiheitsapostel gegen den staatlichen Wehrpflicht-Zwang, kamen aber ins Schleudern, wenn sie das Zwangs-Argument verallgemeinerten und sich der Frage stellen mussten, ob nicht auch die Schulpflicht und Steuerpflicht und sonstige gesetzliche Regelungen verweigert werden müssten. Dazu gab es noch einige Antiimperialisten aus dem Autonomen-Spektrum, die mit dem Grundsatz der Gewaltfreiheit nicht viel am Hut hatten, einige, die ganz persönliche bzw. familiäre Motive vortrugen sowie Super-Individualisten wie einen, der argumentierte, er sei nicht gegen den Krieg, sondern für den Frieden, und den wolle er durch achtsames Meditieren in sich selbst finden und nicht dadurch, dass er das Negative in der Welt politisch bekämpfe, und schließlich noch solche wie mich, die trotz aller damit verbundenen Ungereimtheiten nicht aufhören wollten, mit dem Grundgesetz zu argumentieren (und dafür als „Verfassungspatrioten" beschimpft wurden).

Alle diese Positionen vermischten sich bei den Einzelnen oft bunt durcheinander, nicht wenige – die allerdings bei solchen Treffen fehlten – verzichteten auf jede politische Argumentation, sie hatten schlicht keinen Bock auf irgendeine Pflichterfüllung, sie wollten einfach ihr eigenes Ding machen, sich als Musiker, Künstler, Artisten oder sonst wie selbst entfalten. Im Grunde war das ja auch der Kern der Sache. Wie umfangreich und ausgefeilt auch immer die Begründungen ausfielen – die Totalverweigerung an sich war erst mal nicht viel mehr als ein von ein paar Leuten jeweils einzeln vorgetragenes „Leck mich am Arsch!" und von daher noch keine politische Haltung.

Unter dem Strich waren diese Totalverweigerer allesamt widerborstige Mega-Individualisten, die sich selbst untereinander auf kaum etwas einigen konnten. Und an dieser Stelle könnte man nun beginnen, einige der Thesen, die der Soziologe Andreas Reckwitz in seinem Werk „Gesellschaft der Singularitäten" (2017) auseinandergesetzt hat, am Beispiel der Totalverweigerer durchzudeklinieren. Unter anderem beeinflusst durch die in den westlichen Ländern um 1968 einsetzende Kulturrevolution, so Reckwitz, habe ein tiefgreifender „Wandel der leitenden Lebenswerte" stattgefunden. Gegenüber den Werten von sozialer Anpassung und Pflichterfüllung hätten vor allem in der gebildeten Mittelschicht jene der Entfaltung und Verwirklichung des Selbst mit den Idealen der Besonderheit und Einzigartigkeit an Attraktivität gewonnen. Reckwitz zielt dabei vor allem auf subjektiv befriedigende Erlebnisse und Identitäten im Berufsleben, in der Freizeit und im Konsum ab. Aber vermutlich sind nicht nur Extremsportarten und Abenteuerreisen Beispiele für diese „Selbstverwirklichungsrevolution", sondern auch radikalindividualistische Verhaltensweisen im Bereich der in der Regel einem subjektiven Begriff von Emanzipation huldigenden „Neuen Sozialen Bewegungen". So könnte man die Totalverweigerung, insoweit man das egozentrische Ausleben der eigenen Befindlichkeit in den Vordergrund stellt, wohl auch als eine Art abgefahrenes Surfer-Hobby auf den großen Wellen des protestfreudigen Zeitgeistes beschreiben. Darauf reduzieren ließe sie sich allerdings nicht: Denn vieles, vor allem die politische Intention und Motivation, wäre dann ausgeblendet.

Immerhin wurde es zwischendurch auch mal witzig. „Hast du eigentlich die Kirchen der Freiheit gelesen?", fragte mich ein Rheinländer. „Ne, mit Kirche hab ich's nicht so." Erst Stunden später kapierte ich, dass der Rheinländer Schwierigkeiten mit dem „sch" hatte. Er meinte die „Kirschen der Freiheit". Die autobiografische Erzählung von Alfred Andersch über seine Fahnenflucht im Kriegsjahr 1944 gehörte zur Pflichtlektüre eines Totalverweigerers.

Einigermaßen frustriert darüber, dass auf dem Treffen wieder mal nichts passiert war, was die Bewegung irgendwie hätte weiterbringen können, machte ich mich auf den Rückweg nach Nürnberg. Wieder einmal sehr knapp bei Kasse, hatte mein Geld für ein Bahnticket nicht mehr ausgereicht. Als Schwarzfahrer prompt erwischt und aus dem Zug geworfen, sah ich mich in Koblenz vor die unerfreuliche Situation gestellt, mir das Geld für die Rückfahrt zu erbetteln. Es funktionierte erstaunlich locker. Seltsam, dachte ich. Eine Stunde betteln bringt ein Vielfaches von dem, was man bei einem Studentenjob verdienen kann.

Das Weltbild der Gewaltfreien

Obwohl ich noch unschlüssig war, was ich von der gewaltfreien Blockiererei halten sollte – warum sollte man einen Strafbefehl riskieren, wenn die Polizei mit dem Wegtragen kaum Mühe hatte und es nur unwesentlich länger dauerte als das freiwillige Zur-Seite-Treten –, hatte ich doch eine gewisse Affinität zu den dahinter liegenden Ideen. Die in der KGW organisierten Totalverweigerer waren ja Teil der Föderation Gewaltfreier Aktionsgruppen (FöGA), deren Vertreter ihr Ideal einmal so formulierten: „Eine Gesellschaftsordnung, die eine selbstverwaltete Wirtschaftsordnung, demokratische Beteiligung am politischen Leben, Gleichberechtigung der Geschlechter und Rassen garantiert und im Einklang mit der Erde steht, soll durch eine gewaltlose, eine soziale Revolution herbeigeführt werden." Das klang zwar alles ein bisschen schlicht und naiv, war ja aber nicht unsympathisch. Und was war verkehrt an der Ansicht, dass die Methoden auf dem Weg zum Ziel – gewaltlose direkte Aktionen und ziviler Ungehorsam sowie gleichzeitiger Aufbau von hierarchiefreien Organisationsstrukturen, die auf Selbstbestimmung, Zusammenarbeit und Koordination beruhen – bereits das Ideal in sich tragen müssten?

Von Jürgen und anderen Blockierern dazu motiviert, beteiligte ich mich an einer auf insgesamt vier Wochenenden angesetzten „Selbstausbildung" zum Trainer bzw. zur Trainerin in gewaltfreier Aktion – es waren überwiegend Frauen beteiligt –, die in verschiedenen ländlichen Tagungszentren durchgeführt wurde. Das Programm umfasste Referate, Übungen und Rollenspiele, die der Reflexion eigenen Verhaltens dienten und/oder mögliche Reaktionen bei eventuellen Konfliktsituationen erproben sollten. Die Selbstversorgung mit Biokost war obligatorisch, was aber gelegentliche Rauchpausen nicht ausschloss.

Mein Beitrag zur Selbstausbildung erfolgte mittels eines Referats über Aggression. „Gewalt ist das Problem, als dessen Lösung sie sich ausgibt", lautet die grundsätzliche Diagnose Friedrich Hackers in seinem Buch über die Brutalisierung der modernen Welt („Aggression"). Was aber tun, wenn man die Gewalt an ihrer Wurzel packen will? Die Sinnhaftigkeit des Konzepts der Gewaltfreiheit hängt ja unmittelbar davon ab, ob Aggression bzw. Gewalt als etwas Natürliches betrachtet werden muss, also als etwas, das im Menschen grundsätzlich da ist und daher nur durch äußeren Zwang beherrscht werden kann – bzw. im zwischenstaatlichen Bereich durch militärische Wehrhaftigkeit – oder ob davon auszugehen ist, dass Aggression/Gewalt durch entsprechendes Verhalten bzw. durch die richtige Erziehung kontrolliert oder gar verhindert werden kann.

Die Trennungslinie der Ansichten war klar. Die „anderen", unsere Gegner, hingen tendenziell einem negativen Menschenbild à la Thomas Hobbes an: Weil der Mensch „böse" ist, braucht es Zwang, Polizei, Militär und Androhung von Gewalt. Wir hingegen hatten ein positives Menschenbild à la Jean-Jacques Rousseau bzw. wir mussten es sogar haben, wenn wir unsere Idee der Gewaltfreiheit nicht selbst lächerlich machen wollten: Weil der Mensch prinzipiell „gut" ist, ist es für alle möglich, einen gewaltfreien Umgang zu erlernen und eine friedliche Lösung von Konflikten zu erreichen.

Psychologen wie Albert Bandura und David Mantell konnten diese Auffassung mit Experimenten und empirischen Studien stützen. Bandura zeigte in einem berühmten Experiment, dass Kinder aggressives Verhalten erlernen, indem sie einem Modell zusehen, das dieses Verhalten ausführt. Er schloss: „Der Mensch ist mit neurophysiologischen Mechanismen ausgestattet, die es ihm ermöglichen, sich aggressiv zu verhalten, aber die Aktivierung dieser Mechanismen ist von Reizungen abhängig und unterliegt der Kontrolle der Großhirnrinde. Daher werden die Häufigkeit, mit der aggressives Verhalten gezeigt wird, die besonderen Formen, die es annimmt, die Situationen, in denen es sich ausdrückt, und die Ziele, die für den Angriff gewählt werden, maßgeblich von sozialen Erfahrungen bestimmt." Mantell belegte dasselbe in seiner empirischen

Studie „Familie und Aggression" im Nachgang zum Vietnamkrieg. Seine Frage: Wer ging in den Krieg und tötete blind und wer blieb als Kriegsdienstverweigerer zu Hause (bzw. wehrte sich gegen Gewaltanwendung)? Das Ergebnis: Ein warmes und freundliches Sozialklima, in dem Kinder gelobt werden und alle Konflikte auf der Basis klarer Wertvorstellungen einvernehmlich gelöst werden, korrespondiert mit der Einübung von Gewaltlosigkeit. Ein kaltes und aggressives Sozialklima hingegen, indem Kinder beschimpft und bestraft werden und Konflikte durch Zwangsmaßnahmen innerhalb einer hierarchischen Ordnung eliminiert werden, korrespondiert mit der Einübung von Gewalt bzw. Gewaltbereitschaft.

Arbeiten wie die beiden genannten boten also durchaus einiges Argumentationsmaterial für Gespräche und Auseinandersetzungen mit Menschen, die Gewaltanwendung durch Organe des Staates (oder auch durch Widerstandsgruppen) befürworteten. Vorgestellt und diskutiert wurden an den Wochenenden ansonsten die in der Szene einschlägigen Texte. Als Klassiker galt der erstmals 1849 publizierte Essay „Über die Pflicht zum Ungehorsam gegen den Staat" des Amerikaners Henry David Thoreau, auf den der Begriff des zivilen Ungehorsams („Civil Disobedience") zurückgeht. Thoreau hatte sich geweigert, in Massachusetts Steuern zu zahlen, weil er die dort erlaubte Sklaverei nicht unterstützen wollte. Wenn ein Gesetz so beschaffen ist, so die zentrale These Thoreaus, „dass es notwendigerweise aus dir den Arm des Unrechts an einem andern macht, dann, sage ich, brich das Gesetz." Aktuellere Beispiele für zivilen Ungehorsam konnte man den Texten des Berliner Politikwissenschaftlers Theodor Ebert, dem „Papst" des gewaltfreien Aufstands, oder denen von Hildegard Goss-Mayer entnehmen, die in den 1960er-Jahren im Auftrag des Internationalen Versöhnungsbundes in Lateinamerika gewaltlose Befreiungsbewegungen aufgebaut hatte. Und natürlich bei Mohandas Karamchand Gandhi.

Gandhis Ziel war es, den Herrschenden durch Aktionen des gewaltfreien Ungehorsams die Macht zu entziehen. Er war fest davon überzeugt, dass Verzicht auf Gewalt nicht schwächt, sondern im Menschen eine Kraft entwickelt, durch die der Gegner überwunden werden kann. Sein Ansatz stützte sich dabei auf zwei zentrale Begriffe: Sathiagraha und Ahimsa. Sathiagraha, was in etwa als „kraftvolles Festhalten an der Wahrheit" übersetzt werden kann, beschreibt die Haltung derjenigen, die Widerstand leisten: „Sathiagrahi" wollen dem Gegner keinen Schaden zufügen und trotzdem weder schwach noch hilflos wirken, sie wollen dessen Gefühle und Gewissen herausfordern und ihn von der Falschheit seines Handelns überzeugen: „Das Ziel des Sathiagrahi ist, den falsch Handelnden zu bekehren, nicht zu bezwingen". Hier kommt dann Ahimsa ins Spiel, die „Nicht-Gewalt" in Begleitung der Bereitschaft, Schmerz und Leiden auf sich zu nehmen. Nach Gandhis Auffassung schließt das Konzept Ahimsa nicht nur physische Gewalt aus, sondern auch psychische wie verletzende Worte oder Lügen.

An den Wochenenden wurde aber nicht nur theoretisiert, den größten Raum nahmen zahlreiche gruppendynamische Spiele ein, die u. a. in Anlehnung an die berühmten Milgram-Experimente der 1970er-Jahre den menschlichen Hang zur Gehorsambereitschaft thematisierten. Bei der „Schlange mit Augen" etwa wurden einer Gruppe von Knieenden die Augen verbunden, dann sollten sie sich an den Fersen fassen und hintereinander herrobben, nur die Person an der Spitze durfte etwas sehen. Die andere Gruppe bestand aus „Störern", die auf Anweisung von zwei „Anleitern" versuchen sollten, die Kette mit moderat gewaltsamen Mitteln – etwa dem Einsatz von Papp-Schlagstöcken – auseinanderzureißen. Schließlich wechselten die Gruppen, und am Ende wurde über die Erfahrungen mit Macht und Ohnmacht diskutiert: Warum sind Menschen bereit, ohne jede persönliche Feindseligkeit und nur auf Befehl einer Autorität andere zu misshandeln? Und umgekehrt: Wie viel Gewalt kann man ertragen, ohne selbst gewalttätig zu werden?

Wie viel Gewalt gut vorbereitete „Sathiagrahi" aushalten konnten, zeigten die von Gandhi initiierten Salzmärsche des Jahres 1930. Salz wurde zum Symbol des Widerstands in Indien, weil es Indern unter der Kolonialherrschaft verboten war, selbst welches zu gewinnen und die Bevölkerung so gezwungen war, das teure Salz der Briten zu kaufen. Bei den Märschen zum Brechen des Salzmonopols wurden Zehntausende gewaltfreier Protestierer festgenommen und in Gefängnisse geworfen, bei der berühmt-berüchtigten „Schlacht von Dharasana" kam es sogar zu Schwerverletzten und Toten, als die Schergen der Kolonialmacht mit eisenbeschlagenen Knüppeln auf die ungerührt weiter vorrückenden Sathiagrahi eindroschen.

Am Ende blieben viele Fragen offen. Inwieweit waren die Verhältnisse in Deutschland mit den damaligen in Indien überhaupt vergleichbar? Und wie viel Gewalt würden die sanften deutschen Blockierer aushalten, wenn das denn erforderlich wäre? Ehrlich gesagt: Es gab in der Gruppe sympathische Leute, aber es war alles ziemlich jungscharmäßig und oberbrav. Frieden, Liebe, Gott, Besinnlichkeit und Eiteitei: Ich fühlte mich da als Skeptiker und Atheist nicht wirklich zu Hause.

Hat der Pazifismus Auschwitz erst möglich gemacht?

Am 15. Juni sorgte der CDU-Generalsekretär und Bundesminister für Jugend, Familie und Gesundheit, Heiner Geißler, für erhebliche Aufregung, als er im Bundestag eine zugespitzte Gegenposition zur Ideologie der Gewaltfreiheit formulierte: „Der Pazifismus der 30er-Jahre, der sich in seiner gesinnungsethischen Begründung nur wenig von dem unterscheidet, was wir in der Begründung des heutigen Pazifismus zur Kenntnis zu nehmen haben, dieser Pazifismus der 30er-Jahre hat Auschwitz erst möglich gemacht." Für diese Aussage heftig kritisiert, korrigierte er sich ein paar Tage später dahin gehend, dass er nicht den Pazifismus des KZ-Häftlings Carl von Ossietzky gemeint habe, sondern die pazifistischen Strömungen in Frankreich und England. Diese hätten die Appeasement-Politik des britischen Premiers Neville Chamberlain ermöglicht, und genau dadurch sei Hitler ermutigt worden, andere Länder zu überfallen und seine rassistische Politik bis zum Massenmord auszutoben: „Die Ereignisse in den 30er-Jahren müssen Anlass dafür sein, für uns alle, aber auch für die Mitglieder der Friedensbewegung, konsequent und radikal die Folgen zu Ende zu denken, die entstünden, wenn ihre politischen Vorstellungen der radikalen einseitigen Abrüstung in den westlichen Demokratien eine politische Mehrheit bekämen."

Nachdem Ende Juni das Gesetz zur Neuordnung des KDV-Rechts vom Bundestag verabschiedet worden war – eine Klage, wonach die Verlängerung des Zivildienstes auf 20 Monate (gegenüber 16 Monaten Wehrdienst) gegen die nach Art. 12a Abs. 2 GG geforderte gleiche Dauer beider Dienste verstoße, hatte das Bundesverfassungsgericht mit dem Hinweis auf die zusätzlich zu absolvierenden Wehrübungen zurückgewiesen –, goss der oberste Dienstherr aller Zivildienstleistenden in einem Interview ungeniert weiteres Wasser auf die Mühlen aller Totalverweigerer. Kriegsdienstverweigerern sei es grundsätzlich nicht erlaubt, so Geißler, Einsätze ohne Waffen zu verweigern. „Das ist mit der Gewissensfreiheit nicht geschützt. Und daher kann das im Verteidigungsfall bedeuten, dass der Zivildienstleistende im Luftschutz und Feuerlöschdienst und beim Blindgängerentschärfen eingesetzt würde. Das ist im Übrigen auch im Zivildienstgesetz ausdrücklich so geregelt." Die Argumente der Totalverweigerer erhielten also Bestätigung von allerhöchster Stelle. Trotzdem blieb die Frage stehen: Was nützt der Beweis, dass der Zivildienst ein Kriegsdienst ohne Waffen ist, wenn das weder Politiker noch Verfassungsrichter stört?

Beim Prozess gegen Christoph Schlegel am 7. Juli in Hof erklärte der als Zeuge angetretene Oberstleutnant Walter Boslinger, Kommandeur des Panzerartilleriebataillons 115 in Neunburg vorm Wald, ganz im Sinne des antipazifistischen Politikers Heiner Geißler, dass „das rücksichtslose, menschheitsverachtende Moskauer Regime" ausschließlich „die Macht des anderen" respektiere, jedoch keine „devote Friedenshaltung". Totalverweigerung sei daher nicht nur ein Verstoß gegen die Wehrgesetzgebung, sondern auch „politisches Fehlverhalten", die Anstiftung junger Menschen zu diesem Tun sei „unchristlich und jugendschädigend". Einer wie Christoph müsse also bestraft werden, hieß das, besonders zur Abschreckung von Nachfolgetätern. Immerhin 1280 Unterzeichner einer vor Gericht verlesenen Solidaritätserklärung waren da anderer Meinung. Im Hofer Anzeiger wurde hernach ein Leserbrief abgedruckt, in dem der Schreiber als 1281. Bürger dieses Landes erklärte, „dass dieser Urteilsspruch nicht in meinem Namen ausgesprochen wurde". Und ein weiterer Leserbriefschreiber stellte die Verhältnismäßigkeit des Urteils in Frage: Wie könne es sein, dass erst vor kurzem ein Polizeibeamter aus Fürstenfeldbruck, der einen 14-Jährigen im Gautinger Jugendzentrum erschossen hatte, lediglich sechs Monate mit Bewährung wegen „fahrlässiger Tötung" erhält und einer wie Christoph zu neun Monaten Haft verurteilt wird?

Beidseitige Abrüstung

Was der Bundeswehr-Oberstleutnant Boslinger nicht wusste: Als er seine Ansichten vor dem Amtsgericht in Hof formulierte, liefen schon längst auch im „menschheitsverachtenden" Osten zahlreiche Aktivitäten, die darauf abzielten, die Mauer zwischen den Systemen zum Einsturz zu bringen. Einer der umtriebigsten Akteure war der inzwischen aus der DDR ausgewiesene Michael Blumhagen, der in Westberlin, unter anderen zusammen mit dem inzwischen ebenfalls abgeschobenen Peter Rösch, weiterhin friedenspolitisch tätig blieb. Beide waren vorgesehen, auf der am 9. Mai beginnenden 2. Konferenz für europäische atomare Abrüstung („European Nuclear Disarmament" / END) im Internationalen Kongresszentrum in Westberlin über die unabhängige Friedensbewegung der DDR und eine in den Reihen der „Friedensgemeinschaft Jena" entwickelte Idee zu sprechen: Eine blockübergreifende Koordinationsstelle der Friedensbewegungen in der BRD und der DDR solle gegründet werden, um unter anderem persönliche Friedensverträge zwischen Ost und West zu vermitteln.

Bereits am 11. Mai wurde bei einem Prozess in Den Haag gegen zwei niederländische Totalverweigerer, die von Militärgerichten abgeurteilt wurden und eine pauschale Strafe von zwölf Monaten zu erwarten hatten, ein Papier Michael Blumhagens verlesen. Darin heißt es: „Was Paul Vertegaal und Herbert Bitter in ihrem Land, in Holland, tun, ist nicht einseitig schwächend oder stärkend. Gegenüber der Lücke, die sie durch ihre Abwesenheit auf Übungs-, Kampf- oder Schlachtfeldern zu schaffen entschlossen sind, steht die Lücke von Ingo Günther, Raul Amon und Uwe Keller in der Schlachtordnung der anderen Seite. Unser Ziel muss es sein, dass eines Tages alle denkenden und begreifenden Menschen an diesen Orten durch ihre Abwesenheit glänzen. Dann sollen doch die paar Generäle, die es absolut nicht lassen können, unter sich ihr Kriegsgleichgewicht herstellen." Lutz Rathenow aus Ostberlin erklärte, dass der gegen die beiden von Staats wegen erhobene Vorwurf, dass sie durch ihre Verweigerung den Westen militärisch schwächen und den Osten stärken würden, nicht stimme. „Als DDR-Bürger möchte ich bezeugen, dass dieser Vorwurf nicht stimmt. Ich kann bestätigen, dass Wehrdienstverweigerungen im Westen mit dazu beitragen, dass eine zunehmende Zahl von DDR-Bürgern den Wehrdienst verweigert. Ich weiß von Bekannten, die persönliche Friedensverträge mit Wehrpflichtigen aus den NATO-Staaten abschließen möchten." Uwe Sinnig aus Jena erklärte, dass er „in jeder Armee der Welt den Dienst total verweigern würde", denn jeder Krieg bedeute, dass „sich Menschen töten, die sich nicht kennen, auf Befehl von Menschen, die sich kennen und nicht töten".

Die Idee persönlicher Friedensverträge stieß auch bei einigen Politikern der Grünen auf Resonanz. Die 2. END-Konferenz sei, so der Bundesgeschäftsführer Lukas Beckmann, ein „Fest für den Ost-West-Dialog von unten" gewesen. Denn es geschah noch richtig Aufregendes. Da den Mitgliedern der DDR-Friedensbewegung die Reise nach Westberlin und damit die Teilnahme an der Konferenz verweigert worden war, trafen sich am 12. Mai einige der Konferenzteilnehmer – unter ihnen die Grünen Bundestagsabgeordneten Petra Kelly, Gert Bastian, Gaby Potthast, Roland Vogt und eben Lukas Beckmann – auf dem Ostberliner Alexanderplatz mit Friedensaktivisten aus der DDR, um dort gemeinsam für Abrüstung in Ost und West zu demonstrieren. Die Sicherheitspolizei reagierte rasch, so Beckmann: „Die Aktion begann um 11.55 Uhr – und dauerte nur wenige Minuten. Im Nu waren 50 Lederjacken da, wir wurden verhaftet, in einem Kleinbus ins Gefängnis gefahren." Nach einigen Diskussionen mit den Vertretern der DDR-Staatsmacht wurden die West-Parlamentarier noch am selben Tag wieder nach Westberlin zurück verfrachtet. Die Sache schlug noch einige Wellen, da in der 20-Uhr-Tagesschau Fotos von der Aktion gezeigt wurden. Einige Wochen später geschah dann Ungewöhnliches: Wohl in der Hoffnung, die Politiker der neuen Partei für eigene Zwecke instrumentalisieren zu können, meldete sich Erich Honecker höchstpersönlich bei den Grünen und sprach eine Einladung für einen „Meinungsaustausch" zu Fragen der Sicherheits- und Friedenspolitik aus.

So reiste denn am 31. Oktober – sechs Tage nachdem die SED dem Rocksänger Udo Lindenberg im Rahmen der Veranstaltung „Frieden für die Welt" endlich einen Auftritt im Palast der Republik in Ostberlin gewährt hatte – erneut eine Grünen-Delegation nach Ostberlin. Sie erreichte Ungewöhnliches: Die Grünen überrumpelten Honecker mit einem kurz zuvor spontan und handschriftlich auf gelber Pappe verfassten persönlichen Friedensvertrag, der beide Seiten dazu verpflichtete, gegenseitige Gewaltanwendung in jedem Fall auszuschließen und Feindbilder abzubauen – und der Staatsratsvorsitzende der DDR setzte tatsächlich seine Unterschrift darunter. Nur die ebenfalls geforderte Verpflichtung zu einseitiger Abrüstung wollte er nicht unterschreiben: Das gehe nicht wegen des verfassungsmäßigen Auftrages, die Verteidigung seines Landes sicherzustellen und wegen der Bündnisverpflichtungen gegenüber dem Warschauer Pakt. Selbst als die Grünen, von den aus der DDR ausgebürgerten Roland Jahn und Jürgen Fuchs gut vorbereitet, Honecker sodann eine Mappe mit Petitionen zur Freilassung von inhaftierten DDR-Oppositionellen wie der Bürgerrechtsaktivistin Katrin Eigenfeldt überreichten, blieb dieser kooperativ und versprach, sich darum zu kümmern.

Die weiteren Diskussionen waren bestimmt von Differenzen. Während die Grünen immer wieder auf die Frage der Menschenrechtsverletzungen in der DDR zu sprechen kamen, betonte Honecker seine Sympathie für die westdeutsche Friedensbewegung, denn für die DDR-Führung bleibe ja die Verhinderung der Nachrüstung die wichtigste Frage. Kelly freilich wollte das so nicht stehen lassen und warf sich, ihrem Ruf als „Jeanne d'Arc der blockfreien Friedensbewegung" gerecht werdend, mutig für die staatsunabhängigen ostdeutschen Friedensinitiativen ins Zeug. „Ich würde Sie bitten zu erklären, Herr Honecker", äußerte sie laut Überlieferung in scharfem Ton, „warum Sie hier verbieten, was Sie bei uns bejubeln".

Unmittelbare politische Konsequenzen hatte das ungewöhnliche Treffen nicht – die Grünen waren ja nur eine kleine Oppositionspartei –,

Empfang einer Delegation von Bundestagsabgeordneten der Grünen durch Erich Honecker am 31. Oktober 1983. V.l.n.r.: Lukas Beckmann, Erich Honecker, Dirk Schneider, Otto Schily, Petra Kelly, Gerd Bastian.

aber immerhin war es Kelly & Co. gelungen, die Friedens- und Bürgerrechtsbewegung der DDR zum Thema zu machen. Und sichtbar: Denn Petra Kelly trug, auch beim abschließenden Fototermin mit Honecker, über ihrem Pullover ein T-Shirt mit dem Aufdruck „Schwerter zu Pflugscharen". Die besondere Gewandung führte schließlich sogar noch zu einem kleinen Wunder: Ein Foto der Grünen-Ikone und somit auch der Slogan der DDR-Friedensbewegung erschien am 1. November auf der Titelseite des SED-Zentralorgans *Neues Deutschland*. Petra Kelly war damit endgültig zur bekanntesten Symbolfigur blockübergreifender Friedenspolitik geworden. Zusammen mit den anderen Grünen – die fortan mit Einreiseverboten belegt wurden – hatte sie einen nicht unwesentlichen Beitrag geleistet für das Anwachsen der Oppositionsbewegung in der DDR.

Vom Privileg des Verbotes der Doppelbestrafung

Ich selbst hatte in diesen Tagen an der Post-Front einen ausufernden Papier-Schusswechsel der Einschreibbriefe zu absolvieren. Der Ablauf: Erneuter Einberufungsbescheid des Bundesamtes – Widerspruch mit der Begründung, dass ich wegen meiner endgültigen Zivildienstverweigerung bereits rechtskräftig verurteilt sei und sich an der Endgültigkeit meiner Entscheidung nichts geändert habe – Stellungnahme der Heimleitung, dass sie dem weiteren Einsatz des Zivildienstleistenden C.B. zustimme, auch wenn eine erneute Einberufung an dessen Überzeugungen wohl nichts ändern werde – Zurückweisung des Widerspruchs durch das Bundesamt, da ich „verfügbar" und laut Bestätigung durch das Amtsgericht Nürnberg „kein Zivildienstverweigerer aus Gewissensgründen" sei und demzufolge der „geschuldeten Restdienstpflicht genügen" müsse – Verhör durch die Kripo wegen eigenmächtiger Abwesenheit – Antrag auf Entlassung aus dem Zivildienst – Anzeige wg. „Dienstflucht" durch das Bundesamt – erneute Anklageschrift des Oberstaatsanwalts Prandl. Das Ergebnis von dessen Ermittlungen: „Der Angeschuldigte kann für sich nicht das Privileg des Verbotes der Doppelbestrafung in Anspruch nehmen." Auch die Angelegenheit mit den Gerichtskosten aus meinem ersten Prozess, die ich nicht bezahlt hatte, zog sich. Die Reaktionskette: Mahnung – Androhung von Erzwingungshaft – Mitteilung, dass ich kein Geld habe – Anmarsch des Gerichtsvollziehers und vergeblicher Pfändungsversuch (Verwertbares war nicht sicherzustellen, meinen Schwarz-Weiß-Fernseher durfte ich behalten, und auch mein alter Kadett stellte offenbar keinen Wert dar) – Ladung zum Offenbarungseid – Androhung der Verhaftung zur eidesstattlichen Offenbarungsversicherung. Ich zahlte schließlich mit den Mitteln aus einem inzwischen eingerichteten Solidaritätsspendenfonds.

Währenddessen hatten sich die Zweitverfahren gegen Tom und Ossi, die bereits rechtskräftig zu sechs bzw. vier Monaten verurteilt waren, zugespitzt. Im März hatte das Bayerische Oberste Landesgericht in München der Revision des Staatsanwalts Klaus Hubmann gegen die Einstellung des Zweitverfahrens gegen Tom stattgegeben. Die Begründung lag auf der Hand: Es liege in diesem Fall kein mit den Zeugen Jehovas vergleichbarer, auf einer „extremen und wirklichkeitsfremden Denkhaltung oder Weltanschauung" beruhender Gewissenskonflikt vor. Die Sache wurde daher zurückverwiesen an eine andere Strafkammer des Landgerichts Nürnberg-Fürth. (Hierzu die Anmerkung: Dafür, wie sich das Vorliegen einer „extremen und wirklichkeitsfremden Denkhaltung oder Weltanschauung" äußern könnte, lieferte das bayerische Oberste Landgericht keine konkreten Beispiele. Erst das Oberlandesgericht Düsseldorf wird am 3. Juni 1985 in einem anderen Fall deutlicher werden mit dem Hinweis, dass viele Angehörige der Glaubensgemeinschaft der Zeugen Jehovas „im vergangenen Kriege ... eher ihren Tod und z. T. auch den ihrer Angehörigen in Kauf nahmen, als dem an sie ergangenen Einberufungsbefehl Folge zu leisten". Bei dieser Forderung nach einem Beweis für das Vorliegen einer bis zum Äußersten gehenden und deswegen „irrsinnigen" Opferbereitschaft übersah des OLG kurioserweise das Faktum, dass im Kriegsfall jedem Wehrpflichtigen – im Zuge des Auftrags, möglichst viele Gegner „auszuschalten" – die Bereitschaft zum Einsatz des eigenen Lebens als ganz normale Pflicht abverlangt wird.)

Ossi war ohne Revisionsumweg vor einer Strafkammer des Landgerichts Nürnberg-Fürth gelandet. Anfang April vom Amtsgericht Erlangen wegen abermaliger Dienstflucht zu weiteren acht Monaten verurteilt, diesmal ohne Bewährung – weil nicht zu erwarten sei, so der Richter, „dass sich der Angeklagte in Zukunft straffrei aufführen wird" –, hatte er gegen das Urteil Berufung eingelegt, um nun in der nächsten Instanz sein Recht zu suchen. Die beiden Prozesse waren auf den 18. (Tom) bzw. 19. Juli (Ossi) terminiert. Für Ossi, der nach der ersten Verurteilung aus seinem Job entlassen worden war und erst vor kurzem und nur unter der Bedingung eine neue Anstellung als Krankenpfleger erhalten hatte, dass er am Arbeitsplatz seine politische Gesinnung geheim halte, stand fest, dass er seinen Prozess nicht an die große Glocke hängen wollte. Alle respektierten das, und so beschlossen wir, nur am 18. Juli eine größere Aktion zu organisieren.

In einem Workshop zur Vorbereitung des Prozesses wurden von den Unterstützern allerlei Pläne geschmiedet. Klar war: Viele Leute würden kommen, auch von außerhalb, und die meisten hatten ihre Bereitschaft erklärt, sich an einer „Protestshow" zu beteiligen. Aber was sollte man tun? Ein bisschen Straßentheater, wie es Jorge aus Hannover schon oft praktiziert hatte? Eine Ankettungsaktion? (Anmerkung: An Festkleben dachte niemand, denn es gab damals keinen tauglichen Klebstoff). Anketten war grade groß in Mode, aber welche Symbolik wollte man in diesem Fall damit vermitteln? Außerdem war die Anketterei ziemlich unberechenbar. Erst kürzlich hatte sich ein bereits verurteilter und zum Haftantritt aufgeforderter Totalverweigerer an die Tür des Kreiswehrersatzamtes Mainz angekettet. Eigentlich hatte er sich auf spektakuläre Weise festnehmen lassen wollen. Dann aber hatte ihn die herbeigerufene Polizei nur losgeknipst, die Personalien überprüft und nach Hause geschickt. Trotz langer Diskussionen wollte uns nichts Gescheites einfallen. So verzichteten wir letztendlich auf eine spezielle Aktion und meldeten lediglich einem Infostand an und eine Demonstration. Ich produzierte ein vierseitiges Faltflugblatt, in dem das Verfahren gegen Tom als doppelter Verstoß gegen das Grundgesetz angeprangert wurde: nämlich als Verstoß gegen den Art. 103 Abs. 3 – „Niemand darf wegen derselben Tat aufgrund der allgemeinen Strafgesetze mehrmals verurteilt werden" – und, weil das Verbot der Doppelbestrafung von Staatsanwälten wie Ludwig Prandl und Klaus

Hubmann als „Privileg" der Zeugen Jehovas gewertet wurde, auch als Verstoß gegen Art. 3 GG: „Niemand darf wegen … seiner religiösen oder politischen Anschauung benachteiligt oder bevorzugt werden." Die Flugblätter wurden in allen relevanten Kneipen und Lokalitäten in Nürnberg, Fürth und Erlangen verteilt, außerdem hatten wir Unterstützungserklärungen zahlreicher Organisationen und Einzelpersonen gesammelt, die wir vorab an die Presse gaben. Die Bundestagsabgeordneten der Grünen – es hatte tatsächlich die komplette Fraktion unterschrieben – sandten aus Bonn einen unter Federführung des Nürnberger Abgeordneten Dieter Burgmann abgefassten schriftlichen Protest: „Den Totalverweigerern, die bereit sind, im gewaltfreien Widerstand gegen die Militarisierung der Gesellschaft und des Ersatzdienstes aus innerer Überzeugung und unter Inkaufnahme der Verurteilungen Stellung zu beziehen, erklären die Unterzeichner ihre Solidarität und ihre Unterstützung gegen die Willkürmaßnahme der Doppelbestrafung als politisches Druckmittel. Es muss verhindert werden, dass die Doppelbestrafung von Totalverweigerern zur rechtlichen Praxis wird." Die Parlamentarier werteten „solche Rechtspraktiken als eine Abkehr vom Rechtsstaat" und versprachen, dass sie „alle Möglichkeiten ausschöpfen, dieser Entwicklung zu begegnen und sie zu verhindern". Zudem enthielt der Text auch noch die Formulierung, dass die Kritik der Totalverweigerer als „berechtigt" anzusehen sei, „dass der Zivildienst im allgemeinen nicht als Friedensdienst, sondern als militärischer Ersatzdienst gestaltet wurde, im Kriegsfall somit auch die Zivildienstleistenden einen wichtigen Beitrag zur Funktionsfähigkeit der Kriegsmaschinerie leisten". Daraus sei für die Grünen der Schluss zu ziehen: „Wir lehnen diese Gestaltung des Zivildienstes ab und bedauern, dass es keine Rechtsgrundlage für die Totalverweigerung gibt. Wenn sich dennoch Menschen zur Totalverweigerung entschließen, d. h. auch den Ersatzdienst ablehnen, entspricht das unserer Vorstellung von zivilem Ungehorsam." So weit wollte die Nürnberger SPD-Bundestagsabgeordnete Renate Schmidt mit ihrer Solidarität nicht gehen. Aber sie engagierte sich intensiv und wandte sich in einem persönlichen

Flugblatt zum Prozess gegen Tom (Thomas) am 18. Juli 1983.

Brief an das Landgericht mit der Bitte, von einer Doppelbestrafung abzusehen. Es solle, so Schmidt, „einem allgemeinen Rechtsempfinden nach" doch „selbstverständlich" sein, „dass nicht nur Angehörige der Zeugen Jehovas, sondern auch die ähnlich gelagerten Fälle der sog. Totalverweigerer keine Doppelbestrafung erfahren."

Am Tag des Prozesses standen zehn zum Teil von weither angereiste Totalverweigerer bereits frühmorgens am Tugendbrunnen vor der Lorenzkirche und stellten sich dem interessierten Publikum zur Diskussion, dazu gab es Straßentheater und Musik. Die Reaktionen der Passanten waren, vorsichtig ausgedrückt, gemischt. Es kam zu zahlreichen Anwürfen. Ein Eiferer sagte sinngemäß etwa das: „Nehmen wir mal an, es wird so gemacht, wie ihr euch das denkt: Es wird abgerüstet und Deutschland tritt aus der NATO aus. Habt ihr euch mal überlegt, was passiert, wenn ihr nicht recht habt, wenn das dem Russen völlig egal ist? Dann ist Deutschland wehrlos und der Russe plötzlich da. Was macht ihr dann? Dann gibt es keine Demonstrationsrechte mehr, wie ihr sie jetzt genießen dürft!" Wir waren froh, als sich durch die allmählich in immer größerer Zahl eintrudelnden Sympathisanten, die an der angekündigten Demonstration teilnehmen wollten, die Kräfteverhältnisse vor Ort zu unseren Gunsten änderten. Dass die anwesenden Polizisten einige Flugblätter konfiszierten, störte uns nicht weiter.

Um 11 Uhr startete der leider nicht besonders imposant geratene Demonstrationszug in Richtung des Gerichtsgebäudes in der Fürther Straße, dem einstigen Schauplatz der Nürnberger Prozesse. Vielleicht zweihundert Leute waren gekommen und hinterließen auf der breiten Fürther Straße nicht den Eindruck, als handele es sich hier um eine Volksbewegung. Die in großem Stil aufmarschierte Polizei hatte offensichtlich ebenfalls mit einer weitaus größeren Zahl von Protestierenden gerechnet.

Weder die öffentlichen Unmutsbekundungen noch die Kraft der Logik, dass ein grundgesetzlich verbürgtes Recht nicht zu einem „Privileg" einiger weniger verkümmern darf, konnten die neuerliche Verurteilung Toms verhindern. Staatsanwalt Hubmann argumentierte in seinem Plädoyer: „Konkrete Friedensarbeit haben sie nicht geleistet. An der Tätigkeit im Zivildienst hätten sie nicht zerbrechen können. Eine fortdauernde Dienstflucht kann die Gemeinschaft nicht hinnehmen." Richter Scheiba warf Tom in abfälliger Tonlage vor, dass er „kein Engagement" habe erkennen lassen und vor Gericht den Eindruck eines Menschen gemacht habe, „der sich treiben" lasse, den man „nicht ernstnehmen" könne und der eben deswegen erneut verurteilt werden müsse.

Am Ende seiner Urteilsbegründung offenbarte er die wirklichen Gründe für die drakonische Bestrafung von Totalverweigerern: „Auch die Verteidigung der Rechtsordnung gebietet hier die Vollstreckung der Strafe. Andernfalls müsste mit erheblicher Beeinträchtigung der Disziplin im Zivildienst gerechnet werden. Auch müsste eine erneute Strafaussetzung das Vertrauen der Bevölkerung in die Unverbrüchlichkeit des Rechts und den Schutz der Rechtsordnung erschüttern."

„Wieder ein Schuldspruch", titelten die *NN* am nächsten Tag und kommentierten: „Bei der Strafzumessung fielen eiskalte juristische Überlegungen ins Gewicht." Als „eiskalt" erwies sich am selben Tag auch der Richter Brinckh, der in dem ohne größere Beteiligung der Öffentlichkeit ablaufenden Prozess gegen Ossi das Urteil des Amtsgerichts Erlangen bestätigte. Zur Urteilsbegründung zog er sich auf die bekannte These zurück, dass die Einlassungen des Angeklagten Rückschlüsse auf eine „echte" Gewissensentscheidung „im Sinne eines inneren Zwanges mit der Gefahr des Zerbrechens seiner sittlichen Persönlichkeit" nicht zuließen, auch wenn der Angeklagte in der Hauptverhandlung „einen durchaus ehrlichen und offenen Eindruck" gemacht habe. Alleine die Bereitschaft, sich für sein Verhalten bestrafen zu lassen, könne jedenfalls eine Gewissensentscheidung nicht unter Beweis stellen.

Nach der Bestätigung der acht Monate, zusätzlich zu den vier Monaten aus dem ersten Verfahren, standen für Ossi nun also insgesamt zwölf Monate Haft an, 14 Monate (sechs plus acht Monate) waren es bei Tom. Beide legten gegen ihre Urteile Revision ein. Wenn die erfolglos bliebe – und damit war zu rechnen –, würde es für beide bald heißen: Ab ins Gefängnis! Und wenn sich die Gefängnistore wieder öffnen würden, würde es nach der Logik der Beamten des Bundesamtes, der Staatsanwälte und Richter wieder weitergehen: Einberufung, Anklage, Verurteilung ...

Auf die noch im Juli im Bundestag gestellte Anfrage der empörten SPD-Abgeordneten Renate Schmidt, wie die Bundesregierung mit der skandalösen Mehrfachbestrafung umzugehen gedenke, antwortete der Bundesminister Heiner Geißler: „Die Bundesregierung geht davon aus, dass die Strafgerichte in jedem einzelnen wegen Dienstflucht zur Anzeige gebrachten Fall prüfen, ob mehrere Einzeltaten desselben Wehrpflichtigen wegen eines Fortsetzungszusammenhangs als einheitliche Tat zu beurteilen sind." Angesichts der Rechtsprechung der Strafgerichte, die eine solche Beurteilung nicht nur im Falle von Angehörigen der Zeugen Jehovas kenne, sehe „die Bundesregierung keine Veranlassung, Schlussfolgerungen insbesondere gesetzgeberischer Art zu ziehen".

Flüchten oder standhalten

Im Sommer und Frühherbst diskutierten wir – Tom, Ossi, ich und sporadisch auch andere Totalverweigerer –, wie mit der für uns alle zu erwartenden Aufforderung zum Haftantritt umzugehen wäre. Die Briefe von manchen Inhaftierten waren nicht besonders ermutigend. Matthes und Günter etwa hatten auf ihren „Wohnklos" in der JVA Wittlich (Rheinland-Pfalz) die Erkenntnis gewonnen, „dass Knast genau so beschissen ist wie Zivildienst", sie würden daher die Totalverweigerung nun in einem „anderen Licht" diskutieren als zur Zeit ihrer Prozesse. Für den Profi-Musiker Tom stand fest, dass er nach Spanien abhauen und sich dort einen Lebensunterhalt als Gitarrist verdienen würde. Ossi war noch unentschlossen, ich ebenso.

Zu denken gab mir ein Brief von Robert, der sich nach Goa abgesetzt hatte. „In stillen, bedächtigen Augenblicken, wenn ein Grashalm in meinem Ohr und eine krabbelige Ameise auf meinem Bauch kitzelt, will es mir scheinen, als liege der tiefste aller Sümpfe – aus dessen brodelnden Tiefen verführerische Stimmen mich lockten und Fangarme mich festhalten wollten (nämlich die Kompromissbereitschaft zum Zivildienst) – hinter mir, da klingelt es leise und ich bin froh, den Absprung doch noch gefunden zu haben." Nach Indien auszuwandern war für mich keine Option. Aber vielleicht nach Wien? Ich hatte schon lange damit geliebäugelt, einmal dort zu studieren. Warum also nicht mal dorthin fahren und die Lage abchecken? In Deutschland war womöglich sogar mein Abschluss des Studiums gefährdet. Wenn „der Studienbewerber wegen einer vorsätzlich begangenen Straftat mit einer Freiheitsstrafe von mindestens einem Jahr rechtskräftig bestraft ist", so die Auskunft der Uni Erlangen, liege ein Immatrikulationshindernis vor. In Wien gestalteten sich die Auskünfte jedoch wenig ermutigend. Die Leute von der „AG Zivildienst, Soziale Verteidigung und Gewaltlosigkeit" teilten mir mit, dass ihnen keine Bundeswehr-Deserteure in Österreich bekannt seien. Und in Österreich selbst habe es in den letzten vier Jahren lediglich einen Totalverweigerer gegeben. Es lägen daher keinerlei Erfahrungen vor, wie sich der österreichische Staat verhalten würde, wenn ein in Deutschland verurteilter Fahnenflüchtiger in Wien Wohnsitz nimmt und sich an der Uni einschreibt. „Was soll einer wie ich da, ganz allein und umstellt von Unsicherheiten?", überlegte ich. Und strich Wien aus meiner Liste möglicher Zufluchtsorte.

Durchatmen, runterkommen, lässiger werden nach der Art von Robert – so eine entspannte Haltung hätte auch den Nürnberger Staatsanwälten gutgetan, aber die blieben rastlos. Selbst im August schwitzten sie im Verfolgungswahn und strengten ein Ermittlungsverfahren wegen Verunglimpfung des Staates in Mittäterschaft gegen 54 Personen an. Inkriminiert wurde ein Flugblatt „Informationen für Wehrpflichtige", in der die Musterung als „Fleischbeschau" bezeichnet und ein Bundesadler abgebildet war, „dem am unteren Körperteil das Gefieder fehlt". Der Hintergrund: Als Reaktion auf die Anklage gegen das beschlagnahmte Flugblatt des Verfassers Georg Strobl hatten 53 weitere Personen, darunter auch ich, die 5. Auflage des Flugblattes aus Solidarität mitunterzeichnet und der Kriminalpolizei übergeben. 53 waren dann wohl doch zu viele Angeklagte, das Ermittlungsverfahren wurde schließlich wegen Geringfügigkeit eingestellt. Eine gegen mich erstattete Anzeige wegen öffentlicher Aufforderung zu Straftaten und Verstoß gegen das Pressegesetz verlief ebenfalls ergebnislos, eine Beschuldigtenvernehmung bei der Kriminalpolizeiinspektion hatte keine Erkenntnisse erbracht. Eine weitere Vernehmung, diesmal zum Vorwurf Verunglimpfung des Staates, hatte dann aber doch Konsequenzen, nämlich einen Strafbefehl – 30 Tagessätze à 20 DM – gegen mich als V.i.S.d.P. und vier weitere Personen, die das Flugblatt vor Toms Prozess verteilt hatten. „Als Verantwortlicher im Sinne des Pressegesetzes verfassten Sie ein Flugblatt mit der Überschrift: ‚Wenn Bayerns Richter doppelt sehen, muss man auf die Straße gehen!', das Sie auf dem von Ihnen angemeldeten Info-Stand vor der Lorenzkirche in Nürnberg am 18.7.1983 in der Zeit zwischen 10.30 Uhr und 11.00 Uhr verteilen ließen. Dieses Flugblatt enthält auf der Vorderseite quergedruckt und deutlich sichtbar unter anderem folgenden Text: „Grundgeschwätz (über durchgestrichen: Grundgesetz) für die Bundesrepublik Deutschland…' Wie Ihnen bewusst war, beschimpften sie hierdurch selbst die Bundesrepublik Deutschland."

Ein Mutlangen-Erlebnis

Kurz vor dem Start der Mutlangen-Blockade war ich zusammen mit dem Konzertveranstalter Peter Harasim und dessen Schäferhündin bei einer Plakatierungstour für das anstehende große „Come-Together-Festival" in Nürnberg über Land unterwegs. Zufällig wurden wir von der eigentlich vorgesehenen Runde weit abgetrieben. Der Grund: Vor uns fuhr ein Plakatierer-Trupp von einem konkurrierenden Konzertbüro, dessen Plakate noch ganz frisch waren. Also beschlossen wir, zwei Fliegen mit einer Klappe zu schlagen: Wir überklebten die frisch angebrachten Konkurrenz-Plakate, sparten uns dadurch das mühevolle Einkleistern und verhinderten gleichzeitig die Werbung für das Open Air „Monsters of Rock" (mit Meat Loaf und Thin Lizzy) auf der Nürnberger Zeppelinwiese. Während der Verfolgungsjagd drifteten wir bei Heidenheim an der Brenz ab und beschlossen, einen Abstecher zum Widerstandscamp in Mutlangen zu machen. Dort erwarteten uns leider statt der von mir erhofften Grillparty mit Bier ein vegetarischer Graupen-Eintopf und selbstgepresste Säfte, garniert mit unentwegten Friedensgesängen und überbordender Gutmenschen-Fröhlichkeit. Von mir befragt, wie sie denn das Ziel der geplanten Blockade beschreiben würde, antwortete eine Aktivistin: Dass das Militär durch die Blockade ernsthaft gestört werde, sei ihr gar nicht so wichtig; viel entscheidender sei für sie, im Camp ganz neue Formen des Miteinander-Umgehens auszuprobieren.

Die ganze Szenerie hatte die Anmutung eines riesigen Kindergeburtstages auf einem Abenteuerspielplatz am Rande des evangelischen Kirchentags. Wir fühlten uns einigermaßen unwohl und deplatziert, daher zogen wir uns bald zurück und schlüpften auf offener Wiese in unsere Schlafsäcke. Was wir nicht bedacht hatten: Die Schäferhündin Charlotte war läufig und erregte nachhaltiges Interesse bei den herumstreunenden Dorfhunden. Nachdem wir die ersten Interessenten vertrieben hatten, sammelten wir zur weiteren Verteidigung der Hündin herumliegende Steine ein, dann platzierten wir Charlotte zwischen uns und leinten sie an einem Pfosten an. Es wurde eine unruhige Nacht. Immer wieder schreckten wir hoch und vertrieben einen der vorsichtig sich heranpirschenden Gesellen per Steinwurf, der dann jaulend abzog. Irgendwann hatte uns die Müdigkeit übermannt, der Morgen graute bereits, als ich im Halbschlaf bemerkte, wie einer der Dorfhunde hechelnd zum Erfolg kam.

Wir hatten das Camp schon wieder verlassen, als sich am 1. September um Punkt 5 Uhr 45 einige hundert Atomwaffen-Gegner auf den Weg von ihrem von rund 1.000 Menschen bewohnten Friedenscamp zum drei Kilometer entfernten US-Waffendepot machten. Stunde und Tag waren nicht zufällig gewählt: Genau 44 Jahre zuvor hatte Hitler Polen angreifen lassen und damit den Zweiten Weltkrieg entfacht. Jetzt ging es um den auf insgesamt drei Tage angesetzten Protest gegen die neuen Pershing II, von denen 26 in Mutlangen stationiert werden sollten. In der Morgendämmerung erreichte der Zug der Blockadewilligen das Haupttor des amerikanischen Militärgeländes. Es war grell erleuchtet von den Scheinwerfern zahlreicher Fernsehteams. Aus aller Welt waren Journalisten angereist. Ihr Interesse galt zuallererst den auf die einzelnen Bezugsgruppen verteilten Prominenten. 150 waren es insgesamt, unter ihnen Oskar Lafon-

Schriftsteller Heinrich Böll bei seinem Stuhl-Sitzprotest gegen die Stationierung von Pershing II-Raketen in Mutlangen.

taine (damals Oberbürgermeister von Saarbrücken) und der SPD-Politiker Erhard Eppler, die Grünen-Ikone Petra Kelly, der Theologe Helmut Gollwitzer, der Pfarrer Heinrich Albertz, der Literaturwissenschaftler Walter Jens, der Zukunftsforscher Robert Jungk, der Liedermacher Wolf Biermann, der Kabarettist Dieter Hildebrandt, der Schauspieler Dietmar Schönherr, der Schriftsteller Günter Grass, und natürlich war auch Heinrich Böll dabei, der erklärte, dass er sich „mit all diesen Menschen, die so viel opfern" solidarisieren wolle.

Bei der Blockade war auch meine „Muna"-Bezugsgruppe aus Nürnberg aktiv, die sich in ihrer sechsstündigen Blockadeschicht um Heinrich Böll zu kümmern hatte. Als sich herausgestellt hatte, dass der gesundheitlich angeschlagene, auf eine Krücke sich stützende Literatur-Nobelpreisträger nicht in der Lage war, sich auf den blanken Boden zu setzen, ertönte ein Ruf von Jörg, der in die Annalen einging: „Ein Stuhl für den Heinrich!" Und alsbald war aus Heinrich tatsächlich der erste bestuhlte Sitzblockierer der Friedensbewegung geworden, und wohl auch der meistfotografierte. „Wir gefährden die Demokratie nicht, wir machen Gebrauch von ihr", erklärte er den Journalisten, und außerdem: „Viel Politik beginnt auf der Straße." Alle warteten gespannt darauf, ob die Polizeibeamten auch den weltberühmten Literaten wegtragen und abführen würden. Aber niemand griff ein, niemand wurde angefasst. Berittene Polizisten, die sich nicht rührten, als ihren Pferden Blumenkränze ins Zaumzeug gesteckt wurden, beobachteten die Szene, als seien sie gar nicht beteiligt. Es sollte wohl unbedingt das Bild vermieden werden, wie ein von Krankheit gezeichneter Literaturnobelpreisträger von Polizisten traktiert wird. Einige der Blockade-Profis, die sich in wochenlangem Training auf ihren gewaltfreien Einsatz vorbereitet hatten, maulten ein wenig darüber, dass außer Diskussion und Gesang so gar nichts weiter passieren wollte. Doch immerhin: Die Beteiligung all der Prominenten hatte viel Aufmerksamkeit erregt und die breite Akzeptanz der Friedensbewegung demonstriert.

Indianer-Angriff beim „Come Together"

Nach dem Dylan-Auftritt von 1978 waren die großen Rock-Sommerfestivals auf dem Zeppelinfeld zur alljährlich wiederkehrenden Normalität geworden. Am 24. und 25. September fand nun auf den Pegnitzwiesen unterhalb des Nürnberger Westbades erstmals ein Festival statt, das als „alternativ" firmierte: das zweitägige „Come Together – Festival für eine andere Stadt". Organisiert wurde es in Zusammenarbeit mit dem Ortsverband der Grünen und dem Stadtmagazin *Plärrer* von dem eben erst gegründeten Concertbüro Franken (Ballreich & Harasim GbR), das sich in der alten Dunkelkammer des Plärrer-Verlags ein Büro eingerichtet hatte. Namhafte Künstler traten im eigens errichteten Riesen-Bierzelt auf: Hans Jürgen Buchner alias Haindling, Konstantin Wecker, Ina Deter, Georg Danzer, Kevin Coyne, Nina Hagen. Als Mitglied des Organisationsteams war ich zuständig für einen am Rand des Festivals stattfindenden „Markt der Möglichkeiten" sowie für eine Vorführung von „Gewaltfreien Aktionen". Und außerdem gehörte ich dem Team an, das zur Bewachung der Hauptbühne eingeteilt war – und alsbald einen „Indianer-Angriff" abzuwehren hatte.

Die seit 1977 in Nürnberg ansässige Indianerkommune, die in Gostenhof einen Handel mit gebrauchten (bzw. gestohlenen) Fahrrädern betrieb, bezeichnete sich selbst als Zusammenschluss von Jugendlichen und Erwachsenen „mit den gleichen Vorstellungen von Liebe, Leben und Überleben". In der Öffentlichkeit sichtbar wurde meist nur eine wilde Truppe von minderjährigen Jungs, von Ausreißern und Ex-Heimkindern, die bunt bemalt, lautstark und vehement bei den Grünen und Veranstaltungen im alternativen Milieu ihre Agenda vertraten. Unbemerkt hatten sie sich Zutritt zum Festival verschafft und drängten beim Auftritt von

Plakat zum Come together-Festival im September 1983.

Georg Danzer von allen Seiten auf die Bühne. Sie kletterten über die Absperrungen, entschlüpften den (unprofessionellen) Bewachern, und schon hatten einige, umringt von überrumpelten Häschern, die Bühne erklommen. Als einer der Indianer im Versuch, sich ein Mikro zu greifen, mit einem Bewacher rangelte und dem die Kampfparole „Faschist!" entgegenkrähte, drohte die Situation zu eskalieren. Ein kurzer Moment der Ratlosigkeit: Sollte man die nervigen Jungs jetzt niederringen und wegzerren? Aber was gäbe das für ein Bild ab bei einem Friedensfestival? Georg Danzer löste das Problem mit seiner wienerischen Bärenruhe souverän. Er trat von seinem Mikro zurück und sagte: „Losst'ses red'n!"

Es kam, kreischend vorgetragen, der übliche Forderungskatalog: Abschaffung der Jugendschutzbestimmungen der Paragrafen 174-176 StGB, da diese die sexuelle Selbstbestimmung von Minderjährigen verhindern würden, Abschaffung aller „Lernfabriken", also auch der Schulpflicht, Einführung des Rechts von Kindern, von zu Hause abzuhauen, Auflösung aller Kinder- und Jugendheime und Jugendpsychiatrien. Ungefähr eine Viertelstunde durften die Indianer ihre Parolen verkünden, dann wurden die Pfiffe des Publikums immer intensiver und schließlich so laut, dass selbst das Indianergeheul nicht mehr dagegen ankam. So zogen sie denn, begleitet vom Aufatmen aller Anwesenden, endlich von dannen und das Konzert konnte, Danzer sei dank, weitergehen.

Kaum jemand kam damals auf die Idee, dass es sich bei diesen krakeelenden und stets rabiaten Störenfrieden um Schutzbedürftige handeln könnte. Sie nervten einfach nur. Daran, dass Pädophile in Alternativmedien wie *taz*, *Konkret* oder *Zitty* ganz ungeniert ihre Ansichten publizieren konnten, hatte sich bis dahin kam jemand gestört. Um das Thema Kinderschutz kümmerte sich außer ein paar Feministinnen niemand. Es war Konsens in der Kinderladenbewegung, dass Kinder ein Recht auf Sexualität haben sollten. Und Sex zwischen Erwachsenen und Jugendlichen galt als ein diskutabler Tabubruch im Rahmen der sexuellen Befreiung. Dass der erwachsene Oberhäuptling Uli Reschke, 1981 wegen sexuellen Missbrauchs von Kindern angeklagt, dreizehneinhalb Monate inhaftiert und in zweiter Instanz freigesprochen, Mitglied der Grünen sein konnte, sorgte in der Partei (noch) nicht für spürbare Irritation. Und dass sich im Windschatten der Forderung nach sexueller Freiheit für Jugendliche pädophile Schriftsteller wie der ebenfalls einschlägig bestrafte „homosexuelle Anarchist" Peter Schult tummelten, wurde weitgehend ignoriert. An diesem Sonntag, den 25. September, waren die Störungen mit dem Abgang der Indianer leider noch nicht erledigt. Als die Dunkelheit hereinbrach beim letzten Auftritt, dem von Nina Hagen, lief endgültig alles aus dem Ruder. Es rächte sich, dass die friedfertigen Veranstalter auf martialische Absperrungen und einen professionellen Sicherheitsdienst verzichtet hatten. Immer mehr Schwarzhörer waren im Laufe des Tages auf das Gelände eingesickert, sodass sich das Sicherheitsteam am Abend darauf beschränken musste, die Innenseite des Zeltes mit Posten zu bewachen. „Umsonst & draußen" reichte aber den inzwischen massenhaft um das Zelt herum lungernden Schwarzhörern nicht. Einige der in Lederjacken angetretenen Militanten hatten Messer dabei und schlitzten von allen Seiten die Planen auf. Um Verletzte zu vermeiden, wurden nun alle Absperrversuche aufgegeben. Das zuvor nur ziemlich mager gefüllte Zelt – oder das, was davon übrig war – war zum Ende des Festes rappelvoll, die Kassen der Veranstalter allerdings, die Ausgaben von über 160.000 DM einzuspielen hatten, ziemlich leer. Das Friedensfestival war ein finanzielles Desaster, der Ortsverband der Grünen wäre beinahe pleitegegangen.

Massen für den Frieden

Das Thema Frieden hatte schon bei den Ostermärschen in ganz Deutschland Hunderttausende auf die Straße gebracht, beim Abschlussgottesdienst des Evangelischen Kirchentags im Juni hatten zu Zehntausenden verteilte lila Tücher, die um den Hals oder auf dem Kopf getragen wurden, das Niedersachsenstadion von Hannover in ein lilafarbenes Meer des Protests verwandelt. Die Tücher mit dem Schriftzug „Umkehr zum Leben – Die Zeit ist da für ein Nein ohne jedes Ja zu Massenvernichtungswaffen" avancierten zu einem auch danach stets präsenten Symbol des christlichen Protests gegen die Stationierung von atomaren Mittelstreckenwaffen in Europa. Bis heute in Erinnerung geblieben sind aber vor allem die großen Massenveranstaltungen im Herbst, deren Vorbereitung ein neuer Koordinationsausschuss mit dem Ziel übernommen hatte, das riesige und äußerst heterogene Feld der Protestierer irgendwie gerecht und demokratisch zu steuern.

An einem nasskalten 22. Oktober 1983 versammelte sich die Rekordzahl von über einer halben Million Menschen zu den legendären, durchweg friedlich verlaufenden „Volksversammlungen für den Frieden" in Bonn. Es war die größte Demonstration aller Zeiten in der BRD! Aus allen Himmelsrichtungen hatten Dutzende von Sonderzügen und rund 1.000 Busse die Teilnehmer herangekarrt. Fünf Demonstrationskolonnen bewegten sich in endlosen Stauungen und Stockungen durch die Stadt. 150.000 von ihnen bildeten eine Kette um das Regierungsviertel, Zehntausende formten eine sternförmige Menschenkette zwischen dem Godesberger Theaterplatz und den Botschaften der Atomwaffenmächte USA, UdSSR, Großbritannien, Frankreich, Indien, Israel, China und Südafrika.

Alles war diesmal dezentraler organisiert als bei den Demos in den Vorjahren. In der ganzen Stadt verteilt gab es Aktivitäten auf Bühnen, und auf denen wurde dann um fünf vor zwölf getrommelt: Es begann die Hauptkundgebung auf dem Hofgarten, die zu den anderen Plätzen übertragen wurde. Demonstranten spielten mit einem blauen Weltball von Joseph Beuys, Soldaten der Bundeswehr in Uniform und mit Pershing-Attrappe riefen „Hopp, hopp, hopp – Atomraketen stopp". Unter den vielen Rednern waren etliche Unbekannte – Friedensfrauen aus Italien, Vertreter der sandinistischen Befreiungsbewegung Nicaraguas, ein Geistlicher aus der DDR – und die gewohnten Prominenten wie Heinrich Böll und die Grüne Petra Kelly, die in ihrer Rede die Mächtigen im Weißen Haus und im Kreml als eine Art Verbrecher darstellte, die mit den Massenvernichtungswaffen die ganze Menschheit in Geiselhaft nähmen.

Bundeswehr-Soldaten am 22. Oktober 1983 mit Pershing-Attrappe in Bonn.

Besonders aufmerksam verfolgt wurde der nicht auf dem Programm stehende Auftritt Willy Brandts. Jo Leinen, SPD- und BBU-Mitglied und einer der Wortführer der Anti-AKW- und Friedensbewegung, der die Veranstaltung gemeinsam mit der Ur-Grünen Eva Quistorp moderierte, kündigte ihn als Friedensnobelpreisträger an, der am Mahnmal im Warschauer Getto auf die Knie gefallen sei. Er wollte damit für eine versöhnliche Stimmung sorgen, aber es gelang ihm nicht. Unter Pfiffen und Rufen („Hau ab, Willy!", „Heuchler!") sprach sich der Ex-Kanzler zwar gegen die Nachrüstung aus – „Wir brauchen in Deutschland nicht mehr Mittel zur Massenvernichtung, wir brauchen weniger" – lobte jedoch auch die Bundeswehr und äußerte ein klares „Ja" zur NATO. Ein besonderer Moment war es aber trotzdem: Da lehnt ein SPD-Vorsitzender auf einer Kundgebung ein politisches Herzstück seines Parteigenossen ab, des Ex-Kanzlers Helmut Schmidt, der im Oktober 1982 wieder in die Opposition gezwungen worden war und danach hatte zuschauen müssen, wie wesentliche Teile seiner Partei eine friedenspolitische Wende vollzogen.

Fünf Stunden dauerte die Sache, dazwischen immer wieder Musik. Das Highlight: Woodstock-Legende Arlo Guthrie sang „We shall overcome". Dazu gab es Auftritte von den üblichen Verdächtigen. Hannes Wader war selbstverständlich mit von der Partie, BAP brachte Kölsch-Rock, und auch die Dortmunder Folk-Rocker von Cochise durften diesmal auf der großen Bühne mitmischen. Viele, die dabei und dann wieder geordnet abgezogen waren, hatten später das Gefühl, ein historisches Ereignis mitgestaltet zu haben – obwohl die meisten wohl nur kilometer- und stundenlang herumgelaufen waren, es wegen der Massen gar nicht bis in den Hofgarten geschafft hatten und bei Bio-Würstchen oder Bio-Gebäck („Solidarität mit Nicaragua, fresst Amerikaner") vor irgendeiner Bude herumgelungert waren. Egal – es war eine von 7.000 Polizisten bewachte friedliche Party in der ganzen Stadt, von der alle Teilnehmer noch jahrelang schwärmen sollten.

Bliebe noch zu erwähnen, dass der Protest nicht auf die Hauptstadt allein beschränkt war. Hunderttausende gingen auch in Hamburg und Westberlin auf die Straße. Der eigentliche Höhepunkt aber fand zwischen Stuttgart und Neu-Ulm statt, wo die neuen Atomraketen stationiert werden sollten. Etwa 200.000 Rüstungsgegner, die meisten aus dem Lager der christlich bewegten, bildeten Händchen haltend eine 108 Kilometer lange Menschenkette, die vom Hauptquartier der US-Streitkräfte in Europa (Eucom) bis zur Wiley-Kaserne reichte, in der Pershing II-Raketen stationiert werden sollten. Jürgen, als Experte in gewaltfreier

Aktion einer der Mitorganisatoren, sprach hinterher ergriffen davon, „Geschichte geschrieben" zu haben. Insgesamt waren an diesem Oktobersamstag rund 1,3 Millionen Rüstungsgegner unterwegs: Es war wahrlich ein beeindruckendes Statement massenhaften Unwillens. Kritiker fragten sich, ob so was überhaupt von ein paar Friedensbewegten selbstständig organisiert werden konnte. US-Präsident Reagan vermutete, dass das „Reich des Bösen", die Sowjetunion, die deutschen Demonstranten „gekauft und bezahlt" hätte und auch Franz Josef Strauß diffamierte die Friedensbewegten auf sattsam bekannte Weise als „vom Kreml gesteuerte Armeen des politisch-psychologischen Kriegs".

Die gewaltigen Demonstrationen vom 22. Oktober, denen noch weitere Großdemos in Brüssel und Den Haag folgten, hatte viele Friedensbewegte zu der Hoffnung verführt, dass die Nachrüstung in letzter Minute vielleicht doch noch verhindert werden könnte. Noch am 22. November, als der Bundestag die Stationierung amerikanischer Mittelstreckenraketen in Deutschland diskutierte – die Abrüstungsverhandlungen in Genf hatten kein Ergebnis gebracht – versuchten mehrere Zehntausend Unermüdliche, unter Verstoß gegen die Bannmeile den Deutschen Bundestag in Bonn zu blockieren. Aber auch das nützte nichts mehr. Kanzler Kohl beharrte auf der uneingeschränkten Bündnistreue zu den Vereinigten Staaten und vollendete das, was Helmut Schmidt jahrelang gegen wachsende Widerstände und Anfeindungen betrieben hatte: Der Bundestag beschloss gegen zahlreiche Stimmen aus der SPD und die Stimmen der Grünen die Aufstellung von Pershing II und Cruise Missiles auf deutschem Boden.

Strategie-Diskussion und „Scherben"-Konzert

Anfang Dezember, bei einem großen Treffen der süddeutschen Totalverweigerer und Totalverweigerungs-Aspiranten im Büro der Nürnberger Grünen, herrschte natürlich in Anbetracht des Geschehens in Bonn großer Frust, einschüchtern lassen wollten wir uns davon aber nicht. Eifrig diskutierten wir, wie wir weitermachen sollten. Im Zentrum stand dabei vor allem die Frage – der Veranstaltungsort machte das schon selbstverständlich – wie wir künftig mit den Grünen umgehen sollten. Vor allem der Stuttgarter Stefan Philipp und ich hatten bei den Neu-Parlamentariern ja bereits einiges angestoßen, wenn auch nicht mit durchschlagendem Erfolg: Der Antrag auf Änderung des Bundesprogramms war verstümmelt worden, der beim Petitionsausschuss des Bundestags eingebrachte Antrag der Fraktion gegen Doppelbestrafung wurde abgelehnt, die Solidaritätserklärung der Grünen mit Totalverweigerern war nicht viel mehr als eine Geste. Die meisten der Anwesenden sahen eine Zusammenarbeit mit politischen Parteien ziemlich skeptisch und standen auch Organisationen wie der DFG/VK reserviert gegenüber, selbst wenn die mit der eben angeleierten „Aktion Kofferpacken" für eine massenhafte Verweigerung der zusätzlichen vier Monate des nach dem neuen Gesetz ab 1. Januar 1984 auf 20 Monate verlängerten Zivildienstes warb. (Die „Aktion Kofferpacken" war besonders widersinnig, weil sie, obwohl sie das Existenzrecht des Zivildienstes nicht bestritt, von den Gerichten mit ähnlichen Strafen wie bei einer Totalverweigerung geahndet werden musste. Die groß beworbene Aktion sollte denn auch völlig verpuffen: Laut Auskunft des Bundesamtes hat es lediglich zwei Verweigerer gegeben, die sich darauf beriefen.)

Weiteres Diskussionsthema war die Pressearbeit. Die Medien berichteten ja immer erst dann ausführlich, wenn es „knackige" Strafen setzte. Bis dahin und danach war die Totalverweigerung uninteressant. „Was haben wir davon, wenn wir immer wieder neue Märtyrer produzieren?", fragte einer, „das bringt uns nicht weiter." Tatsächlich war diese Problematik nicht von der Hand zu weisen. Nur selten wurden in der Öffentlichkeit unsere Argumente diskutiert, fast immer ging es um den Skandal der besonders harten Bestrafung. Im Oktober hatte das Foto von den drei Nürnberger Totalverweigerern unter der Überschrift „Knast ohne Ende?" auf dem Titelblatt des Nürnberger *Plärrer* geprangt und diese in der Szene regelrecht prominent gemacht, ebenfalls im Oktober war der seit Ende April des Jahres im Gefängnis einsitzende Thomas Hansen, der „durch seine Widerständigkeit einen Schandfleck unserer rechtsstaatlichen Republik sichtbar" habe werden lassen, von den Deutschen Jungdemokraten in Braunschweig mit dem „Radikalenpreis" ausgezeichnet worden. Hansen, so die Laudatio, „hat uns klargemacht, in welcher Weise Richter vor der Justitia versagen, wenn sie sich nicht an den Grundrechten orientieren, sondern an der Funktionsfähigkeit der Bundeswehr". Über Hansen zu reden heiße daher, „über einen Skandal zu reden".

Titelblatt des Nürnberger Stadtmagazins *Plärrer* vom Oktober 1983.

Andere, weniger spektakuläre Fälle, waren der Presse inzwischen kaum mehr eine Erwähnung wert. Und steckten die Totalverweigerer erst mal hinter Gittern, waren sie rasch vergessen. Nicht nur von der Presse, sondern häufig genug auch von ihren Kampfgenossen. Wir müssten intensivere Aktionen vor den Knästen organisieren, lautete ein Vorschlag, nur so kämen mehr Berichte über die Inhaftierten in die Presse. Wir brächten es ja nicht mal fertig, die Knackis emotional zu unterstützen, entgegnete ein anderer. „Wer von euch hat denn schon dem Christoph Schlegel einen Brief geschickt? Der sitzt seit dem 30. November in Bayreuth. Die Gruppe vor Ort organisiert Mahnwachen und Raddemos. Wer macht mit?" Einer meinte, er kenne den Christoph nicht. Bevor er den unterstütze, wolle er wissen, wie der so drauf sei. Ein Totalverweigerer müsse auch im Knast weiter aufrecht gehen, meinte er, denn ein Versuch, mit wohlgefälligem Verhalten Privilegien wie offenen Vollzug, Freigang und vorzeitige Entlassung zu erhalten, bedeute letztlich eine Anerkennung der Institution Knast und würde die Widerstandsabsicht konterkarieren. Die Diskussion ging wild durcheinander: Man erreiche nichts dadurch, dass man in den Knast geht, man dokumentiere damit nur seine Bereitschaft, die Konsequenzen zu ertragen und errege vielleicht Mitleid – aber wozu? Und wenn man es nicht aushält und tatsächlich zerbricht? Letztlich lautete das Ergebnis: Alles, was wir taten, war letztlich nur ein trotziges Stolpern entlang der nach unserem Gefühl immer gnadenloser werdenden Verfolgungsschritte, die der Staat für uns bereithielt. Das war auch der Grund, warum der als Hospitant anwesende Rolf Böttcher, später als „Bov Bjerg" und Autor des Romans „Auerhaus" bekannt geworden, sich schließlich dazu entschied, auf eine Totalverweigerung zu verzichten und sich stattdessen nach Westberlin abzusetzen.

Ein vielversprechender politischer Ansatz schien immerhin die Idee zu sein, Partnerschaften mit DDR-Verweigerern zu schließen. Die Aktion mit den Friedensverträgen war ja bereits angelaufen, und einige von uns beschlossen, die Sache nun auf einer breiteren Ebene aufzustellen. Ein Mangel an Vertragspartnern auf der anderen Seite schien jedenfalls nicht zu bestehen, es war die Rede davon, dass es „Drüben" mehrere hundert Totalverweigerer gebe. (Auch Rolf Böttcher blieb in Westberlin beim Thema und trat als Zeuge bei der Unterzeichnung eines persönlichen Friedensvertrags zwischen dem Ost-Totalverweigerer Ulrich Drechsler und dem West-Totalverweigerer Gernot Grube auf.)

Nach getaner Arbeit gab es am 4. Dezember einen besonderen Höhepunkt: das vom Concertbüro Franken organisierte Totalverweigerer-Solidaritätskonzert der von der späteren Grünen-Politikerin Claudia Roth gemanagten Band „Ton, Steine Scherben" im KOMM-Festsaal. Ab 18 Uhr

Theater, Infos und Film der Medienwerkstatt, dann Musik, lautete das Programm. Das politische Interesse am Thema hielt sich leider sehr in Grenzen. Zum inhaltlichen Teil fanden sich kaum Leute ein, die meisten kamen erst zum Konzert, um Spaß zu haben und abzufeiern. Und die, die gekommen waren, brachten kaum Geduld mit, um sich mal was anzuhören. Viele von uns waren extrem enttäuscht. „So sind die Leute nun mal", meinte ich, „was willst du da machen?" Und dann erzählte ich die Geschichte, als ich mich im letzten Jahr mit einem Packen Flugblätter zum Thema „Solidarität mit gefangenen Totalverweigerern" vor dem Casablanca-Kino postiert hatte. Da lief gerade „Die weiße Rose", Michael Verhoevens Erfolgsfilm über die Geschwister Scholl. Ich war mir sicher, bei den Kinogängern auf großes Interesse zu treffen in Sachen „Widerstand heute". „Was schätzt ihr, wie viele ich losgeworden bin? – Kein einziges. Es war zum Heulen!"

Eintrittskarte zum Solidaritätskonzert der „Scherben" im KOMM am 4. Dezember 1983.

Wir klopften uns aufmunternd auf die Schultern und tauchten ab in die Musik und den Gesang des charismatischen Rio Reiser, der den im Saal wabernden spätpubertären Widerstandsfantasien seine Stimme lieh. „Gibt es ein Land auf der Erde, wo der Traum Wirklichkeit ist?" sang Rio, „ich weiß nur eins, und da bin ich sicher: Dieses Land ist es nicht!" Für einen Moment träumte ich von einer Konzertreihe à la „Grüne Raupe", mit der die Totalverweigerung ungeheuer populär gemacht werden könnte. Neben den „Scherben" sollten „Cochise" dabei sein – die hatten auch kein Problem mit Solidaritätskonzerten für Totalverweigerer – und „Bots", die Anarcho-Band „Schroeder Road Show" („Wer sich nicht wehrt, lebt verkehrt") und vielleicht auch noch „Geier-Sturzflug" („Besuchen Sie Europa, solange es noch steht"), aber allen voran natürlich der eben erst aufgegangene neue Stern am Protesthimmel, der als „deutscher Springsteen" gefeierte Wolf Maahn. Bei der großen Demo in Bonn hatten „Wolf Maahn und die Deserteure" auf dem Marktplatz gerockt. „Vaterlandsliebe und Bilder vom Feind / Was verlangt ihr von mir? / Loyalität für Junkies der Macht / kriegt ihr nicht von mir", begann das Lied „Deserteure". „Kein Land auf das ich schwöre / Wir sind Deserteure ... Wir stoppen das Rad der Geschichte / Du und ich Hand in Hand / Wir flüchten vor Fahnen und laufen über ins Niemandsland ..." Yeah!

(Anmerkung: An Nenas „99 Luftballons", den Hit des Jahres, dachte ich nicht; da war zwar das Friedensthema präsent, es wurde aber weder ein Protest formuliert noch zum politischen Widerstand aufgerufen.)

Wörner-Erlass für Mindeststrafe

Eine Veranstaltung in Forchheim kurz nach dem Konzert nahm für mich einen ziemlich unangenehmen Verlauf. Mein Gerede von konsequentem Verhalten sei arrogant, meinte ein ehemaliger Zivildienstleistender aus dem Publikum in feindseligem Ton. In Wahrheit seien Totalverweigerer doch eigentlich feige. Es sei doch viel härter und anstrengender, sich tagtäglich für eine Reform der Verhältnisse im Sinne eines Friedensdienstes einzusetzen.

Danach gab es eine Reihe von Einzelgesprächen. Ich grämte mich, dass ich einen wenig überzeugenden Auftritt hingelegt hatte. „Meinst du auch, dass ich arrogant bin?", fragte ich eine Frau. Die tröstete mich: „Ich glaube, du brauchst dich da nicht so fertig machen. Dein Energiefeld ist einfach zu gefährlich für viele. Viele kriegen da ein schlechtes Gewissen, weil sie ganz tief drinnen denken, sie müssten genauso handeln, aber sie haben zu viel Angst. Dann kommt die Abwehrreaktion." Da hatte sie in diesem Fall wohl recht. Es gab Leute, die fühlten sich beschämt, wenn ihnen jemand Konsequenz vorlebte. Aber können da die Totalverweigerer was für?, fragte ich mich. Ohne Konsequenz wären sie ja keine.

Dass in diesen Tagen im Bundesverteidigungsministerium eine Abwehrreaktion ganz anderer Art stattgefunden hatte, sollte ich erst einige Zeit später erfahren: Verteidigungsminister Manfred Wörner (CDU), der spätere NATO-Generalsekretär, hatte den Umgang mit den politisch motivierten Gehorsamsverweigerern und Fahnenflüchtigen zur Chefsache erklärt. Am 12. Dezember – die Stationierung der neuen Atomraketen hatte da soeben begonnen – unterschrieb er einen Erlass (später schlicht als „Wörner-Erlass" bezeichnet), der zum Ziel hatte, die Strafpraxis der Gerichte im Sinne der Bundeswehr zu steuern. Das Prinzip der allgemeinen Wehrpflicht gebiete, dass „Wehrpflichtige, die Wehrstrafen begangen haben, grundsätzlich nicht aus diesem Anlass vorzeitig entlassen werden (...), sofern die Verurteilung insgesamt weniger als 1 Jahr beträgt". Das lag ganz auf der Linie des Bundesamtes für Zivildienst, das in seinen „Informationsschreiben" an Staatsanwaltschaften und Gerichte ebenfalls deutlich gemacht hatte, dass es Zivildienstverweigerer nur dann entlassen werde, wenn der Vollzug einer empfindlichen Freiheitsstrafe garantiert war. In solchen Schreiben fanden sich etwa Sätze dieser Art: „Der Zivildienst ist grundsätzlich dem Wehrdienst und der Zivildienstleistende dem Wehrdienstleistenden gleichzustellen. Daher entspricht das Vergehen der eigenmächtigen Abwesenheit auch dem Vergehen der in §§ 15 und 16 des Wehrstrafgesetzes geregelten Tatbestände. (...) Eine mildere Handhabung der vom Bundesamt für den Zivildienst angezeigten Fälle als der von der Bundeswehr angezeigten Fälle wäre daher nicht sachgerecht." Die Wehr- und Zivildienstbehörden versuchten also – nicht nur durch ihre Einberufungspraxis, sondern auch ganz unverhohlen mit schriftlichen „Anleitungen" – auf die strafrechtliche Verfolgung von Totalverweigerern Einfluss zu nehmen.

Wörner und Konsorten wollten ganz offensichtlich der Totalverweigerung einen nahezu undurchdringlichen Riegel vorschieben. Einen ganz anderen Riegel attackierten zeitgleich – nämlich in den Nächten vom 9. bis zum 12. Dezember – einige friedensbewegte Saboteure in einer tollkühnen Aktion im sogenannten „Fulda Gap". Die NATO ging davon aus, dass die Armeen des Warschauer Pakts an der Grenze im Westen Thüringens – dem sogenannten Thüringer Balkon – aufmarschieren, in Richtung Fulda durchbrechen und innerhalb von zwei Tagen bis zum Rhein-Main-Gebiet vorstoßen könnten. Ziel sei, die Bundesrepublik in zwei Hälften zu teilen und die Rhein-Main Air Base, den wichtigsten NATO-Luftwaffenstützpunkt in Europa, auszuschalten. Diese Schwachstelle der Verteidigungslinie bei Fulda (deswegen „Gap" genannt) führte zum Konzept eines speziellen Sperr- und Verwehrplans („Barrier and Denial Plan"). Um den Vormarsch der Warschauer Pakt-Truppen effektiv stoppen zu können, wurden im Bereich der „Fulda Gap" zahlreiche überdeckelte, vier bis sechs Meter tiefe Sprengkammern von etwa 60 Zentimeter Durchmesser in der Straßenverkehrsinfrastruktur verbaut. Diese sollten im Verteidigungsfall eigens dafür vorgesehene Sprengladungen aufnehmen, darunter, so wurde gemutmaßt, auch Kernwaffen mit geringer Sprengkraft (sog. „Atomic Demolition Munitions" – ADMs). Rund 200 dieser Schächte, die äußerlich kaum von herkömmlichen Kanaldeckeln zu unterscheiden waren, wurden von unbekannten Pazifisten mit Beton zugeschüttet und unbrauchbar gemacht. Während die Kunde vom Wörner-Erlass erst allmählich und zunächst nur als Gerücht durchsickerte, erregte die Sabotageaktion in der Öffentlichkeit großes Aufsehen und wurde in der Szene entsprechend bejubelt.

Auch in Nürnberg tat sich noch was, allerdings etwas weit weniger Spektakuläres. Da die Revision gegen die Verurteilung von Tom inzwischen als unbegründet zurückgewiesen war, griff Rechtsanwalt Hans Graf zum allerletzten Mittel und setzte am 15. Dezember eine Verfassungsbeschwerde auf. Darin hob er u. a. darauf ab, dass das bayerische Oberste Landesgericht in seiner Entscheidung eine bemerkenswerte Beweislastumkehr vorgenommen habe. Eine Darlegungslast ist zwar im verwaltungsrechtlichen KDV-Anerkennungsverfahren gegeben, in jedem normalen Strafprozess hingegen gilt zunächst die Unschuldsvermutung („in dubio pro reo"). Das heißt: Ein antragstellender Kriegsdienstverweigerer ist gehalten, seine Motivation glaubhaft zu machen, einem angeklagten Totalverweigerer hingegen muss vom Gericht das Vorliegen einer Straftat bewiesen werden. Und wenn diese Straftat wie in diesem Fall erst durch das Nichtvorhandensein von Gewissensgründen begründet wird, muss eben genau das nachgewiesen werden. Es genüge nicht, so Graf, der Behauptung, dass eine ernsthafte und dauerhafte Entscheidung gegen den Zivildienst getroffen worden sei, mit der bloßen Gegenbehauptung entgegenzutreten, eine solche Gewissensentscheidung würde nicht vorliegen. Mindestens sei es erforderlich, plausible Belege über andere Beweggründe vorzulegen, die zur Entscheidung geführt hätten, den Zivildienst auf Dauer zu verweigern.

Nachdem auch die Revision von Ossi am 19. Dezember verworfen worden war und Rechtsanwalt Graf in dessen Fall ebenfalls eine Verfassungsbeschwerde versuchen wollte, beraumten wir am 20. Dezember eine Pressekonferenz an. Die SPD-Politikerin Renate Schmidt, Politiker der Grünen und einige spendenfreudige Sympathisanten unterstützten die Sache.

Meine Einstellung zu diesen juristischen Gefechten war inzwischen immer zwiespältiger geworden. Was für eine Bedeutung hätte denn ein Erfolg der Verfassungsbeschwerden letztendlich? Die Doppelbestrafung von Wehrdienstverweigerern war ja bereits gängige Praxis geworden. Was nützte es da, wenn die Kriterien zur Feststellung des Gewissens von Zivildienstverweigerern gelockert und so nur wieder neue Linien geschaffen würden, um zwischen „guten" und „bösen" Verweigerern zu unterscheiden? Ich spürte, dass ich allmählich müde wurde mit dem ganzen Paragrafenkram. Konnte uns das Herumdoktern mit dem Gewissensbegriff überhaupt weiterbringen? Es war doch klar: Aus der Sicht der Staatsverteidiger waren wir so was wie Systemsprenger, und als solche mussten wir mit allen Mitteln bekämpft werden, ganz egal, ob die gegen uns verwendeten juristischen Argumente nun vollkommen schlüssig waren oder nicht. Vielleicht wäre es besser, vor Gericht gar nicht auf Gewissens-Spitzfindigkeiten einzugehen, dachte ich mir. Andererseits: Es war eben – so schien es jedenfalls damals – nur über den Gewissensbegriff möglich, sich auf das Grundgesetz zu berufen. Und so machte ich denn weiter: Selbst wenn es aussichtslos schien, dass der Gewissensbegriff per Gerichtsentscheidung herausgeholt wird aus der Zeugen-Jehova-Ecke, in die er von Prandl & Co. gestellt worden war, durfte man nicht müde werden, in der Öffentlichkeit immer wieder klarzustellen, dass es um das Einklagen eines Grundrechts geht und nicht um einen Ausnahme-Schutz für naive Sonderlinge oder weltfremde Extremisten.

Auf dem Markt der Protestierer

Die Mitarbeit beim „Come Together" hatte mir zum Winter 1983/84 einen netten Job eingebracht: Ich war nun bei allen Veranstaltungen des Concertbüro Franken – im KOMM, im Rührersaal Reichelsdorf, im Redoutensaal Erlangen usw. – als Helfer dabei (Auf- und Abbau, Catering, Bühnenbewachung usw.). Zu den ersten Bands, die dann alljährlich wiederkehren sollten, gehörten die EAV (Erste Allgemeine Verunsicherung), Haindling und der eine Zeit lang enorm erfolgreiche Klaus Lage. „Tausend Mal berührt, tausend Mal ist nichts passiert / tausend und eine Nacht – und es hat Zoom gemacht" lief so oft im Radio, dass wir nur noch stöhnten: Schon wieder diese Plage! Die Jungs von der EAV hingegen waren beliebt bei den kleinen Sklaven des Betriebs: Die lustigen Österreicher zählten zu den wenigen allürenfreien Musikern, sie halfen selbst mit beim Abbau und zeigten beim Bierchen danach keinerlei Berührungsängste.

Auch Schroeder Roadshow, deren von dem Cartoonisten Karl-Heinz Schrörs gestaltete Anarcho-Plakate reißenden Absatz in der Szene fanden, und Cochise waren mit von der Partie. Das KOMM, wo Cochise im Mai auftraten, war genau der richtige Rahmen für die wohl rebellischste Band dieser Jahre, die ihr angestammtes Reservat in Dortmund-Dorstfeld hatte, einem Viertel mit vielen besetzten Häusern. Gitarrist Pit Budde, sehr belesen in den Anarcho-Klassikern wie Proudhon, Bakunin, Kropotkin etc. und, wie die anderen Bandmitglieder auch, selbst oft in Konflikt mit Polizei und Gerichten, wusste, wovon er sang. Dass ausgerechnet diese Band sich von selbst ernannten Moralwächtern immer wieder Vorwürfe anhören musste, nicht konsequent genug zu sein, grämte Budde sehr: Warum wir elektrische Gitarren spielen und warum wir mit dem Auto fahren würden, das sei doch ökomäßig alles nicht okay – ey, was für ein Scheiß!

Was Budde meinte, erfuhr ich wenig später beim Konzert von Ina Deter – „Neue Männer braucht das Land" – im Erlanger Redoutensaal.

Konzertplakate der Bands Schroeder Roadshow und Cochise.

Zunächst witzelten wir über den speziellen Laufsteg, der für die kleine Sängerin auf der Bühne installiert werden musste, damit diese zwischen ihren Musikern überhaupt wahrgenommen werden konnte. Während des Auftritts wurde es dann ernster. Ich machte mich beim Publikum unbeliebt, als ich zusammen mit einem anderen Bühnenbewacher einem Betrunkenen hinterherhetzte, der im Begriff war, sich auf Ina zu stürzen. Als wir ihn kurzerhand fixiert hatten und abführten, rief einer aus dem Publikum: „Wie kannst du nur so brutal sein!? Du bist doch Totalverweigerer!" Da war er, der überkritische Maßstab, den Budde meinte. Ich sagte dem Kritiker irgendwas in der Art, dass ich beim nächsten Mal abwarten würde, bis das Gezeter mit einem Messerstich beendet wäre. Es überzeugte den Kritiker nicht, die Enttäuschung war ihm weiterhin regelrecht ins Gesicht geschrieben. Für den war ich ab sofort als ernst zu nehmender Friedenskämpfer gestorben.

Auch bei den Gigs der „politisch korrekten" Bands wie Cochise standen der Spaß und der Konsum im Vordergrund, für die Musiker selbst aber war der finanzielle Aspekt nicht das wichtigste. Lange Zeit hatte kaum ein Künstler aus seinem Engagement in den später sogenannten „Neuen Sozialen Bewegungen" Kapital schlagen wollen. Für viele kam ein Vertrag bei einer großen Plattenfirma überhaupt nicht in Frage. Aber mit den Großevents begann die Musikindustrie das große Geschäft zu wittern. Das Jahr 1983 markierte mit seinen Mega-Veranstaltungen einen Wendepunkt: Einerseits hatte sich da unter den alternativen Bands ein politisch entschärftes „Mainstream-Establishment" herausgebildet, und andererseits war das (pseudo-)alternative Publikum derart angewachsen, dass es als relevante Konsumenten-Zielgruppe interessant geworden war, die man mit entsprechenden Angeboten bedienen konnte. Die eben noch alternativen Stadtmagazine wurden zunehmend kommerziell und genussorientiert oder es traten an ihre Stelle Illustrierte mit unverhohlenem Klatsch- und Konsumcharakter. Diese Entwicklungen konnten natürlich erst im Rückblick voll durchschaut werden. Heute liegen sozialwissenschaftliche Studien vor, die belegen, wie sich damals ein neuer „Gesinnungsmarkt" öffnete, auf dem sich lukrative Geschäfte tätigen ließen.

Das war die eine Geschichte. Die andere war, dass die Protestbewegungen zwar weitergingen – etwa im Wendland bei den Blockaden der Zufahrtstraßen zum Zwischenlager Gorleben, bei den Spaziergängen an der Startbahn West in Frankfurt oder bei Aktionen in Mutlangen und anderen Militäreinrichtungen usw. –, deutlich geworden war aber, dass vor allem die Friedensbewegung mit dem Nachrüstungsbeschluss ihren Höhepunkt überschritten hatte. Zwar behielten viele Menschen ihre Haltung bei, aber ihre Demonstrationslust versickerte allmählich. Nachdem sämtliche Großaktionen im „heißen Herbst" des Vorjahres nur schöne Bilder geliefert hatten, aber kein Ende für die Nachrüstung, herrschte bei allen Friedensbewegten großer Frust. Es zeichnete sich ab, dass es nach dem Stationierungsbeschluss äußerst schwer sein würde, auch in diesem Jahr wieder die Massen zu mobilisieren. In Mutlangen gründeten verschiedene Gruppen einen Verein zur Schaffung einer Friedens- und Begegnungsstätte bei der Pressehütte an der Zufahrt zum Pershing-Lager, aber es blockierte nur noch ein kleiner, harter Kern weiter; größere Aktionen wie etwa eine Steh-Blockade von 200 Ärzten und Ärztinnen der IPPNW kamen nur noch selten vor. Immerhin: Die Raketenverfolgung durch die Pressehütte-Leute erwies sich als durchaus erfolgreich, ohne sie wäre z. B. der Unfall einer Pershing ll-Lafette Ende September – eine Rakete brach dabei auseinander – nie bekannt geworden.

Von Mutlangen blieb vor allem der Mythos der Prominentenblockade. Als der berühmte Priester Ernesto Cardenal in diesem Winter die ersten deutschen Brigadisten in Nicaragua auf dem Flughafen empfing, war er erstaunt. Nicht militante Autonome hatte er erwartet, sondern Intellektuelle und Künstler aus dem „Mutlangener Establishment". Immerhin: Tatsächlich sollten später zu seiner Freude noch einige Prominente kommen, allen voran Dietmar Schönherr, sowie Hundertschaften von Helfern aus dem Gewaltfreien-Milieu, die Nicaragua in einen Wallfahrtsort solidaritätsbewegter „Sandalistas" verwandeln würden.

Ende Januar 1984 erschien im *Spiegel* ein abwertend-spöttischer Artikel über die ersten deutschen Brigadisten in Nicaragua. 162 junge Deutsche, vorwiegend aus dem Autonomen-Milieu – Startbahn-West-Gegner aus Frankfurt, Hausbesetzer aus Berlin, militante Kernkraftfeinde und Wehrpflichtgegner – betätigten sich zwei Monate lang in tropischer Hitze und unter Regenschauern an verschlammten Steilhängen als Kaffepflücker, „im Herzen die Ideale der sandinistischen Revolution und im Hinterkopf das unruhige Gefühl, ein ‚Contra' könnte plötzlich hinter ihnen auftauchen". Beim Pflücken hätten die „Compañeros aus Deutschland, die Chancenlosen der Industriegesellschaft" leidenschaftlich über die Abschaffung des Staates diskutiert, dabei völlig ignorierend, dass sie gerade auf einem Staatsgut arbeiteten. Gedanken darüber, so die Autorin Marielouise Janssen-Jurreit, ob die angeblich schönste und humanste aller Revolutionen wirklich noch „so schön und so rein ist, wie sie zu Anfang schien", würden sie sich nicht machen. „Berichte aus Nicaragua über Pressezensur, Unterdrückung der Opposition, über ein neues Wehrdienstgesetz, über Denunzianten, Verhaftungen und Gewaltaktionen gelten als Fehlbeurteilungen der bürgerlichen Presse."

Der Artikel löste heftige Kritik aus in der Szene, die sich rund um die *Lateinamerika Nachrichten* gruppierte. Fakt blieb: Die oft kritik- und bedingungslose Identifikation mit den Befreiungsbewegungen – angefangen bei der Che-Guevara-Verehrung bis hin zu völlig fehlgeleiteten Solidarisierungen mit irren Mörderbanden wie dem „Leuchtenden Pfad" in Peru – konnte seltsame Blüten treiben. Einer gängigen Interpretation zufolge war diese naive Solidarisierung vor allem ein Surrogat für die fehlende revolutionäre Perspektive zu Hause. Die hatten natürlich auch wir Totalverweigerer nicht, aber ich hatte mich inzwischen daran gewöhnt und kam auch ohne Surrogate klar. Die Frage, ob ich Lust darauf habe, weiterhin aktiv zu sein, stellte sich gar nicht: Die Verfolgungsmaschinerie, einmal losgetreten, arbeitete erbarmungslos und zwang mich zu Reaktionen.

Unruhe in der Bundeswehr

Angeregt durch niederländische Totalverweigerer, befeuert von der Kelly-Aktion in Ostberlin sowie vermittelt durch ausgereiste bzw. zwangsausgebürgerte Mitglieder der unabhängigen Friedensbewegung in der DDR, war es im Winter 1983/84 endlich zu intensiveren Kontakten zwischen Verweigerern in Ost und West gekommen. Im Rahmen des Projekts

„Internationale Selbstabrüstung" schlossen die gleichnamigen, aber nicht verwandten Totalverweigerer Rüdiger (DDR) und Christoph (BRD) Rosenthal einen persönlichen Friedensvertrag ab mit der gegenseitigen Versicherung, sich dem jeweiligen Militärblock zu verweigern und die Blockkonfrontation von unten zu durchbrechen. Am 16. Januar berichtete die *FR* über die Aktion, in der Wehrpflichtige aus Protest gegen die „Unfähigkeit der Regierungen, eine wirkliche Abrüstung zustande zu bekommen" in beiden deutschen Staaten gleichzeitig ihren jeweiligen Kriegsdienst verweigern, um einen sofortigen und symmetrischen Beitrag zur Abrüstung zu leisten.

Abgesehen von kleineren Notizen wie in der *FR* blieb die Aktion in der Öffentlichkeit weitgehend unbemerkt. Die Bundeswehr war zwar in dieser Zeit andauernd in den Schlagzeilen, allerdings mit einem ganz anderen Thema: Der sogenannten „Kießling-Affäre". Verteidigungsminister Manfred Wörner hatte verfügt, den Vier-Sterne-General, dem vorgeworfen wurde, wegen angeblicher Homosexualität erpressbar und daher ein Sicherheitsrisiko zu sein, vorzeitig in den Ruhestand zu versetzen, und Kießling hatte daraufhin gegen sich selbst ein Disziplinarverfahren beantragt zur Klärung der gegen ihn erhobenen Vorwürfe. Da die Unterstellungen nicht bewiesen werden konnten, griff Bundeskanzler Helmut Kohl schließlich höchstpersönlich ein. Der General wurde wieder in den aktiven Dienst und unmittelbar danach, am 26. März, ehrenhaft mit dem Großen Zapfenstreich in den Ruhestand versetzt. Kurz zuvor hatte Kohl ein Rücktrittsgesuch Wörners zurückgewiesen.

Ein anderer Ex-General, nämlich Gert Bastian, hatte indessen zusammen mit seiner Lebensgefährtin Petra Kelly für Aufregung unter den Friedensbewegten gesorgt. Die beiden Aushängeschilder der Grünen waren aus der Krefelder Initiative ausgetreten mit der Begründung, dass diese nicht gegen die Verhaftung von Pazifisten in der DDR protestieren und die Forderung nach atomarer Abrüstung nicht mit der Forderung nach der Realisierung grundlegender Menschenrechte im Ostblock verbinden wollte. Um den Zustand der Menschenrechte im „Westblock" kümmerten sie sich weniger. Das tat auch der Generalleutnant Wolfgang Odendahl, Kommandeur der 4. Panzergrenadierdivision der Bundeswehr, wohl nicht wirklich, als er den in Bayreuth inhaftierten Totalverweigerer Christoph Schlegel besuchte. Als formal oberster Chef des aus der Truppe Ausgescherten wollte er – quasi in Vorbereitung auf befürchtete weitere ähnliche Fälle – vermutlich nur wissen, wie solche Unruhestifter so ticken.

Die übliche „Opferschau" im KGW-Rundbrief dokumentierte zu diesem Zeitpunkt sechs inhaftierte sowie fünf bei der Bundeswehr arrestierte Totalverweigerer. Die Berichte der Arrestierten hatten einen gewissen Unterhaltungswert. In Münster war Bernhard nach dem ersten Arrest mit Handschellen und Doppelwache zum Arzt geführt worden, um dort per Augenschein auf Haft- und Wehrtauglichkeit untersucht zu werden. Ein Hauptmann fuhr mit dem Fahrrad nebenher und gab Kommandos: „Bewegt den ruhig mal ein bisschen, der hat lange genug herumgesessen." Dann war ein Besuchsverbot verfügt worden mit der Begründung, die Sicherheit und Ordnung im Vollzug sei durch den schlechten Einfluss, den die Besucher auf den Arrestanten ausüben würden, gefährdet. Nach dem 5. Arrest hatte die Bundeswehr schließlich genug und erteilte ein Dienst-, Kasernen- und Uniformverbot.

Harald hatte zunächst nach dem Vorbild von Christoph Schlegel drei „Stellvertreter" in die Max-Immelmann-Kaserne in Manching geschickt, die zunächst allesamt als Rekruten akzeptiert wurden. Als die drei die Sache auffliegen ließen, sorgte dieses lächerlich einfache Eindringen von Unbefugten in eine Kaserne für gehörigen Wirbel bis hinauf ins Ministerium – und für eine polizeiliche Ermittlung wegen Hausfriedensbruchs und Missbrauch von Ausweispapieren. Der echte Harald wurde schließlich zu Hause von den Feldjägern abgeholt, erklärte in der Kaserne seine Fahnenflucht und verschwand wieder. Es folgten die erneute Verhaftung und die übliche Serie von Arresten. Harald berichtete von „einer latenten Sympathie und Solidarität vonseiten der Soldaten und so etwas wie ‚Hochachtung' von den Offizieren". Sein Brief aus der Zelle endete mit den Worten: „Und wie gehts der Revolution draußen? Wenn sie ausbricht, musst du mir sofort schreiben! Sonst darfst du's auch ..."

Bereits am 16. Februar wurde Harald vom AG Pfaffenhofen zu acht Monaten ohne Bewährung verurteilt. Die Strafe war höher als die vom Staatsanwalt geforderte, trotzdem verzichtete Harald auf eine Berufung. So ging es also vom Arrest direkt in den Knast nach Aichach. Wir überlegten Solidaritätsaktionen. Vielleicht allen Autos in Aichach den neuen Aufkleber vom Verlag Die Werkstatt in Göttingen aufdrücken? „Totalverweigerer – Politische Gefangene" stand darauf. Totalverweigerer würden bestraft, „weil sie sich natürlich verhalten und als freie Menschen handeln", machte sich Harald in seinem ersten Brief aus dem Knast Mut, „weil sie das tun, was andere gern tun würden, aber nur zu träumen wagen". Und wir hatten wieder mal nur gelabert und den Weg nach Aichach nicht gefunden.

Keine Argumente mehr
Tom und Ossi, denen die Ladung zum Strafantritt bevorstand, warteten den Ausgang ihrer Verfassungsbeschwerden im Ausland ab. Tom hatte sich über den Jahreswechsel nach Spanien abgesetzt und grüßte Ende Januar aus Madrid. Da sei es ihm zu kalt, er plane daher, bald in den Süden oder nach Mallorca oder Ibiza zu gehen. Er fühle sich sicher, Versuche einer Festnahme habe es nicht gegeben. Und mit Deutsch-, Englisch- und Gitarrenunterricht und als Straßenmusikant könne er auch ganz gut seinen Lebensunterhalt bestreiten, im musikverliebten Spanien sei das viel leichter als in Deutschland. Tom hatte es erst mal ganz gut getroffen und wurde von einem Anwalt über die Vorgänge zu Hause am Laufenden gehalten. Mehrmals kam die Polizei in die Wohnung seiner Mutter und durchsuchte Schränke und andere mögliche Verstecke. Ossi meldete sich aus Turin und teilte mit, dass er für Mitte Februar eine Aufforderung zum Haftantritt in Eichstätt erhalten habe. Er überlege noch, wie damit umzugehen sei.

Am 9. Februar stand auch ich in Nürnberg wieder vor Gericht, diesmal mit Anwalt. Das Urteil sprechen sollte erneut der Richter Dr. Röhrich. Der gab sich keine besonders große Mühe und stellte bei der Begründung seiner erwartbaren Entscheidung – acht Monate ohne Bewährung – vor allem auf das Moment der Generalprävention ab. Zur Bemessung der Strafhöhe führte er aus, dass auch „die Summe der zulässig ausgesprochenen mehreren Ahndungen dem Grundsatz der Verhältnismäßigkeit zu genügen hat". Das hieß also, dass die erste wegen Dienstflucht verhängte Freiheitsstrafe von acht Monaten einzupreisen war. Röhrichs Berechnung lautete schließlich so: „Gemessen an dem Strafrahmen des § 53 Abs. 1 ZDG mit bis zu 5 Jahren Freiheitsstrafe für die \/erweigerung des Zivildienstes, der schlechthin für ein Viertel dieser Zeit abzuleisten ist, erschienen dem Gericht jedenfalls insgesamt 16 Monate an Freiheitsstrafen für rund 4 Monate nicht geleisteten restlichen Zivildienst noch verhältnismäßig."

Zweimal acht Monate Strafe – und dann beginnt der Tanz womöglich von Neuem. „Hier sind die höchsten Richter gefordert, einmal die Frage der Verhältnismäßigkeit zu prüfen", kommentierten die *NN* das Urteil. Der Nürnberger Staatsanwaltschaft hingegen war das Urteil immer noch nicht verhältnismäßig genug. Sie legte Berufung ein mit der Begründung, dass „die besondere Hartnäckigkeit des Angeklagten" unbedingt „die Verhängung einer weit höheren Freiheitsstrafe" erfordere. Das Urteil fiel mitten hinein in die Vorbereitung der Zwischenprüfung (heute Bachelor) meines Studiums in Erlangen. In Anbetracht der Begleitumstände bedeutete es wohl auch eine ziemliche Hartnäckigkeit, dass ich diese bis Anfang März erfolgreich abschließen konnte. Im Vorlauf war es eng geworden: Für die Zulassung fehlte mir noch der Pflichtschein in Logik. Im WS 1983/84 gab es aber nur Hauptseminare, für die ich nicht zugelassen war. Die einzige Möglichkeit, einen Schein zu machen, der Anerkennung finden würde, war ein Seminar über Wilhelm von Ockhams „Summa Logica" von 1324. Es wurde von einem Briten gegeben und im (lateinischen) Original gelesen. In der ersten Sitzung waren noch einige Studenten da, in der zweiten waren wir zu zweit. In der dritten war ich allein. Und sollte fließend übersetzen. Es war das pure Grauen. „Mister, now don't act so stupid, one after the other: subject, predicate, object..." – in der vierten Stunde war der Professor allein und das Seminar gecancelt. So durfte ich dann doch noch in das Hauptseminar zur Dialogischen Logik von Lorenz & Lorenzen und machte dort irgendeinen Schein.

Keinen Erfolg hatten indessen die von Rechtsanwalt Hans Graf eingelegten Verfassungsbeschwerden gegen die Zweitverurteilungen von Tom und Ossi. Sie wurden nicht zur Entscheidung angenommen, da sie „keine hinreichende Aussicht auf Erfolg" hätten.

Es gebe nichts zu beanstanden, so die Begründung, da die Feststellung einer ernsthaften, an den Kategorien von „Gut" und „Böse" orientierten Entscheidung des Gewissens grundsätzlich der Freiheit der richterlichen Beweiswürdigung entspreche und in den Hauptverhandlungen ohne Verfassungsverstoß verneint worden sei, dass bei den Beschwerdeführern eine den Zeugen Jehovas vergleichbare Gewissensentscheidung vorliege.

„Totalverweigerer müssen doch ins Gefängnis", konstatierten die Zeitungen, und einige übten auch heftige Kritik, etwa die *FR*. Es sei seltsam, hieß es da, dass den Beschwerdeführern ihre Anerkennung als Kriegsdienstverweigerer nicht geholfen habe, da sich die Richter bei der Ablehnung der Verfassungsbeschwerde des dreimal nicht anerkannten Thomas Hansen gerade auf dessen fehlende Anerkennung berufen hatten. Es sei bedenklich, dass das Bundesverfassungsgericht den Totalverweigerern mit seiner Entscheidung den Schutz des Grundgesetzes entzogen habe: Der Grundsatz „ne bis in idem" sei ignoriert und das Wohlwollensgebot gegenüber Gewissenstätern nicht angewandt worden; außerdem sei in Sachen Gewissensanerkennung nicht – wie sonst in Strafprozessen üblich – nach dem Grundsatz „in dubio pro reo" entschieden worden und schließlich sei auch noch – weil ja ausschließlich den Zeugen Jehovas eine Gewissensentscheidung zugestanden werde – das grundgesetzliche Gebot der Gleichheit vor dem Gesetz missachtet worden.

Aus Richtersicht war die Auslegung des Grundgesetzes ganz offensichtlich eine Sache mit großen Spielräumen, auch im Verlauf zweier Seminare in Karlsruhe und Hannover, bei denen sich Rechtsanwälte mit juristisch versierten Totalverweigerern zum Erfahrungstausch getroffen hatten, waren keine neuen Argumentationsstrategien erkennbar geworden, mit denen man das Verfassungsgericht in die Enge hätte treiben können. Alles hing am Begriff des Gewissens, und dessen Interpretation blieb eben eine Frage des guten oder schlechten Willens. Immerhin war unzweifelhaft, dass es in Prozessen gegen Totalverweigerer sehr weite juristische Interpretationsspielräume gab. Für Erheiterung sorgte die Argumentation des Staatsanwalts im Prozess am 24. Februar gegen Burkhard in Trier: Einerseits habe der Angeklagte eine „innere Einstellung" gezeigt, mit der „er es geradezu darauf anlegte, strafrechtlich verfolgt zu werden", andererseits sei er „nicht wichtig genug" für den Knast. Ergebnis: Der Staatsanwalt plädierte auf eine Aussetzung der Strafe zur Bewährung.

Vorsorgliche Verweigerung und eine Verhaftung

Angeschoben vor allem von dem Bundestagsnachrücker Henning Schierholz hatten die Grünen im Februar – in Absprache mit Organisationen wie der DFG/VK – eine Kampagne „Verweigert jetzt!" gestartet. In Anbetracht der mit der Stationierung neuer US-amerikanischer Mittelstreckenraketen verbundenen Erhöhung der Kriegswahrscheinlichkeit sollten als Akt des Protestes und Widerstandes massenhaft sämtliche Kriegsdienste und jegliche Mitwirkung an Kriegsvorbereitungen vorsorglich verweigert werden. Dem Aufruf beigegeben war eine Selbstverpflichtungserklärung, die unterschrieben und an den Koordinierungsausschuss in Bonn zurückgeschickt werden sollte. „Ich erkläre bereits jetzt, dass ich mich auch im ‚Ernstfall' allen Befehlen widersetze, die meine Einberufung zu militärischen oder zivilen Einheiten verlangen, die der Vorbereitung und Führung von Kriegen dienen."

Die reine Bekundungsaktion stieß bei den meisten Totalverweigerern auf keine große Gegenliebe. Aber immerhin ging sie in die richtige Richtung. Es war nicht leicht mit den Grünen, aber sie waren und blieben eben die einzige Partei, die sich mit dem Thema wenigstens ernsthaft beschäftigte. Über den Friedensarbeitskreis hatte ich mich auch an der Erarbeitung des Programms zur diesjährigen Nürnberger Kommunalwahl beteiligt. Wir forderten unter dem Aspekt „Frieden" u. a. eine waffenfreie Stadt, ein Feldjägerverbot für das Stadtgebiet, eine Kommunalisierung und Entwaffnung der Polizei sowie eine aktive Solidarität mit Totalverweigerern. Ergebnis der Grünen bei der Wahl am 5. März, für die ich, um die Liste vollzubekommen, auf einem hinteren Platz aufgestellt war: 5,8 Prozent der Stimmen, zwei Frauen und zwei Männer saßen nun für die Grünen im Stadtrat.

Zur Vorbereitung einer auf Mitte Mai terminierten „Aktionswoche" fuhren einige Totalverweigerer zu einem Treffen mit den Grünen nach Bonn, die dort eine von den Hamburgern und der Bremer „Zentralstelle" erarbeitete Broschüre mit dem Titel „Abschreckungspolitik contra Gewissensfreiheit – Dokumentation zur Situation totaler Kriegsdienstverweigerer in der BRD 1983/1984" präsentierten. Dabei kam es im Büro der Abgeordneten Christa Nickels, parlamentarische Geschäftsführerin der Grünen-Bundestagsfraktion, im Hochhaus Tulpenfeld zu regen Diskussionen. Auf meinen Vorschlag, dass die Grünen einen Totalverweigerer als „Wehrexperten" einstellen sollten – ich wäre jederzeit bereit für den Job – antwortete Nickels sinngemäß: „Warum eigentlich nicht?" Leider versandete diese Idee wie so viele andere auch, die „fiktive" Verweigerungskampagne verpuffte ebenso. Als ein ehemaliger Zivildienstleistender den Petitionsausschuss des Bundestages anrief, um sich seine vorsorgliche Verweigerung kriegsunterstützender Einsätze im Kriegsfall als Gewissensentscheidung anerkennen zu lassen, antwortete dieser lapidar, der Staat könne die Erfüllung der allgemeinen Dienstpflicht nicht davon abhängig machen, „ob der Dienst ohne Waffen mittelbar zur Aufrechterhaltung der Verteidigungsfähigkeit des Staates beitragen könnte".

Eine ganz andere Art der Gesamtverteidigung leistete eine Hausfrau in Nürnberg-Gostenhof am 23. März, als sie beobachtete, wie ein Mann und eine Frau eine abbruchreife Ziegelsteinmauer auf einem verwaisten Grundstück in der Nähe der Bahngleise beschmierten. Die herbeigerufene Polizei verhaftete die beiden Missetäter und verbrachte sie zur weiteren erkennungsdienstlichen Behandlung auf die nächste Wache. Die beiden hätten, hielt der Bericht fest, auf einer Mauer im Stadtteil Gostenhof „mit waschbeständiger weißer Dispersionsfarbe" die Worte „Dienen oder Sitzen" angebracht. „Der sichergestellte Farbeimer mit Pinsel unterliegt gemäß § 74 StGB der Einziehung." Wem der „Stahlhelm Größe 55-57" gehörte, konnte nicht festgestellt werden.

Was war der Hintergrund der Aktion? Eine befreundete Fotografin sollte ein Titelfoto für das Buch „Dienen oder Sitzen" in Szene setzen: Im Hintergrund die Mauer mit dem Text, im Vordergrund ich als mas-

Cover des Buches „Dienen oder Sitzen".

kierter Richter in Robe und mit Stahlhelm. Glücklicherweise hatte ich die Robe meines Rechtsanwalts Hans Graf in einem Gebüsch verschwinden lassen können, sonst wäre vielleicht noch ein Verfahren wegen Missbrauchs von Titeln, Berufsbezeichnungen und Abzeichen (§ 132a StGB) fällig gewesen. So blieb es bei einem Strafbefehl wegen Sachbeschädigung (30 Tagessätze zu je 10 DM), der einige Wochen später im Briefkasten lag. Alles nur wegen dieser widerlichen Blockwart-Mentalität, ärgerte ich mich. Die Sache war mit keinerlei Provokation verbunden, die Mauer bald abgebrochen – wem hatte ich da geschadet?

Die Titelseite des Buches gestaltete nun ein Grafiker. Immerhin gab es nur drei Tage später Anlass für große Freude: Ich hatte beim Ökofonds des Landesverbandes Bayern der Grünen einen Antrag auf einen Druckkostenzuschuss für das Buch gestellt, war zusammen mit Brigitte vom Friedensarbeitskreis, die mein Manuskript in wochenlanger Fronarbeit ins Reine getippt hatte, nach München zur Sitzung des Ökofonds-Ausschusses im „Zentrum für Entwicklung und Frieden" gefahren und siehe da: Der Vergaberat machte 5.000 DM locker und ich konnte das Buch auf den Weg bringen! Gedruckt wurde diesmal bei einem Kollektiv in Hersbruck, und der *Plärrer*, bei dem mit Ralph Gabriel ebenfalls ein Grüner an verantwortlicher Position saß, erklärte sich bereit, den Vertrieb zu übernehmen.

Verunglimpfte BRD und verlorene Nerven

Im März und April machten die Totalverweigerer Süddeutschlands an vielen Orten von sich reden. In Schwäbisch Hall zum Beispiel hing plötzlich ein 30 Meter langes Transparent vom Turm der Michaeliskirche, das auf den Totalverweigerer Jochen N. aufmerksam machte, der zurzeit im Pershing II-Stationierungsort Mutlangen gewaltfreie Aktionen vorbereite. Einer der „Zuschauer" verkündete, dass Jochen kein Einzeltäter sei. Viele andere seien bereits da, viele weitere würden noch kommen. In Würzburg lief eine Unterschriftensammlung, mit der die Unterzeichner deutlich machten, dass die anstehende Verurteilung des Totalverweigerers Matthias nicht im Namen des Volkes erfolge. Und in Nürnberg gab es wieder einmal einen großen Auflauf vor dem Gerichtsgebäude in der Fürther Straße, als eine Verhandlung wegen Verunglimpfung des Staates anstand. Es ging um das Flugblatt zu Toms Prozess im Jahr zuvor. Sechs der Verteiler hatten damals einen Strafbefehl erhalten, alle hatten Einspruch eingelegt, vier erschienen jetzt vor Gericht: Drei davon freiwillig, der vierte, Harald, wurde aus der Justizvollzugsanstalt Aichach herbeigekarrt, wo er seine Strafe wegen Fahnenflucht und Gehorsamsverweigerung verbüßte. Es blieb Zeit für ein kurzes Hallo. Harald sah sehr blass aus und nicht besonders fit, der Knast tat ihm sichtlich nicht gut. Alle versuchten unbeholfen, ihn zu trösten. „Im Endeffekt machen wir's doch, weil's richtig ist!", meinte einer. „Nur: Warum machen es die anderen nicht?", erwiderte Harald. „Der Weg zur Freiheit führt durch den Knast!", sagte ein anderer, selbst nicht so recht überzeugt von dem tumben Spruch. „Hoffentlich hat sich die Freiheit bis dahin nicht verdünnisiert", kommentierte Harald bitter.

Die Angeklagten argumentierten, sie hätten nur auf die Verletzung des Artikels 103 Abs. 3 GG hinweisen wollen, demzufolge niemand wegen ein und derselben Tat zweimal bestraft werden darf. Werde dies von den Gerichten nicht beachtet, würden sie das Grundgesetz zum Grundgeschwätz machen. „Mit dieser Aktion und dem Wortspiel wollten wir also nicht das Grundgesetz lächerlich machen, sondern darauf hinweisen, dass andere es tun", fasste ich zusammen. „Eine Verunglimpfung der Grundordnung der BRD hat uns ganz fern gelegen. Allerdings haben wir uns dem unbeanstandeten Titel des Blattes verpflichtet gefühlt: ‚Wenn Bayerns Richter doppelt sehen, muss man auf die Straße gehen.'" Der Richter musste selbst ein wenig schmunzeln und reduzierte die im beanstandeten Strafbefehl ausgewiesenen Strafen ein wenig. Viermal fünf Tagessätze zwischen 10 und 25 DM. Das war die Mindeststrafe.

Nach dem Prozess waren alle in Gedanken bei Harald, als der wieder aus dem Gerichtssaal abgeführt worden war. Sein nächster Brief aus Aichach dokumentierte Tapferkeit. Er sei gerade dabei, seine „inneren Mauern" zu erkennen und einzureißen, berichtete er. „Ich bin zwar gefangen, aber in mehrfacher Hinsicht war ich das schon immer." Am Anfang sei ihm die Zeit endlos erschienen, aber jetzt sei er sich sicher, „dass auch die paar Monate, läppische vier, die ich noch vor mir habe, vergehen werden."

Mitte April geriet das Bundestreffen der KGW in Mainz zum Eklat. Dass Markus, der sich selbst als Anarcho-Pazifist bezeichnete, mein eben erschienenes Buch kritisierte, war dabei nur eine Randnotiz. Es bringe nichts, das herrschende System unter Berufung auf das Grundgesetz zu kritisieren, denn dieses, meinte er, sei nicht so fehlerlos, dass sich daraus die Verfassungswidrigkeit aller politischen Mängel ableiten ließe. Auch der Versuch, der Totalverweigerung bei Parteien und im Bundestag „politisches Gewicht" zu verleihen, müsse kritisch gesehen werden. Die Zielsetzung, unseren Forderungen mithilfe einer Lobby innerhalb der Machtspielereien des Staates mehr Nachdruck verleihen zu können, sei grundsätzlich abzulehnen. Mit meiner Ansicht, dass das Grundgesetz eine der fortschrittlichsten Verfassungen der Welt und es durchaus wert sei, ernst genommen zu werden, stand ich ziemlich allein. Und meine Vorhaltung, dass wir vor Gericht gleich auf jegliche juristische Argumentation verzichten könnten, wenn wir den Bezug auf das Grundgesetz außen vor ließen, blieb unbeantwortet im Raum hängen.

Der kleine Disput war ein Zeichen dafür, dass die internen Streitigkeiten immer schwieriger beizulegen waren. Spendenaufrufe zum Bestreiten von Prozesskosten waren meist ungehört verhallt, zu viele Abonnenten des Rundbriefes hatten nicht gezahlt und wurden jetzt mit Kündigung bedroht. Jeder koche sein eigenes Süppchen, lautete die pauschale Kritik, einige hätten bei Aktionen ohne Absprache im Namen der KGW gesprochen, und auch dieses Bundestreffen, meinten die Nordlichter, sei eigentlich keines, denn die KGW Süd sei ja gar nicht befugt, ein solches zu beschließen. Die Stimmung wurde ziemlich aggressiv und schließlich eskalierten die Meinungsverschiedenheiten wieder einmal anlässlich der Frage eines „echten" Friedensdienstes. Der Hamburger Kalle hatte seine Ablehnung einer neuen Ausnahmeregelung „Totalverweigerer aus Gewissensgründen" in einem Brief ans Komitee für Grundrechte so formuliert: „Es ist widersinnig, sich Sekten-fähig machen zu lassen, um anschließend mit einem vom Staat verliehenen Ausnahme-Status an der Brust in der Gegend herumzulaufen, um gar noch einen Ersatz(dienst) für die verweigerte Wehr- und Zivildienstpflicht zu leisten." Es gebe in Süddeutschland zu viele Totalverweigerer, echauffierte sich Marut, die einen „echten Friedensdienst aus Gewissensgründen" für möglich und richtig hielten, und erklärte kurzerhand – um „nicht völlig die Nerven zu verlieren" – seinen Austritt aus der KGW.

Regelstrafe und Ordnungshaft

War es bisher möglich, dass nicht als Kriegsdienstverweigerer anerkannte Totalverweigerer nach relativ geringen Freiheitsstrafen – sieben oder acht Monate ohne Bewährung, in einigen Fällen aber auch mit Bewährung – aus der Bundeswehr entlassen wurden mit dem Argument, dass sie „die militärische Ordnung ernstlich gefährden" würden, so schien sich das in diesem ersten Jahr nach dem Wörner-Erlass zu ändern. Im Mai wurden sowohl Eric (Koblenz) wie Bernhard (Münster) zu zwölf Monaten ohne Bewährung verurteilt, später sollte das AG Rheine Heiner 14 Monate „ohne" aufbrummen. Es schien, als begännen die Richter bewusst damit, sich an der im Wörner-Erlass geforderten Mindeststrafe zu orientieren. „Der Wunsch des Verteidigungsministeriums wird zur Rechtsgrundlage" vermutete denn auch die *taz*. Selbst wenn der Münsteraner Richter erklärte, von der Existenz des Erlasses nichts gewusst zu haben, blieb doch der böse Verdacht, dass sich die Justiz ihre Urteile vom Verteidigungsministerium vorschreiben ließ. Drohte eine Art Regelstrafe und damit eine Gefährdung der Unabhängigkeit der Justiz?

Mittlerweile hatte auch Bundespräsident Prof. Karl Carstens vom Thema Verweigerung des Zivildienstes was mitbekommen und äußerte sich dazu im Juni in der *Zeit*. Er habe „Respekt" vor denen, „die der Friedensbewegung angehören", meinte er, „insbesondere auch Respekt vor den Wehrpflichtigen, die aus Gewissensgründen den Wehrdienst verweigern und dafür den Ersatzdienst leisten. Der Nachsatz gehört unbedingt dazu". Damit war klargestellt: Wer den staatlichen Zwangsdienst ablehnte, der verdiente offensichtlich keinerlei Respekt. Den hatte immerhin der aus der DDR ausgebürgerte Barde Wolf Biermann, der mir bei seinem Auftritt im Erlanger Audimax Mitte Juni ein wenig von seiner Bühnenzeit schenkte. Ich hielt eine kurze Ansprache und warb um Solidarität mit den Inhaftierten und um Publikum für meinen anstehenden Prozess, während im Saal Flugblätter verteilt wurden. Es war nicht besonders angenehm, ich kam mir ein wenig so vor wie einer der lästigen Gesellen von der Indianerkommune. Pfiffe gab es zwar nicht, aber das Interesse blieb lau und das Publikum schien glücklich, dass es nicht allzu lange mit Polit-Thesen gequält wurde. Hernach gab es noch eine kleine Absacker-Runde im lauschigen Garten eines Altstadt-Hotels. Biermann erwies sich als passionierter Jammerer: Die Trauer um seine Verflossene, um Eva-Maria Hagen, ehemals als „Brigitte Bardot der DDR" bezeichnet, blieb das einzige Thema des Abends.

Vor dem auf den 26. Juni angesetzten Berufungsprozess in meinem zweiten Verfahren hielt ich – inzwischen begleitet von einer Kamera der Medienwerkstatt, die eine Video-Doku herausbringen wollte – im Veranstaltungssaal der für die dortige Szene-Disco berühmten Nürnberger „Desi" eine gut besuchte Lesung. Der Verkauf des Buches „Dienen oder Sitzen" war überraschend erfolgreich angelaufen, die Resonanz weitgehend positiv, etliche Leser, darunter auch „frische" Totalverweigerer, hatten mir bereits rückgemeldet, dass es ihnen geholfen habe, ihre Entscheidung „auch vom Risiko her besser einschätzen zu können".

Das Buch, das die Polizei in den Räumen des *Plärrer* vergeblich zu beschlagnahmen versuchte – wir hatten es rechtzeitig in eine Garage ausgelagert – war in wesentlichen Teilen eine Dokumentation, enthielt aber auch einige provokante Sätze. Zum Beispiel den: „Wer Zivildienst leistet, der kratzt kein bisschen an der Wehrpflicht, im Gegenteil: Er hilft mit, dem Staat ein pseudo-liberales Mäntelchen zu flicken, er lässt sich integrieren ins System und stützt es damit ab." Totalverweigerer hingegen würden „versuchen, die Anatomie des Machtapparates bloßzulegen" und letztendlich auch lahmzulegen. „Die Macht des Staates liegt allein in der Disziplinierung der Köpfe; seine Ohnmacht zeigt sich da, wo er gezwungen ist, ‚Undisziplinierte' in Knast-Quarantäne zu stecken. Wenn der Staat die Knastkarte ausreizen muss gegenüber Leuten, die sich nicht zum kollektiven Morden zwingen lassen wollen, dann zeigt das, dass das Disziplinierungssystem nicht mehr funktioniert."

Das waren ziemlich forsche Sätze, zumal in Anbetracht der Gesamtsituation der Bewegung. Die Informationsstelle totale Kriegsdienstverweigerer in Hamburg (ITK) dokumentierte zum Stichtag 18. Juni 1984 – ohne Anspruch auf Vollständigkeit – lediglich 36 laufende Fälle, davon die Hälfte anerkannte Kriegsdienstverweigerer. Mit wenigen Ausnahmen nach oben und unten hatten die Urteile meistens auf vier bis acht Monate mit oder ohne Bewährung gelautet, und sie erhöhten sich entsprechend bei mehrfachen Verurteilungen, die dann regelmäßig auch zur Aufhebung von im Erstverfahren ausgesprochenen Bewährungsstrafen führten. Im Zuge des Wörner-Erlasses schien es jedoch zu einer Verschärfung gekommen zu sein und es war die Frage, ob sich diese Tendenz fortsetzen würde. Die Zahlen waren einigermaßen frustrierend und verdeutlichten, dass die Totalverweigerung immer noch weit davon entfernt war, eine relevante Größe zu sein. Zum Vergleich: Auf eine Anfrage der Grünen hin legte die Bundesregierung eine Statistik vor, derzufolge es in den vier Jahren von 1980 bis 1983 jährlich im Schnitt 84 Selbstmorde bei der Bundeswehr gegeben hat (auch in den Vorjahren lagen die Zahlen in diesem Bereich). Mehr Selbstmörder als Totalverweigerer bei der Bundeswehr – das wäre eine Schlagzeile gewesen, die wir im Grunde sogar als ein Argument pro Totalverweigerung hätten nutzen können.

In der Verhandlung probierte ich es – allen kritischen Stimmen aus der Totalverweigerer-Szene zum Trotz – zusammen mit meinem Rechtsanwalt Hans Graf noch einmal mit einer am Gewissensbegriff ansetzenden Argumentation. Ich hatte dazu vorher bei dem Gießener Psychologie-Professor Horst Eberhard Richter vorgesprochen mit der Bitte, für meinen Fall ein Gutachten zur Gewissensfrage zu erstellen. Richter willigte ein und legte ein Gutachten vor, aber der Antrag, es als Beweismittel zuzulassen, wurde nach kurzer Beratung vom Gericht zurückgewiesen: Es sei zur Beweisaufnahme ungeeignet, „da Prognosen zum heutigen Zeitpunkt nur ein Wahrsager machen könne".

Lesung in der „Desi" im Juni 1984.

Das Klima im prall gefüllten Gerichtssaal wurde daraufhin sofort schärfer. Vor der Zurückweisung des Beweisantrags stiegen acht Freunde und Freundinnen auf die Zuschauerbank, die Buchstaben auf ihren T-Shirts formten zusammen das Wort „FREIHEIT". Der Vorsitzende Richter Brinckh, schwer erbost, ließ die „Buchstaben" vorführen und deren Personalien feststellen. Als sieben Personen registriert waren und Brinckh bereits zur Aburteilung schreiten wollte, fiel einem Gerichtsdiener auf, dass ein Buchstabe fehlte. „Mit wie vielen Buchstaben wird denn Freiheit geschrieben?" lautete nun die Frage. Es wurde durchgezählt und tatsächlich: Es waren acht. Welcher Buchstabe fehlte denn? „Wo ist das zweite ‚I'?", rief der Richter nun. Das zweite „I", getragen von meinem Freund Fred, dem ehemaligen GI-Darsteller beim Blockade-Training von Rothmannsthal, war im allgemeinen Tumult vergessen worden und wurde nun ordnungsgemäß in die FREIHEIT eingereiht. Alle acht wurden wegen „Ungebühr vor Gericht" (§ 178 Gerichtsverfassungsgesetz, Strafrahmen bis eine Woche Haft) zu zwei Tagen Ordnungshaft verdonnert, dann wurden sie zum sofortigen Strafantritt von Beamten abgeführt, durch unterirdische Gänge hindurch direkt in den ans Gerichtsgebäude angrenzenden Knast, also genau auf dem Weg, den einst bei den Nürnberger Prozessen die Nazi-Verbrecher genommen hatten. Der „Zündfunk" des Bayerischen Rundfunks brachte zu dem Geschehen eine Sondermeldung, und die NN titelten am nächsten Tag: „Das erste Urteil traf das Publikum."

Ein heimlich geschossenes Foto und ein Zeitungsartikel zur Verhaftung der acht „FREIHEIT"-Demonstranten während der Gerichtsverhandlung am 26. Juni 1984.

Richter Brinckh konnte nichtsdestotrotz und wie üblich in den seiner Ansicht nach lediglich rationalen, politischen und allgemein kritischen Ausführungen des Angeklagten keine Anhaltspunkte dafür finden, dass sich der Angeklagte in einer Gewissensnot befunden hat. „Der Angeklagte hat sich in der Berufungshauptverhandlung als ein kühler, außerordentlich logisch denkender junger Mann erwiesen, dessen Argumente gegen den Zivildienst intellektuell durchaus interessant zu hören waren, für eine Gewissensnot in dem beschriebenen Sinne jedoch nichts hergaben." Denn bei einem tatsächlichen Gewissenskonflikt hätte sein Gewissen schon „bei seiner Arbeit mit geistig Behinderten schreien müssen". Brinckh verwarf daher die Berufung und auch die der Staatsanwaltschaft, die „aus generalpräventiven Gründen" eine Freiheitsstrafe von zwölf Monaten gefordert hatte. Rechtsanwalt Graf legte erst mal Revision ein: Seiner Auffassung nach war die Nichtzulassung des Richter-Gutachtens als Beweismittel rechtsfehlerhaft.

Während es die im Prozess Verhafteten in ihren Zellen recht ungemütlich hatten, einige wegen der plötzlichen beruflichen Unpässlichkeit um ihren Job fürchteten und ich, über die erschöpfende Verhandlung extrem hungrig geworden, die Prophezeiung des inhaftierten Artur erfüllte – wir kriegen hier den letzten Fraß, berichtete er mir hernach über seinen Groll, und der Christoph sitzt bestimmt beim Moltke und haut sich Calamari oder ein Gyros rein –, organisierten einige Unterstützer zum Gedenken an die Verhafteten eine Mahnwache an der Lorenzkirche. Einer schickte zum Trost und zur Erbauung eine Karte mit einem Zitat von Martin Luther King in den Knast: „Der Anhänger des gewaltlosen Widerstandes (…) versucht nicht, einer Verhaftung aus dem Weg zu gehen. Wenn er ins Gefängnis muss, geht er hinein wie ein Bräutigam in die Kammer der Braut."

Das Fürchten lernen

Im August zeigte ein Richter des AG Stade im Prozess gegen den nach Bundeswehr-Arrest und sechsmonatigem Knast erneut angeklagten Jorge, dass die Justiz doch noch unabhängig agieren konnte: Er verfügte eine Verfahrenseinstellung, da die konsequente Verweigerung nicht gegen, sondern für den Angeklagten spreche und mit dem bereits ergangenen Urteil die Strafklage sowieso bereits „verbraucht" sei. Unverbraucht war indessen der Haftbefehl gegen den flüchtigen Ossi, der bei seiner Rückkehr aus Italien am Grenzübergang Achenpass verhaftet und in die JVA Bayreuth verbracht wurde.

Er hause mit zehn anderen in einer Zelle, die Atmosphäre sei mit Gewalt geschwängert, teilte er mit, man müsse sich immer wieder handfest Respekt verschaffen, was ihm immerhin auch gelänge. Schlimmer sei eigentlich was anderes, nämlich die Wut, der Hass und der Zorn, der sich in ihm aufstaue. Und dann der Fraß! „Das Essen ist das letzte Pampelzeugs für zahnlose Greise." Acht Tage lang habe er nichts gegessen, eine Krankschreibung sei aber nicht erfolgt. „Ich lauge aus, hab' zu kaum was Lust", endete der Brief. „Mir reicht dieser eine Monat Knast voll und ganz." Wir draußen organisierten ein wenig moralische Unterstützung, die große Presse allerdings winkte ab, die hatte keinen rechten Bock mehr auf Themen der Friedensbewegung. Wir schickten dem passionierten Freizeit-Indianer die neuesten TV-Infohefte und ein Buch über den Bau von Tipis, damit er zwischendurch mal auf andere Gedanken kommen konnte.

Die Berichte aus den Knästen schüchterten mich doch ziemlich ein, sodass ich wieder Überlegungen anstellte, ob eine Flucht – vielleicht nach England? – nicht doch die bessere Lösung wäre. In England müsste ich Geld nachweisen für eine Aufenthaltsgenehmigung, erfuhr ich, weit mehr, als einem prekären Studenten zur Verfügung stand. Also lieber erst mal untertauchen? Ossis nächste Briefe aus dem Knast waren jedenfalls nicht geeignet, meine Ängste kleiner werden zu lassen. „Stell dich für den Fall gut drauf ein: erste Woche Einzelhaft auf Zugangsstation. Rechte, Menschenwürde? Pustekuchen, vergiss es", schrieb er im Oktober. „Die erste Zeit ist besonders hart, weil sie mit Messern über die Empfindungen fetzt. Knast ist kein Honigschlecken, jeder Kinderschänder wird besser behandelt als ein Totalverweigerer. Wenn kein Hafteindruck, also keine Einsicht in die Schuld eintritt, kannst du volles Programm runterreißen." Der KGW-Rundbrief sei ihm nicht ausgehändigt worden, denn derartige Schriften, hieß es, würden Strafgefangene wie ihn in der Haltung bestärken, die zu ihrer Straftat geführt habe. „Der Knastleiter sagte mir klipp und klar, dass er davon ausgehe, ich sei auf Vollstrafe eingestellt. Er meinte, ich würde von einer Gruppe von draußen aufgebaut werden, weil da mal ein paar Leute gekommen seien, mir ein Ständchen gebracht hätten und Blumen hätten überreichen wollen. Solche Freunde würden mehr schaden als nützen. Auch wegen Hafteindruck sei alles zu streichen, Ausgang und 2/3-Entlassung, weil eben Einsicht von mir nicht zu erwarten sei. Ich könne viel reden von Gewissen und vernünftigen Überlegungen, er habe seine Meinung, und die sei eben die entgegengesetzte."

Am 19. Oktober fand die Uraufführung des von Jürgen Staiger für die Medienwerkstatt Nürnberg produzierten Films „Dienen oder Sitzen" in der Desi statt, der meinen „Fall" dokumentierte. In ihrer Kritik schrieben die *NN*: Der Film „könnte auch heißen: ‚Von einem, der auszog, das Fürchten zu lernen'. Denn was der anerkannte Kriegsdienstverweigerer B. in den letzten beiden Jahren an staatlichen Reaktionen erfuhr, ist durchaus geeignet, bei ihm – und nicht nur bei ihm – Schweißausbrüche auszulösen. Und man fragt sich, wem mit dieser irrsinnigen Eskalation von Instanz zu Instanz eigentlich gedient ist. Und ob der Knast wirklich der Ort ist, wo die Überzeugung, dieser Staat sei verteidigungswürdig, am besten reifen kann." Der Film provoziere zum Nachdenken darüber, warum „der Staat einen Abweichler so gnadenlos verfolgen muss". Die Antwort konnte ich geben: Der Staat tut das, wenn er befürchtet, dass aus der Abweichung eine Bewegung werden könnte.

Die Totalverweigerer waren nur eine kleine Gruppe, hatten aber inzwischen eine erhebliche öffentliche Aufmerksamkeit und eine ziemlich breite Solidarität erreicht, und das barg wohl aus Sicht der Verfolger die Gefahr in sich, dass immer mehr Wehrpflichtige sich mit dem Virus des Neinsagens anstecken könnten. Was sie übersahen: Die Gefahr drohte dabei gleichermaßen im Westen wie im Osten. Im November kursierten bundesweit mehrere Solidaritätserklärungen für die Totalverweigerung, auch die Selbstorganisation der Zivildienstleistenden (SOdZDL) war mit von der Partie, und gleichzeitig wurde während der Friedensdekade in der DDR ein Brief vorgetragen und diskutiert, den acht Bausoldaten aus Prora verfasst hatten. Er beinhaltete eine Argumentation pro Totalverweigerung, die an Deutlichkeit nichts zu wünschen übrig ließ: „Man kann sich gegen einen ausgelösten Atomschlag nicht mehr verteidigen. Die Waffe in der Hand des Einzelnen ist somit bedeutungslos geworden. Deswegen kann ein ‚Wehrdienst ohne Waffe' auch keine Alternative mehr sein. Indem Bausoldaten in das System Armee eingegliedert sind, werden sie mitschuldig an der drohenden Vernichtung unserer Welt." Dass so etwas während der Friedensdekade diskutiert werden konnte, zeigte, welch' starken Rückhalt selbst radikale Positionen inzwischen innerhalb der DDR-Kirche hatten. Der Sozialdiakon und spätere Jugendwart Michael Frenzel, der während seiner eineinhalbjährigen Haftzeit 1982/83 dreimal vom brandenburgischen Landesbischof Gottfried Forck im Knast besucht worden war, wusste zu berichten, dass die Kirchenleitung sogar per Kanzelabkündigung Position bezogen hatte für die Totalverweigerung.

Der Knast droht

Das Jahr 1984 klang aus mit zwei musikalischen Großereignissen: Im November kam „Stop Making Sense", Jonathan Demmes Konzertfilm der Talking Heads, in die Kinos. Er begeisterte mit tollen Bildern und – da erstmals vollständig mit digitaler Audiotechnik produziert – brillantem Ton. Burning down the House! Und dann schaffte der seit Jahren in den Feuilletons als Zukunft des Rock'n Roll gehandelte Bruce Springsteen endlich seinen ganz großen Durchbruch: „Born in the U.S.A." machte den „Boss" endgültig zum Superstar, ich hörte das Lied monatelang in Endlosschleife. Es war ein bitterer Kommentar zur Behandlung von Vietnam-Veteranen: „End up like a dog that's been beat too much".

Ein bisschen wie ein zu oft geschlagener Hund fühlte auch ich mich, als ich am 5. Dezember einen Gerichtsbeschluss aus dem Briefkasten fischte: Die Strafaussetzung zur Bewährung aus dem ersten Urteil vom Dezember 1982 sei widerrufen, hieß es darin, da ich erneut eine

Dienstflucht begangen hätte. Und weiter: Dass die Strafe noch nicht rechtskräftig sei, stehe dem Widerruf nicht entgegen, da die Begehung der Straftat von mir ja „nicht bestritten" worden sei. Diese fränkischen Militaristen in Roben ließen wirklich nichts unversucht, um mich hinter Gitter zu bringen. Rechtsanwalt Graf legte gegen den Beschluss sofortige Beschwerde ein, schlicht begründet mit dem gesunden juristischen Menschenverstand: Das Vorliegen einer zweiten einschlägigen Straftat kann erst dann als erwiesen gelten, wenn ein entsprechendes Urteil rechtskräftig geworden ist!

Unabhängig vom Ausgang der Beschwerde stand fest: Der Knast rückte näher. Wenn ich mich nicht doch noch dazu entschließen würde, ins Ausland zu fliehen, musste ich mir überlegen, wie ich auf die Ladung zum Haftantritt reagieren wollte. Bernhard aus Bielefeld, zu einem Jahr verknackt, hatte sich dazu entschieden, den Knast „freiwillig" anzutreten. „Dieses ‚Selbststellen' ist zugegebenermaßen für einen Totalverweigerer tatsächlich inkonsequent, ich hab's aber trotzdem getan, weil mir nicht nach weiterem Stress war, den ein Haftbefehl bedeutet hätte", teilte er mir mit. Oder sollte ich eine möglichst spektakuläre Aktion machen? So wie in Stuttgart, wo einige Genossen einen Scheiterhaufen errichtet und Burkhard symbolisch als „Friedenshexe" öffentlich verbrannt hatten. Die Option, einfach unterzutauchen, hatte ich bereits verworfen. Anfang September war ich für ein paar Wochen in der Nähe von Bleckede an der Elbe gewesen, um in einem von Atomkraftgegnern bewohnten ehemaligen Bauernhof ein bisschen Abstand zu gewinnen. Die triste Atmosphäre dort hatte mich ziemlich deprimiert. Die meisten Polit-Aktivisten hatten sich verdünnisiert, seit in Gorleben nicht mehr viel los war. Alle Anzeigen in der *taz* hätten nichts gebracht, niemand wolle mehr aufs Land ziehen, hatte Jens erzählt.

Schließlich entwickelte ich zusammen mit Stefan Philipp, der seinen Dienst bei der Bundeswehr nicht angetreten hatte und in Baden-Württemberg „Lobbyarbeit" für die Totalverweigerung betrieb, einen anderen Plan. Wir fühlten bei den Grünen in Bonn vor, ob denn eine kleine „Show" in Bonn zu unserem Haftantritt vorstellbar wäre, mit der die Totalverweigerung ganz groß in die Presse kommen könnte. Angeregt durch die vielen DDR-Flüchtlinge, die im Jahr 1984 in West-Botschaften eine Zuflucht gefunden hatten, entstand so die Idee, in der Geschäftsstelle der Grünen in Bonn ein „friedenspolitisches Asyl" einzurichten. (Bereits im Januar hatten sechs DDR-Flüchtlinge über die US-amerikanische Botschaft und 55 über eine Besetzung der bundesdeutschen Ständigen

Vertretung in Ost-Berlin ihre Ausreise erzwungen, danach hatten immer mehr Ausreisewillige die westdeutschen Botschaften anderer Ostblockländer aufgesucht, allein in Prag waren es bis zu 160. Viele mussten lange ausharren, bis ihnen Wolfgang Vogel, Unterhändler Erich Honeckers für Ausreiseangelegenheiten, die schnelle Bearbeitung ihrer Ausreiseanträge zugesichert hatte. Insgesamt durften mehr als 200 Botschaftsflüchtlinge in den Westen ausreisen, nachdem sie zunächst in ihre Heimatorte zurückgekehrt waren, die letzten im Januar 1985.)

Klar war: Ein vorübergehendes Asyl würde natürlich nur ein Vorspiel sein zur Verhaftung. Der für mich zuständige Knast würde die JVA Bayreuth sein, und in Bayreuth würde ich immerhin nicht allein sein. Ossi schrieb zwar, dass er keine Chance sehe, „dass sie uns zusammenlassen, da haben sie Angst, dass wir zu viel Trouble machen könnten." Aber immerhin war er da. Und auch Feo war da, der staatenlose Haschrebell, der mit seiner reichlichen Knasterfahrung alles nicht so tragisch nahm. „Gefoltert wurde ich bisher nicht hier, die Speisen sind üppig & geschmacklos und es gibt überhaupt keine Frauen. Gewöhn dich nicht zu sehr an sie – sonst fehlen sie dir nachher." Auch Valentin, ein erfahrener BtMG-Häftling, den ich kannte, saß dort. Er sah keinen Grund für übertriebene Ängste: „Für einen mit einer so kurzen Strafe, der kein wirklicher Verbrecher ist, gehört das hier eher in die Sorte ‚das kann man mit der linken Arschbacke auf der Fressklappe abreißen'."

Auf jeden Fall galt es, die verbleibende „Frei-Zeit" noch gut zu nutzen. Und was zu tun für die, die bereits hinter Gittern saßen. Die Gruppe der Ossi-Unterstützer schickte einen Brief mit Friedenstaube nach Bayreuth. Es war ein Zeichen, dass bald etwas steigen würde. Während wir was vorbereiteten, trafen unerwartet gute Nachrichten vom Prozess gegen Hans ein: Er wurde am 13. Dezember vom Amtsgericht Lüneburg freigesprochen! Die Argumentation des Angeklagten sei schlüssig, argumentierte das Gericht in seiner Urteilsbegründung, die Einbindung des Zivildienstes in die Kriegsplanung ein Faktum. Als Kriegsdienstverweigerer aus Gewissensgründen sei der Angeklagte daher in eine unüberwindliche psychische Zwangssituation geraten, sodass ihm die Einhaltung der diesbezüglichen Gesetze nicht zuzumuten sei. Ergebnis daher: „Der Angeklagte hat zwar rechtswidrig gehandelt, aber nicht schuldhaft." Der *Stern* kommentierte: Dieses Urteil sei vielleicht „eine Hoffnung, dass es mit einem lange unterdrückten Justizskandal bald ein Ende hat". Ganz entgegengesetzter Meinung war freilich der Kommentator in der *Zeit*: „Unzumutbar ist es für jeden Staatsbürger, zusehen zu müssen, dass einige unter Berufung auf ihr Gewissen die Solidargemeinschaft einfach aufkündigen können und dafür auch noch richterlichen Zuspruch bekommen." Es war abzusehen, dass dieses Urteil nicht rechtskräftig werden würde.

Mörder und Sprayer

In der Dezember-Ausgabe der Zeitschrift *Konkret* berichtete die bekannte Journalistin Peggy Parnass ausführlich über einen bemerkenswerten Prozess. Im November 1984 stand der Schriftsetzer und Journalist Horst Stowasser in Hessen zum fünften Mal vor Gericht, weil er 1981 im *Lahn Dill Boten* geschrieben hatte: „Jeder Soldat ist ein berufsmäßiger, trainierter Mörder, jeder Ausbilder ein Anstifter zu Mordtaten, jeder Luftwaffenpilot ein bezahlter Bombenwerfer, jeder Waffenwart ein Bombenbastler, jeder Musiker einer Militär-Big-Band ein Public-Relations-Mann des Todes und so weiter!" Es war eine Variante des Satzes „Soldaten sind Mörder", den Kurt Tucholsky 1931 unter dem Pseudonym Ignaz Wrobel in der Weltbühne publiziert hatte: „Da gab es vier Jahre lang ganze Quadratmeilen Landes, auf denen war der Mord obligatorisch, während er eine halbe Stunde davon entfernt ebenso streng verboten war. Sagte ich: Mord? Natürlich Mord. Soldaten sind Mörder." Tucholsky war damals freigesprochen worden. Nicht so Horst Stowasser, dessen Fall nach einer Klage des Verteidigungsministers Manfred Wörner vor Gericht gekommen war (zuvor hatte dessen Vorgänger Hans Apel geklagt und vor Gericht verloren): Das Wetzlarer Amtsgericht hatte Wörner rechtgegeben und den Straftatbestand der Beleidigung (§ 185 StGB) bestätigt. Stowasser wurde zu einer Geldstrafe von 875 DM verurteilt.

In der Berufungsverhandlung fragte Stowasser, wieso jemand beleidigt sein könne, der sich und seinen Berufsstand selber ständig als „Mörder" bezeichne. Und zitierte dann seitenweise aus einschlägiger Soldatenliteratur, darunter ein Reservisten-Bierseidel: „Donner, Hagel, Mord und Blitz / Sendet zum Feinde unser Geschütz." Außerdem wies er nach, dass selbst nach juristischen Kriterien soldatisches Töten als „Mord" bezeichnet werden müsse, und zwar in 92 Prozent der Fälle. In der Völkerrechtskonvention von 1950 würden „die mutwillige Zerstörung von Großstädten, Städten und Dörfern oder deren Verwüstung" sowie „unmenschliche Taten, die sich gegen die Zivilbevölkerung richten" als „Mord" bezeichnet. „Da sich das Verhältnis zwischen getöteten Zivilisten und getöteten Soldaten zwischen dem Ersten Weltkrieg und dem Vietnamkrieg von 5:95 auf 92:8 verschoben hat", so Stowassers Schluss, „kann ich daher hier reinen Gewissens meine Äußerung, wegen der ich

Der Tucholsky-Spruch schmückte auch ein besetztes Haus in Berlin.

angeklagt bin, noch verschärfen, indem ich sage: Krieg besteht heute zu 92 Prozent aus Mord im juristischen und zu 8 Prozent aus Mord im moralischen Sinne."

Die Richter hatten im Vergleich dazu nur wenige Argumente aufzubieten, was sie aber nicht hinderte, das Urteil der Vorinstanz zu bestätigen unter dem Hinweis, dass dies alles mit der Sache nichts zu tun habe.

Zum Weihnachtsfest bei meinen Eltern zu Gast – ich bemühte mich, den Kontakt nicht ganz abreißen zu lassen – erzählte ich meinem Vater von dem Fall. Den ehemaligen Wehrmachtsoldaten, das Porträt des Hauptmanns „Onkel Edi" im Blick, versetzte das sogleich in Rage. Es entspann sich etwa folgender Dialog:

„Natürlich sind Soldaten keine Mörder! Das Urteil hätte gar nicht anders lauten können!"

„Und wie sind dann die Toten eines Krieges zu erklären? Werden die alle vom Schlag getroffen?"

„Soldaten wollen einen Krieg gewinnen. Und dabei kommt es zu Toten. Aber das Töten ist kein Selbstzweck, sie morden nicht!"

„Aber wenn ich vor einem Prüfungsausschuss als Kriegsdienstverweigerer aus Gewissensgründen anerkannt werden will, muss ich doch beweisen, dass ich das Töten im Krieg so empfinde, als sei es ein Mord. Genau das sagt mir ja mein Gewissen."

„Hmm."

„Was sollte mich dann veranlassen, die Tötungshandlungen anderer nicht für ebenso verwerflich zu halten wie eigene Tötungshandlungen? Mein Kriegsdienstverweigerer-Gewissen muss sagen: Soldaten sind Mörder! Und wenn ich diesen Satz vor dem Prüfungsausschuss sagen muss, dann kann und darf es doch nicht strafbar sein, wenn er in der Öffentlichkeit geäußert wird."

„Scheiß Philosoph!", sagte mein Vater und brach die Diskussion ab.

Ich brach früh auf, denn ich hatte noch etwas vor: eine nächtliche Weihnachts-Solidaritäts-Sprühaktion in Bayreuth. Die Überlegung dahinter: So etwas wäre in der bis dahin nahezu jungfräulich-sauberen Beamten- und Knaststadt, die das krasse Gegenteil zum Parolen-übersäten Berlin-Kreuzberg darstellte, ein Novum und würde für eine Menge Aufmerksamkeit sorgen. Die Sache war generalstabsmäßig vorbereitet worden: Auskundschaften der Überwachungskameras in der Bayreuther Innenstadt, um denen nicht in die Falle zu gehen – Einteilung von Einsatzgebieten für vier Zweier-Teams mit jeweils eigenem Pkw – Eintüten eines anonymen Bekennerbriefes für die Presse unter der Überschrift: „Freiheit für Ossi!" – Nach der Aktion Sammeln auf einer Autobahnraststätte.

Kurz vor Mitternacht ging es los. Nicht bedacht hatte das Kommando, dass der Fahrer des Führungsfahrzeugs, übernervös und Nachtfahrten nicht gewohnt, die Autobahnauffahrt nach Bayreuth verpassen und aus Versehen in Richtung München abbiegen könnte. Nur dem beherzten Eingriff von Brigitte, der einzigen Frau im Team, war es zu verdanken, dass der Konvoi dann doch noch die richtige Richtung nahm: Sie überholte alle und setzte sich resolut an die Spitze. Auch vor Ort glänzte Brigitte, die eigentlich – schließlich waren wir in der Wagnerstadt zugange – zur Ehren-Brunhilde hätte ernannt werden müssen, mit einer außerordentlich beherzten Sprühleistung rund um die zentrale Polizeiwache. Einer der Teilnehmer platzierte zum Entsetzen der Polit-Fraktion eine vorher nicht vereinbarte Parole religiösen Inhalts: „Jesus liebt Ossi!" Das sei nicht ausgemacht gewesen, beschwerten sich die atheistischen Anarchos, aber der Satz ließ sich nun nicht mehr ausradieren.

Nach der Aktion kam es auf der als Treffpunkt vereinbarten Autobahnraststätte zu einer kurzen Herzschlag-Situation: Beim Einbiegen sah ich, wie sich ein Polizeifahrzeug dem Pkw der Haschrebellen näherte, die es bei offenen Fenstern gewaltig hinausqualmen ließen. „Solche Idioten!" maulte ich. Doch die Polizisten bemerkten nichts und fuhren vorbei. Ähnliches galt später leider auch für die Presse. Die brachte nämlich nur einen kleinen Artikel und vermutete einen Einzeltäter. „Was stellen die

sich eigentlich vor, was ein Einzelner in einer Nacht schaffen kann!?",
erboste sich ein Gruppenmitglied. Die Botschaft selbst war ebenfalls
nicht so richtig angekommen. „Um wen es sich bei diesem Ossi handelt,
konnte noch nicht ermittelt werden", endete der Artikel im *Nordbaye-
rischen Kurier*. Bei der Anfahrt hatten wir uns noch ein wenig wie ein
Trupp von Che Guevara gefühlt. Tatsächlich hatte es sich eher – um einen
Ausdruck von Franz Josef Strauß zu variieren – um Reclam-Ausgaben
von Widerstandskämpfern gehandelt. Mehr Format als wir hatten zwei
Frauen bewiesen, eine Hochschwangere und eine Mutter zweier Kinder,
die in eben dieser Weihnachtsnacht durch fünf Sicherheitszäune hindurch ins Mutlanger Pershing-Lager eingedrungen waren, um dort
Kerzen aufzustellen und auf der Blockflöte Weihnachtslieder zu spielen.

Feministische Feuerprobe

Da das Leben ja stets in mehreren parallelen Strängen verläuft, muss
noch nachgetragen werden, dass ich mir um diese Zeit herum im Verlauf
langer Winterabend-Sitzungen in einer meiner Stammkneipen die Gunst
der Pädagogik-Studentin Gitta ersaß, die dort hinterm Tresen bediente.
Auf Druck der streitbaren Feministin sah ich mich bald genötigt, nicht
nur meine Haltung zur Treue-Problematik in Richtung Monogamie neu
zu justieren, sondern auch meinen Wahrnehmungs- und Lektüre-Hori-
zont zu erweitern. Ich las jetzt nicht nur historisch-soziologische und
philosophische Werke, sondern auch feministische Klassiker. Bei Simone
de Beauvoir („Das andere Geschlecht") hatte ich bereits reingeschnup-
pert, der Ende der 40er-Jahre von ihr geprägte und epochemachende
Lehrsatz war mir geläufig: „Man wird nicht als Frau geboren. Man wird
es." Jetzt kamen weitere Autorinnen hinzu, etwa Sulamith Firestone,
Kate Millett, Senta Trömel-Plötz und natürlich auch der Klassiker „Die
Scham ist vorbei" von Anja Meulenbelt. Bei manchen Thesen erwies sich
jede Diskussion als sinnlos, denn was sollte man als Mann z. B. auf die
in Verena Stefans Bestseller-Roman „Häutungen" aufgestellte Behauptung entgegnen, dass eine Frau, wenn sie sich nicht selbst aufgeben wolle,
niemals an der Seite eines Mannes Erfüllung finden könne? Endlos diskutieren ließ sich hingegen über das Verdikt, dass jeder Mann ein potenzieller Vergewaltiger sei.

Svende Merians im Hamburger Buntbuch-Verlag des Kommunistischen Bundes (KB) erschienener Roman „Der Tod des Märchenprinzen",
der sich seit seinem Erscheinen im Jahr 1980 zum Bestseller im Alterna-
tivmilieu entwickelt hatte, stand natürlich auch auf meiner Lektüreliste.

Der Inhalt: Per Kontakanzeige lernt die militante Feministin den Anti-AKW-Aktivisten Arne kennen, von dem sie zunächst angetan ist, dann aber von dessen zunehmender Distanziertheit enttäuscht wird. Schließlich sprüht sie, getrieben vom feministischen Kampfspruch, dass das Private politisch sei, die Worte „Auch hier wohnt ein Frauenfeind" an ein Fenster seiner Wohnung. Das Buch las sich über weite Strecken unsäglich, war aber in vielen Aspekten realitätsnah. Hardcore-Feministinnen konnten damals ziemlich rabiat sein, ihr Motto „Schwanz ab!" prangte an manch einer Häuserwand, einige scheuten sogar vor Handgreiflichkeiten nicht zurück, so wie etwa jenes maskierte Frauenkommando, das einen Redakteur der Berliner *Zitty* mit schwarzblauer Farbe bekleckerte, nachdem der das Foto einer bunt bemalten Nackten auf den Titel gebracht hatte.

Gitta erwies sich ebenfalls als streng, blieb aber humorvoll. Bei unserer parallelen Lektüre der 1983 unter dem Pseudonym Arne Piewitz erschienenen Gegendarstellung „Ich war der Märchenprinz" konnte auch sie sich ab und an das Lachen nicht verkneifen. Das – wie sich später herausstellte – von dem Kabarettisten Henning Venske verfasste Buch las sich wesentlich witziger. Arne lobt, dass die Frau mit den schönen Zähnen und dem hochklassigen Busen auch wirklich gut ficken kann, stöhnt aber schließlich über die manische Gefühls-, Problem- und Konfliktsüchtigkeit der Dauerdiskutiererin („… und blubbert und blubbert") – und zieht sich zurück. Ich hingegen tat das in dem mich betreffenden und in manchen Aspekten ähnlich gelagerten Fall nicht. Sondern ich unterwarf mich, halb überzeugt und halb aus Ermattung. Langweilig sollte es mir nie werden, unter anderem deshalb, weil sich die Liste dessen, was man als Mann falsch machen konnte, als unerschöpflich erwies. Glücklicherweise war ein Schwanzträger damals als Dauer-Gescholtener nicht allein. Viele Kneipengespräche in vertrauter Männerrunde, bei denen wir unsere Wunden leckten oder auch mal obszön fluchend Luft abließen, drehten sich um die in Szene-Beziehungen ubiquitären Vorhaltungen: Sich machomäßig in Klugscheißer-Monologen ergehen und umgekehrt nie richtig zuhören, kein Gefühl für guten (Kleidungs-)Stil haben, zu selten loben und für kleine (unbedingt auch überraschende) Aufmerksamkeiten sorgen, sich zu wenig um Verhütung und den Orgasmus der Partnerin kümmern, sich um die Hausarbeit drücken… Immerhin: Bereits von meiner Großmutter zum Sitzpinkler erzogen, hatte ich einen zwar nur kleinen, in der Beziehungs-Alltagspraxis aber nicht völlig unerheblichen Pluspunkt schon mal abonniert.

Bliebe in diesen Geschlechterzusammenhängen noch zu erwähnen, dass ich mich auch an der Lektüre des „Anti-Ödipus" versuchte, einem Kultbuch der intellektuellen linken Szene, und dabei rasch an der Dechiffrierung des teilweise kryptischen Inhalts scheiterte. So entging mir vorläufig, dass Gilles Deleuze und Felix Guattari u. a. auch einen Umsturz der Ordnung der Geschlechter herbeigeschrieben und sich eine Vervielfältigung der Geschlechtsidentitäten erträumt hatten, die sich im Schwulen- und Lesbenmilieu bereits zu verwirklichen begann. Ein Bewusstsein für die heute geläufige, im Kürzel LGBTQIA+ zusammengefasste Vielfalt der Geschlechtsidentitäten und sexuellen Orientierungen war im heteronormativen Alternativ-Mainstream, in dem ich damals mitschwamm, allenfalls in Ansätzen vorhanden. In der Totalverweigerer-Szene war Holger bzw. Holger Isabell Jänicke, den ich ein paarmal bei mir beherbergte, eine große Ausnahme. Aufgewachsen in der schwäbischen Provinz, hatte sich Holger trotz Handicaps in der Feinmotorik geweigert, sich ausmustern zu lassen. Die dahinterstehende Absicht war, seiner Gesinnung als Totalverweigerer unbedingt Ausdruck zu verleihen, wohl nicht zuletzt aus einer Protesthaltung gegenüber dem beim deutschen Waffenhersteller Mauser als Ingenieur tätigen Vater. Sich selbst später irgendwo zwischen Transgender und Transvestit verortend, verschrieb sich Holger Isabell dann dauerhaft dem Protest und bewies dabei Einzigartigkeit, sowohl in der Erscheinung – oft mit goldenen Locken, lila Rüschen und Blume im Haar – wie auch in der Bereitschaft, bei Blockaden und anderen Widerstandsaktionen unbeirrbar für den Frieden zu streiten und dabei Freiheitsstrafen en gros einzusammeln.

Friedensdienst und grünes Asyl

Am 2. Januar 1985 begann das parlamentarische Jahr mit der Verkündung Heiner Geißlers, dass – als erwünschte Folge des am 1. Januar 1984 in Kraft gesetzten Kriegsdienstverweigerungs-Neuordnungsgesetzes (KDVNG) – die Zahl der Anträge auf Anerkennung als Kriegsdienstverweigerer im Vorjahr erheblich zurückgegangen sei, nämlich von rund 60.000 auf etwa 45.000. Einen Tag später antwortete die Bundesregierung auf eine Kleine Anfrage der Fraktion der Grünen, dass von den jährlich rund 27.000 anerkannten und damit zivildienstpflichtigen Kriegsdienstverweigerern der drei Jahrgänge 1960 bis 1962 jedes Jahr im Schnitt etwa 80 eine „Dienstflucht" begangen hätten (Zeugen Jehovas und ins Ausland Geflohene mitgerechnet). Rechnete man mit etwa ebensovielen Fahnenflüchtigen und zog die „Unpolitischen" ab, so ergab sich für diese Zeit ein ungefähres Potenzial von etwa 100 Totalverweigerern jährlich, die sich als „Friedenstäter" empfanden.

Dank der Grünen blieb das Thema Totalverweigerung also im Bundestag präsent, und auch das Thema Nachrüstung verschwand nicht aus der Öffentlichkeit. Die laufenden Blockade-Aktionen und Nötigungsprozesse sorgten weiter für kleine Schlagzeilen, und an einem eisig kalten 11. Januar stand das Raketen-Problem auf unerwartete Weise plötzlich wieder im Vordergrund, als auf der Waldheide bei Heilbronn eine Pershing II in Brand geriet und dabei drei Soldaten starben (16 weitere wurden verletzt, davon drei lebensgefährlich). Alle Manöver- und Alarmausfahrten wurden daraufhin für mehrere Monate gestoppt.

Fünf Tage später forderten die Grünen im Bundestag einen Stopp für das geltende Kriegsdienstverweigerungs- und Zivildienstrecht sowie die Einführung eines „sozialen" Friedensdienstes und brachten in diesem Zusammenhang einen Entschließungsantrag ein. In dem hieß es u. a.: „Der Deutsche Bundestag erklärt seine Anerkennung und seinen Respekt vor denjenigen Kriegsdienstverweigerern, die es vollständig ablehnen, die ihnen auferlegten Leistungen im Rahmen der allgemeinen Wehrpflicht zu erbringen. Er fordert die Bundesregierung nachdrücklich auf, das Grundrecht der Gewissensfreiheit nach Artikel 4 Abs. 1 des Grundgesetzes vor die Sicherstellung des militärischen Bedarfes zu stellen und appelliert insbesondere an den Bundesminister der Verteidigung, jegliche Diskriminierung des genannten Personenkreises zu unterlassen."

Respekt, Verzicht auf Diskriminierung, Betonung der Gewissensfreiheit – das klang wie ein lauer Appell im Sinne von „bitte habt doch ein wenig Verständnis für diese speziellen Leute, die folgen ja nur ihrem Gewissen". Das war nicht das, was wir Totalverweigerer uns erwartet hatten, mir und anderen schmeckte zudem nicht, dass der Text ohne Absprache mit uns abgefasst worden war. Trotzdem blieb ich weiter am Ball, um den Draht ins Parlament nicht zu verlieren, die Grünen machten ja immerhin was und waren auch zu Aktionen bereit. Die bereits ausbaldowerte Sache mit dem „friedenspolitischen Asyl" sollte am 17. Januar starten, parallel zu der im Bundestag angesetzten Debatte über den Entschließungsantrag. Da die Aufhebung meiner Bewährung durch die Beschwerde meines Anwalts unerwartet lange in der Warteschleife hing, ergab sich schließlich die seltsame Situation, dass ich gar nicht unmittelbar von Haft bedroht war, als ich nach Bonn reiste. Mir Asyl zu gewähren, war also sinnlos, und so blieb der wegen Nichterscheinens in der Kaserne per Haftbefehl gesuchte Stefan der einzige „Asylant".

Stefan leitete seine Presseerklärung zu der Aktion mit dem Hinweis ein, dass er als Mitglied der DFG/VK die Grundsatzerklärung der Internationale der Kriegsdienstgegner (WRI) unterschrieben habe, dass er eine Umsetzung des Grundrechts auf Kriegsdienstverweigerung ohne alle Einschränkungen fordere und mit der Totalverweigerung versuche, seinen Teil zum Widerstand gegen Kriegsvorbereitung und Krieg beizutragen. „Als totaler Kriegsdienstverweigerer fordere ich, nicht zwangsweise mit Polizei und Feldjägern zur Bundeswehr gebracht zu werden, dort wegen ‚Gehorsamsverweigerung' arrestiert zu werden und anschließend ins Gefängnis zu müssen. Da mir aber genau dies bevorsteht und ich auf diese Behandlung von mir und allen anderen Kriegsdienstverweigerern hinweisen und die verantwortlichen Politiker zu einer öffentlichen Auseinandersetzung bewegen will, habe ich bei den Grünen politisches Asyl gesucht."

Lukas Beckmann, inzwischen einer der drei Bundesvorstandssprecher der Partei, erklärte dazu unter Bezugnahme auf den neuen Entwurf zum Zivilschutzgesetz: „Die Grünen werden weiterhin darauf hinwirken, dass zunehmend mehr junge Menschen zu Totalverweigerern werden. Sie werden deutlich machen, dass auch der Zivildienst als angebotene Alternative zum Militärdienst in immer stärkerem Maße in die Militarisierungspläne der Bundesregierung eingebunden wird." Christa Nickels erläuterte als Mitglied im Fraktionsvorstand der Partei gegenüber der *FR*: Totalverweigerer, die weder Wehr- noch Zivildienst ableisten wollten und zu Haftstrafen verurteilt wurden, seien politische Gefangene, die sofort freigelassen werden müssten. Während der Debatte im Parlament am selben Tag trug sie im Namen der Grünen die Ansicht vor, dass die totale Kriegsdienstverweigerung „voll" durch Art. 4 des Grundgesetzes gedeckt sei, denn: „Die Gewissensfreiheit muss in unserer Republik einfach einen höheren Rang haben als die Durchsetzung militärischer Interessen und Personalfragen." Totale Kriegsdienstverweigerer könnten sich daher der Sympathie und vollen politischen Unterstützung der Grünen sicher sein. „Sie haben eine entwürdigende Behandlung, ja Arrest- und Haftstrafen auf sich genommen, die keinen Zweifel an ihrer Gewissensentscheidung aufkommen lassen. Wir Grünen haben zwei von ihnen, die Anfang Januar Haftstrafen antreten sollten und seitdem flüchtig sind, in diesen Tagen zu uns eingeladen. Stefan Philipp werden wir ab heute in unserer Bundesgeschäftsstelle friedenspolitisches Asyl gewähren." Nickels forderte die Bundesregierung auf, von einer Einberufung der totalen Kriegsdienstverweigerer abzusehen und die bereits Inhaftierten sofort freizulassen. Sie schäme sich dafür, dass durch diese Gefangenen die Bundesrepublik seit zwei Jahren wieder im Jahrbuch von Amnesty International auftauche. Der SPD-Politiker Horst Sielaff assistierte, dass die Problematik der Totalverweigerer von der Bundesregierung völlig verschwiegen werde und wies auf den Jahresbericht 1984 der Bremer „Zentralstelle" hin, in dem es hieß: „Wir haben derzeit die höchste Zahl im Gefängnis sitzender, namentlich bekannter Kriegsdienstverweigerer seit der Nazizeit." Wäre wirklich Hilfe für bedrängte Gewissen gewollt, so Sielaff weiter, „gäbe es nicht diese harte Linie mit Doppelbestrafungen und dem ständig neuen Versuch, niemand aus dem Zwang zu Wehr- oder Zivildienst freizulassen, der nicht mindestens zwölf Monate Freiheitsstrafe verbüßt hat."

Bundesminister Heiner Geißler betonte in seiner Rede einmal mehr seine bekannte These, dass der hohe Rang, den die Verfassung der Gewissensfreiheit einräume, „diesen Staat noch mehr verteidigenswert" mache. Das Grundgesetz schütze aber eben nur die Gewissensfreiheit „und nicht eine x-beliebige Wahlfreiheit, das eine oder das andere zu tun oder zu lassen". Auf die Problematik, dass nach der bestehenden Regelung der Weg vieler junger Männer direkt ins Gefängnis führt, ging er mit keinem Wort ein. Auf die Nachfrage Horst Sielaffs, dass er das doch „bitte zur Kenntnis nehmen" solle, antwortete Geißler kühl und ungerührt: „Das nehme ich nicht zur Kenntnis!"

Ich hatte das Geschehen von der Zuschauertribüne aus verfolgt und war in diesem Moment zugleich schockiert und beeindruckt. „Das nehme ich nicht zur Kenntnis!" Der Satz knallte durch den Saal wie die Ohrfeige für einen ungehörigen Schuljungen. Da wird nicht rumgeeiert, sondern eine klare Haltung zum Ausdruck gebracht: Scheißegal, wenn da welche in den Knast gehen, scheißegal, wenn das mit der Wahrung eines Grundrechts nicht klappt – wo im Sinne der Wahrung der Wehrpflicht gehobelt wird, da fallen eben Gewissensspäne. Diese ganze Diskussion um das Recht auf Gewissensfreiheit ist nichts als Schall und Rauch, dachte ich mir. Am Abend hatte ich in einer Bonner Kneipe ein Gespräch mit dem Grünen-Politiker Henning Schierholz, das trotz Meinungsverschiedenheiten in angenehmer Atmosphäre verlief. Ich gehörte nicht zu den Maximalisten und „Zwangsneurotikern" unter den Totalverweigerern, die jede staatliche Regulierung in Sachen Dienstpflichten ablehnten. Andererseits stieß mir das Vorgehen der Grünen auf, die irgendwelche inkonsistenten Ideen entwickelten und dann im Eilverfahren und ohne Absprachen einfach mal so raushauten. Mir war es weiterhin wichtig, dass das Thema öffentlich möglichst intensiv diskutiert wurde und ich war offen für Dis-

Stefan Philipp wurde 1986 nicht von Polizisten aus der Geschäftsstelle der Grünen in Bonn herausgeholt. Das Foto zeigt Polizisten im April 1987. Ihr Auftrag: Flugblätter zu beschlagnahmen, die zum Boykott der Volkszählung aufriefen.

kussionen, solange unsere Grundforderung, nämlich die Abschaffung der Wehrpflicht, im Fokus blieb. Als unser größtes Versäumnis erscheint im Rückblick, dass wir es nicht geschafft haben, unsere Ansichten auf ein gemeinsames politisches Programm herunterzubrechen. Zum Beispiel hätten wir die Aktion mit den persönlichen Friedensverträgen zwischen West- und Ostverweigerern wesentlich intensiver betreiben und professioneller organisieren müssen.

Stefans Asyl-Aktion führte indes nicht zu einer spektakulären Verhaftung, dafür aber zu manch harscher Reaktion. Da waren zum einen Pressestimmen wie die von Detlev Ahlers in der *Welt*: „Bei den grünen Totalverweigerern, die aus diesem Staat eine karnevalistische Dauer-Session machen wollen, kann er sich zuhause unter Gleichgesinnten fühlen und auf die Feldjäger warten. Tragikomische Spinnerei und Geltungssucht eines Einzelnen werden von einer Partei propagandistisch missbraucht." Zum anderen regte sich auch bei etlichen Totalverweigerern Unmut. Stefan sei nur für sich selbst aufgetreten, erregte sich Marut, er habe keine Liste inhaftierter Totalverweigerer präsentiert, er sei als Mitglied der DFG/VK aufgetreten und nicht als Vertreter der Totalverweigerer und überhaupt sei seine Zusammenarbeit mit Grünen, Humanistischer Union und dem Komitee für Grundrechte und Demokratie äußerst naiv, denn solche Organisationen würden über die Totalverweigerung nur ihre eigenen Interessen vertreten. Und außerdem und ganz grundsätzlich würde er das Recht auf politisches Asyl entwerten, wenn er es zu so einem vergleichsweise lächerlichen Anlass in Anspruch nehme.

„Ich habe die Metzelei satt und laufe über ..."

So lautet der Titel einer 1985 herausgegebenen Dokumentation über den Widerstand von Kasseler Soldaten im Zweiten Weltkrieg. Im Zuge der Diskussion um die Verweigerung von Kriegsdiensten waren inzwischen auch die Deserteure der Wehrmacht ins Blickfeld von Friedensaktivisten geraten. Es starteten erste Initiativen, die sich für das Thema engagierten und versuchten, die bisher stets als „Defätisten" oder „Verräter" Gebrandmarkten in ein anderes Licht zu stellen. Wieder waren die Grünen ganz vorn mit dabei. Bereits im Jahr 1981 hatte deren Fraktion im Stadtrat von Kassel einen Antrag eingebracht, die Geschichte der Kasseler Deserteure zu untersuchen und am örtlichen Mahnmal für die Opfer des Nationalsozialismus eine zusätzliche Gedenktafel anbringen zu lassen. Die Empörung, vor allem aus den Reihen der CDU, war groß gewesen: Die Tafel sei „eine Provokation und Beleidigung für Millionen von Soldaten, die sich aus Pflichterfüllung und Verantwortungsbewusstsein für ihr Vaterland Deutschland in diesem Krieg bewährt haben". Von der Ansicht ihres – in den eigenen Reihen nicht von ungefähr stets umstrittenen – Parteigenossen Norbert Blüm, aktuell Bundesminister für Arbeit und Sozialordnung, hielten sie offensichtlich nichts, denn der hatte bereits 1978 im *Spiegel* eine direkte Linie zwischen Wehrmacht und KZ gezogen, als er schrieb: „Ob einer im KZ Hitler gedient hat oder an der Front, macht in meinen Augen nur einen graduellen Unterschied aus. Das KZ stand schließlich nur so lange, wie die Front hielt." Im Stadtrat von Kassel hingegen saßen Politiker, die meinten, gewichtige Unterschiede bei den Deserteuren berücksichtigen zu müssen. Eine „Verherrlichung von zweifelhaften Deserteuren" müsse unbedingt verhindert werden, hieß es da zum Beispiel, weil dadurch die „ehrbaren und geradlinigen Deutschen" beschmutzt würden. Vertreter der FDP pochten gar auf eine dezidierte Unterscheidung zwischen „guten" und „schlechten" Deserteuren, also jenen, deren Fahnenflucht aus Widerstandsmotiven erfolgte, und jenen, die „bloß feige" gewesen seien.

Trotz der vielen strittigen Punkte einigte sich die Kasseler Stadtversammlung am 22. Januar 1985 tatsächlich darauf, im Ehrenmal für die Gefallenen der beiden Weltkriege eine Gedenktafel anzubringen. Die Kompromissformel lautete so: „Zur Erinnerung an die Soldaten des Zweiten Weltkrieges, die in der Fortführung des Krieges keinen Sinn mehr sahen und dafür verfolgt, eingekerkert oder getötet wurden." Bis zur Anbringung und Enthüllung sollten allerdings noch zwei Jahre ins Land gehen

Während Pazifisten auf diese Weise versuchten, auch in der Gedenkkultur neue Maßstäbe zu setzen, brachten sich die zwischendurch fast vergessenen RAF-Terroristen mit einem Hungerstreik, an dem sich insgesamt 39 Häftlinge beteiligten, wieder in Erinnerung. Anfang Januar hatten die letzten noch im Untergrund tätigen RAF-Mitglieder gemeinsam mit der französischen Action directe ein Schreiben an die Öffentlichkeit gebracht, in dem sie ankündigten, eine „revolutionäre Strategie in den imperialistischen Zentren" zu beginnen. Der Ausdruck „revolutionäre Strategie" stand für die Ankündigung von Morden. Am 25. Januar ermordete die Action directe den französischen General René Audran, am 1. Februar suchte ein RAF-Kommando den Industriellen Ernst Zimmermann in seinem Privathaus in München-Gauting auf und tötete ihn per Kopfschuss.

Gedenktafel für die Kasseler Deserteure.

Revisionserfolg und Strafaufschub

Zum 30. Januar konnte ich in meinem Dauerclinch mit der Justiz erstmals einen kleinen Erfolg verzeichnen. Das Bayerische Oberste Landgericht beschloss: Auf die Revision des Angeklagten wird das Urteil des Landgerichts Nürnberg-Fürth vom 26. Juni 1984 samt den Feststellungen aufgehoben. Der Grund: Richter Brinckh hatte sich verargumentiert. Er hatte das Beweismittel des psychologischen Gutachtens von Prof. Richter mit der unzulässigen Begründung abgelehnt, dass es sich dabei um die Beurteilung von in der Zukunft liegenden „Tatsachen" handele und Prognosen darüber zum heutigen Zeitpunkt „nur ein Wahrsager abgeben" könne. Tatsächlich aber hatte mit dem Beweisantrag dargelegt werden sollen, „dass der Angeklagte bereits in der Vergangenheit eine in die Zukunft wirkende Gewissensentscheidung getroffen habe". Wegen dieses formalen Fehlers wurde die Sache also zu neuer Verhandlung und Entscheidung an eine andere Strafkammer des Landgerichts Nürnberg-Fürth zurückverwiesen. Dabei gaben die Richter des Bayerischen Obersten Landgerichts gleich noch einen Hinweis, wie künftig ein weiterer Beweisantrag abgelehnt werden müsse, nämlich schlicht mit der Begründung, dass „das Gericht selbst die erforderliche Sachkunde besitzt" um zu beurteilen, ob eine Gewissensentscheidung „sittlich zwingenden" Charakters vorliege, deren Nichtbeachtung „die Gefahr des personalen Substanzverlustes" mit sich bringe.

Kurz darauf erzielte mein Rechtsanwalt Hans Graf einen weiteren Erfolg. Als das Landgericht Nürnberg-Fürth Mitte Februar mitteilte, dass auch die Verurteilung wegen Verunglimpfung des Staates vom 19. April 1984 und der Strafbefehl vom 7. Juni 1984 wegen Sachbeschädigung ausreiche, um den Widerruf der Bewährung aus meinem ersten Dienstflucht-Urteil zu begründen, ergänzte er seine Beschwerde dahin gehend, dass der für eine Bewährungswiderrufung erforderliche kriminelle Kontinuitätszusammenhang zwischen der abgeurteilten Tat und den neuerlichen Straftaten nicht gegeben sei. Das Landgericht konnte oder wollte dem nun nichts mehr entgegenstellen und vertagte seine Entscheidung über den Widerruf der Bewährung bis zum rechtskräftigen Abschluss des laufenden zweiten Verfahrens wegen Dienstflucht. Warum denn nicht gleich so, fragten wir uns beide.

Die Drohung des unmittelbaren Haftantritts war damit abgewendet, grundsätzlich gewonnen aber war ja nichts, es hatte sich nur der Zeitpunkt verschoben. Die Angst, in absehbarer Zeit in den Knast einfahren zu müssen, blieb weiter in meinem Kopf und die Frage nach dem Sinn des ganzen Geschehens war nicht abgestellt. Bei einer Veranstaltung der Grünen in Feucht konnte ich nicht widersprechen, als ein Zuschauer fragte, ob ich denn das Risiko ausschließen könne, im Knast „eingemacht" zu werden. Und als ein anderer zu bedenken gab, dass es unter den Bedingungen der Haft sicherlich keine Möglichkeiten zum friedenspolitischen Engagement gebe, in Freiheit hingegen sich der Militarismus doch viel effektiver bekämpfen ließe, fielen mir nicht viele überzeugende Argumente ein, um den „Gang in den Knast" zu rechtfertigen. Ich fühlte eine bleierne Müdigkeit in mir aufsteigen. Ja, was für eine Art von Kampf führt man denn im Knast? Hat das, was man dort tun kann, noch irgendwas mit politischem Engagement zu tun?

Bei Jochen zum Beispiel war der Kampf um vegetarische Kost das Hauptthema geworden. „Zur Zubereitung einer vegetarischen Sonderkost sind die Vollzugsanstalten nicht in der Lage und nach den einschlägigen Vorschriften auch nicht verpflichtet", hatte ihm auf seine Anfrage hin das Justizministerium Baden-Württemberg mitgeteilt. So blieb ihm nur, sich ein Rezept vom Anstaltsarzt zu holen, um sog. „Austauschkost" zu erhalten: statt Fleisch und Wurst mehr Käse, Quark, Milch und Salat. War es das, was vom politischen Kampf im Knast übrig blieb? Wenn etwas laufen sollte, musste es von außen kommen. Ossi berichtete aus Bayreuth von der Solidaritätsaktion einer Gruppe aus Oberfranken: Die seien mit ihren Rädern mehrmals um den Knast geradelt, dabei ständig klingelnd und hupend. Das sei schön gewesen, schrieb er, „zu wissen, dass man draußen auch nach Monaten nicht vergessen ist". Die Hoffnung auf vorzeitige Entlassung – 2/3-Regelung bei Erstbestrafung – allerdings könne er knicken. Ein Hafteindruck sei nicht erkennbar, so der Richter. „Ich sei von meiner Überzeugung nicht abgerückt, also sei abzusehen, dass ich wieder verweigere, Strafaussetzung des letzten Drittels sei also nicht zu verantworten." Es sei schon irrsinnig: Vor Gericht werde vom Verweigerer gefordert, ein ständig schreiendes, dauerhaftes Gewissen zu beweisen. Bleibe er aber im Knast konsequent, werde er nur als verstockter Querulant wahrgenommen, dem man keinerlei Gnade gewähren könne. Ossi klagte über das Gefühl völliger Ohnmacht. Wer nicht arbeite, erhalte keinerlei Vergünstigung: „Ich arbeite hier, weil ich bei Verweigerung aus dem Bunker nicht mehr rauskäme." Nicht mal der brutalitätsgeladenen Zehner-Zelle könne er entkommen: Sein Antrag auf Einzelzelle sei abgelehnt worden. „Irgendwie ist Knast schon eine verdammte Scheiße und eine Sache, auf die sich gut verzichten lässt. Ich überlege oft, in welcher Hinsicht die Zwangsabläufe hier eher zu ertragen sind als der Zwangszivildienst. Klar ist: Die direkte Einwirkung von Gewalt hier im Knast habe ich mir so nicht vorgestellt. Mit der Ohnmacht steigt der Hass und wächst die Verzweiflung." Ossis vorläufiger Entschluss: Bei nochmaliger Einberufung nach seiner Entlassung werde er zum Psychiater gehen und sich ein Attest ausstellen lassen.

Und was beschäftigte den geflüchteten Tom? Der trieb sich gerade in Marokko herum. „Marokko ist Dritte Welt oder wie immer man solche Armut betiteln mag", schrieb er. „Die Regierung ist korrupt und duldet keine freie Meinungsäußerung, tausende von Studenten sitzen im Knast, im Café wagt es keiner über Politik zu reden." Für diejenigen, die sich mit Rauchwaren eindecken wollten, lohne es sich aber trotzdem, dorthin zu fahren.

Ein Friedensvertrag in Ostberlin

Auch ich war in diesen Tagen sehr viel unterwegs. So stand ich zum Beispiel am 16. Februar zusammen mit Freunden und rund 35.000 weiteren Menschen bei eisigen Temperaturen auf dem Schwandorfer Marktplatz, um gegen die geplante WAA in Wackersdorf zu demonstrieren. Ich sprach bei Bundes- und Landespolitikern der Grünen und der SPD vor, holte den Rat von Juristen ein, besuchte die Treffen der Totalverweigerer in Westdeutschland und Westberlin, und außerdem reiste ich mehrmals mit Tagesvisum nach Ostberlin, um mit Ost-Totalverweigerern Kontakt aufzunehmen. Zweimal war ich mit meinem alten Opel Kadett unterwegs, den ich von einem evangelischen Pfarrer in Nürnberg billig erworben hatte. Beim ersten Grenzübertritt – da war ich allein – bekam ich es mit der Angst zu tun. Die DDR-Grenzer winkten mich heraus, dann nahmen sie das in einem auffälligen Hellblau lackierte Auto nach allen Regeln der Fahnder-Kunst komplett auseinander. Und tatsächlich entdeckten sie etwas, als sie die Rücksitzbank ausgebaut hatten: Eine nicht unerhebliche Menge kirchlicher Hefte, die offensichtlich unbeabsichtigt durch den Schlitz zwischen Sitz und Rückenlehne gerutscht waren. Ein langes Verhör folgte. Hauptfrage: Was ich denn mit diesem „Material" bezwecke und für wen es bestimmt sei. Meine Beteuerung, dass mir dieses „Material" völlig unbekannt sei, dass ich als Atheist mit kirchlichen Dingen sowieso überhaupt nichts zu tun hätte und somit dieses Material nur vom Vorbesitzer des Pkw stammen könne, erachteten die Frager ganz offensichtlich als nicht besonders glaubwürdig. Erst nach längerem Blättern – es handelte sich vor allem um „Kirchenboten" aus Nürnberg St. Johannis – dämmerte bei den Uniformierten allmählich die Einsicht, dass es sich nicht um staatsfeindliches Schrifttum handelte. Schließlich gaben sie auf und gewährten mir die Einreise – sobald ich mein Auto wieder vorschriftsmäßig zusammengebaut hätte.

Bei der zweiten Einreise war ein Treffen mit meinem Friedensvertragspartner Herbert Mißlitz geplant. Meine Freundin Gitta chauffierte den Kadett über die Grenze nach Ostberlin, als Zeuge mit an Bord war Gernot, der seinen zivilen Zwangsdienst in einem Münchner Krankenhaus abgebrochen hatte. Wir hatten uns einige Monate zuvor bei einem KGW-Treffen in Stuttgart befreundet, als wir uns, ermattet von den ewig gleichen Diskussionen, verdünnisiert und dann, zufällig auf eine muntere Schwulen-Hochzeit geraten, einen sehr spaßigen Abend verlebt hatten.

An der angegebenen Adresse in Prenzlauer Berg fanden wir statt eines Friedensvertragspartners nur einen Zettel vor: Das Treffen finde

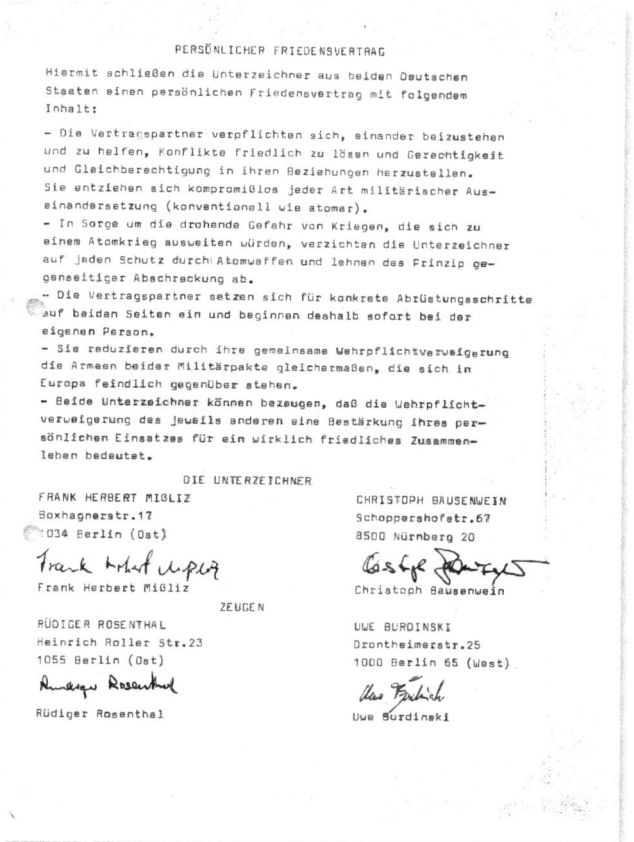

Faksimile des persönlichen Friedensvertrags zwischen Herbert Mißlitz und dem Autor.

zusammen mit weiteren Freunden in einer Kneipe in Friedrichshain statt. (Anmerkung: Es war eine Zeit ohne Handys und Smartphones, es gab nur Festnetz-Telefone, und in der DDR waren selbst diese eine Seltenheit.) In der Kneipe, deren Namen ich vergessen habe, wurden rasch die Formalitäten erledigt. Bezeugt von jeweils einem Verweigerer aus Ost (Rüdiger Rosenthal) und West (Gernot Grube) unterschrieben Herbert und ich unseren „persönlichen Friedensvertrag" auf der Basis unserer gemeinsamen Wehrpflichtverweigerung, mit der wir die sich in Europa gegenüberstehenden Armeen in Ost und West – sozusagen im Gleichschritt – um jeweils eine Person reduziert hatten.

Unter schwierigen Verständigungs- und Sichtverhältnissen verbrachten wir noch einen munteren Abend in dieser brüllend lauten Raucherkneipe. Das Bier, obwohl für einen Franken wie mich sehr gewöhnungsbedürftig – mangels Hopfen wurde in der DDR regelmäßig ersatzweise Ochsengalle beigemengt – floss reichlich. Meine Idee, die Friedensverträge auszuweiten zu einem Programm „Verweigerer-Austausch" kam nicht gut an. Herbert und auch die anderen Ostverweigerer (und Stasi-Lauscher?) hatten überhaupt kein Interesse daran, in den Westen zu gehen. Und umgekehrt machten sie mir hinreichend deutlich klar, dass einer wie ich im Osten ganz und gar nicht erwünscht wäre und mit erheblichen Unannehmlichkeiten – Auffanglager, Überwachung, Arbeitspflicht etc. pp. – zu rechnen hätte. Eigentlich hätte ich es ganz chic gefunden, für eine Weile mal Marxismus-Leninismus zu studieren, aber die Unwägbarkeiten – und die Aussicht auf dauerhaft schlechtes Bier – ließen mich dann doch von dieser Idee rasch Abstand nehmen.

Und wer war eigentlich Herbert Mißlitz? Damals wusste ich kaum etwas über ihn, außer der Tatsache, dass er seine Totalverweigerung (zunächst) unter Bezugnahme auf den „Berliner Appell" pazifistisch begründet hatte. Heute kann recherchiert werden: Herbert Mißlitz, seit 1978 in verschiedenen oppositionellen Gruppen tätig und im *Neuen Deutschland* als „ostdeutscher Berufsrevolutionär" bezeichnet, war damals immer und überall dabei, wo es nach Rebellion roch. In der DDR fand er alles miefig und spießig. „Das hat mir gestunken, ich habe mir die Haare wachsen lassen, bin mit völlig zerschlissenen Klamotten rumgerannt. Ich wollte provozieren." Er besuchte Literaturzirkel und die Treffen der Blues-Szene, er organisierte Partys, bei denen der Alk immer in Strömen floss und manchmal mit Leidenschaft über Hermann Hesse oder Plenzdorfs „Die neuen Leiden des jungen W" diskutiert wurde. Vom aufmüpfigen Jugendlichen, der schon bald wegen „Zusammenrottung" oder „Störung der öffentlichen Ordnung und Sicherheit" mit den Gesetzeshütern in Konflikt kam, entwickelte er sich zum immer bewussteren Politaktivisten. Die Entscheidung, nicht zur Armee zu gehen, bezeichnete er als seine „erste eindeutig politisch motivierte Entscheidung". In den Westen hatte er nie gewollt, auch die Abschaffung der DDR war nie sein Ziel. Er wollte die DDR im Sinne eines rätekommunistischen Modells irgendwie „reformieren" und sollte auch noch zwanzig Jahre nach ihrem Untergang darauf beharren, dass der Osten – ganz im Gegensatz zum Westen – reformierbar gewesen wäre. Wie genau das vor sich gehen sollte, wusste er freilich nicht. „Den konkreten Plan, das konkrete Projekt hatten wir nicht", erzählte er 2010, sechs Jahre vor seinem Tod, der Historikerin Cornelia Siebeck. „Wir wussten nur, dass uns etwas störte an dem Sozialismus, den es gab." Herberts pazifistisch begründete Wehrdienstverweigerung hatte zunächst keine Konsequenzen. Der Staat ließ ihn in Ruhe, obwohl er natürlich längst „operativ bekannt" war. „Ich hatte alle halbe Jahre wieder eine Einberufungsprüfung, habe wieder einen Text geschrieben und bin nicht eingezogen worden." Nach einer „Sortierung" seiner politischen Ansichten, so Mißlitz weiter, habe er seine Begründung geändert. Er verweigerte weiter, behauptete aber jetzt, dass er „zwar prinzipiell bereit wäre, in einer Volksarmee Dienst zu leisten, dass aber die NVA keine Volksarmee sei. Ich habe sogar reingeschrieben, dass ich bereit bin, die eineinhalb Jahre nach Nicaragua zu gehen, um dort gegen den Imperialismus zu kämpfen. Damit waren die natürlich überfordert."

Die Rückfahrt von dem Treffen gestaltete sich einigermaßen hektisch. Weil Gernot und ich – was wir im Vorfeld bereits abgesehen hatten – nicht mehr fahrtüchtig waren, übernahm Gitta das Steuer. Sie musste schnell sein, damit wir noch rechtzeitig vor Ablauf unseres Zeitpensums über die Grenze kämen. In hohem Tempo preschte sie los, und kaum war sie in die mächtig breite und mächtig dunkle Karl-Marx-Allee eingebogen, da krachte es, mehrmals hintereinander. Unfassbar heftig wurden wir hin und her geschleudert, einmal knallte ich schmerzhaft mit dem Kopf gegen das Autodach. „Meine Scheiße", brüllte ich. „Es ist wirklich kaum zu glauben, wie schlecht die Straßen im Osten sind." Dann blickte ich durch das Seitenfenster und bemerkte, dass wir gar nicht auf der Straße fuhren – sondern auf dem Gehweg von Bordstein zu Bordstein hüpften. Als wir an der Grenzstation ankamen, lachten wir immer noch. Die Uniformierten wollten die offensichtlich bekifften Westdeutschen wohl schnell, loswerden – jedenfalls machten sie keine Umstände und winkten uns rasch durch.

(Anmerkung: Wir waren nicht angeschnallt. Eine Anschnallpflicht gab es zwar schon seit 1976, aber wer die nicht befolgte, musste damals keine größeren Sanktionen befürchten.)

Solidarität und Zwist

Solche Ost-West-Aktionen waren in diesem Jahr ganz gut angelaufen. Am 12. April richteten 83 Bürger der DDR ein Protestschreiben an das Amtsgericht Stuttgart, das den Totalverweigerer Christian A. zu sechs Monaten Freiheitsstrafe verurteilt hatte. „Dieser Protest richtet sich konkret gegen seine Verurteilung und allgemein gegen die Menschenrechtsverletzung und Freiheitsberaubung wegen Verweigerung des Kriegsdienstes in jeglichem Staate", hieß es darin. Wenig später, am 8. Mai, lud der niederländische Totalverweigerer Pieter van Reenen, der mit dem DDR-Totalverweigerer Norbert Brennig einen persönlichen Friedensvertrag abgeschlossen hatte, mehrere Zeugen aus der BRD und der DDR ein, die ebenfalls persönliche Friedensverträge abgeschlossen hatten. „Werter Herr Richter! Ich hab' eine Bitte an Sie: Könnten Sie eventuell darauf verzichten, im Namen des Volkes zu richten ...", lautete ein Gedicht von der anderen Seite des „Eisernen Vorhangs", doch der Militärrichter wollte es nicht hören und lehnte die Anhörung der Zeugen mit dem Argument ab, dass der Gerichtshof bereits wisse, was auf dem Gebiet der internationalen Kriegsdienstverweigerung los sei. Am 5. Juli stellte van Reenen bei der 4. END-Konferenz in Amsterdam das Konzept der persönlichen Friedensverträge vor. Eine END-Konferenz – bei der von 1983 hatten diese Initiativen ja auch begonnen –, war dafür genau das richtige Forum: Denn hier trafen sich Menschen aus Ost und West, um den Weg zu einem atomwaffenfreien Europa durch eine blockübergreifende Friedenspolitik von unten zu befördern. So war bei der Vorjahreskonferenz in Perugia eine gemeinsame ost-westdeutsche „Erklärung für den Frieden in Europa" verabschiedet worden.

International war also einiges im Gange, die westdeutschen Totalverweigerer hingegen verbissen sich weiterhin in internen Streitereien. Im April wurde beim Bundestreffen in Frankfurt gar die Auflösung der Gruppe Kollektiver gewaltfreier Widerstand (KGW) beschlossen. Die wichtigsten Gründe: Ein Teil der Versammelten war der Auffassung, dass Gewaltfreiheit – wie sie die KGW im Namen trage – nicht unter allen Umständen die richtige politische Lösung sei. So sei es z. B. kaum vorstellbar, dass eine Befreiung Nicaraguas von der Somoza-Diktatur gewaltfrei möglich gewesen wäre. Außerdem entzweite man sich endgültig im notorischen Streit darüber, ob die Totalverweigerer einen „echten" Friedensdienst einfordern sollten. Christoph Rosenthal wurde zum „Koordinator ohne politisches Mandat" bestimmt. Was das hieß? Er sollte die Kommunikation aufrechterhalten und irgendwie organisieren, durfte aber öffentlich keinesfalls im Namen aller totalen Kriegsdienstverweigerer sprechen. Die politische Bewegung war damit erst mal so gut wie tot. Als Anlaufstellen blieben Informationsstellen in Hamburg, Hannover und Westberlin übrig, die nun weitgehend auf eigene Faust vor sich hin werkelten.

Gewissensnotstand oder radikale Überzeugung

Anfang Mai ereignete sich in Idar-Oberstein (Rheinland-Pfalz) eine kleine Sensation: Der 19-jährige Kai, der den Zivildienst als „Beihilfe zum Mord" bezeichnet und daher erst gar keinen Antrag auf Anerkennung als Kriegsdienstverweigerer gestellt hatte, wurde vom Jugendschöffengericht freigesprochen. Die Begründung: Zwar stelle die Weigerung, den Wehrdienst anzutreten, objektiv den Tatbestand der Fahnenflucht dar, subjektiv gesehen sei der Angeklagte jedoch nicht schuldig, da er aus seinem Gewissen heraus in einem übergesetzlichen Notstand gehandelt habe. Die Staatsanwaltschaft, die 15 Monate Haft ohne Bewährung gefordert hatte, legte Berufung ein (und sollte damit Erfolg haben, Kai wurde wenig später vom Landgericht zu acht Monaten ohne verurteilt und musste die Strafe antreten).

Die Argumentation in diesem Urteil deutete den Spalt in der Paragrafen-Tür an, durch den nach meiner erfolgreichen Revision auch die 6. Strafkammer des LG Nürnberg-Fürth am 19. Juni hätte hindurchgehen müssen, um ins weite Feld des Ermessensspielraums vorzudringen. Dort hätte sie entlastende Argumente für mich finden können – wenn sie denn gewollt hätte. Als die Verhandlung um 8 Uhr 30 begann, ließ es sich Richter Scheiba nicht nehmen, einige Passagen aus dem Buch „Dienen oder Sitzen" ausführlich zu zitieren und meine Vorstrafen aus dem Bundeszentralregister vorzutragen. Dann wurde der Diakon Walter Deindörfer, Beauftragter der Evangelischen Kirche in Bayern für Kriegsdienstverweigerer und Zivildienstleistende, in den Zeugenstand gerufen. Der betonte die Lauterkeit des Angeklagten und verwies auf eine kürzlich publizierte Friedensdenkschrift der Evangelischen Kirche, in der die Frage gestellt werde, ob nicht der Zeitpunkt gekommen sei, zu dem „Skandal und Risiko der Rüstungsspirale höher veranschlagt werden müssen als der Nutzen des Abschreckungssystems". Dem „zivilen Ungehorsam der Totalverweigerer", so Deindörfer, solle daher „der Respekt nicht versagt werden".

Den Antrag meines Verteidigers Hans Graf, das psychologische Sachverständigengutachten des Psychologie-Professors Horst Eberhard Richter als Beweismittel zuzulassen, lehnte Scheiba mit der zu erwartenden Begründung ab: „Das Verhalten des Angeklagten weicht nicht so weit von der Norm ab, dass die Sachkunde des Gerichts nicht ausreicht und das Gericht Veranlassung hätte, den vorgeschlagenen oder einen anderen psychologischen Sachverständigen einzuschalten." Es folgten die Plädoyers. Staatsanwalt Kramer hob vor allem darauf ab, dass sich aus dem Angebot des Angeklagten, noch weiter in dem Behindertenheim zu arbeiten, da dort nicht genügend Betreuer zur Verfügung standen, vor allem schließen lasse, dass es mit dessen Gewissen nicht weit her sei. „So laut kann es ja nicht geschrien haben! Denn hätte es das getan, hätte er umgehend den Dienst verlassen müssen." Rechtsanwalt Graf betonte, dass das politische und rationale Argumentieren des Angeklagten nur dessen äußerliche Methode sei, seine Entscheidung zu begründen; dies dürfe aber nicht verwechselt werden mit der Basis der Argumente, nämlich der darunter liegenden Gewissensentscheidung. Dann las er aus dem zur Beweisaufnahme nicht zugelassenen Gutachten von Horst-Eberhard Richter vor. Der Gießener Psychologie-Professor verwies darin auf den langen und stets konsequenten Weg des Angeklagten – erst im dritten Verfahren als Kriegsdienstverweigerer anerkannt, zweimal zur Bundeswehr einberufen, nach reiflicher Überlegung eine Entscheidung getroffen und dann trotz Verurteilung aufrechterhalten – und kam endlich zu dem Schluss, dass gerade das Aushalten all dieser Mühen und Konflikte aus freiem Entschluss und eigenem Antrieb „eine zutiefst im sittlichen Grunde seiner Persönlichkeit verankerte Haltung" beweise, und zwar eine Haltung, die weitaus glaubwürdiger vom Gewissen zeuge als diejenige der Zeugen Jehovas. Während man bei Angehörigen von Sekten durchaus bezweifeln könne, „ob hier nicht eine echte persönliche Gewissensentscheidung durch Unterwerfung unter ein äußeres Sektengebot ersetzt worden ist, bietet Herr B. für mich den eindeutigen Beweis für eine in seiner persönlichen Identität begründete Gewissensmotivation", sodass die vom Bayerischen Obersten Landesgericht in seinem Urteil vom 14. März 1983 für „nichtorganisierte Anhänger weltanschaulicher Bekenntnisse" erhobene Forderung nach Vergleichbarkeit mit zivildienstverweigernden Zeugen Jehovas sogar als „übererfüllt" angesehen werden müsse.

Das Gericht zog sich zur Beratung zurück, dann verkündete Richter Scheiba das Urteil: Die Berufung des Angeklagten gegen das Urteil des AG Nürnberg vom 9. Februar 1984 wird als unbegründet verworfen. Der Mann in der Robe wollte gerade zur Begründung schreiten, da blieben die Zuschauer und auch der Angeklagte stehen und drehten dem Gericht den Rücken zu. „Offensichtlich sollte damit dokumentiert werden, dass das Urteil nicht im Namen des Volkes erfolgt", erläuterte eine Zeitung später. Richter Scheiba kündigte an, dass er den Sitzungssaal werde räumen lassen, falls die Zuhörer nicht ordnungsgemäß im Zuhörerraum Platz nehmen würden. Die Zuschauer sowie der Angeklagte selbst waren in diesem Moment allerdings bereits dabei, den Ort des Geschehens aus freien Stücken zu verlassen. Da der Angeklagte nicht mehr auffindbar war, wurde die Sitzung ohne dessen Anwesenheit zu Ende geführt.

In der zum 22. Juli nachgereichten schriftlichen Urteilsbegründung fokussierte sich der Richter auf die „zunehmend radikalere Gegnerschaft des Angeklagten zur Wehrverfassung der Bundesrepublik Deutschland". Unter anderem führte er aus: „Die vom Angeklagten vorgebrachten Gründe zeigen, dass er den Zeitpunkt seiner Beendigung des Zivildienstes in freier Entscheidung nach rationalen Gesichtspunkten traf und nicht umgehend einem Zwang seines Gewissens folgte. Dem entspricht, dass der Angeklagte, wie er wiederholt betonte, nicht die im Rahmen des Zivildienstes von ihm verlangte Tätigkeit als solche, sondern die Funktion des Zivildienstes als Teil des Wehrdienstes und damit die Wehrverfassung der Bundesrepublik Deutschland schlechthin ablehnt. (…) Zu dem Zivildienst gleichartiger freiwilliger Tätigkeit im sozialen und humanitären Bereich ist der Angeklagte bereit, einer irgendwie staatlich reglementierten Ordnung insoweit will er sich nicht unterwerfen. (…) Die Totalverweigerung ist für den Angeklagten nur Mittel zum Zweck, die von ihm gewählte Taktik im Kampf gegen die geltende Wehrverfassung. Der Angeklagte hat die Entscheidung zur Totalverweigerung nicht nur für sich getroffen, sondern will auch auf andere in dieser Hinsicht Einfluss nehmen."

Die Begründung der Strafhöhe blieb in diesem Argumentationsrahmen: „Gegen den Angeklagten sprach die Verurteilung durch das Amtsgericht Nürnberg vom 9.12.1982 wegen Dienstflucht. Der Angeklagte hat sich weder durch dieses Urteil noch durch den Umstand, dass er unter Bewährung stand, dazu bewegen lassen, seine Ansichten und den eingeschlagenen Weg gründlich zu überdenken und den restlichen Zivildienst zu leisten. Er hat sich im Gegenteil durch die Herausgabe des Taschenbuches ‚Dienen oder Sitzen' zu einem Wortführer und Beispielgeber der Totalverweigerer gemacht. Angesichts dieser besonderen Hartnäckigkeit des Angeklagten, die geeignet ist, die erforderliche Disziplin im Zivildienst zu untergraben, musste zur Einwirkung auf den Angeklagten und auch zur Abschreckung potenzieller Nachahmer erneut eine empfindliche Freiheitsstrafe verhängt werden. Nach Abwägung der für und gegen den Angeklagten sprechenden Umstände erschien auch der Strafkammer eine Freiheitsstrafe von 8 Monaten tat- und schuldangemessen. Trotz der vorausgegangenen Verurteilung vom 9.12.1982 ist die Verhängung dieser weiteren Strafe auch noch verhältnismäßig und ver-

stößt nicht gegen das Übermaßverbot. Die Vollstreckung der Freiheitsstrafe konnte nicht zur Bewährung ausgesetzt werden. Der Angeklagte hat die mit der früheren Strafaussetzung in ihn gesetzten Erwartungen nicht erfüllt."
Durch die Auffassung, „dass einer, der hartnäckig und radikal sich dem Militär verweigert – um künftige Tote zu verhindern – genauso wie der über Leichen gehende Terrorist radikaler Überzeugungstäter sein muss und nicht konsequenter Gewissenstäter sein kann", meinte mein Rechtsanwalt Hans Graf hernach, habe sich der Richter selbst als radikaler Überzeugungstäter im Dienst einer unerbittlichen Staatsraison erwiesen.

Totalverweigerer, Terroristen & männliche Taten

Hans Graf konnte nicht wissen, dass er mit diesem Resümee einer bei den bayerischen Behörden bereits im Schwange befindlichen Gleichschaltung von Terroristen und Totalverweigerern gedanklich vorgegriffen hatte. Im Juli 1985 sollte „El Excelentísmo" Alfredo Stroessner, der Präsident von Paraguay, auf Einladung des Bundeskanzlers Helmut Kohl nach Bonn kommen. Aus dem bayerischen Hof abstammend, hatte der Diktator immer wieder signalisiert, noch einmal das Land seiner Ahnen bereisen und auch seine Herkunftsstadt besuchen zu wollen.

Die Sache sorgte für Unruhe im Lande. So wurde etwa in den *Lateinamerika-Nachrichten* ein offener Brief der „Paraguay-Arbeitsgemeinschaft e.V." an Helmut Kohl abgedruckt: „Ihnen, Herr Bundeskanzler, sollte doch bekannt sein, dass Sie in der Person des Generals Stroessner einen Mann eingeladen haben, der seit 30 Jahren das paraguayische Volk unterdrückt. Auch Sie wissen, dass Stroessner und seine Generäle die Diktatur in ihrer hässlichsten Form verkörpern, dass diese paraguayische Regierung mit Hilfe von Mord, Folter, Ausnahmezustand, willkürlichen Verhaftungen regiert, dass sie alten Nazis und internationalen Wirtschaftsverbrechern Asyl gewährt." Petra Kelly richtete am 14. März in Zusammenhang mit dem geplanten Deutschlandbesuch Stroessners, von dem es immer noch hieß, er verstecke den KZ-Arzt Josef Mengele, eine auch öffentlich weithin beachtete parlamentarische Anfrage an die Bundesregierung. Kaum jemand traute der Zusicherung des Stroessner-Regimes, Mengele befinde sich nicht mehr in Paraguay.

Nach so viel Gegenwind war in Bonn niemand mehr wirklich scharf darauf, Stroessner zu empfangen, und so herrschte eine gewisse Erleichterung, als es am 27. Juni hieß, dass der Besuch „auf Wunsch von Präsident Stroessner" verschoben worden sei. Zu diesem Zeitpunkt hatte bereits die Meldung die Runde gemacht, dass der Leichnam des schon vor Jahren in Brasilien untergetauchten Mengele auf einem Friedhof in der Nähe von São Paulo gefunden worden sei.

Die bayerische Polizei, vor allem natürlich die in der Stroessner-Stadt Hof, war letztlich also völlig überflüssigerweise in Alarmbereitschaft versetzt worden. Sie zeigte sich allerdings selbst noch nach der Absage des Besuchs eifrig, ja übereifrig. Am 17. Juli erschien die Kriminalpolizei vor der Haustür des inzwischen aus der Haft entlassenen und wieder in Hof wohnenden Totalverweigerers Christoph Schlegel. Der Trupp bestand aus fünf Männern, einer Frau sowie einem Sprengstoffhund. Grundlage des Aufmarsches war ein Durchsuchungsbeschluss des Amtsgerichts: „Aufgrund der Äußerungen der Zeugin S., der Initiativen und früheren Äußerungen des Beschuldigten besteht Verdacht, dass der Beschuldigte einen Bombenanschlag auf den Präsidenten von Paraguay, Alfredo Stroessner, bei seinem ursprünglich geplanten Besuch in der Stadt Hof vorbereitet hat (Vergehen der Vorbereitung eines Explosionsverbrechens gemäß § 311b Abs. 1 Nr. 2 StGB)." Die Zeugin S., die von einem weiteren, jedoch unbekannten Zeugen benannt worden war, hatte man allerdings vor dem Einsatz noch gar nicht befragt. Die Befragung fand erst parallel zur Hausdurchsuchung statt. Dabei stellte sich heraus, dass die angebliche Zeugin den Beschuldigten nicht einmal kannte, es handelte sich allem Anschein lediglich um eine Namensverwechslung... Christoph legte eine Dienstaufsichtsbeschwerde ein.

Etwa um diese Zeit bot mir ein Anwalt eine Mitfahrengelegenheit in seinem Mercedes an, der für einen wegen eines Amphetamin-Delikts einsitzenden Mandanten unterwegs war. So entspann sich mit dem älteren Herrn ein Gespräch über Drogen. Ich fragte ihn, wie er denn selbst so stehe zu Drogendelikten. Das sei halb so wild, meinte der Herr Anwalt, da werde viel zu viel Wind drum gemacht. Gegen Aufputschmittel sei ja an und für sich gar nichts einzuwenden. „Wir haben doch im Krieg auch Pervitin genommen, damit wir nachts auf Wache die Augen auflassen konnten." Dann erzählte er mir, dass er eigentlich auf Prozesse gegen Wehrmachtssoldaten spezialisiert sei, die wegen angeblicher Kriegsverbrechen angeklagt worden seien. Ich war noch am Überlegen, wie ich nun am sinnvollsten darauf reagieren könnte, da wechselte er wieder das Thema und erwähnte, dass er etwas gelesen habe über den Prozess gegen einen sogenannten Totalverweigerer. Ob ich denn davon gehört hätte? Ich verneinte, denn es interessierte mich nun brennend, was er unbefangen zu dem Thema zu sagen hätte. In der Sache könne er so etwas zwar nicht unterstützen, meinte er, aber diese Haltung nötige ihm schon Respekt ab. „Das ist eine richtig männliche Haltung. Mit solchen Charakteren kann man was anfangen." Ich fragte nicht weiter nach, was das wohl sein könnte. Niemals hätte ich mir vorstellen können, dass ich mal aus dieser Ecke ein Lob bekomme! Bislang kannte ich nur das gutbürgerliche Moral-Lob: Der moralische Ansatz, nämlich sich für den Frieden einzusetzen, sei ja sehr ehrenwert, aber das dürfe doch nicht dazu führen, die Gesetze zu verletzen. Nun hieß es also: Thema verfehlt, Haltung 1 A. Die Welt ist verrückt, dachte ich mir. (In diesem Zusammenhang ist die These interessant, die später einmal bei einem Totalverweigerer-Treffen aufkam: Die Totalverweigerung sei eine typisch männliche Angelegenheit. Nicht deswegen, weil sie nur Männer betreffe, sondern weil sie von prinzipiellen und relativ abstrakten Gründen motiviert sei. Wir nähmen den Knast in Kauf gemäß dem Motto, dass sich ein echter Mann eben auch im Kampf bzw. im Widerstand bewähren müsse. Insofern: Männlicher geht's eigentlich kaum.)

Fahrt nach Zürich und Amsterdam

„Wer die Verbannung dem Knast nicht vorzieht, hat die Freiheit nicht verdient", lautet ein Spruch, den ich mal irgendwo aufgeschnappt hatte. Darüber, ob ich die Flucht als die „ideologisch" bessere Möglichkeit ansah, wurde ich mir nie so recht klar, mich trieb wohl zuallererst die schlichte Furcht vor dem Gefängnis dazu, eventuelle Fluchtmöglichkeiten zu erwägen. Nachdem ich 1984 in Österreich und England vorgefühlt und beides verworfen hatte, probierte ich es nun in der Schweiz und in den Niederlanden. Der Vorteil: Da hatte ich bereits Kontakte.

Das Kapitel Schweiz gestaltete sich bereits beim Versuch der Einreise ernüchternd. Die deutschen Zöllner winkten mich heraus, mein Kadett wurde – nicht ganz so professionell wie zuvor an der Ostberliner Grenze – komplett auseinandergenommen und wie im Osten wurden auch die gefundenen Schriften kritisch beäugt (es waren dieses Mal historische und philosophische Bücher). Am erstaunlichsten aber war: Der Chef der Spürtruppe stellte mir ganz konkrete Fragen zu meinen Kontakten in der Schweiz und dabei fielen tatsächlich einige Namen, die ich kannte. Ich konnte es nicht fassen: Ich kleiner Wicht befand mich tatsächlich im Fadenkreuz und stand offensichtlich auf einer Fahndungs- bzw. Beobachtungsliste für mögliche Staatsgefährder. Fast machte es mich ein bisschen stolz, so wichtig genommen zu werden. Aber was sollte der Aufwand? Zumal ich nie irgendeinen Anlass gegeben hatte, mich als Sympathisant oder gar Unterstützer terroristischer Aktivitäten einzustufen. Die Hysterie, die bei den Staatsschützern herrschte, war wohl noch viel größer, als ich mir das bis dahin vorgestellt hatte. „Pass uf dass kei Verfolgigswahn kriegsch", sagte einer der Jungs aus der WG in Winti (Winterthur), als ich dort die Geschichte erzählte. Hauptthema des weiteren Abends war dann Beats Liebeskummer. Die Betrauerte tauchte auch noch selbst auf und stellte mit ihrer Flirtwilligkeit zweifelsfrei unter Beweis, dass es für Beats Tränen keine Rechtfertigungsgrundlage gab. Aber davon wollte der hilflos Entflammte natürlich nichts wissen.

Mein Besuch bei der Beratungsstelle für Militärverweigerer in Zürich endete ebenso in Betrübnis: Die Schweiz sehe in Totalverweigerern keine politisch Verfolgten, ein Antrag auf Asyl sei also hoffnungslos, zudem würde die Schweiz grundsätzlich bei allen mit einer Freiheitsstrafe von mindestens einem Jahr bedrohten Straftaten einem Auslieferungsersuchen nachkommen; eine Aufenthalts- oder Arbeitsbewilligung sei nur äußerst schwer zu erhalten, es sei denn, man könne ein beträchtliches Einkommen oder Vermögen nachweisen (heute sind es 50.000 Schweizer Franken). Es bestand also auf ganzer Linie keinerlei Chance für mich, in der Schweiz sesshaft werden zu können.

Blieben also noch die Niederlande. Mitte Juli fuhr ich los, von meinem international gut vernetzten Totalverweigerer-Kollegen Christoph Rosenthal mit Adressen versorgt, das Auto war vollgepackt mit Mitfahrern. Hauptthema unterwegs: das neue Buch von Milan Kundera, „Die unerträgliche Leichtigkeit des Seins". Das Verhältnis der beiden Hauptfiguren Tomas/Teresa gab Anlass für stundenlange Diskussionen. Stimmt es wirklich, dass Männer ständig fremdgehen (oder zumindest die Tendenz dazu haben) und Frauen meistens die Rolle der Dulderin übernehmen? Haben die Geschlechter ein unterschiedliches Verständnis von Liebe und Sexualität? Oder hängt das von den individuellen Charakteren ab? Und natürlich wurde auch die Geschichte mit dem 17-jährigen Boris Becker besprochen, der soeben als jüngster, erster ungesetzter und allererster deutscher Spieler überhaupt das Tennisfinale von Wimbledon gewonnen hatte. Es war spürbar geworden: Becker hatte irgendwie alle Deutschen stolz gemacht. In Groningen lachten sie später, als ich vom „Bobele" schwärmte. „Ja, du bist als Verweigerer ein Staatsfeind, bleibst aber trotzdem durch und durch noch ein Deutscher!"

Die Niederländer – Jan, Eric und Paul – hatten für ihren deutschen Gast einen Termin bei einem Anwalt organisiert. Die Auskünfte waren erneut ernüchternd: Um ein Visum für fünf Jahre zu bekommen, sei der Nachweis eines Arbeitsverhältnisses nötig. Beim Antrag müsse ein Papier unterschrieben werden, dass im Heimatland kein Strafverfahren läuft. Träten dabei Zweifel auf, würden die niederländischen Behörden in Deutschland nachfragen, zudem hätten die Auslandsvertretungen der BRD Listen aller Verurteilten, die sich auf der Flucht befinden, eine Passverlängerung dort sei daher unmöglich. Bekannt sei, dass einige deutsche Fahnenflüchtige verhaftet und gleich ausgeliefert worden waren, möglicherweise gebe es aber eine winzige Chance auf einen erfolgreichen Asylantrag unter Hinweis auf die verfassungsmäßig umstrittene Doppelbestrafung. Das waren keine verlockenden Aussichten. Also beschloss ich, hier und jetzt die Tage unter Gleichgesinnten zu genießen und dann wieder zurückzufahren. Die emsigen und vielfältigen Aktivitäten der Niederländer brachten mich zum Staunen. Paul war ständig am Telefon und organisierte irgendwas, z. B. die Behinderung von Militärmanövern. Da ginge es ja nicht nur um den Frieden, wurde ich belehrt, sondern auch um die Ökologie. Es wurde mir immer nachvollziehbarer, warum die Niederländer in der Szene einen Ruf hatten wie Donnerhall. Nach den Manöverbehinderungen im Fulda Gap `83 hatten einige deutsche Teilnehmer regelrecht geschwärmt von deren tollkühnen Aktionen, die das Panzerstoppen so wirken ließen, als handele es sich um Tulpenknicken.

Später in Amsterdam suchte ich natürlich auch einen der berühmten Coffeeshops im Viertel De Wallen auf – geduldete Verkaufsstellen für weiche Drogen wie Cannabis –, die ich schon von früheren Reisen kannte und die genauso berühmt waren wie die „Schaukästen" der Prostituierten nebenan. Bei einem Treffen mit dem erprobten Revoluzzer Rijn – „I'm a passionate Freebooter, Biker and Vegetarian" – erfuhr ich einiges über die anarchischen Aktionen der „Provos", die vor zwanzig Jahren in Amsterdam für gehöriges Aufsehen gesorgt hatten, und über die daraus hervorgegangene alternative „Kabouter"-Bewegung, die einen „Oranje-Vrijstaat" ausgerufen hatte. In der Bewegung seien auch einige Dienstverweigerer dabei gewesen, erzählte Rijn. Ruud Kater zum Beispiel, der im November 1969 im Parlamentsgebäude in Den Haag seine Einberufungskarte für den Wehrdienst verbrannt hatte. Die Revolutionäre seien ihrer Zeit weit voraus gewesen, betonte er. Auf die Initiative des Provos und Erfinders Luud Schimmelpennink gehe zum Beispiel die Kooperative der „Witkars" in Amsterdam zurück. Mit diesen öffentlichen Elektroautos sollten die Menschen vom konventionellen Autobesitz und -gebrauch entwöhnt werden, um so die Städte wieder lebenswerter zu machen.

Kein Ende mit Strafen und Streit

In Deutschland hatte sich zwischenzeitlich der Reigen der Urteilssprüche fortgesetzt. Der im Mai aufgehobene Freispruch im Verfahren gegen Hans – das Landgericht Lüneburg hatte nun auf eine Geldstrafe von 120 Tagessätzen entschieden – blieb (noch) ein Urteil von solitärer Exotik. Von den meisten anderen Gerichten wurden weiterhin Freiheitsstrafen verhängt, manches Urteil hatte einen militaristischen Beigeschmack. Ein Richter im Rang eines Reserveoffiziers zum Beispiel, der auf „acht ohne" entschieden hatte, hatte sich mit den Worten gerechtfertigt. „Wer sagt, ich bin als Reserveoffizier gegenüber Totalverweigerern befangen, beweist sein gestörtes Verhältnis zum Grundgesetz, zur Legalität und gegenüber der zum Glück unabhängigen Justiz." Andere Gerichte, etwa das AG Pfaffenhofen im Fall von Harald, holten sich beim Bundesministerium der Verteidigung Nachhilfe, das sich weiterhin unverdrossen an den Wörner-Erlass hielt und die Verurteilten so lange mit Einberufungsbescheiden verfolgte, bis das geforderte Mindest-Strafmaß von einem Jahr Gefängnis erreicht war. Im Prozess gegen Stefan Philipp am 23. September in Philippsburg, bei dem die Anklage wegen wiederholter Gehorsamsverweigerung (im zweiten Strafverfahren) verhandelt wurde, schlug der Staatsanwalt vor, die Sache einzustellen, wenn Stefan gegen seine Verurteilung wegen Fahnenflucht im vorherigen Verfahren – das LG Karlsruhe hatte zwei Wochen zuvor auf „zwölf ohne" entschieden – nicht in Revision gehe. Der couragierte Richter lehnte allerdings ab und verurteilte Stefan unter Anrechnung der im Bundeswehrarrest verbrachten Zeit zu einer Gesamtfreiheitsstrafe von „nur" sieben Monaten.

Nahezu zeitgleich zu einem deutsch-deutschen Friedensseminar unter Teilnahme von Mitgliedern der Grünen in der Ostberliner Samaritergemeinde – das unter Beobachtung der Stasi stand – fand Ende September ein Bundestreffen der BRD-Totalverweigerer in Göttingen statt. Die Versammelten kamen zu der inzwischen nicht mehr überraschenden Erkenntnis, dass eine ausreichende Gemeinsamkeit für eine Wiederbelebung der KGW nicht gegeben war. So sollten nun regionale, organisatorisch wie politisch autonome Arbeitsgemeinschaften gebildet werden. Zweimal jährlich sollte es einen bundesweiten Austausch geben, je einmal südlich und nördlich der Mainlinie.

Einige Zeit später kam es bei einem Regionaltreffen der Süd-Totalverweigerer noch einmal zu engagierten Plädoyers, sich doch bitte weiterhin anzustrengen, um eine gemeinsame Stimme zu finden, denn nur so könnten wir fähig werden, dem „politischen Missbrauch" entgegenzuwirken. Dieser Missbrauch, so wurde behauptet, bestehe vor allem darin, dass Organisationen und Parteien im Windschatten einer radikalen Minderheit ihre liberalen Positionen durchzusetzen trachteten. So wie etwa die Humanistische Union oder die Partei der Grünen. Die HU hatte sich öffentlich zur Unterstützung der Totalverweigerer gegen Doppelverurteilungen bekannt und forderte deren Befreiung von der Heranziehung zum Zivildienst, wenn sie denn „freiwillig einen Entwicklungsdienst oder einen Friedensdienst" leisten würden. Hierzu sei eine Änderung des Gesetzes über den zivilen Ersatzdienst anzustreben. Und Henning Schierholz, seit 14. März als „Nachrücker" Bundestagsabgeordneter der Grünen, hatte einigen Totalverweigerern – eine offizielle „Verbandsspitze" gab es ja nicht mehr – mitgeteilt, dass seine Partei im Bundestag einen Vorschlag mit folgenden Hauptpunkten einbringen wolle: Wehrdienst und Zivildienst sollen die gleiche Dauer haben (jeweils zwölf Monate), der Zivildienst wird zum sozialen Friedensdienst ausgestaltet, die Gewissensprüfung wird abgeschafft. Gleichzeitig wollten die Grünen aber auch die Forderung nach Straffreiheit für Totalverweigerer aufrechterhalten und deren Entlassung aus der Wehrpflicht fordern und – solange das noch nicht realisiert sei – einen „Gefangenen Totalverweigerer des Monats" benennen!

Einige Nord-Totalverweigerer setzten daraufhin eine scharfe Antwort auf. Es sollte sich doch endlich auch bis zu den Grünen herumgesprochen haben, dass es den Totalverweigerern nicht um eine Reduzierung der Dienstdauer oder um Dienstgerechtigkeit oder um den Schutz von irgendwelchen abnormen Einzelgewissen zu tun sei, sondern um die Abschaffung der Wehrpflicht, ein staatlicher Zwangsdienst könne unmöglich zu einem wie auch immer gearteten Friedensdienst ausgestaltet werden, und zuletzt seien irgendwelche „Nasenkampagnen" schon gar nicht erwünscht.

Die in die Grünen-Kampagne involvierte Christa Nickels wetterte kräftig gegen dieses Pamphlet der „reinen Lehre", rügte erbost die Schärfe des dort angeschlagenen Tons und gab zu bedenken, dass die Abschaffung der Wehrpflicht zwingend zur Einführung einer Berufsarmee führen werde und dies doch sicherlich kein Fortschritt sein könne. Am Ende konnten die Proteste aus den Reihen der Totalverweigerer nicht verhindern, dass die Fraktion der Grünen am 22. November im Bundestag einen Antrag zur „Realisierung des Grundrechts der Gewissensfreiheit gegenüber den Anforderungen der allgemeinen Wehrpflicht" einbrachte: „Da die allgemeine Wehrpflicht keineswegs eine Verfassungspflicht darstellt, sind alle totalen Kriegsdienstverweigerer sofort aus der Bundeswehr zu entlassen. Für alle verurteilten totalen Kriegsdienstverweigerer ist eine Amnestie vorzusehen. Das Verbot der Doppelbestrafung für dieselbe Tat gemäß Art. 103 GG ist strikt zu beachten." Der Vorstoß fand im Parlament natürlich keine Mehrheit.

Das Ende der juristischen Gefechte

Am 18. November sorgten die Richter des Bayerischen Obersten Landesgerichts dafür, dass die gegen mich verhängten 16 Monate Freiheitsstrafe rechtskräftig werden konnten. Die Revision gegen das Urteil des Landgerichts Nürnberg-Fürth vom 19. Juni 1985, von Hans Graf vor allem mit dem Argument untermauert, dass selbst eine radikale Gegnerschaft zur Wehrverfassung der Bundesrepublik Deutschland „den Angeklagten nicht als möglichen Träger eines Gewissens" disqualifizieren könne, wurde als unbegründet verworfen: Das Urteil sei frei von Rechtsfehlern und auch in verfahrensrechtlicher Hinsicht nicht zu beanstanden.

„Vier Monate Zivildienst zu wenig – 16 Monate Haftstrafe", übertitelte die *FR* ihren Artikel zu dem Beschluss, mit dem eine spezielle Verhältnismäßigkeits-Mathematik zu Recht wurde: Verweigerte Dienstzeit x 4 = gerechte Haftstrafe. Ich fragte mich, welche Rechnung wohl aufgemacht würde, wenn ich nach dem Absitzen der Strafe einen weiteren „Nachdienbescheid" verweigern würde. Hätte womöglich eine Verfassungsbeschwerde Aussicht auf Erfolg, die auf eine Verletzung des Grundsatzes der Verhältnismäßigkeit abzielte? Das war ausgeschlossen bei einem gesetzten Strafrahmen von bis zu 5 Jahren Freiheitsstrafe.

In den folgenden Wochen eruierte ich, was ansonsten eventuell getan werden könnte. Eine Anrufung der EU-Menschenrechtskommission erschien sinnlos. Die hatte erst vor wenigen Wochen keinen Anlass gesehen, im Fall eines zu 16 Monaten Haft verurteilten norwegischen Totalverweigerers wenigstens rügend tätig zu werden. Hätte eine abermalige Verfassungsbeschwerde mit einer auf die Auslegung des Gewissensbegriffs abzielenden Argumentation eine Erfolgschance? Inzwischen hatten ja tatsächlich einige Richter – nicht in Bayern, wo die Urteile in der Regel deutlich härter ausgefallen waren, aber in anderen Bundesländern wie z. B. NRW – die Überzeugung vertreten, dass das Gewissensfreiheitsrecht aus dem Art. 4 GG einer Mehrfachbestrafung entgegenstehe. Strafgerichte hatten also durchaus Spielräume und konnten im Prinzip sogar von der Rechtsprechung der höheren Gerichte abweichen, wenn sie das für begründet hielten (Ein Beispiel, das mir erst viel später bekannt wurde: Am 11. November 1985 stellte eine Strafkammer des Landgerichts Duisburg das Doppelbestrafungsverfahren gegen einen Zivildienstverweigerer unter Hinweis auf das Vorliegen einer Gewissensentscheidung nicht nur ein, sondern opponierte dabei auch ganz offen gegen das OLG Düsseldorf. Der Rechtsprechung des OLG zu folgen, die sich im Widerspruch befinde zu den verbindlichen, vom Bundesverfassungsgericht aufgestellten Grundsätzen, würde letztlich einen Verfassungsbruch bedeuten, begründete die Strafkammer sinngemäß. Die Entscheidung wurde rechtskräftig, nachdem die Staatsanwaltschaft auf eine Revision verzichtet hatte.)

Strafrichter konnten mit dem Art. 4 GG operieren, anders verhielt es sich allerdings bei einer Verfassungsbeschwerde. Eine von Art. 4 GG ausgehende Argumentationslinie, da waren sich die Experten an den Universitäten einig, habe grundsätzlich keine Aussicht auf Erfolg, denn das Bundesverfassungsgericht werde sich immer damit begnügen, auf die Freiheit der richterlichen Beweiswürdigung hinzuweisen. Es nützte da nichts, eigentlich gute Argumente auf seiner Seite zu wissen wie etwa das, dass es sich bei einer Gewissensentscheidung gegen den Zivildienst lediglich um die Präzisierung einer Gewissensentscheidung gegen den Kriegsdienst mit der Waffe handelt und nicht um etwas prinzipiell anderes.

Offen zu bleiben schien einzig der Weg über die von dem Münsteraner Rechtswissenschaftler Prof. Eberhard Struensee beispielhaft in einem Artikel in der *Juristenzeitung* vorgeführte Argumentationslinie, in der das Verbot der Mehrfachbestrafung an die Einheitlichkeit der Tat geknüpft wird. Danach kann eine anhaltende Pflichtverletzung – und das eben völlig unabhängig von irgendwelchen Gewissensfragen – gar nicht zu einer selbstständigen und damit erneut strafbaren Verhaltensweise werden, da die Forderung, Wehr- oder Zivildienst zu leisten, nur ein einziges Mal besteht. Entspricht jemand dieser Forderung nicht, so Struensees Schluss, kann jede weitere Forderung dieser Art nur ein Ersatz für die ursprüngliche, nicht erfüllte Forderung sein. Anders als etwa im Fall der Unterhaltspflichtverletzung, wo nach einer Verurteilung die Verweigerung *weiterer* Zahlungen geahndet werden kann, geht es im Zusammenhang mit der Wehrpflicht immer nur um die Verweigerung derselben Forderung, sodass bei jeder weiteren Weigerung demzufolge auch immer nur dasselbe unterlassen wird. Bestraft man also nicht das Delikt selbst, sondern die von der Anzahl der Forderungen abhängigen Weigerungen, liegt eine nach dem Grundgesetz verbotene Doppel- oder Mehrfachbestrafung vor.

Obwohl mir das völlig widersinnig schien, musste ich die Aussichtslosigkeit auch dieser Argumentation zur Kenntnis nehmen. Würde man so argumentieren, so u. a. der an der Universität Frankfurt tätige Strafrechtler Cornelius Nestler-Tremel, würde sich das Bundesverfassungsgericht auf diese Logik nicht einlassen und stattdessen sinngemäß sagen: Auch die Verhängung einer Freiheitsstrafe führt nicht zum Erlöschen des verfassungskonformen staatlichen Anspruchs auf Erfüllung einer (Rest-) Dienstpflicht und enthebt den Verweigerer nicht seiner Verpflichtung, diesen Dienst abzuleisten. Somit blieb mir nichts anderes übrig, als den Skandal hinzunehmen, dass sich Richter im Dienste der Erhaltung der Funktionsfähigkeit der Landesverteidigung zu Vollstreckern des Prinzips der allgemeinen Wehrpflicht machten. Der staatliche Zwangsdienst sollte ganz offensichtlich *politisch* durch hohe Freiheitsstrafen durchgesetzt werden – unabhängig von der logischen Konsistenz der Strafbegründung.

Der juristische Weg war für mich hier also zu Ende. Ich beschloss, nicht unterzutauchen und auch nicht ins Ausland zu fliehen. Der Hauptgrund: Die Angst vor einer Verhaftung würde mich ständig begleiten. Diesem Dauerstress wollte ich mich nicht aussetzen, ich wollte die Sache lieber direkt angehen und mich gut darauf vorbereiten. Und so meldete ich mich bei einem Bekannten in Frankfurt an und immatrikulierte mich dort an der Universität: In Hessen gab es nämlich die Möglichkeit, als Erstbestrafter in den Freigang zu kommen, sodass ich mein Studium eventuell bereits während meiner Haftzeit würde fortsetzen können.

Verhaftungswelle im Osten und ein Friedensnobelpreis

Bliebe noch zu erzählen, dass auch östlich der „Zonengrenze" in diesen Tagen erhebliche Aufregung herrschte. Als von 80 Wehrpflichtigen, die sich dort aktuell als Totalverweigerer erklärt hatten, am 2. November mehr als die Hälfte verhaftet und acht von ihnen (nach anderen Quellen vier) von Militärgerichten im Schnellverfahren zu Gefängnisstrafen von je 22 Monaten verurteilt worden waren, machte dies auch die am 10. November startende Friedensdekade zum Thema. Die Verhaftungen lösten die bis dahin größten Proteste von Friedensgruppen in der DDR aus. Die Konsequenz: Die Verweigerer kamen nach vier Wochen wieder frei, die Einberufungsbefehle wurden rückgängig gemacht.

Unter den Verhafteten war auch mein Friedensvertragspartner Herbert Mißlitz. „Einen Tag vor Prozessbeginn wurde ich plötzlich zum Militärstaatsanwalt gerufen. Der sah wirklich aus, als ob der seit seiner Geburt noch nicht einmal im Leben gelacht hat. So ein verknöcherter

Ärzte gegen den Atomkrieg bei einem Protest am 3. September 1983 in Mutlangen.

Bürokrat – gegen solche Menschen war ich ja angetreten. Der guckte mich also an wie den übelsten Feind: ‚Herr Mißlitz, ich bin beauftragt, Ihnen mitzuteilen, dass der Minister für nationale Verteidigung der Deutschen Demokratischen Republik Ihren Einberufungsbefehl zurückgezogen hat. Ich sehe mich somit nicht mehr in der Lage, die Anklage aufrechtzuerhalten. Sie werden sofort entlassen.' Können sie sich vorstellen, wie ich in dem Moment innerlich gejubelt habe? Ich wusste nicht genau, warum, aber offensichtlich hatten wir einen Sieg errungen."

Eine Art von Sieg hätten wir Totalverweigerer auch in der Tatsache sehen können, dass der Gruppierung „Ärzte für die Verhütung des Atomkrieges" (IPPNW) am 10. Dezember der Friedens-Nobelpreis verliehen wurde. Ironischerweise war es offensichtlich möglich, aufgrund einer nahezu identischen Auffassung zugleich nobelpreisfähig und straffällig zu werden. Die Ärzte hatten erklärt, dass sie sich der Beteiligung an Vorbereitungen von Kriegen der ABC-Skala verweigern und nicht bereit sind, deren Effekte – als gäbe es Hoffnung auf gutes Überleben – bewältigen zu helfen. Die radikale Veränderung der Politik aufgrund der neuen Qualität von Waffen, deren Einsatz im „Ernstfall" zum atomaren Holocaust führt, so argumentierten die Ärzte ganz auf der Linie von Totalverweigerern, habe zur Folge, dass es eine Unterscheidung des Kriegsdienstes mit und ohne Waffe heute nicht mehr geben könne

Erprobung ohne Gnade
(1986, 3. Teil)

MONTAG, 3. MÄRZ, FRANKFURT/M
Die Justizvollzugsanstalt IV Gustav-Radbruch-Haus (GRH) in Frankfurt am Main! Im Kontrast zu dem angrenzenden, extrem düsteren U-Haft-Gebäude von Preungesheim wirkt das 1961 fertiggestellte, dem Justizvollzug gewidmete Anwesen geradezu wie eine Ferienanlage der SPD (oder SED). Hier wird der sogenannte „Offene Vollzug" praktiziert. Auf dem Gelände gruppieren sich mehrere ein- und zweistöckige Gebäude: Außenpforte, Verwaltung, Wirtschaftstrakt, Werkhof, Unterkunftsgebäude Nummer 1 bis 5 sowie ein Küchengebäude mit einem großen Speisesaal. Insgesamt stehen 560 Plätze zur Verfügung, 300 davon sind für Freigänger vorgesehen.

Es gibt keine Gitter an den Fenstern und keine Mauern. Gesichert sind lediglich acht Arrestzellen, darunter gepolsterte Beruhigungszellen, im Verwaltungsgebäude. Das Anstaltsgelände ist eingegrenzt von einem zwei Meter hohen, von Videokameras überwachten und mit Stacheldraht bewehrten Zaun. In das Verwaltungsgebäude ist eine mit großen Panzerglasscheiben versehene Überwachungszentrale integriert. Von dort wird die an allen wichtigen Punkten von Kameras überwachte Haftanstalt von mindestens zwei Beamten ständig kontrolliert. Über Monitore können sie sowohl den Außenzaun wie das Innengelände einsehen, außerdem haben sie Zugriff auf die Überwachungskameras im Bahnhofsviertel, denn dieses ist eine „No-go-Area" für die Freigänger. Mittels Lautsprecherdurchsagen geben sie in sämtliche Teile der Anstalt ihre Anweisungen oder sie funken bei Bedarf die auf dem Gelände patrouillierenden Aufseher an.

Die Gefangenen sind in Einzel- und Gemeinschaftsräumen untergebracht, die unverschlossen bleiben. In ihren Wohngruppen sollen sie sich um ein verträgliches Miteinander bemühen und lernen, wie sie Konflikte auf friedliche Weise bewältigen können. Zu bestimmten Zeiten können

Warnung vor Kamera-Überwachung am Eingang des Gustav-Radbruch-Hauses in Frankfurt/M.

sie sich frei auf dem Gelände bewegen und z. B. eine der zwei Telefonzellen auf dem Hof nutzen. Vollzugsziel ist das Erlernen der Fähigkeit, in sozialer Verantwortung ein Leben ohne Straftaten zu führen. Missachtungen der geforderten Disziplin sowie Alkohol- und Rauschgiftsünden – letztere ggf. detektiert durch Alco-Testgeräte bzw. durch eine Laboreinrichtung zur Feststellung von Rauschgift – werden mit Arrest und sofortigem Entzug bestehender Vergünstigungen geahndet. Zugleich sollen die dafür geeigneten Gefangenen aber auch die Chance erhalten, sich im Freigang eine wirtschaftliche Existenz aufzubauen. Auch eine Ausbildung kann ggf. absolviert werden. In welchem Umfang und in welcher Weise der offene Vollzug durchgeführt wird, hängt von guter Führung ab und wird in letzter Instanz vom Anstaltsleiter bestimmt. Der heißt Hermann Eiermann: Regierungsdirektor, Jahrgang 1930, gelernter Sozialarbeiter.

Beim Einchecken auf der Kammer werden mir allerlei Klamotten überreicht, u. a. drei „Anzüge": ein dicker Freizeit-Cordanzug (braun), ein dünnerer Arbeitsanzug aus Baumwollmaterial (blau) sowie „ein Nachtarbeitsanzug", wie mir der Kammer-Gefangene grinsend erklärt. Meine „Habe" – Bücher, Schreibmaschine und Schreibwaren, 1 kleines Radio, 1 Tauchsieder, Kaffee, Süßigkeiten – wird mir nahezu vollständig ausgehändigt. Zum Transport erhalte ich zwei große Papiertüten. Schwer bepackt melde ich mich bei der Zentrale, um mich von einem Beamten zu „meinem" Wohnraum führen zu lassen. Auf der dort hinführenden Außentreppe passiert dann, was schon auf dem Weg über den Hof drohte: Eine Tüte zerreißt, der Inhalt purzelt die Stufen hinunter. Beim Versuch, die Sachen aufzuklauben, kippt auch noch die zweite Tüte um. Plötzlich bemerke ich vielstimmiges Gelächter: Gegenüber haben Dutzende von Gefangenen, auf dem verglasten Gang zum Speisesaal in eine Schlange eingereiht, die Szene interessiert beobachtet. Nur unter erheblicher Anstrengung gelingt es mir, meine „Habe" auszubalancieren und ans Ziel zu schleppen.

Der „Wohnraum" in der Zugangsabteilung wirkt wie eine Schuhschachtel. Er ist etwa 2,80 Meter lang und extrem schmal: Neben Bett,

Schrank und Tischchen ist kaum mehr Platz, wenn ich mich in die Mitte stelle, kann ich mit beiden Handflächen gleichzeitig die Wände berühren.

Der Beamte informiert mich knapp über die wichtigsten Pflichten der Neuzugänge: Sich tagsüber ins Bett legen ist verboten; Kontakte zum Nachbarn sind verboten, das Verlassen des Wohnraums ist nur auf Aufforderung oder zur Toilette erlaubt, die befindet sich nämlich auf dem Gang; wenn der Wohnraum verlassen wird, ist dieser abzusperren (er lässt sich nur von außen absperren); Verfehlungen führen zu einem Verweis bzw. einer Disziplinarstrafe.

Nachmittags Aushändigung eines Knast-Ausweises und Belehrung über den Tagesablauf in der sog. Erprobungsphase, wie hier das Vorspiel zum Freigang genannt wird. Man muss sich nämlich die Erlaubnis zum Freigang erst verdienen!

Um 6 h aufstehen. Wer nicht rechtzeitig aufwacht, erhält einen Verweis.

6.30 h Antreten zur Anwesenheitszählung im Hauptgebäude, Ausweis vorzeigen. Dann Ausgabe der Morgenkost im großen Gemeinschaftssaal.

7.30 h Für Nicht-Freigänger: Beginn der Arbeitszeit in der Innenfunktion.

Für Zugänge heißt es: „zum Abruf" auf dem Wohnraum bleiben.

11.45 h Anwesenheitszählung, Ausgabe der Mittagskost im Gemeinschaftssaal.

12.30 h: Wieder Arbeit. Zugänge: Aufenthaltsgebot auf dem Wohnraum.

16.30 h Ausgabe der Abendkost.

17.00 h Anwesenheitszählung, Postausgabe an der Innenpforte, angeblich findet keine Zensur von Briefen statt. Anschließend: allgemeine Bewegung im Freien, Sport, Gemeinschaftsfernsehen.

22.00 h Bettruhe.

Fähig werden für das Leben draußen, für ein ordnungsgemäßes Leben, so erfahren wir, ist unsere Aufgabe. Das heißt hier zuallererst: Sich selbst den Schlag der Uhr ins Herz und in den Kopf stanzen. Oft wiederholt werden die Ausdrücke „freiwillig" und „selbstständig". „Sie werden hier zur Selbstständigkeit erzogen. Sie sollen sich freiwillig an die Hausordnung halten!" Freiwillig gehorchen heißt vor allem, Gebote verinnerlichen und Verbote nicht zu übertreten. Jeden Tag absolut

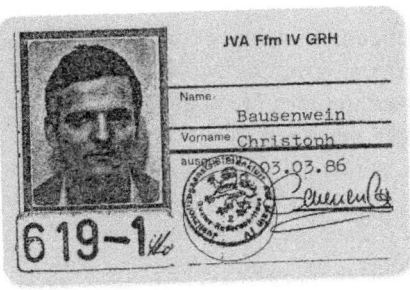

Beim Ausgang stets mitzuführen: Der Knacki-Ausweis des Gustav-Radbruch-Hauses.

pünktliche Meldung zur Zählung! Keine anderen Stationen betreten! Keine Privatkleidung tragen! Anweisungen sofort und exakt befolgen! usw. usf. Wer nicht spurt, bekommt Arrest. Und in schwerwiegenderen Fällen erfolgt die Zurückverlegung in den geschlossenen Vollzug, vorwiegend in die JVA Butzbach. Beim Blättern durch die Hausordnung – ein A4-Heft mit 23 Seiten – erscheinen mir die Bestimmungen derartig engmaschig formuliert, dass es für den, der sich im „Fadenkreuz" befindet, beinahe unmöglich sein dürfte, nicht dagegen zu verstoßen.

Was für eine Disziplinierungsmühle ist das denn hier, denke ich mir. Es durchzuckt mich der Gedanke, alles zu verweigern und gleich wieder zurückzugehen in den geschlossenen Vollzug. Das wäre eine ehrlichere Sache als der psychische Dauerdruck in der „Erprobung". Die kann – je nach Vollzugsplan, den jeder Gefangene erhält – auch länger dauern, erfahre ich. Es ist fraglich, ob ich es überhaupt bis in den Freigang schaffe. Hier sei noch keiner zum Studium zugelassen worden, erklärt der Belehrer.

Als das Belehrungsstakkato vorbei ist, kommen mir Thesen von Foucault in den Sinn. In „Überwachen und Strafen" hat der französische Philosoph die im 19. Jahrhundert in panoptischer Architektur errichteten Gefängnisse – in denen die Wärter von einem zentralen Punkt im Zentrum alles überblicken können – als Modell für die gesamte moderne Gesellschaft beschrieben. Solche Gemäuer gibt es immer noch, zum Beispiel das Hauptgebäude in der JVA in Nürnberg. Diese Gefängnisse sollten keineswegs einfach nur Straf-, sondern ebenso Erziehungs- und Besserungsanstalten sein. Innerhalb der panoptischen Struktur wissen die Gefangenen, dass sie ständig überwacht werden; und im Laufe der Zeit verinnerlichen sie den Zwang und schicken sich in ihn im vorauseilenden Gehorsam selbst dann, wenn niemand mehr da ist, der sie überwacht. Könnte man in diesem Sinne sagen: Eine JVA wie diese hier soll die Funktion eines virtuellen Panopticons einnehmen, das in die Köpfe verpflanzt wird? Und wenn man das weiterspinnt: Die Verinnerlichung der erwarteten Normen, die Umwandlung des Fremdzwangs in Selbstdisziplinierung – ist denn das nicht der Kern der Normalität? Insofern: Wer in „Freiheit" nicht aneckt, der ist ein perfekt funktionierender „Gefangener".

Abends. Aus dem Fenster blicke ich auf die JVA Preungesheim. Eine in Beton gegossene Krankheit, fensterlos und bedrohlich. Der Anblick wirkt wie eine Metapher für all die Deformationen, die Menschen anderen Menschen antun. Zwischen den Schreien und Rufen der Gefangenen das Gekreische von Vögeln. Besonders markant: die „Preungesheimer Möwen". Sie ernähren sich von den Abfällen, die von den Knackis aus dem Fenster – bzw. durch die Schlitze unter den Betonblenden – geworfen werden. Rausschauen kann da nämlich keiner. Auch tagsüber falle da kaum Licht in die Zellen, sagt mein Nachbar, der die Betonburg von innen kennt. Kein Blick nach draußen möglich – schon nach ein paar Tagen wirst du depressiv. Ich setze das Gespräch verbotenerweise noch ein wenig fort. Im Gang stehend erklärt mir Dietmar – ein Zuhälter, wie sich herausstellt – einen Trick, um beim Übertreten des Kontaktverbots nicht ertappt zu werden: Wird die blitzblank gewienerte Tür zum Treppenhaus in einem bestimmten Winkel geöffnet, so spiegeln sich in ihr eventuell herannahende Vollzugsbeamte und man kann rasch und noch rechtzeitig in seinem Zimmerchen verschwinden.

Wir sprechen über Frauen. Der Lude zeigt sich sehr interessiert, wie es mit den Frauen in meiner „Szene" so abläuft. Wie das denn so sei mit den offenen Beziehungen, will er wissen. Ja, das sei schon nicht so selten, meine ich. Das sei auch lange Zeit mein Modell gewesen. Aber so was koste auf Dauer doch zu viel Nerven, Eifersucht lasse sich nun mal nicht vermeiden, auf keiner Seite. Er habe da kein Problem, sagt Dietmar, er fände ja immer eine. Ich erzähle ihm die Geschichte von einem Freund. Der war schwer verliebt, hatte aber das Gefühl, dass da irgendwie nicht genug zurückkommt. Unter dem Siegel der Verschwiegenheit gestand er mir, dass er seiner Angebeteten heimlich hinterherspioniert und herausgefunden habe, dass da noch vier weitere Männer im Spiel seien. Einen oder zwei, das hätte er ja verkraftet, aber vier?! Ich hatte gerade selbst ein Techtelmechtel mit eben dieser Dame und korrigierte ihn: „Da hast du Unrecht, wir sind mindestens zu sechst!" Wir haben Tränen gelacht. Aber so witzig sei es nicht immer. Mit einer Zweierbeziehung, wie ich sie jetzt hätte, sei es schon einfacher, sage ich Dietmar. Und in dem Moment, wo ich es sage, denke ich: obwohl ... (Anmerkung: Festlegungen waren damals in weiten Kreisen der alternativen Szene ziemlich verpönt, großen Gefühlen begegneten vor allem die Männer mit großer Skepsis. Und für nicht wenige hieß die Lösung, mehrere Verhältnisse gleichzeitig zu pflegen. Der mit dieser Praxis verbundene Begriff der „Polyamorie" kam allerdings erst später auf.)

Ein herannahender Wächter – die hier meist als Grüne bezeichnet werden – unterbricht rüde unser verbotenes Gespräch. Frage mich wieder einmal, wie diese Typen ihr Dasein ertragen. Viele wohnen in der Mietskaserne direkt vor den Toren der JVA. Selbst der Anstaltsleiter wohnt in

Sichtweite seines Arbeitsplatzes. Im Prinzip führen diese Justizvollzugsangestellten kaum ein anderes Leben als die von ihnen Bewachten. Das Ende der Haft nicht in Sicht.

DIENSTAG, 4. MÄRZ

Ich kann schon jetzt die Gefangenen in Dieburg verstehen, die mir erzählt hatten, sie seien freiwillig aus dem Radbruch-Haus zurückgekommen, weil sie den militärischen Druck dort nicht ausgehalten hätten. Hier herrscht tatsächlich ein Klima wie in einer Kadettenanstalt. In einem Text zur Selbstdarstellung des Radbruch-Hauses hat der Anstaltsleiter durchaus Richtiges erkannt, dass nämlich „nicht wenige Gefangene ihre Unterbringung im offenen Vollzug keineswegs als so angenehm" empfänden, „wie dies Außenstehenden auf den ersten Blick erscheinen mag: Sich in ein solches System von Regeln und Anweisungen einzuordnen, das auf Unterordnung, gegenseitiger Rücksichtnahme und Anpassung an soziale Lebens- und Verhaltensweisen beruht, ist vor allem für solche Gefangene sehr schwierig, die erhebliche Entwicklungs- und Persönlichkeitsdefizite haben. Sie stellen denn auch im offenen Vollzug einen hohen Prozentsatz der Versager, obwohl gerade sie die Möglichkeit dieses Vollzuges am ehesten zur Behebung ihrer Defizite brauchten..." Diese Klientel stelle eine „besondere Herausforderung" für die Vollzugsverantwortlichen dar. Nach seinem Selbstverständnis ist das Radbruch-Haus die letzte Schleuse zurück zur Gesellschaft. Wer hier als „Versager" durchfällt, hat seine Chance auf Resozialisierung vertan, ist im Prinzip nur noch gesellschaftlicher Abfall.

Mir fällt auf, dass die meisten Vollzugsangestellten hier einem anderen Typus angehören als die in Bayreuth oder Dieburg. Anders als dort menschelt es kaum einmal. Das Agieren von vielen Uniformierten hat etwas Maschinenhaftes. Man könnte fast den Eindruck gewinnen, sie seien speziell für diese besondere Disziplinierungsaufgabe ausgesucht. Sie sind nicht brutal, wirken aber eigenartig kalt, unnahbar und gefühllos. Es ist mir unerklärlich, wie ein Mensch sich in ein derartiges Wächter-Dasein begeben kann. Sie scheinen kein Problem damit zu haben, starre Regeln zu befolgen und begnügen sich mit ihrem Fitzelchen von Macht über die, die ihnen ausgeliefert sind.

Abends gucke ich nach Preungesheim hinüber. Das unvergitterte Fenster lockt nach draußen. Aber es trügt. Der beinahe lächerlich wirkende Stacheldraht ist lückenlos mit Videokameras überwacht. Und wer weiß, wo es sonst noch überall Kameras gibt. Ist das alles ein Vorgeschmack auf das, was irgendwann auch draußen kommen wird?

Blick vom Gustav-Radbruch-Haus auf die Untersuchungs-Haftanstalt Preungesheim.

MITTWOCH, 5. MÄRZ
Ein Knacki weckt mich, so komme ich gerade noch rechtzeitig zur Morgenzählung. Ich bedanke mich für seine Solidarität. Oder war es nicht eher Kameradschaft? Kameradschaft nennt man es beim Bund, wenn die Kameraden einem Schwachgewordenen auf dem Marsch den Rucksack tragen. Solidarität ist, wenn alle langsamer gehen.

Nach der Meldung Theweleit-Lektüre: „Männerfantasien". Es ist vielleicht mein letzter Tag mit Selbstbeschäftigung, denn die ist ja nicht vorgesehen. Ab 12.30 bis 18 Uhr gibt es allerlei Ansagen zu den Arbeitsmöglichkeiten und Gepflogenheiten in der JVA. Einer der Belehrenden ähnelt dem Schauspieler Heinz Weiss. Nicht dem alten, dem Kapitän des „Traumschiffs", sondern dem jungen, der in der Serie „So weit die Füße Tragen" den kernigen Wehrmachtssoldaten gab, der aus einem sowjetischen Kriegsgefangenenlager flieht. So ein markiger Typ also sitzt nun wie ein Wehrmacht-Offizier da vorne vor den Neuzugängen und droht ihnen mit dem Korpsgeist „seiner" Wachtruppe: „Männer: Wenn hier einer von euch aus der Reihe tanzt, gibts Druck! Von allen, denn wir halten zusammen. Das wollt ihr nicht kennenlernen, was das heißt!"

Wer ganz brav sei, so ein anderer, weicherer Sozialarbeiter-Typ, dürfe täglich zur Arbeit in den Freigang. Aber auch dort müsse er natürlich Tag für Tag beweisen, dass er den Vollzugszweck – umfassende Bedürfnis- und Impulskontrolle – verinnerlicht hat. Die Insassen sollen dazu erzogen werden, mit Geld im Ausgang klarzukommen, Konsumwünsche zurückzustellen und den Hang, sich gehen zu lassen, zu beherrschen. „Ihr sollt an Schaufenstern vorbeigehen, ohne etwas zu kaufen, an Kneipen, ohne etwas zu saufen." Am Ende wird mir noch ganz persönlich eröffnet, dass ich nach drei Monaten Knast Aussicht hätte auf einen ersten Urlaub. Allerdings nicht zu meinem Studentenzimmer in Frankfurt. Ich bräuchte eine verlässliche Urlaubsadresse, bei mir kämen nur meine Eltern infrage. Entsprechend fülle ich den Antrag auf Anerkennung einer Urlaubsanschrift aus.

Abends wird im Freizeitraum Fußball gezeigt: Bayern gegen Anderlecht. Dieter Hoeneß und Roland Wohlfarth erzielen die Treffer zum 2:1-Sieg im Münchner Olympiastadion. Dank Preungesheim folgt eine Nacht mit sehr schlechtem Schlaf: Stundenlange Schreie der Gefangenen, kaum auszuhalten und so laut, dass sie selbst durch das geschlossene Fenster dringen. Was sagen die Zustände in Preungesheim über diese Gesellschaft? Sind das zufällige Extreme? Oder sind es konsequente Auswüchse? Eine tiefe Sehnsucht ergreift mich: Wie herrlich wäre es, alles per Lichtschalter einfach ausblenden zu können!

DONNERSTAG, 6. MÄRZ

Es tagt die sog. Vollzugskommission, die einen Vollzugsplan für mich erstellt. Die Möglichkeiten: erstens Innenfunktion, also Arbeit im Knast, ohne Ausgang, zweitens Innenfunktion mit Ausgang unterschiedlicher Dauer, drittens Freigang. Je braver man ist, desto mehr Ausgang erhält man. Vier sogenannte Erprobungsphasen, die vor der Zulassung zum Freigang durchlaufen werden müssen, haben die Knast-Bürokraten vorgesehen: Vorerprobung, Zwischenerprobung, Haupterprobung und Enderprobung.

Noch nicht zum Freigang zugelassene Gefangene müssen zunächst in die Vorerprobung. Sie erhalten zwei Stunden pro Woche bis maximal drei Stunden täglich Ausgang und werden zum Arbeitseinsatz in der Anstalt eingeteilt. Einsatzgebiete sind Hausfunktionen (Metzger, Koch, Küchenhelfer, Haus- und Hofreiniger), Tätigkeiten als Handwerker (Elektriker, Schlosser, Schreiner) oder eine Beschäftigung in arbeitstherapeutischen Werkstätten (Holzarbeiten, Malen, Töpfern, Ökogarten). Zum Freigang vorgesehene Gefangene rücken in die Zwischenerprobung. Sie müssen weiter in der Anstalt arbeiten und erhalten zur Stellensuche einen Ausgang von bis zu vier Stunden täglich. Die letzte Stufe ist der Freigang mit – je nach Entfernung der Arbeitsstelle – bis zu 14 Stunden täglichem Ausgang. Freigang kann auch genehmigt werden für den Abschluss einer

Schul- und Berufsausbildung. Auf meine Frage, wie es denn mit dem Studieren aussehe, kommt die Antwort: „Theoretisch möglich, haben wir aber noch nicht gehabt."

Kurios ist: Die Zahl der vorgesehenen Freigangstellen wird nicht genutzt, es sind stets „zu viele" Gefangene in der Erprobungsphase und damit auf dem Anstaltsgelände. Die Begründung fällt je nach Haftdauer anders aus: Bei Langstrafen sei eine längere Vorerprobung als „Bewährungsprobe" nötig; Kurzstrafen müssten wenigstens einige Zeit unter Haftbedingungen verbringen, um einen entsprechenden Eindruck mitzubekommen. (Im Dezember 1986 recherchiere ich: Von den rund 5.000 Gefangenen in Hessen insgesamt befinden sich in diesem Monat weniger als zehn Prozent im Freigang.)

Die Feingliederung erfolgt in sog. T-Zeiten, also Freistunden pro Tag (T1 bis T14), die Freigangzeit liegt zwischen 5 Uhr und 22 Uhr. Urlaubszeiten sind untergliedert in V (bis 3 Tage), Z (bis 10 Tage) und H (bis 14 Tage) pro Haftjahr. Da der Knastleiter heute außer Haus ist, nimmt seine Stellvertreterin meine Vollzugsplan-Einstufung vor. Ich bin völlig baff! Sie stuft mich als T 10 und H ein! Heißt: Vollfreigänger gleich zu Semesterbeginn am 7. April, außerdem das Maximum an Urlaub! Keine Erprobungen bis dahin! Heißt: Ich muss mich gar nicht auf das Disziplinierungsspiel hier einstellen! Damit hätte ich nicht gerechnet. Meine Gedankenwälzerei, wie ich mit den Verhältnissen hier umgehen soll, um nicht mit einem Gefühl der Unterwürfigkeit und Selbstaufgabe herumzulaufen war vollkommen überflüssig!

Ich sah mich bereits wieder in Dieburg sitzen – und nun darf ich einfach raus! In meiner Euphorie schreibe ich gleich ein paar Briefe an Leute, die schon lange auf einen warten.

FREITAG, 7. MÄRZ

Morgens plötzliche Hektik. „Sie werden in einen anderen Trakt verlegt!", wird mir mitgeteilt. Also alles rasch zusammengepackt und umgezogen. Die Lage des neuen Wohnraums entpuppt sich als ein gewisser Fortschritt. Er liegt auf der anderen Seite der Anlage, ziemlich weit entfernt von der U-Haft. Ich werde also nachts keine Schreie mehr hören. Plötzlich ein Kommando: „Der Chef erwartet Sie!"

In der Zentrale ist der Warteraum rappelvoll. Voll mit Sündern: Die meisten haben einen Termin bei der Disziplinarkommission. Die führt der Chef stets höchstpersönlich. Ein Gefangener lehnt mit dem Hintern am Fensterbrett. Plötzlich stürmt einer herein. Mittelgroß und mittelschwer, graue Haare, verspanntes Gesicht mit leicht rötlichem Teint, Kassen-Brille auf der Nase, nicht unsportliche, aber eckig-steife Bewegungen. Ich weiß sofort: Das ist er, der Chef. Hermann Eiermann. „Setzen Sie sich hin!" herrscht er den Fensterbrett-Anlehner an. Der Typ: „Ich steh' aber lieber!" „Hinsetzen! Aber sofort! Ich bin hier der Anstaltsleiter, Sie haben zu gehorchen!" Der Typ zögert immer noch. „Hinsetzen! Oder Sie kommen sofort in die Arrestzelle und ab in den geschlossenen Vollzug!" Der Typ setzt sich und wandelt grummelnd den berühmten Fritz-Teufel-Satz ab: „Wenns denn der Aufrechterhaltung der Ordnung dient."

Viele sind nicht zum ersten Mal bei einer Disziplinarverhandlung, von den Knackis liebevoll „Disco" genannt. „Wer nie bei einer Disco war, der war nicht im Radbruch-Haus", belehrt mich einer. Die Arrestzellen seien stets gut gefüllt. Jeden Monat gebe es bis zu 50 Absonderungen bzw. Arreststrafen, meistens zwischen zwei bis sechs Tagen. Weitere Strafmittel: Zurückstufung, Urlaubs-, Ausgangs- und Freigangsperre, letztes Mittel sei der „Abschuss" (so heißt die Zurückverlegung in den geschlossenen Vollzug im Knacki-Jargon). Dazu komme bei unbequemen Gefangenen noch informelles Piesacken durch gezielte Überwachung oder durch nächtliche Wohnraumkontrollen. Alle wollen nun quatschen. Nach zwei bis drei Monaten Aufenthalt gebe es kaum einen, behauptet einer, der nicht disziplinarisch belangt worden wäre. „Beim richtigen Knast weißt du wenigstens, woran du bist. Hier dagegen kann dir permanent ein Beamter dumm kommen – und schon hast du ein Disziplinarverfahren am Hals." Ich notiere mir nach den Ansagen der Jungs die Hitliste der Vergehen. Verstöße gegen das Alkoholverbot stünden an Nr. 1, etwa 70 Prozent der Gefangenen hätten ein „absolutes" Alkoholverbot im Vollzugsplan stehen, dann folge das Überziehen der Ausgangsstunden, eine Minute zu spät kommen bedeute nach der Knast-Mathematik: Eine volle Stunde überzogen. Aber auch banalste Anlässe könnten zu einer Strafe führen: Verspätung bei den obligatorischen Meldungen, zu lasche oder zu späte Ausführung von Anweisungen, der Aufenthalt in einer „fremden" Wohngruppe, sich nach 22 Uhr noch auf dem Gang bewegen, Tragen falscher Kleidung, Radiohören ohne Kopfhörer, Rauchen an verbotenem Ort, Verspätung bei der Zählung, nach 16 Uhr noch in Arbeitskleidung unterwegs sein oder einfach nur: frech sein. „Sind Sie jetzt noch irgendwie beschäftigt?", habe ihn ein Wachmann angeherrscht, erzählt einer, der im Speisesaal noch seinen Blaumann anhatte. „Ja", habe er gesagt, „beim Essenfassen". Ergebnis: Er sitzt jetzt hier und erwartet seine Strafe.

Neben mir sitzt James, ein „Disco"-Stammgast. Es sei hier ein ewiger Eiertanz, witzelt der erfahrene Knastologe, irgendwann trittst du wieder auf eins drauf. Freigang wolle er gar nicht, meint er. Da käme es ganz schnell zum Abschuss. Zwei Verwarnungen habe man gut, bei der dritten Verspätung sei Feierabend. Beim Alkohol ginge es noch schneller. Ein zweiter positiver Test – und es heiße „ab nach Butzbach". In diesem Moment kommt einer raus aus der Sitzung und verkündet das Ergebnis: Vier Tage Arrest wegen „widerrechtlicher Aneignung von Ausgangsstunden". Das nächste Mal sei der weg, so James. Offenen Vollzug hätte ich mir anders vorgestellt, sage ich matt. (Später bekomme ich eine Verlautbarung des hessischen Justizministeriums in die Hände, wonach die hohe Anzahl von Rückverlegungen in den geschlossenen Vollzug zeige, dass die Mitarbeiter der offenen Vollzugseinrichtungen das Verhalten der Gefangenen „sehr sorgfältig beobachten und bei Fehlverhalten konsequent entsprechende Maßnahmen ergreifen".)

Dann sitze ich vor Eiermann. Von oben herab belehrt er mich kurz, dass es da wohl mit meiner Einstufung ein Versehen gegeben habe. In meinem Fall könne es nur eine Entscheidung geben: Vorerprobung, kein Urlaub! Zwei Stunden Ausgang täglich könnten wohl genehmigt werden, mehr aber nicht. Mit diesen Worten schiebt er mir einen Zettel zu, auf dem meine neue Einstufung festgehalten ist: T2 V0. Ich bin wie vor den Kopf geschlagen. Denke mir: So ein Arschloch! Ohne mir überlegt zu haben, was ich da tue, stehe ich auf und sage: „Dann gehe ich lieber wieder zurück nach Dieburg." Ich nehme den Zettel und stehe auf. Auf dem Weg zur Tür überholt mich ein Uniformierter und hält sie mir auf – dabei sichtlich selbst überrascht von dem seltsamen Service, den er mir anbietet. „Geben Sie mir das schriftlich!" brüllt mir ein im Gesicht nun geröteter Eiermann noch hinterher.

Wieder auf dem Wohnraum kommen mir Bedenken. Soll ich hier wirklich auf Widerstand machen? Wenn ich überhaupt nicht kooperiere, verbringe ich meine restlichen Monate am Ende noch in Absonderungshaft. Eine Stunde Hofgang, Anstaltskost – und 23 Stunden Zelle. Und würde ich es dem Anstaltsleiter damit nicht zu einfach machen? Sollte ich nicht lieber den Kampf aufnehmen und auf meine Rechte pochen? Immer wieder blicke ich auf den von Eiermann unterschriebenen Zettel. Es ist eine überkorrekte Sütterlinschrift. Sagen die Grafologen nicht, dass die Akkuratesse eines Schriftbildes mit steifer Körperhaltung und Zwanghaftigkeit des Charakters korreliert? Mein Gott, armer Eiermann! Aber was bringt mir das, ihn abzuwerten? Er mag armselig sein, ich komme trotzdem nicht an ihm vorbei. Zweifel hämmern. Was soll der ganze Scheiß hier? Warum habe ich mir das nur angetan? Das Mittagessen bessert meine Laune nicht. Es ist unter aller Sau. Und das blöde Gequatsche meiner Mitgefangenen geht mir auf den Sack.

Nach dem Abendessen reiße ich mich zusammen und nehme mir vor, mal ganz bewusst auf Leute zuzugehen. Gerate dabei an einen korpulenten 53-Jährigen mit Langstrafe. Als er mir mit schwerer Zunge erzählt, dass er noch sieben Jahre vor sich hat, verändert sich sein bis dahin freundlich-aufgeschlossenes Gesicht so urplötzlich wie radikal. Dieses ganz andere, neue Gesicht brennt sich mir ins Gedächtnis ein: Es ist eine eigentümliche, aber in sich völlig „überzeugende" Mischung aus blankem Entsetzen, unendlichem Leid, extremer Hilflosigkeit und einer Spur von Wahnsinn. Der Typ hat gerade einen Arrest hinter sich und steht auf der Kippe in den geschlossenen Vollzug. Er bezeichnet das Radbruchhaus als Marionettenfabrik und glaubt nicht dran, dass er durch die Erprobung kommt. Im Prinzip sei es hier ja nicht viel anders als draußen, sage ich, nur einen Tick schärfer. Wofür er eingefahren ist, will der Typ mir nicht sagen. Nachdenklich sehe ich ihm hinterher, als er wieder wegschlurft. Nie und nimmer wird der eine Rückkehr in das normale Arbeitsleben schaffen, denke ich mir, der ist seelisch vernichtet.

Abends kann ich nicht einschlafen und sinniere der Begegnung noch hinterher. Sie wirkt auf mich wie ein Warnblinker: Du musst aufpassen! Du darfst nicht riskieren, dass du psychisch zerschreddert wirst und am Ende als gesellschaftlicher Ausschuss endest, so wie manch einer hier! Ich beschließe, die Situation mit meinem Frankfurter Anwalt Harald Roth zu besprechen.

SAMSTAG, 9. MÄRZ

Erster Ausgang für zwei Stunden! Bin völlig überdreht und weiß damit nicht viel anzufangen. Die Reizüberflutung ist kaum auszuhalten. Stürze in einem Café zwei Weizenbiere hinunter, dann muss ich schon wieder zurück. Vor der Pforte ziehe ich mir noch schnell einen Kaugummi rein, damit ich bei der Alco-Kontrolle keine Probleme bekomme. Klappt.

SONNTAG, 10. MÄRZ

Heute draußen Treffen mit einem Fernsehteam von *Kontraste*. Thema: Totalverweigerer in Ost und West. Bin sehr irritiert, denn die Reporterin fragt mich ernsthaft: „Was halten Sie von der ‚Stammtisch-Meinung', 16 Monate Gefängnis seien bequemer als 18 Monate Dienst?" Trotzdem will sie wissen, ob ich meine Entscheidung mal bereut habe (weil das Gefängnis ja eventuell doch nicht so bequem ist?).

MONTAG, 11. MÄRZ

Mein neuer Job beginnt. Ich werde im Zugangstrakt als Hausarbeiter eingesetzt: Gänge wischen und bohnern. Aus den Fenstern blickt die Fassade der U-Haft Preungesheim herein und droht: Schau nur da rüber, dann weißt du, wie gut du es hier hast.

Nach der Arbeit gebe ich James Deutschunterricht. Wir sind inzwischen beste Kumpels. James ist ein guter, schlichter Junge, der nie Lesen und Schreiben gelernt hat. Er zeigt sich unheimlich dankbar, blüht richtig auf, wenn es ihm gelingt, einen Satz zu entziffern und herauszustottern. Er erzählt: „1971 gings los, da war ich das erste Mal drin, ein paar Monate. 1980 fing's dann mit den Jahren an." Für solche wie ihn gilt der Satz: Jede Knaststrafe ist die Vorbereitung auf die nächste Knaststrafe.

Mein Dieburg-Kumpel Milon rät mir brieflich ab, mich zurückverlegen zu lassen. Obwohl er sich natürlich freuen würde, mich wiederzusehen. Den Rest meines Briefes habe er nicht wirklich verstanden, da es ihm nicht gelungen sei, meine „ärztliche Handschrift" zu entziffern. (Es ist der letzte Brief, den ich von ihm erhalte. Später erfahre ich, dass er nach Bangladesch abgeschoben wurde. Ich werde ihn nie mehr wiedersehen und auch nichts mehr von ihm hören. Meine Recherchen über seinen Aufenthalt – u. a. über Amnesty International – werden vergeblich bleiben.)

DIENSTAG, 11. MÄRZ

Jeder Knast hat seine eigene Atmosphäre, eigene Geräusche. Im Knast lernst du Knastologie und Gitterkunde, hat es in Dieburg geheißen. Du musst mit dir selbst klarkommen und zu den anderen entweder einen guten Draht oder eine unfallfreie Distanz entwickeln. Hier fällt die Gitterkunde aus. Hier lernst du, die Gitter zu verinnerlichen, indem du dich in die Disziplin fügst, die permanente Überwachung als gegeben akzeptierst, das ausgeklügelte Straf- und Belohnungssystem erduldest. Statt Schlüsselgeklapper nervt hier das unentwegte Piepsen der Funkgeräte der Beamten, die auf Streife sind. Aus den Lautsprechern hallen Befehle über den Hof der Vollzugsanstalt. In meinem Fall heißt es: „Nummer 158 zur Zentrale!" Dann gilt es, promptestens zu reagieren. Oft mehrmals am Tag. Einmal beschwert sich der Zimmernachbar, dass er überhaupt keine Ruhe mehr finde. Peter, der Witzbold vom Dienst auf unserem Gang, macht aus den Lautsprecher-Rufen einen Scherz. Er hält sich seine Thermosflasche vor den Mund und brüllt: „Der Bewohner von 159 zur Zentrale!" Der Ton kommt der echten Durchsage überraschend nah, anerkennend halte ich den Daumen hoch. Und es funktioniert: Die 159 rennt raus und schimpft: „Verdammte Arschlöcher, das ist Schikane, nur Schikane. Was wollen die denn schon wieder von mir?" Wir kommen aus dem Lachen kaum raus, als der Typ in Richtung Zentrale abzieht.

Immer wieder muss man Schlangestehen zur Meldung: morgens, mittags, abends. Ist die Schlange abgearbeitet, wird sofort dichtgemacht. Wer dann nicht da ist, muss zur „Disco". Selbst die Essensmeldung beim Frühstück gibt Anlass zu Disziplinarmaßnahmen: Per Essenskarte muss zwischen den beiden Gerichten gewählt werden, die mittags ausgegeben werden. Wer vergisst, seine Essenskarte einzuwerfen, bekommt nichts. Heute trifft es gleich zehn Neue, die noch keine Ahnung von dem System hier haben.

Je länger ich im Radbruch-Haus bin, desto mehr kotzt mich der hier herrschende Psychoterror an. Wie schön war es doch in Dieburg! Plumpe Strafe, offene Repression. Punkt. Im geschlossenen Vollzug halten die Gefangenen (oft) zusammen, es gibt Geselligkeit, Lachen auf dem Gang beim Umschluss. Hier hingegen ist die Stimmung oft gedrückt, die meisten kuschen. Jeder weiß, was mit dem passiert, der aus der Reihe tanzt. Immerhin steht eine kleine Freude an: Mein pfiffiger Freund Achmed hat brieflich angekündigt, dass er bald hierher verlegt wird.

MITTWOCH, 12. MÄRZ

Wieder Termin bei Eiermann. Ich werde in ein großes Wohnzimmer geführt, das mit 60er-Jahre-Möbeln eingerichtet ist. Eiermann, eine Mappe in der Hand, weist mir einen Platz auf der Couch zu, setzt sich selbst in einen großen Sessel und erklärt mir meine Situation. Ich müsse erst mal drei Monate in der Innenfunktion dienen. Er sagt tatsächlich „dienen". Alle Gefangenen seien ja hier, um Ordnung und Disziplin zu lernen. Das solle und müsse ihnen beigebracht werden. Den Freigang müsse man sich verdienen, bei mir könne man da keine Ausnahme machen, mindestens drei Monate Innendienst seien zwingend. Außerdem sei meine Arbeit notwendig zur Aufrechterhaltung des Vollzugsbetriebes. Er sei verpflichtet, hier mindestens 160 Leute im Innendienst zu beschäftigen. Im Moment habe man aber nur 150. „Wir haben in diesem Wehrbereich nicht genügend Dienstpflichtige", fügt er grinsend hinzu und fährt in scharfem Ton fort: „Wenn Sie hier machen, was

Ihnen gesagt wird, dann wird es keine Probleme für Sie geben, für das Studium im Freigang zugelassen zu werden. Sie müssen sich aber eben erst mal bewähren."

Meinen Hinweis, dass der Freigang für Erstbestrafte in Hessen Regelvollzug sei und auch für mich gelten müsse, kontert der Knastleiter mit der Feststellung, dass es in meinem Fall auch darum gehe, einen „Strafausgleich" herzustellen. „Strafausgleich? Was soll das sein?"

Es müsse garantiert sein, erläutert er, dass ich, die Zeit in Dieburg angerechnet, mindestens vier Monate in der Innenfunktion im Achtstundentag gearbeitet habe – als Ausgleich für die vier Monate nicht geleisteten Zivildienst. Danach könne man dann vielleicht über das Studium reden. Der Mann will mich also zu einer Art Ersatz-Ersatzdienst im Knast zwingen, denke ich mir. Gnadenlos will er sicherstellen, dass ich dem langen Arm der Wehrpflicht nicht entkomme. Und er sagt das auch noch ganz offen, dabei genüsslich grinsend.

„Sie müssen tun, was man Ihnen sagt. Wenn Ihnen das nicht passt, können Sie jederzeit wieder in den geschlossenen Vollzug zurückgehen. Das ist Ihnen unbenommen. Jeder vollzieht hier die Strafe an sich selbst. Sie haben ja freiwillig die Haft auf sich genommen, aus lauter Dummheit! Wegen vier Monaten Zivildienst in den Knast zu gehen! Das ist so dumm! Sie sind ein Michael Kohlhaas. Lesen Sie mal das Buch! Ein hoffnungsloser Idealist!"

„Es kann nicht sein, dass ich hier wegen meiner Straftat anders behandelt werde als andere Gefangene", sage ich.

„Sie müssen nicht denken, dass Sie wegen ihrer Straftat anders behandelt werden als die übrigen Gefangenen. Sie sind ja auch kein normaler Verbrecher. Aber ich muss jedem einzelnen Fall gerecht werden. Jeder Gefangene erhält seine speziellen Auflagen. Das gilt auch für Sie."

„Was soll das heißen?"

Eiermann greift sich einen Zettel und liest vor: „Sie erhalten von mir folgende Weisungen: Während der Haft sind Ihnen keine Veröffentlichungen erlaubt, die als Werbung für die Totalverweigerung betrachtet werden könnten; Kontakt mit „Gesinnungsgenossen' ist verboten; eine politische Beeinflussung anderer Gefangener ist Ihnen untersagt. Außerdem sieht das Vollzugsziel vor, dass Sie zukünftig keine weiteren Straftaten mehr begehen. Und das heißt: dass Sie bereit sind, ihren restlichen Zivildienst zu leisten! Ich sehe keine Möglichkeit, Ihnen das letzte Drittel der Strafe zu erlassen, solange Sie nicht ihre Bereitschaft erklären, den restlichen Zivildienst abzuleisten."

Ich sei bereits doppelt bestraft worden, entgegne ich. Es sei nicht die Aufgabe des Strafvollzugs, Strafen eigenmächtig zu verlängern.

„Doppelbestrafung gibt es nicht", donnert Eiermann. „Das ist dasselbe wie die Verweigerung der Unterhaltspflicht. Sie haben einen neuen Befehl verweigert. Sie sind nach dem Zivildienstgesetz und nicht nach dem Strafgesetz bestraft. Die gegen Sie verhängte Strafe ist eine Beugestrafe! Sie sind ja nicht aus dem Zivildienst entlassen. Wenn sie also hier rauskommen, wird von Ihnen erwartet, dass sie den restlichen Zivildienst ableisten! Genau deswegen halten sich ja die Behörden eine dritte Bestrafung offen, falls Sie ihrer Gesinnung nicht abschwören."

„Und was ist mit dem Gewissen?", wende ich ein. „Die Kriegsdienstverweigerung aus Gewissensgründen ist ein Grundrecht. Dass es mir mit meinem Gewissen ernst ist, beweist meine konsequente Haltung. Eben diese Konsequenz wird mir nun aber von Ihnen als hartnäckige Weigerung negativ ausgelegt, sodass Sie mir nicht einmal die sonst bei Erstbestraften übliche Zweidrittel-Entlassung gewähren wollen. Würde ich aber jetzt meine Bereitschaft erklären, den restlichen Zivildienst abzuleisten, wäre das als Beweis dafür zu werten, dass ich kein Gewissen habe. Es ist doch absurd, dass ausgerechnet für den, der seinem Gewissen folgt, keine Hafterleichterungen denkbar sein sollen!"

„Es gibt ja gar keine Kriegsdienstverweigerung in der BRD", poltert Eiermann.

„Wie bitte?", entgegne ich entsetzt, „jetzt wirds ja immer besser!"

„Die könnte es ja erst im Kriegsfall geben", fährt Eiermann fort. „Es gibt nur eine Wehrdienstverweigerung. Das heißt: Wenn Sie den Wehrdienst verweigern, müssen Sie Zivildienst leisten. So steht es im Grundgesetz."

„So einfach ist es nicht!", sage ich matt. Wir schweigen einen Moment. Der Knast-Alleinherrscher reibt sich die Hände und blickt mir triumphierend in die Augen, ich reibe mir das Kinn und überlege: Macht es Sinn, dieses Gespräch noch fortzusetzen? Beschließe dann, konstruktiv zu bleiben und trotz alledem zu versuchen, ihm meine Motive zu erläutern.

„Kriegsdienstverweigerung heißt für mich, sich gegen die Gefahr eines Atomkrieges zu engagieren. Fühlen Sie sich wohl beim gegenwärtigen Zustand der Welt? Ist es Ihnen gleichgültig, dass hier jederzeit alles in die Luft fliegen könnte?"

„Ich bin froh, in dieser Freiheit zu leben. Das hier ist der freiheitlichste Staat auf der Welt, den halte ich für verteidigenswert. Ich fühle mich wohl. Wenn es den großen Knall gibt, dann gibt es den eben. Das wäre nicht zu ändern. Ich habe keine Angst davor. Wir müssen uns vor dem Osten schützen."

„Vor dem Osten schützen? Wer ist der Osten? Dort gibt es auch solche Leute wie mich. Ich habe keine Angst vor Totalverweigerern in der DDR. Viele Verweigerer im Westen haben persönliche Friedensverträge mit denen im Osten geschlossen. Die große Gefahr liegt doch in der militärischen Logik. In der Eigendynamik, die sich aus dem Freund/Feind-Schema entwickelt. Dagegen hilft nur, dass man sich erst gar nicht auf dieses sich selbst erfüllende Denken einlässt."

„Diese Gefahr sehe ich nicht. Selbstverteidigung ist eine Selbstverständlichkeit. Und es gibt eben einen Feind im Osten. Gegen die Italiener zum Beispiel müssen wir uns nicht verteidigen."

„Im Ersten Weltkrieg haben Deutsche gegen Italiener und im Zweiten mit Italien und dann wieder gegen Italien gekämpft. Wo liegt da die Logik? Soll ich hier alle Kriege der Geschichte aufzählen? Für heute gilt: Die Freiheit, die Sie meinen, kann im Atomzeitalter militärisch nicht mehr sinnvoll verteidigt werden. Der Preis wäre der Untergang. Und wie war es in der Zeit des Nationalsozialismus? Hätte nicht manches verhindert werden können, wenn sich mehr Menschen verweigert hätten?"

„Im Zweiten Weltkrieg wurde das Schlimmste verhindert, weil die besonnenen Leute in der Wehrmacht die Fanatiker kontrolliert haben. Ein offener Widerstand aber wäre nicht möglich gewesen. Verweigerer sind damals als Deserteure erschossen worden. Und heute könnte man doch erst im Spannungsfall wirklich etwas verhindern."

„Wenn der Spannungsfall eintritt, ist es zu spät. Dann ist gar nichts mehr möglich. Denn dann geht alles hopps."

„Die Jugend ist immer so ungestüm. Aber da haben Sie wohl recht. Es ist nicht unwahrscheinlich, dass dann A-Waffen eingesetzt werden. Aber das wird nicht passieren."

„Und was ist mit Hiroshima?"

„Na ja, das war ja nichts."

„Abertausende von Toten waren nichts!?"

„Sicher. Furchtbar. Aber das war ja nicht ein Atomwaffeneinsatz in dem Sinn, wie er heute geschehen würde."

„Aber es war ein Atomwaffeneinsatz mit verheerenden Folgen. Und heute muss man eben schon vor einem Kriegsausbruch alles tun, damit so etwas nicht wieder geschehen kann. Wenn ein Krieg ausgebrochen ist, ist es zu spät."

„Die Bundeswehr soll den Ausbruch des Krieges verhindern. Die Amerikaner helfen uns. Wenn das nicht klappt, haben wir eben Pech gehabt. Dann gab es eben keine andere Möglichkeit. Aber wir können hier noch lange diskutieren. Sie müssen sich in diesen Staat einfügen. Sie haben keine speziellen Rechte, für Sie gilt das, was auch für alle anderen gilt. Sie können nur auf demokratischem Weg etwas ändern. Fragen Sie doch mal die Bevölkerung, wie viele da die Abschaffung der Wehrpflicht wollen. Die wollen die Bundeswehr!"

„Auch wenn ich einer Minderheit angehöre, folgt daraus nicht, dass ich in der Sache unrecht habe. Immerhin haben über 60 Prozent der Bevölkerung gegen die Stationierung neuer Atomwaffen gestimmt."

„Das hat aber nichts mit dem zu tun, was sie wollen. Diese Leute sind ja nur gegen bestimmte Waffen und eine bestimmte Form der Verteidigung."

„Es kann nicht nur darum gehen, die Stationierung neuer Waffensysteme zu verhindern. Das politische System, das die Stationierung solcher Waffen ermöglicht, muss sich verändern. Da werden Sie natürlich sagen: Das geht nicht, das schaffen Sie nicht. Natürlich schaffe ich das alleine nicht. Es müssen mehr Menschen werden, die nicht mitmachen. Auf beiden Seiten. Die wahren Fronten verlaufen nicht zwischen den Staaten, sondern in den Staaten zwischen denen, die auf militärische Abschreckung setzen, und denen, die friedlich aufeinander zugehen."

„Wie viele sind das denn? Das ist doch lächerlich!"

„Immerhin bin ich nicht allein. Die Abrüstung von unten hat schon begonnen. In der Bundesrepublik und in der DDR. Und abgesehen davon: Sollte eine Demokratie nicht zumindest fähig sein, Minderheiten zu akzeptieren? Wer hat was davon, wenn ich im Knast sitze?"

„Wenn man Leute wie Sie einfach machen lassen würde, käme das letztlich einer Abschaffung der Wehrpflicht gleich."

„Sehr gut!"

„Man kann darüber streiten, ob die nötig ist. Zwingend ist sie nicht. Großbritannien und die USA haben auch keine. Aber hier sind Sie nun mal verpflichtet. Sie müssen ihre Pflicht erfüllen, solange sich da nichts ändert."

Ich wundere mich über Eiermanns Ausdauer in dieser Diskussion. Mir reicht es allmählich.

„Ich denke, es ist sinnlos, noch weiter zu diskutieren. Wir kennen unsere Meinungen, und die stehen sich unversöhnlich gegenüber."

„Ich verstehe schon, was Sie wollen. Aber das kann man nicht ernst nehmen. Sie gehören eigentlich nicht hierher. Sie sind nur so dumm, dass

Sie freiwillig hierher gehen. Warum haben Sie sich denn freiwillig gestellt, wenn sie so gegen das ‚System' sind? Jetzt müssen Sie eben hier dienen."

„Ich werde alles versuchen, um meine Zulassung als Freigänger durchzusetzen", höre ich mich sagen, und Eiermann grinst wieder.

„Das ist Ihnen unbenommen. Sie werden nur keinen Erfolg damit haben. Allein schon aus verwaltungstechnischen Gründen, die ich jederzeit belegen kann. Wenn sie letztes Jahr gekommen wären, hätten sie sofort in den Freigang gekonnt. Da waren wir mit 600 Mann überbelegt. Da wäre das kein Problem gewesen, da wir genügend Leute hatten, die wir im Innendienst beschäftigen konnten. Tja, Ihr Pech. Da können Sie nichts dafür, Sachzwänge eben. Aber warum wollen Sie denn eigentlich in den Freigang?"

„Ich möchte die Zeit möglichst sinnvoll nutzen. Mit dem Studium erfülle ich ja auch keine Dienstpflichten irgendeiner Art."

Eiermann grinst noch breiter.

„Ist es nicht inkonsequent für einen Totalverweigerer, Vollzugslockerungen anzunehmen? Wollten Sie nicht nach Dieburg zurück?" Eiermann öffnet die Mappe, die er vor sich auf

den Tisch gelegt hat, holt ein Papier heraus und schiebt es mir zu. „Sie brauchen nur das hier zu unterschreiben."

Mit dem „Angebot", freiwillig zurück in den geschlossenen Vollzug zu gehen, hat Eiermann meinen Kampfgeist geweckt. Ich schiebe das Papier zurück und sage: „Ich werde nichts unterschreiben."

Wieder grinst Eiermann: „Falls Sie den Freigang einklagen wollen, kann ich Ihnen sagen: Ich habe Zeit, den Vollzugsplan auszustellen. Bevor der nicht da ist, können Sie juristisch gar nichts unternehmen."

Nach dem Gespräch rufe ich umgehend Cornelius an. Der hat mir erzählt, dass der Rechtswissenschaftler Klaus Lüderssen, der Eiermann auch persönlich kenne, versprochen habe, sich für mich einzusetzen. Vielleicht könnte der ja was tun? Allerdings: auch Professor Lüderssen hatte mich bei einem kurzen Gespräch vor dem Haftantritt mit der Romanfigur Michael Kohlhaas verglichen …

(Ich habe bis heute nicht verstanden, warum. Die gleichnamige Kleist-Erzählung spielt in der Mitte des 16. Jahrhunderts. Sie handelt von einem Pferdehändler, den sein übermäßig ausgeprägter Gerechtigkeitssinn in eine zuletzt zur Selbstvernichtung führende Eskalationsspirale führt – weil das bestehende Rechtssystem seinen Anspruch auf Wiedergutmachung des erlittenen Unrechts nicht erfüllen konnte. Der Begriff „Kohlhaas-Syndrom" findet sogar in der Psychiatrie Anwendung.

Beschrieben wird damit eine leicht kränkbare, querulatorische Persönlichkeit mit chronischer Neigung zur Rechthaberei, die dazu neigt, sich in anhaltende gerichtliche Auseinandersetzungen zu stürzen.)

„Aber ich mache doch gar nichts, ich bin doch überhaupt nicht der Querulant!", hatte ich Lüderssen erklärt. „Ich habe einmal Nein gesagt und seitdem werde ich verfolgt. Die Eskalation geht doch nicht von mir aus, sondern von der Seite der Beamten, Staatsanwälte und Richter!"

Lüderssens Erwiderung: Ich hätte doch auch nachgeben können aus der Erkenntnis, dass ich keine Chance habe, mit meinen Verhalten durchzukommen.

Was ich zugeben muss: Es ist ein absurder Kampf, den ich hier führe. Ich tue so, als sei ich Teil einer Widerstandsbewegung. Aber die gibt es gar nicht.

DONNERSTAG, 13. MÄRZ

Am Morgen werde ich zum Einsatzleiter für die Innendienste bestellt. Großes Thema ist der 2:0-Sieg der deutschen Elf gegen Brasilien im Frankfurter Waldstadion am Vorabend. Der Beamte spottet hämisch: „Bleiben Sie jetzt doch hier? Sie sollten doch in den Freigang? Hat der Chef wohl anders entschieden?" Der Arbeitsbefehl lautet: Gänge wischen und blockern.

Nach der Arbeit werde ich für ein weiteres Gespräch zu Eiermann zitiert. Der hat wohl inzwischen mit Prof. Lüderssen telefoniert. „Wir machen es jetzt so", säuselt Eiermann, als habe er Kreide gefressen: „Sie arbeiten jetzt erst mal und bekommen noch keinen Vollzugsplan. Wenn Sie sich in Ihrer Arbeit bewährt und Ihren Dienst diszipliniert abgeleistet haben, dann ist es ja vielleicht möglich, dass Sie zum Freigang zugelassen werden. Die Kollegen laufen hier ja ständig rum, die werden Ihnen schon auf die Finger gucken. Sie wissen ja, wir können Sie überall beobachten. Der Verfassungsschutz war übrigens auch schon da, der interessiert sich sehr für Ihre Post. Also: Wenn die Berichte entsprechend ausfallen, stellen Sie noch mal einen Antrag auf Freigang. Mal sehen, ob sich die Verhältnisse in der Anstalt dann gebessert haben."

Schließlich fügt er nach einer kurzen Pause noch hinzu: „Die formalen Voraussetzungen sind ja erfüllt. Heute ist die Erklärung ihres Herrn Vater angekommen, dass er den für den Freigang erforderlichen Unterhaltsbeitrag übernehmen wird."

Was für eine Situation! Der Knastleiter entscheidet eigenmächtig nach Gutdünken, ob ich zum Freigang zugelassen werde. Und mein Vater, der

Nerven- und Knastarzt, muss finanzielle Garantie für das Studium leisten. Ich befinde mich in den Fängen der Vätergeneration! Wie ich es auch drehe und wende: Ich habe keine Chance, an ihnen vorbeizukommen. Ich bin völlig machtlos. Eine lächerliche Figur. Und die Väter schütteln seufzend den Kopf: Ist ja eigentlich ein braver Kerl, halt noch etwas unreif und nicht ganz ernst zu nehmen, aber wird schon noch werden. Wenn man als Jugendlicher Kommunist ist, sagte mein Vater immer, beweist das, dass man das Herz auf dem richtigen Fleck hat. Wenn man es aber als Erwachsener immer noch ist, zeigt das nur, dass man es zu nichts gebracht hat. Aus Vätersicht bin ich jetzt in einem Alter, in dem es Zeit wird, „vernünftig" zu werden. Wir werden ihn etwas an die Kandare nehmen, das wird ihm schon seine Flausen aus dem Kopf vertreiben ...

Völlig zerknirscht wanke ich auf meine Zelle. Soll ich aufgeben und zugeben, dass ich ein an den Klippen der Realität zerschellter idealistischer Idiot bin? Rasch wird mir klar: Nein, an dieser Stelle und in diesem Zusammenhang besteht kein Grund. Eiermann verweigert mir den in Hessen üblichen Regelvollzug und es ist sehr unwahrscheinlich, dass er damit auf gesichertem rechtlichen Grund steht. Ich telefoniere mit meinem Anwalt und der meint: Er sehe sehr gute Chancen, über das Strafvollzugsgericht meine Zulassung als Freigänger zu erwirken.

Abends beginne ich damit, für andere Gefangene Beschwerden zu schreiben. Mit einigen diskutierte ich über die „Abschaffung Eiermanns": Wie wäre es, wenn sich alle, die sich in der Vorerprobung befinden, freiwillig nach Dieburg melden? Es wäre rechtlich überhaupt kein Problem, Bestrafung nicht möglich. Eiermann bliebe einsam in seinem Radbruch-Haus zurück. Er würde vermutlich suspendiert. Und dann könnten alle wieder zurückkommen, weil ja in Hessen der offene Vollzug für Erstbestrafte der Regelvollzug ist! Einige sind amüsiert und goutieren meine Rede als nette Abwechslung. Mitmachen will natürlich keiner. Halte schließlich die Schnauze und schreibe mir in der Zelle meinen Frust von der Seele.

Mit welchen Ideen bin ich losgezogen und wo stehe ich jetzt? Die Idee war, dem (Wehr-)System die Grundlage zu entziehen. Durch das Nicht-Mitmachen, durch einen politischen Streik. Ganz fern winkte die Hoffnung, mit einer massenhaften Totalverweigerung die Wehrpflicht zum Kippen zu bringen. Im Moment streiken aber so wenige, dass es allenfalls eine Andeutung von Streik gibt. Es sind hilf- und sinnlos wirkende Einzelaktionen. Aber muss das zwingend zu der Konsequenz führen, dass man gar nichts tut? Irgendjemand muss ja mal anfangen! Herrschaft und

Unmündigkeit bedingen sich gegenseitig. Das „falsche System" resultiert aus dem Tun aller, jeden Tag. Sich fügen heißt, fremdgeleitet zu funktionieren. Sich fügen heißt lügen, wenn sich aus der Summe dieses Funktionierens etwas ergibt, was man für sich selbst nicht verantworten wollen würde. Es geht also darum, das Vorgegebene nicht als unabänderlich hinzunehmen, es infrage zu stellen, an die Möglichkeit der Veränderung zu glauben und die Risiken auf sich zu nehmen, die sich ergeben, wenn man aus dem Mehrheitshandeln ausschert.

Und was mache ich jetzt? Ich unterwerfe mich dem Knast und kämpfe mit ungleichen Mitteln gegen einen Knastleiter! Ich verspüre eine große Lust, Eiermann die Luft rauszulassen. Und habe gleichzeitig das Gefühl, dass die ganze Situation hier vollkommen lächerlich ist. Egal, mit welchem Ergebnis dieser Streit ausgehen wird – es wird nichts voranbringen. Allenfalls, im besten Falle, wird ein „Sieg" mir kleinem Knacki die eitle Freude bereiten, dem mächtigen Anstaltsleiter eins ausgewischt zu haben.

SONNTAG, 16. MÄRZ

Sitze in meiner Schuhschachtel und mache mir wieder mal Gedanken, warum mir so oft vorgehalten wird, dass meine Handlung schwachsinnig sei. Einer der Hauptgründe: Wir Totalverweigerer sind verdammt wenige und jeder kämpft nur für sich, in der Öffentlichkeit werden nur einzelne Abweichler wahrgenommen, nur ganz selten ist von einer Bewegung die Rede. Das macht es anderen leichter, sich von solchen angeblichen Extremfällen zu distanzieren und ihnen den schwarzen Peter zuzuschieben im Sinne von: Mit eurer Psyche stimmt was nicht, dass ihr euch freiwillig so was antut, ihr riskiert viel zu viel für viel zu wenig. Bin ich ein naivmasochistischer Märtyrer? Ein krankhafter Quertreiber? Ein halbverrückter Paradiesvogel? Vielleicht steckt von all dem was drin in mir. Aber das ändert nichts daran, dass diese Umkehrung andere Menschen wunderbar ablenkt von dem Vorwurf, dass sie selbst vielleicht zu wenig tun und zu ihrer Rechtfertigung nur wenig ehrenwerte Gründe vorweisen können.

Über diesen Gedanken steigt eine unheimliche Wut in mir auf. Eine Wut auf die viel zu vielen Leute, die genügsam ihren Arbeitsalltag und ihre Freizeitaktivitäten verrichten und meinen, die Welt da draußen ginge sie ansonsten nichts weiter an. Klar, jeder will sein Leben leben. Aber ist es nicht gerade diese Fähigkeit des gleichgültigen Wegschauens, Duldens und Hinnehmens, die diesem blind und in großen Teilen destruktive Strukturen entwickelnden Gesellschaftsmoloch zu Antrieb und Schmiere wird? Leute, brüllt es in mir, spürt ihr eure Selbstverleugnung und eure Lebenslügen nicht? Merkt ihr nicht, dass ihr Menschen wie mich nur deswegen zu Extremisten und Außenseitern stempelt, weil ihr dadurch den Fragen aus dem Weg gehen könnt, die ihr euch selbst stellen müsstet? – Vorsicht! ermahne ich mich. Du darfst dich nicht in einen Hass hineinsteigern, das ist das übelste aller Gefühle. Es ist überheblich, führt nicht weiter und schadet dir selbst am meisten.

MONTAG, 17. MÄRZ
Ich bitte einen Freigänger, Gitta einen Strauß Rosen zu schicken. Überlege, wie oft ich draußen so was getan habe. Oft kann es nicht gewesen sein.

MITTWOCH, 19. MÄRZ
Lohnabrechnung aus Dieburg: DM 82,87. Für angeblich 14 Tage Arbeit, rund sechs Mark Tageslohn. Kann mich aber nicht erinnern, dass ich irgendetwas geleistet hätte. Ich hätte arbeiten bzw. Unterricht geben sollen, ja. Aber ich habe nie was getan, habe lediglich die Idee eines Nietzsche-Knastseminars entwickelt, in der Lehrer-Runde ein bisschen was erzählt und mich ansonsten in der Zelle mit Habermas-Lektüre abgequält. Ich habe nichts tun müssen, weil ja klar war, dass ich schon bald nach Frankfurt kommen würde. Ist das eine Pro-forma-Bezahlung zur Vertuschung meines Nichtstuns? Weil Arbeitspflicht herrscht, muss ich wohl selbst dann bezahlt werden, wenn ich nichts tue.

Hier muss ich jetzt tatsächlich arbeiten. Habe den ganzen Tag Gänge geblockert. Eigentlich hätte für das Blockern der mir zugewiesenen Gänge weniger als ein halber Arbeitstag ausgereicht. Weil aber Arbeiten oberstes Gebot ist, blockerte ich zwei-, drei- und vierfach. Ein Beamter bemerkte amüsiert: „Na, tun wir schön blockern?"

DONNERSTAG, 20. MÄRZ
Ein Berg von Briefen – um sie alle zu beantworten, bräuchte ich mindestens zwei Wochen. Der Habermas-Assistent Axel Honneth berichtet, dass er im Namen des Professors an Eiermann geschrieben hat. „Damit Herr B. sich angemessen auf seinen Studienabschluss vorbereiten kann, halte ich es für unverzichtbar, dass er sowohl die Gelegenheit zum Besuch von Seminaren als auch zur Arbeit in unserer Fachbereichsbibliothek erhält."

Viele Briefeschreiber erwarten von mir Argumente: Sie wollen wissen, ob es Sinn macht, dass ich hier sitze. Viele wünschen sich wohl, dass ich ihnen erkläre, es sei sinnlos; denn dann würde ich sie in ihrer Seelenruhe nicht stören. Aus den meisten Briefen geht hervor, dass sich die Leute eine bestimmte Vorstellung vom Knast machen. Was sie sich nicht vorstellen können, ist die Vielfältigkeit hier. Es gibt ständig neue Situationen. Und jeder Tag ist anders. Ich staune immer wieder. Heute zum Beispiel beim Blockern: Ich schaue aus dem Fenster und sehe auf der Wiese hinter dem Stacheldrahtzaun einen Schäferhund, der ein Kaninchen verfolgt. Er hat keine Chance und scheitert tölpelhaft. Wäre gerne ein Kaninchen!

Und ich wäre gerne Freigänger. Auch wenn das einige der Unterstützer draußen unverhohlen als opportunistische Unterwerfung interpretieren. Heinrich Grißhammer hatte mir schon mehrmals vorgeworfen, dass ich als „untertäniger Beschwerdeführer" auftreten würde. Als er dann die von mir vorschnell verbreitete (Fehl-)Information erhalten hat, dass ich zum Freigang zugelassen sei, mokierte er sich umgehend öffentlich und wenig freundlich in seinen „Nachrichten" darüber, dass ich als (offensichtlich zufriedener) Freigänger nichts mehr von mir hören ließe. Noch deutlicher war die Reaktion von HaGe, den ich brieflich gebeten hatte, nun das Schreiben von scharfen Beschwerdebriefen an den Knastleiter in Frankfurt bitte zu unterlassen, da dieser inzwischen „schon alles gewährt" habe, was es von seiner Seite aus zu gewähren gebe. „Es freut mich, dass es dir so gut geht. Dass du dem Studium aus dem Knast folgen kannst, ist tatsächlich ein privilegierter Zustand. Ich finde, das schlägt sich auch deutlich in deinem Brief nieder: Du differenzierst offenbar schon zwischen einem dir angenehmen und einem dir weniger angenehmen Strafvollzug." Das war für ihn offensichtlich nicht okay, denn: „Lässt dich dein Erfolg die Vergewaltigung vergessen, die dir geschieht? Dein Vollzug ist eine Ausnahme, denke an die anderen Totalverweigerer! Lasse dich bitte nicht verleiten, wegen einer für dich günstigen Situation Gewalt so zu differenzieren, dass du sie nicht mehr so nennen willst. So würde das Opfer zu Operette. Ich musste das schreiben, auch wenn ich weiß, dass dich das berühren wird." Ja, das berührt mich tatsächlich. Soll ich mich freiwillig als Folteropfer melden, damit der Knast angemessen hart wird? Ich überlege, ob ich HaGe darüber informieren soll, dass erstens der Freigang in Hessen kein Privileg ist, sondern der angestrebte Regelvollzug für Erstbestrafte, und das zweitens meine Zulassung zum Freigang wieder kassiert worden ist. Ich lasse es dann aber doch bleiben.

Ich weiß: Einige hat es härter getroffen als mich. Ossi z. B. hatte es in Bayreuth ganz schlecht erwischt. Oder Stefan Philipp. Der hat seine Haft am 3. März in der JVA Rottenburg angetreten, ist aber bald nach Hohenasperg verlegt worden, vermutlich um zu verhindern, dass er in Rottenburg zusammen mit Kai K. eine „Totalverweigerer-Zelle" bilden kann. Er hat mir von seinen Verhältnissen geschrieben: Mit fünf anderen – und fünf gleichzeitig laufenden Radios mit unterschiedlichen Programmen – in einer Zelle, Benutzung der Schreibmaschine unmöglich, da sich die „Kollegen" über den Lärm beschweren. Oder Siggi. Der war nach zwei Arreststrafen und anschließender Flucht verhaftet und durch verschiedene Knäste transportiert worden – was ihn ziemlich mitgenommen zu haben scheint, wie Unterstützer mitteilen.

Seltsame Frage: Wie viel Kompromisse darf man im Knast machen? Ich erinnere mich an einen Totalverweigerer, der mir erzählte, von „Kollegen" ähnlich kritisiert worden zu sein, weil er die Arbeit im Knast nicht verweigert hatte und dann vorzeitig nach 2/3 der Haft entlassen worden war: Eine Begnadigung wie auch ein Erlass des letzten Strafdrittels zur Bewährung würden nicht zum Anspruch eines Totalverweigerers passen, der sei ja nicht kriminell und also zur Reue und Besserung auch gar nicht bereit. Ich beschließe, den Kontakt zu Grißhammer und HaGe abzubrechen. Der Stil ihrer Interventionen hat mir sowieso noch nie behagt.

Abends käme die *Kontraste*-Sendung über Totalverweigerung in der ARD. Darf ich aber nicht sehen.

FREITAG, 21. MÄRZ

Die Einengung der Spielräume im Knast hat auf Dauer was Zermürbendes. Draußen kann man vielen Zumutungen noch aus dem Weg gehen – hier ist das vollkommen unmöglich. Oft will die Ohnmacht zur Wut werden. Heute tobt es wieder einmal in mir. Es ist eine tierische Reaktion, wie das Zähnefletschen eines Hundes: Ich kann mich nicht fügen, ich will mich nicht fügen! Ich habe nichts weiter getan, aber die Häscher jagen mich durch einen Irrgarten des Zwanges. Hätte ich mich nicht doch lieber ins Ausland absetzen sollen? Ich wollte mich selbst behaupten gegen den Zwang, das hat mich hierhergeführt. Und hier will mich Eiermann spüren lassen, dass ich keinerlei Chance habe, meine Haltung durchzubringen.

Es fühlt sich an wie eine Provokation zum Amoklauf. Ich bleibe äußerlich fast immer gelassen, aber in mir stauen sich heftige Aggressionen, die ich so noch nicht kannte. Manchmal stelle ich mir vor, wie ich Eiermann einfach den Schädel einschlage. „Vorsicht!", ermahne ich mich zum wiederholten Mal.

Wieder und wieder kaue ich auf der Erkenntnis herum, dass mein Handeln vollkommen sinnlos ist. Aber wie ist dann der Widerspruch zu erklären, dass sich so viele durch meine Haltung herausgefordert bzw. angepisst fühlen? Der Staat, die Justiz, der Anstaltsleiter, die Journalisten, die Zivildienstleistenden, sogar die Sympathisanten? Denn selbst unter den Unterstützern scheint es ja welche zu geben, denen es eine Genugtuung wäre, wenn ich auf ganzer Linie scheitere: „Siehst du, auch du musst dich fügen. So wie wir alle! Wir haben dir ja gesagt, dass diese Radikalität nichts bringt". Es ist wie bei dem alten Spruch: Ich habe mich bewegt – und die Ketten haben sich noch fester gezurrt.

Abgesehen davon: Es müsste sich eigentlich niemand angepisst fühlen. Ich habe ja lediglich an einem Punkt Nein gesagt. Nur an einem. Einem einzigen, kleinen Pünktchen. Macht mich dieser Widerstand bzw. dieses Widerständchen zu einem besseren Menschen? Wie alle habe ich zahllose blinde Flecken im Leben, die mein kritisches Bewusstsein nicht in den Blick bekommt bzw. gar nicht bekommen will. Und was hätte ich getan, wenn der Wehrpflichtzwang in meinem Fall nicht so eskaliert wäre? Wenn ich gleich als KDVer anerkannt worden wäre, wäre vermutlich gar nichts weiter passiert. Vielleicht hätte ich mich ganz normal durchs Leben geschlängelt und meine kleinen Freiheiten genutzt, ohne mich für irgendwas zu engagieren. Oder ist es so, dass wir „abnorme" Totalverweigerer eine geringere Frustrationstoleranz haben? Und umgekehrt: Sind die „Normalen" flexibler beim Mitmachen und beim Ignorieren der nicht intendierten Folgen ihres Tuns? Wer viel runterschlucken kann – viel Frust, vor allem aber auch sehr viele Ungereimtheiten –, der scheint realitätstüchtiger zu sein. Andererseits: Tragen nicht möglicherweise die sogenannten Gesunden die Hauptschuld dafür, dass wir in einer kranken Welt leben?

Und was ist mit den „Solidarischen"? Mit denen, die sagen, sie fänden konsequente Handlungen gut, trauten sich aber selbst die Konsequenz nicht zu? Was ist das für eine Haltung? Zwar im Geiste dabei zu sein, aber nicht in Handlungen? Kann man solche Spielhaltungen ernstnehmen? Solche Leute wollen nur ihr schlechtes Gewissen beruhigen und sich selbst beweisen, dass sie gute Menschen sind. Reden alleine ist nie genug. Wer auf der richtigen Seite stehen will, der muss sie nicht nur finden, sondern sich auch dorthin bewegen.

„Vielleicht macht dich der Knast so fertig, dass du danach gar keine Politik mehr machen kannst", hat man mir bei Veranstaltungen immer wieder vorgehalten. Aber eine Politik, die Probleme immer nur vor sich her schiebt, wollte ich gar nicht machen. Der andere Vorwurf: „Alleine kannst du nichts machen." Was ist das für ein Argument? Kann ich denn was dafür, wenn derart wenige mitmachen? Anderseits: Was kann ich meinem Knastkollegen Mike entgegnen, wenn der sagt: „Das mit deiner Totalverweigerung kommt mir so vor, wie wenn einer mit dem Messer in den Wald geht, um Bäume zu fällen." Knacki Peter meint, dass ich ganz schön blöd sein müsste, wenn wirklich der Einsatz für den Frieden meine Motivation wäre. Ich sei doch viel schlauer, so sein Eindruck. „Du hast das doch nur gemacht, um in die Presse zu kommen und um dann deine Bücher besser publizieren zu können." Er scheint mehr zu wissen als ich. Während ich allenfalls mit der Idee spiele, hernach ein Buch über die Sache hier zu schreiben, steht für den Knastpragmatiker bereits fest, dass alle anderen Motive gar keinen Sinn machen. Vermutlich sieht er in mir eine Art Nacheiferer von Günter Wallraff, dessen Bestseller-Auflagen ihm imponieren.

Peters auf den ersten Blick schräge Ansicht gibt mir mehr zu denken, als ich zunächst angenommen habe. Vielleicht sollte ich tatsächlich intensiver darüber nachdenken, welche hinter- und untergründigen Motive mich antreiben. Bin ich mir selbst gegenüber ehrlich? Bestimmt gibt es da einiges, was ich noch nicht erkenne und/oder mir nicht eingestehen will. Eingestanden habe ich mir bereits, dass ich die ganz großen politischen Ziele schon lange aus den Augen verloren habe. Das Geschehen hat eine Eigendynamik angenommen, die ich so nicht erwartet hatte. Es scheint für mich nur noch darum zu gehen, irgendwie mit einer sauberen Haltung aus der Situation herauszukommen. Ausgerechnet Mike, der ehemalige Fremdenlegionär, sagte neulich: „Wenn du jetzt wegen so ein paar Monaten das Schleimen anfängst, bist du echt ein Charakterschwein – dir selbst gegenüber." So ist das also: Jetzt schreiben mir schon Ex-Legionäre vor, was ich meinem Gewissen und meiner Ehre schuldig bin! Es ist eigenartig, wie viele Leute „wissen", was in einer Situation Konsequenz oder Inkonsequenz bedeutet, wenn sie selbst weder das eine noch das andere tragen müssen und die Folgen einer widerständigen Haltung nur vom Hörensagen kennen.

Was heißt das alles für die augenblickliche Situation? Eiermann will mich nicht in den Freigang lassen – und ich will ihn dazu zwingen, dass er es tut. Es besteht eine Chance, dass ich ihn auf juristischem Weg besiege – ganz ohne Schleimen! Soll ich ihm am Ende dankbar dafür sein, dass er sich mir gegenüber nicht gönnerhaft zeigt, weil er mich damit von dem Vorwurf befreit, Privilegien genießen zu dürfen, die – siehe HaGe – sich angeblich mit meinem politischen Anspruch nicht vereinbaren lassen? Was für absurde Überlegungen sind das denn?!

SAMSTAG, 22. MÄRZ

Manchmal habe ich Angst, den Kontakt zur „Realität" endgültig zu verlieren. Ich sei ein sozialer Selbstmörder, sagte mein Vater. Das geht mir nach. Denn so unrecht hat er nicht. Je radikaler einer ist, desto nachhaltiger wird er aus den normalen Prozessen ausgestoßen. Und irgendwann ist dann kein Anschluss mehr möglich. Wie weit muss man sich anpassen, um sich nicht plötzlich auf einem Zug wiederzufinden, der auf dem Abstellgleis endet? Oder, schlimmer noch, auf den Abgrund zurast? Andererseits: Wie weit muss man sauber bleiben, konsequent und klar, damit der Widerstand nicht vertröpfelt und sich in zahllosen Widersprüchen auflöst? Und da das ganz große Ziel – so was wie der „ewige Frieden" – unerreichbar ist, bleibt die Frage: Welche Schritte könnte man als kleine Etappenerfolge auf dem Weg dorthin bewerten?

Hatte gestern Ausgang, um mich mit dem Reporter vom *Spiegel* zu treffen, den ich in Dieburg verpasst habe. Wir sitzen beim Italiener, der Mann redet fast wie Eiermann. Er interessiert sich nicht wirklich für die Sache und hält mich wie so viele zuvor für einen idealistischen Vollidioten. Wie dumm muss man sein, dass man in den Knast geht, um ein paar Wochen Zivildienst zu vermeiden? Ein komplett sinnloser Wahnwitz sei das, meint er. Ich werde regelrecht hilflos. Was auch immer ich sage, er will es nicht verstehen. Aber ist es nicht eigenartig? Alle können nachvollziehen, dass einer eine Haftstrafe riskiert, wenn er sich unrechtmäßig zu bereichern versucht. Wenn aber Leute sich in Zeiten des Overkills gegen die Wehrpflicht wehren und in der Konsequenz ihres Tuns in den Knast gesteckt werden, schauen alle ratlos und wundern sich. Nicht über die Richter, die mit teils hanebüchenen Begründungen knallharte Urteile zu verantworten haben, sondern über die Menschen, die „wegen so was" in den Knast gehen. Als ich ihm über meine Knasterfahrungen berichte, wird es noch komischer. Ich gerate in die Rolle dessen, der sich dafür rechtfertigen muss, für seine Tat nur vergleichsweise schlapp bestraft worden zu sein. Ich kann ihm weder meine Motive noch meine Situation verständlich machen. In mir steigt das Gefühl auf, dass ein von diesem Menschen verfasster Artikel nur fürs psychologische Kuriositätenkabinett taugen kann und eher schädlich denn hilfreich sein wird. So will ich mich nicht darstellen lassen. Aber irgendwie ist der Gedanke schon irre: Wenn ich tatsächlich dieser Sonderling mit einer „extremen und wirklichkeitsfremden Geisteshaltung" ähnlich den Zeugen Jehovas wäre, dann hätte ich ja gar nicht im Knast landen dürfen!

Nach dem Treffen komme ich mir vor wie ein Volldepp. Ich überlege, den Artikel abzusagen, werde mir aber nicht schlüssig. Der *Spiegel* meldet sich schließlich nicht jeden Tag. Wofür tue ich das alles?, überlege ich einmal mehr. Nehme ich die Reaktion des Reporters als Maßstab, dann ist meine Tat derartig absurd, dass sie nicht einmal vermittelbar ist. Es ist schon schlimm genug, dass es dem kleinen Haufen von Totalverweigerern nicht gelingt, politischen Druck aufzubauen – aber so was?

Werde heute während der Arbeitszeit beim Lesen erwischt. Als die beiden Beamten in den Aufenthaltsraum eintreten, fragen sie mich, was ich da denn tun würde. Meine lakonische Antwort: „Ich lese." Die beiden ziehen wieder ab, kehren aber nur Sekunden später wieder zurück. „Wir müssen Sie melden wegen Arbeitsverweigerung." Beim Weggehen wirft einer der beiden einen Blick auf das Cover meines Buches. „Ist das ein Porno?" „So was Ähnliches", antworte ich. Es handelte sich um Theweleits „Männerfantasien".

SONNTAG, 23. MÄRZ

Notiere mir einen Satz von Theweleit: Die fließenden Wünsche der Frau ängstigen den Dämme errichtenden Mann ... Frage: Wie viel Faschismus steckt in mir – wenn Theweleits These stimmt, dass das Problem des Faschismus eines „der ‚normalen' Organisation unserer Lebensverhältnisse" ist – und noch keineswegs gelöst? Erkenne mich jedenfalls in vielen Passagen zur Analyse der Freikorps-Männer wieder. Erschreckend. Bittere Erkenntnis, dass mich kein noch so libertärer Gedanke vor den faschistoiden Verkrampfungen meines Körpers schützt. Weitere Frage: Wie viel Faschismus steckt in der selbstzerstörerischen Konsequenz, von der Totalverweigerer angetrieben sind? Womöglich ist es ja kein Zufall, dass meine „männliche Haltung" sogar dem ein oder anderen „Rechten" Respekt abnötigt.

(Anmerkung: Vordergründig handelt es sich bei Klaus Theweleits Bestseller „Männerfantasien" (1. Band: „Frauen, Fluten, Körper, Geschichte") um eine Analyse von Biografien der deutschen Freikorps-Kämpfer nach dem Ersten Weltkrieg, die der Psyche des Faschismus auf die Spur kommen will. Er zeigt dabei, dass der Faschismus kein Konglomerat von Ideen ist, sondern viel tiefer sitzt, nämlich in angsterfüllten Körperzuständen. Faschisten sind Männer, die Angst haben vor ihrem Inneren und vor dem Fremden, die Angst haben vor der Auflösung ihrer Körperpanzerungen – zum Beispiel beim Orgasmus – und dann, weil sie die Probleme ihres „Fragmentkörpers" nicht integrieren können, ihre Ängste nach außen wenden. Der soldatische Körper ist auf Gewalt gepolt, weil er es nicht aushält, andere auf einer gleichen Ebene wahrzunehmen und sich ihnen zu öffnen mit Vertrauen. Eingesperrt in seiner Verpanzerung kennt er nur das Ausgrenzen und Unterdrücken, das Sich-Einordnen in einer Hierarchie, in der es ein klares „Oben" und „Unten" gibt, und so wird für ihn letztlich auch das Schlagen und Töten zu einem natürlichen Ausdruck seiner Ordnung der Dinge. Der Faschismus ist somit gekennzeichnet als eine Gesellschaft, in der dieser Männer-Typus vorherrscht und gedeihen kann. Doch die Übergänge sind fließend: Auch links-libertäre Männer tragen faschistoide Anteile in sich. Gefühlskälte, ein bloß dressierendes Verhältnis zum Körper, Härte gegenüber sich selbst – da waren auch die RAF-ler und die Polit-Aktivisten der alternativen Szene keineswegs frei von. Theweleits Buch befeuerte eine feministische Kritik, die in jedem Mann einen Gefühlskrüppel und potenziellen Vergewaltiger sah und führte zur Bildung von Männergruppen, deren Teilnehmer sich einer ungeschminkten Selbstkritik aussetzten. „Die in unsere Leiber installierte Herrschaft" loswerden, den „Panzer der Verkrampfung" loswerden, die – so würde man heute sagen – „toxische Männlichkeit" loswerden, lautete das Befreiungsprogramm, nur so könne man zurückfinden zu den „Lustproduktionen freier gleicher Körper".)

MONTAG, 24. MÄRZ

Um 9 Uhr Disziplinarverhandlung. Für die Theweleit-Lektüre setzt es zwei Tage Arrest. Was nicht schlimm ist, denn der einfache Arrest besteht lediglich darin, den Wohnraum nicht verlassen zu dürfen. Ich darf also weiterlesen, das „Porno"-Buch wird nicht konfisziert. Trete den Arrest sofort an. Das Blockern mit dem Bohnerbesen vermisse ich nicht – und auch nicht meinen Lohn von unter 1 DM pro Stunde. Eher schon die neue Folge von „Liebling Kreuzberg", die ich abends nicht sehen darf. Thema: Raubüberfall.

MITTWOCH, 26. MÄRZ

Werde zu Eiermann zitiert. Der erklärt mir, dass er eine Anfrage des Verfassungsschutzes erhalten habe. Es bestehe der Verdacht, dass westdeutsche Totalverweigerer aus der DDR finanziell unterstützt werden. Eiermann zitiert einen Artikel aus dem „Ohne uns", in dem von DDR-Verweigerern berichtet wird. „Dürfen sie denn in meiner Post lesen?", frage ich. Meine Post werde mitgelesen, natürlich, das sei ja keine Zensur, meint er: „Die Zeitschrift haben sie doch gekriegt, oder?" Ich dürfe davon ausgehen, dass ich alles erhalte, was mir geschickt wird. Im Übrigen interessiere sich der Verfassungsschutz auch noch für eine weitere Sache. Ich hätte da ja auch Briefe von RAF-Unterstützern erhalten. Ob ich da wohl Kontakte hätte? Ich verneine. Arschlöcher, denke ich mir. Was treibt Leute dazu, mir in den Knast zu schreiben und sich dabei als RAF-Sympathisanten zu outen?

FREITAG, 28. MÄRZ

Habe inzwischen einen guten Stand bei den Mitgefangenen. Mein Ruf: Der ist loyal und man kann ihn brauchen. Es hat sich im ganzen Knast herumgesprochen, dass ich mich mit dem Strafvollzugsgesetz gut auskenne. Einmal stehen sie in der Freistunde zwischen Arbeitsende und Abendessen regelrecht Schlange vor meiner Zelle, um sich Rat zu holen. Ich kann viele Fragen beantworten, tippe für etliche Anträge auf meiner Schreibmaschine – und wundere mich, dass die Anstaltsleitung das so laufen lässt. Nur die passionierten Schachspieler lächeln über mich und sind entsetzt, wie schlecht sich der Student am Brett macht. Gegen Achmed, inzwischen auch hier angekommen, trete ich bereits nach wenigen Partien nicht mehr an, da ich keinerlei Chance habe und es auch ihn mächtig langweilt. Gegen den jungen Offenbacher Gerd sehe ich besser aus, kann aber trotzdem nicht ein einziges Match gewinnen. Der Mann hat keinen Schulabschluss und schüttelt ständig den Kopf über meine hanebüchenen Züge. „Wie du in deinem Philosophiestudium klarkommst, ist mir ein Rätsel", sagt er. „Wenn du dich im Leben immer so klug verhalten hättest wie beim Schach, wärst du jetzt nicht hier", antworte ich dem glücklosen Kleindieb lakonisch. Der als Kind schwer Vernachlässigte war noch nie in seinem Leben beim Zahnarzt – und bekommt hier eine brutale „Reparatur": In nur zwei Sitzungen werden ihm sämtliche Backenzähne gezogen. Gerd kann ein paar Tage lang kaum reden – schlägt mich aber, immer wieder Blut spuckend, trotzdem beim Schach.

SONNTAG, 30. MÄRZ

Kurzer Ausgang und Treffen mit meiner Mutter in einem Frankfurter Café. Sie ist irritiert, weil ich ständig auf die Uhr schaue. Ärgere mich, dass ich mit dem Rückkehrstress nicht souveräner umgehen kann. Sie richtet mir von meinem Vater aus, dass ich bei allem, was ich tue, auch an mein weiteres Fortkommen denken solle.

MONTAG, 31. MÄRZ, MONTAG
Mein Urlaub ab 1. Mai ist genehmigt!

MITTWOCH, 2. APRIL
Erster Tag mit neuem Job: Bin jetzt zuständig fürs Freigängerhaus, da müssen auch die Waschräume und Toiletten gereinigt werden. Eine fürchterlichere Arbeit ist kaum vorstellbar. Die Leute scheißen massenweise auf und neben die Klos. Absichtlich! Vermutlich aus Protest gegen den Knast. Daran, dass es Knackis sind, die das wegputzen müssen, denken sie nicht.
Am Nachmittag Erleichterung: Mein Putzauftrag wird wieder storniert! Ab nächste Woche werde ich offiziell Deutschlehrer von James, für einen halben Tag. Den anderen halben Tag soll ich bei der Archivierung der Lehrmittelsammlung helfen.

SAMSTAG, 5. APRIL
Die grauenvollen Putztage im Freigängerhaus haben mich fertiggemacht. Fühle mich völlig niedergeschlagen.
Mein Anwalt hat einen Antrag gestellt auf Erlass einer einstweiligen Anordnung, „den Antragsteller zum Zwecke der Weiterführung seines Studiums an der Johann-Wolfgang-Goethe-Universität zum 10. April 1986 zuzulassen." Würde er nicht rechtzeitig zugelassen, wäre das gesamte Semester verloren. Da er schrecklichere Folgen leider nicht ausmalen kann, mache ich mir keine großen Hoffnungen, dass der Vorstoß von Erfolg gekrönt wird.

MONTAG, 7. APRIL
Schwierige Sache, die Deutschstunden mit James! Nein, schlimmer: ganz harter Tobak! Meine Geduld reicht maximal für zwei Stunden, vier Stunden ohne jedes erkennbare Ergebnis sind brutal. Besser ist der andere halbe Tag im Lehrmittel-Archiv. Der Lehrer empfängt mich mit den Worten: „Ach ja, sie sind der komplizierte Fall." Meine Aufgabe: Ich soll unter Anleitung von zwei Beamten Dias sortieren und beschriften. Beginne damit, für einen Islam-Informationsabend – der dann nie stattfinden wird – u. a. Texte zu Fotos von Moscheen zu verfassen. Eine identifiziere ich als die Al-Azhar Moschee von Kairo, sie ist im Verzeichnis aber als spanische Moschee ausgewiesen. Als ich den Fehler korrigieren will, werde ich vom uniformierten Chef daran gehindert. „Ne, ne, das ist ne spanische Moschee", meint er. Es schließt sich eine kleine Diskussion

an, die ist aber sinnlos. Wer keine Uniform trägt, sondern einen Blaumann, der hat grundsätzlich Unrecht. Also bleibt der Fehler stehen und ich verfasse einen kurzen Text zum falschen Bild. So geht Bildung im Knast!

In der Lehrmittelsammlung auf VHS archiviert ist auch ein WDR-Beitrag von 1982 des Journalisten Christopher Sommerkorn: „Die Nackten, die Freaks und die Folgen". Es geht um den massenhaften Rucksacktourismus in Griechenland, vor allem auf Kreta. In der Doku wird gnadenlos auf die „Alternativen" draufgeschlagen: Sie seien voller Verachtung für Pauschaltouristen, die sie abschätzig gerne als „Neckermänner" bezeichnen. Sie fühlten sich edler, besser, individueller. Und vergäßen darüber, dass ihre angeblich so viel besseren Reisepraktiken ja längst selbst zu einer Massenreisekultur verkommen sind. Sie hinterließen riesige Abfall- und Scheißeberge und Rattenplagen. Sie hielten sich nicht an Nacktbadeverbote oder an das Campingverbot an den Stränden. Sie gefährdeten die gewachsenen Strukturen sogar noch nachhaltiger als die Pauschaltouristen. Manche arbeiteten auf kleinen Plantagen als Tagelöhner und nähmen als Billiglöhner den Griechen auch noch Arbeit weg. Andere versuchten sich als Schmuckverkäufer und würden dadurch zu Konkurrenten für den Andenkenhandel der Einheimischen. Kurzum: Sie kämen in Massen, „ohne Geld, ohne Kultur, ohne Vernunft", dafür mit reichlich Drogen, und zögen den Zorn der Einheimischen auf sich.

Der Beitrag macht mich nachdenklich. Einerseits denke ich: Ein moralisch sauberer Tourismus ist praktisch unmöglich. Andererseits träume ich: Wär' ganz schön, morgen mal an den Strand gehen zu können.

(Anmerkung: Auch ich war oft mit dem Rucksack unterwegs gewesen. Noch als Schüler mit dem Inter-Rail-Pass kreuz und quer durch Europa, wie so viele, danach oft in Griechenland, letztes Jahr mit Gitta in Valle Gran Rey auf La Gomera, Unterkunft beim Bauern auf einer Bananenplantage, letzte Erholungsstation vor dem Knast. Da war vieles noch Hippie-mäßig und alles voller Schmuckverkäufer, zugleich hatten wir kein Problem, „zufällig" jemanden aus der heimischen Nachbar-WG zu treffen. Die Jahre zuvor war ich fast immer in Griechenland, mit einem gelben VW-Bus, billig von der Post erworben und in Eigenregie zum Camper umgebaut. Wer alternativ reiste, hatte damals – neben den einschlägigen Aufklebern – meist auch ein ganzes politisches Programm im Gepäck: gegen Wachstumsfetischismus, gewaltfrei, ökologisch und achtsam, solidarisch mit den Armen, für soziale Gerechtigkeit, für Mitbestimmung und Selbstverwaltung, für die Gleichberechtigung der Frauen – alles anders eben und stets bewusst, nie wirklich Tourist. Immerhin: Diese Selbstgefälligkeit wurde im Laufe der Zeit auch von den Alternativen selbst zunehmend kritisiert. Das Reisen als Protest gegen das Spießertum, die Idee vom freien Leben und einer ‚unschuldigen‘ Erweiterung des Horizonts, die Kompensation des zu Hause ausbleibenden gesellschaftlichen Aufbruchs durch die vorübergehende Flucht in eine mit abenteuerlichen Erlebnissen gespickte Selbstverwirklichung in der Fremde – das funktioniere so einfach nicht, lautete die Selbstanklage in so manchem Alternativblättchen: Auf der ständigen Suche nach jungfräulichen und billigen Gegenden würden auch „wir" genau jene paradiesischen Zustände zerstören, die zu suchen wir aufgebrochen waren. Denn das Reisen verlängere immer genau jene Welt, aus der die Reisenden entkommen wollten in die entferntesten und unbetretensten Gebiete. Erst überlasteten massenhaft angereiste Globetrotter eine spärliche Infrastruktur bis hin zum Notstand, dann folgten die Beton-Hochburgen des Massentourismus. Im Frankfurter *Pflasterstrand* prägte jemand sogar das böse Wort vom „alternativen Imperialismus". Indessen wurden auf der Internationalen Tourismusbörse in Berlin schon seit 1984 erste Ideen für einen „anderen" Tourismus diskutiert. Der allerdings, das deutete sich damals bereits an, würde nur für Reisende mit gut gefülltem Geldbeutel eine echte Alternative sein.)

DIENSTAG, 8. APRIL

Kurz nach 18 Uhr gehe ich nach dem Telefonieren zum Getränkeautomaten bei der Zentrale. Ein Beamter klopft von innen gegen die Fensterscheibe und ruft mich herein. „Nach 16 Uhr ist keine Arbeitskleidung erlaubt", herrscht er mich an. „Gehen Sie sofort auf Ihren Wohnraum und ziehen sie sich Freizeitkleidung an! Dann melden Sie sich wieder hier!"

Ich versuche zu erklären: Die Freizeitkleidung werde erst nach drei Monaten gewechselt, daher möchte ich sparsam mit ihr umgehen. Außerdem hätte ich nur einem Mitgefangenen Deutschunterricht erteilt, es sei also keinerlei Verschmutzung meiner Arbeitskleidung gegeben.

„Sie haben die Hausordnung zu beachten! Tun Sie, was ich Ihnen sage, oder ich muss Meldung machen!"

Ich sage: „Ich hol mir nur noch schnell zwei Colaflaschen, die habe ich einem Kollegen versprochen, dann geh ich sowieso rauf und ziehe mich um."

Der Beamte verfolgt mich bis zum Automaten und herrscht mich an. „Sie haben meinen Weisungen sofort Folge zu leisten! Sofort!!" Ich sei ja

bereits auf dem Weg, erläutere ich, ziehe die Getränke und begebe mich zu meiner Zelle. Vor dem Unterkunftshaus wartet bereits ein anderer Beamter. Der folgt mir auf die Zelle und überwacht den Umziehvorgang. Ich melde dem Beamten den Vollzug der Weisung.
Er: „Sie müssen sich noch an der Zentrale melden!"
Ich: „Sie sehen doch, dass ich umgezogen bin. Anweisung vollzogen! Sie müssen das nur kurz an den Kollegen durchfunken."
Der Beamte geht wortlos ab, kurz darauf ertönt der Lautsprecher. „Nummer 158 zur Zentrale!" Ich gehorche und werde von dem bissigen Beamten von vorhin darüber aufgeklärt, dass sämtlichen Anweisungen *strikt und umgehend* Folge zu leisten sei. Er sei nun leider gezwungen, Meldung zu machen, schließt er streng.

„Tun Sie das, wenn Sie das befriedigt", sage ich nur und gehe kopfschüttelnd ab. Im Hof treffe ich Mike, der mich auf eine Tasse Tee in seinen Wohnraum einlädt. Der liegt im sogenannten Freigängerhaus. Offensichtlich haben die Beamten in der Zentrale bemerkt, dass ich verbotenerweise ein „fremdes Gebäude" betrete. Ich habe mich eben erst zum Tee hingesetzt, als schon wieder ein Grüner auftaucht. „Das gibt eine Meldung für euch beide! Morgen früh seid ihr beim Ermittlungsdienst! Dort wird dann entschieden, ob's ein Disziplinarverfahren gibt." Es wäre bereits mein zweites, das könnte eng werden mit meinem weiteren Aufenthalt hier, denke ich.

Am selben Abend gibt es dann noch Stress mit Gitta wegen eines „zu späten" Telefonats. Sie habe eine Verabredung mit ihrer Freundin absagen müssen, beschwert sie sich. Das mit dem Telefonieren ist hier so eine Geschichte. Es war nur deswegen so spät geworden, weil ich so lange in der Schlange vor der Telefonzelle hatte anstehen müssen, es sind ja nur zwei. Was also hätte ich tun sollen? Früher anstellen, klar. Aber keiner weiß, wie lange die Vorgänger telefonieren. Beschließe, ab sofort die Telefon-Termine zu reduzieren = weniger Stress!

An diesem Tag hat James die „Schule" bei mir geschwänzt und ist rausgegangen, obwohl er sein Freigang-Kontingent bereits ausgeschöpft hatte. Ich weiß, er hat es mir angedeutet: Das ist ein provozierter Abschuss, er will zurück nach Dieburg.

MITTWOCH, 9. APRIL

Beschluss der Strafvollstreckungskammer des LG Frankfurt: Mein Antrag auf Erlass einer einstweiligen Anordnung für die Zulassung zum Freigang wird zurückgewiesen. Es müsse noch die Stellungnahme des Antragsgegners, nämlich des Leiters der JVA, abgewartet werden. Der zögert die vermutlich hinaus, weil für Freitag meine Disziplinarverhandlung angesetzt ist und sich dadurch das Problem von selbst lösen könnte.

FREITAG, 11. APRIL

9.00 Uhr Disziplinarverhandlung. Ergebnis: Sechs Tage Arrest wegen Nichtbefolgen von Weisungen. Die Begründung: Ich hätte mich am 8. April „weit mehr als 2 Stunden nach dem Ende der allgemeinen Arbeitszeit, die um 16.00 Uhr endet, noch in Arbeitskleidung im Innenhof der Anstalt bewegt. Hierbei ist unbeachtlich, ob im konkreten Fall die Arbeitshose sauber war oder nicht." Nach Ziffer 2.2.3. der Hausordnung der JVA Frankfurt/Main IV hätten Nichtfreigänger während der Freizeit grundsätzlich anstaltseigene Freizeitkleidung zu tragen.

Ich lege über meinen Anwalt Widerspruch ein. Da der Unterricht mit James nun ausfällt, werde ich fortan halbtäglich als Hausarbeiter im Springerbereich eingesetzt, das heißt, mal hier und mal da, wieder Blockern mit dem Bohnerbesen. Die Außenarbeiter haben es schlechter. Es ist arschkalt.

MONTAG, 14. APRIL

Als ich mich abends im Keller dusche, bemerke ich, dass die Beamten schon wieder auf der Suche nach mir sind. Ich mache mir ein Späßchen und verstecke mich hinter einer Türe. Tatsächlich sieht mich der Grüne nicht und teilt seinen Kollegen über Funk mit, dass ich nicht auf meiner Wohngruppe sei. Nun machen sich alle auf, mich in den anderen Gebäuden zu suchen, um mir erneut einen Regelverstoß anhängen zu können. Vorsichtig schleiche ich mich in den 1. Stock zu meinem Wohnraum, greife mir ein Buch und setze mich an den Tisch. Als endlich ein Kontrolleur auftaucht und mich fragt, wo ich denn gewesen sei, antworte ich grinsend: „Na hier, auf meiner Wohngruppe. Ich lese. Ganz sauber, bin frisch geduscht."

MONTAG, 21. APRIL

Erhalte von meinem Anwalt Eiermanns achtseitige Stellungnahme, in der er begründet, warum auf die Verweigerung des Zivildienstes mit der Verweigerung des Freigangs reagiert werden müsse. Die erste Reaktion des Landgerichts lautet so: „Wegen des Umfangs der Stellungnahme des Antragsgegners ist mit einer Entscheidung in der Hauptsache nicht vor Ablauf einer Woche zu rechnen."

Kernaussage des Textes: Der Antragsteller hält an seiner den Ersatzdienst verweigernden Einstellung fest. Erklärt aber ein Gefangener, „dass er sich auch weiterhin und auch noch einschlägig strafbar verhalten will, verweigert der Gefangene damit zugleich seine Bereitschaft zur Erreichung des Vollzugszieles und macht es der Vollzugsbehörde unmöglich, ihm dabei Hilfestellung zu leisten." Es handele sich zudem um einen Gefangenen „mit radikal-politischem Hintergrund". Er sei „kein Einzelgänger", sondern verstehe sich als Teil einer „Bewegung". Der Gefangene „könnte auch den ihm auf diese Weise eingeräumten Freiraum dazu missbrauchen, um seine gesetzwidrige und gegen die staatliche Ordnung der Bundesrepublik gerichtete politische Gesinnung unter den Mitstudenten und in aller Öffentlichkeit weiterzuverbreiten."

Die Abschreckung von Nachahmungstätern sei in solchen Fällen unabdingbar. Die Strafvorschrift des § 53 Abs. 1 des Zivildienstgesetzes bezwecke „in erster Linie, dass der Antragsteller dazu angehalten wird, seine Ersatzdienstpflicht zu erfüllen und mögliche Nachahmer einer solchen Totalverweigerung abgeschreckt werden, erforderlichenfalls auch durch Mehrfachbestrafung im Falle wiederholter Verweigerung. Der einer solchen Verurteilung zugrunde liegende Strafzweck würde jedoch durch die Gewährung von nicht behandlungsnotwendigen Annehmlichkeiten wie den Freigang in sein Gegenteil verkehrt werden, da andere anerkannte Wehrdienstverweigerer nur dazu ermuntert würden, in gleicher Weise wie der Antragsteller – was dieser offensichtlich vorbildhaft auch bezwecken will – den Ersatzdienst verlassen oder ihn gar nicht erst antreten. Der Freigang gäbe ihnen dann genügend Raum und Gelegenheit für das Ausleben ihrer persönlichen Bedürfnisse, während die rechtstreuen Ersatzdienstpflichtigen ihre persönlichen Belange, namentlich ihre Berufsausbildung hintanstellen." Aus den genannten Gründen könne auch nicht von einer vorzeitigen, bedingten Entlassung des Antragsstellers ausgegangen werden, da er sich sofort wieder strafbar machen würde: Er sei nicht aus dem Ersatzdienst entlassen und es bestehe offensichtlich auch keine Aussicht, „vor der restlosen Erfüllung seiner Zivildienstzeit entlassen zu werden." Außerdem sei ein Freigang auch gar nicht nötig, der Gefangene sei keiner Existenzgefährdung ausgesetzt, zum Studium der einschlägigen Literatur habe er auch als Nichtfreigänger ausreichend Gelegenheit.

Eventuellen Einwänden gegen seine Entscheidung tritt Eiermann präventiv entgegen. Ihr lägen ausschließlich „nachvollziehbare" und „sachbezogene" Erwägungen zugrunde, sie stelle also „keine Willkür dar". Der JVA-Chef vergisst auch nicht den Hinweis auf weitere Vorstrafen des Antragstellers (Sachbeschädigung, Verunglimpfung des Staates) sowie die bereits gegen ihn in der Haft erlassenen Disziplinarstrafen, was für sein künftiges Verhalten nur eine ungünstige Prognose zulasse. Und schließlich gibt er dem Richter noch eine Mahnung mit auf den Weg: „Dem Fall des Antragstellers und dem Ergebnis der hier zu treffenden gerichtlichen Entscheidung kommt insofern grundsätzliche Bedeutung zu, da nach hier vorliegenden Informationen angenommen werden muss, dass weitere Totalverweigerer, auch aus anderen Bundesländern, in die hiesige Anstalt aufgenommen werden wollen, um sodann ihre Direktzulassung zum Freigang zu betreiben und das mit ihrer Verweigerungshaltung und Verurteilung verbundene Risiko der Beschränkung ihrer Bewegungs- und Entscheidungsfreiheit durch den gerichtlich angeordneten Freiheitsentzug nicht nur herabzusetzen, sondern den dadurch gewonnenen Freiraum für ihre grundgesetzwidrigen Agitationen zu nutzen."

Was soll ich von Eiermanns vehementer Stellungnahme halten? Für den Knastchef bin ich Ostagent, Terrorist, Staatsfeind. Er überschätzt mich maßlos. Ja, ethisch halte ich meine Entscheidung nach wie vor für gut und richtig. Aber ist es die Überzeugung, die mich antreibt, konsequent zu bleiben? Ich weiß nicht, ob ich von der Totalverweigerung noch überzeugt bin – nicht einmal, ob ich jemals restlos überzeugt war. Die politische Wirkung geht gegen null. Was ihm Sorgen macht und mir Freude bereiten würde – die Produktion von Nachahmern – findet allenfalls in winzigen Ansätzen statt. Ob ich hinter Gittern sitze oder Freigang erhalte, hat politisch keinerlei Relevanz. Völlig egal, was hier mit mir passiert – es bleibt ohne Konsequenzen für andere.

Ich frage mich: Womöglich ist es nur noch die Hartleibigkeit Eiermanns, die meinen Widerstandswillen aufrechterhält. Wenn ich ehrlich bin: Wahrscheinlich führe ich inzwischen diesen Kampf ohnehin nur noch für mich. Ich ziehe es jetzt eben einfach durch, weil es das ist, was gerade ansteht und weil ich Angst habe, mich durch einen Rückzieher vollends zum bemitleidenswerten Tölpel zu machen. Ich habe mich auf etwas eingelassen, und jetzt bin ich drin in einer Spur, die ich nicht mehr verlassen kann bzw.: Ich traue mich nicht mehr, sie zu verlassen. Ich rede immer von Freiheit – von innerer Freiheit natürlich –, habe aber keine Ahnung, inwieweit ich noch selbst über meine Haltung bestimme.

MONTAG, 28. APRIL

Meine Beschwerde gegen den Arrestentscheid vom 11. April wird per Beschluss des LG Frankfurt als unbegründet zurückgewiesen. Aus den Gründen:

„Der Verstoß gegen die Bekleidungsvorschrift der Hausordnung in Zusammenhang mit der mehrfachen Missachtung der ihm erteilten Weisungen stellt eine mehrfach wiederholte Verfehlung des Antragstellers dar, durch die die Ordnung der Anstalt erheblich beeinträchtigt wurde. Bereits kurze Zeit darauf hat der Antragsteller erneut in schwerwiegender Weise gegen die Hausordnungsvorschrift verstoßen, indem er sich in einem für ihn fremden Unterkunftshaus für Freigänger aufhielt." Der Antragsteller könne sich auch nicht mit Erfolg auf die Unkenntnis der Hausordnungsvorschriften berufen, da „er in besonderen Belehrungsveranstaltungen während seiner Zugangswoche eingehend über die Hausordnung informiert und ihm ein Exemplar hiervon ausgehändigt wurde. (...) Im Übrigen hat sich der Antragsteller durch seinen unbefugten Aufenthalt im Freigängerhaus für geraume Zeit der unmittelbaren Aufsichts- und Zugriffsmöglichkeit der Vollzugsbediensteten entzogen. (...) Die Verhängung von 6 Tagen Arrest ist angesichts des Fehlverhaltens des Antragstellers angemessen und nicht überzogen."

DIENSTAG, 29. APRIL

Heute kursiert unter den Gefangenen die *Bild* mit der Schlagzeile: „Moskau: Atom-Katastrophe. Reaktor zerstört – Tass gibt zu: Opfer – Todeswolke schon über Dänemark – bald bei uns?" Es wird hektisch diskutiert. Was war da los?

Ich erfahre: Die Bremer „Zentralstelle" und Vertreter der evangelischen Kirche in Bayern schicken Gnadengesuche an die Staatsanwaltschaft beim LG Nürnberg-Fürth sowie an den Bayerischen Justizminister August Lang, außerdem will das Komitee für Grundrechte und Demokratie eine Petition an den Bayerischen Landtag richten. Für mich sind das keine Mittel erster Wahl, ich habe aber nichts dagegen, wenn da was in Bewegung bleibt. Andere Totalverweigerer werden mir sicher vorwerfen, dass ich mit Leuten zusammenarbeite, von denen man doch wisse, dass man mit ihnen nicht auf einen Nenner kommen könne – scheißegal!

Der Gegensatz zwischen der Haftstrafe und der integren Persönlichkeit des Verurteilten sei ein typischer Fall für die sinnvolle Anwendung eines Gnadenerweises, argumentiert die „Zentralstelle" und verweist auf ähnlich gelagerte Fälle in der Vergangenheit. Zudem könnten von einem Gnadenerweis auch diejenigen profitieren, die Gnade walten lassen. Denn es sei doch so: Durch die Strafe werde Herr B. „zum Märtyrer aufgebaut, der für das Verständnis und Empfinden vieler junger Menschen im Recht ist gegenüber der Staatsgewalt, die von ihrem Recht übermäßig Gebrauch zu machen scheint. Allein aus diesem Grund scheint es uns ein Gebot der politischen Klugheit, auf dem Gnadenweg zwar nicht die Strafe, wohl aber die Strafverbüßung auszusetzen." Gar nicht so übel, diese Argumentationsfigur!

Viel wichtiger aber ist, was ich heute auf bei der Poststelle des GRH abhole: Ein Schreiben des Bundesamtes für den Zivildienst. Der lapidare Inhalt: Da ich vom AG Nürnberg rechtskräftig zu einer Freiheitsstrafe verurteilt worden sei, werde ich mit Ablauf des 09.05.86 nach § 43 Abs. 2 Nr. 2 Zivildienstgesetz aus dem Zivildienst entlassen! Haben die jetzt erst gemerkt, dass meine Bewährung aus dem 1. Verfahren aufgehoben worden ist? Egal. Meine Lage ändert sich damit grundlegend. Ich kann jetzt nicht mehr erneut einberufen werden, also ist auch eine frühere Entlassung aus der Haft möglich. Es sieht so aus, dass sich das Bundesamt auch in meinem Fall am Wörner-Erlass orientiert, der eine Entlassung von Totalverweigerern aus der Bundeswehr an die Voraussetzung gebunden hat, dass diese zu mindestens einem Jahr ohne Bewährung verurteilt worden sind. Dem war ja mit den gegen mich verhängten 16 Monaten mehr als Genüge getan.

DONNERSTAG, 1. MAI

Tschernobyl beherrscht die Schlagzeilen. Und ich erhalte meinen ersten Urlaub und fahre nach Nürnberg! Bin fast einen ganzen Tag lang mit Gitta in der Fränkischen Schweiz, mich zieht es in die Natur. Artikel über den Tschernobyl-Fallout verunsichern uns. Darf man sich überhaupt in die Wiese legen?

Die Menschen haben Möglichkeiten in die Welt gesetzt, die sie nicht mehr in den Griff bekommen. Es braucht nicht einmal einen Krieg dafür. Wird Tschernobyl nun Konsequenzen haben? Die Menschen warten immer, bis etwas passiert, bevor sie handeln. Ampeln werden an Kreuzungen stets erst dann aufgestellt, wenn ein Unfall passiert ist. Welche Ampel wird nach Tschernobyl aufgestellt? Braucht es noch weitere Beweise für die Gefährlichkeit der Technik, für die Risiken, die Menschen wider besseres Wissen produzieren? Braucht es noch irgendwelche weiteren Anlässe, etwas zu tun? Gegen Atomkraft und Atomkrieg?

Es gilt: Sich nicht ablenken! Sich dem Schrecklichen stellen! Nur so kann es überwunden werden. Aufstehen! Nicht erst reagieren, wenn ein Unglück schon passiert ist. Eine Folge des Unglücks ist nur eine Fußnote, nervt mich aber trotzdem: Der geplante Artikel im *Spiegel* wird nicht erscheinen: Tschernobyl überlagert alles. Wen interessiert da noch das Anliegen der Totalverweigerlein?

In Nürnberg treffe ich viele Freunde und erfahre einiges über die laufenden Protestaktionen. An der Ostermontagsdemonstration gegen die geplante WAA im oberpfälzischen Wackersdorf hätten über 100.000 Menschen teilgenommen. Alle hätten noch unter dem Schock des Todesfalls vom 2. März gestanden, als eine Wackersdorfer Hausfrau bei Auseinandersetzungen einem Herzinfarkt erlegen war. Und auch am Ostermontag war ein Mensch zu Tode gekommen: Der 38-jährige Ingenieur und Demonstrationsteilnehmer Alois Sonnleitner starb nach einem Asthmaanfall. Die Empörung bei allen sei natürlich groß und zur Frage nach der Ursache gebe es keine Diskussionen: Die Polizei hatte an diesem Tag erstmals in der Geschichte der Bundesrepublik CS-Gas eingesetzt. Folge: Die gewaltbereiten Autonomen hätten sich plötzlich einer breiten Solidarität auch bei friedlichen AKW-Gegnern erfreuen dürfen. 280 Menschen seien festgenommen worden.

Seit Ende März fuhren auch die Pershings wieder zu Übungen aus, trotz des verheerenden Unfalls vom Januar. Bei den Ostermärschen – rund 360.000 Menschen sollen bundesweit teilgenommen haben – wurde jetzt nicht nur gefordert, die Stationierung von Mittelstreckenraketen rückgängig zu machen, der Protest richtete sich jetzt vor allem gegen die Pläne einer strategischen Verteidigungsinitiative (SDI) der USA.

Ossi erzählt, dass er nun bereits Monate draußen sei und immer noch vom Knast träume. Die anderen sind sehr neugierig und wollen vor allem wissen, mit was für Leuten ich im Knast zu tun hätte. „Wie sind die denn so?" Ich kann einiges erzählen.

(Eine Zusammenfassung aus meinen Notizen über Mitgefangene:

Im Radbruch-Haus konnte ich mich nicht mehr einfach in die Zelle zurückziehen und mir selbst genug sein. Das Knastleben blieb kein Beobachtungsobjekt mehr, ich wurde mehr und mehr hineingezogen, der Kontakt mit anderen Gefangenen wurde intensiver. Ich kam so weit gut aus mit den meisten „Kollegen". Wir hatten ja auch mindestens eine Gemeinsamkeit: Nämlich nicht so zu funktionieren, wie es diese Gesellschaft von uns verlangt. Der Unterschied: Ich konnte bestimmte Aspekte des staatlichen Systems aus Prinzip nicht akzeptieren, die Rechtsbruch-Profiteure hingegen benötigten die Rechtsordnung, um Nutzen aus ihrer Regelmissachtung ziehen zu können. Auch geklautes Geld kann man nur dort in Ruhe ausgeben, wo der Besitz von Geld geschützt ist. Wie sagte doch einer? „Ich bin gegen den Kommunismus. Da gibts ja gar keine Leute mehr, die ich beklauen könnte!" Nicht wenige bereiteten sich schon im Knast auf die nächste Straftat vor – und in der Freiheit auf die nächste Festnahme und Verurteilung! Sie machten einen Bruch, bunkerten Geld, bezahlten einen Anwalt im Voraus – und fuhren nach ein paar Monaten Leben in Saus und Braus wieder ein in den Knast. Manche behaupteten, ihre Rechnung ginge auf: Immer wieder mal ein paar Monate Knast, dafür ein paar Monate Fettlebe und keine Versklavung in schlecht bezahlter und langweiliger Arbeit. So sei das perfekt, selbst mit dem Knast zwischendrin, den könne man ja schnell abreißen. Da sage noch mal einer, die Leute kämen in den Knast, weil sie keinen Lebensplan haben. Kriminelle Alternativprogramme zum gesetzestreuen Spießerleben können durchaus rational sein. Ein normales Leben wäre nichts für mich, sagte einer. Viel zu langweilig und trostlos. Und wenn die Knastaufenthalte immer länger werden? Noch habe er alles im Griff.

Über viele wusste ich gut Bescheid, weil ich für sie irgendwelche Anträge schrieb und sie mir ihren Vollzugsplan mit allen wichtigen Daten zeigten. Meine engsten Freunde. waren zwischen 23 und 45 Jahre alt, ihre Strafen betrugen zwischen 16 Monaten und neun Jahren, die meisten waren ohne abgeschlossene Berufsausbildung und vorbestraft, der Rekordhalter hatte 16 Vorstrafen. Auf dem Kerbholz hatten sie u. a. dies: Diebstahl, schwerer Diebstahl, gemeinschaftlich begangener schwerer Diebstahl, versuchte Erpressung, schwere räuberische Erpressung, Scheckkartenbetrug, Körperverletzung. Dazu lernte ich erstaunlich viele „Leichtmatrosen" kennen, die wegen Verletzung der Unterhaltspflicht oder wiederholter Beförderungserschleichung nach § 265a StGB zu einer Freiheitsstrafe verurteilt worden waren. Vergewaltiger gab es keine, die enttarnten sich nicht, zwei Kinderschänder wurden von den anderen eher zufällig „entlarvt".

Nun der Reihe nach.

JAMES.

Ein kleiner „Eierdieb" und Dauerstraftäter, waschechter Hesse ohne Schulabschluss, hatte das Lesen nie gelernt. Er war immer geradeaus, legte eine hohe Moral an den Tag: Ich hatte ihm Geld geliehen und er zahlte es mir, abgespart von seinem kargen Knastlohn – er schälte in der Küche Kartoffeln – in regelmäßigen Pfennigbeträgen zurück. Er hatte auch Witz. Nach der Rückkehr von einem Urlaubstag erklärte er mir: „Hab' keinen Tropfen Alkohol getrunken im Urlaub! Ich mach jetzt einen auf Besserung!" Dabei kaute er auf einem Pfefferminzbonbon herum. Einmal überraschte ich ihn in seiner Zelle mit aufgeschlagenem Pornoheftchen beim Wichsen. „Tschuldigung, komme ich später wieder", sagte ich. „Kannst schon bleiben", antwortete er, während er sich die Hose wieder hochzog. „Ist ja immer dasselbe, kann ich auch später weitermachen. Die Dame läuft ja nicht davon." Einmal erzählte er voller Stolz, dass er sich mit Frauen sehr gut auskenne. Seiner Alten habe er alles beigebracht. „Sexuell?", fragte ich. Er grinste: „Lesen war es nicht." Beim Ausgang für einen Arzttermin, fand er einmal die Praxis nicht, weil er die Straßennamen nicht hatte entziffern können. Das gab natürlich einen Arrest wg. widerrechtlicher Aneignung von Freizeitstunden. James nahm es mit Fassung. Er habe ja wenigstens ein bisschen Freiheit, die Beamten nicht, vor allem der Eiermann. Der habe lebenslänglich. Da brauche er nicht wütend auf den zu sein. James berichtete oft voller Leidenschaft von seinem Faible für Ghettoblaster. Und einmal erzählte er von seiner letzten Festnahme. Die sei filmreif gewesen: Zusammen mit einem Kumpel habe er im Vollrausch ein Auto geklaut, dann seien sie, bei einer Überland-Verfolgungsjagd mit der Polizei, von der Straße abgekommen und in einen auf dem Feld stehenden Traktor gekracht: „Des war das aansische Hinnernis waid un breet."

ROGER.

Der Mann aus der Nachbarzelle, 23 Jahre alt, saß wegen gemeinschaftlich begangenen schweren Diebstahls: Die Bande wurde von seinem Vater angeführt! Insgesamt zu viereinhalb Jahren verurteilt, elf eingetragene Vorstrafen. Die allermeisten Brüche hätten sie nicht nachweisen können, verkündete er grinsend, insgesamt seien es 119 gewesen, er habe mitgezählt. Und es wären noch mehr geworden, hätte es in Friedberg, dem bevorzugten Einsatzgebiet, nicht so viel Konkurrenz gegeben. Einmal seien sie im Garten einer Villa kurz vor dem Einsteigen auf den Trupp der „Feinde" getroffen. Man habe dann die anstehenden Objekte schiedlich-friedlich aufgeteilt. Roger strebte nicht nach einer Zulassung zum Freigang, nicht einmal die Aussetzung der Reststrafe reizte ihn. Denn die ganze Strafe abzusitzen habe was für sich: „Lieber jetzt als später. Das nächste Mal kommt bestimmt und dann muss ich die Reststrafe nicht mehr nachsitzen!" Roger lieh sich von mir mehrmals feministische Bücher aus (z. B. Gerd Brantenbergs Roman über den Kampf der Geschlechter: „Die Töchter Egalias") und hatte, wie er mir versicherte, viel Spaß damit. Sexuell war er sehr rege, einer der Dauerkunden des von allen nur als „Schwanzlutscher vom Dienst" bezeichneten Mitgefangenen. Einmal überraschte ich die zwei. Roger stöhnte heftig, der Schwanzlutscher unterbrach kurz sein Geschäft und wandte sich mir zu. „Ich bin hier gleich fertig. Soll ich dann zu dir kommen?" „Nicht nötig, Selbstversorger", winkte ich ab. Roger hätte normalerweise den Schwanzlutscher nicht nötig gehabt, er hatte bei Frauen einen Schlag. Er gehörte zu denen, die sich die Sozialarbeiterin für einen angeblich der Resozialisierung dienenden Fahrradausflug ausgesucht hatte. Die sei allen vorangefahren, habe ständig mit dem Arsch gewackelt und sich provokant die Muschi am Sattel gerieben, berichtete er. „Ouh, ejh, hab' ich ne Dauerlatte gehabt! Und die hat nur gegrinst und gefragt, ob mir denn der Ausflug auch gefallen hat."

MIKE.

Ein großspuriger Kerl Mitte zwanzig, der behauptete, stets alles im Griff zu haben, in den Knast kam er wegen Scheckkartenbetrugs. Mike war als Fremdenlegionär u. a. in Beirut im Einsatz. Er erzählte einiges darüber. Da habe es Selbstmordanschläge mit Kleinlastern gegeben, einige Kameraden seien getötet worden, anschließend sei sein Finger am Abzug lockerer gewesen. Bei der Legion habe man gut verdienen können, etwa 8.000 DM monatlich. Das Geld sei auch ein Motiv gewesen für ihn, sich zu verpflichten. Und dann natürlich das Abenteuer. Am Ende sei es ihm aber zu heikel geworden. Mike hatte etwas Unheimliches an sich. Vielleicht deswegen, weil er getötet hatte? „Dem ist alles zuzutrauen", sagte mir mein Gefühl. Mike war Freigänger und machte eine Ausbildung als Koch, nebenbei handelte er ständig mit allerlei Sachen, es ging das Gerücht, dass er seine Mitgefangenen auch schon mal übers Ohr haute. Straftaten begehen sei eine Sache, Kumpels hintergehen eine ganz andere, rügte ich ihn einmal, die betrügt man auf keinen Fall, und überhaupt: Jeder Mensch müsse irgendjemandem vertrauen können, sonst sei das Leben völlig wertlos. Mike schaute so grimmig, dass mir Angst und Bange wurde. Wir redeten viel über Sport. Als ich ihm von meiner Laufleidenschaft erzählte und er davon tönte, dass er Regimentsmeister im Geländelauf mit voller Montur gewesen sei – das allerhärteste, was es gebe –, vereinbarten wir ein Wettrennen: Zehn Runden im Hof, eine Strecke von vielleicht 2.000 Metern. Ich hatte eine Zeit lang viel auf Marathon trainiert, meine Bestzeit lag deutlich unter drei Stunden, ich fühlte mich also konkurrenzfähig. Bei einem Probetraining sah ich sofort, dass Mike was draufhatte, er bewegte sich locker wie ein Rennpferd. Das würde schwer werden, war mir klar. Die Sache sprach sich herum, viele Gefangene schlossen Wetten ab, Mike galt als Favorit, aber es gab auch einige, die auf mich setzten. Das machte mich fast ein bisschen stolz. Leider nützte mir das Vertrauen nichts, ich enttäuschte meine Anhänger bitter. Mike lief in einer anderen Liga und zog sofort davon. Unter den Pfiffen meiner Anhänger gab ich auf, um mir wenigstens die Schmach einer Überrundung zu ersparen. Ich pumpte schwer und stütze mich auf die Knie, Mike kam mit ausgestreckter Hand auf mich zu, breit grinsend. Die Situation hatte was Tierisches, wie nach einem Brunftkampf. „Hier besamt nur einer, und das bin ich", sagte mir Mikes Überlegenheitsgeste.

DIE PLANUNGSRUNDE.

Wie gut ich in die Knast-Community integriert war – womöglich sogar zu gut integriert – wurde eines Abends deutlich, als ich Roger in seinem Wohnraum besuchen wollte. Da war er gerade mit Mike im Gespräch. Beide schauten sich an. „Wollen wir ihn einweihen?", fragte Roger. „Ich glaube, der ist o. k.", meinte Mike. „Wir brauchen ja auch noch einen zum Schmierestehen und für den Fluchtwagen", grinste er mich an. Der Hintergrund: Mike hatte im Nebenraum des Restaurants, in dessen Küche er arbeitete, einen Tresor entdeckt. Der sei voller Schwarzgeld, mindestens 100.000 DM. Wenn man das Geld raube, könne es zu keiner Anzeige kommen. Panzerknacker Roger ließ sich den Tresor genau beschreiben und meinte, der sei kein Problem für ihn. Nun der Plan: Wir schleichen uns nachts zu dritt aus dem Knast, machen den Bruch und kommen wieder zurück, ohne dass es jemand bemerkt – und hätten das perfekte Alibi. Denn wie sollten Inhaftierte einen Bruch begehen können? Roger hatte bereits eine Stelle am Zaun des Radbruchhauses ausbaldowert, die von den Kameras nicht erfasst wurde. Dort den Maschendraht zu lockern und hindurchzuschlüpfen sei kein Problem, das hätten, wie er aus sicherer Quelle erfahren habe, schon einige Gefangene geschafft. „Aber dass dieser Knast nicht perfekt gesichert ist, wissen auch andere", gab ich dem Ein- und Ausbruchskönig zu bedenken. „Und ich wäre auch nicht scharf darauf, dass mich die Mafia verfolgt statt der Polizei." Die beiden wischten meine Bedenken weg. Mir war sofort klar, dass ich da auf keinen Fall mitmachen wollte. Einerseits. Andererseits übte die Aussicht, mich an diesem Coup zu beteiligen, einen seltsam starken Reiz aus. Bald war mir dann nur noch mulmig: Aus der Mitwisserschaft kam ich ja nicht mehr heraus, hatte ich da überhaupt eine Chance, aus der Sache auszusteigen? Wie würden die beiden darauf reagieren? Ich kam immer mehr ins Schwitzen, als sich die Planungen in den nächsten Tagen intensivierten. Dann brachte mir eine Nachricht plötzliche Erlösung: Sie haben Mike nach Butzbach abgeschoben! Andere Mitgefangene wollten wissen, dass er im Freigang mit Kokain gedealt hat. Schön blöd und gut für mich.

DIETMAR.
Ziemlich gut aussehender, kräftig gebauter Zuhälter und Bankräuber mit einem ausgeprägten hessischen Dialekt. Als die Albaner den Frankfurter Strich übernahmen, wurde er arbeitslos. Die hätten eine bis dahin nicht gekannte Brutalität ins Geschäft reingebracht, erzählte er. Einen hessischen Luden kurzerhand zu erschießen, zur Abschreckung und um sich Gehorsam zu erzwingen, sei für die kein Problem gewesen. Weil nun die Geschäfte nicht mehr gelaufen seien, habe er sich was überlegen müssen. Die Idee: ein Bankraub. Habe auch gut geklappt. Allein: Er habe vergessen, sich auf der Flucht von seiner Pistole zu trennen. An der Grenze zu Frankreich sei die im Kofferraum entdeckt worden – Ende der Geschichte, neun Jahre wegen schwerer räuberischer Erpressung. Im Knast schaffte sich der Womanizer eine Brieffreundin an, um eine Urlaubsadresse angeben zu können. Er schwängerte die Frau und wurde „Knastvater". Interesse an ihr oder an dem Kind entwickelte er aber keines. Auf seinen Freigängen – auch er machte eine Ausbildung zum Koch – ging er seinen Küchen-Kolleginnen nicht aus dem Weg. Eines Tages erschien er in meinem Wohnraum, streifte sich das T-Shirt vom Körper und präsentierte mir seinen kräftigen Rücken. Der war so blutig zerkratzt, als sei ein Schlachtermesser drübergegangen. „Ne richtige Raubkatze, die kolumbianische Köchin", meinte er schmunzelnd, „die hat vielleicht Feuer". Ich zitierte Ina Deter: „Frauen kommen langsam, aber gewaltig." Nach einem Ausgang mit Gitta, die like Ina aufgeschneckelt und enorm kregel angetanzt und vielen Kollegen aufgefallen war, hatte Dietmar einen bemerkenswerten Auftritt. Ein Mitgefangener hatte uns Händchen haltend vor dem Knast gesehen. Wieder drin, kam der schmierige Typ auf mich zu. „Hey, kann man da auch mal drüber? Ich müsste mal wieder." Dietmar, neben mir stehend, lachte laut. „Du, ich glaube, das läuft bei dem anders. Der hat ne feste Freundin." „Schade. Dann halt nicht", erwiderte der andere und ich fragte ihn: „Und wie läuft das bei dir? Gibts da irgendwelche Gefühle,

wenn du mit Frauen zu tun hast?" Er: „Ich will nur ficken. Ich ficke alles, was ein Loch hat. Egal, welche Frau. Egal, wie sie aussieht." Ich schüttelte mitleidig den Kopf. „Tolles Programm. So romantisch."

ACHMED.

Mein Freund aus Dieburg, der zur Vorbereitung seiner Entlassung ins Radbruch-Haus verlegt wurde. Ein sehr gebildeter Mann, schon etwas älter, mehrfach vorbestraft. Wir unterhielten uns oft über Philosophie und hatten viel zu lachen. Angeblich saß er wegen versuchter Erpressung. Seine Lebensgeschichte – wenn es stimmte, was er mir erzählte, ich hatte da immer leichte Zweifel – war bewegt. 1968 habe er als junger Mann ein wenig bei der Studentenrevolte mitgemischt. Nicht in Paris, sondern in Ägypten, denn auch da sei damals eine Menge losgewesen, allerdings mit etwas anderen Motiven. Nach dem Tod Nassers sei 1970 Anwar as-Sadat an die Macht gekommen, dann sei es bald zu einem regelrechten Aufstand gekommen. Sadat habe neben der Wiedererlangung der an Israel verlorenen ägyptischen Gebiete auch eine umfassende Beseitigung autoritärer Strukturen versprochen. Daraus sei aber nichts geworden, im Gegenteil. Im Januar 1972 sei die Situation eskaliert. Die Uni von Kairo sei von Studenten besetzt worden, nach einer regelrechten Schlacht bei den anschließenden Demonstrationen – Steinwürfe von der einen Seite, Tränengas und Knüppel von der anderen – habe Sadat den Campus von der Armee besetzen lassen. Er sei dann verhaftet worden als einer von vielleicht tausend Studenten. Die Folge: zwei Jahre Haft wegen „staatsfeindlicher Gesinnung". Später habe er in der BRD politisches Asyl erhalten. Die Forderungen der ägyptischen Studenten könnten wir hier vielleicht nicht so ganz verstehen, erläuterte Achmed: Die Hauptforderung sei eine militantere Politik gegen Israel gewesen, denn Sadat hatte im Dezember eine bereits angekündigte Militäraktion wieder abgeblasen. Als ich genauer wissen wollte, warum er hier in Haft gekommen war, wurden seine Erzählungen schwammig. Was ich herausbekam: Er besaß ordentlich Geld, war beim Freigang Stammgast im Gourmet-Restaurant von Karstadt. Er besaß einen Laden in der Nähe des Hauptbahnhofs, offensichtlich waren seine Import-Export-Geschäfte nicht immer ganz sauber. Weil er – angeblich oder tatsächlich? – Kontakte zu Palästinensern hatte, wurde er vom Verfassungsschutz verhört. Er habe denen nur Spielzeug verkauft, meinte er. Modellflugzeuge. Es könne wohl sein, dass da mal welche, mit Sprengstoff bestückt, bei Anschlägen in Israel zum Einsatz gekommen waren. Die Verfassungsschützer hätten ihn auch über mich ausgefragt. Wieso wir denn Kontakt hätten, worüber wir uns unterhalten würden. „Wir sind beide Philosophen, habe ich denen gesagt, unser Hauptthema ist Nietzsche". Und dann erzählte er lachend, wie er die doof guckenden Verfassungsschützer mit Zitaten beworfen hatte. „Du weißt schon, so Sätze wie: ‚Der Mensch ist schwer zu entdecken und sich selber noch am schwersten; oft lügt der Geist über die Seele."'. „Also sprach Zarathustra", ergänzte ich fröhlich.

Es waren da auch noch viele andere, mit denen ich Kontakt hatte, bei denen es aber nie freundschaftlich wurde. Einige aus der langen Reihe loser Bekannter und kurzer Begegnungen:

▷ Der Dummschwätzer. Ein großspuriger Betrüger mit Eleganz und Stil, der selbst im Knastanzug gut gekleidet aussah, immer quirlig unterwegs. Für seinen nächsten Urlaub hatte er für sich und seine Freundin ein sündhaft teures Sporthotel gebucht. Und schwärmte unentwegt davon, wie gut er es sich da wird gehen lassen.

▷ Der Trinker. Beliebt und beleibt, ein ständiger Witzereißer. Einmal zeigte er mir, wie er den Schnaps hereinschmuggelt: Milchtüte unter dem Falz aufschneiden, entleeren und nach Neubefüllung fachmännisch mit einem Spezialklebstoff wieder verschließen. Es war erstaunlich: Selbst wenn man den Falz wieder hochklappte, war die „Wunde" kaum zu sehen. So sehr er beim Schmuggeln ein Profi war – beim Trinken war er es nicht. Ein Vollrausch brachte ihn in den Arrest. Ich hatte davon nichts mitbekommen, hörte aber plötzlich seine Stimme – aus der Arrestzelle: „Ruf bitte meine Frau an und sag ihr, dass ich wieder in Butzbach bin."

▷ Der Amateur-Zuhälter. Beim Hofgang berichtete der Typ, dass er einen Bekannten auf Freigang zu seiner Frau geschickt habe. Die sei sexuell unterversorgt, weil er ja noch keinen Freigang habe. Und außerdem damit einverstanden, sich ein wenig Geld dazuzuverdienen. Also habe er den Freigänger-Kumpel zu ihr geschickt, der sei wohl gerade bei ihr. „Der wird es ihr so geben, dass sie dich nie mehr ranlassen wird", hänselte ihn einer. Alle lachten und zogen ihn weiter auf, da packte den Amateur-Zuhälter plötzlich wilde Eifersucht. Er rannte los, kletterte über die Dachrinne auf das Pfortengebäude, die Alarmsirenen schrillten. Sein Versuch, in die Freiheit zu springen, endete in der Arrestzelle – ab nach Butzbach.

▷ Der Pelzdieb. Einer von den Superschlauen. Er habe aus seinem letzten Bruch noch etliche Pelze, alle gebunkert in Nairobi, er freue sich schon darauf, wenn er die dann alle abhole, mindestens 100.000 Mark. Die werde er alle verticken, wenn er wieder raus sei. Und dann? Neue klauen. Und dann? Die Hälfte verticken, die Hälfte in Nairobi bunkern, die Sau rauslassen. Und dann? Sollen die Bullen nur kommen ...

▷ Der Pornograf. Ein älterer Mann mit unbekannter Langstrafe. Bauchansatz, käsig-wachsige Haut und schmierig-suspekte Ausstrahlung. Er lud mich zum Tee in seinen Wohnraum ein und zeigte mir Fotos von kleinen nackten Jungs. „Gefällt dir das?" Er griff mir an den Oberschenkel und begann, sich auszuziehen. Die Sache wurde mir unheimlich. Als ich mich zum Gehen abwandte, griff er mir an den Arm und reichte mir ein paar Pornohefte. Der Typ durfte wenig später in den Freigang. Ich hatte nicht den Eindruck, dass man ihn hätte rauslassen sollen.

▷ Der Kinderficker. Im Knast lernte ich rasch: Kinderficker befinden sich ganz am unteren Ende der Hierarchie. Deswegen ist es auch kaum möglich, einem zu begegnen, denn Kinderficker outen sich nicht. So war ich völlig überrascht, als sich einer beim Hofgang an mich heranpirschte. Ich sei vermutlich der Einzige hier, mit dem er reden könne, vertraute er mir an. Er habe sich vor einiger Zeit leider verplaudert, da hätten ihn welche blutig geschlagen. Schon kam einer von der erkennbaren Brutalo-Sorte vorbei und zischte: „Verzieh dich, Kinderficker, oder willst du wieder ne blutige Nase?" Der Typ wurde regelmäßig verprügelt, keiner half ihm, und ich war erleichtert, dass er darauf verzichtete, bei mir Schutz zu suchen.)

FREITAG, 9. MAI

Die Theorie draußen war: Wir Totalverweigerer verstehen uns als Bewegung, deswegen haben wir uns auch „Gruppe kollektiver gewaltfreier Widerstand" genannt. Im Knast ist die Gruppe aber oft nicht mal mehr virtuell anwesend. Unterstützerbriefe rufen nur für kurze Zeit ein „Wir-Gefühl" zurück. Dann merke ich gleich wieder: Im Knast gibt es nur ein „Ich", da gibt es nirgends ein „Wir". Ich muss das hier alles ganz allein bewältigen und verliere darüber jeden Bezug zu der Idee, ich könnte Teil einer Bewegung sein. Als Totalverweigerer ist man nie „Gruppe", man ist zum Einzelkämpfertum verdammt.

DONNERSTAG, 15. MAI

Ausgang mit meinem Anwalt Harald Roth zur Anhörung bei Richter Müller wegen meines Antrags, mich zum Freigang zuzulassen. Müller zeigt erst mal die altbekannte Reaktion. Er schüttelt den Kopf und sagt: „Ich verstehe ihre Dummheit nicht: Wegen vier Monaten ..." Auch er ist also einer von denjenigen, die die Anklage des Irrsinns selbst zum Irrsinn erklären. Bin daher skeptisch, ob bei dem Termin was Positives rauskommen kann. Da habe ich mich aber getäuscht! Denn der Richter wird plötzlich sehr freundlich und sagt: „So, meine Herren. Was können Sie mir anbieten? Wie können wir den Eiermann ausbremsen?" Er wird meinen Antrag anerkennen! Es wird deutlich: Weniger deswegen, weil er von meinem Anliegen besonders überzeugt ist, sondern vor allem deswegen, weil er Lust hat, dem Eiermann, der ihn vermutlich schon lange nervt, eins auszuwischen. Egal. Wir sammeln gemeinsam möglichst zwingende Argumente, die geeignet sind, den Beschluss „wasserdicht" zu machen!

Wenig später habe ich es amtlich: Das LG Frankfurt/M beschließt in der Sache C.B. gegen den Leiter der Justizvollzugsanstalt Frankfurt/Main IV, „dass die Nichtzulassung des Antragstellers zum Freigang zum Zwecke der Weiterführung seines Studiums an der Johann-Wolfgang-Goethe-Universität ermessensfehlerhaft und damit rechtswidrig ist". Der Leiter der JVA „wird dazu verpflichtet, unverzüglich einen Vollzugsplan zu erstellen, der dem Antragsteller die Weiterführung seines Studiums ermöglicht". Das haut mich um!

Zur Begründung führt Müller aus, dass der Antragsgegner seine Ablehnung im Wesentlichen nur auf zwei sachfremde und willkürliche Erwägungen gestützt habe:

„Zum einen hat er aus der Art des Delikts, weswegen der Antragsteller verurteilt worden ist, und den Äußerungen des Antragstellers hierzu eine staats- und verfassungsfeindliche Gesinnung des Antragstellers abgeleitet und daraus die Folgerung gezogen, der Antragsteller verweigert seine Bereitschaft zum Erreichen des Vollzugszieles. Zum anderen beruft er sich auf einen Vorfall vom 08.04.86, wonach der Antragsteller wegen Verletzung der Hausordnung mit Arrest belegt werden musste, weshalb die Anstaltsordnung ernsthaft gefährdet worden sei."

Beide Erwägungen seien jedoch „zum Teil fehlerhaft, zum Teil überzogen und begründen für das Gericht die Überzeugung, dass der Antragsgegner diese Gründe nur nachgeschoben hat, um seine ablehnende Haltung zu rechtfertigen."

Im weiteren Text führt Müller aus, dass der Antragsteller gar nicht erneut einschlägig straffällig werden könnte, weil eine abermalige Aufforderung zum Dienstantritt durch das Bundesamt für den Zivildienst während der laufenden Strafvollstreckung gar nicht möglich sei und diese Gefahr auch grundsätzlich nicht mehr bestehe, weil der Antragsteller inzwischen aus dem Zivildienst entlassen worden sei. Für eine andersgeartete Delinquenz lägen keinerlei Anhaltspunkte vor: Dass die Verletzung der Hausordnung durch den Antragsteller zu einer ernsthaften Gefährdung der Anstaltsordnung geführt habe, müsse bezweifelt werden, außerdem sei diese Verfehlung ggf. mit einem Arrest abgegolten. Ebenso nicht sachgerecht und daher ermessensfehlerhaft sei die Argumentation des Antragsgegners, dass eine Abschreckung von Nachahmungstätern gewährleistet sein müsse. Da im vorliegenden Fall überhaupt keine Delinquenzgefahr mehr bestehe, dürften generalpräventive Gesichtspunkte nicht zum Nachteil des Antragstellers angeführt werden, zumal im Strafvollzug das Prinzip der sozialen Integration Priorität genieße. Zudem müsse festgehalten werden, dass ein Anstaltsleiter bei den im Vollzug ablaufenden Entscheidungsprozessen nicht ausschließlich nach seinem eigenen pflichtgemäßen Ermessen entscheiden solle, sondern auch Anregungen anderer Mitarbeiter zu entsprechen habe. So habe sich der Anstaltsleiter im konkreten Fall nachträglich über seine Mitarbeiterin hinweggesetzt, die eine direkte Zulassung des Antragstellers zum Freigang empfohlen hatte.

(Anmerkung: Cornelius Nestler-Tremel wird einige Zeit später zu dem Beschluss einen Kommentar für die Zeitschrift *Strafverteidiger* verfassen und herausstellen, dass die Entscheidung aus zwei Gründen wichtig sei: Erstens stelle sie das Studium an einer Hochschule einer Berufsausbildung außerhalb der Anstalt gleich, womit erstmals überzeugend begründet sei – was bis dahin noch nicht geklärt war –, dass „von der generellen Zulässigkeit des Freigangs zur Durchführung eines Hochschulstudiums auszugehen ist". Zweitens entziehe die Entscheidung mit deutlichen Worten der Ansicht die Grundlage, „den ,unverbesserlichen' Überzeugungstätern müsse auch durch die Art der Strafe deutlich gemacht werden, dass ihr Verhalten nicht hinnehmbar sei".)

DIENSTAG, 20. MAI

Werde von zwei Beamten bei meinen Wischarbeiten im Freigängerhaus Nr. 3 kontrolliert. Sie stellen fest, dass ich „zu schlampig" gearbeitet und damit gegen die Hausordnung verstoßen hätte, die zuverlässiges und ordentliches Arbeiten gebiete. Leider müssten sie Anzeige erstatten. Die Sache kommt vor den Disziplinarausschuss. Ich muss mich schwer zusammenreißen, um keinen Tobsuchtsanfall zu bekommen.

MITTWOCH, 21. MAI

Beiläufiges Gespräch mit einem Mitgefangenen über die Hoffnung auf gesellschaftliche Veränderungen. Schluss des Kollegen: „Utopien sind mir alle zu utopisch. Schau dir doch mal die Menschen an! Welche Utopien kommen dir da in den Sinn?"

Für den Freitag sind zwei Termine der „Nummer 158" bei Eiermann angekündigt:
6.50 Uhr: Mitteilung wg. Freigang.
8.30 Uhr: Disziplinarverhandlung.
Frage mich: Hat der Typ noch was in petto, um mich abschießen zu können? Will er mich auf den letzten Metern noch ausbremsen? Was hat er vor?

FREITAG, 23. MAI

6.50 Uhr: Erhalte in der Zentrale von einem Beamten die Mitteilung, dass mir ab 26. Mai Freigang gewährt wird. Dazu händigt er mir eine schriftliche Begründung aus: „Mit vorläufigem Vollzugsplan vom 07.03.1986 wurde der Gef. in die Vorerprobung mit der Ausgangstufe T-02 eingewiesen. Eine Zulassung zum Freigang war abgelehnt worden, weil die Anstaltsleitung bei dem Gefangenen u. a. das Vorliegen einer grundgesetz- und staatsfeindlichen Einstellung und daraus resultierende Missbrauchsgefahr befürchtete. Das Landgericht Frankfurt am Main hat diese Auffassung in einem Antragsverfahren gem. § 109 StVollzG jedoch nicht bestätigt und die Verweigerung des Freigangs als ermessensfehlerhaft bezeichnet. (…) Das Gericht hat die Anstaltsleitung verpflichtet, dem Gef. zum Zwecke seines Studiums Freigang zu gewähren. Indem sie diesen Beschluss befolgt, ist die Anstaltsleitung der Pflicht zu einer weiteren Begründung für eine solche Maßnahme, namentlich der Besorgnis etwaigen Missbrauchs, enthoben. Aus gleichem Grund entfällt auch die Erteilung besonderer Weisungen gem. § 14 StVollzG. Die vom Gericht in seiner Beschlussbegründung dargelegte Auffassung über den Fall des Gef. lässt annehmen, dass eine vorzeitige Entlassung gem. § 57, 1 StGB wahrscheinlich ist." Als Zweidrittelzeitpunkt – also voraussichtlicher Entlassungstermin – ist angegeben: 5.12.1986.

Anschließend verbringe ich über eine Stunde im Warteraum, es steht ja noch die „Disco" bei Eiermann an. Es ist volles Haus heute, es sind eine Menge junger Leute in Uniform da: Justizvollzugsbeamte in Ausbildung. Ich rechne mit dem Schlimmsten. Dann geht's rein. Ich bekomme ein Déjà-vu: Es ist dieselbe Szene wie die mit dem Knastleiter Springer in Bayreuth! Eiermann sitzt in der Mitte wie Jesus unter seinen Jüngern beim Abendmahl. Er stellt mich den Hospitanten kurz vor als spezieller Fall. Und überrumpelt mich mit nie zuvor erlebter Freundlichkeit: „Das Verfahren wird eingestellt. Zwar vermute ich schon, dass sie nicht besonders sauber arbeiten. Aber über Sauberkeit lässt sich ja streiten. Außerdem sind auf Haus 3 die Schichtarbeiter. Es ist ja klar, dass es da schneller wieder dreckig wird. Im Übrigen werden sie ja sowieso ab Montag zum Freigang zugelassen." Kurzer Blick zu den versammelten Hospitanten, dann sagt er lächelnd: „Ihren Anträgen habe ich sämtlich stattgegeben, so wie wir das besprochen haben."

Nachtrag: Briefverkehr & was draußen geschah

Wie zuvor in Dieburg habe ich auch während meiner „Probezeit" in Frankfurt zahllose Briefe erhalten, darunter viele Hilfsangebote und aufmunternde Worte. Die „Schwarze Hilfe" etwa bot mir Unterstützung an, „irgendwie" und selbst dann, wenn ich vielleicht kein Libertärer sei, der den anarchistischen Traum von der vollständigen Abschaffung des Staates träume. Ein Vertreter der evangelischen NGO „Ohne Rüstung leben" sprach mir auf andere Weise Mut zu: „Ich glaube, dass einer wie Sie, der sich der Todesmaschinerie verweigert, auch die Kraft dazu bekommt von dem, der das Leben und die Schöpfung erhält." Die Welt könne nicht verändert werden, „wenn nicht jeder bei sich selber anfängt, egal auf welchem Gebiet", schrieb mir eine unbekannte Frau und lobte die Totalverweigerer als vorbildhaft. „Ich glaube, wenn wir alle solchen Mut hätten, sähe die Welt anders aus." Ich solle daher meine innere Freiheit genießen, denn die hätte ich mir ja wohl genommen. „Jede Abhängigkeit, ob von Dingen, Normen, Meinungen, Menschen usw. macht ja unfrei." Schlicht und nett die Karte der Marktfrau aus Nürnberg, bei der ich öfter mal eingekauft habe: „Ich denke häufig an Sie."

Freunde und Bekannte meldeten sich, die meisten nur mit wenigen Zeilen, viele entschuldigten sich für ihre Schreibfaulheit, einige führten als Begründung die Überbeanspruchung durch ihr Arbeitsleben an, einer machte geltend, durch sein Liebesleben zu sehr gefordert zu sein, wieder andere konnten es nicht lassen, mir kurze, deswegen für mich kaum weniger schmerzhafte Urlaubsgrüße zu schicken. Manchmal noch viel schmerzhafter: die Briefe verflossener Liebschaften ... (anderes Thema).

Nicht ohne Folgen für mich blieben unbedachte Mitteilungen, die von der Knastleitung registriert wurden. Eiermanns Behauptung, dass es Leute gebe, die mir nacheiferten, war nicht völlig unbegründet. Zwei Beispiele: Einer schickte mir eine Karte als kleines Dankeschön dafür, dass ich ihn zum Nachdenken gebracht hätte, eventuell selbst total zu verweigern. „Bin gespannt, welche Entscheidung in mir heranreift." Ein anderer, der kundtat, dass ihm angesichts der blanken Kriminalisierungswillkür in diesem Staat „die linke Zornesader" geschwollen sei, teilte den Vollzug mit: Er habe zwar „etwas Bammel vor einem mehrmonatigen Knastaufenthalt", habe sich aber trotzdem – nicht zuletzt motiviert durch mein Buch und mein „Vorbild" – zur Totalverweigerung entschieden. Briefe dieser Art hatte ich zunächst völlig arglos gelesen; auf die Idee, dass sie Eiermann bereits gelesen haben könnte, war ich nicht gekommen.

Auf die *Kontraste*-Sendung folgten einige Reaktionen, nicht immer positiv. Einer bemängelte, dass ich mich – zumal im Vergleich zu dem im Beitrag ebenfalls interviewten Christian Herz – „nicht klar genug" ausgedrückt hätte. Insider echauffierten sich darüber, dass die Stimme des (anonymen) DDR-Verweigerers nicht unkenntlich gemacht worden war, der habe jetzt womöglich mit neuerlichen Repressionen zu rechnen. Die Planungen zu einer Hörfunk-Sendung im WDR mit dem Reporter Ekkehard Saß verliefen ebenfalls nicht konfliktfrei. Meine Klage, dass der JVA-Leiter Eiermann mich zu „beugen" versuche, fand er lächerlich. Ich solle lernen, für meine Sache einzutreten, ohne andere zu verachten oder abzuwerten. Mein Drängen, die Sendung möglichst bald zu bringen, quittierte er mit der Feststellung: „Wegen Sendungen im Rundfunk müssen Sie Geduld haben. Das geht über halbe oder ganze Jahre. Also darüber büßen sie ihre Strafe längst ab." Höhepunkt der Sendung solle eine Diskussion zwischen Eiermann und mir werden, der habe sich dazu bereit erklärt.

Auch im Bundestag war die Totalverweigerung wieder einmal Thema. Als dort am 17. April die Fortgeltung des Kriegsdienstverweigerungs-Neuordnungsgesetzes (KDVNG) beschlossen wurde, forderte die SPD einmal mehr eine „humane Lösung für die Totalverweigerer" (Konrad Gilges) und provozierte damit in den Reihen der CDU/CSU heftige Gegenreaktionen, zum Beispiel beim Stuttgarter Abgeordneten Roland Sauer. „Um ein- für allemal klarzustellen: Totalverweigerung ist und bleibt völlig unmoralisch und bar jeglichen Verantwortungsbewusstseins gegenüber der Gesellschaft. Wenn in geradezu haarsträubenden Konstruktionen und in einer verzerrten Wahrnehmung der Wirklichkeit in der Bundesrepublik ein Zusammenhang zwischen Bundeswehr und Zivildienst konstruiert wird und daraus jemand für sich eine Legitimation zur Totalverweigerung ableitet, ist dies moralisch noch lange nicht gerechtfertigt." Herbert Rusche von den Grünen hielt dagegen: „Die Verschlechterung der Bedingungen sowie die zunehmende Militarisierung des Zivildienstes führen verständlicherweise immer häufiger zu Totalverweigerungen. Hierbei handelt es sich nicht einfach um eine Dienstleistungsverweigerung, wie das im Beamtendeutsch so schön heißt, sondern um eine verständliche, konsequente und adäquate Reaktion auf das, was friedliebenden jungen Menschen in diesem Lande zugemutet wird. Wir sind für eine konsequente Anerkennung und Unterstützung von Kriegsdienstverweigerern sowie von Totalverweigerern."

Und was hatte die Menschen draußen sonst noch so bewegt? Ende März blockte der ehemalige Wehrmacht-Soldat Alfred Dregger, Vorsitzender der CDU/CSU-Bundestagsfraktion, das Vorhaben ab, als Motto für ein neues Bonner Mahnmal zum Gedenken an die Opfer der Weltkriege und der Nazi-Zeit einen Abschnitt aus der viel gelobten Rede des Bundespräsidenten vom 8. Mai des Vorjahres zu wählen. Richard von Weizsäcker hatte das Kriegsende als „Tag der Befreiung" bezeichnet und dabei nicht nur der sechs Millionen Juden gedacht, die in deutschen Konzentrationslagern ermordet worden waren, sondern auch „der unsäglich vielen Bürger der Sowjet-Union und der Polen, die ihr Leben verloren haben", und dazu hatte er noch weitere Mord-Opfer der Nazis benannt: Sinti und Roma, Homosexuelle, Geisteskranke und kommunistische Widerstandskämpfer. Alte Wehrmacht-Kameraden neben Schwulen und Kommunisten zu ehren – das ging Dregger gehörig gegen den Strich.

Es gab zwei Bombenanschläge mit Folgen. Am 2. April explodierte eine Bombe an Bord einer Boeing 727 der Trans World Airlines 20 Minuten vor der Zwischenlandung in Athen. Vier Passagiere kamen ums Leben, sieben weitere wurden verletzt. Die schwer beschädigte Maschine konnte sicher auf dem Flughafen Athen-Ellinikon gelandet werden, aber die dadurch ausgelöste Angst vor Anschlägen – zugeschrieben wurde der Anschlag der palästinensischen Abu-Nidal-Organisation – führte zu einem Einbruch des Tourismus, vor allem in Griechenland. Am 5. April dann wieder ein Bombenanschlag, diesmal auf die überwiegend von US-Soldaten besuchte Berliner Diskothek „La Belle", zwei Menschen starben, 230 wurden verletzt. Die US-Regierung beschuldigte den libyschen Revolutionsführer Gaddafi, an der Aktion als Drahtzieher beteiligt gewesen zu sein. Ab 14. April flogen die US-Streitkräfte Luftangriffe auf die libyschen Städte Tripolis und Bengasi.

Ein weiteres großes Thema im April: Der Prozess gegen den Baustadtrat Wolfgang Antes und sieben weitere Angeklagte im Berliner Landgericht. Die Sache entpuppte sich als die größte Bestechungsaffäre Berlins in der Nachkriegszeit, in die Spitzen aus Senat und CDU ebenso wie Größen aus Bau- und Unterwelt verstrickt waren, eine der Schlüsselfiguren war ein Zuhälter namens Otto Schwanz. Auch die erstmalige Verknüpfung der Ablehnung von Bundeswehr und NATO mit dem Gedenken an Wehrmacht-Deserteure löste hoch emotionalisierte Debatten aus. Auslöser war die von der Gruppe „Reservisten verweigern sich" initiierte Aufstellung des Mahnmals „Dem unbekannten Deserteur" auf dem Ansgarikirchhof in Bremen. Anfang Mai sorgte eine Seniorenblockade in Mutlangen vor allem bei der Polizei und der US-Army für Erschöpfung und Aufregung. Ungefähr 600 ältere Menschen, die den Zweiten Weltkrieg und den Hitlerfaschismus noch erlebt hatten, setzten sich ankommenden Pershing-Konvois in den Weg und konnten die Abläufe erfolgreich stören und stundenlang verzögern.

All diese Themen nahmen aber nur einen vergleichsweise kleinen Raum ein gegenüber dem einen ganz großen Thema: Tschernobyl. Während ich davon im Knast nur am Rande etwas mitbekam – ein alter Freund gratulierte mir scherzhaft zu meiner „nuklearen Schutzhaft" – überstrahlte draußen der Super-GAU vom 26. April alles andere.

Später würde herauskommen, dass rund 50 Millionen Curie freigesetzt worden waren – etwa 40 bis 50 Mal mehr als bei Hiroshima 1945. Schwerwiegende Fehler bei der am Vortag begonnenen Simulation eines vollständigen Stromausfalls hatten im Reaktor-Block 4 des Kernkraftwerks zu einem unkontrollierten Leistungsanstieg und schließlich zur Explosion des Reaktors und zum Brand des als Moderator eingesetzten Grafits geführt. Es war ein Unfall der höchsten Kategorie auf der internationalen Bewertungsskala für nukleare Ereignisse (INES 7). (Es gab viele Todesopfer, auch noch nach Jahren, vor allem unter denen, die sich kaum geschützt vor Ort bemüht hatten, die Folgen einzugrenzen und einen aus Stahlbeton bestehenden provisorischen Schutzmantel zu errichten. Unter den nach der Katastrophe zu Aufräumarbeiten befehligten Militärangehörigen war auch der Vater der berühmten Boxbrüder Vitali und Wladimir Klitschko, der an Lymphdrüsen-Krebs erkrankte und 2011 im Alter von 64 Jahren starb).

Viele Länder Europas wurden per Windverfrachtung durch radioaktive Stoffe kontaminiert. Als die radioaktive Wolke am 30. April München erreichte und dort den Himmel grün-gelb einfärbte – und bald eine Belastung gemessen wurde, die fünfmal höher war als die bei einem Atomwaffentest auf dem Bikini-Atoll –, vermeldete der Offenbacher Wetterdienst ein mit dem Unfall zusammenhängendes Ansteigen von Jod 131 in der Luft. Apotheken verzeichneten daraufhin einen vermehrten Verkauf von Jod-Tabletten. Weitere neue Begriffe waren plötzlich in aller Munde: Cäsium 137, Strontium 90, Plutonium 239 und Becquerel. Die Luft war kontaminiert, aber auch der Boden. Und ebenso Obst, Gemüse,

Video-Cover des ersten Dokumentarfilms, der die Hintergründe und Folgen der Tschernobyl-Katastrophe darzulegen versucht.

Milch und andere Lebensmittel. Am 6. Mai ordnete der Magistrat der Stadt Frankfurt die Schließung sämtlicher Spiel- und Rasensportplätze, Grünanlagen und Liegewiesen an. An den Tagen darauf folgten weitere Maßnahmen: Das Veterinäramt sprach ein Verkaufsverbot für im Freien gezogenes Blattgemüse aus; die Bevölkerung wurde aufgefordert, in nächster Zeit auf Gefrierfleisch zurückzugreifen und auf den Konsum von Frischfleisch weitestmöglich zu verzichten.

Akut gewordene Ängste in Verbindung mit neuen lebenspraktischen Herausforderungen revitalisierten die Anti-Atomkraftbewegung. Weil nun das Thema Gesundheit völlig neu bewertet werden musste, entstanden zahlreiche neue Gruppen, zum Beispiel der Verein „Mütter gegen Atomkraft". Anfang Mai wurde in Nürnberg die Wohnung der Macher der Zeitschrift *radi-aktiv* durchsucht, um Druckplatten zu beschlagnahmen. Angeblich sei in einer Ausgabe zu Gewalt aufgefordert worden. Für das Protestgeschehen am Baugelände der WAA in Wackersdorf, das inzwischen durch einen fünf Kilometer langen stählernen Zaun gesichert worden war, wirkte der GAU wie ein Eskalationstreiber. Zu Pfingsten am 18./19. Mai wurden rund 50.000 Menschen, die sich zum großen Teil friedlich im Widerstandscamp versammelt hatten, mit allen Mitteln „abgeräumt". Einige Teilnehmer sprachen von einer „Pfingstschlacht" mit kriegsähnlichen Szenen. In einem Bericht des Verfassungsschutzes wird es später heißen, dass sich nach einem Helikopter-Einsatz, bei dem Granaten mit CS-Gas in die Menge gefeuert worden waren, auch „noch die letzten Oberpfälzer Bürger" auf die Seite der Autonomen geschlagen, ihnen geholfen und sie vor der Polizei geschützt hätten. Die tagelang anhaltenden Gefechte zwischen militanten Protestlern und der Polizei führten zu fast 400 Verletzten.

Gedanken auf Freigang

MONTAG, 26. MAI

Pünktlich zu meinem Geburtstag bin ich ins „Freigänger-Haus" umgezogen. Ich erhalte erstmals zwölf Stunden Ausgang. Um 8 Uhr raus und um 20 Uhr zurück. Beim Aufwachen bin ich voller Euphorie: Freigang! Endlich! Toll! Aber: Kaum bin ich draußen, werde ich konfus und weiß nicht, was ich mit meiner Zeit anfangen soll. Auf die Uni habe ich überhaupt keine Lust. Ich lasse mich erst mal orientierungslos durch die Stadt treiben. Es ist schon seltsam: Kaum lockert sich der Zwang ein wenig, schon umgibt mich eine eigenartige Leere, gespickt mit Fragen. Mein „Rahmen" ist geplatzt. Niemand schreibt mir mehr vor, wenigstens für zwölf Stunden nicht, was ich zu tun und zu lassen habe. Fast fühle ich mich wie ein Blinder, der den Halt am Geländer verloren hat. Die neue Freiheit lässt die ganze Struktur, an die ich mich wochenlang geklammert hatte, auseinanderfliegen. Du musst dich wieder neu definieren, ermahne ich mich. Das Naheliegende wäre: das Studium ernst nehmen. Bei der Rückkehr ist meine Stimmung deutlich heruntergedimmt.

MITTWOCH, 28. MAI

Habe mir an der Uni ein paar Veranstaltungen rausgesucht. Dann hole ich mir bei Habermas die nötige Bescheinigung ab. C.B. nehme an insgesamt neun Lehrveranstaltungen teil, schreibt er. „Er nimmt auch an einem meiner Seminare teil, sodass ich ständig mit ihm Kontakt halte."

Rückkehr am Abend: eine Benachrichtigung an der Pforte. Der Beamte telefoniert. „Der Gefangene ist gerade hier." Es geht um den Studien-Nachweis von Habermas, den ich noch abliefern muss. Ich zucke zusammen beim Wort „Gefangener". Wie selbstverständlich der Typ es verwendet. Aber klar, der Freigang ist wie eine Kugel an einer sehr langen Kette. Ich selbst habe ja die Kugel, also den Knast, schon nach wenigen Stunden geradezu vermisst. Ich durfte ihn ja auch nicht vergessen, denn ich musste ja wieder zurück. Die Situation ist schizophren: Ich bin Gefangener, muss es aber „draußen" schaffen, mich so zu verhalten, als sei ich keiner. Habe ich also die Sorte von Knast bekommen, die ich verdiene? Ich bin halb drin und halb draußen, sitze zwischen Tür und Angel. Es gibt kein eindeutiges Pro oder Contra, immer wieder nur ein Ja-Aber, ein ständiges Abwägen. Geht so das Leben?

Die ewige Suche nach Klarheit! Manchmal kommt es mir so vor, als sei es mein wesentlichster Antrieb zur Totalverweigerung gewesen, meine innere Orientierungslosigkeit zu überwinden, um wenigstens für einen gewissen Zeitraum mal Klarheit zu haben: Eine einzige Entscheidung – und schon war ich auf Jahre festgelegt, weil ich damit eine ganze Kaskade von Reaktionen ausgelöst hatte. Der Knast machte da weiter und legte meinen Rahmen fest. Vielleicht habe ich einen derartigen Zwang gesucht – und bin deswegen „freiwillig" in den Knast gegangen? Es ist eine unglaubliche Entlastung, nicht selbst jeden Tag eine klare Struktur finden zu müssen. Vielleicht liegt die größte Freiheit darin, sich selbst zu einer ganz individuellen Unfreiheit zu bestimmen.

(Meine regelmäßigen Aufzeichnungen enden hier. Den Rest des Jahres schildere ich als Rekonstruktion von Ereignissen und in Notizen bzw. Gedächtnisprotokollen aus der Freigang-Situation.)

Rückkehr-Situationen

Die Wiederaufnahme des Studiums, auf das ich mich mit zunehmender Intensität einließ, verringerte meinen Eifer, mit anderen brieflich zu kommunizieren. Einige Seminare, besonders die des Politologen Herfried Münkler – damals noch nicht Professor –, waren sogar richtig interessant. Im Klima der Brandt'schen Entspannungspolitik aufgewachsen – und ehemaliger Kriegsdienstverweigerer –, ließ er auf souveräne Weise Widersprüche zu. In seinen Seminaren konnten einerseits (links-)kritische Theorie-Ansätze wie die von Foucault verhandelt werden, als kühler Analyst scheute der Macchiavelli-Experte andererseits aber auch nicht davor zurück, die Thesen von umstrittenen Vertretern der „Konservativen Revolution" zur Diskussion zu bringen.

Alles ließ sich also recht problemlos an. Nur nicht die tägliche Rückkehr in den Knast. Das Rausgehen aus dem Knast war einfach. Da warteten nicht nur Seminare und Vorlesungen, sondern auch Freupunkte wie ein Spaziergang im Park oder Gespräche mit anderen Studenten. Oder Einladungen meines Freundes Achmed, der inzwischen ebenfalls Freigänger war, ins Karstadt-Restaurant. Quälend dräute jedoch stets der Gedanke im Hintergrund, dass am Ende des Tages immer derselbe Weg gegangen werden musste.

Vor allem die letzten Meter gestalteten sich jedes Mal als sehr spezielle Geschichte. Der Chef persönlich, Hermann Eiermann, hat diesen Gang in einer Broschüre so beschrieben: „An einer Haltestelle steigt ein älterer Herr mit einer Aktentasche aus der Straßenbahn aus. Aus dem benachbarten Supermarkt kommen zwei junge Männer mit prall gefüllten Einkaufstüten hinzu. Sie gehen eine Straße hinauf, die auf der einen Seite von Wohnhäusern mit Bäumen, Gebüsch und Rasen, auf der anderen dagegen von einer schier endlos verlaufenden hohen Mauer begrenzt ist. Weiter oben ragt ein Betonkoloss, zehn Stockwerke hoch, mit einigen Hundert vergitterten und zusätzlich noch mit Betonblenden versehenen Fenstern empor. Schließlich, am Ende der Straße, mit kleiner Mauer vom davorliegenden großen Parkplatz abgegrenzt, kommen mehrere zweistöckige Gebäude in Sicht, erbaut in hellen Klinkern und – im Gegensatz zu den hinter hohen Mauern gelegenen Gebäuden – mit offenen Türen und unvergitterten Fenstern. Der ältere Herr und die beiden jungen Männer gehen über den mit Fahrzeugen voll besetzten Parkplatz auf das offenstehende Tor am Ende der Straße zu, das sie nach Vorzeigen ihrer Ausweise an einem Schalter passieren; sodann setzen sie ihren Weg in dem dahinter gelegenen weiträumigen Gelände fort."

Hermann Eiermann wohnte selbst in einem Reihenhäuschen am Fuße dieses Weges und scheute sich nicht, ihn selbst täglich zu gehen – bis eines Tages ein Gefangener versucht hatte, ihn mit dem Auto zu überfahren. Seitdem, so wurde getuschelt, habe er eine Pistole getragen. Ich traf ihn nie auf dem langen Fußweg, den ich nun fast täglich zurücklegte. Je nach Situation, Stimmung und Wetter stellte er sich immer wieder anders dar. Mal gänzlich menschenleer, mal belebt mit vielen Polizeifahrzeugen oder hektischen Freigängern, die ihrer Unterkunft entgegen hetzen, mal in blutroter Abendsonne, mal trüb und trist. Besonders schaurig war ein Abend, als sich über der Betonschale der U-Haft mit mächtigem Grollen und begleitet von heftigen Böen ein schweres Gewitter zusammenbraute und eine Szene wie aus einer dystopischen Welt malte.

Die von Eiermann geschilderte Einlass-Szene am Tor stellte sich in der Realität etwas komplexer dar. Der Chef und die Beamten kamen umstandslos hinein, die Gefangenen jedoch mussten sich zu den Stoßzeiten – v. a. zwischen 18 und 19 Uhr – in eine Warteschlange einreihen. Dann durften sie zittrig zugucken, wie der Minutenzeiger der an der Pforte angebrachten Uhr unerbittlich vorrückte. Für sie hing jetzt alles davon ab, wie die Wachmannschaft hinter der Glasscheibe drauf war. Waren es nette Jungs, wurde das Abfertigungstempo erhöht. Waren es fiese Jungs, wurde es verlangsamt. Für die Einhaltung der Rückkehrzeit zählte nicht die Ankunft vor dem Tor, sondern der Eingangsstempel am Tor. Manche „Verlangsamer" konnten ein boshaftes Grinsen kaum vermeiden. Immer wieder hatten einige der Wartenden „Pech", waren ein paar Minuten zu spät und mussten in den Arrest.

Auch die anschließenden Körperkontrollen liefen sehr unterschiedlich. Manche prüften nur kurz und winkten die Gefangenen durch. Andere machten eine Szene draus. Einer von der üblen Sorte war zum Beispiel der „große Blonde", der den zu Untersuchenden stets sehr, sehr nahekam. „Na? Haben wir auch nichts dabei?", grapsch grapsch. „Haben wir etwas getrunken?", schnupper schnupper. „Nein, nur Knoblauch gegessen", lautete mein Standardspruch bei ihm.

Die Anfahrt mit der U5 von der Konstabler Wache nach Preungesheim gestaltete sich ebenfalls speziell. Beim letzten „Knacki-Express" um 21:30 Uhr hatte die Hälfte der Fahrgäste dasselbe Ziel: „Heimkehr" in den Knast. Ich erkannte sie alle sofort. Einmal bemerkte ich, dass zwei von ihnen gut abgefüllt waren, ihre Augen gläsern. Den Fußweg hinauf zum Radbruch-Haus konnten sie kaum noch bewältigen. Einer scherte beim Spielplatz aus, setzte sich auf eine Bank und nickte sofort weg. Der andere versuchte noch, den Kumpel mitzuziehen – vergebens. Ich überlegte, ob ich den Alkoholisierten durchschütteln und mitschleppen sollte. Macht keinen Sinn, dachte ich mir, der schafft es ohnehin nicht durch die Kontrolle. Genauso wenig wie sein Kollege. Während ich beobachtete, wie der auf die Pforte zuwankte, wusste ich bereits, dass ihn sein Weg direkt in die Arrestzelle führen wird – und von da ab nach Butzbach!

Da die Schlange vor dem Tor lang war, blieb ich noch einige Minuten auf dem Spielplatz sitzen, direkt neben dem komatösen Butzbacher in spe. Es gibt kein Entkommen, dachte ich mir. Sind wir nicht alle Gefangene, egal, wo wir gerade sind? Der Knast fängt genau dort an, wo man spürt, gefangen zu sein. Alles Weitere ist nur noch eine Frage gradueller Unterschiede.

Einigermaßen absurd war, dass einige Leute den Ausdruck „Freigang" offensichtlich wortwörtlich nahmen und dachten, ich könne einfach mal so irgendwohin reisen. Ich erhielt tatsächlich mehrere Einladungen, bei irgendwelchen Veranstaltungen zu sprechen oder an Treffen teilzunehmen, um z. B. über die „Verknüpfungsmöglichkeiten der verschiedenen Widerstandsbewegungen" zu diskutieren. Im Grunde genommen war ich ganz froh, dass ich so was nicht wahrnehmen konnte. Die Lust aufs Politisieren war mir inzwischen gründlich vergangen

WAAhnsinn und Hamburger Kessel

Seit Tschernobyl brachte der Widerstand gegen die Atomkraft wesentlich mehr Menschen zu Aktivitäten als das Thema Frieden. 81 Prozent der Befragten hatten sich bei einer Umfrage des Meinungsforschungsinstituts Emnid gegen den Neubau weiterer Atomkraftwerke ausgesprochen, entsprechend groß war die Demonstrationsbereitschaft vor allem in Wackersdorf, die bayerische Staatsregierung hielt mit einer Hochrüstung der Polizei dagegen: Blendschockgranaten und sogenannte Gummischrotgeschosse wurden als Einsatzmittel freigegeben. Auch in der Regierung tat sich was: Unter dem Eindruck von Tschernobyl wurde der bisherige Frankfurter Oberbürgermeister Dr. Walter Wallmann (CDU) am 6. Juni zum ersten Bundesumweltminister der BRD ernannt.

Am Tag darauf waren – trotz eines Verbotes – zeitgleich zwei Großdemonstrationen angekündigt, eine gegen die in Bau befindliche Wiederaufarbeitungsanlage Wackersdorf und eine gegen das in Bau befindliche Kernkraftwerk Brokdorf. In Wackersdorf versammelten sich 30.000, bewacht von 3.000 Polizisten. Wie schon bei den Demonstrationen zuvor verliefen die Auseinandersetzungen äußerst heftig. In Brokdorf bzw. in Kleve südlich von Itzehoe, wo ein Auto- und Bus-Konvoi Tausender Demonstranten aus Hamburg gestoppt worden war, sah es nicht anders aus. Auch der friedliche Protest, fasste die *Süddeutsche* zusammen, sei „in den Mühlen der Gewalt zerrieben" worden. Der unverhältnis-

Doppelter Plakat-Protest vor dem Zaun der WAA in Wackersdorf am 20. April 1986.

mäßige Polizeieinsatz in Brokdorf bzw. Kleve hatte noch ein Nachspiel. Am 8. Juni kam es auf dem Heiligengeistfeld in Hamburg zu einer nicht angemeldeten Spontanversammlung für „ein Recht auf Demonstration" und „gegen Polizeiwillkür". Von allen Seiten herangeeilte Polizeikräfte kreisten die Demonstranten ein, kurz nach 12 Uhr mittags waren über 800 Personen eingekesselt und konnten nicht mehr entkommen. Die Einkesselung wurde bis lange nach Mitternacht aufrechterhalten, erst dann waren auch die letzten der verhinderten Protestierer – laut Innensenator Rolf Lange „Gewalttäter", „polizeibekannte Sympathisanten der RAF", „Leute aus der Hafenstraße und sogenannte Autonome" – abtransportiert und auf Polizeiwachen in ganz Hamburg verteilt. Zwischendurch hatten einige Polizisten sogar gegen herbeigeeilte Taxifahrer – und deren Autos – ihre Knüppel zum Einsatz gebracht.

Der „Hamburger Kessel" ging als die bis dahin größte Massenfestnahme in die Geschichte der Bundesrepublik ein. Dass diese Maßnahme völlig überzogen war, wurde allein schon dadurch deutlich, dass nur gegen 15 der in Gewahrsam genommenen ein Ermittlungsverfahren eingeleitet wurde. Vier Tage später, am 12. Juni, kamen in Hamburg etwa 50.000 Menschen zusammen, angeführt von vielleicht einhundert Taxis, um ihrem Unmut gegen die unsägliche „Einkesselei" Ausdruck zu geben. Völlig zu Recht, werden später die Richter beim Verwaltungsgericht Hamburg feststellen, das den „Kessel-Einsatz" für rechtswidrig erklären

Der „Hamburger Kessel" vom 8. Juni 1986.

wird. Auch etliche Polizisten werden sich von der Aktion distanzieren und sich im „Hamburger Signal" zusammentun, aus dem später die Bundesarbeitsgemeinschaft kritischer Polizistinnen und Polizisten hervorgehen wird.

Aber auch die Rechten blieben präsent. Während in Österreich der mit einer Nazi-Vergangenheit belastete Kurt Waldheim trotz erheblicher Widerstände zum Bundespräsidenten gewählt wurde, verkündete das Landgericht Nürnberg-Fürth nach einem spektakulären Prozess gegen einen der bekanntesten aktuellen Rechtsextremisten, den ehemaligen WSG-Chef Karl-Heinz Hoffmann, am 30. Juni seine Entscheidung: Es verurteilte ihn wegen Geldfälschung, Freiheitsberaubung, gefährlicher Körperverletzung sowie Vergehen gegen das Waffen- und Sprengstoffgesetz zu neuneinhalb Jahren Haft. Vom Vorwurf, die Ermordung von Shlomo Lewin und Frida Poeschke am 19. Dezember 1980 in Erlangen veranlasst zu haben, wurde er jedoch freigesprochen. Die Anklage hatte Hoffmann einen Doppelmord in mittelbarer Täterschaft vorgeworfen: Er sei am Tatort nicht anwesend gewesen, habe aber Uwe Behrendt, einen ihm „hündisch" ergebenen jungen Mann, als Werkzeug benutzt.

Endspiel im Arrest

Zu Beginn der WM in Mexiko schaute ich einige Spiele mit meinem pfiffigen Anwalt Harald Roth in dessen WG in Bornheim an, wo er mir auch ein Zimmer anbot. Als Schlafstätte nutzen konnte ich es erst mal natürlich nicht, aber immerhin konnte Gitta nun hier übernachten, wenn sie auf Besuch war. Wir vergnügten uns bei langweiligen Spielen mit einem Wettspiel: Wer sagt den nächsten Satz des Kommentators richtig voraus? Mein Anwalt erwies sich als Koryphäe! Trefferquote über 50 Prozent! Spiele gucken ging allerdings nur, wenn ich draußen war: Auf meiner Bude im Freigänger-Haus hatte ich keinen Fernseher, und die Räume der anderen Abteilungen durfte ich nicht betreten. So versäumte ich die meisten Begegnungen und leider auch die legendären Auftritte von Diego Maradona. Entgegen allen Erwartungen erreichte die vom Teamchef Beckenbauer gecoachte DFB-Elf das Finale am 29. Juni. Hans-Peter Briegel verlor beim Stand von 2:2 das Sprintduell gegen Burruchaga, das Sportgeschichte ist, und alles, was rund um dieses Siegtor für Argentinien in der 85. Minute zu sagen ist, fasste Rolf Kramer in sieben Sekunden und mit neun Worten zusammen: „Maradona. Kein Abseits. Burruchaga. Toni, halt den Ball!" Es folgt eine Pause, dann: „Nein!"

Ich konnte weder das Spiel sehen noch den Kommentar live hören. Denn ich saß in meinem Wohnraum und musste versuchen, die Töne der in anderen Räumen laufenden Fernseher zu interpretieren: Vom 26. Juni bis 4. Juli wurde die noch offengebliebene Arreststrafe (Disziplinarverfügung vom 11. April) an mir vollstreckt. Das versäumte Endspiel stank mir gewaltig. Ansonsten verlief der Arrest erstaunlich erholsam und tat mir sogar gut. Es war eine klare Situation, nicht mehr wie im Freigang ein andauerndes Hin und Her zwischen dem „Dürfen" draußen und dem „Müssen" drinnen, was mich, wie ich erst jetzt merkte, ziemlich erschöpft hatte.

Fußball zu gucken tat gut. Noch besser war das Selber-Kicken im Grüneburg-Park mit der Truppe meines Anwalts. Ich sehnte mich nach einem richtigen Spiel auf große Tore. Und beschloss: Ich muss meinen nächsten Urlaub unbedingt so legen, dass da ein Spiel meiner Kneipenmannschaft stattfindet! Am 21. Juli war es mit der Freigang-Zeit und dem Kicken allerdings erst mal wieder vorbei. Mein Ausgang wurde wegen der Semesterferien bis Mitte September auf drei Stunden beschränkt. Die Begründung bekam ich schriftlich: Es fänden keine Lehrveranstaltungen statt und der „Gef." könne ja auch in der Zelle studieren. Prof. Habermas' Hinweis, dass es sich bei der Fachbereichsbibliothek um eine Präsenzbibliothek handele, die auch in den sogenannten Semesterferien genutzt werden solle, änderte an der Situation nichts.

Apropos Habermas. Der war in diesem Sommer in aller Munde, denn er bestimmte die Diskussion in den Feuilletons, nachdem er am 11. Juli in der *Zeit* unter der Überschrift „Eine Art Schadensabwicklung" vehement „die apologetischen Tendenzen in der deutschen Zeitgeschichtsschreibung" kritisiert hatte. Ausgangspunkt des damit ausgelösten „Historikerstreits" war der Beitrag „Vergangenheit, die nicht vergehen will" des an der FU Berlin lehrenden Ernst Nolte in der *FAZ* vom 6. Juni, in dem dieser die Singularität des nationalsozialistischen Genozids, des Holocaust, auf „den technischen Vorgang der Vergasung" reduzierte und zugleich die These aufstellte, dass die vorausgegangenen Massenverbrechen der Stalinschen Säuberungen und das Gulag-System in der Sowjetunion „ursprünglicher" seien als Auschwitz. Bereits am 25. April hatte der Kohl-Berater Michael Stürmer, ebenfalls in der *FAZ*, u. a. einen „Erinnerungsverlust" im historischen Bewusstsein der Deutschen und gleichzeitig eine Art Sehnsucht nach „Rückkehr in die kulturelle Überlieferung" diagnostiziert und daraus den Schluss gezogen: Die Politik dürfe nicht ignorieren, „dass in geschichtslosem Land die Zukunft gewinnt, wer die Erinnerung füllt, die Begriffe prägt und die Vergangenheit deutet". Habermas wertete solche Aussagen als „Revisionismus" bzw. als Versuch, die auf die nationalsozialistischen Verbrechen fixierte „Schuldbesessenheit" abzuschütteln und dadurch das deutsche Nationalbewusstsein zu erneuern. Der Titel „Eine Art Schadensabwicklung" wandte sich also kritisch gegen das Vorhaben, die NS-Gräuel durch Relativierung so einzuebnen, dass ein Anschluss an eine rechtskonservative Tradition wieder möglich würde. (Der Artikel machte mir Habermas, mit dessen philosophischem Entwurf ich so oft gehadert hatte, wieder sympathisch. Die von ihm ausgelöste Diskussion sollte noch lange anhalten und ist genau genommen auch heute noch nicht beendet – siehe die aktuellen Versuche aus dem Milieu der AfD, die Geschichte umzudeuten.)

Meinen „Uni-Urlaub" verbrachte ich während dieses Bilderbuch-Sommers vorwiegend lesend oder an meinem kleinen Tischchen arbeitend auf meinem ziemlich dunklen Wohnraum. Die erlaubte Aufenthaltszeit bei Sonnenschein im Hof war leider sehr begrenzt. Viele Gefangene nutzten die Gelegenheit der Freistunde, den Oberkörper frei zu machen und sich die Sonne auf die nackte Haut brennen zu lassen. Das kleine Vergnügen wurde untersagt, als aus der Nachbarschaft Beschwerden kamen über diese „Zuchtlosigkeit" im Knast. Beim Hofgang überlegten wir, wo die Beschwerdeführer wohl wohnen. Im Nahbereich gab es keine Häuser mit „Hofblick". Und einige Hochhäuser, von deren obersten Stockwerken Teile des Hofes wohl eingesehen werden könnten, standen so weit weg, dass ein Beobachten des Geschehens im Knast nur mit einem Fernglas möglich gewesen wäre.

Gespräche mit anderen Gefangenen brachten Abwechslung. Die Themen waren allerdings begrenzt. Auch nach der WM blieb Sport der beliebteste Gesprächsstoff – immer wieder Bundesliga, aber auch Boris Beckers zweiter Turniersieg in Wimbledon (gegen Ivan Lendl) oder die K.o.-Siege des jungen Boxers Mike Tyson –, daneben ließen sich die Kollegen vor allem über die via *Bild* transportierten Storys von Kriminellen aus. Ende Juli und im August waren das etwa diese: In Hamburg erschießt Werner Pinzner bei einer Vernehmung im Hamburger Polizeipräsidium den ermittelnden Staatsanwalt, seine Ehefrau und schließlich sich selbst; und in Frankfurt erbeuten die Täter bei einem Banküberfall in der Südwestdeutschen Beamtenbank 67.000 DM, auf der Flucht nach einem Überfall auf ein Juweliergeschäft an der Hauptwache schießt der Täter einen Passanten nieder und verletzt ihn an der Schulter schwer, und ein am Flughafen geschnappter Drogenschmuggler begeht in der U-Haft

Preungesheim Selbstmord. Und dann war da noch die Sache mit der Tasche. Eines Tages erzählte ein Freigänger in einer kleinen Runde, dass er eine Tasche auf einem Autodach liegend gefunden und dann an der Pforte abgegeben habe. Der Inhalt: Geld! Eine fünfstellige Summe! „Bist du irre!!", schrien alle und schlugen die Hände über dem Kopf zusammen, „so was gibst du bei den Grünen ab!?" Wem die Tasche gehörte? Einem aus den Kreisen von Esch und von Galen, Leuten mit dickem Geldbeutel also, wurde vermutet. Es gebe da eine Gruppe, die illegal um Geld spiele. Um sehr viel Geld. Ich hatte von diesen „Edelknackis" bis dahin nur am Rande was mitbekommen. Was waren das für Leute? Alle tuschelten über Esch und von Galen. Der Unternehmer Horst-Dieter Esch, ehedem Chef des weltweit operierenden Baumaschinenkonzerns IBH mit 2,5 Milliarden Mark Umsatz und dann krimineller Pleitier, wegen Betrugs, Untreue und Konkursverschleppung (in seinem ersten Verfahren) zu dreieinhalb Jahren verurteilt, verbrachte die Haft teils in Butzbach und teils im offenen Vollzug. Sein gescheiterter Finanzier, der ehemalige Leiter der Frankfurter SMH-Bank Ferdinand Graf von Galen, nach längerer U-Haft am 7. Juli 1986 wegen Untreue zu einer Haftstrafe von drei Jahren und neun Monaten verurteilt, kam auf Empfehlung des Gerichts sofort in den offenen Vollzug im GRH, da er zuvor bereits „unverhältnismäßig" gelitten habe.

Nicht diskutiert wurden die Zusammenhänge der neuesten Taten der RAF mit der Anti-AKW-Bewegung. Nachdem am 9. Juli ein Kommando den Siemens-Manager Karl Heinz Beckurts und dessen Fahrer Eckhard Groppler in Straßlach bei München durch eine elektronische Sprengfalle getötet hatte, wiesen die Täter in ihrem Bekennerschreiben nicht nur auf die Beteiligung von Beckurts in der Militärelektronik-Forschung hin, sondern auch auf seine führende Rolle als Vertreter der Kernenergie. Es ist nicht überliefert, dass die plötzlich Kernkraft-kritisch gewordenen Terroristen damit ihre Sympathiewerte bei den „Neuen sozialen Bewegungen" erhöhen konnten. Belegt ist hingegen, dass die Hardliner in der Union das Bekennerschreiben dazu nutzten, Atomgegner und Friedensbewegte als Wegbereiter von Mördern und die Grünen als „Schutzpatrone des Terrorismus" zu diffamieren.

Nur noch Foucault im Kopf

Über den Sommer wurden die an mich gerichteten Briefe immer spärlicher. Die Leute waren in Urlaub und ich saß schon zu lange im Knast, da ließ der Eifer nach. Vielleicht hatte es auch damit zu tun, dass alle dachten,

Freigang sei ja eh fast so wie das Leben draußen. Dabei saß ich tagtäglich in meiner Zelle und arbeitete intensiv an meiner Magisterarbeit. Ein Vergleich von Michel Foucaults Analyse von „Macht-Wissens-Prozessen" mit Nietzsches Thesen zum „Willen zur Macht". Prof. Alfred Schmidt – Schüler von Max Horkheimer und Theodor W. Adorno, Verfasser der bemerkenswerten Studie „Der Begriff der Natur in der Lehre von Marx" und im Seminar ein glänzender Rhetoriker –, hatte sich aufgeschlossen gezeigt, das Thema anzunehmen.

(Der Hintergrund: Wie zuvor schon in Erlangen war ich auch in Frankfurt vom Angebot der Philosophischen Fakultät ziemlich enttäuscht. Die progressiven französischen „Poststrukturalisten", deren Schriften ich – trotz mancher Inkonsistenzen, die nicht zu übersehen waren – begeistert aufsog, fanden hier praktisch nicht statt. Dabei wiesen gerade die Texte Michel Foucaults etliche Berührungspunkte mit der „Kritischen Theorie" der Frankfurter Schule auf. Für Philosophen wie Habermas & Co. repräsentierte allerdings einer wie Foucault das intellektuelle Böse, er steckte solche Denker unter den Rubriken „Irrationalismus" und „Antihumanistisches Denken" in den Bücher-Giftschrank, weil ihnen angeblich eine an Wahrheit und Vernunft gebundene moralische Orientierung abginge. Ich hingegen war fasziniert von diesem gegen das übliche abendländische Begriffsbesteck opponierende Denken. Nach Foucault kann das Subjekt nicht mehr Ursprung der Erkenntnis einer Wahrheit sein, die „Objektivität" als „intersubjektive Überprüfbarkeit" definiert. „Wahrheit" ist für ihn im Wesentlichen ein diskursives Ausschlussprinzip und letztlich immer von „Macht" kontaminiert. Auch das „Subjekt" und dessen Bewusstsein existieren nicht als etwas, das von der Macht abgetrennt wäre. Die Macht wiederum ist weder in einer Klasse, einem Zentrum oder nur in der Ökonomie angesiedelt. Sie ist überall und wirkt als ein Netz von Kräfteverhältnissen und Macht-Wissens-Techniken durch die Subjekte hindurch.

Foucault stellt die Geschichte der Humanwissenschaften nicht wie üblich unkritisch als eine ab dem Beginn des 19. Jahrhunderts unter dem Banner der Menschlichkeit betriebene dar, sondern als eine machtvolle (Herrschafts-)Technologie. Sein Hauptaugenmerk gilt der Analyse derjenigen Disziplinen und Instanzen – vor allem Pädagogik, Psychologie, Psychiatrie, Medizin, Politik, Kriminologie und Strafjustiz –, die Subjekte unter dem Deckmantel der Humanität einer „Normalisierung" unterwerfen. In seinem Schlüsselwerk „Überwachen und Strafen" beschreibt er etwa den Übergang von den alten theatralischen Machtinszenierungen –

öffentlich und grausam vollzogene Bestrafungen und Hinrichtungen – hin zu den modernen Machttechniken, in denen die Strafapparaturen der Gefängnisse die idealtypische Folie abgeben für strukturell ähnliche Vorgänge in den Fabriken, den Schulen, den Kasernen oder den Krankenhäusern bis hin zu den Manifestationen einer allgegenwärtigen Überwachung und Kontrolle im Alltag, der Normierung und Disziplinierung in unseren Köpfen und Körpern, an deren Endpunkt ein dressierter Automaten-Mensch aufscheint.

Dass die Macht in der Moderne allgegenwärtig ist, heißt einerseits, dass es kein Entkommen gibt, keine machtfreien Freiräume. Andererseits folgt daraus aber nicht zwingend eine Ohmacht. Es heißt lediglich, dass klassische linke Kritikfiguren wie Klasse, Ideologie, Herrschaft und Unterdrückung nicht mehr funktionieren, dass aber überall dort, wo es Machtwirkungen gibt, auch Widerstand möglich ist. Der Widerstand besteht vor allem darin, die Mechanismen der Normalisierung in den Focus der Kritik zu nehmen. Nicht aus der Zerstörung der großen Institutionen, sondern aus der Bündelung von kleinen Initiativen und Bewegungen soll das kollektive Potenzial für Veränderungen erwachsen. Es ist also einerseits zwar unmöglich, jenen entscheidenden Punkt zu finden, an dem man ansetzen könnte, um „das System" zu stürzen, andererseits aber können viele Kämpfe geführt werden: von Frauen, Gefangenen, Kranken, Homosexuellen, Migranten, Marginalisierten ... und natürlich auch von Wehrpflichtigen.

Und wie soll gekämpft werden? Zuallererst geht es darum, das Schweigen zu brechen. Beispiel Gefangene: Sie werden nicht nur körperlich eingeschlossen, sondern darüber hinaus in juristischen, psychiatrischen und medizinischen Fachsprachen, sie tauchen nur auf als Gegenstand von Untersuchungen und Gutachten, kommen aber selbst nie zu Wort. In einem Text der von Foucault 1971 mitbegründeten Gruppe „GefängnisInformation" (GIP) heißt es: „Wenn man dazu das Wort ergreift, wenn man das institutionelle Informationsnetz zerreißt, wenn man die Dinge beim Namen nennt, wenn man sagt, wer was getan hat, wenn man die Zielscheibe ausfindig macht", dann habe man „wenigstens für einen Augenblick" die Macht an sich gerissen.)

Die Konzentration auf die Arbeit tat mir gut. Wie meinte doch Goethe? Die Menschen handeln im Kleinen, um nicht nach dem Sinn des großen Ganzen fragen zu müssen. Nur so können sie funktionieren. Gib dem Menschen eine kleine Aufgabe, die er zu erfüllen hat – und schon ist das Drumherum vergessen. (Hierzu eine kurze Info für Nachgeborene:

Ich arbeitete weiterhin mit meiner Gabriele-Schreibmaschine. Computer waren damals nicht vorhanden bzw. ein unerschwinglicher Luxus. Seit 1985 gab es zwar den Schneider Joyce – 256 KB RAM, mit Laufwerk für 5 ¼ Zoll-Disketten – der kostete aber rund 2000 DM und war für Studierende kaum bezahlbar.)

Keine Resonanz
Im Radbruch-Haus in der seltsamen Situation eines „geschlossenen Freigangs" schmorend, sehnte ich mich am letzten Juli-Wochenende nach Wackersdorf, wo das „5. Anti-WAAhnsinns-Festival" stieg. Die Veranstaltung am „Lanzenanger" in Burglengenfeld ging als das bis dahin größte Popfestival auf deutschem Boden in die Geschichte ein. 120.000 Zuschauer, darunter 600 Journalisten aus zehn Ländern, drängten sich auf dem Veranstaltungsgelände. Es gab keinen Marsch zum Baugelände, kaum politische Reden, aber sehr viel tolle Musik. Höhepunkt des ersten Abends: 40 Musiker nahmen Aufstellung, Udo Lindenberg setzte sich an die Drums, und alle zusammen gaben zum Abschluss des Tages Wolf Maahns „Deserteure": „Wir stoppen das Rad der Geschichte, Du und ich …". Noch erinnerungsträchtiger gestaltete sich der Abschluss vom zweiten Tag. Nachdem eine Allstar-Band „Sag mir, wo die Blumen sind" und „Alles Lüge" intoniert hatte, trat Rio Reiser spät in der Nacht ungeplant noch einmal auf die Bühne und sang völlig heiser, sich allein am Klavier begleitend und beleuchtet von Feuerzeugen, „Somewhere Over The Rainbow". Da hatten viele das Gefühl: Ein deutsches Woodstock! Das Festival war ein bombastisches Signal. Neidisch werde ich mir später die Berichte anhören müssen. Und mich ärgerlich wundern, wie es sein kann, dass Deserteure als Metapher in Liedern en vogue sind und gleichzeitig sich kaum welche finden, die das „Rad der Geschichte" ernsthaft zu stoppen versuchen.

Plakat zum Anti-WAAhnsinns-Festival.

Während das Festival als Zeichen dafür genommen werden konnte, dass die Regierenden in Sachen Atomkraft eine gegen die Bevölkerungsmehrheit gerichtete Politik betreiben, herrschte in Sachen Waldsterben über alle Parteigrenzen hinweg inzwischen sogar Einigkeit, dass da etwas getan werden musste. Bundesinnenminister Friedrich Zimmermann, bis zum Sommeranfang noch für die Umwelt zuständig, hatte 200.000 schwarzrotgold verpackte Tütchen mit Rotfichten-Samen zum Selberpflanzen verteilen lassen und sich durch diese Aktion „schnelle Erfolge" im Kampf gegen das Waldsterben versprochen. Das Thema Klimakatastrophe hingegen, das in diesem Jahr erstmals öffentlich diskutiert wurde, rauschte an allen seltsam geräuschlos vorüber, selbst an Umweltaktivisten. Dabei ließ es der *Spiegel* mit seinem Titel vom 11. August an Drastik nicht fehlen: Das auf die Sintflut anspielende Titelblatt zeigt einen in den grenzenlosen Weiten des Meeres versinkenden Kölner Dom. Im Heft verwies das Nachrichtenmagazin auf die – heute als epochal geltende – Klimakatastrophen-Pressekonferenz vom 22. Januar im Bonner Hotel-Restaurant Tulpenfeld hin, über die zuvor bereits in der ARD-Sendung *Panorama* berichtet worden war. Prof. Dr. Klaus Heinloth, Leiter des Arbeitskreises Energie der Deutschen Physikalischen Gesellschaft, hatte ein Manifest mit dem Titel „Warnung vor einer drohenden Klimakatastrophe" vorgestellt. Das 13-seitige Papier dreht sich praktisch nur um Treibhausgase. Waldrodungen und Bodenerosion sowie diverse industrielle und landwirtschaftliche Aktivitäten werden als Mitursache des „rapiden" CO_2-Anstiegs benannt. Die Vorhersagen sind düster: Innerhalb von 50 bis 100 Jahren werde die mittlere Erdtemperatur um mehrere Grade zunehmen, die äquatornahen Trockengebiete würden sich dramatisch ausweiten, der Meeresspiegel könne um 5 bis 10 Meter ansteigen. Vermieden werden könne die „Klimakatastrophe" nur dann, wenn es umgehend zu drastischen Einschränkungen der Treibhausgase käme, denn wenn „in vermutlich 1 bis 2 Jahrzehnten deutliche Klimaveränderungen sichtbar" würden, könne es „aller Voraussicht nach bereits zu spät sein". Am Ende des Papiers werden insbesondere zwei Energiearten massiv beworben: die Sonnenenergie und die Kernenergie. Es war einigermaßen fatal, dass das Thema Klimaschutz unmittelbar in Verbindung mit einer offenen Parteinahme für die Atomlobby aufs politische Parkett gekommen war. Denn diese Verbindung traf den Kern der Identität der Grünen und der linken Bürgerbewegungen: das „Nein" zur Atomkraft. So rückte der Klimaschutz ausgerechnet bei den aktivsten Teilen der Bewegung auf einen hinteren Rang der Umweltthemen. (Damals überstrahlte das Thema Atomgefahr alles, umgekehrt aber könnte man heutigen Gruppierungen wie „Extinction Rebellion" und „letzte Generation" vorhalten, dass sie in ihrer Angst vor dem Klimawandel das Ausmaß anderer Gefahren übersehen: Die eines Krieges bzw. Atomkrieges, der durch die Entwicklungen in Putins Russland so nahe gerückt ist wie wohl noch nie zuvor, und die der rassistisch-nationalistischen Umtriebe rund um AfD, mit der zugleich der Rechtsstaat ausgehöhlt und Putins Geschäft betrieben wird.)

Ich selbst, von meiner speziellen Situation absorbiert und damals sowieso nahezu komplett auf das Thema Antimilitarismus fixiert, nahm von der Klimakatastrophe kaum Notiz. Weitaus mehr beschäftigte mich ein aufsehenerregender Prozess am 4. September. Da war vor dem Frankfurter Schöffengericht der Kinderarzt Dr. Peter Augst angeklagt. Sein Vergehen: Als Vertreter der Initiative „Ärzte gegen den Atomkrieg" hatte er am 31. August 1984 in der Frankfurter Friedrich-Ebert-Schule anlässlich des Antikriegstages den an Tucholsky angelehnten Satz geäußert: „Jeder Soldat ist ein potenzieller Mörder." Dann hatte er, sich dem anwesenden Jugendoffizier der Bundeswehr zuwendend, hinzugefügt: „Auch Sie, Herr Witt." Der Jugendoffizier hatte daraufhin Strafantrag gegen Augst gestellt, das Bundesverteidigungsministerium hatte sich als Nebenkläger dem Strafantrag angeschlossen. Augst wurde zu einer Geldstrafe von über 10.000 DM verurteilt.

Das Urteil zeigte einmal mehr, dass Antimilitaristen bei Politik und Justiz mit keinerlei Verständnis rechnen konnten. Ich musste mich daher nicht wundern, dass sämtliche in meiner Angelegenheit eingereichten Gnadengesuche erfolglos geblieben waren. Der bayerische Justizminister August R. Lang hatte die Gnadengesuche von Pastor Ulrich Finckh von der Zentralstelle KDV und Theodor Glaser (dem Landeskirchenrat der Evang.-Luth. Kirche in Bayern) abgelehnt mit dem Argument, „hinreichend tragfähige Gnadengründe" seien nicht erkennbar geworden, denn der Herr B. habe „die Bewährungschance, die ihm das Gericht zunächst gegeben hat, vorsätzlich vertan und ist während der laufenden Bewährungszeit mehrmals straffällig geworden". Die an den Petitionsausschuss des Bayerischen Landtags gerichtete Bitte des Komitees für Grundrechte und Demokratie, doch bitte darauf hinzuwirken, dass die gegen mich verhängte zweite Strafe von acht Monaten Freiheitsentzug „erlassen, hilfsweise zur Bewährung ausgesetzt" werde, verpuffte ebenso resonanzlos.

Nicht einmal von Amnesty International ließ sich der Bayerische Justizminister beeindrucken. Als die Organisation brieflich ihre „Besorgnis" darüber ausdrückte, dass der Herr B. „zu einer längeren Haftstrafe verurteilt worden ist, als es wegen der Weigerung der Ableistung des Zivildienstes üblich ist, allem Anschein nach, weil er seine Meinung über den Zivildienst in einem Buch veröffentlichte", bestritt August Lang schlicht und einfach den Sachverhalt, ging aber dabei auf die entsprechenden, sich auf das Buch „Dienen oder Sitzen" beziehenden Passagen im Urteil gar nicht ein. Und als ein Vertreter von Amnesty daraufhin bemängelte, dass der Hauptpunkt der Nachfrage nicht beantwortet worden sei und dementsprechend erneut seine „Besorgnis" bekundete, reagierte Lang gar nicht mehr. (Der Fall wurde dann in den „Amnesty International Report 1987" aufgenommen. Es bestehe der Verdacht, heißt es dort, dass der Totalverweigerer C.B. „zu einer längeren Haftstrafe als normal verurteilt worden war wegen der Weigerung, den Zivildienst abzuleisten, offenbar deswegen, weil er seine Ansichten zur Totalverweigerung öffentlich gemacht hatte".)

Totalverweigerer, so schien es, waren grundsätzlich nicht gnadenfähig. Sie wurden behandelt wie gewöhnliche Verbrecher. So wie die militanten AKW-Gegner, die allerdings, weil gewaltbereit, als noch gefährlicher eingestuft wurden. Am Freitagabend, den 12. September, fahndete Eduard Zimmermann in der Sendung „Aktenzeichen – XY" nach fünf Wackersdorfer Steinewerfern, Polizeivideos vom Pfingstwochenende wurden gezeigt. Das LKA München hatte für Hinweise zu deren Ergreifung jeweils 10.000 DM ausgelobt. Ich dachte mir: Vielleicht wird auf diese Weise bald auch nach Totalverweigerern gefahndet, die keine Lust haben, sich Polizei und Justiz zu stellen. Ich hatte die Sendung noch im Kopf, als ich wegen Vorbesprechung der vorzeitig bedingten Entlassung zu Eiermann gerufen wurde. Vor dem Termin gab es noch mal – was für ein Zufall – eine Wohnraumkontrolle mit anschließenden Weisungen: Abfalleimer leeren, Fensterscheiben reinigen, Altpapier entfernen, Tisch säubern, Schrankoberfläche reinigen. Dazu die Drohung: „Wenn Sie diesen Weisungen nicht folgen, müssen Sie mit disziplinarischen Maßnahmen rechnen." Bei dem Termin ermahnte mich Eiermann süffisant, weiterhin schön folgsam zu sein, um die mögliche Entlassung nicht noch zu gefährden.

(Anmerkung zu den Steinewerfern: Heute frage ich mich, was wohl passiert wäre, wenn damals schon bekannt geworden wäre – was dann aber erst 2001 geschehen sollte –, dass der Grünen-Politiker Joschka Fischer, seit Dezember 1985 hessischer Umwelt- und Turnschuh-Minister, einst selbst, so etwa im Juni 1976, als militanter Steinewerfer unterwegs gewesen war. Ich selbst konnte im Übrigen den Militanten nichts abgewinnen, und das nicht nur, weil ich „ideologisch" auf Gewaltfreiheit festgelegt war. Mir erschienen diese Gefechte mit der Polizei als weitgehend sinnfreie Räuber- und Gendarm-Spielchen, die lediglich dazu führten, dass der Überwachungsstaat seine Repression ausweitete.)

Urlaub ohne Kick
Die politische Großwetterlage zeigte sich im Herbst weitgehend betrüblich: Als am 8. Oktober das Kernkraftwerk Brokdorf als weltweit erste Anlage nach dem Reaktorunfall von Tschernobyl in Betrieb ging, war ich extrem frustriert; als am 10. Oktober der Diplomat Gerold von Braunmühl – einer der engsten Berater des Außenministers Hans-Dietrich Genscher – direkt vor seinem Bonner Wohnhaus von einem RAF-Kommando erschossen wurde, war ich entsetzt über diese vollkommen skrupel- und zugleich sinnlose Tat; als der US-Präsident Ronald Reagan und der sowjetische Präsident Michail Gorbatschow nach ihrem Treffen im isländischen Reykjavik am 11./12. Oktober trotz ausführlicher Diskussionen nicht zu einer Einigung über eine weitreichende Abrüstung der Atomwaffen kamen, war ich voller Enttäuschung und ohne große Hoffnung, dass es noch zu einem Vertrag kommen könnte; und als Bundeskanzler Helmut Kohl kurz darauf in einem Interview mit dem US-Nachrichtenmagazin „Newsweek" über den sowjetischen Generalsekretär Michail Gorbatschow sagte, dass der sich auf Public Relations verstehe so wie „Goebbels, einer von jenen, die für die Verbrechen der Hitler-Ära verantwortlich waren", war ich restlos empört. Wie instinkt- und verantwortungslos musste man sein, ausgerechnet den Hoffnungsträger Gorbatschow auf diese Weise in den Dreck zu ziehen?

Immerhin gab es in diesen Tagen auch Erfreuliches zur Kenntnis zu nehmen. Etwa die Tatsache, dass an eben diesem Wochenende im Hunsrück fast 200.000 Menschen gegen die im Zuge des Nachrüstungsbeschlusses erfolgte Stationierung von 96 Cruise Missiles auf der sogenannten „Pydna" protestierten und wenige Tage später in der Oberpfalz – wo die CSU bei den Landtagswahlen am Wochenende zuvor zweistellig verloren hatte – Anti-WAA-Blockaden von Straßen und Firmenzufahrten stattfanden. Geradezu begeistert war ich, als ich mitbekam, dass Totalverweigerer jetzt endlich mal als Gruppe auftraten. Am 1. Oktober hatte die vierköpfige Hamburger Gruppe „Die Desertöre" gemeinsam ihren Zivildienst abgebrochen, die Wehrpflicht symbolisch beerdigt und mit einem Benefizkonzert in der „Fabrik" gefeiert. Solche Gruppenverweigerungen waren genau das, was ich mir stets erhofft hatte. Denn nur so – am besten natürlich gleichzeitig auf beiden Seiten der Mauer – würde unser Widerstand Relevanz erhalten können. (Über die Gruppe „Die Desertöre" wird der TV-Journalist Michael Enger später den Film „Der unbequeme Weg" drehen. Einem aus der Gruppe, Heiko Streck, wird Erstaunliches gelingen: Er wird für zehn Jahre untertauchen und so einer Verhaftung entkommen.)

Am Freitag, den 17. Oktober, trat ich einen dreitägigen Urlaub an. Ich fieberte dem Spiel meiner Mannschaft in der bunten Liga entgegen – und erlebte eine bittere Enttäuschung. Der Ablauf:
Es gibt ein großes Hallo, als ich auftauche. Die erste Halbzeit läuft bereits, viele der Jungs winken mir lachend aus dem Spiel heraus zu. Ich freue mich wie wild, endlich mal wieder mitzumischen, und mache mich nach Absprache mit den Ersatzspielern bereit, um mich in der Halbzeit einzuwechseln. „Du kannst gleich rein für mich", ruft mir Markus zu und bewegt sich bei einer Unterbrechung zur Seitenlinie. Wir klatschen uns ab, ich laufe auf den Platz, um seine Position einzunehmen, da ruft plötzlich Herbert: „Wenn ihr den mitspielen lasst, verlasse ich den Platz. Dann könnt ihr in Zukunft ohne mich spielen." Alle sind irritiert, es entspinnt sich eine heftige Diskussion. „Lass' den doch mitmachen, der ist auf Urlaub, der kann nur heute", ruft Markus. „Mit so einem spiele ich nicht zusammen", beharrt Herbert. Einige solidarisieren sich mit mir und drohen, den Platz zu verlassen, wenn ich nicht mitmachen dürfe. Und so wird weiter diskutiert, das Spiel steht kurz vor dem Abbruch. Ich überlege kurz, ob ich meine Mitspieler vor die Wahl stellen soll: Herbert oder ich, einer muss gehen. Aber mir ist nicht nach Konfrontation. Und so verzichte ich auf meinen Einsatz.

Am Spielfeldrand diskutiere ich noch ein wenig mit den Ersatzspielern über das unsägliche Verhalten von Herbert, der leider, wie ich zähneknirschend anerkennen muss, ziemlich gut kicken kann und eine Verstärkung für unser Team darstellt. Allen ist das Geschehene irgendwie peinlich, da aber keiner eine Idee hat, welche Konsequenzen jetzt gezogen werden könnten, schnappe ich mir meine Tasche und verabschiede mich, maßlos enttäuscht. Nie hätte ich es für möglich gehalten, auf dem Fußballplatz als Aussätziger zu gelten. Gut, die große Mehrheit war auf meiner Seite und ich hätte mich wohl durchsetzen können. Aber ein Wortführer und ein paar Schweiger genügten, um ein Fußballspiel fast platzen zu lassen – nur weil ein beurlaubter Knacki mitkicken will! Unfassbar, unfassbar vor allem für ein Team, das in der alternativen Liga kickt! Für ein Team, das ich ursprünglich selbst organisiert habe. Hätte ich doch dafür gesorgt, dass alle Mitspieler durch einen Gesinnungs-TÜV müssen! Welches Verbrechen habe ich in den Augen dieses Typen begangen, dass er nicht einmal mehr mit mir kicken will? „Was für ein unermessliches Arschloch!" entfuhr es mir. Fast noch betrüblicher: dass sich die anderen nicht heftiger gegen so einen gewehrt haben.

(Anmerkung zu „Arschloch": Einige Monate später kam es durch einen Zufall dazu, dass ich in Frankfurt bei Daniel Cohn-Bendits und Joschka Fischers alternativer Ostpark-Fußballtruppe mitkicken durfte. Als ich zum zweiten Mal aus dem Mittelfeld heraus einen Außenstürmer bedient und der den Ball dann gleich wieder vertändelt hatte, rannte der damals korpulente Mittelstürmer-Star Fischer auf mich zu und herrschte mich an: „Hast du immer noch nicht kapiert, dass der nichts drauf hat!? Ab sofort alle Bälle nur noch auf mich!!" „Was für ein …", dachte ich mir.)

Ein geradezu irrwitziges Erlebnis hielt die Rückfahrt aus Nürnberg am Sonntag für mich bereit. Der Zug quoll über von Soldaten. „Was für eine absurde Szene", überlegte ich mir: Seite an Seite kehren sie nach dem Wochenende zurück, die Wehrpflichtigen an ihre Standorte und der Totalverweigerer in den Knast! Und weil die Bahn wie so oft Verspätung hatte und es knapp zu werden drohte, entschied ich mich am Frankfurter Hauptbahnhof, in ein Taxi zu steigen. Das hätte ich lieber nicht getan.

„Nach Preungesheim!", sage ich.

„Ins Hotel? Eilig?", fragt der Fahrer grinsend, ein junger Typ mit wirrem Haar. Die professionelle Ansage zaubert mir ein Lächeln ins Gesicht: Da weiß einer Bescheid!

„Ja, ins Hotel! Ich hab' keine zwanzig Minuten mehr."

Tür zu, und noch bevor ich mich angeschnallt habe, lässt der Typ die Reifen qualmen, wie ich es noch nie zuvor erlebt habe. Er prescht mit 100 Sachen durch die Stadt. Mir wird himmelangst, als ich den Fahrer von der Seite betrachte und mir bewusst wird: Der ist voll auf Drogen!

„So eilig hab' ich's nun auch wieder nicht", bemerke ich gespielt entspannt, als er bei „Rot" über eine Kreuzung rauscht.

„Na, du willst aber doch pünktlich sein. Und du hast nur noch ein paar Minuten."

Schließlich stoppt er mit quietschenden Bremsen auf dem Parkplatz vor dem GRH. Er hat es pünktlich geschafft! Völlig derangiert stolpere ich auf die Pforte zu …

Eine Woche später, am 24. Oktober, erging der Beschluss des LG Frankfurt in Sachen Gef. C.B.: Aussetzung des Restes der Freiheitsstrafe zur Bewährung wegen guter Führung. Entlassung aus der Strafhaft am 5. Dezember. Bewährungszeit 4 Jahre.

Ich konnte mich gar nicht so richtig freuen. Denn bedeutete diese „Gnade" nicht, dass ich mich zu sehr gefügt hatte? Es gab ja Leute, die mir genau das vorwarfen und auch künftig vorwerfen werden. Außerdem: Was bedeutete es, wieder in Freiheit zu sein? Würden nicht alle wesent-

lichen Fesseln und Beschränkungen weiter bestehen bleiben? Bereits am Sonntag gab mir ein Film im Fernsehen weitere Gedankennahrung. In „Die Schuhe des Fischers" spielt Anthony Quinn den ukrainischen Papst Kiril Lakota, es kommt zu folgendem Dialog:
„Wir sind alle Gefangene."
„Und die, die es merken, leiden am meisten."
Wir sind auf viele Arten Gefangene. Gefangene unserer gesellschaftlichen Rolle. Gefangene unserer Denkschemata. Gefangene der Identität, die uns zugeschrieben wird, die wir uns aber auch selbst angeeignet haben und die wir uns immer wieder bestätigen. Nehmen wir an, es sei gerade im Gefängnis möglich, sich von all dem zu lösen, weil hier keine „positive Rolle" abverlangt wird – dann wäre hinter Gittern tatsächlich so etwas wie eine geistige Freiheit eher denkbar als draußen. Ist es vielleicht sogar möglich, dem Tod in Freiheit entgegenzutreten? Im Februar 1943, kurz vor ihrer Hinrichtung, schrieb Sophie Scholl auf die Akte ihres Geständnisses zweimal das Wort „Freiheit". Bei diesem Gedanken überkam mich plötzlich ein Verlangen, die Zelle nicht mehr zu verlassen und mich zu verbarrikadieren. Wie schön wäre es, auf gar keine Weise mehr mitzumachen und sich den Zumutungen der Mitmenschen nicht mehr aussetzen zu müssen. Kiril Lakota wollte nicht Papst werden. Ich hatte so wenig Ahnung wie noch nie zuvor, was ich noch werden wollte, könnte oder sollte. Die einzige Idee, der ich etwas abgewinnen konnte: Es Kafkas Gregor Samsa nachmachen und mich in ein Insekt verwandeln. Das würde meine soziale Isolation zwar komplettieren, mich aber auch von allen menschlichen Verpflichtungen befreien. Vor den Zumutungen der Welt würde mich aber wohl selbst das nicht schützen, überlegte ich.

Sollte ich mich weiter in irgendeinem widerständigen Sinne engagieren? Waren denn Aktionen, die sich als Widerstand definierten, per se gut und richtig? Im neuen *Spiegel* (Nr. 44/86) z. B. gab es einen längeren Artikel über militante Kernkraftgegner. Seit Januar des Jahres, stand da, habe es über 80 Anschläge auf Hochspannungsmasten gegeben, durchgeführt von Gruppen mit so schönen Namen wie „Kommando säg' weg den Scheiß" oder „Revolutionäre Osterhasen", manche hatten sich als äußerst gefährlich erwiesen, auch für die Täter selbst, in einem Fall hatte eine beteiligte Frau schwere Verbrennungen erlitten und war zurückgelassen worden. Ich wusste: Nicht wenige in der Szene betrachteten das Absägen von Strommasten als „gewaltfreie Sachbeschädigung". Ich war skeptisch, ob ich solche Aktionen für angemessen halten und gutheißen sollte. (Das wenig später verabschiedete neue Gesetz zur Bekämpfung des Terrorismus, das nun auch Anschläge auf Strommasten, Polizei- und Militärfahrzeuge oder Baumaschinen im Umfeld von Atomanlagen unter Terrorverdacht stellte, konnte ich trotzdem nicht befürworten.)

Ein Grund zum Feiern war in jedem Fall die endgültige Aufstellung des – zuvor im Ansgarikirchhof eingeweihten – Bremer Deserteursdenkmals am 18. Oktober 1986 im Foyer des Gustav-Heinemann-Bürgerhauses in Vegesack. Natürlich war die Sache, von der ich erst mit einiger Verspätung erfuhr, von heftigen Diskussionen zwischen Befürwortern und Gegnern des Mahnmals begleitet gewesen, der Bremer Ortskommandant der Bundeswehr hatte „seinen" Soldaten das Betreten des Bürgerhauses sogar untersagt. Im Zentrum des Geschehens stand ein Einwohner von Vegesack: Ludwig Baumann, Jahrgang 1921. Nach seiner Desertion 1942 war er mit seinem Freund an der Grenze zum unbesetzten Frankreich verhaftet und in Bordeaux zum Tode verurteilt worden. Zehn Monate verbrachte er in der Todeszelle, bevor er erfuhr, dass er zu zwölf Jahren Zuchthaus begnadigt worden war. Baumann überlebte nach einer langen Odyssee mit den Stationen KZ, Strafbataillon und Lazarett. Nach dem Krieg hoffte er vergeblich auf Anerkennung für seine Tat. Das Gegenteil fand statt: Er wurde als Feigling, Kameraden-Verräter und Krimineller abgelehnt, beschimpft und gehasst. Die überlebenden Deserteure und andere Vaterlandsverräter galten weiterhin als vorbestraft und waren von jeder „Wiedergutmachung" ausgeschlossen, wohingegen die für die Urteile gegen Deserteure verantwortlichen Militärjuristen nicht belangt wurden und weiter Karriere machten. Die genaue Zahl der Wehrmacht-Deserteure ist strittig, es war auf jeden Fall eine sechsstellige Anzahl. Wie viele von denen aus dezidiert politischen, d. h. anti-nationalsozialistischen Gründen handelten, ist nicht bekannt. Weniger umstritten sind andere Zahlen: Von der Wehrmachtsjustiz sollen etwa 30.000 Soldaten wegen Wehrstraftaten zum Tode verurteilt und 23.000 Todesurteile vollstreckt worden sein

Abschied vom Radbruch-Haus

Notiz vom 6. November. Am Abend begebe ich mich fast nackt – Handtuch um die Hüfte gelegt, Badeschlappen an den Füßen und Shampoo in der Hand – von meinem Wohnraum im 1. Stock zu den im Keller untergebrachten Sanitärräumen. Beim Duschen merke ich, wie ein Wachmann kurz hineinguckt. Ich denke mir nichts dabei und gehe frischgeduscht wieder nach oben. Dort ist mein Wohnraum abgeschlossen. Ich denke sofort: Da will doch dieser grüne Arsch wenige Wochen vor meiner Ent-

Ludwig Baumann vor dem Deserteurs-Denkmal in Bremen-Vegesack. Im Jahr 2021 wurde eine Grünanlage im Hamburger Stadtteil Jenfeld nach dem im Jahr 2018 vestorbenen Wehrmachtdeserteur und Friedensaktivisten benannt.

lassung nochmals seine Macht über mich ausspielen! Ich suche den Typen im ganzen Gebäude, kann ihn aber nicht finden. Was nun? Draußen ist es arschkalt, nur knapp über 0 Grad. Aber was soll ich tun? Ich renne also nackt auf den Hof und suche dort den Übeltäter, finde ihn endlich auch.

„Haben Sie meinen Wohnraum abgeschlossen?"

„Sie waren ja nicht da", erklärt er mit maliziösem Lächeln. „Und da habe ich mir gedacht, ich schließe besser mal ab, damit niemand ihre Sachen klaut. Sie sollen übrigens sofort zum Chef kommen."

„Da müsste ich mir aber erst mal was anziehen", sage ich.

Der eklig gehässige Typ begleitet mich zu meinem Wohnraum und sperrt mir auf. Ich erspare mir alle weiteren Kommentare, nehme mir aber vor, mich bei Eiermann über den Kerl zu beschweren. Ich ziehe mich unter den Augen des Wachmannes an und folge ihm über den Hof zum Hauptgebäude, es ist bereits dunkel.

Das Gespräch mit Eiermann verläuft eigenartig. Er weist mir freundlich einen Platz auf dem Sofa und bietet mir Wein an. Es scheint fast so, als hätte er einen Abschiedsschmerz, tatsächlich will er einfach nur ein wenig plaudern. Die Atmosphäre ist gemütlich, es fehlt eigentlich nur noch das Kaminfeuer. „Ohne mich haben Sie hier sicher weniger Unterhaltung", scherze ich. Er erklärt mir noch mal in aller Ruhe das Problem, das er mit meinem Freigang hatte. Es könne einfach nicht sein, dass ein gefangener Totalverweigerer dadurch, dass ihm ein Studium gewährt wird, bessergestellt werde als ein Zivildienstleistender. Aber bei mir sei das Problem ja letztlich gelöst worden. Erstens hätte ich mehr als vier Monate im geschlossenen Vollzug verbracht, damit seien die vier Monate nicht geleisteter Zivildienst abgegolten. Und außerdem sei ich nun entlassen, sodass ich nicht noch einmal einschlägig straffällig werden könne. Auf meine Frage, warum es leichter sei, einem verurteilten Kinderschänder Freigang zu gewähren als mir, antwortet er: Der brauche ja nur eine Arbeitsstelle, an der er nicht in Versuchung geraten könne. Einer wie ich hingegen müsse zwingend aus der Dienstpflicht entlassen sein, damit er Vergünstigungen erhalten könne. Ich spüre, dass meine Energie für solche Diskussion inzwischen einigermaßen verbraucht ist, und registriere lustlos die Erklärung Eiermanns, dass er zu dem lange angedachten öffentlichen Disput im Radio bereit sei. Ekkehard Saß werde die Sache in den nächsten Tagen aufnehmen. Sendetermin: 25. November im SWR.

Die Sache geriet nicht zu einem großen Aufreger. Nicht zuletzt deswegen, weil mein Auftritt ziemlich matt und unengagiert ausfiel. Mein Verzicht auf aggressive Anklagen kam bei einigen Hörern nicht gut an: Ich hätte doch dem Eiermann gegenüber viel schärfer sein müssen, hieß es. Die Resonanz auf die Sendung blieb ansonsten überschaubar, im Gegensatz zu anderen Ereignissen in diesem November. Etwa auf den Skandal des Fischsterbens im Rhein, verursacht durch das Löschwasser eines Großbrandes beim Chemiekonzern Sandoz in Schweizerhalle bei Basel. Oder die Entscheidung des Bundesverfassungsgerichts, dass Sitzblockaden vor militärischen Einrichtungen, wie sie auch in diesem Herbst vor allem in Mutlangen fortgesetzt worden waren, grundsätzlich strafbar sind. Und natürlich das Urteil des Internationalen Gerichtshofs in Den Haag, in dem die USA wegen finanzieller, militärischer und paramilitärischer Aktivitäten zur Unterstützung der „Contras" in Nicaragua schuldig gesprochen wurden.

Am 5. Dezember erhielt ich meinen Entlassungsschein in die Freiherr-vom-Stein-Straße in Frankfurt, wo ich inzwischen eine Unterkunft gefunden hatte. Kleidung „vollständig" und „ausreichend" kreuzte ein Beamter auf dem Entlassungsschein an, dazu händigte er mir in bar den während meiner Haftzeit erarbeiteten Lohn aus: 475 DM und 65 Pfennige. Wenig später erhielt ich auch die Rentenberechnung des Bundesamts für Zivildienst und stellte erstaunt fest: Die geht bis 31. August 1982! Ein Abbruch des Zivildienstes war bei der Rentenstelle offensichtlich nicht einbuchbar.

Eine kleine Entlassungsparty fand wenig später bei meinem Freund Artur in Nürnberg statt. Renate Schmidt war als „Ehrengast" dabei. Wir sprachen unter anderem über die „Scherben", die es inzwischen nicht mehr gab. Im März 1985 hatten sie bei einer Wahlkampfveranstaltung der Grünen ihr letztes Konzert gegeben, die ehemalige Scherben-Managerin Claudia Roth hatte als Sprecherin bei der Bundestagsfraktion der Ökopartei angeheuert. Wir diskutierten über Günter Wallraffs Besteller „Ganz unten", über die aktuelle politische Situation und die Zukunft der DDR. Fred wettete, dass sich die DDR noch vor der Jahrhundertwende auflösen werde. Ich hielt dagegen. Alle anderen lachten. Über Fred.

Der an den Knast adressierte Weihnachtsgruß einer Friedensgruppe aus Bielefeld erreichte mich erst im neuen Jahr. Der Schreiber, Vater eines anderen Totalverweigerers, empörte sich über die Ungerechtigkeit der bundesdeutschen Justiz, die einerseits einen Generalsekretär der CSU (Otto Wiesheu) mit elf Monaten auf Bewährung davonkommen lasse, wenn der unter Alkoholeinfluss einen Menschen totfährt (1983 war das, mit 1,99 Promille!), und andererseits Menschen wie die Totalverweigerer auf Wunsch des Verteidigungsministeriums für zwölf Monate und mehr hinter Gitter bringe. Der Mann war sich sicher: Später werde einmal ganz anders geurteilt werden. „Dann werden Sie und Ihresgleichen zu den Vorkämpfern gegen den kollektiven Wahnsinn gehören."

Erst mal, dachte ich mir da, hat es sich ausgevorkämpft. Wie sollte ich meine Erfahrungen weitergeben? Was könnte ich den Leuten sagen? Wenn ihr Lust habt, gegen Windmühlen zu kämpfen, dann nur voran, aber ihr dürft euch sicher sein, dass es nichts bringt und auch juristisch alles festgefahren ist? Sollte ich mich parteipolitisch engagieren? Was wollte ich mit all den Verwässerungen, Verwindungen und Verrenkungen, die auf dem parlamentarischen Weg warteten? Sogar die Grünen hatten mich schwer enttäuscht. Sie hatten sich im Laufe des Jahres mehr und mehr von den Totalverweigerern bzw. von deren Maximalforderung nach Abschaffung der Wehrpflicht ab- und dem Schutz individueller Gewissen zugewandt. Christa Nickels etwa hatte wiederholt die heiß umstrittene Ansicht vertreten, dass es hochpolitisch sei, den Primat der Menschen- und Freiheitsrechte offensiv zu vertreten und darauf zu bestehen, dass sich auch die Wehrverfassung diesen Ansprüchen zu unterwerfen habe. Ausschließlich der Schutz individueller Gewissensnöte sollte nun also im Vordergrund stehen. Die Grünen lehnten es konsequenterweise nun auch ab, die Forderung nach Abschaffung der Wehrpflicht in ihr Wahlprogramm zur Bundestagswahl im Januar 1987 aufzunehmen (wo sie

8,3 Prozent erreichen sollten). So kam folgender Passus in das Wahlprogramm hinein: „Totalverweigerer aus Gewissensgründen werden von der Dienstpflicht befreit. Für alle bisher verurteilten Totalverweigerer wird eine Amnestie erlassen. Totalverweigerer müssen frei sein von strafrechtlicher Verfolgung." Was sollte man mit so was anfangen? Wer wollte die Gewissensgründe von Totalverweigerern prüfen? Das war alles inkonsequent und in sich unlogisch, und die Anerkennung lediglich einer „Totalverweigerung aus Gewissensgründen" nicht geeignet, irgendetwas grundsätzlich voranzubringen.

Die Grünen hatten ihre Politik mit der Totalverweigerung gemacht, was aber auch nur möglich war, weil die Totalverweigerer selbst als Gruppe nie einen tauglichen Plan entwickelt hatten. Ich hatte, musste ich zugeben, auch selbst keinen. Anfangs wollte ich einfach, dass die Kugel ins Rollen kommt, dass auf allen denkbaren Ebenen etwas getan wird gegen die Wehrpflicht. Und dann, wenn mal was auf den Weg gebracht wäre, würde man schon sehen, wie es weitergehen könnte. Das war zu wenig, und so kam denn am Ende auf politischer Ebene auch nie was Taugliches heraus. Das verstockte Festhalten der Grünen an einer Wehrpflicht mit „gewissen" Ausnahmen wollte und konnte ich nicht mitvertreten. Und so trat ich aus der Partei wieder aus.

Deutlich spürte ich, dass ich meine Erfahrungen erst mal verarbeiten musste. Oder, wenn das nicht ging, sie vielleicht auch nur wegschließen wollte. An sie anschließen? Wie sollte das gehen? Die politische Praxis und selbst die Theorie konnte mich mal gern haben. Ich war müde, brauchte eine Pause. Und ich ahnte bereits, dass die sehr lang andauern könnte ...

Kurz nach meiner Entlassung ging ich ins Kino, um mir den neuen Film von Jim Jarmusch anzusehen: „Down by Law". Mehrere Szenen berührten mich stark, vor allem eine. Im Knast malt Bob (Roberto Benigni) ein Fenster an die Wand und fragt Jack (John Lurie): „Do you say, in English, 'I look at the window', or do you say, 'I look out the window?'" und Jack antwortet: „In this case, Bob, you'd say ‚I look at the window'." Das entsprach ganz meinem Empfinden. Ich war jetzt zwar draußen, aber die Wand, an der ich zerschellt war, stand gefühlt immer noch vor mir.

Das Jahr endete mit der üblichen Silvester-Ansprache von Helmut Kohl. Kaum jemand merkte, dass dabei in der ARD aus Versehen die Ansprache vom Vorjahr wiederholt wurde. Die korrekte Fassung wurde am 1. Januar nachgereicht. Helmut Kohl dankte vielen. Allen voran „den Soldaten unserer Bundeswehr für ihren wichtigen Friedensdienst" und

„unseren Polizeibeamten, die den Frieden im Innern schützen", aber auch allen „die gegenüber unseren ausländischen Mitbürgern aufgeschlossen sind". Von der weitverbreiteten rassistischen Stimmung gegen die zunehmende Zahl der Asylsuchenden – rund 100.000 waren es in diesem Jahr –, sagte er nichts. Friedensbewegte erwähnte er, bedachte diese aber lediglich mit der Mahnung, dass diejenigen, die für den Frieden in der Welt demonstrieren, „nicht Gewalt im eigenen Land verbreiten" dürften.

Absage an die Totalverweigerung

Kurz nach meiner Entlassung, am 16. Februar 1987, setzte Michail Gorbatschow in einer Rede vor den Teilnehmern des internationalen Friedensforums in Moskau seine Vorstellungen über eine Welt ohne Kernwaffen detailliert auseinander. Die Amerikaner, so Gorbatschow, hätten auch nach Reykjavik immer noch an der Überzeugung festgehalten, dass „ein Dialog mit anderen, die Entwicklung von Beziehungen zu ihnen nur auf der Basis von Drohungen und Gewalt und der ständigen Möglichkeit zur Anwendung dieser Gewalt erfolgen kann und soll." Gorbatschow aber ging es darum, diese Logik der Drohungspolitik zu unterlaufen. „Wie würden wir uns einem solchen Menschen gegenüber verhalten, wenn wir ihm auf der Straße begegneten? Warum werden derartige Normen, die für die Beziehungen zwischen einzelnen Menschen längst als völlig unpassend angesehen werden, von scheinbar recht gebildeten Politikern als nahezu natürliche Norm in den zwischenstaatlichen Beziehungen betrachtet!?"

Gorbatschow erteilte der These, dass der Gewalt- und Kriegs-Instinkt unausrottbar sei, eine klare Absage: „Alle müssen begreifen und sich darüber einig werden: Eine Parität in der Fähigkeit, sich gegenseitig mehrfach zu vernichten – das ist wahnsinnig und absurd". Und er unterstrich seine Überzeugung: „Die Kräfte des Militarismus – sie stehen durchweg als Synonym für die Kräfte der Unwissenheit und geistigen Blindheit – sind nicht allmächtig." Das Vertrauen in das neue Denken, dass der Weg hin zu einer kernwaffenfreien und gewaltlosen Welt möglich sei, gestand er ein, bilde sich „nur unter großer Mühe". Gerade deshalb aber sei zu fordern, dass „das Schicksal der wichtigsten Aufgabe der Gegenwart" nicht allein den Politikern überlassen werden dürfe. „Das ist nicht nur Sache der Politiker. Wir sind lebendige Zeugen, wie eine machtvolle gesellschaftliche Bewegung sich formiert und ausbreitet, der weltweit Wissenschaftler, Intellektuelle verschiedener Gebiete, religiöse Kräfte, Frauen, Jugendliche, Kinder (…) sogar ehemalige Militärs und Generale, die aus erster Hand wissen, was moderne Waffen sind, angehören. Und das alles deshalb, weil sich die Menschen immer tiefgründiger bewusst werden, wohin die Welt gelangt ist, welche Grenze sie erreicht hat und wie real die ihr drohende Gefahr ist."

Tatsächlich wurden, weil der Gesprächsfaden zwischen Gorbatschow und Reagan nicht abriss, konkrete Abrüstungsschritte eingeleitet. Der wichtigste: Am 8. Dezember 1987 vereinbarten die USA und die Sowjetunion im INF-Vertrag den Rückzug, die Vernichtung und das Produktionsverbot ihrer „Intermediate-range Nuclear Forces", also all ihrer atomar bestückbaren, landgestützten Flugkörper mit Reichweiten von 500 bis 5500 km und ihrer Trägersysteme. Parallel zum Zerfall des Warschauer Paktes, mit dem sich der Kalte Krieg erledigt hatte, verschwanden somit in den nächsten Jahren genau jene Waffensysteme, die Anfang der 1980er-Jahre den Verdacht begründet hatten, die USA seien dabei, von einer Kriegsverhinderungs- zu einer Kriegsführungsstrategie überzugehen. Der INF-Vertrag, so weiß man heute außerdem, war einer der entscheidenden Schritte zur Vertrauensbildung, die es Gorbatschow ermöglichten, seine Reformen durchzuführen und damit den Menschen in der Sowjetunion und in allen Staaten des sozialistischen Machtbereichs vor allem die Wahlfreiheit zu sichern. Und dies war wiederum eine Voraussetzung dafür, dass die deutsche Einheit möglich werden konnte.

Zehn Jahre vor Gorbatschows Rede hatten mich ganz ähnliche Empfindungen und Gedanken umgetrieben. Der Skandal des „Overkill", das Risiko des Atomkrieges sowie das Bewusstsein, in einer Gesellschaft und in einer politischen Konstellation leben zu müssen, die sich unter dem Damoklesschwert der Selbstvernichtung eingerichtet hat, hatten in mir ein basales Unwohlsein ausgelöst. Ich hatte den TNT-Würfel, der über uns allen schwebt, nicht nur berechnet, ich hatte ihn geradezu verinnerlicht, ja ich hatte sogar geträumt von ihm. Mich hatten viele Fragen umgetrieben: Wie kann man da wegschauen? Warum können die Menschen diesen Wahnsinn verdrängen? Was kann ich dagegen tun? Mein psychisches Problem hatte sich dann zunächst von selbst erledigt, denn – wie Menschen nun mal so sind – irgendwann hatte auch ich den Würfel wieder vergessen.

Aber nicht für lange. Denn als ich mit der Aufforderung konfrontiert war, meine Wehrpflicht zu erfüllen, war ich gezwungen, Position zu beziehen. Und die war klar: Ich wollte nicht Teil dieses perversen Abschreckungssystems sein. Meine Kriegsdienstverweigerung empfand ich als ein persönliches Zeichen, mich nicht daran beteiligen zu wollen. Das war nur eine winzige Tat, aber immerhin. Und dann kam die Gewissensprüfung und mit ihr der Skandal, dass man mir nicht einmal dieses von der Verfassung garantierte Recht gewähren wollte. Schließlich erkannte ich Schritt für Schritt, dass ich über den Wehrpflicht-Zwang auch in der Form des Zivildienstes ganz offensichtlich zum Rädchen in einer Maschinerie gemacht werden sollte, die das Bedrohungssystem aufrechterhält. Und dann hatte ich für mich entschieden: Nein, da mache ich nicht mit!

Was war nun meine Bilanz nach der Entlassung aus dem Knast, knapp fünf Jahre später? An den Kräften des Militarismus, von denen Gorbatschow sprach, hatten wir Totalverweigerer nichts geändert. Ich hatte das bedrückende Gefühl, mir den Kopf eingerannt zu haben. Während ich mein Studium beendete, mischte ich noch ein wenig halbherzig in der Totalverweigerer-Szene mit. Wenn ich irgendwelche Anfragen beantwortete oder an Treffen teilnahm, war ich aber nie mehr so richtig bei der Sache. Infoveranstaltungen unterließ ich ebenso wie politische Initiativen, die wieder angelaufenen Diskussionen um ein neues Grundsatzpapier der Totalverweigerer verfolgte ich distanziert und meist kopfschüttelnd. Ich hatte keine Lust mehr auf die altbekannten Diskussionen: Sind wir in erster Linie gegen den Zwang oder gegen den Krieg? Müssen wir nicht viel mehr verweigern als nur den Zivildienst oder gibt es eine Art von Friedensdienst, den wir anerkennen können? Sollen wir uns auf das Grundgesetz berufen oder müssen wir jede Diskussion über den Begriff Gewissen vermeiden? Etc. pp. ...

Irgendetwas war zerbrochen in mir. Die Überzeugung, die mich so lange angetrieben hatte – „Du tust das Richtige!" – war verschwunden. Stattdessen hatte sich das deprimierende Gefühl breitgemacht, auf verlorenem Posten zu stehen. Kurioserweise stammt der Begriff aus dem militärischen Umfeld, wo Posten eine zu verteidigende Position bezeichnet. Der verlorene Posten ist also eine Position, die nicht zu halten ist bzw. eine Situation, in der man – völlig alleine gelassen und ohne jede Hoffnung auf Unterstützung – nur verlieren kann. Schließlich beschloss ich, auszusteigen aus der Szene und aus dem Thema. Es war mir immer nachvollziehbar gewesen, wenn einige Leute, obwohl selbst Totalverweigerer, ihre innere Distanz zu dieser speziellen Szene betont und bekundet hatten, dass sie mit diesen individualistischen Grundmotivationen, dieser Ansammlung von Profilneurosen und dem Habitus, einer Art revolutionären Elite anzugehören, nichts anfangen könnten. Und als Christoph Rosenthal sich einmal bei mir darüber beklagt hatte, dass das Zwischenmenschliche unter Totalverweigerern „unter aller Sau" sei, hatte ich keinen Anlass, dem zu widersprechen. Aber diese Dinge waren nicht das Entscheidende, es war viel grundsätzlicher.

Kurz vor der Wende hielt ich bei einem Bundestreffen in Stuttgart eine Art Abschiedsrede, in der ich meine Entscheidung zu begründen versuchte. Die wesentlichen Punkte waren: Die Totalverweigerung habe keine Aussicht auf Erfolg und sei als Handlung nicht einmal in sich konsistent, die Totalverweigerer seien nicht in der Lage, eine politische Bewegung zu bilden, und außerdem handele es sich bei der Totalverweigerung um eine „Charakter-Tat" und nicht um einen politischen Akt.

Die Totalverweigerung richtet sich gegen die Wehrpflicht, von ihrer Absicht her sollte man sie daher als Wehrpflicht-Verweigerung bezeichnen. Nur leider: „Die Wehrpflicht kann man nicht verweigern" betonte ich, als sei das eine großartige Weisheit. „Verweigert werden kann nur die konkret im Einzelfall geforderte (Kriegs-)Dienstleistung, nicht aber die allgemeine Gesetzespflicht, aus der sich die einzelnen Dienstforderungen ergeben." Wer verweigert, kann zwar einen bestimmten Zwang umgehen, er entkommt aber nicht dem Zwangssystem. Deshalb heißt es ja „Dienen oder Sitzen". Wer nicht dient, wird kriminalisiert, verurteilt und im Zweifel inhaftiert. Totalverweigerer können also allenfalls ihrem Willen zur Selbstbestimmung Ausdruck verleihen und müssen dafür die Konsequenzen tragen. Aber jeder, der „sitzt", ist dem Wehrpflicht-System immer noch nützlich, indem er andere abschreckt, dasselbe zu tun.

Die Hoffnung, die Wehrpflicht durch eine massenhafte Verweigerung zu kippen, das zeigten die Erfahrungen der zurückliegenden Jahre, ist nicht im Ansatz realistisch. Gesetzt den Fall, es gelänge, die Wehrpflicht auf politisch-parlamentarischem Weg abzuschaffen, wäre auch noch nicht viel gewonnen. Ja, die „Zwangsneurotiker" unter den Totalverweigerern könnten sich freuen über eine neu gewonnene partielle Freiheit. Aber viele andere Zwänge würden eben nicht verschwinden, vor allem der schlimmste: Unter der Drohung der Vernichtung zu stehen, ist ja auch ein Zwang! Eine Totalverweigerung, die konsequent sein will, muss sich auch gegen das System der atomaren Abschreckung richten, aber dessen Existenz wäre allein dadurch, dass sämtliche Dienstverpflichtungen abgeschafft wären, noch nicht infrage gestellt. Genauso, wie sich Krieg auch mit einer Berufsarmee führen und sich die zur Kriegführung notwendige Mentalität (Nationalgefühl etc.) ohne Wehrpflicht in einer Gesellschaft herstellen lässt, genauso hängt auch die Möglichkeit, eine Abschreckungspolitik zu betreiben, nicht zwingend von der Existenz der Wehrpflicht ab.

Solange sie nicht gleichzeitig und massenhaft durchgeführt wird, ist die Totalverweigerung keine „Bewegung". Die Totalverweigerung ist immer eine Reaktion auf eine individuelle Zwangslage: Der Verweigerer reagiert auf einen nur ihn selbst betreffenden staatlichen Befehl (Musterung und Einberufung werden an konkrete Personen gerichtet!). Es ist der konkrete Dienstzwang, der ihn unmittelbar persönlich herausfordert, und nicht irgendeine abstrakte Kriegsvorbereitung. Jeder verweigert „seinen" Einberufungsbefehl aus individuellen Motiven nur für sich, und deswegen bietet unsere Gruppierung, argumentierte ich, „folgerichtig nichts weiter als eine mehr oder weniger erfolgreiche Verwaltung der Reaktionen vereinzelter Individuen auf staatliche Aktionen: Öffentlichkeitsarbeit zu Prozessen und Knastfällen." Man kann seine Energie im Kampf für den Frieden „wahrscheinlich sinnvoller einsetzen, als sich ‚freiwillig' verhaften zu lassen. Zur wirklichen Kriegsverhinderung sind vielmehr neue Formen politischer Organisation notwendig, die tiefer und weiter greifen als eine stets von der Situation des Einzelnen ausgehende, narzisstische Verweigerung." Von daher ist es kein Wunder, dass Totalverweigerer als „Organisation" nichts zuwege bringen. Sie bringen es maximal zu einer Selbsthilfeorganisation. Für ein Programm, mit dem politische Wirkung erzielt werden könnte, fehlen die Gemeinsamkeiten.

Fakt ist, dass es viele objektive und schlüssige Gründe für eine Totalverweigerung gibt. Diese dürfen aber nicht mit den Ursachen bzw. den Motiven verwechselt werden, die einen Menschen tatsächlich dazu bringen, total zu verweigern. Keiner von uns, sagte ich, wird ein Wort „über die tieferliegenden Ursachen seines Verhaltens verlieren, zum einen, weil sie ihm gar nicht bewusst sind, zum anderen, weil vielleicht das, was ihm davon bewusst ist, den schalen Geschmack von Unlauterkeit hat". Und weiter: „Wir sind Verweigerer nicht deswegen, weil wir gute Gründe gegen den Krieg und insbesondere gegen die Wehrpflicht haben, sondern weil wir als Einzelne eine spezielle Konstitution mitbringen, die es uns unmöglich macht, die staatliche Dienstleistungsforderung zu erfüllen. Anders ließe sich ja nicht erklären, dass es etliche Zivildienstleistende gibt, die unsere Verweigerungs-Gründe vollständig akzeptieren, aber dennoch nicht dazu kommen, selbst zu verweigern." Welche Ursachen und Motive auch immer das sein mögen – z. B. der Drang, sich „interessant" zu machen oder der Wunsch, eine „Heldenrolle" zu übernehmen oder der Wille zum Protest gegen die Vaterfigur oder auch die pure Angst, sich irgendwo einfügen zu müssen etc. –, sie sind stets individuell und egozentrisch. Diese Ursachen und Motive tragen zur Identitätsfindung bei, sind aber für sich genommen völlig unpolitisch.

Große Diskussionen gab es nach meiner Rede nicht, es gab weder Beifall noch wüste Angriffe, es herrschte vor allem Schweigen und eine depressive Stimmung. Wenig später, nach der vollzogenen Vereinigung von DDR und BRD und dem damit einhergehenden Ende des Kalten Krieges, war ich überzeugt, dass sich die Totalverweigerung erübrigt hatte. Durch Gorbatschows Initiative war die Abrüstung in Gang gekommen und es gab ja nun keine „andere Seite" und dort keine Mitstreiter mehr, mit denen man persönliche Friedensverträge hätte schließen können. Für andere Totalverweigerer, deren Widerstandsmotivation sich vor allem aus dem Skandal des Zwangs oder einem grundsätzlichen Antimilitarismus speiste, stellte sich das anders dar, für sie gab es weiterhin einen Anlass, sich zu verweigern.

Entdeckung der Demut

Während ich mich aus der Totalverweigerer-Szene zurückzog, ließen mich die Folgen meiner Tat nicht los. Gesellschaftliche Ausgrenzung bis hin zur Ächtung waren hässliche Nebeneffekte, die eine Totalverweigerung mit sich bringen konnte. Dass vor Gericht nur derjenige als Gewissenstäter anerkannt wurde, der plausibel machen konnte, an einer Art „geistiger Verwirrtheit" zu leiden – und damit in die Nähe eines Falls für die Psychiatrie bugsiert wurde – war das eine, das andere waren knallharte berufliche Konsequenzen. Einige Beispiele: Ossi hatte seinen Job als Krankenpfleger verloren; Hubert hatte in Konsequenz der Erkenntnis, dass er keinerlei berufliche Perspektiven haben würde, sein Studium der Betriebswirtschaft aufgegeben; Hans war die Anstellung als wissenschaftlicher Mitarbeiter an der Uni mit der Begründung gekündigt worden, dass eine Weiterbeschäftigung eine „Beihilfe zur Zivildienstverweigerung" sei. Und ich selbst hatte nach der Beendigung meines Studiums einen Job als Politik-Dozent an einer Fachhochschule vereinbart und bereits vier Seminare vorbereitet, als vom Dekanat die Weisung kam: So einen können wir hier nicht lehren lassen. Dazu wurde ich – weil man mit so einem Straftäter und Staatsfeind nichts zu tun haben wollte –, selbst von Teilen meiner Verwandtschaft gezielt gemieden.

Dass man mit einer „Vorbildung" als Totalverweigerer nicht zwingend aufs berufliche Abstellgleis geraten muss, zeigt das Beispiel von Stefan Philipp (insgesamt sieben Monate Haft, zwei davon bei der Bundeswehr).

Nach seiner Haftentlassung war der Diplom-Sozialarbeiter 25 Jahre lang als stellvertretender Vorsitzender der „Zentralstelle KDV" tätig, dazu wirkte er von 1994 bis 2000 als Geschäftsführer des DFG-VK-Landesverbands Baden-Württemberg und wurde danach Chefredakteur der Zeitschrift ZivilCourage. Auch bei dem nach Spanien geflohenen Tom war es nicht schlecht gelaufen. Er hatte in Madrid Fuß gefasst, ein Trio gegründet und war mit einem Plattenlabel, das hauptsächlich Jazz und jazzverwandte Sachen vertreibt, professionell ins Musikgeschäft eingestiegen. Das mit seiner Flucht sei letztlich „eine glückliche Fügung" gewesen, resümierte er: „Musikalisch wäre ich in Fürth sicherlich nicht so weit gekommen."

Die Konsequenzen der Totalverweigerung hatten mein Leben über Jahre in einem ungesunden Übermaß dominiert. „Die ganze Scheiße für eine Tat, die völlig wirkungslos verpufft ist!", dachte ich mir oft. Ich spürte, dass es an der Zeit war, Abstand zu gewinnen. Was aber nicht heißt – trotz der Irrelevanz und der weitreichenden Folgen –, dass ich mein „Nein" heute bereuen oder mich gar dafür schämen würde. Es war auch nicht völlig umsonst.

In Anbetracht der unendlich vielen alltäglichen Verdrängungen, die man sich leistet, und im Verhältnis zu den unzähligen lahmen und dürftigen, halbgaren und halbherzigen Entscheidungen und Verhaltensweisen, von denen ein Leben geprägt ist, hat es doch einen unbedingten Wert, wenn man sich mal zu einem klaren „Nein!" aufraffen kann, und sei es nur für die Seelenhygiene. Ebenso finde ich die Idee der beidseitigen Abrüstung von unten mittels persönlicher Abrüstungsverträge zwischen Totalverweigerern aus Ost und West, die wir leider viel zu zögerlich verfolgt haben, durch ihre Glaubwürdigkeit und Schlichtheit nach wie vor überzeugend. Kurzum: Auch wenn die Sache politisch sinn- und wirkungslos gewesen sein mag, für mich selbst war sie damit noch lange nicht wertlos, zumal sie mein Leben mit etlichen intensiven Erfahrungen bereichert hat.

Was ich allerdings bereue: Dass ich es mit dem „Nein!" übertrieben habe. Das heißt: Ich habe mich selbst viel zu wichtig genommen. Hierzu ein Beispiel. Im Knast lernte ich einen „mittelgroßen" Drogendealer kennen, der eine unverhältnismäßig lange Strafe abzusitzen hatte. Der Grund: Während er geschwiegen hatte, hatte einer seiner Mittäter „gesungen" und seinem Ex-Kumpel Straftaten angehängt, um sich dadurch für sich selbst eine Strafreduktion zu erkaufen. Viele Jahre, sagte der Mann, habe er davon geträumt, den Verräter zu foltern und zu töten.

Inzwischen aber sei er durch damit. Er wolle keine Rache mehr, denn er habe die darin liegende Anmaßung erkannt: Wer sei er denn, dass er sich das Recht nehmen wolle, über den anderen ein Vernichtungsurteil zu fällen? Er sei demütig geworden und habe so seine Rachegefühle besiegt.

Es gab einen Totalverweigerer der ersten Stunde, den späteren Theologen Egon Spiegel, der berichtete, dass er im Knast und noch Jahre danach im Gefühl gelebt habe, gegen eine Wand anzurennen. So habe es einfach nicht weitergehen können. Er habe sich umstellt gefühlt von der Gefahr, sich in Hass und Verachtung zu verlieren: Hass gegen die Verfolger und Verachtung gegenüber den Faulen, Feigen und Inkonsequenten. Er sei restlos erschöpft gewesen, niedergedrückt von einem überwältigenden Gefühl der Ohnmacht und der Sinnlosigkeit. Dann aber sei am Grunde seiner Verzweiflung plötzlich ein neues Gefühl aufgetaucht: Demut! Mehr noch: ein regelrechtes Bedürfnis nach Demut!

Eine ähnliche Entwicklung, die bereits im Knast begonnen hat, habe auch ich durchgemacht. Anfangs nur selten, dann aber immer öfter sprach ich zu mir selbst Sätze wie: Du bist ein kleiner Wicht, nimm dich nicht so wichtig! Das Schicksal der Welt hängt nicht ab von dem, was du tust! Mach deinen Frieden mit deiner Tat und ihren Konsequenzen! Reinige dich, reinige deine Gefühle! Hat dir der Hass gegen die, die dich verfolgt, verurteilt und gedemütigt oder ignoriert haben, gutgetan? Sei restlos ehrlich zu dir! Warst du nicht selbstgefällig? Hast du dir nicht einen Sinn geliehen, indem du dich dem Automatismus eines Geschehens ausgeliefert hast? Hat dir die Heldenrolle nicht geschmeichelt? Sich so wichtig zu nehmen, als hinge die Welt von einem ab, ist eine ungeheure Anmaßung. Heute kann ich hinzufügen: Das galt nicht nur für die damaligen Totalverweigerer, sondern es gilt auch heute grundsätzlich für viele der dogmatischen Weltverbesserer, zum Beispiel für Apokalyptiker wie die der „letzten Generation", die sich auf dem allein richtigen Weg wähnen und meinen, mit der massiven Belästigung anderer Menschen ein konsequentes Verhalten erzwingen zu können.

Hinzu kommen noch zwei weitere Punkte. Erstens: Die Totalverweigerung ist nur ein einziger und einzelner Aspekt des konsequenten Verhaltens. Es gibt aber viel mehr zu tun. Wie viel wäre gewonnen, wenn die Menschen sich an lebensfeindlichen Verhaltensweisen einfach nicht beteiligen würden! So vieles wäre nicht einmal mit Strafe bedroht: Auf das Autofahren und auf Flugreisen verzichten wegen des CO_2-Fußabdrucks, keine umweltschädlichen Abfälle produzieren und stets auf Nachhaltigkeit achten, sich ausschließlich vegan ernähren, allen Identitäten immer und überall tolerant und sprachlich angemessen begegnen usw. usf. Es geschieht da bereits einiges, aber meistens sind die Menschen – ich nehme mich da natürlich nicht aus – zu bequem, um Verzicht zu leisten. Dann zweitens: Ein konsequentes Verhalten in allen denkbaren Bereichen wäre nicht nur nicht möglich – die Liste der möglichen „Verfehlungen" ist unendlich –, es wäre auch nicht erstrebenswert. So wenig wie eine Ein-Punkt-Bewegung sich moralisch überhöhen sollte, so sehr muss auch darauf geachtet werden, die apodiktischen Forderungen des „Guten" nicht zu einem allgemeinen Tugendterror ausarten zu lassen. Es kann und darf nicht das Ziel sein, am Ende in einem grauenerregenden moralischen Regime der Selbst- und Sozialkontrolle zu landen. Es gilt, das Richtige demütig, gnädig und mit Augenmaß zu tun und nicht im Gestus eines wandelnden Vorwurfs gegen sich selbst und andere.

Väter und Söhne

Obwohl ich mich immer wieder gefragt habe, ob meine Tat wirklich „sauber" motiviert war, also aufrichtig, ehrlich und nicht „verunreinigt" von anderen, im Hintergrund bleibenden Antrieben, habe ich über viele Jahre einen Aspekt nie wirklich in den Blick bekommen oder genommen: Was hat mein Verhalten mit meinem Vater und dessen Generation zu tun? Jahrelang hatte ich in alle Richtungen alles kritisch hinterfragt, nur eine Richtung hatte ich ausgelassen: die nach unten. Michel Foucault bezeichnete einmal das „Graben unter unseren Füßen" als wichtigste Aufgabe der modernen Philosophie, und das Gleiche gilt wohl auch für die Selbstaufklärung. Es war so naheliegend, es zu tun, aber dennoch hatte ich lange Zeit versäumt, ernsthafte Bohrungen in meinem ganz persönlichen und familiären Untergrund vorzunehmen, um dort das tiefste „Geheimnis" meiner emotionalen Befindlichkeiten aufzuspüren.

Erst nach dem Tod meines Vaters – er war Jahrgang 1920 und starb 1996 – konnte ich erkennen, was mich im Innersten eigentlich bewegt hatte. Heute bin ich überzeugt: Es waren die Verirrungen und Abirrungen der Generation meiner Eltern, ihre Traumata und ihre Verdrängungen, die sich auf mich übertragen, in mir gearbeitet und nach einem Ausdruck im Protest verlangt haben. Es war ein zunächst noch unbewusster und stiller Schrei, der sich erst allmählich in eine offene und immer lauter werdende Anklage wandelte: Ihr habt euch mitschuldig gemacht an den Untaten des Naziregimes, ihr habt mitgemacht bei verbrecherischen Angriffskriegen und sie unterstützt, ihr habt euch nicht gewehrt. Und wir, die neue Generation, wir haben genug von eurem Schweigen, wir stellen euch Mittäter und Mitläufer jetzt an den Pranger, wir machen es euch jetzt mal vor, wie man es richtig macht und zeigen euch, wie man rechtzeitig und nachhaltig und grundlegend Widerstand leistet und „das Gute" ins Werk setzt.

Christopher Browning schildert in seiner erschütternden Untersuchung über die durch das Reserve-Polizeibataillon 101 hinter der „Ostfront" durchgeführten Massenerschießungen („Ganz normale Männer"), wie bis dahin völlig harmlose Familienväter sich an Kriegsverbrechen beteiligten, obwohl sie es straflos hätten verweigern können. Sie hätten ohne äußeren Zwang gehandelt, so Browning, schon die Angst, aus der Gruppe herauszufallen, bedeutete genügend Druck, um sich am Morden zu beteiligen.

Mein Vater hat sich brieflich dazu bekannt, gerne beim „Barras" zu sein, aber er war, soweit ich das recherchieren konnte, an Kriegsverbrechen selbst nicht unmittelbar beteiligt. Aber er hat die ganze Nazischeiße mitgetragen und ist mitgelaufen, er war zumindest mittelbar dabei und hat geschwiegen, und er hat sich auch hinterher nie offen mit der Frage auseinandergesetzt, ob er sich mit seinem falschen Konformismus mitschuldig und auf irgendeine Weise zum Mittäter gemacht hat. Wie so viele andere auch hätte er „Nein!" sagen können und manchmal „Nein!" sagen müssen, aber er hat es nie getan. Dieses ausgebliebene „Nein!" und die damit verbundenen Traumata hat er mir hinterlassen und damit einhergehend die Aufgabe, dass ich das in meinem Leben irgendwie aufarbeite.

Das emotionslose „Gewohnheits-Töten" ist nur der letzte Schritt auf dem Kontinuum einer Schuld, die spätestens mit dem Weggucken bei verbrecherischen Handlungsweisen anfängt. Und um seinen moralischen Kompass nicht zu verlieren und nie mehr an diesen Endpunkt zu kommen, muss man früh genug damit anfangen, sich einem als „normal" wahrgenommenen, aber in die verkehrte Richtung laufenden Handeln zu verweigern. Der ehemalige Wehrmachtsoldat Wilhelm Hebestreit schrieb in seinem Buch „Die unsichtbaren Helden": „Die Leute handeln als Menge; deswegen die Grausamkeit, denn die Menge kennt keine Verantwortung, kein Gewissen, keine Reue." Genau das ist der „Massenschlaf des Gewissens", von dem der SPD-Politiker Fritz Eberhard im Jahr 1949 in den Beratungen des Parlamentarischen Rates sprach, der Millionen Deutsche dazu brachte, zu töten, beim Töten zu helfen oder dabei zu- oder wegzugucken. Und schließlich kamen da noch die „ganz normalen" psychischen Narben des Krieges dazu. Jeder Soldat, der zurückkam, wusste, dass er auch selbst hätte getötet werden können.

Zigtausende hatten ein Trauma mit nach Hause gebracht. Und dieses blieb gegenwärtig in vielen Begegnungen zwischen Vätern und Söhnen. Überall in der BRD kam es zu entsprechenden Szenen und so auch, beispielhaft für viele, in meinem Fall.

Das elterliche Haus lag nahe einem großen Waldgebiet. Manchmal wurde da gejagt, dann waren Schüsse zu hören. Einige Male geschah das auch nachts. In solchen Nächten konnte es vorkommen, dass Vater und Sohn aufwachten. Einmal traf der Sohn vor dem Badezimmer auf den völlig desolaten Vater. Der war schweißgebadet, wirkte seltsam verwirrt und orientierungslos. Der Sohn ahnte, dass das vom Krieg kommen musste. So nahm er den Vater bei der Hand, streichelte und beruhigte ihn, konnte sich dabei aber einen leicht spöttischen Ton nicht verkneifen: „Brauchst keine Angst haben, ist kein Russe da, sind nur ein paar Jäger." „Ja, ja, weiß schon", antwortete der Vater matt, während er langsam wieder den Puls herunterfuhr.

Über den Krieg, vor allem über den an der „Ostfront", wurde in der Familie kaum gesprochen. Der Vater erzählte von wunden Füßen, erläuterte den Ausdruck „Latrinengerüchte", berichtete von der irrsinnigen Kälte im russischen Winter, die sogar das Pinkeln fast unmöglich gemacht habe, da der Urin beim Austritt aus der Harnröhre stäbchenweise heruntergefallen sei. Geschossen habe er nie, sagte er, er sei ja Sanitätssoldat gewesen, nur ganz zum Schluss, an der Oderfront, habe er einmal Wache halten müssen, als sein Vorgänger am Guckloch per Kopfschuss erledigt worden sei.

Nur verklausuliert berichtete er über die eingangs dieses Buches erwähnte „Frontflucht", dann gab es noch ein paar „witzige" Anekdoten wie die, dass man ein paar schwer an Ruhr erkrankte Soldaten mit eher zufällig verabreichten Salzheringen habe retten können. Oder die, wie er im Fleckfieber-Lager zum Anti-Alkoholiker geworden sei. In einer Schule habe man eine Quarantäne-Krankenstation eingerichtet, und als die Seuche am heftigsten grassierte, erzählte er mit brüchiger Stimme, habe man sich damit begnügen müssen, die „Fälle" lediglich zu sortieren, das heißt, nach noch zu erwartender Lebensdauer auf entsprechende Räume zu verteilen. Die Leichen habe man, wie Holz in Klaftern, an den Wänden der Gänge aufgestapelt. Viele der Todes-Verwalter hätten sich in den Alkohol geflüchtet, um die Situation irgendwie zu ertragen. Spirituosen im Versorgungszentrum hätten reichlich zur Verfügung gestanden. Man habe sich aus Nachschubzügen mit Ladungen für nicht mehr existierende Einheiten bedient; jeder habe zigfach Rationen erhalten. Einigen alkoholisierten Soldaten sei das bei einem Bombenangriff zum Verhängnis geworden, da sie nicht mehr in der Lage gewesen seien, rechtzeitig Schutz zu suchen. Einer habe auf spektakuläre Weise überlebt: Hinter der weggesprengten Außenwand eines Gebäudes habe er ungerührt schnarchend den Angriff überhaupt nicht bemerkt. Seitdem habe er kein Interesse mehr an Alkohol, erklärte der Vater.

Und was war da sonst noch alles, von dem ihr angeblich nichts gewusst habt? Sooft der Sohn auch nachfragte – der Vater blieb verstockt. Einmal warf er dem Sohn wütend ein Buch an den Kopf, mit den Worten: „Da, das ist was für dich!" Es handelte sich um die Recherche eines jüdischstämmigen US-Amerikaners, der bei ehemaligen Wehrmachtsoldaten nachgeforscht und Zeugnisse von Kriegsverbrechen gesammelt hatte. Damit müsse er selbst sich auseinandersetzen, war die Antwort des Sohnes, die der Vater aber ignorierte. Als der Sohn sich als Totalverweigerer und angehender Schreiberling entpuppte, verkündete der Vater, dass er sämtliche Unterlagen und Notizen aus den Kriegsjahren verbrannt habe, der Sohn brauche also erst gar nicht darauf zu hoffen, später einmal Material zu finden, um daraus möglicherweise ein Buch zu machen. Was für ein Buch? fragte der Sohn. Ein Buch, das Dich eventuell kompromittieren könnte wegen deiner Taten beim deutschen Überfall auf die Sowjetunion? Dieser Überfall markierte ja nicht nur den Beginn der systematischen Vernichtung der jüdischen Bevölkerung Europas, sondern auch den Beginn eines Vernichtungskriegs, der, wie man heute weiß, allein in der damaligen UdSSR 27 Millionen Tote forderte. 27 Millionen in den Jahren von 1941 bis 1945! Eine ungeheuerliche, in Deutschland immer noch kaum bekannte Zahl. Die *Zeit* überschrieb am 14. Juni 2007 einen Artikel einzig und allein mit dieser Zahl, um deren Monstrosität mit aller Deutlichkeit herauszustellen. Es waren deutsche Väter, die dieses Verbrechen ermöglicht und vor ihren Söhnen beschwiegen haben.

Was also hatte mein Vater davon mitbekommen, wieweit hatte er sich schuldig gemacht? Nur ein einziges Mal, kurz vor seinem Tod, machte er die Tür zu seiner Seele – und zum blanken Grauen – einen Spalt breit auf. Hernach dachte ich mir: Wie viele solche Gespräche zwischen Vätern und Söhnen hätte es geben können in Anbetracht der ungeheuren Zahl der Toten?

Vater und Sohn saßen beim Griechen, und wieder einmal insistierte der Sohn: Warum erzählst du nichts vom Krieg? Kannst du nicht verstehen, dass ich wissen will, was damals geschehen ist? Was hast du zu verbergen? Diesmal hatte der Sohn einen schwachen Moment erwischt.

Der Vater verlor, völlig überraschend wohl auch für ihn selbst, die Contenance. Er explodierte. Und brach gleichzeitig zusammen.

„Was willst Du denn von mir, du Arschloch!" brüllte er und stand plötzlich auf. Er sagte wirklich „Arschloch", ein Wort, das er im Prinzip gar nicht im Wortschatz hatte. Und er brüllte weiter, mitten im Raum stehend, sich um die irritiert glotzenden anderen Gäste gar nicht kümmernd – auch das war absolut ungewöhnlich. Er schnaufte, musste tief Atem holen, er schwitzte und zitterte, und obwohl sein Gesicht vor Wut verzerrt war, hatte er die Augen eines aufgescheuchten Rehs. Angst, Entsetzen, Verzweiflung lag in ihnen, und im Nu waren sie feucht. Der Sohn stand nun neben ihm, legte ihm beruhigend die Hand auf die Schulter, aber es war vergeblich, es schrie aus dem ehemaligen Wehrmachts-Sanitäter heraus, die Eruption ließ sich nicht mehr abbremsen.

„Was willst du denn wissen, verdammt noch mal! Das will man alles vergessen! Nur noch vergessen. Ich will mich nicht mehr daran erinnern!" Aber an was denn nun? Der Sohn hatte ja gar nicht konkret gefragt nach möglichen Kriegsverbrechen und ob der Vater womöglich daran beteiligt gewesen war. Andererseits: Es war ja klar, dass es um dieses Thema ging. Der Vater sagte nicht, wo es gewesen war und wann, aber es konnte sich nur um ein Ereignis handeln, das irgendwann zwischen dem 26. Juni und dem 26. Juli 1941 in Litauen oder Lettland stattgefunden hatte, irgendwo auf der etwa 300 Kilometer langen Strecke zwischen Kaunas und Ludza. Da hätten sie – er sagte nicht wer, und der Sohn traute sich nicht mehr nachzufragen – die Juden in die Häuser und Synagogen reingescheucht, abgeriegelt und dann angezündet. Und dann habe man sie schreien hören, und alle seien drumherum gestanden. Und irgendwann habe dann das Schreien aufgehört. Es muss eine Szene aus der Hölle gewesen sein, kaum zu beschreiben, kaum auszumalen.

Und das war noch nicht alles. Da habe es noch ein Detail gegeben. Er äußerte es, als sei es die letzte Steigerung der menschlichen Perversion schlechthin. Frauen seien bei den Mördern auch dabei gewesen. Keine Prostituierten, sondern Frauen, die sich den Deutschen angeschlossen hätten. Die seien rasend gewesen, wie entfesselt. Der Vater brachte es kaum heraus und rang nach Worten. Das Faktum lautete: Es hat Geschlechtsverkehr gegeben, direkt daneben, im Schein des Feuers brennender Menschen. Die Nähe von Tod und Orgasmus habe die erregt, meinte der pensionierte Psychiater. Er stand nur noch wortlos da, verkrampft und fiebrig vibrierend, wie ein vom Wahnsinn Gepeinigter, vor lauter Erregung bemerkte er nicht einmal, wie ihm die Spucke aus dem

Mund tropfte. Er schluckte und bellte, das sei nur noch „Abschaum" gewesen. Und während er sich zum Gehen Richtung Ausgang umwandte, grummelte er noch weiter, dass er nichts von alldem mehr herausholen wolle, nie mehr irgendetwas damit zu tun haben wolle. Dann war er weg, sein Essen stand noch dampfend auf dem Tisch.

Der Sohn, geschockt, entschuldigte sich linkisch bei den anderen Gästen, setzte sich wieder an den Tisch, war jetzt selbst erschüttert und ratlos, der Appetit war ihm vergangen. Erstmals hatte er wirklich etwas erfahren. War das nicht genug? Konnte man es jetzt nicht endlich ruhen lassen? Zu deutlich war geworden, dass der Vater mit der Wucht der Erinnerung nicht fertig zu werden vermochte. Es gibt wohl Ereignisse, die so mächtig sind, dass sie nur verdrängt werden können. Ist es dann vielleicht nicht besser, diesen unfassbar tiefen Schmerz in sich zu vergraben und zu verhindern, dass er wieder zum Leben erweckt wird? Oder war da vielleicht sogar noch mehr? Ohne je bewusst einen derartigen Beschluss gefasst zu haben, erwähnte der Sohn das Thema Krieg fortan nie mehr.

Es kam der Herzinfarkt meines Vaters, der ihn dahinstreckte und gleichzeitig von allen weiteren bohrenden Nachfragen erlöste. Mich allerdings ließen seine Kriegsgeheimnisse nicht los. Ich forschte weiter nach. Im Militärarchiv in Freiburg fand ich heraus, dass sich die Fleckfieber-Station in der Lazarettstadt Porchow befunden hatte. Die weiteren Ergebnisse der Recherche: Insgesamt verstarben auf der Station 664 Wehrmachtsoldaten und damit über 40 Prozent der Erkrankten; auf der Fleckfieber-Station arbeiteten auch russische Kriegsgefangene als Helfer; gleich nebenan lag ein riesiges Kriegsgefangenenlager, in dem die Wehrmacht im Winter 1941/42 Tausende von Sowjetsoldaten erfrieren, verhungern oder am Fleckfieber zugrunde gehen ließ.

Da es mein Vater versäumt hatte, wirklich alle Unterlagen zu vernichten, kam ich bei der Durchsicht des Nachlasses noch an ein paar zusätzliche Informationen. So hatte mein Vater einige Berichte an seine Studenten-Vereinigung geschrieben, und diese waren – neben den Berichten anderer Kommilitonen – in einem internen Organ publiziert worden. Am 11. August 1941 beschrieb der 21-Jährige die ersten Tage des Angriffs auf die Sowjetunion: „Seit Mitte März lag meine Einheit in West- und Ostpreußen. Nachholen einer infanteristischen Ausbildung für die nicht mit Gewehr ausgebildeten Leute des Feldlazaretts. Nach viermonatiger Wartezeit mit öfterem Wechsel des Standortes Einmarsch nach Litauen. In Kowno achttägiger Aufenthalt. Die Stadt befindet sich im ersten Freudentaumel über die Befreiung. An allen Häusern die gelbgrün-roten Nationalfarben. Auf den Straßen herrscht reges Leben, die Kauflust der deutschen Soldaten leert in wenigen Stunden die Geschäfte. Die Stimmung der Bevölkerung ist freundlich, der Hass wendet sich gegen Juden und Heckenschützen. Ab und zu sieht man einen Zug solcher Gefangener, wie er durch die Stadt getrieben wird. In Lagern sammelt sich ein Abschaum von Menschen, unter denen man alle Stände, jedes Alter und Geschlecht vertreten sieht. Als Mitteleuropäer hält man derartige Zustände kaum für möglich. An diesen Opfern ließ sich die Wut der litauischen Partisanen (Freiheitshelden) manchmal in geradezu viehischer Weise aus. Wenige Tage nach Einnahme der Stadt wurden eines Abends Hunderte von Juden zu Tode gepeitscht. Das deutsche Oberkommando nahm dann dagegen Stellung und gestattete nur mehr Erschießungen. Von meinem heutigen Standpunkt gesehen bildete diese erregte Stadt den letzten Vorposten europäischer Kultur; die Bewohner waren in ihrem Wesen allerdings mit östlichen Zügen ausgestattet."

Litauen stellte sich in diesen Wochen als ein derartiger Vorhof der Hölle dar, dass mein Vater bloße Erschießungen offensichtlich bereits als Mäßigung des Geschehens erleben konnte. Karl Jäger, Chef des Einsatzkommandos 3 der Sicherheitspolizei und des SD, koordinierte die Exekutionen, die mithilfe litauischer Einheiten durchgeführt wurden. In der als „Jäger-Bericht" berüchtigt gewordenen Aufstellung rühmte er sich, bis zum 1. Dezember 1941 in Litauen die Liquidierung von „Summa 137.346" Personen veranlasst zu haben. Befriedigt schloss er: „Ich kann heute feststellen, dass das Ziel, das Judenproblem für Litauen zu lösen, vom EK 3 erreicht worden ist."

Mittels einer Einladungsliste zu einem Veteranentreffen gelang es mir, zwei noch lebende ehemalige Kameraden meines Vaters zu kontaktieren, beide willigten in einen Besuch ein. Der erste, Adolf E., wohnte in einem mit Stacheldraht und Kameras gesicherten Haus am Rande des Schwarzwaldes. Wovor genau er Angst hatte, wollte der alte Mann dem Besucher nicht erklären. Aber er zeigte dem Kameradensohn ohne Scheu ein Kriegsalbum mit vielen Fotos. Auch mein jungenhaft wirkender Vater war auf einigen zu erkennen. Und einiges andere. Fotos mit Erhängten zum Beispiel, Bildunterschrift: „Ende eines Partisanen." Oder ein anderes: „Bahnhof Lipowez. 60 Partisanen werden zur Erschießung abgeführt." Ich ließ das Gezeigte unkommentiert, denn ich war ja hier, um möglichst viel zu erfahren. Zum Beispiel von der Situation im OP. Am Anfang habe man in Russland mehr Erfrierungen behandeln müssen als Schussverletzungen, war von dem ehemaligen Exekutierer zum Beispiel zu erfahren.

Das sei wirklich nicht leicht gewesen. Manchem Operationsgehilfen sei es schwindlig geworden, andere hätten sich beim Ansetzen der Säge – es habe dann nur eine knappe Minute gedauert – die Finger in die Ohren gesteckt. War es vorbei, habe einer den Amputierten aufgenommen und wie ein großes Kind in den Saal für die Amputierten getragen.

Und was war dabei die Rolle meines Vaters? „Dein Vater war da noch nicht bei uns, also bei den Offizieren. Der hat vor allem im OP saubermachen und die Sachen raustragen müssen." Die Sachen? Na ja, die Reste eben, die abgeschnittenen Füße und so weiter. Hunderte Gliedmaßen habe man da amputiert, in Tschudowo. Viele hätten es vermieden, die abgetrennten Körperteile anzufassen, meist habe man „die Sachen" mit dem Unterarm vom OP-Tisch herunter in einen Kübel geschoben. Und beim Hinausgehen hatte man natürlich darauf zu achten, dass die zahlreichen Wartenden nicht mitbekamen, was für ein Transport da vor sich ging. Um die irritierende Situation zu vermeiden, dass ein Amputierter einen Teil seiner selbst am Grab besucht, habe man die Gliedmaßen nicht zum „Heldenfriedhof" nebenan, sondern heimlich in einer Grube verscharrt. Sofern das möglich war: Bei minus 30 Grad konnte man natürlich keine Grube mehr ausheben. Da seien die Teile auf einen Haufen gelegt und mit einer Plane abgedeckt worden. Konnte man sich denn an sowas gewöhnen? Wenn man es nur oft genug wiederhole, werde alles zur Routine, lautete die Antwort. Das Beseitigen von zerschnittenen Stiefeln, Uniformfetzen, blutigen Verbänden und eben auch Körperteilen sei irgendwann so normal gewesen wie das Entsorgen von Küchenabfällen. Tschudowo sei auch sonst hart gewesen. Nachdem der deutsche Vorstoß abgefangen worden sei, habe es zunächst Tieffliegerangriffe gegeben, ab Mitte Dezember 1941 sei das Lazarett unter MG-Beschuss gewesen und mehrmals von den Russen attackiert worden. Und es habe dabei an allem gefehlt – an Munition, an Verpflegung, an Verbandszeug.

Etwas später besuchte ich den über 90-jährigen ehemaligen Sanitäts-Kraftfahrer Wilhelm M., einen versierten Mundharmonika-Spieler aus dem Hohner-Städtchen Trossingen, der einst vor dem Führer im Berliner Friedrichstadtpalast aufgetreten war und seit dem Tod seiner Frau alleine in einem kleinen Stadthäuschen wohnte. Der kleingewachsene Greis lugte vorsichtig und verschüchtert hinter vergilbten Gardinen hervor, als sich der fremde Mann näherte, der ihn mit seinem Anruf in die Traumata seiner Jugend zurückversetzt hatte. Nach einem sorgfältigen Abmustern des Kameradensohnes an der Tür befand er den für „in Ordnung" und bat in seine ziemlich verwahrloste Wohnung, in der es stark nach Urin und Exkrementen roch. In der schmuddeligen kleinen Küche überreichte er dem Gast Tee und Brezel und war nach einer kurzen Anwärmphase rasch aufgetaut. Ohne auch nur im Ansatz darauf angesprochen worden zu sein, blickte er mir plötzlich tieftraurig in die Augen und kam umstandslos auf das Thema „Juden" bzw. „Juden-Erschießungen". Fast wirkte es, als habe er gewusst, was sein Besucher hören, was er nach- und ausforschen wollte, so als habe er sich bereits im Voraus innerlich darauf vorbereitet, die anstehende Gelegenheit zu nutzen, um sich im Sprechen endlich zu erleichtern.

„Wo wir nach Dünaburg gekommen sind, da sind die Juden gewesen. In Fabrikgebäuden waren sie untergebracht. Die haben sich das eigene Grab schaufeln müssen. Genickschüsse. Weg waret se. Da sind sie dann dagelegen." Es traten Tränen in seine Augen, er blickte zu Boden, schüttelte den Kopf. „Was da passiert ist, jessas, dass man das wissen muss, da bin ich selber nicht mitgekommen." Schließlich, nachklappend: „Man hat's auch überstanden. Aber das möchte ich nimmer mitmachen." Mitmachen? Das Zugucken oder das Erschießen? Nein, erschossen hätten sie keine, die Wehrmachtsoldaten, das seien die „Schwarzkittel'" gewesen, die von der SS. Ich widerstehe der Versuchung, den ehemaligen Sanitätskraftfahrer mit der Tatsache zu konfrontieren, dass Verbrechen der Wehrmacht inzwischen vielfach belegt waren, dass sich auch Wehrmachtsoldaten an Erschießungen beteiligt oder diese unterstützt hatten, etwa durch Beihilfe beim Einfangen entwichener Juden.

Meine Nachforschungen zu der Szene in Dünaburg (lettisch Daugavpils) ergaben: Bei den Tätern handelte es sich um das von Erich Ehrlinger geleitete und von lettischen Trupps unterstützte Sonderkommando 1b. Laut einer SD-Meldung vom 16. Juli 1941 hatte es in Dünaburg „bis jetzt" 1150 Juden erschossen. Die Sanitätssoldaten des Feldlazaretts waren also Zeugen der Tötungen am Eisenbahnergarten (Dzelzceļnieku dārzs) geworden, wo der Rat der jüdischen Gemeinden Lettlands im Jahr 2007 zwei schwarze Granittafeln mit Davidsternen und einer Inschrift in lettischer, russischer, englischer und jiddischer Sprache aufstellen ließ: „Im Juli 1941 exekutierten die Nazis hier mehr als 1.000 Daugavpilser Juden." Der Chef des Kommandos, Erich Ehrlinger, stand dabei selbst an den Erschießungsgruben, „breitbeinig, mit umgehängter Maschinenpistole, die Arme in die Hüften gestützt", heißt es im Urteil des LG Karlsruhe vom 20. Dezember 1961, das Ehrlinger zu zwölf Jahren Zuchthaus verurteilte. Ein Augenzeuge berichtete über das Geschehen: „An einem langen Graben vor ihnen luden vier lettische Hilfskräfte ihre Gewehre.

Ein deutscher Offizier schrie die Gefangenen an: ‚Vier von Ihnen marschieren voraus.' Als die Männer den Graben erreichten, schrie der Deutsche ‚Feuer!' Jeder der Letten schoss auf einen Mann – eine Kugel in den Kopf aus nächster Nähe – und die vier fielen in den Graben.' Es folgten die nächsten vier. Einige Überlebende wurden damit beauftragt, neue Gräber zu graben, dann wurden die Erschießungen fortgesetzt."

Darüber, wie nah dran mein Vater bei diesen Erschießungen gewesen war, hat mir Wilhelm M. keine Auskunft erteilen können. Aber er wird davon natürlich etwas mitbekommen haben. Bei ihm hatte sich womöglich die Erinnerung daran überlagert durch ein noch erschütterndes Geschehen, das irgendwann einmal hat herausbrechen müssen. Ob es stimmt, dass diese „Kriegsgeheimnisse" mich beeinflusst haben in meinem Verhalten zu Autoritäten, zur Bundeswehr und zum Krieg, kann ich nicht beweisen. Aber es fühlt sich so an. Mein Vater hat sich nicht gewehrt gegen das Geschehen in der NS-Zeit, er war kein Deserteur, Kriegsverräter oder Widerstandskämpfer, er hat stattdessen die unverarbeiteten Erfahrungen aus diesen Jahren durch sein Leben geschleppt – damit, so empfinde ich es, ich an seiner statt das tue, was er versäumt hat: Das Schweigen brechen, sich damit auseinandersetzen, sich der Schuld stellen, die Deutsche auf sich geladen haben, und daraus Konsequenzen ziehen.

Das Vermächtnis der Deserteure
Einen kleinen Trost gab es wenigstens: Die Mauer des Schweigens der Vätergeneration war nicht vollkommen undurchdringlich, es hat damals immerhin einige gegeben, die ausgeschert waren aus dem Wahnsinn und die ihre Stimme in den letzten Jahren immer lauter erhoben hatten. Als Bertolt Brechts Tochter Hanne Hiob im Wende-Herbst 1989 aus Anlass der deutschen Vereinigung eine Handvoll überlebender Wehrmachtsdeserteure zusammenrief, kamen zwölf, unter ihnen Ludwig Baumann. Sie bereisten das Land und traten in verschiedenen Städten auf, um ihre Geschichten zu erzählen. Zwanzig Jahre später überlegte der Schriftsteller Gerhard Zwerenz, selbst ein ehemaliger Wehrmacht-Deserteur und damals dabei, wie wohl Helmut Schmidt gegenüber diesen Männern erklärt hätte, warum er acht Jahre in Hitler-Deutschlands Wehrmacht gehorsam seinen Dienst getan hatte, um dann viele Jahre später in der Bonner Bundesrepublik den Nachrüstungs-Doppelbeschluss durchzusetzen. Hätten alle so gehorsam und voller Pflichterfüllungs-Stolz ihren Dienst verrichtet wie Helmut Schmidt, überlegte Zwerenz, dann

wäre es der Wehrmacht womöglich noch gelungen, zum Jahreswechsel 1944/45 mit der Ardennenoffensive die Alliierten an der Westfront aufzuhalten. Dann hätte sich der Krieg bis in die Sommermonate verlängern können – und dann hätte die erste Atombombe sicherlich nicht Hiroshima, sondern Berlin getroffen und zerstört.

Auch der Hauptmann Eduard Wolf war so ein Pflichterfüllungs-Held. Er hatte sein Leben gegeben in der Absicht, seinen Teil beizutragen für einen Sieg in einem Krieg, dessen moralische Verwerflichkeit er nicht erkannt hatte und der glücklicherweise auch nicht zu gewinnen war. Nach dem Tod meiner Mutter im Jahr 2008 meldete sich bei mir das Nachlassgericht wegen möglicher erbrechtlicher Ansprüche mit der Frage, ob mir etwas über den Verbleib ihres ersten Ehemannes bekannt wäre. Ich übermittelte die Fakten: Er sei als Hauptmann und Bataillonskommandeur im Grenadier-Regiment 72 am 18. August 1943 in der Sowjetunion bei Isjum gefallen und bei Nowa Dmytrovka begraben worden. Sein Ölporträt gaben meine Geschwister und ich in eine Versteigerung. Der Erwerber: Ein US-amerikanischer Sammler von Wehrmacht-Devotionalien.

Porträtfoto des Hauptmanns Eduard Wolf, das zur Vorlage eines Ölgemäldes wurde.

Eduard Wolf war in der NS-Zeit ein Pflichterfüllungs-Vorbild gewesen. Wie hätte er wohl sein einstiges Verhalten im Krieg beurteilt, hätte er so lange gelebt wie mein Vater? Hätte es ihn so bewegt wie jenen Amerikaner, dem ich im Jahr 2019 auf einer Vietnamreise begegnete?

Lange hatte ich geträumt von einer Reise in das Land des Krieges, der meine Kindheit und Jugend zwar nur mittelbar, aber trotzdem nachhaltig geprägt hatte. Als ich sie endlich antrat, wollte ich natürlich auch einige der Kriegsschauplätze unbedingt selbst sehen. Unter anderem besuchte ich Khe Sanh, damals eine Basis der Marines in Südvietnam nahe der entmilitarisierten Zone zu Nordvietnam und Schauplatz einer Schlacht im Jahr 1968, die zu dieser Zeit die Berichterstattung in den USA und in Europa beherrschte. Die Amerikaner konnten die Basis zwar verteidigen, mussten sie aber wenig später aufgeben. Sie wurde zum Symbol für den vergeblichen Einsatz, unter anderem nahm Bruce Springsteen im Lied „Born in the U.S.A." auf sie Bezug („I had a brother at Khe Sanh"). Und natürlich besuchte ich auch einige der kilometerlangen Tunnel, von denen aus die Vietcong operierten und, plötzlich auftauchenden Geistern gleich, die Amerikaner immer wieder attackierten. Zuhauf waren auch noch im Jahr 2019 US-Touristen unterwegs. Kurz vor der Abreise kam ich in Hanoi mit einem Rentnerehepaar ins Gespräch. Er staune, berichtete der ehemalige GI, wie freundlich ihm die Vietnamesen auf der Tour zu den Schauplätzen seiner Einsätze begegnet seien, wenn er ihnen seine Geschichte erzählt habe. „More than 150 drop-offs" habe ihr Mann gehabt, sagte die Frau. „Per year", ergänzte der Mann. Er war also mehr als 150 mal mit einem Huey im Dschungel abgesetzt worden, in jedem Jahr seines Einsatzes, um irgendeine Operation durchzuführen und dabei viele Vietnamesen zu töten. Er habe unbedingt noch einmal herkommen müssen vor seinem Tod, sagte er. Und auf die Frage, was er denn gesucht bzw. was er zu finden gehofft habe, antwortete er weinend: „Healing."

Wehrpflicht am Ende
(1987 bis 2011)

Alles anders jetzt?
Die politischen Entwicklungen in den Jahren nach 1986 nahmen aus der Sicht derjenigen, die in den „Neuen Sozialen Bewegungen" aktiv waren, eine durchweg positive Entwicklung. Womit freilich nicht behauptet werden soll, dass die protestierenden Menschen die alleinigen Verursacher dieser Entwicklungen gewesen seien, so war z. B. für die deutsche Vereinigung der sicherlich entscheidende Faktor, dass sowohl die Sowjetunion wie die DDR pleite waren. Unabhängig von allen Ursachen-Analysen lauten aber die Fakten so: Die Abrüstung von Atomwaffen kam in Gang, West- und Ostdeutschland wurden friedlich vereinigt, der Kalte Krieg beendet. Wer Atomwaffen-Stationierungsorte sitzend blockieren oder den berühmten Tucholsky-Satz zitieren wollte, musste nicht mehr grundsätzlich mit Strafverfolgung rechnen, die Deserteure der Wehrmacht und andere Kriegsverräter wurden nachträglich rehabilitiert, die Atomkraft wurde abgeschafft und schließlich verschwand sogar die Wehrpflicht (allerdings nicht ganz).

Gut 3000 Blockierer wurden bis 1990 wegen Nötigung nach § 240 Strafgesetzbuch angeklagt. Darunter waren neben bekannten Kulturschaffenden, Ärzten und Anwälten auch einige Richter, die sich am 12. Januar 1987 an einer Blockade-Aktion vor dem Pershing ll-Lager in Mutlangen beteiligt hatten. Die Richter hielten die Stationierung von Atomwaffen nicht für eine bloße politische Entscheidung im rechtsfreien Raum, sondern sie argumentierten, dass bereits die Stationierung – also nicht erst der Einsatz! – von Pershing II, Cruise Missiles und vergleichbaren Waffen rechtswidrig sei: Sie verstoße gegen das Grundrecht auf Leben und körperliche Unversehrtheit, gegen das Grundrecht auf Menschenwürde und gegen das Gebot der Friedensstaatlichkeit, außerdem sei sie völkerrechtswidrig, weil die Rüstung mit Massenvernichtungswaffen ein Verbrechen gegen den Frieden und die Menschlichkeit sei.

Die im Erstverfahren zu Geldstrafen verurteilten Juristen brachten die Sache dann bis vor das Bundesverfassungsgericht. Dieses entschied am 10. Januar 1995: Sitzblockaden sind keine Nötigung. Der Gewaltbegriff des § 240 Strafgesetzbuch sei nicht derart bestimmt, dass sich daraus zwingend die Strafbarkeit einer Sitzblockade ergeben würde, er müsse deshalb „eingegrenzt" werden. Damit waren sämtliche Urteile gegen die Teilnehmer an Sitzblockaden Makulatur.

Die Äußerung des Satzes „Soldaten sind Mörder" ist heute ebenfalls nicht mehr grundsätzlich strafbar. Der Kinderarzt Peter Augst, dessen Fall 1986 für Schlagzeilen gesorgt hatte, wurde nach Berufung und Revision am 20. Oktober 1989 vom LG Frankfurt freigesprochen. Es folgten Morddrohungen gegen den Richter und später weitere Prozesse wegen des Tucholsky-Zitates. Zwei Entscheidungen des Bundesverfassungsgerichtes – vom 25. August 1994 und vom 10. Oktober 1995 – stellten schließlich klar, dass das Tucholsky-Zitat durch das Grundrecht der Meinungsfreiheit aus Artikel 5 Absatz 1 Satz 1 GG gedeckt sei. Eine Verurteilung sei ausgeschlossen, sofern die Äußerung als generelle Kritik am „Soldatentum" zu verstehen sei und sich nicht eindeutig gegen einen einzelnen Soldaten oder etwa speziell gegen die Bundeswehr richte.

In dem am 28. Mai 1998 verabschiedeten Gesetz zur Aufhebung nationalsozialistischer Unrechtsurteile fanden die Deserteure der Wehrmacht noch keine Berücksichtigung. Ihre Rehabilitierung sei unmöglich, hieß es da noch, weil damit alle anderen Soldaten der Wehrmacht ins Unrecht gesetzt und außerdem der Auftrag und die Moral der Bundeswehr untergraben würde. Vier Jahre später wurden die Urteile der Militärgerichte gegen Deserteure der Wehrmacht schließlich doch pauschal aufgehoben. Und am 8. September 2009 gelang es der „Bundesvereinigung der Opfer der NS-Militärjustiz" mit ihrem Vorsitzenden Ludwig Baumann endlich, die Fraktionen im Bundestag dazu zu bewegen, die Verurteilung der Deserteure der Wehrmacht als „Unrecht von Anfang an" zu bezeichnen und sie damit als Gegner des Gewaltregimes zu rehabilitieren, die Urteile wegen Kriegsverrats wurden nun ebenfalls pauschal aufgehoben.

Am 31. Mai 1989 wurden die Bauarbeiten auf dem WAA-Gelände in Wackersdorf eingestellt. Der Baustopp war freilich keine Folge des Widerstands, sondern der explodierten Kosten des Projekts. Die Demonstrationen gegen die WAA beschäftigten die Gerichte noch etwas länger. Nach 3400 Strafverfahren gegen Atomkraftgegner wurde der letzte WAA-Fall erst Mitte der 1990er-Jahre abgeschlossen. Was dann noch folgte, ist bekannt: Unter dem Schock der Reaktorkatastrophe in Fukushima am

11. März 2011 vollzog die regierende schwarz-gelbe Koalition in wenigen Wochen eine energiepolitische Kehrtwende und beschloss das sofortige Aus für acht Atomkraftwerke und den stufenweisen Ausstieg aus der Kernenergie bis 2022.

Ins Jahr 2011 fällt auch die Aussetzung (nicht Abschaffung!) der Wehrpflicht. Die Totalverweigerer hatten damit allerdings rein gar nichts zu tun. Die Wehrpflicht hatte sich zu einer derart überflüssigen und kostspieligen Angelegenheit entwickelt, dass sie die Regierenden möglichst geräuschlos loshaben wollten. Einigermaßen überraschend ist es da, dass es bis zuletzt auch noch Totalverweigerer gab, die ihren Unwillen unbedingt zeigen wollten.

Panzer für Totalverweigerer!

In einem Urteil vom 16. November 1995 konstatierte der Bundesgerichtshof selbstkritisch, dass die strafrechtliche Aufarbeitung der NS-Militärjustiz in der Bundesrepublik fehlgeschlagen sei. Obwohl diese – so der BGH wörtlich – eine „Blutjustiz" gewesen sei, habe sich kein einziger der ehemaligen Wehrmachtrichter jemals vor den Schranken eines Gerichts für seine Taten verantworten müssen. Aber immerhin war die Kriminalität der Wehrmachtrichter jetzt endlich in das Blickfeld der bundesdeutschen Justiz geraten. Noch nicht analysiert ist bis heute der Zusammenhang zwischen der zwar unblutigen, aber zuweilen doch unverhältnismäßig unerbittlichen Verurteilungspraxis von Totalverweigerern in den 1980er-Jahren. Diese hatte allem Anschein nach wenigstens teilweise damit zu tun, dass ein Großteil der Staatsanwälte und Richter noch aus Jahrgängen stammte, die in der Wehrmacht gedient und während des NS-Regimes sozialisiert worden waren oder zumindest unter Anleitung von Juristen studiert hatten, die einst zur Funktionselite des NS-Staates zählten. Solche Professoren waren etwa das NSDAP- und SA-Mitglied Theodor Maunz (1901-1993), nach 1945 Mitbegründer des Standardkommentars zum Grundgesetz, oder Eduard Dreher (1907-1996), ebenfalls NSDAP-Mitglied und als Erster Staatsanwalt am Sondergericht Innsbruck an zahlreichen Todesurteilen beteiligt, nach 1945 Strafrechtsreferent und Koordinator der Großen Strafrechtskommission im Bundesjustizministerium sowie Autor des Standardkommentars zum Strafgesetzbuch.

Auf der anderen Seite hatte die ab der zweiten Hälfte der 1980er-Jahre festzustellende enorme Bandbreite der Urteilssprüche – von 18 Monaten „ohne" bis hin zum Freispruch – damit zu tun, dass jetzt auch einige junge

Richter mit einer ganz anderen Haltung auftraten. So z. B. Ulf Panzer, Jahrgang 1945, Richter am Amtsgericht Hamburg-Harburg, der bereits am 3. März 1986 – was von vielen Totalverweigerern gar nicht registriert worden war – einen totalen Kriegsdienstverweigerer freigesprochen hatte und am 3. November 2000 einem weiteren Zivildienstverweigerer unter Berufung auf die in Art. 4 Abs. 1 garantierte Gewissensfreiheit in Verbindung mit der Würdegarantie des Art. 1 Satz 1 des Grundgesetzes attestierte, „nicht schuldhaft gehandelt" zu haben. Panzers Begründung: „Eine Verurteilung zu einer Strafe bei diesem Angeklagten, der sich auf Grundlage seines persönlichen Wissens zur Verweigerung auch des zivilen Ersatzdienstes entschlossen hat, würde sich als Missachtung seiner individuellen Würde darstellen."

Ulf Panzer war ein für damalige Verhältnisse ziemlich ungewöhnlicher Richter. In seinem Büro, an der Wand hinter dem Schreibtisch, hing ein Plakat von Lenin, gegenüber klebte ein Flyer zu einer Anti-AKW-Veranstaltung. Schon während seines Studiums engagierte sich Panzer für den Atomausstieg und für Abrüstung. Panzer scheute sich auch nicht, für seine Überzeugung handfest zu demonstrieren, so z. B. bei der sog. „Richter-Blockade" in Mutlangen. Angst habe er keine gehabt, als er dabei festgenommen wurde, so Panzer: „Wer gegen den Wahnsinn der Atomrüstung protestiert, muss notfalls das Risiko einer Verurteilung in Kauf nehmen." Dass er als aufsässiger Protestler keine Karriere beim Oberlandesgericht machen konnte, war ihm klar. „Wollte ich ohnehin nie."

Der meinungsfeste Ulf Panzer blieb nicht der einzige aufmüpfige Richter. So setzte etwa das LG Ravensburg am 16. März 1987 das Verfahren gegen den Totalverweigerer Christoph K. aus, um dem Bundesverfassungsgericht die Entscheidung der Frage vorzulegen, ob das Zivildienstgesetz mit der Verfassung vereinbar sei. Viele andere Gerichte setzten daraufhin ihrerseits laufende Verfahren gegen Totalverweigerer aus, um die Entscheidung der Richter aus Karlsruhe abzuwarten.

In der stellenweise wie eine Totalverweigerungs-Begründung formulierten Richtervorlage führte das Landgericht aus, dass Kriegsdienstverweigerer laut Grundgesetz einen Anspruch auf einen Dienst hätten, der „in keinem Zusammenhang mit den Verbänden der Streitkräfte steht". Da „durch die Charakterisierung des Zivildienstes als eine Art Wehrpflichterfüllung" tatsächlich „echte Gewissenskonflikte hinsichtlich der Erfüllung der Zivildienstpflicht" aufkommen könnten, müsse der ersatzweise zu leistende Zivildienst nicht als Erfüllung der Wehrpflicht konzipiert sein, sondern als „unabhängige zivile Dienstpflicht". Hierbei handele es sich nicht nur um eine formale Problematik, so das Landgericht weiter. Die Auswirkungen der Unterordnung des Zivildienstes unter die Wehrpflicht seien durchaus konkret: Dies zeige sich bei den Möglichkeiten der „Verwendung" von Kriegsdienstverweigerern im Verteidigungsfall, etwa im Luftschutz und Katastrophenschutz oder im Nachschub- und Transportwesen. Denkbar seien damit Tätigkeiten, die die Kriegführung unmittelbar unterstützen und sogar für sie unentbehrlich sind. Angesichts moderner Kriegführung – speziell mit Atomwaffen – bedeute eine Verpflichtung von Verweigerern zu solchen Dienstleistungen den verfassungswidrigen Zwang, als „kleines Rädchen in einer großen Kriegsmaschinerie" an Tötungshandlungen im Krieg mitzuwirken, auch wenn sie selbst keine Waffe in die Hand nehmen müssten. Aber nicht nur im Verteidigungsfall, auch schon in Friedenszeiten könnten anerkannte Kriegsdienstverweigerer zu Aufgaben herangezogen werden, die in engem Zusammenhang mit der militärischen Verteidigung stehen. Als ein aktuelles Beispiel für die Verbindung von Wehrpflicht und Zivildienst nannte das Gericht die NATO-Übung „Wintex/Cimex 87", an der Zivildienstleistende gegen ihren Willen hatten teilnehmen müssen. Kurz: Der Kernbereich des Art. 4 Abs. 3 GG werde beeinträchtigt, wenn der berechtigterweise den Kriegsdienst Verweigernde dennoch der Wehrpflicht unterworfen werde, der nachzukommen ihm sein Gewissen verbiete.

Flankenschutz erhielt die Vorlage des Landgerichts Ravensburg durch einen sensationellen Artikel, den die Richterin Dr. Gabriele Kleb-Braun (Universität Münster) im Juni 1987 in der Zeitschrift *Betrifft Justiz* publizierte. Die Überschrift: „Stellt euch vor, es ist Krieg – und kein Richter sagt mehr: Geh hin!" Die Juristin im Hochschuldienst führte darin aus, dass die Kriegsdienstpflicht gegen wesentliche Grundrechte – vor allem die Menschenwürde und das Recht auf Leben und körperliche Unversehrtheit – verstoße. Deshalb sei staatlicher Zwang zum Kriegsdienst Verfassungsbruch; und da der Grundwehrdienst aus der Kriegsdienstpflicht begründet werde, sei dieser ebenso verfassungswidrig. Ihre Hauptargumente: Mit dem Einberufungsbescheid werden aus jungen Männern auf Gehorsam verpflichtete und rechtlich als Vernichtungsziele gekennzeichnete Soldaten, die ausgesondert sind aus der Gemeinschaft derer, die der Staat schützen muss; die Menschenwürde und damit verbunden das Recht auf Leben aber hat die absolute Grenze staatlicher Gewalt zu sein, da nur der lebende Mensch Träger von Menschenwürde sein kann.

Der zweite Senat des Bundesverfassungsgerichts lehnte die Richtervorlage als unzulässig ab und entschied am 11. Juli 1989, dass das Wehrpflichtgesetz mit dem Grundgesetz vereinbar sei. Lapidar stellte es fest, dass das Grundgesetz zwar das Recht verbürge, den Kriegsdienst mit der Waffe aus Gewissensgründen zu verweigern, „hingegen nicht ein Recht zur Verweigerung der Wehrpflicht als einer allgemeinen Bürgerpflicht gewährt". Für weitere Schlussfolgerungen zur gegenwärtigen und künftig möglichen Ausgestaltung des Zivildienstes im Hinblick auf den Schutz der Gewissensentscheidung gebe die Vorschrift des Wehrpflichtgesetzes – die Wehrpflicht wird durch den Wehrdienst oder durch den Zivildienst erfüllt – nichts her, daher könne und müsse die verfassungsrechtliche Zulässigkeit bestimmter Dienstleistungspflichten für Zivildienstleistende nicht überprüft werden.

Ein Recht zur Totalverweigerung!?

Acht Verfassungsrichter waren an dem Beschluss des Zweiten Senats vom 11. Juli 1989 beteiligt, unter ihnen Ernst-Wolfgang Böckenförde und Ernst Mahrenholz. Wäre es alleine nach ihnen gegangen, wäre die Entscheidung womöglich anders ausgefallen. Diese beiden Richter hatten nämlich vier Jahre zuvor, bei der Grundsatzentscheidung über das Kriegsdienstverweigerungs-Neuordnungsgesetz vom 24. April 1985, ein bemerkenswertes Sondervotum abgegeben. Während damals die Mehrheit der Meinung war, dass Eingriffe in den Schutzbereich des Art. 4 Abs. 3 aufgrund der Funktionsfähigkeit der Bundeswehr als kollidierendem Verfassungsrecht gerechtfertigt werden können – die Streitkräfte müssten ihre militärischen Aufgaben in jedem Fall durchführen können, im Zweifel auch gegen das Interesse eines Kriegsdienstverweigerers an der Freiheit von jeglichem Zwang gegenüber seiner Gewissensentscheidung – hatten Böckenförde und Mahrenholz darauf hingewiesen, dass Art. 4 Abs. 3 gegebenenfalls Grenzen setze für den Ausbau und die Organisation der Landesverteidigung, umgekehrt aber deren Erfordernisse nicht der in Art. 4 Abs. 3 besonders gehegten Gewissensentscheidung Grenzen setzen könnten.

Es geschah Erstaunliches: Ernst G. Mahrenholz, von 1987 bis 1994 Vizepräsident des Bundesverfassungsgerichtes, quälte nach seinem Ausscheiden aus dem Amt offensichtlich das Gewissen. Denn er erkannte: In der von ihm mitgetragenen Entscheidung vom 11. Juli 1989 hatte sich das Bundesverfassungsgericht nicht zur Tragweite des Art. 4 GG verhalten. Und hätte es das getan, wäre es womöglich nicht umhingekommen, die Verfassungswidrigkeit des Wehrpflichtgesetzes festzustellen. So setzte sich Mahrenholz hin, verfasste einen Text über das „Recht zur Totalverweigerung" (veröffentlicht im *Grundrechte-Report* 1997, S. 63-68) und bestätigte damit das, was Totalverweigerer immer schon wussten: Wer eine Gewissensentscheidung gegen den Kriegsdienst getroffen hat, kann und darf nicht zum Zivildienst gezwungen werden!

Mahrenholz stellt zunächst fest, dass die Grundrechte der Verfassung sowohl Gesetzgebung und Regierung wie auch Verwaltung und Rechtsprechung ohne Wenn und Aber binden. So bedeutet die in Art. 4 Abs. 1 GG geschützte Gewissensfreiheit eine wertentscheidende Grundsatznorm höchsten verfassungsrechtlichen Ranges, gegen die selbst wichtige und wichtigste Staatsinteressen nicht in Stellung gebracht werden können. Das heißt: Auch der in Abs. 3 angeführte Schutz des Gewissens vor dem Kriegsdienst mit der Waffe gilt unverkürzt.

Sodann geht Mahrenholz ausführlich auf die Konsistenz der Argumentation der Totalverweigerer ein, dass die zivile Verteidigung vom Standpunkt der militärischen Verteidigung aus unerlässlich ist und die Bereitschaft zum Krieg verstärkt. Der Zivildienst ist also erkennbar ein Kriegsdienst. Daraus folgt laut Mahrenholz zweierlei: Erstens sind gesetzlich vorgesehene Sanktionen – wegen der Unterordnung des Strafrechts unter Art. 4 Abs. 1 GG – verfassungswidrig, sobald ein Gericht die sich gegen den Zivildienst richtenden Gewissensgründe anerkennt, und zweitens hätte eine grundrechtskonforme Regelung den § 3 WPflG „um eine Bestimmung zu ergänzen, die Totalverweigerer aus Gewissensgründen von der Erfüllung der Wehrpflicht, sei es im Zivil-, sei es im Wehrdienst, ausnimmt und könnte diese Bestimmung um eine weitere ergänzen, die einen Dienst vorsieht, der kraft Gesetzes außerhalb des Bereichs der zivilen Verteidigung steht und für den Spannungs- oder Verteidigungsfall von der Heranziehung von Totalverweigerern absieht".

Prinzipiell freilich, so wäre Mahrenholz noch zu ergänzen, ist das „Nein" eines Totalverweigerers unabhängig von Gegenleistungen an den Staat zu betrachten. Wenn der Staat durch eine Inpflichtnahme jemanden in eine Zwangssituation mit seinem Gewissen treibt, so gebietet die Abwehrfunktion des Grundrechts aus Art. 4 Abs. 1 GG schlicht und einfach – also ohne Koppelung an irgendeine Ersatzforderung –, von dieser Verpflichtung entbunden zu werden.

Bleibt die Frage, ob mit dieser Argumentation wirklich etwas gewonnen ist. Denn wiederum handelt es sich ja „nur" um eine Totalverweigerung aus Gewissensgründen, gegen die selbst wichtigste Staatsinteressen nicht in Stellung gebracht werden dürfen. Derjenige, dem kein Gewissen attestiert wird, steht weiterhin nicht auf dem Boden der

Verfassung! Mahrenholz stellt die entscheidende Frage selbst: „Wie will man die Gewissensentscheidung feststellen, wenn der Staat schon an der Erforschung des Gewissens der Kriegsdienstverweigerer gescheitert ist, obschon hinter ihnen die Gewissheit des abzuleistenden Ersatzdienstes stand?" Es ist eine nicht lösbare Frage. Verfassungsrechtlich gesehen sei es allerdings eine Frage „sekundärer Natur", so Mahrenholz. Was heißt: Die Berufung auf das Gewissen muss ausreichen, damit es anerkannt wird.

Die Meinung selbst eines ehemaligen Verfassungsrichters war allerdings eben auch nur eine Meinung, und so sollte das Bundesverfassungsgericht in seinen weiteren Entscheidungen zur Frage einer Zivildienstverweigerung aus Gewissensgründen bei seiner gewohnten Linie bleiben, diese grundsätzlich als strafbar anzusehen. Der argumentative Aufwand blieb überschaubar. Einmal verwies es ziemlich läppisch darauf, dass diese Rechtsprechung neben grundsätzlicher Kritik wie der von Mahrenholz im Schrifttum „zumindest im Ergebnis vielfach auch Zustimmung erfahren hat" (BVerfG, 9. März 2000), ein anderes Mal rechtfertigte es mehrfache Verurteilungen aufgrund „wiederholter" Dienstflucht mit dem schlichten Hinweis auf frühere Entscheidungen, denen zufolge bei mangelnder Gewissenstäterschaft das Verbot der Doppelbestrafung nicht verletzt werde (BVerfG, 11. Juni 2002). Das hieß letztendlich: Die Richter durften weiter so richten wie in den 1980er-Jahren und mussten auch an ihrer Argumentation nichts ändern.

Keine Verurteilungen mehr in der DDR

In der DDR spielten solche Gewissens- und Verfassungsfragen keine Rolle. Hier war der Umgang mit Totalverweigerern noch unberechenbarer, manchmal auch zu deren Gunsten.

Zum Einberufungstermin am 4. November 1986 registrierte das Ministerium für Staatssicherheit 67 zur Festnahme vorgesehene Verweigerer, kein einziger wurde allerdings verurteilt. Uwe Koch und Stephan Eschler schreiben in ihrem Buch über die Geschichte der Wehrdienstverweigerung in der DDR: „Ab 1986 wurde durch eine Entscheidung, die im Zusammenwirken von Politbüro, Ministerium für Staatssicherheit und Ministerium für Nationale Verteidigung entstand, von der Strafverfolgung von Totalverweigerern und Reservedienstverweigerung abgesehen." Der Grund dafür war, dass sich die politische Führung um Staats- und Parteichef Erich Honecker in der Zwickmühle sah: Einerseits war da das Interesse, die Wehrpflicht konsequent durchzusetzen, andererseits aber sollte nicht zu viel Aufsehen erregt werden. Das Politbüro des ZK der SED wollte vor allem vermeiden, dass kirchlich gebundene Häftlinge in den Arrestzellen und Gefängnissen landeten, denn diese könnten, so die Befürchtung, breite Solidaritätsaktionen hervorrufen. Dass diese Gefahr ernstzunehmen war, machte etwa eine Tagung des DDR-Kirchenbundes 1987 in Görlitz deutlich. Dort wurde verlautbart: „Die Kirche sieht in der Entscheidung von Christen, den Waffendienst oder den Wehrdienst zu verweigern, einen Ausdruck des Glaubensgehorsams, der auf den Weg des Friedens führt."

Auch wenn laut Stasi-Unterlagen Ende der 1980er-Jahre offensichtlich mehr als die Hälfte der Bausoldaten und Totalverweigerer einen Ausreiseantrag gestellt hatten, gab es immer noch genug Aktivisten, die sich innerhalb der DDR politisch engagierten (und engagieren wollten). Vor allem mit dem 1986 in Ost-Berlin auf Initiative des als Totalverweigerer vorbestraften Michael Frenzel gegründeten „Freundeskreis", der sich dezidiert auch gegen alle bestehenden Formen des Ersatzdienstes wandte, begannen sich die Wehrdiensttotalverweigerer untereinander zu vernetzen. Es ist anzunehmen, dass solche Verbindungen einen mäßigenden Einfluss auf die Verfolgungslust des Staates ausübten. Das schloss natürlich eine Überwachung durch das MfS keineswegs aus. Erich Mielke erließ 1988 ein Rundschreiben an alle Bezirksverwaltungen, um nach den organisierten Wehrfeinden zu fahnden. Das MfS registrierte ca. 45 Personen in elf regionalen Untergruppen, u. a. in Berlin, Erfurt, Gera, Karl-Marx-Stadt, Brandenburg und Wismar.

Im Mai 1988 fand in Berlin-Schmökwitz ein erstes DDR-weites Treffen statt. In einem Basispapier wurde die uneingeschränkte Anerkennung des Menschenrechts auf Verweigerung des militärischen Dienstes in allen seinen Formen gefordert und das Praktizieren gewaltfreier Methoden zur Lösung von Konflikten propagiert. In der Forderung nach Errichtung eines zivilen Ersatzdienstes sahen die Versammelten keinen wirklichen Schritt zur Entmilitarisierung der Gesellschaft, sie wandten sich daher auch explizit gegen die geplante und am 1. März 1989 – also nur kurz vor dem Ende der DDR – verabschiedete neue Zivildienstverordnung.

Auch die Kontakte zwischen Ost und West waren nie abgebrochen. Die Aktion mit den „Persönlichen Friedensverträgen" tröpfelte aber nur noch vor sich hin und erreichte nie die erhofften größeren Dimensionen, die es ermöglicht hätten, eine wuchtige öffentliche Präsentation in Szene zu setzen. Dazu kam, dass einerseits die DDR-Behörden dem Projekt durch ihre plötzliche „Strafunwilligkeit" den Wind aus den

Segeln genommen hatten, und andererseits die Stasi den Unterzeichnern auf den Leib rückte. 2004 berichtete Helmut Kramer in einem Artikel über „Justiz und Kriegsdienstverweigerung in der DDR" davon, dass im Jahr 1986 zwei an dem Friedensvertrags-Projekt beteiligte Ost-Totalverweigerer – Stefan Pilz und Mario Ender – wegen „ungesetzlicher Verbindungsaufnahme" verurteilt wurden: Die Stasi hatte ihre Verweigerungen als „Ergebnis gegnerischer Einflussnahme" gewertet.

Ein bemerkenswertes Ereignis aber kam immerhin zustande. Anlässlich der Friedenswerkstatt in Ostberlin stellten Totalverweigerer aus Ost und West am 8. Mai 1988 gemeinsam das Denkmal „Dem unbekannten Deserteur" her und im Ostberliner Bezirk Friedrichshain vor der Samariterkirche auf. Der Pfarrer dort hieß Rainer Eppelmann. Der hatte 1965 als Bausoldat selbst das Gelöbnis verweigert und eine achtmonatige Haftstrafe auf dem Buckel, dementsprechend stand er der Totalverweigerer-Szene sehr aufgeschlossen gegenüber. Eppelmann, Minister für Abrüstung und Verteidigung in der letzten DDR-Regierung, zählte neben Markus Meckel, dem letzten Außenminister der DDR – der 1976, sechs Jahre nach der Erklärung seiner Totalverweigerung, ausgemustert worden war – zu den prominentesten Friedensaktivisten in der Endphase der DDR.

Die Totalverweigerer-Plastik, bestehend aus einem in einen Zementsockel eingelassenen Doppel-T-Träger, der an einer Seite gespalten und auseinandergebogen worden ist, sollte die Spannung zwischen der Härte und Unnachgiebigkeit militärischen Gehorsams und dem aus der vorgegebenen Spur sich lösenden Deserteur symbolisieren. Das Denkmal wurde bereits nach einem Tag von den Behörden wieder entfernt und später im Jugendwiderstandsmuseum in der früheren Galiläakirche aufgestellt.

Beim zweiten Treffen des „Freundeskreises" im Mai 1989 in Kirchmöser bei Brandenburg waren erstmals auch Totalverweigerer aus der BRD und aus Spanien anwesend. Die Stasi hatte mitgelauscht und hielt fest: „Wesentlich zurückzuführen auf die Auswirkungen weltweit zunehmender pazifistischer Strömungen und die Änderung der Haltung kirchenleitender Kräfte in den evangelischen Kirchen in der DDR zur Ableistung des Wehrdienstes (…) ver-

Denkmal für den unbekannten Deserteur in Ostberlin.

Demonstration des Freundeskreises der Totalverweigerer am 3. Mai 1990 in Berlin.

zeichneten ab Mitte der 1980er-Jahre die Verfechter der Totalverweigerung einen erheblichen Zuwachs." (Quelle: Matthias-Domaschk-Archiv, Anlage zur Information Nr. 150/89; BStU, ZA, Z 3756, Bl. 43)

Die Stasi vermutete, dass der „Freundeskreis Wehrdiensttotalverweigerer/Region Berlin" bestrebt sei, sich zum Zentrum einer ‚Basisbewegung' zur Abschaffung der Wehrpflicht und der ‚Entmilitarisierung der Gesellschaft' zu profilieren." Da hatten die Lauscher aber wohl nicht richtig zugehört. Als die Teilnehmer eines Treffens darüber diskutieren wollten, ob sie nun die Abschaffung der Wehrpflicht oder die der Armee fordern sollten, hatte jemand eingeworfen: „Fordern wir doch gleich die Abschaffung der DDR!" Immerhin: Dieses Ziel wurde erreicht

Die Vereinigungs-Opfer von 1990

Am 17. Januar 1990 kam es in der „Umweltbibliothek" der Zionsgemeinde in Ost-Berlin zur ersten gemeinsamen Pressekonferenz von Totalverweigerern aus Ost und West. Ihre Forderung war klar: totale Abschaffung der Wehrpflicht in beiden deutschen Staaten. Die Chancen dafür seien bei der jetzigen Weltlage so gut wie nie zuvor: „Wann, wenn nicht jetzt?" Denn mit dem Ende des Kalten Krieges hatten die Wehrpflichtarmeen der BRD und der DDR sowohl militärisch wie politisch ihre Bedeutung verloren. Die Hoffnung, dass sich die Regierung des vereinigten Deutschland zu einer Abschaffung der Wehrpflicht entschließen könnte, erfüllte sich jedoch nicht. Und so kam es zu einigermaßen bizarren Situationen.

Ein West-Totalverweigerer, der in Baden-Württemberg zu einer fünfmonatigen Haftstrafe wegen Dienstflucht verurteilte Gerhard Scherer, wurde im Westteil der Stadt per Haftbefehl gesucht und sollte – trotz Protesten aus dem Umfeld der Alternativen Liste (AL) – nach dem Willen des rot-grünen Senats per Amtshilfe ausgeflogen und damit in den westdeutschen Knast ausgeliefert werden. Scherer war dann untergetaucht und, als Kameramann eines Fernsehteams getarnt, durch die Grenzanlagen nach Ost-Berlin entkommen.

Auf der zu dem Fall anberaumten Pressekonferenz empörte sich Christian Herz – Verfasser einer in mehreren Auflagen vom Komitee für Grundrechte und Demokratie herausgegebenen „Streitschrift für die totale Kriegsdienstverweigerung" und durch seine zahlreichen Aktivitäten der mit Abstand erfolgreichste Propagandist in der Geschichte der westdeutschen Totalverweigerung –, über die Aushöhlung des entmilitarisierten Status Westberlins durch den AL-SPD-Senat, der sich Anfang Januar das Plazet der Alliierten für das Vorhaben gesichert hatte, Totalverweigerer künftig per Amtshilfe an westdeutsche Behörden auszuliefern. Die Berliner AL-Abgeordnete Renate Künast forderte den rot-grünen Senat auf, Scherer nicht auszuliefern. Der Senat solle sich nicht „hinter dem breiten Rücken der Alliierten" und dem Argument der Rechtseinheit mit dem Bund verstecken. Zum Abschluss der Aktion wurde noch ein Solidaritätskonzert auf der Ostseite des Brandenburger Tores organisiert, schließlich ließ sich der mit Haftbefehl Gesuchte am 6. März in einem Fraktionsraum der AL im Rathaus Schöneberg festnehmen, wo er „friedenspolitisches Asyl" erhalten hatte.

Das Verschwinden der neutralen Zone Westberlin war nur eine vorübergehende Folge der neuen politischen Situation. Nach dem Beitritt der

Pressekonferenz der Ost- und West-Totalverweigerer am 17. Januar 1990 in Ostberlin. V.l.n.r.: Christian Herz, Gerhard Scherer, Michael Frenzel, Renate Künast.

Deutschen Demokratischen Republik zur Bundesrepublik Deutschland am 3. Oktober 1990 sahen sich Verwaltung und Justiz durch die Aufgabe, die Wehrpflichtigen aus den neuen Bundesländern zu integrieren, vor völlig neuartige Probleme gestellt. Mit dem Tag der Vereinigung galten die westdeutschen Wehrgesetze auch für die Wehrpflichtigen der ehemaligen DDR. Für den Übergang wurde der 2. Oktober als Stichtag angesetzt: Alle DDR-Wehrpflichtigen, die sich bis dahin nach der DDR-Verordnung ohne Gewissensprüfung für den seit Kurzem möglichen Ost-Zivildienst entschieden hatten, sollten automatisch nach westdeutschem Recht anerkannt werden. Das löste in den neuen Bundesländern eine Welle der Verweigerungen aus, weil alle dachten, für die so Anerkannten gelte die DDR-Zivildienstzeit: Die dauerte nämlich nur zwölf statt der im Westen üblichen fünfzehn Monate (im Jahr zuvor waren es sogar noch 20 Monate gewesen).

Die seltsame Übergangssituation bildete sich auch in den Prozessen gegen Totalverweigerer ab. Am 13. April 1992 sorgte das Amtsgericht Berlin-Moabit mit dem Urteil gegen den 24-jährigen Ernst Steinhauer – vier Monate Freiheitsstrafe auf Bewährung – für eine doppelte Premiere: Es war zum einen der erste Prozess, der seit 1945 in (West-)Berlin gegen einen Wehrdienstverweigerer angestrengt wurde, und zum anderen handelte es sich bei dem Angeklagten um den ersten früheren DDR-Bürger, der sich wegen Fahnenflucht von der Bundeswehr zu verantworten hatte. „Würde die DDR noch bestehen, wäre der Angeklagte freigekauft statt angeklagt worden", bemerkte Rechtsanwalt Frings in seinem Plädoyer. Da es als Alternative zum Wehrdienst den Zivildienst gebe, sei die „sogenannte Totalverweigerung" vom Grundgesetz nicht gedeckt, meinte der Richter ungerührt, der sich auch geweigert hatte, die Sache aufgrund des hohen öffentlichen Interesses – rund zweihundert Prozessbesucher waren gekommen – in einen größeren Saal zu verlegen. Die Berliner „Kampagne gegen Wehrpflicht" teilte der Presse mit, dass in den nächsten Monaten in Berlin mit rund 250 weiteren Prozessen gegen Totalverweigerer zu rechnen sei.

Die strafrechtliche „Integration" der ostdeutschen Totalverweigerer sorgte noch lange für Verurteilungen. Und für Kuriositäten. So wurde etwa Oliver Blaudzun im Jahr 1996 eine besondere Art von Doppelbestrafung zuteil: 14 Monate Haft hatte ihm seine Verweigerung in der DDR eingebracht, nach der Wende kam dann der Einberufungsbefehl der Bundeswehr, und nachdem er auch den ignoriert hatte, wurde er – wegen „Fluchtgefahr" und „dringenden Tatverdachts" – für zwei Monate in

U-Haft genommen und anschließend zu einer Bewährungsstrafe von drei Monaten verurteilt. Der Skandal erregte in der Öffentlichkeit großes Aufsehen, sogar der Fernsehpfarrer Fliege beschäftigte sich mit dem Thema.

Das neue Normal im Westen

Die Angst von Wehrpflichtigen, sich an einem Krieg beteiligen zu müssen, war mit dem Ende des Kalten Krieges nicht verschwunden, im Gegenteil. Als sich in den letzten Monaten des Jahres 1990 abzeichnete, dass eine breite Koalition von westlichen Alliierten in den (zweiten) Golfkrieg eingreifen würde – Gegner war der Irak, der Kuwait besetzt und annektiert hatte –, entdeckten im Angesicht eines möglichen Einsatzes plötzlich zahlreiche aktive Bundeswehrsoldaten ihr pazifistisches Gewissen und verweigerten den militärischen Dienst. Im Kriegsjahr 1991 stellten die Reservisten einen neuen Rekord auf: 37.620 stellten einen KDV-Antrag, bis dahin waren 3.000 bis maximal 6.000 pro Jahr üblich gewesen.

Ganz unabhängig von einem (in diesem Fall zu Unrecht) befürchteten Auslandseinsatz galt, dass die Bundeswehr nach dem Ende des Kalten Krieges als etwas weitgehend Überflüssiges wahrgenommen wurde. Nach dem Mauerfall war die Sowjetunion unter- und die DDR in der BRD aufgegangen, gegen welchen Feind also sollte das vereinigte Deutschland beschützt werden? Plötzlich gab es viel zu viele Wehrpflichtige, sodass darauf mit einer Reduktion der Dienstzeit reagiert wurde (zunächst auf zwölf, 1996 auf zehn und 2002 auf neun Monate, auch die Dauer des Zivildienstes wurde entsprechend heruntergefahren). Da gleichzeitig die Zahl der Wehrpflichtigen anstieg, die im Wehrdienst keinen Sinn mehr erkennen konnten, wurde der Zivildienst mehr und mehr das neue Normal und der neue Standard für soziale Anerkennung. Wer jetzt noch zum Bund ging, musste völlig verblödet sein, zu dumm für alles andere als für sinnlose Rumhockerei und Sauferei. Vor diesem Hintergrund verlor dann auch die Totalverweigerung ihren politischen Charme. Was sollte so ein Protest, wenn schon der Staat gar nicht mehr wusste, was er mit all den überflüssigen Wehrpflichtigen anfangen soll?

Staat und Justiz konnten es sich leisten, mit den Totalverweigerern milder umzugehen. Das Strafmaß bewegte sich in der ersten Hälfte der 1990er-Jahre zunächst meist zwischen drei und sechs Monaten Freiheitsstrafe auf Bewährung, in einem Drittel der Fälle gab es Geldstrafen, Gefängnisstrafen ohne Bewährung wurden nur noch sehr selten verhängt. Am 18. Dezember 1995 griff schließlich der Bundesminister der Verteidigung ein, um dieser Milde ein Ende zu bereiten. In der Tradition des

„Wörner-Erlasses" wurde im sogenannten „Rühe-Erlass" verfügt: Radikale Kriegsdienstverweigerer, die das KDV-Verfahren abgelehnt haben, dürfen nicht aus der Bundeswehr entlassen werden, solange sie nicht zu mindestens sieben Monaten Freiheitsstrafe (mit oder ohne Bewährung) verurteilt sind. Besonders absurd erscheint der „Rühe-Erlass" in Anbetracht der Tatsache, dass die Totalverweigerung mehr und mehr zu einer Randerscheinung verkümmerte. Im Jahr 1998 gab es nach Angaben der „Zentralstelle" noch genau drei (!) Fälle von Totalverweigerern bei der Bundeswehr, und es war zu diesem Zeitpunkt nicht damit zu rechnen, dass sich diese Zahl durch eine Aufhebung des Erlasses erheblich steigern würde.

Aufsehen erregte jetzt nicht mehr die Extremität der Strafen, sondern der Umgang mit angeblich unqualifizierten Verteidigern. Als Detlev Beutner und Rainer Scheer – beide selbst Totalverweigerer – von der Initiative JUT (Juristische Unterstützung für Totalverweigerer) in zwei Fällen befreundete Totalverweigerer in deren Strafprozessen wegen Dienstflucht bzw. Fahnenflucht verteidigt hatten, wurden die beiden unter Berufung auf das Rechtsberatungsgesetz – einem Gesetz aus der Nazizeit –, angeklagt und im Mai 1998 vom Amtsgericht Braunschweig zu einer Gesamtgeldbuße von insgesamt 1300 DM verurteilt.

Angriff auf die Wehrpflicht

Ausgerechnet aus der alten preußischen Garnisonstadt Potsdam, wo an der dortigen Universität Ende der 1990er-Jahre ein vom Bundesministerium der Verteidigung gestifteter Lehrstuhl für Militärgeschichte eingerichtet worden war, kam 1999 ein unerwarteter Angriff auf die Wehrpflicht. Es ging dabei um den Fall Volker Wiedersberg. Der Potsdamer hatte nach seiner Verweigerung des NVA-Dienstes im September 1993 auch den Antritt seines Zivildienstes im vereinigten Deutschland verweigert. Die in der DDR unterbliebene Bestrafung holte die nun bundesdeutsche Justiz nach: Wiedersberg wurde vom Amtsgericht zu einer Geldstrafe von 50 Tagessätzen à 30 DM verurteilt. In der Berufungsverhandlung beschloss das Landgericht Potsdam am 19. März 1999, das Strafverfahren auszusetzen und die Sache dem Bundesverfassungsgericht zur Entscheidung über die Frage vorzulegen, ob die allgemeine Wehrpflicht und die darauf beruhenden Strafvorschriften noch mit dem Grundgesetz vereinbar seien. Das Hauptargument lautete: Angesichts der veränderten militärischen und geopolitischen Lage – Zusammenbruch des Warschauer Paktes – sei der Fortbestand der allgemeinen Wehrpflicht ein nicht mehr verhältnismäßiger Grundrechtseingriff, der

Verteidigungsauftrag des Grundgesetzes könne in mindestens ebenso geeigneter, den Einzelnen in seinen Grundrechten aber nicht belastenden Weise, durch Einführung einer Freiwilligenarmee Rechnung getragen werden. Weil die Bundeswehr nicht mehr so viel Soldaten benötigte – inzwischen wurden mehr Wehrpflichtige zum Zivildienst einberufen als zum Wehrdienst – und weil überhaupt kaum noch die Hälfte der Wehrpflichtigen einberufen wurde, konnte auch von einer Wehrgerechtigkeit keinerlei Rede mehr sein. Die Potsdamer Entscheidung entfaltete eine gewisse Schneeballwirkung, da andere Gerichte in ähnlichen Fällen die Verfahren aussetzten.

Über die Situation wurde bereits gewitzelt: Stell dir vor, es gibt eine allgemeine Wehrpflicht, aber für Frauen gilt sie gar nicht und bei den Männern nicht einmal für jeden Zweiten. Schlechte Karten hatten vor allem diejenigen, die sich als Kriegsdienstverweigerer anerkennen ließen, weil sie ihre Einberufungschancen damit erheblich steigerten. Richtig gelackmeiert mussten sich aber die wenigen vorkommen, die nach ihrer Anerkennung als Kriegsdienstverweigerer dem Zivildienst fernblieben – und dann trotz des enormen Überangebots an Wehrpflichtigen als Totalverweigerer vor den Schranken eines Gerichts landeten.

Indessen kam der richtige Krieg im zerfallenden Jugoslawien plötzlich ganz nahe. Angesichts „ethnischer Säuberungen" durch die Soldateska des serbisch-jugoslawischen Präsidenten Slobodan Milošević bereitete die NATO einen Militäreinsatz vor – ohne UN-Mandat. Der grüne Außenminister Joschka Fischer, der mit der rot-grünen Regierungsübernahme gerade erst ins Amt gekommen war, sah keine Alternative zum ersten Kriegseinsatz der Bundeswehr seit dem Ende des Zweiten Weltkriegs. Die pazifistisch gesonnene grüne Basis haderte heftig damit, den Kriegskurs ihres Außenministers mitzutragen, die Stimmung bei dem am 13. Mai einberufenen Sonderparteitag in Bielefeld war aufgeheizt. Noch bevor Fischer mit seiner Rede beginnen konnte, wurde er von einem Beutel mit roter Farbe am Ohr getroffen, sein Trommelfell riss. Nach einer kurzen Behandlung hielt er – mit rot verschmierter Jacke, unter massivem Personenschutz und als „Kriegshetzer" beschimpft – die, wie er sie später nannte, wichtigste Rede seines Lebens. Er rechtfertigte seinen Standpunkt, dass deutsche Soldaten wieder in einen richtigen Krieg geschickt werden müssten, mit einem plakativen Verweis auf die deutsche Geschichte: „Nie wieder Auschwitz". Der Parteitag stimmte dem Einsatz zu.

Es war wenig überraschend, dass parallel zur Beteiligung der Bundeswehr am NATO-Einsatz gegen Serbien die Gesamtzahl der Kriegsdienstverweigerer auf eine neue Rekordhöhe anstieg: Im Februar 2000 teilte die für spektakuläre Gelöbnis-Störaktionen bekannte Berliner „Kampagne gegen Wehrpflicht, Zwangsdienste und Militär" mit, dass im Jahr 1999 insgesamt 174.348 Anträge auf Verweigerung bei den Kreiswehrersatzämtern eingegangen seien. Wie schon 1998 hatten damit mehr junge Männer ihren Dienst verweigert als ihn angetreten.

Während das Bundesverfassungsgericht noch über seiner Entscheidung im Fall Wiedersberg brütete, verurteilte das Landgericht Hamburg am 18. Mai 2001 den zuvor von Richter Panzer freigesprochenen Totalverweigerer Jan R. wegen Dienstflucht zu einer Freiheitsstrafe von sechs Monaten auf Bewährung. Die Verteidigung hatte zum Beweis der Einplanung des Zivildienstes in das militärische Konzept der sogenannten „Gesamtverteidigung" beantragt, den Verteidigungsminister Rudolf Scharping zu laden. Der Beweisantrag war vom Gericht jedoch am zweiten Verhandlungstag abgelehnt worden, da die zu beweisenden Tatsachen zum Teil erwiesen, im Übrigen aber ohne Bedeutung für die Urteilsfindung seien, da die Rechtsprechung des Bundesverfassungsgerichts davon ausgehe, dass selbst im Falle der totalen Kriegsdienstverweigerung aus Gewissensgründen eine Bestrafung möglich sei.

Am 20. Februar 2002 entschied das Bundesverfassungsgericht endlich über die Richtervorlage aus Potsdam. Sie sei unzulässig, denn das Landgericht habe nicht hinreichend dargelegt, warum die Verfassungsmäßigkeit der allgemeinen Wehrpflicht, die das Bundesverfassungsgericht in ständiger Rechtsprechung bejaht habe, erneut zu prüfen sein sollte. Der Spruch war extrem enttäuschend: Trotz der langen Bearbeitungszeit zog sich das Bundesverfassungsgericht in seiner Ablehnung auf eine rein formaljuristische Argumentation zurück. Eine irgendwie aufklärende oder gar erhellende Stellungnahme zur Frage der Wehrpflicht lieferte es nicht im Ansatz. In der erneuten Hauptverhandlung zeigte sich das Landgericht unwillig, die vom Bundesverfassungsgericht vermissten Begründungsteile nachzuliefern, und machte es sich einfach: Es stellte das Verfahren wegen einer angeblich unzumutbar langen Verfahrensdauer ein. Die Revision der Staatsanwaltschaft wurde abgewiesen.

Am 27. März 2002 versäumte es das Bundesverfassungsgericht ein weiteres Mal, für Klarheit zu sorgen. In diesem Fall ging es um einen Aussetzungs- und Vorlagebeschluss des Amtsgerichts Düsseldorf vom 30. Oktober 2001: Durch die Änderung des Art. 12a GG im Jahr 2000 sei der Grundsatz der Gleichbehandlung der Geschlechter nicht gewährleistet. Hatte es bisher geheißen, dass Frauen „auf keinen Fall Dienst mit der Waffe leisten" dürfen, so durften sie nun „auf keinen Fall zum Dienst mit der Waffe verpflichtet werden". Es war einigermaßen seltsam, einerseits die freiwillige Selbstverpflichtung von Frauen als Berufssoldatinnen bzw. Soldatinnen auf Zeit ohne jede Einschränkung zu ermöglichen und andererseits den Wehrdienstzwang für Männer beizubehalten. Denn die diskriminierende Beschränkung der Wehrpflicht auf Männer war zuvor in der Regel damit gerechtfertigt worden, dass es ethisch dem „lebensspendenden Wesen der Frau" widerspreche, sie zum Kriegsdienst mit der Waffe zuzulassen. Warum aber wurde ihnen dann mit dieser Änderung überhaupt erlaubt, Dienst mit der Waffe zu leisten? Das Bundesverfassungsgericht störte sich nicht an diesen Ungereimtheiten. Es berief sich in seiner Ablehnung der Richtervorlage aus Düsseldorf schlicht auf frühere Entscheidungen, wonach die Beschränkung der Wehrpflicht auf männliche Bürger eine „ranggleiche" Ausnahme von der Geschlechtergleichheit sei und insofern keinen Verfassungsverstoß darstelle.

Das vorläufige Ende der Wehrpflicht

Während Auslandseinsätze der (Berufs-)Bundeswehr zur Normalität wurden – nach den Terroranschlägen vom 11. September 2001 beteiligte sich die BRD mit einem erheblichen Kontingent auch am internationalen Militäreinsatz gegen den islamistischen Terrorismus in Afghanistan –, schrumpfte zu Hause der Bedarf an Grundwehrdienstleistenden. Für den Geburtsjahrgang 1986 lag der Anteil der tatsächlich Wehrdienstleistenden (einschließlich Soldaten auf Zeit) nur noch bei knapp 15 Prozent des Jahrgangs, die meisten Kriegsdienstverweigerer hingegen wurden zum Zivildienst einberufen. Von Wehrgerechtigkeit konnte also nicht einmal mehr im Ansatz gesprochen werden. Und es war logisch, dass in dieser Situation keinerlei Anlass gesehen wurde, eine Reduzierung der Kriegsdienstverweigerer zu bewirken. Von dieser Situation profitierten dann auch sogar Totalverweigerer. Es gab so viele überflüssige Wehrpflichtige, da waren auch deftige Freiheitsstrafen ohne Bewährung nicht mehr nötig.

Tatsächlich konnte in den Nullerjahren von einer Wehrpflichtarmee nicht mehr die Rede sein. Im Dezember 2008 startete das Verwaltungsgericht Köln eine Verfassungsbeschwerde des Inhalts, dass die Wehrpflicht wegen der stark gesunkenen Zahl der Einberufungen verfassungswidrig geworden sei, da sie gegen den Grundsatz der Wehrgerechtigkeit verstoße. Aufgrund der veränderten Aufgabenstellung – nicht mehr die herkömmliche Landesverteidigung, sondern punktuelle, mit einem hohen

Professionalisierungsbedarf verbundene Einsätze in der internationalen Krisenbewältigung waren inzwischen die Hauptaufgabe der Bundeswehr –, sei die Zahl der Wehrdienstplätze in den letzten Jahren kontinuierlich reduziert und die Einberufungspraxis nicht an der Geburtenstärke eines Jahrgangs, sondern an der Bedarfslage der Bundeswehr orientiert worden. Zwischen 2000 und 2007 hatte sich die Zahl der Wehrdienstleistenden pro Jahrgang auf nur noch 60.000 mehr als halbiert, und der Trend zeigte weiter nach unten.

Die Bundeswehr war demnach längst eine Freiwilligenarmee geworden. Bei einer Sollstärke von 250.000 benötigte sie von den ca. 430.000 Männern eines Geburtsjahrganges also nur noch jeden sechsten, der größte Teil bestand aus freiwilligen Soldatinnen und Soldaten. Geblieben war lediglich die Diskriminierung der Kriegsdienstverweigerer durch die stärkere Heranziehung zum Dienst. Wer sich zum Zivil- oder Ersatzdienst (Katastrophenschutz u. a.) meldete – das waren insgesamt rund 100.000 – wurde umstandslos akzeptiert, der große Rest wurde gar nicht gemustert oder großzügig als untauglich eingestuft. In Anbetracht der Tatsache, dass die Hälfte eines Jahrgangs überhaupt nicht einberufen wurde, sei es geradezu „pervers", so Ulrich Finckh im *Grundrechte-Report* 2009, dass manche Kreiswehrersatzämter „ausgerechnet Totalverweigerer einberufen und die Truppe mit Arreststrafen auf sie losgeht". Der eindeutigen Sachlage zum Trotz wiesen die Karlsruher Richter am 22. Juli 2009 die Richtervorlage aus Köln zurück: Sie sei nicht zulässig, weil nicht hinreichend begründet, hieß es wieder einmal. Unabhängig von der Verfassungswidrigkeit blieb jedoch unstrittig: Nötig war die Wehrpflicht schon lange nicht mehr.

Im Jahr 2010, als von den Wehrpflichtigen des Einberufungsjahrgangs insgesamt 77.437 Männer Zivildienst und nur noch 32.673 den Grundwehrdienst bei der Bundeswehr leisteten, war die Skepsis gegenüber einer Beibehaltung der Wehrpflicht in allen politischen Parteien so weit gewachsen, dass die Initiative des Verteidigungsministers Karl-Theodor zu Guttenberg für ein Wehrrechtsänderungsgesetz kaum mehr auf Widerstand stieß. Am 3. Januar 2011 erfolgten die letzten Einberufungen, am 28. April beschloss der Bundestag die Aussetzung der Wehrpflicht zum 1. Juli des Jahres. Die Bundeswehr war damit nun auch offiziell eine Freiwilligenarmee. An die Stelle von Kreis-Wehrersatzämtern, die sich früher um das zwangsweise Einziehen der Wehrdienstleistenden kümmerten, traten nun die in vielen bundesdeutschen Fußgängerzonen eingerichteten „Karrierecenter der Bundeswehr", die um Freiwillige aller Geschlechter werben.

Die Reform der Bundeswehr wurde juristisch trickreich durchgeführt. Eine Änderung des Grundgesetzes war nicht notwendig, denn die Wehrpflicht wurde nicht endgültig abgeschafft, sondern nur ausgesetzt. Ein solches Vorgehen ist verfassungskonform, denn die Einführung der Wehrpflicht ist laut GG ja nur erlaubt, nicht aber geboten. Die neue, nur für Friedenszeiten geltende Regelung schließt die kurzfristige Aktivierung der Wehrpflicht im Verteidigungs- und Spannungsfall nicht aus. Durch das Beibehalten des Art. 12a GG bleibt eine Wiedereinführung der Wehrpflicht durch ein einfaches Gesetz grundsätzlich möglich, es bedarf also nicht einer qualifizierten Mehrheit, wie sie für ein verfassungsänderndes Gesetz erforderlich wäre.

So bleibt am Ende noch, eine vorläufige Bilanz zu ziehen. Mehr als 2,5 Millionen junge Männer, die den Wehrdienst in der Bundeswehr aus Gewissensgründen verweigert hatten, arbeiteten als Zivildienstleistende ersatzweise in Krankenhäusern, Altenheimen und anderen Sozialeinrichtungen. Viel zu vielen Kriegsdienstverweigerern aber wurde der Weg dorthin erschwert oder gar unmöglich gemacht. Während der Laufzeit der Prüfungsverfahren kamen weit über eine Million Kriegsdienstverweigerer zunächst nicht zu ihrem Recht und Hunderttausende überhaupt nicht. Über 100.000 flohen nach Berlin, Tausende ins Ausland, Ungezählte wurden krank, Einzelne nahmen sich aus Verzweiflung das Leben. Hunderte verweigerten den Militärdienst notgedrungen auch ohne Anerkennung und trotz Strafandrohung. Mehrere Tausend nahmen als Totalverweigerer, verfolgt wegen Fahnen- oder Dienstflucht, die Strafen des Staates auf sich, einige Hundert gingen ins Gefängnis.

Es war kurios, aber eben dennoch Fakt: Die Wehrpflicht war weg, und doch hat sich die von Totalverweigerern gehegte Hoffnung auf eine Verweigerer-Massenbewegung, mit der Wehrpflicht, Militär und der repressive Staat gekippt würden, nicht einmal im Ansatz erfüllt. „Schade eigentlich", dass es mit dem Ende der Wehrpflicht noch schwerer geworden sei, sich total zu verweigern, hieß es im Februar 2011 in einem Artikel der Berliner Wochenzeitschrift *Jungle World*. Tatsächlich gab es ja weiterhin genug Anlässe, sich total zu verweigern. Nur: Wie ging das jetzt? Die Totalverweigerer existierten ja nur durch die Negation der Wehrpflicht. Wie sollten sie ihre Haltung ohne Fremdzwang zum Ausdruck bringen? Sollten sie sich aktiv gegen eine Berufsarmee engagieren? Und wie könnte dieses Engagement aussehen?

NACHWORT
Eine neue Wehrpflicht?

Pazifismus auf dem Prüfstand
Das pazifistische Weltbild hatte in den Zeiten der Friedensbewegung in den 1980er-Jahren der Bundesrepublik viele Anhänger gewonnen. Die Nachwirkungen zeigten sich noch Jahrzehnte später, auch in den Parteien des Bundestags. Von den Ministern der Ampelkoalition aus SPD, FDP und Grünen, die am 8. Dezember 2021 die Regierung übernahm, hat nur einer – Finanzminister Christian Lindner – bei der Bundeswehr gedient. Der Rest: ungedient oder Zivildienstleistender. Wie so viele andere hat einst auch Vizekanzler Robert Habeck für sich keinen Sinn darin gesehen, in Zeiten des „Kalten Krieges" in einer Armee zu dienen, Kanzler Olaf Scholz, in den 1980er-Jahren ein Bewunderer des Bürgerrechtlers Martin Luther King, hat seine Kriegsdienstverweigerung u. a. mit den Kriegserfahrungen seiner Eltern begründet. Habeck hat seinen Zivildienst beim Hamburger Verein „Leben mit Behinderung" abgeleistet, Scholz in einem Pflegeheim.

Der Angriff von Putins Russland auf die Ukraine am 24. Februar 2022 veränderte die politische Großwetterlage radikal. Viele ehemalige Pazifisten leisteten jetzt ihren Offenbarungseid. Serhi Sukhomlin, Bür-

Gandhi-Zeichnung auf einem Buchcover von 1988. Auch im Büro des Bürgermeisters von Schytomyr hing ein gezeichnetes Gandhi-Porträt, wie die Journalistin Gaby Kolle von den *Ruhrnachrichten* im Juni 2023 berichtete.

germeister von Schytomyr, war einer von ihnen. Nach einem Angriff der russischen Armee, dem mehrere Menschen zum Opfer gefallen waren und der in der Stadt eine Spur der Verwüstung hinterlassen hatte, dankte er Ende März in einem Interview für die rasche Hilfe der Menschen aus dem Westen, die Kleider gespendet hatten, Spielzeug und Medikamente. Was man aber wirklich benötige, das seien Helme, Kevlarwesten und Waffen: „Wir müssen einen Krieg gewinnen." Während er dies sagte, zeigte er auf seine Kalaschnikow, die neben ihm auf dem Schreibtisch lag. Er sei eigentlich Pazifist, fügte er noch hinzu, bei ihm im Büro habe bis vor wenigen Tagen ein gezeichnetes Porträt Mahatma Gandhis an der Wand gehangen. Aber als die Russen mit der Beschießung seiner Stadt begonnen hätten, habe er Gandhi von der Wand genommen und durch ein Schwarz-Weiß-Foto des unrasierten Wolodymyr Selenskij ersetzt.

Bewaffneter Widerstand erschien dem einstigen Pazifisten als einzig mögliche Lösung gegen die Aggression Putins. Auch in Deutschland hatte das vorher so gute Gewissen einstiger Kriegsdienstverweigerer Beulen bekommen. Waffenskeptische Friedenssehnsucht, die sich bis in die Spitzen der Regierungsparteien festgesetzt hatte, wirkte plötzlich wie eine gefährliche Illusion. Rasch bröckelten die Überzeugungen der Friedens- und Verhandlungs-Idealisten auf breiter Front, und der ehemalige Kriegsdienstverweigerer Olaf Scholz rief eine Zeitenwende aus. Aus allen Richtungen wurden nun die bellizistischen Stimmen immer lauter, die da sagten, für das Gefühl, sich mit wenigen Waffen in Sicherheit wiegen zu können, sei die Garantie abgelaufen, vor allem aber müsse man die überfallenen Ukrainer unbedingt mit effizienten Waffenlieferungen unterstützen. Allen voran schritten die streitbare FDP-Politikerin und Vorsitzende des Verteidigungsausschusses, Marie-Agnes Strack-Zimmermann, der Oberst a. D. Roderich Kiesewetter, Obmann der CDU/CSU-Bundestagsfraktion für Abrüstung und Rüstungskontrolle sowie Präsident des Verbandes der Reservisten der Deutschen Bundeswehr, und bei den Grünen profilierte sich unversehens – nachdem sich Robert Habeck bereits im Vorjahr dafür ausgesprochen hatte, bestimmte Waffen in die Ukraine zu liefern – der gelernte Biologe Anton Hofreiter als Experte in Sachen für die Ukraine tauglicher Panzer-, Artillerie- und Raketensysteme.

Wochen- und monatelang gab es in den Talkshows kein anderes Thema mehr als „Waffen gegen Putin". Und natürlich kam dabei die Frage auf: Hätte man das eigentlich nicht schon früher sehen können, sehen müssen? Ja, meinte im Februar 2023 der 51-jährige Journalist Tobias Rapp, ein ehemaliger Kriegsdienstverweigerer, stellvertretend für viele andere ehemalige Friedensaktivisten. Er schrieb einen Brief an das Bundesamt für Familie und zivilgesellschaftliche Aufgaben (BAFzA). „Sehr geehrte Damen und Herren, ich möchte gerne meine Verweigerung des Kriegsdienstes zurückziehen. Ich fühle mich nicht mehr aus Gewissensgründen daran gehindert, den Dienst an der Waffe zu leisten. Mit freundlichen Grüßen". Er glaube, erläuterte er im *Spiegel*, dass seine Verweigerung ihren Sinn verloren habe, weil auch die Welt, in der er sie erklärt hatte, untergegangen war. Jetzt aber gelte etwas anderes: „Die russische Armee hat in den vergangenen Jahrzehnten Zehntausende von Zivilisten getötet. Sie hat Grosny dem Erdboden gleichgemacht. Sie hat dem Assad-Regime geholfen, als es seine eigene Bevölkerung mit Giftgas angriff. Russland hat versucht, den US-amerikanischen Wahlkampf zu beeinflussen, es hat mit großer Wahrscheinlichkeit einen Hackerangriff auf den Deutschen Bundestag in die Wege geleitet. Es hat das gefährliche Nervengift Nowitschok auf britischem Boden eingesetzt und einen Mann im Berliner Tiergarten erschießen lassen. Und wir, der sogenannte Westen, wir Deutsche? Haben es gewähren lassen. Mit erschrockenem Blick." Mit dem Angriff von Putins Russland sei aus dem erschrockenen Blick ein böses Erwachen geworden. Die Sache stelle sich für ihn jetzt ganz anders dar als zu den Zeiten, als er den Kriegsdienst verweigert hatte, so Tobias Rapp „Es gibt keine Welt ohne Krieg. Schon gar nicht in der multilateralen Welt, die sich gerade herausbildet. Und für ein mächtiges Land im Herzen Europas ist die Beobachter- und Vermittlerposition, in der wir uns eingerichtet haben, keine realistische Möglichkeit. Wir können uns als Land nicht ewig verhalten wie die Kriegsdienstverweigerer, als die wir uns ein paar glückliche Jahrzehnte lang gefühlt haben."

Wie Tobias Rapp leisteten im Verlauf des Jahres 2023 viele weitere ehemalige Kriegsdienstverweigerer öffentlich Abbitte, darunter so prominente wir Kanzler Olaf Scholz und Wirtschaftsminister Robert Habeck. „Die sicherheitspolitische Lage ist heute eine andere als in den 80er-Jahren", bekannte etwa Habeck gegenüber den *Kieler Nachrichten*. „Unter den heutigen Bedingungen würde ich den Wehrdienst nicht mehr verweigern." Der renommierte Politologe Herfried Münkler, der Anfang der 1970er-Jahre in einer Klinik im Ahrtal Zivildienst geleistet hatte, schloss sich mit demselben Argument an. „Die Sowjetunion, einen saturierten Besitzstandswahrer, gibt es nicht mehr", erläuterte er in einem Interview mit der Illustrierten *Stern*. „An ihre Stelle ist Russland als eine zutiefst revisionistische Macht getreten, die ein fundamentales Interesse an einer

Verschiebung der Grenzen in Europa hat. Und die Welt ist viel unruhiger geworden."

Dabei ist die Aggression Russlands bei Weitem nicht das einzige Problem, aus Sicht des Westens gibt es noch weitaus erschreckendere Szenarien. Zahlreiche Beobachter mit politischer Expertise sind sich einig: Es hat sich eine unheilige Allianz gebildet gegen den Westen. Russland, China und Iran haben – allen kulturellen Unterschieden und zahlreichen divergierenden Interessen zum Trotz – ein selbst ernanntes „Bündnis für das Gute" gebildet und einen Kampf gegen das politische und kulturelle System des Westens begonnen. Der Angriff Russlands auf die Ukraine ist dabei nur der offensichtlichste Kriegsschauplatz. Auch die Hamas in Gaza führt einen Stellvertreter-Krieg als Kanonenfutter zum Nutzen der antiwestlichen Allianz. Die menschenverachtende Brutalität beim Massaker der Hamas vom 7. Oktober und die skrupellose Kriegsführung Russlands in der Ukraine sind nur die blutige Außenansicht einer viel breiter angelegten Attacke. Zum Arsenal der Waffen gehören auch die geostrategisch eingesetzte Wirtschaftsmacht Chinas und eine hybride Kriegsführung, die in vermeintlich friedlichen Zeiten Chaos stiften soll: Hackerangriffe, Desinformationskampagnen, Wahlbeeinflussung, Trolls. Migranten werden gen Westen geschickt, Rechtspopulisten werden ebenso unterstützt wie islamistische Terroristen, die Linken an den Universitäten werden unter der Fahne des Antikolonialismus ideologisch gelenkt, auf TikTok verbreiten Influencer antisemitische Parolen: Alles dient dem Ziel, Verwirrung zu stiften und die westlichen Gesellschaften zu spalten.

In einem Infotext zu einer 2024 publizierten Dokumentation von ARTE-TV, in der zahlreiche Experten zu Wort kommen, werden die Motive angedeutet: „Russland, China und der Iran – die drei autokratischen Staaten sind Nachfolger zerfallener Imperien und versuchen heute, ihre einstige Macht zurückzuerlangen. Seit Beginn des Ukrainekrieges treten sie international als Verbündete auf, geeint durch gemeinsame Ziele: das Zurückdrängen der westlichen Hegemonie, die Wiederherstellung ihrer früheren Einflussbereiche und die Einführung eines neuen Gesellschaftsmodells." Es handele sich demnach letztlich um einen Generalangriff auf die westlichen Demokratien und ihr Rechtssystem, das nach dem Zweiten Weltkrieg zum Schutz des Friedens und der Menschenrechte eingeführt wurde. Der russische Politikwissenschaftler Sergei Karaganov, einer von Putins Masterminds, bezeichnete die Demokratie als „eine der schlechtesten Regierungsformen überhaupt" und kündigte an: „Wir erarbeiten ein neues Konzept der Menschenrechte, das in größtmöglichem Umfang den wahren Bedürfnissen des Menschen und dem neuen Humanismus entsprechen wird."

In seinem neuesten Buch „Welt in Aufruhr", in dem er die neue und äußerst gefährliche Weltlage politiktheoretisch seziert, unterstreicht auch Herfried Münkler, dass es bei der Attacke auf den Westen nicht nur um die Verschiebung von Grenzen gehe, sondern ebenso um die Implementierung anderer Wertordnungen über die eigene Einflusssphäre hinaus. „Die Ära des ‚westlichen Wertimperialismus', wie der Normuniversalismus des Westens in denunziatorischer Absicht bezeichnet worden ist, ist jedenfalls vorbei, und die Rekurse auf das Völkerrecht stehen unter dem Vorbehalt, dass es mächtiger Akteure bedarf, die es durchsetzen." Kurz: Die westlichen Demokratien sind herausgefordert, ihre Lebensweise und Wertewelt zu verteidigen. „Die Demokratie ist nie garantiert", sagte US-Präsident Joe Biden bei den D-Day-Gedenkfeiern am 6. Juni 2024 in der Normandie. „Jede Generation muss sie erhalten, sie verteidigen und um sie kämpfen." Und ganz offensichtlich kann sie, so jedenfalls die immer weiter um sich greifende Überzeugung, nur verteidigt werden, wenn sich der Westen militärisch darauf einstellt und im Zuge dessen auch die Europäer und vor allem die Deutschen ihr Verhältnis zum Militärischen grundlegend ändern.

Die Spatzen pfeifen es von den Dächern: Friedenstauben waren schon immer naiv, aber jetzt gibt es überhaupt keinen Job mehr für sie. Damals in den 1980er-Jahren, in der von den beiden Machtblöcken NATO und Warschauer Pakt dominierten Welt, konnten wir Totalverweigerer in Ost und West noch davon träumen, mit der Idee einer Abrüstung von unten durch persönliche Friedensverträge Lücken in die Schlachtordnungen zu reißen und so etwas Gutes zu bewirken. Damals gab es auf beiden Seiten eine Menge Menschen, die sich über die Mauer hinweg die Hände reichen wollten. Heute sind solche Aktionen praktisch unmöglich. Vor allem deswegen, weil in Russland die Repression zu extrem ist, aber auch deswegen, weil dort die Verblendung zu groß und der Nationalismus zu ausgeprägt ist.

Verhandeln? Gewaltfrei widerstehen?

Hatten also die „Bellizisten" in der deutschen Politik recht, die nach dem Angriff der russländischen Föderation lautstark forderten, dass Deutschland der Ukraine mit Waffen helfen und auch selbst schleunigst in die Lage kommen müsse, sich mit Waffen zu verteidigen? Gab es wirklich keine andere Lösung? Ja doch, die gebe es, meinte eine Minderheit. Die Politikerin Sahra Wagenknecht und die Journalistin Alice Schwarzer etwa gehörten dazu. Unter dem Titel „Manifest für Frieden" starteten sie im Februar 2023 eine Petition, in der sie Bundeskanzler Olaf Scholz aufforderten, „die Eskalation der Waffenlieferungen zu stoppen" und sich „auf deutscher wie europäischer Ebene an die Spitze einer starken Allianz für einen Waffenstillstand und für Friedensverhandlungen" zu setzen. Die beiden Frauen untermauerten ihr Anliegen mit zwei Argumenten: Erstens sei zu befürchten, dass Putin spätestens bei einem Angriff der Ukrainer auf die Krim zu einem maximalen Gegenschlag aushole. „Geraten wir dann unaufhaltsam auf eine Rutschbahn Richtung Weltkrieg und Atomkrieg?" Zweitens könne die Ukraine zwar mit Unterstützung durch den Westen einzelne Schlachten gewinnen. „Aber sie kann gegen die größte Atommacht der Welt keinen Krieg gewinnen." Wenn aber keine Seite militärisch siegen könne und jeder Tag weitere Menschenleben koste – warum dann nicht sofort mit Friedensverhandlungen beginnen? „Verhandeln heißt nicht kapitulieren", argumentierten die beiden Frauen. „Verhandeln heißt, Kompromisse machen, auf beiden Seiten. Mit dem Ziel, weitere Hunderttausende Tote und Schlimmeres zu verhindern."

Friedensverhandlungen? Kompromisse machen? Auf beiden Seiten? Russland hätte ja die Kampfhandlungen sofort einstellen, sich aus dem Territorium der Ukraine zurückziehen und in Verhandlungen eintreten können. Daran, das zu tun, dachte der Kriegsherr Putin aber nicht. Und wäre die Ukraine nicht vom Westen mit Waffen unterstützt worden, wäre sie gar nicht in der Lage gewesen, sich gegen die russischen Angreifer zu wehren – und es gäbe längst keine Ukraine mehr. Diese These vertrat jedenfalls die deutsch-ukrainische Publizistin Marina Weisband, als sie Mitte Juni 2024 in einer Diskussion mit Sahra Wagenknecht bei „Maischberger" deren Ansichten zum wiederholten Mal eine klare Absage erteilte. Aus Putins imperialistischer Sicht sei die Ukraine eine abtrünnige Provinz, erläuterte sie. Hätte der Westen alles das, was er inzwischen an Waffen geliefert hatte, schon im Frühjahr 2022 in die Ukraine geschickt, so ihre Meinung, hätte der Krieg bereits im Sommer 2022 zu Ende sein können. „Wenn wir jetzt kapitulieren, wenn wir jetzt den Teil der Ukraine opfern, der schon besetzt ist, dann ist das, was danach kommt, kein Frieden." Ein „Einfrieren" des Konflikts auf dem Status quo sei nur die Vorbereitung des nächsten Krieges und ein „Belohnen des Aggressors" Russland.

Aber natürlich wird es irgendwann und irgendwie zu Verhandlungen kommen müssen. Im Juni 2024 sah es so aus, als ob sich auf dem Schlachtfeld ein dauerhaftes militärisches Patt herausgestellt hätte und dass eine Fortführung des Krieges nur weitere Tote, aber für keine Seite wesentliche Fortschritte ergeben könnte. Der Berliner Osteuropa-Historiker Jörg Baberowski vertrat gar die Auffassung, dass in Anbetracht der Überlegenheit Russlands bei den Waffen und der Mannstärke der Armee die Annahme, dass die Ukraine ihre territoriale Integrität wiederherstellen könnte, völlig unrealistisch sei. „Irgendwann kommt der Moment der Kriegsmüdigkeit. Ich fürchte, dass Putin ihn für sich nutzen wird", meinte er in einem Interview mit dem *Spiegel* und schloss: „Am Ende wird er bekommen, was er verlangt." Also neben der seit 2014 besetzten Krim die Provinzen Saporischschja, Cherson, Donezk, Luhansk und dazu womöglich auch noch Charkiw. „Der Rest der Ukraine soll ein Pufferstaat werden, der die NATO von Russland trennt. Putin wird eine Garantie verlangen, dass die Ukraine nicht in das Militärbündnis aufgenommen wird. Von der Annexion der Westukraine hätte er keinen Gewinn, niemand will ihn dort haben."

Aber entspricht dieses als unausweichlich gezeichnete Szenario tatsächlich der Realität? Der Münchner Osteuropa-Historiker Martin Schulze Wessel hielt seinem Kollegen im *Spiegel* entgegen, dass der sich lediglich „der Redeweise Putins" anschließe, „dass die Verteidigungsanstrengungen der Ukraine und die Waffenhilfe des Westens den Krieg nur verlängern". Baberowskis Darstellung blende aus, dass sich die Lage Russlands nach enormen Verlusten an Soldaten und Material keineswegs so rosig darstelle, auch um die Versorgung und die Moral der Kämpfer an der Front sei es sehr schlecht bestellt. Und andere Themen lasse Baberowski völlig aus. Vor allem das durch die Dauer-Bombardierung verursachte Leid der ukrainischen Zivilbevölkerung und das Grauen, das die Menschen in von Russland besetzten ukrainischen Territorien erwartet.

Vor allem aber gilt: Die politischen Konsequenzen einer Teil-Kapitulation der Ukraine wären fatal. Sobald die Ukraine die weiße Fahne hisst, würde sie damit ihren völkerrechtlich abgesicherten Status faktisch zur Disposition stellen. Putin könnte sich die Hände reiben, weil er nun wüsste, dass sich ein völkerrechtswidriger Angriffskrieg lohnt, sofern er militärisch in der Lage ist, Gebietsgewinne zu erzielen. Weitere Opfer würden folgen. Charkiw hat er schon im Visier. Und Georgien muss natürlich auch zurück nach Russland, das war doch die Heimat von Väterchen Stalin. ... Schließlich male man sich noch aus, was geschehen könnte, wenn einige ostdeutsche Bundesländer eine AfD-Regierung hätten und einen Befreiungs-Hilferuf nach Moskau senden würden, weil man in dieser BRD ja nichts mehr sagen dürfe ...

Und was ist mit jenen Stimmen unter den gewaltskeptischen Menschen, die sich grundsätzlich die Frage stellten, ob nicht alles auch ganz anders hätte laufen können? Hätte nicht gewaltfreier ziviler Widerstand bzw. gewaltfreie soziale Verteidigung für die ukrainische Gesellschaft ein taugliches Mittel sein können, um sich erfolgreich zu wehren? Wäre nicht vielleicht ein dritter Weg zwischen gewaltsamer militärischer Verteidigung und Kapitulation möglich gewesen? Am 19. April 2022 scheute sich die Konfliktforscherin Veronique Dudouet von der Berliner Berghof Foundation nicht, in einem Interview mit der *taz* zu erklären, dass die Ukrainer mit einem gut organisierten sozialen Protest den russischen Angriff stoppen könnten. Die Forschung zeige eindeutig, dass friedlicher Widerstand selbst gegen die skrupellosesten und repressivsten Regime eine Erfolgschance habe. Und es habe ja auch in der Ukraine gewaltfreie Aktionen gegeben, etwa Massendemonstrationen in Cherson oder in ländlichen Gebieten Versuche von Zivilisten, sich den russischen Panzern unbewaffnet entgegenzustellen.

Also doch Gandhi? Hatten nicht die Sathiagrahi ihren Freiheitskampf erfolgreich durchführen können, sogar unter Inkaufnahme von Schwerverletzten und Toten, trotz des Versuchs der englischen Kolonialmacht, ihren gewaltfreien Widerstand mit roher Gewalt zu brechen? Und hatte nicht auch Dietrich Bonhoeffer in seiner berühmten Rede vom 28. August 1934 auf der Fanö-Konferenz die Idee entworfen, dass der wahre Friede nur dann eintreten kann, wenn er wirklich gewagt wird, wenn man ihn nicht mit Waffendrohung oder einem System von Verträgen sichern will? „Kämpfe werden nicht mit Waffen gewonnen, sondern mit Gott", so Bonhoeffer. „Sie werden auch dort noch gewonnen, wo der Weg ans Kreuz führt. Wer von uns darf denn sagen, dass er wüsste, was es für die Welt bedeuten könnte, wenn ein Volk – statt mit der Waffe in der Hand – betend und wehrlos und darum gerade bewaffnet mit der allein guten Wehr und Waffe den Angreifer empfinge?"

Tatsächlich meinen etwa Friedensforscherinnen wie Erica Chenoweth, US-amerikanische Politikwissenschaftlerin und Professorin an der Harvard Kennedy School, belegen zu können, dass sich gewaltloser Widerstand in der Geschichte als erfolgreicher erwiesen hat als gewaltsamer, dass er nicht nur zu wesentlich weniger Toten, Verletzten und materiellen Zerstörungen führe, sondern auch seine Ziele weitaus öfter erreiche als ein mit den Mitteln der Gewalt durchgeführter (vgl. Why Civil Resistance Works: The Strategic Logic of Nonviolent Conflict, 2011; Civil Resistance: What Everyone Needs to Know, 2021). Statistische Erhebungen hätten ergeben, so Chenoweth, dass die Bewegung, der es gelang, mehr als 3,5 Prozent der Bevölkerung zum gewaltfreien Widerstand zu mobilisieren, stets auch positive Veränderungen herbeigeführt habe.

Was müsste man daraus für den Fall der Ukraine schließen? Sollte das etwa heißen: Hätten eineinhalb Millionen entsprechend vorbereitete Menschen aktiven gewaltfreien Widerstand gegen den russischen Einmarsch bzw. gegen eine russische Besetzung geleistet, wäre dieser womöglich am Ende erfolgreich gewesen? Wie soll man sich das vorstellen? Hätte die russische Armee möglicherweise aufgehalten werden können, wenn Hunderttausende ukrainische „Sathiagrahi", auf den Einfallstraßen vor Kiew Sitzblockaden bildend, „betend und wehrlos" – wie Bonhoeffer das ausgedrückt hätte – den Panzern der Invasoren den Weg versperrt hätten? Oder umgekehrt: Muss man annehmen, dass die russischen Soldaten vor den Augen der Weltöffentlichkeit umstandslos Tausende von Wehrlosen niedergewalzt und zermanscht hätten? Beide Bilder wirken unwirklich, wohl auch deswegen, weil das innere Auge keine Vorbilder für solche Szenen abrufen kann. Auch der indische Freiheitskampf, bei dem eine Übermacht der Unterdrückten einer überschaubaren Zahl von Kolonialtruppen gegenüberstand, bietet für die Situation in der Ukraine keine taugliche Folie. Wer von uns also darf sagen, dass er wüsste, was die beschriebene Situation für die Welt bedeuten könnte?

Die Wirkungsmächtigkeit eines gewaltfreien Widerstands kann bis heute nicht wirklich beurteilt werden, da so etwas – mit dem Argument, Gewaltfreiheit habe ja doch keinerlei Aussicht auf Erfolg – im Fall einer Landesverteidigung noch niemals im großen Stil ernsthaft versucht worden ist. Nehmen wir aber einmal an, die Ukraine hätte sich schon vor Beginn des Krieges auf eine strategische soziale Verteidigung festgelegt und dafür zusammen mit internationalen Sitzblockade-Brigaden groß angelegte gewaltfreie Kampagnen eintrainiert. Darf man dann nicht davon ausgehen, dass durch diese Beschwichtigungsgeste beim größten Teil der russischen Soldaten die angeborene Tötungshemmung aktiviert worden wäre? Und selbst dann, wenn sich einige nicht hätten aufhalten lassen und es zahlreiche Tote und Verletzte gegeben hätte, würde das der These noch nicht widersprechen, dass gewaltfreier Widerstand eine hohe Erfolgschance hat. Wäre es nicht vorstellbar, dass sich der russische Aggressor durch das Töten von Hunderten, vielleicht Tausenden von

Wehrlosen vor den Augen der Weltöffentlichkeit desavouiert hätte, dass sich schließlich die meisten der russischen Soldaten dem Töten verweigert hätten und so die Eroberungsabsicht gescheitert wäre? Wäre nicht so eine Aktion einmal einen Versuch wert und allemal besser gewesen als dieser Krieg, der am Ende mehr als 500.000 Menschen das Leben gekostet haben wird?

Oder wäre es ganz anders gelaufen? Schließlich haben russische Soldaten in den ersten zwei Jahren dieses Krieges grundlos und auf fast beiläufige Weise eine derart erhebliche Anzahl wehrloser Zivilisten ermordet, dass kein zwingender Grund zu der Annahme besteht, eine Sitzblockade hätte als ein Appell an das Gewissen moralische Hemmungen bewirken und die Masse der russischen Soldaten vom Töten abhalten können. Menschen sind, so scheint es, zu allem fähig. Während des Zweiten Weltkriegs haben deutsche Soldaten und Polizisten, zu Hause in ihrem Alltag ganz normale und harmlose Familienväter, in der damaligen Sowjetunion ohne Zögern und ohne Skrupel zu Tausenden wehrlose Zivilisten getötet, darunter auch Frauen, Alte und Kinder. Sie haben dazu, anders als die Mörder der Hamas beim Massaker des 7. Oktober in Israel, nicht einmal den Antrieb durch einen grenzenlosen Hass gebraucht.

Erwähnt werden muss an dieser Stelle allerdings noch ein berühmtes Foto, das die imaginierte Szene „gewaltfrei gegen Panzer" ikonografisch wiedergibt: Der „Tank Man" vom 5. Juni 1989, der sich – „bewaffnet" mit zwei Einkaufstüten – am Tag nach der blutigen Niederschlagung der chinesischen Demokratiebewegung am Platz des Himmlischen Friedens (Tian'anmen-Platz) in Peking den anrollenden Panzern der Volksbefreiungsarmee entgegengestellt. Der bis heute nicht identifizierte Mann wurde nicht überrollt, er war plötzlich verschwunden. Aber am Vortag hatte in den umliegenden Straßen des Platzes ein Massaker stattgefunden. Bis heute ist unklar, ob es Hunderte oder Tausende Opfer gegeben hat, bis heute ist es in China verboten, an das Ereignis zu erinnern, und bis heute kommt es alljährlich am 4. Juni auf der ganzen Welt zu symbolischen Protestaktionen, damit es nicht vergessen wird.

Es mögen in vielen Ländern weiterhin einige Optimisten vom Erfolg gewaltfreien Widerstands träumen. Allein: Er hat nicht stattgefunden. Es hat sich keine internationale Freiwilligen-Brigade todesmutiger Mega-Pazifisten gemeldet, um in der Ukraine russische Panzer aufzuhalten nach dem Motto: „Hier sitze ich und kann nicht anders!" Vorstellbar ist durchaus, dass es zu Beginn des russischen Angriffskrieges – also vor dem Abrutschen der Aggressoren in eine eskalatorische Eigendynamik

Das Foto des „Tank Man", der sich am 5. Juni 1989 auf dem Platz des Himmlischen Friedens in Peking den Panzern entgegenstellt, avancierte zu einem ikonografischen Symbol für chinesische Oppositionelle. Die Verbreitung des Fotos ist in China bis heute verboten.

der Gewaltanwendung – ein Zeitfenster gegeben hat, in dem eine solche Aktion Wirkung entfaltet hätte. Aber: Selbst wenn sich eine nennenswerte Zahl von Teilnehmern gefunden hätte und selbst wenn die russischen Panzer vor den Unbewaffneten erst mal gestoppt hätten – es ist trotzdem davon auszugehen, dass russische Einheiten die Ukraine besetzt hätten und dass skrupellose Schergen des Regimes anschließend umstandslos dazu übergegangen wären, den ukrainischen Widerstand mit den Mitteln der Inhaftierung und des Verschwindenlassens, der Folter, der gezielten Ermordung und der Deportation zu brechen.

Waffen und Werte

Was bleibt also? Sind auch die Friedfertigen zu Gewalt und Gewaltandrohung gezwungen, um sich gegen die hemmungslos Gewalttätigen behaupten zu können? Können nur Gewalt und Gewaltandrohung die Lösung sein gegen Gewalt? Sicher nicht immer und grundsätzlich. Aber es gibt leider Fälle, in denen – wie Albert Einstein es ausdrückte – mit organisierter Macht verhindert werden muss, dass die Macht der Welt in die Hände der schlimmsten Feinde der Menschheit gerät, Fälle wie den Angriff von Putins Russland auf die Ukraine, in denen selbst friedliebende Menschen wie Marina Weisband laut nach einer Unterstützung mit Waffen rufen müssen. Auch ich sehe, obwohl ein ehemaliger Totalverweigerer, keine andere Lösung, so sehr ich es bedauere. Denn es ist nicht zu erkennen, wie sich die Ukraine ohne entsprechende militärische Möglichkeiten erfolgreich wehren könnte. Einem Aggressor, der anlasslos versucht, Grenzen zu verschieben, einem Aggressor, der ohne jede Rücksicht auf die Zivilbevölkerung seine Waffen einsetzt, einem Aggressor, dem es völlig egal ist, wie viele unschuldige Opfer sein Angriff verursacht, kann ganz offensichtlich nur mit Waffengewalt Einhalt geboten werden. Und da die hemmungslose Gewalt auch nach der Besetzung ukrainischer Gebiete nicht aufhören würde – siehe die Massenmorde, wie sie in Butscha begangen worden sind –, ist nicht zu sehen, welche sinnvolle Alternative zu einer bewaffneten Selbstverteidigung es geben könnte. Diejenigen, die meinen, Gewaltlosigkeit und der Aufruf zu Friedensverhandlungen sei die einzig richtige und taugliche Lösung, sollten sich nur einmal überlegen, wie auf diese Weise das Massaker der Hamas vom 7. Oktober 2023 hätte verhindert werden können. Gewaltfreier Widerstand kann nur unter der Grundbedingung funktionieren, dass die Aggressoren einen rechtlichen Rahmen anerkennen und in diesem als Mitmenschen ansprechbar bleiben. Zum Töten entschlossene Schlächter aber können so nicht gestoppt werden.

Die Generation der europäischen Pazifisten, meine Generation, muss sich wohl eingestehen: Wir haben auf die Bedrohung durch ungehemmte Gewalt keine taugliche Antwort. Bei den zahllosen Kriegen und Konflikten der letzten Jahrzehnte, die uns – anders als der in der Ukraine – selbst nicht bedrohten, haben die meisten von uns geschwiegen. Und als Vorschlag für die Beendigung des Krieges vor unserer Haustüre, den wir uns so grausam nicht haben vorstellen können und wollen, haben die konsequenten Gewaltverächter unter uns nichts weiter zu bieten als einen frommen und naiven Wunsch nach Frieden. Das Ideal der Gewaltfreiheit aber, so scheint es, taugt in dieser noch brutaler gewordenen Welt nur dazu, es den Gewalttätern und Unterdrückern einfacher zu machen. Und die Totalverweigerer, denen schon damals vorgeworfen worden war, es mit der anarchisch-pazifistischen Konsequenz zu übertreiben, müssen sich heute fragen lassen, wo in dieser Welt noch irgendwelche Spielräume sein sollen zur Umsetzung einer puristischen Widerstandslehre.

Viele von uns, die sich in den 1980er-Jahren für Frieden und Freiheit engagiert haben, müssen bis heute das transgenerationelle Trauma verarbeiten, dass unsere Eltern und Großeltern nicht nur unter Kriegen gelitten, sondern sich an Angriffs- und Vernichtungskriegen beteiligt, sowie die Diktatur Hitlers, die Vergiftung durch die Rassenideologie des Nationalsozialismus und den Holocaust zugelassen und mitzuverantworten hatten. Wir sind aufgewachsen unter dem Eindruck des ungerechten Krieges der USA in Vietnam, wir haben gegen den Wahnsinn des atomaren Overkill protestiert und gegen das ideologisch unterfütterte Freund-Feind-Schema des Kalten Krieges aufbegehrt. Meine Generation sollte es nicht bedauern, dass sie ihren Teil dazu beigetragen hat, dass sich Europa pazifizierte und dort ausgetragene Kriege als Sorge der Vergangenheit erschienen. Doch das Ende des Kalten Krieges, das Ende der Teilung der Welt in zwei politische Blöcke, die sich wechselseitig atomar abschrecken, hat keinen dauerhaften Frieden hervorgebracht. Nun steht plötzlich ein Feind vor der Tür, ja sogar – als „fünfte Kolonne" im Gewand von Rechtsextremen – im eigenen Land. Und wir müssen uns eingestehen, dass unsere Widerstands-Rezepte noch weitaus hilf- und ratloser erscheinen, als sie es damals schon waren.

Meine Generation sah „das Böse" vor allem im Nationalsozialismus und in dem vom Kapitalismus angetriebenen Machthunger der USA, jetzt scheint es vom mafiös-faschistoiden und kriegslüsternen Russland Putins repräsentiert zu sein. Ein Zyniker könnte das Bild der Bewegung in einem Wellenbad bemühen: Die Generation unserer Väter und Großväter hat die Barbarei in die damalige Sowjetunion getragen, wir Söhne und Enkel haben darunter gelitten und müssen nun damit fertig werden, dass die Welle zurückschwappt. Dieses Russland ist ein diktatorisches Regime, in dem die Bevölkerung mit perfiden Mitteln manipuliert, auf skrupelloseste Art unterdrückt, per Wehrpflicht in Uniformen gezwungen und als Kanonenfutter in imperialistische Kriege geschickt wird. Es ist aber auch ein Russland – da herrscht unter Experten weitgehend Einigkeit –, in dem das Narrativ des Regimes, von Feinden umstellt zu sein, von den meisten Menschen geteilt wird; ein Russland, in dem Putins Streben nach alter Größe eine breite, nationalstolze Unterstützung erfährt; ein Russland, in dem die Menschen gelernt haben, die Risiken einer allzu freien Meinungsäußerung zu vermeiden und sich mit den Autoritäten zu arrangieren; ein Russland, in dem die liberale Demokratie nach westlichem Vorbild auf absehbare Zeit keine Chance hat.

Wenn sich also alles in etwa so verhält – was ist daraus zu schließen? Geht es dann bei der politischen und militärischen Unterstützung der um ihre Freiheit kämpfenden Ukraine nicht tatsächlich auch um so etwas wie die Verteidigung des „Guten"? Selbst dann, wenn dort nicht alles so bestellt ist, wie das in einer funktionierenden, wertebasierten Demokratie der Fall sein sollte (Stichworte: Oligarchen, Korruption, Aussetzung von Grundrechten infolge des neuen Wehrpflichtgesetzes vom April

2024)? Muss man konstatieren, dass die theoretische Auseinandersetzung zwischen Thomas Hobbes (der Mensch ist von Natur aus „böse") und Jean-Jacques Rousseau (der Mensch ist von Natur aus „gut") zugunsten des Ersteren entschieden ist und dass also das „Gute" nur mit Waffengewalt verteidigt werden kann? So einfach ist es leider nicht. Während des Nationalsozialismus wohnte dieses „Böse" ja in Deutschland, und dennoch ist aus diesem Deutschland eine BRD hervorgegangen, die sich auf die Wahrung eines Katalogs von Grundrechten verpflichtet hat. Vom nationalsozialistischen „Geist" infizierte Soldaten der Wehrmacht, die auf dem Gebiet der ehemaligen Sowjetunion einen Vernichtungskrieg geführt haben, haben sich nach der Lektion einer totalen Niederlage in demokratische Verhältnisse zumindest eingefügt und eine Generation von Kriegsdienstverweigerern gezeugt. Daraus folgt: Die toxischen gesellschaftlichen Verhältnisse in Russland dürfen nicht als Naturgesetz betrachtet werden.

Aber es bleiben natürlich viele Fragen. Muss die Bevölkerung Russlands erst den Schock eines totalen Zusammenbruchs der Diktatur erleben wie die Deutschen am 8. Mai 1945, um ihn später als „Tag der Befreiung" (Richard von Weizsäcker) erkennen zu können? Und durch was könnte das bewirkt werden in Zeiten, in denen ein Krieg zwischen den Atommächten zur totalen Vernichtung der Menschheit führen kann? Das friedenssehnsüchtige Gewissen jedenfalls, das gegen die Sünden der vom Nazismus kontaminierten Elterngeneration ins Feld geführt wurde, das gegen den Vietnamkrieg und eine als kriegstreiberisch geschmähte NATO protestierte, scheint als moralische Richtschnur ausgedient zu haben in Zeiten einer multipolaren Welt, in der sich die wertebasierten Demokratien herausgefordert sehen durch aggressive, waffenstrotzende Staatengruppen mit diktatorischen und menschenrechtsverachtenden Regierungen. Aber – und diese Frage ist die entscheidende im Rahmen des in diesem Buch verhandelten Themas: Müssen die westlichen Demokratien an der Seite der Ukraine, um resilient genug zu werden für die Bekämpfung der antidemokratischen Aggressoren, zwingend zu denselben Mitteln greifen wie diese? Konkret: Sollen sie auf den im Kern antidemokratischen Wehrzwang zurückgreifen? Oder sind sie nicht vielmehr dazu aufgerufen, ihre Freiheit und ihre Werte selbst dann nicht zu verraten oder gar aufs Spiel zu setzen, wenn es um deren Verteidigung geht?

Eine neue „Art von Wehrpflicht" in Deutschland?

Viele Jahre war es ruhig um das Thema Kriegsdienstverweigerung. Nach dem Angriff von Putins Armee auf die Ukraine aber kam es wieder auf den Tisch. (Anmerkung: Auch für die freiwillig bei der Bundeswehr Dienenden gilt ja nach wie vor der Art. 4 Abs. 3 GG. Alle Soldatinnen und Soldaten, auch die der Reserve, dürfen den Kriegsdienst verweigern, indem sie einen informellen Antrag an das Karrierezentrum der Bundeswehr stellen. Über den Ausgang des Antragsverfahrens entscheidet dann das Bundesamt für Familie und zivilgesellschaftliche Aufgaben (BAFzA).) Die Anträge auf Kriegsdienstverweigerung bei der Truppe nahmen zu, nach Angaben des BAFzA stiegen sie von 2021 bis 2023 von 201 über 961 auf 1609. Parallel zum Ansteigen der KDV-Anträge sanken die Bewerberzahlen bei der Bundeswehr. Aus allen Ecken meldeten sich nun Stimmen, die einer Wiederbelebung der Wehrpflicht das Wort redeten, um die Personalprobleme der Bundeswehr zu lösen.

Der Marineinspekteur Jan Christian Kaack zählte zu den Ersten, die das neue Mode-Credo „Wir müssen resilienter werden" mit Verve in die Debatte warfen. Anfang Februar 2023 gab er sich gegenüber der *dpa* überzeugt, dass es in der Bevölkerung zu einem besseren Verständnis für die Aufgaben der Bundeswehr beitragen werde, wenn es dort eine Durchmischung von Wehrpflichtigen und Berufssoldaten gäbe. Generalleutnant André Bodemann, Befehlshaber Territoriales Führungskommando der Bundeswehr, erläuterte im April 2024 der *FAZ*, dass es in den heutigen Zeiten einer konkreten Bedrohung zweifelhaft sei, ob man den neuen Herausforderungen mit rund 180.000 Bundeswehrsoldaten gerecht werden könne. „Wir werden uns im Falle eines Falles stark auf die Reserve abstützen müssen, und nun ist die Frage: Wie generieren wir Reserve?" Insofern finde er es gut, dass zurzeit das Thema Dienstpflicht oder Wehrpflicht diskutiert werde, erklärte er.

Die Diskussion um eine personelle Stärkung der Bundeswehr kreist um vier unterschiedliche Modelle: erstens die Reaktivierung der klassischen Wehrpflicht, zweitens die Einführung einer allgemeinen Dienstpflicht, drittens ein Auswahlverfahren bzw. eine „Kontingent-Wehrpflicht" und viertens den Ausbau des freiwilligen Wehrdienstes.

Erstens: Der administrative Aufwand sowie die personellen, organisatorischen und infrastrukturellen Probleme bei einer Reaktivierung der 2011 ausgesetzten Wehrpflicht wären kaum zu bewältigen. Es fehlt nahezu alles: Es fehlt ein verlässliches System der Wehrerfassung, es fehlen Kreis-Wehrersatzämter, es fehlen Kasernen und Ausbilder. Da die Einberufung ganzer Jahrgänge zur Deckung des aktuellen Personalbedarfs der Bundeswehr gar nicht nötig ist, würde man sich zudem das Problem einer eklatanten Wehr-Ungerechtigkeit einhandeln: Einer geringeren Zahl von Einberufenen stünde eine viel größere von Nichteinberufenen gegenüber. Aus allen diesen Gründen erklärte Bundeskanzler Scholz im Mai 2024, dass Deutschland nicht zu einer Wehrpflichtarmee in der alten Form zurückkehren werde, denn „das würde nicht mehr funktionieren." Grundsätzlich lässt sich aber festhalten: Eine Wiedereinführung der Wehrpflicht wäre rein rechtlich zunächst unproblematisch, da sie ja nie abgeschafft, sondern nur ausgesetzt worden ist; die Aussetzung müsste lediglich per einfachem Gesetz rückgängig gemacht werden.

Zweitens: Die CDU/CSU verfolgt schon seit Längerem die Idee, ein verpflichtendes Gesellschaftsjahr für alle Schulabgänger und Schulabgängerinnen einzuführen. Auch Bundespräsident Frank-Walter Steinmeier hat sich in diese Richtung geäußert: Es täte Deutschland gut, wenn sich Frauen und Männer für einen gewissen Zeitraum in den Dienst der Gesellschaft stellten, meinte er bereits 2022. Angedacht ist dabei ein bis zu einem Jahr dauernder Pflichtdienst mit breit gefächerten Einsatzbereichen – soziale Einrichtungen, Flüchtlingshilfe, Umwelt- und Klimaarbeit, Katastrophenschutz etc. –, der Wehrdienst wäre dabei konzipiert als eine von mehreren Möglichkeiten, diese Dienstpflicht zu erfüllen. So was würde ganz offensichtlich auch auf eine breite Zustimmung in der Bevölkerung stoßen. Bei einer repräsentativen Umfrage des ZDF mit 1036 Befragten sprachen sich 73 Prozent der Befragten für eine Dienstpflicht aus, da diese für die Gesellschaft nützlich und für den Einzelnen bereichernd sei. Ob diese Variante die Personalprobleme der Bundeswehr lösen könnte, ist allerdings fraglich: Denn es bliebe ja kein Zwangsmittel offen, wenn sich zu wenige freiwillig zur Bundeswehr melden. Zudem gäbe es weitere Probleme: Wirtschaftsverbände warnten, dass die zu einem allgemeinen Pflichtdienst Einberufenen auf dem Arbeitsmarkt fehlen und somit den Fachkräftemangel noch verschärfen würden. Außerdem ist schon heute die Zahl der an einem Freiwilligendienst im sozialen Bereich Interessierten höher als die Anzahl der vorhandenen Plätze. Und schließlich kollidiert der Vorschlag mit dem Grundgesetz. Nach den Erfahrungen der NS-Diktatur wurde im Grundgesetz ein Arbeitszwang ausdrücklich verboten. In Art. 12 Abs. 2 heißt es: „Niemand darf zu einer bestimmten Arbeit gezwungen werden, außer im Rahmen einer herkömmlichen allgemeinen, für alle gleichen öffentlichen Dienstleistungspflicht." Unter die genannte Dienstleistungspflicht fällt z. B. die

Feuerwehrpflicht in Gemeinden, die weder eine Berufsfeuerwehr noch eine freiwillige Feuerwehr haben. Eine allgemeine soziale Dienstpflicht aber ist damit nicht gemeint. Um diese einführen zu können, müsste erst die Verfassung geändert werden.

Drittens: Als Bundesverteidigungsminister Boris Pistorius realisierte, dass die Wiedereinführung einer klassischen Wehrpflicht (zu) viele praktische Probleme mit sich brächte, korrigierte er seine Vorstellungen dahin gehend, dass die BRD nicht die alte Wehrpflicht, sondern eine „Art der Wehrpflicht" benötige. Eine solche „Art" könnte z. B. eine „Kontingent-Wehrpflicht" nach dem norwegischen Modell sein. In Norwegen werden seit 2015 alle Frauen und Männer gemustert, insgesamt rund 70.000 Wehrpflichtige jährlich. Diese werden jedoch nur nach Bedarf für zwölf Monate (plus sechs Monate Heimwehr) eingezogen, durchschnittlich sind es bis zu 15.000 jedes Jahr. Obwohl gar nicht jeder oder jede genommen wird, ist es trotzdem eine Wehrpflicht, denn alle anderen bleiben Teil einer ruhenden Reserve. Das 2017 eingeführte schwedische Modell funktioniert ganz ähnlich. Hier müssen alle rund 90.000 Wehrpflichtigen eines Jahrgangs, Männer und Frauen, einen webbasierten Fragebogen zu Motivation, Fähigkeiten und Interessen ausfüllen. Auf dieser Grundlage wird ein Teil von ihnen zur Musterung geladen, von denen wiederum ein Teil zu einem zwölfmonatigen Dienst verpflichtet wird. Meist werden weniger als 10.000 Männer oder Frauen pro Jahr eingezogen, soweit möglich nur solche, die auch selbst Interesse am Dienst in der Armee bekundet haben. Experten sind überzeugt: Würde man in Deutschland so vorgehen – dort liegen die Zahlen etwa achtmal so hoch wie in Schweden –, ergäbe sich auf diese Weise alljährlich ein Rekrutierungspotenzial, mit dem der Bedarf der Bundeswehr gedeckt werden könnte, ohne Betroffene gegen ihren Willen einziehen zu müssen.

Könnte man solche Modelle auf Deutschland übertragen? Ganz so einfach ist es nicht. In den Medien wurde das schwedische Modell meist als eine Art Musterungs- und Kontakt-Wehrpflicht dargestellt: Die jungen Leute sollten gecheckt werden und einmal im Leben mit dem Militär Berührung kommen, um dann selbst zu entscheiden, ob sie sich zum Grundwehrdienst oder sogar längerfristig verpflichten wollten. Übersehen wurde dabei meist, dass es nach dem schwedischen Modell – es handelt sich ja um eine Wehrpflicht! – auch dann zu Einberufungen kommt, wenn sich eben *nicht* genügend geeignete junge Männer und Frauen interessieren. In Skandinavien führt das ganz offensichtlich nicht zu Protesten, hier scheint ein weitgehender Konsens darüber zu herrschen, dass junge Menschen einmal in ihrem Leben etwas für den Staat tun könnten. In Deutschland würde das vermutlich problematischer sein, und in jedem Fall müssten zwei verfassungsrechtliche Hürden aus dem Weg geräumt werden. Erstens: Würde das norwegische bzw. schwedische Modell so angewendet, dass es am Ende zu einigen Zwangseinberufungen kommt, müsste dies zumindest mit einem entsprechenden Einberufungs-Kriterienkatalog gesetzlich abgesichert werden, um einen Verstoß gegen das aus dem Gleichheitsgebot sich ergebende Prinzip der Wehrgerechtigkeit zu vermeiden. Und zweitens: Da die Wehrpflicht bislang ja nur für Männer gilt, müsste sie im Grundgesetz auch auf Frauen und Diverse ausgedehnt werden.

Bleibt noch die vierte, ganz offensichtlich von Bundeskanzler Olaf Scholz bevorzugte Variante. Man benötige gar nicht so viele Kasernen und so viel Personal wie einst zu Wehrpflichtzeiten. Daher könne man sich damit begnügen, Interessierte mit verstärkten Werbekampagnen für die Arbeit in der Bundeswehr zu begeistern und sie mit allerlei Vergünstigungen zu ködern. „Es geht letztendlich darum: Wie können wir es erreichen, dass wir genügend Frauen und Männer davon überzeugen, in der Bundeswehr zu arbeiten und dort eine Aufgabe für sich zu finden." In wochenlangen Beratungen musste Verteidigungsminister Pistorius schließlich seine Ambitionen zurückschrauben, und schließlich stellte er am 12. Juni 2024 ein Wehrpflichtmodell Marke „superlight" vor. Es würde nur geringe gesetzliche Änderungen nötig machen und sah vor: Erstens den Aufbau einer Erfassung aller Wehrfähigen, zweitens das Verschicken eines Fragebogens zum Thema „Bereitschaft und Fähigkeit zum Wehrdienst" an alle 18-Jährigen, den allerdings nur Männer verpflichtend ausfüllen müssen (Frauen dürfen aber), sowie drittens die Auswahl einer bestimmten Anzahl zu einer dann möglicherweise ebenfalls verpflichtenden Musterung. In Zahlen bedeutete das: rund 400.000 Fragebogen-Ausfüller pro Jahr und 40.000 Gemusterte. Seine Erwartungen bezifferte Pistorius so: Bislang meldeten sich jährlich etwa 10.000 Männer und Frauen als Freiwillig Wehrdienstleistende, durch die verstärkte Ansprache per Fragebogen erhoffe man sich schon im nächsten Jahr rund 5.000 weitere Rekruten sowie in der Folge eine Jahr für Jahr jeweils um einige tausend weiter ansteigende Zahl der Freiwilligen. Angeboten werden solle eine sechsmonatige, entsprechend dem bisherigen freiwilligen Wehrdienst besoldete Grundausbildung, die dann um bis zu 17 Monate verlängert werden könne. Mit einer Verpflichtungsprämie und Zusatzangeboten wie etwa Gratis-Führerschein und Gratis-Sprachkursen – diskutiert wurden auch weitere Anreizmodelle wie ein erleichterter Zugang zu Studienfächern sowie Rabatte bei der Rückzahlung von Studienkrediten – solle es Interessierten schmackhaft gemacht werden, über die sechsmonatige Grundausbildung hinaus zu verlängern. Das Ziel sei, so Pistorius weiter, nicht nur die aktive Truppe anwachsen zu lassen, sondern auch eine schlagkräftige Reserve aufzubauen.

Mit einer echten Wehrpflicht hat das Pistorius-Modell nur wenig zu tun. Verpflichtend wäre lediglich die Beantwortung des Fragebogens sowie gegebenenfalls die Musterung, wenn zu dieser eingeladen wird. Der Verteidigungsminister hätte wohl gern mehr Pflichtbestandteile gehabt und sah sein Modell auch nur als einen ersten Schritt hin zur Wiedereinführung einer echten Wehrpflicht. Aber auf dem Weg dorthin stellten sich dem SPD-Politiker Hürden in den Weg: Der Widerstand in der Regierungskoalition und in seiner eigenen Partei gegenüber einer Pflicht-Lösung, die Erkenntnis, dass zur Einführung einer allgemeinen Dienstpflicht eine Grundgesetzänderung nötig wäre, vor allem aber, dass die vorhandenen Kapazitäten eine große Lösung gar nicht zuließen. Stand 2024 stellte sich schon die Musterung von nur 5.000 zusätzlichen Rekruten aus Mangel an Ärzten und entsprechenden Lokalitäten als Herausforderung dar. Wo hätte da eine echte Wehrpflicht eine Realisierungschance haben können? Es war also schlicht unumgänglich, in Anbetracht der enormen organisatorischen und infrastrukturellen Probleme erst mal pragmatisch vorzugehen und nur die gröbsten Lücken zu füllen.

Die Frage, wie die Bundeswehr ihren Personalbedarf decken will, bleibt freilich weiterhin akut. Die von Bundeskanzler Scholz als „überschaubar" bezeichnete Aufstockung um 20.000 zusätzliche Soldaten und Soldatinnen kann mit dem Pistorius-Modell wohl gewuppt werden. Diese Zahl aber bezieht sich auf Ermittlungen *vor* dem Angriff Russlands auf die Ukraine. Um „kriegstüchtig" zu werden, sei wesentlich mehr Personal nötig, nämlich – so der *Spiegel* am 7. Juni 2024 unter Bezugnahme auf ihm vorliegende „vertrauliche Papiere" – mindestens 75.000. Diese Zahl jedenfalls ergebe sich für die Bundeswehr aus den bestehenden Abschreckungs- und Verteidigungsplänen der NATO. Der Streit um eine wie auch immer geartete Wehrpflicht wird also weitergehen und dabei wird – diese Prognose sei gewagt – die Zahl derjenigen weiter schrumpfen, die sich ihr mit guten Gründen entgegenstellen. Bei allen weiteren Diskussionen sollte allerdings bedacht werden: Sämtliche Plädoyers für die Wiedereinführung einer „Art von Wehrpflicht" suggerieren, dass es zur Sicherstellung einer funktionierenden Abschreckung unabdingbar sei, Menschen zum Dienst an der Waffe zu zwingen. Für den Heimatschutz mögen kurz ausgebildete Wehrpflichtige taugen, ob sie aber im Sinne einer Erhöhung der Verteidigungsfähigkeit etwas nützen, ist äußerst fraglich. Der Politologe Herfried Münkler antwortete im Februar 2024 auf eine entsprechende Frage der *FAZ*: „Man braucht relativ viele Ressourcen für die Ausbildung von Leuten, die nach kurzer Zeit wieder entschwinden und in der kurzen Zeit der Wehrpflicht nicht an modernen Waffensystemen ausgebildet werden können. Das ist eine Frage für Experten: Wie groß muss die Armee sein, um einen Gegner abschrecken zu können? Die Deutschen haben ein fast erotisches Verhältnis zur Wehrpflicht. Franzosen, Briten und Amerikaner sind schon lange ohne ausgekommen. Wichtiger scheint mir, durch den Aufbau einer Rüstungsindustrie die Durchhaltefähigkeit der vorhandenen Ressourcen der Europäer sicherzustellen. Und da aufzustocken, wo erkennbare Lücken existieren … ."

Todesstrafe und Wehrpflicht

Im Kontext der Diskussionen um die Neuausrichtung der Bundeswehr muss an dieser Stelle unbedingt nochmals und deutlich daran erinnert werden: Es ist eine romantische Verklärung, die Wehrpflicht als ein „legitimes Kind der Demokratie" (Theodor Heuss) zu betrachten. Die Wehrpflicht hat in der Geschichte noch kaum einmal Gutes vollbracht, sie hat nicht nur Kriege eskalieren lassen, sondern sich meist auch gegen die eigene Bevölkerung gerichtet, sie ist in ihrem Wesenskern undemokratisch und kann insoweit auch kein geeignetes Mittel zur Verteidigung demokratischer Werte sein. Viele totale Kriegsdienstverweigerer von einst haben in diesem Sinne ihre Rebellion gegen die Wehrpflicht nicht zuletzt als eine Einforderung von Grundrechten formuliert. Darum geht es immer noch, nur müssen heute die Betonungen anders gesetzt werden und sich auf das Wesentliche konzentrieren. Der Kernsatz lautet: Die Wehrpflicht verträgt sich nicht mit einer auf der Wahrung der Menschenwürde basierenden Demokratie, genauso wenig wie die Todesstrafe.

Bundesjustizminister Marco Buschmann erläuterte beim 8. Weltkongress gegen die Todesstrafe in Berlin Mitte November 2022, warum es die in Demokratien nicht geben darf: Demokratie sei ein ständiger Prozess von Versuch, Irrtum und Korrektur, genau dies aber lasse die Todesstrafe nicht zu. Demokratie bedeute zudem, dass die Macht des Staates begrenzt sei. „Wenn ein Staat nicht einmal die Macht haben soll, einer Person die eigene Meinung und den eigenen politischen Willen zu verbieten, sollte er dann das Recht haben, ihr das Leben zu nehmen? Die Frage ist rhetorisch, die Antwort klar." Und schließlich berge die Todesstrafe auch noch eine große Gefahr in sich, fügte die bei dem Kongress ebenfalls anwesende Bundesaußenministerin Annalena Baerbock hinzu: „Wir sehen mit großer Sorge, wie autoritäre Regime die Todesstrafe nutzen, um politische Opposition mehr und mehr zu unterdrücken."

Wie bei der Todesstrafe wird auch mit der Wehrpflicht eine Grenze überschritten, die ein demokratischer Staat nicht überschreiten darf, wenn er seine Werte ernst nimmt. Mit der Wehrpflicht nimmt sich der Staat das Recht, seine Bürger und Bürgerinnen dazu zu verpflichten, im Auftrag des Staats zu töten oder ihr Leben zu opfern. So wie bei der Todesstrafe nimmt sich der Staat damit das Recht, über Tod und Leben zu bestimmen. Er überschreitet damit jene Grenze, deren Einhaltung durch den Artikel 1 des Grundgesetzes geboten ist: „Die Würde des Menschen ist unantastbar. Sie zu achten und zu schützen ist Verpflichtung aller staatlichen Gewalt." Ein demokratischer Staat wie die BRD muss also, wenn er verteidigenswert bleiben will, diese äußerste Grenze respektieren: Er muss auf die Todesstrafe verzichten und ebenso wenig darf er Bürger und Bürgerinnen dazu zwingen, zum Wohle der durch den Staat symbolisierten Gemeinschaft, ihr Leben zu opfern oder unter Missachtung des 5. Gebots andere Menschen zu töten.

Die dem Grundgesetz verpflichtete Bundesrepublik Deutschland darf denen, die in diesem Staat leben, Pflichten auferlegen, von der Schulpflicht über die Steuerpflicht und womöglich bis hin zu einer wie auch immer ausgestalteten, in jedem Fall aber außerhalb der Streitkräfte angesiedelten Dienstpflicht. Sobald es jedoch um den Einsatz im Krieg geht und damit um die Bereitschaft, das Leben anderer auszulöschen und dabei sein eigenes Leben zu riskieren, muss der Staat auf Zwang verzichten und auf Überzeugungskraft und Freiwilligkeit vertrauen. Will dieser Staat seinen eigenen Grundprinzipien gerecht werden, so darf er den Kern seiner Verfassung, den Schutz der Menschenwürde, nicht für seine Selbstverteidigung zur Disposition stellen.

In den Diskussionen um die Wiedereinführung einer Wehrpflicht wird somit immer wieder deutlich, dass es dabei weniger um militärische Belange geht – um eine Verteidigungsfähigkeit zu gewährleisten, braucht es vor allem professionelle Soldaten und Soldatinnen –, sondern vielmehr um das Verhältnis zwischen Staat und Individuum. Im Sinne der grundlegenden Werte einer Demokratie, die in ihrem Grundrechtskatalog ein Recht auf Kriegsdienstverweigerung verankert hat, muss der Staat seinen Zugriff auf die Einzelnen begrenzen. Die „Guten", also die funktionierenden Demokratien, sollen und dürfen in den Konflikten dieser Welt in der Wahl ihrer Mittel nicht vergessen, dass sie solche sind. Sie müssen einen Unterschied setzen zu autoritären und totalitären Staaten – politisch, rechtlich und ebenso in der Gestaltung der Selbstverteidigung mit militärischen Mitteln. Eine demokratische Gemeinschaft kann auf Dauer nur funktionieren und lebenswert bleiben, wenn sie ihre eigenen Werte ernst nimmt. Oder anders ausgedrückt: Die Forderung, die Verteidigung der Menschenrechte *per Befehl* durchzusetzen, klingt schon in sich selbst absurd. Eine Demokratie, die Sicherheit will, darf dafür die Freiheit nicht opfern. Oder, frei nach Benjamin Franklin, einem der Gründerväter der (heute leider gefährdeten) US-amerikanischen Demokratie: Wer Freiheit aufgibt, um Sicherheit zu gewinnen, wird am Ende beides verlieren. Also, noch einmal: keine Wehrpflicht, keine Zwangsrekrutierungen, keine landesweit für Schweißausbrüche und Proteste sorgenden Lostrommeln in Einberufungslotterien wie 1969 während des Vietnamkrieges in den USA. Die SPD-Chefin Saskia Esken sah es im Juni 2024 ganz richtig, als sie den Zeitungen der Funke-Mediengruppe erläuterte, dass das Freiwillige Soziale Jahr seit mehr als 50 Jahren eben wegen des Kernelements der Freiheit so gut funktioniere, und dies sei eben auch in Bezug auf ein Engagement bei der Bundeswehr „und der damit einhergehenden großen Verantwortung für die Sicherheit Deutschlands" das richtige Prinzip: „Für mich ist das Erleben von Selbstbestimmung ganz entscheidend für die Akzeptanz der Demokratie."

Wehrpflicht-Probleme in Russland

Auch aktuell zeigt sich die Wehrpflicht in totalitären Staaten als ein gefährliches Machtinstrument, um Menschen zum Gehorchen zu zwingen und zu unmenschlichen Taten zu verführen. Gewaltbasierte, menschenrechtsverachtende und aggressiv-expansive Regimes wie das Putinsche – oder wie zuvor das der Nazis – sind ohne Wehrpflicht kaum vorstellbar. Genau dies wurde bereits 1926 in dem von der WRI verbreiteten „Manifest gegen die Wehrpflicht" ausgesprochen: „Eine Regierung, die sich auf die Wehrpflicht stützt, kann leichter den Krieg erklären und sofort die Stimme der Opposition durch die Mobilmachung zum Schweigen bringen. Regierungen, die der freiwilligen Unterstützung ihrer Völker bedürfen, werden notwendigerweise in ihrer auswärtigen Politik viel vorsichtiger sein." Die Institution der Wehrpflicht spielt vor allem in Diktaturen eine zentrale Rolle, um den Machterhalt abzusichern, die Aufrechterhaltung der Kriegsführungsoption zu garantieren und im

Krieg selbst über das benötigte Menschenmaterial zu disponieren. Ohne die Möglichkeit, die Reihen der Soldaten per Wehrpflicht aufzufüllen, wäre der Angriff von Putins Armee auf die Ukraine vermutlich bereits nach kurzer Zeit gescheitert. Mehr noch: Ohne Zwangsinstitutionen wie die Wehrpflicht wäre das ganze Regime vermutlich gar nicht überlebensfähig. Es ist immer noch so, wie es Leo Tolstoi im Jahr 1894 für das Zarenreich analysierte: „Die allgemeine Wehrpflicht ist für die Regierung der äußerste Grad der Gewalt, der zur Aufrechterhaltung des ganzen Gebäudes nötig ist (…), der Stein im Gewölbe, der die Mauern hält und dessen Loslösung das ganze Gebäude ins Wanken bringt."

Tolstoi nahm an, dass die Stimme der Opposition durch die allgemeine Mobilmachung zum Schweigen gebracht werden kann. Ganz so einfach ist es aber nicht, selbst für Putin. Ihm war stets bewusst, dass eine offene und landesweite Mobilmachung das Funktionieren seines Herrschaftssystems gefährden könnte. Um Unruhe zu vermeiden, erfolgten denn die ersten Rekrutierungen für seinen Angriffskrieg auch ganz bewusst nicht in den großen Städten des russischen Kernlandes, sondern in abgelegenen ländlichen Gebieten und an der Peripherie, etwa im kaukasischen Dagestan oder in Burjatien an der Grenze zur Mongolei. Im September 2022 zeigten die zahlreichen Proteste und Demonstrationen bei der zum Teil mit Razzien und Straßenkontrollen unterstützten ersten Teilmobilmachung in Russland dann tatsächlich, wie verwundbar das Regime sein könnte. Es gab Anschläge auf örtliche Militärkommissariate (Kreiswehrersatzämter), Diskussionen in den langen Schlangen vor den Einberufungslokalen und Proteste auf den Straßen führten zu Tumulten. Viele der Rekrutierten solidarisierten sich miteinander nach dem Motto: Wofür sollen wir uns opfern? Doch nicht für uns, für unsere Sicherheit, für unseren Frieden und unsere Menschenwürde. Wir müssen für einen Putin-Staat kämpfen, der sich einen Dreck um uns schert! Das Regime musste beschwichtigen, Putin selbst sah sich sogar zu der Versicherung gezwungen, dass ja zunächst „nur" Reservisten und Personen mit militärischer Erfahrung betroffen seien.

Andererseits: Das Argument, Putin habe mit seiner ersten Mobilisierungswelle ganz gezielt mögliche Oppositionelle aus dem Land vertreiben wollen – und dafür sogar einen erheblichen Braindrain in Kauf genommen –, ist ebenfalls nicht unplausibel. Dennoch dürfte dem Mann im Kreml klar gewesen sein, dass im Fortgang des Krieges Mobilisierungsunruhen unbedingt vermieden werden sollten. Vorläufig konnte er sich noch darauf verlassen, dass in den ärmeren Provinzen noch genügend junge Männer zu finden waren, die sich mit einem für russische Verhältnisse attraktiven Sold – und nicht zuletzt mit der Zusicherung, dass ihre Hinterbliebenen im Todesfall sicher versorgt würden – freiwillig an die Front locken ließen. Was aber, wenn diese personellen Ressourcen irgendwann ausgingen? Um den Personalbedarf für seinen Krieg auch in Zukunft zu gewährleisten und künftige Mobilisierungen geräuschlos über die Bühne zu bringen, ließ er daher neue gesetzliche Regelungen auf den Weg bringen. Die Altersobergrenze für den Wehrdienst wurde von 27 auf 30 Jahre angehoben, außerdem wurde bestimmt, dass die Rekruten für ihre Registrierung nicht mehr persönlich im örtlichen Militärkommissariat erscheinen müssen, sondern in einem Onlineregister erfasst werden und nach ihrer Registrierung Russland bis zur Vorstellung bei der Armee nicht mehr verlassen dürfen. Das hinter dieser Dezentralisierung und Individualisierung stehende Kalkül: jeden einzeln und quasi heimlich in die Rolle des wehrlosen Opfers hineinzuzwingen und so das Risiko einer kollektiv aufflammenden Wut nahezu auszuschließen. „Das neue Gesetz erlaubt Putin, so viele Männer zu rekrutieren, wie er will", kommentierte Alexander Gabujew, Leiter des Carnegie Russia Eurasia Center in Berlin, in einem Interview mit dem *Spiegel* am 8. August 2023. Wichtigster Punkt: Eine Mobilmachung müsse jetzt gar nicht mehr angekündigt werden. „Man schickt einfach Hunderttausenden Menschen den Bescheid und sammelt damit die Leute ein, die man braucht."

Putin war sich klar darüber, dass er die durch hohe Verluste ausgedünnten Reihen seiner Soldaten auf Dauer alleine durch mit materiellen Versprechungen gelockte Freiwillige nicht wieder würde auffüllen können. Im Dezember 2023 ordnete er die per Gesetz ermöglichte elektronische Einberufung zum Wehrdienst für 2024 an. Indessen wurde offiziell weiterhin verkündet, dass keine neuen Mobilisierungen geplant seien und Wehrpflichtige natürlich nicht im Kampf gegen die Ukraine eingesetzt würden, solange sie diese Option nicht zögen. Selbstverständlich gebe es ausreichend Freiwillige, die in der Ukraine die entsprechenden Aufgaben bei der Spezialoperation erfüllten. Wie viele das waren, verriet er nicht. Die Zahl der Rekrutierten war Mitte 2024 allerdings beeindruckend: Westliche Nachrichtendienste gingen davon aus, dass Russland über 1,3 Mio. Soldaten unter Waffen hatte – also etwa so viele wie die USA – und in der Lage sei, jährlich 200.000 neue auszubilden.

Demgegenüber hatte die Ukraine bis dahin zwar bis zu etwa 900.000 Soldaten und Soldatinnen mobilisiert, an der Front allerdings hatten sich die Einheiten ausgedünnt. Am Anfang hatten sich noch viele freiwillig gemeldet, doch nach zwei Jahren Krieg war deren Potenzial und Enthusiasmus verbraucht, an vielen Orten kam es zu Kundgebungen, bei denen Frauen die Demobilisierung ihrer Angehörigen forderten. Trotz Wehrpflicht und obwohl die Ukraine ein Grundrecht auf Kriegsdienstverweigerung nicht kennt, gestaltete sich die Rekrutierung neuer Soldaten schwierig. Viele Männer hatten das Land illegal verlassen oder waren der Mobilisierung durch Schmiergeldzahlungen entkommen. Um mehr Männer für die Armee mobilisieren zu können, wurden die entsprechenden gesetzlichen Regelungen verschärft. Am 18. Mai 2024 trat ein umstrittenes Gesetz in Kraft, in dem u. a. verfügt wurde, dass alle Männer im wehrfähigen Alter zwischen 18 und 60 Jahren ihren Wehrpass mit sich zu führen haben. Ukrainische Männer, die sich im Ausland aufhalten, sollten nur noch bei vorhandenen Wehrpapieren neue Reisedokumente ausgestellt bekommen.

Das Potenzial der Putin-Flüchtigen

Nach der Chenoweth-Formel bräuchte es in Russland etwa fünf Millionen Menschen, die aktiven Widerstand betreiben, damit das Putin-Regime gestürzt werden könnte. Die sind erst mal nicht zu sehen. (Ein wenig anders sieht es vielleicht in Weißrussland aus, wo sich ein Widerstand bereits eingeübt hat und womöglich schon rund 300.000 engagierte Menschen genügen könnten, um das Lukaschenko-Regime kollabieren zu lassen.) In Anbetracht der Manipulationsmacht und des Terrors des Regimes kann vorerst nicht mit einem kollektiven Aufstand gegen Putin gerechnet werden. Wie einst die Deutschen zur Nazizeit folgen die Menschen in Russland einem Diktator, der sich zu Großem auserwählt und berechtigt fühlt, das Opfer zahlloser Leben zu fordern. Klar sein dürfte aber, selbst wenn viel zu viele Russinnen und Russen in einer Mischung aus Desinformation und Verblendung hinter diesem Krieg stehen: Putin und seine Clique sind verantwortlich für diesen Krieg. Es ist anzunehmen, dass sich die Mehrheit der russischen Bevölkerung vor allem dem Zwang fügt, dass sie kein persönliches Interesse an diesem Krieg hat und dass sich, je länger er (erfolglos) andauert, mehr und mehr Unzufriedenheit breitmachen wird. Die Tatsache, dass die Teilmobilmachung vom September 2022 in Russland zu massiven Unruhen geführt hatte, dass Reservisten zu Zigtausenden ins Ausland geflohen waren und dass sich das Putin-Regime danach nicht einmal mehr traute, von einer neuen Mobilmachung auch nur zu sprechen, deutet den Punkt an, an dem das System besonders verwundbar ist. Seltsamerweise scheint das in den Ländern der EU und der NATO kaum jemanden zu kümmern.

Ende Februar 2024, also zwei Jahre nach Beginn des russischen Angriffskrieges gegen die Ukraine, stellten die Organisationen Pro Asyl und Connection e. V. fest, dass Deserteure und Militärdienstentzieher aus Russland im Westen nach wie vor kaum einen Schutzstatus erhielten. Seit Beginn des Krieges bis Herbst 2023 hatten schätzungsweise mindestens 250.000 Militärdienstpflichtige Russland verlassen und Schutz in anderen Ländern gesucht. Bis November 2023 stellten etwa 13.000 russische Männer im militärdienstpflichtigen Alter einen Asylantrag in einem EU-Staat, in Deutschland waren es bis September etwa 3.500. Zwar hatte die Bundesregierung das Bundesamt für Migration und Flüchtlinge angewiesen, dass Deserteuren der russischen Armee in Deutschland Asyl gewährt werden solle, aber nur 248 erhielten eine inhaltliche Entscheidung in einem deutschen Asylverfahren, lächerliche 92 einen internationalen Schutz. Vor allem aber: Diejenigen, die sich gar nicht erst haben rekrutieren lassen, konnten diesen Schutz überhaupt nicht in Anspruch nehmen!

Beispielhaft zitierte Connection e. V. aus einem Bescheid des BAMF vom 29. September 2023, in dem ein russischer Militärdienstentzieher mit der Begründung abgelehnt wird, dass er zwar einen Einberufungsbescheid zum Reservedienst vorgelegt habe, sich aber „alleine aus der Verweigerung der Teilmobilisierung keine Verfolgungshandlung in Anknüpfung an § 3 a AsylG durch staatliche oder nicht staatliche Akteure" ergebe, da das russische Gesetz für eine Entziehung bei der Mobilisierung lediglich eine Verwarnung oder eine Geldbuße vorsehe. Es sei zwar trotzdem nicht auszuschließen, dass „im weiteren Verlaufe des Kriegsgeschehens härtere Bestrafungen gegen Mobilisierungsentzieher ausgesprochen werden", doch eine konkrete Durchsetzung sei „nicht so beachtlich wahrscheinlich, dass davon auszugehen wäre, dass dem Antragsteller bei Rückkehr nach Russland zeitnah eine zielgerichtete staatliche Verfolgung bzw. ein individueller Schaden in derartigem Maße drohen würde, dass dieser als Verfolgungshandlung zu werten wäre."

Bescheide dieser Art sind geradezu irrwitzig, denn sie bedeuten: Während die Bundesregierung den russischen Angriffskrieg aufs Schärfste verurteilt und Milliarden ausgibt für die militärische Unterstützung der Ukraine, damit sich diese möglichst erfolgreich wehren kann, „empfiehlt" gleichzeitig eine deutsche Behörde russischen Militärdienstflüchtigen, doch ruhig nach Russland zurückzukehren, weil sie dort ja nichts zu befürchten hätten außer der Rekrutierung für einen völkerrechtswidrigen Angriffskrieg! Geht's noch!? Solche Entscheidungen sind nicht nur aus humanitären Gründen skandalös, sie sind auch strategisch dumm. Denn die unblutigste und zudem kostengünstigste Bekämpfung des russischen Angriffskriegs besteht doch zweifelsohne darin, die Reihen der Angreifer auszudünnen, indem man Anreize und Hilfsangebote für diejenigen schafft, die sich der russischen Armee entziehen wollen.

Man fragt sich, woran es liegt, dass kriegsunwillige Militärdienstentzieher und Deserteure aus Russland hierzulande so wenig Beachtung und Anerkennung erhalten. Liegt es daran, dass den Pflichtflüchtigen immer noch und ganz grundsätzlich der Ruf anhaftet, „unmännliche" Feiglinge zu sein, und dass man mit solchen Leuten lieber nichts zu tun haben will? Dabei bedeuten diese Menschen doch ein ungeheures Friedenspotenzial. Warum versucht man nicht – bevor man überlegt, wie man hierzulande Menschen zum Kriegsdienst zwingen kann –, erst mal alle Möglichkeiten auszuschöpfen, die Wehrpflichtigen in Russland zum Davonlaufen zu ermuntern? Es sind bereits Hunderttausende, die sich Putins Armee entzogen haben, und es könnten wohl noch viel mehr werden, wenn sie wüssten, dass sie Hilfe bekommen und sich sicher sein können, in Deutschland oder anderswo in Europa Asyl zu erhalten.

Und auch andere Möglichkeiten werden nicht genutzt. Wie das Kaninchen vor der Schlange schaut der Westen zu, wie das putinsche Russland mittels hybrider Kriegführung die Staaten der NATO zu destabilisieren versucht, wohingegen eigene Maßnahmen in dieser Richtung kaum stattfinden. Warum also nicht einmal in diesem Bereich mehr Fantasie aufwenden und die Möglichkeiten gewaltfreier Kriegführung ausloten? Wo sind die Hacker, die das russische Einberufungssystem kollabieren lassen? Wo sind die medialen Maßnahmen, die geeignet sein können, die Köpfe von Russen und Russinnen von Großmachtfantasien zu befreien und das putinsche Narrativ zu desavouieren? Klar ist doch: Der Schlüssel für den Frieden liegt in Russland. Wird er nicht gefunden, geht es am Ende nur über den äußerst blutigen Weg einer kompletten Niederlage, über den Weg, den Hitler-Deutschland gehen musste, um eine Demokratie zu werden. Und wird der gewählt, kann heute niemand seriös beantworten, ob ein „resilient" gewordenes Deutschland dabei überhaupt eine wesentliche Rolle spielen kann, ob eine militärische Niederlage Russlands in Anbetracht des unsicheren Kantonisten USA ein realistisches Szenario ist oder ob der Westen bzw. die Welt überhaupt eine Chance hat, bei einem nicht vollkommen auszuschließenden Einsatz des russischen Atomwaffenarsenals diesen Weg zu überleben.

Was meine Generation zu sagen hat, soweit sie friedensbewegt war, ist gesagt, ihre Antworten sind Geschichte, oder um es mit Günther Anders zu sagen: „Eine Generation dankt nicht dann ab, wenn ihre Antworten widerlegt, sondern wenn diese als unwichtig erachtet werden." Ja, in Anbetracht der gewandelten politischen Großwetterlage sind heute viele Dinge anders zu beurteilen als vor 40 Jahren im „Kalten Krieg", als sich zwei atomar hochgerüstete Machtsysteme gegenüberstanden. Ja, auch ich als ehemaliger Totalverweigerer bin heute der Überzeugung, dass Westeuropa militärisch nicht wehrlos sein darf. Und trotzdem kann und darf nicht vergessen werden, dass die Kriegsdienstverweigerung längst auch von den Vereinten Nationen als Menschenrecht anerkannt ist. In der Resolution Nr. 46 vom 10. März 1987 appellierte die UN-Menschenrechtskommission an die Staaten, die Kriegsdienstverweigerung „als legitime Ausübung des Rechts auf Gedanken-, Gewissens- und Religionsfreiheit" anzusehen, da dieses Recht „in der Allgemeinen Erklärung der Menschenrechte und im Internationalen Pakt über bürgerliche und politische Rechte anerkannt ist". Den „Staaten mit einem System der Wehrpflicht" empfahl die Kommission die Einführung von „Formen des Alternativdienstes für Kriegsdienstverweigerer ..., die mit den Gründen für Kriegsdienstverweigerung vereinbar sind ...". Außerdem forderte sie diese Staaten auf, „davon abzusehen, diese Personen einer Haftstrafe zu unterwerfen".

Seit 1982 wird der Internationale Tag der Kriegsdienstverweigerung am 15. Mai eines jeden Jahres begangen. Einer der Schwerpunkte 2024 war der Krieg in der Ukraine: 35 Organisationen riefen dazu auf, nicht nur die Kriegsdienstverweigerer aus Russland (und Belarus), sondern auch die aus der Ukraine zu schützen. Das Menschenrecht auf Kriegsdienstverweigerung muss für alle gelten, also auch für alle Ukrainer, die nicht töten und ihr Leben nicht opfern wollen in diesem Krieg, und sei es ein Kampf gegen einen verbrecherischen Staat. Im Mai 2024 lebten nach Schätzungen ca. 200.000 ukrainische Männer im wehrfähigen Alter in Deutschland. Als die Regierung der Ukraine ihre Bemühungen intensivierte, diese Männer ins Land zurückzuholen, fühlten sich einige Kommentatoren dazu berufen, die Bundesregierung zur Beihilfe aufzufordern: Dies sei ja im ureigensten Interesse Deutschlands und schließlich gebe es auch „kein Recht auf Fahnenflucht". Solchen Kommentatoren wie all den Politikern der Generation 60+, die jetzt gerne eine Wehrpflicht in Deutschland eingeführt hätten, möchte man entgegenrufen: Meldet euch doch erst mal selbst freiwillig an die Front, bevor ihr euch moralisch entrüstet und 18-Jährige dazu zwingt, die Kohlen aus dem Feuer zu holen!

Bereits Dutzende von jungen ukrainischen Männern, die der Einberufung entkommen wollten, sind bis Ende 2023 allein bei dem Versuch, über die grüne Grenze nach Rumänien zu fliehen, im Grenzfluss Theiß ertrunken oder erfroren. Es waren keine Verbrecher. Die wahren Verbrecher sitzen in Russland an den Schalthebeln der Macht. Für diese „Masters of War" hat Bob Dylan die beste Grußformel gefunden: „And I hope that you die / And your death will come soon…" Und was ist, wenn die gewalttätigen Diktatoren nicht mir ihrem Tod die Menschheit erlösen? Und was folgt, wenn nicht genug Menschen freiwillig aktiv werden, um die gute Sache, die auf den Grundwerten der Menschenwürde basierende Demokratie, zu verteidigen, notfalls auch mit ihrem eigenen Leben?

Tatsächlich gibt es keine Garantie dafür, dass die Demokratie in allen Stürmen stark genug bleiben wird für eine erfolgreiche Selbstverteidigung. Das ist das Dilemma der auf freiheitlichen Grundwerten basierenden Demokratie: Die freie Wahl ist nicht nur ihr Wesenskern, sondern stets zugleich auch ihre Achillesferse. Nicht erst im Krieg, sondern bereits im Frieden, wenn es darum geht, nicht den Weg in Richtung Diktatur zu wählen. Darum soll hier zuletzt ausdrücklich gewarnt werden:

Der Protestslogan der 1980er-Jahre – „Frieden schaffen ohne Waffen!" – ist zum Anlass der Landtagswahlkämpfe 2024 und im Zusammenhang mit den Kriegen Putins von Rechtsextremen und Nationalbolschewistinnen gekapert worden. Wer einen Frieden à la AfD und BSW anstrebt, kann diesen aber nur haben als bedingungslose und immer weiter gehende Unterwerfung unter einen imperialistischen Expansionswillen mit all den damit einhergehenden Konsequenzen. Es ist – das ist jedenfalls meine Überzeugung – in diesen schwierigen Zeiten leider die falsche Parole, solange niemand einen Weg aufzeigen kann, wie ein solcher Frieden zugleich Freiheit garantieren kann.

Im Jahr 1989 schuf der türkische Bildhauer Mehmet Aksoy auf Betreiben des „Bonner Friedensplenums" eine Marmorskulptur, die den unbekannten Deserteur* als „Lücke" darstellt. Die ursprünglich vorgesehene Aufstellung auf dem Friedensplatz in Bonn scheiterte am Veto des Bonner Stadtparlaments. Oberbürgermeister Hans Daniels (CDU) hatte stellvertretend für seine Partei erklärt, dass es seine Stimme für ein Denkmal, „das die Fahnenflucht verherrlicht, nicht geben" werde. Auf Initiative des „Freundeskreis Wehrdiensttotalverweigerer" wurde es dann im September 1990 in der ehemaligen preußischen und später sowjetrussischen Garnisonstadt Potsdam auf dem Platz der Einheit aufgestellt. Eine am Denkmal angebrachte Inschrift zitiert Kurt Tucholsky (Die Tafeln, 1925):

> „Hier lebte ein Mann,
> der sich geweigert hat
> auf seine Mitmenschen zu schießen.
> Ehre seinem Andenken!"

---

* Anmerkung zum „unbekannten Totalverweigerer": Da mir nicht in jedem Fall bekannt ist, wie damalige Totalverweigerer heute zu ihrer Tat stehen, habe ich im Text nur diejenigen mit vollem Namen genannt, die sich ganz bewusst und nachhaltig in der Öffentlichkeit präsentiert haben. Außerdem wurden im Text einige Namen aus Gründen des Persönlichkeitsschutzes anonymisiert.

Abkürzungsverzeichnis

AAO	Aktionsanalytische Organisation (Kommune)
ADM	Atomic Demolition Munitions
AG	Amtsgericht
AL	Alternative Liste
APO	Außerparlamentarische Opposition
BaföG	Bundesausbildungsförderungsgesetz
BAFzA	Bundesamt für Familie und zivilgesellschaftliche Aufgaben
BAMF	Bundesamt für Migration und Flüchtlinge
BAZ	Bundesamt für Zivilidienst
BBU	Bundesverband Bürgerinitiativen Umweltschutz
BGH	Bundesgerichtshof
BstU	Bundesarchiv Stasi-Unterlagen
BtMG	Betäubungsmittelgesetz
BverfG	Bundesverfassungsgericht
DFG/VK	Deutsche Friedensgesellschaft / Vereinigte Kriegsdienstgegner
EK	Einsatzkommando
END	European Nuclear Disarmament (Konferenz)
FMLN	Frente Farabundo Martí para la Liberación Nacional (El Salvador)
FöGA	Föderation Gewaltfreier Aktionsgruppen
FSLN	Frente Sandinista de Liberación Nacional (Nicaragua)
FWDL	Freiwillige Wehrdienstleistende
GAU	Größter anzunehmender Unfall (AKW)
GI	Einfacher Soldat der USA (nach „governement issue")
GRH	Gustav-Radbruch-Haus (JVA)
ICR	International Collective Resistance
IPPNW	International Physicians for the Prevention of Nuclear War (Ärzte für die Verhütung des Atomkrieges)
ISW	Institute for the Study of War (USA)
INF	Intermediate Nuclear Forces (Abrüstungsvertrag)

ITK	Infostelle Totale Kriegsdienstverweigerer
JVA	Justizvollzugsanstalt
KBW	Kommunistischer Bund Westdeutschland
KDV	Kriegsdienstverweigerung
KDVer	Kriegsdienstverweigerer
KDVG	Kriegsdienstverweigerungsgesetz
KDVNG	Kriegsdienstverweigerungs-Neuordnungsgesetz
KGW	Gruppe Kollektiver Gewaltfreier Widerstand gegen Militarismus
KoFiS	Kooperative Friedensarbeit in Selbstverwaltung
KOMM	Kommunikationszentrum (Kulturzentrum in Nürnberg)
KPdSU	Kommunistische Partei der Sowjetunion
LG	Landgericht
LSD	Lysergsäurediethylamid (Psychedelikum)
MfS	Ministerium für Staatssicherheit
MG	Marxistische Gruppe
NGO	Non-Governmental Organization
NVA	Nationale Volksarmee (DDR)
OLG	Oberlandesgericht
RAF	Rote Armee Fraktion
RZ	Revolutionäre Zellen
SD	Sicherheitsdienst (NS)
SDI	Strategic Defense Initiative (Abwehrschirm gegen Interkontinentalraketen)
SDS	Sozialistischer Deutscher Studentenbund
SOdZDL	Selbstorganisation der Zivildienstleistenden
StGB	Strafgesetzbuch
StVollstrO	Strafvollstreckungsordnung
StVollzG	Strafvollzugsgesetz
TNT	Trinitrotuluol (Sprengstoff)
UPN	Undefinierbare Produkte aus Nürnberg (Verlag)
WAA	Wiederaufbereitungsanlage (Kernkraft)
WPflG	Wehrpflichtgesetz
WRI	War Resisters International
WSG	Wehrsportgruppe
ZDG	Zvildienstgesetz
ZDL	Zivildienstleistender
Zentralstelle	Zentralstelle für Recht und Schutz der Kriegsdienstverweigerer aus Gewissensgründen e.V. (Bremen)

Bildnachweis

Imago: 67, 81, 88, 96, 137, 166, 256, 285, 289, 321, 352, 414, 485
Raymond Depardon (Magnum Photos/Agentur Focus): 103
Videoladen Zürich: 146
NN/Hafenrichter: 149
Werner Kohn/Bamberg: 193
Robert-Havemann-Gesellschaft/Siegbert Schefke: 247
Archiv Grünes Gedächtnis/Heinrich-Böll-Stiftung: 276
Bundesarchiv: 465 (Bild 183-1990-0503-045 / Settnik, Bernd / CC-BY-SA 3.0), 466 (Bild 183-1990-0117-025 / ADN-ZB Oberst / CC-BY-SA 3.0)
Wikipedia: 431 (Dtuk – Eigenes Werk, CC BY-SA 3.0, https://commons.wikimedia.org/w/index.php?curid=50141939)
Alle anderen Abbildungen: Sammlung des Autors

Trotz intensiver Recherche konnte nicht in allen Fällen die Urheberschaft an den Abbildungen ermittelt werden. Der Verlag bittet um entsprechende Hinweise, um ggfs. berechtigte Ansprüche abgelten zu können.

Dank

Ein derartiges Buch wäre nicht möglich ohne die Vorarbeit zahlreicher Menschen. Hiermit möchte ich allen danken, die mit ihren Publikationen und Texten und durch die Überlassung von Material und Dokumenten (etwa Urteile) zum Entstehen des Werkes beigetragen haben. Besonders danken möchte ich meinen Freunden Artur, Fred und Gernot und nicht zuletzt meiner Frau Susanne, die den Text in verschiedenen Entstehungsstadien gelesen und in vielen Stunden der Diskussion mit ihren Anregungen und Korrekturen wesentliche Beiträge zum letztlichen Ergebnis geleistet haben. Danken möchte ich auch meinen Kollegen von der „edition einwurf", die das Wagnis eingegangen sind, ein ziemlich dickes Buch zu einem solch schwierigen Thema zur Publikation zu bringen. Christoph Schottes und Dietrich Schulze-Marmeling haben wichtige Hinweise und Tipps beigesteuert. Ein besonderer Dank gilt Christine Rölke von der Medienproduktion Die Werkstatt für das ausgezeichnete Cover und Layout.

Der Autor

Christoph Bausenwein, Jahrgang 1959, ist in Nürnberg aufgewachsen. Nach dem Abschluss des Studiums der Philosophie und der Neueren Geschichte in Frankfurt/M hat er als freier Autor und Journalist für verschiedene Medien gearbeitet. Er ist Gründungsmitglied der Deutschen Akademie für Fußball-Kultur und Autor zahlreicher Sachbücher, darunter u. a. das Standardwerk „Geheimnis Fußball". Neben mehreren Biografien (Uli Hoeneß, Joachim Löw und zuletzt Franz Beckenbauer) verfasste er auch kurze Monografien über Städte (zuletzt München: Populäre Irrtümer und andere Wahrheiten). Christoph Bausenwein lebt in Bremen.

ISBN 978-3-89684-713-3
240 Seiten
20 €

Das Buch liefert einen wichtigen Kompass,
um die Hintergründe eines aufgeregten
Diskurses zu verstehen und manche moralischen
Verrenkungen zurechtzurücken.

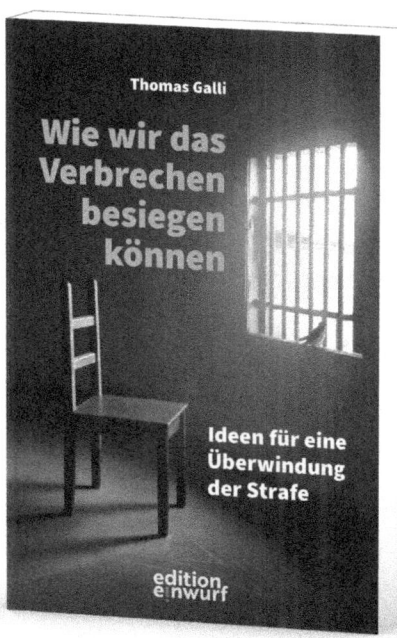

ISBN 978-3-89684-715-7
240 Seiten
ca. 24 €

Die Art und Weise, in der wir Kriminalität bestrafen, verursacht Leid bei Tätern wie Opfern und dient überhaupt nicht dazu, künftige Straftaten zu verhindern. Thomas Galli schlägt deshalb nichts weniger vor als eine Abkehr von der Haft in Gefängnissen. Er fordert eine „radikale Resozialisierung", Prävention als große gesellschaftliche Aufgabe, Täter-Opfer-Ausgleich und die weitgehende Abschaffung der Strafhaft.